Anerkennung

Drei öffentliche Lesungen hatte es aus dem Manuskript gegeben. Unter den Zuhörern saß Wolfgang Peter ARLT, genuiner Berliner und ungefähr gleich alt wie die Romanhauptfigur.

Der Blickwinkel, aus dem heraus das Milieu des politischen Berlin gezeichnet wurde, überzeugte ihn, diesem Buch den Start zu sponsern.
Nach einem Unfall, junger Berufs-Invalide, hatte man ihn in die Gruppe der über 65-jährigen Ostberliner befördert.
Dermaßen „aufgestiegen", durfte er die Privilegien der Altersrentner nutzen und zwischen den zwei Welten des geteilten Berlin pendeln.

Was ihm in dieser Zeit an systemrelevanten Schikanen und Egoismen widerfuhr, lässt ihm heute noch den Kamm schwellen......

AUFRECHT IN BERLIN

Metamorphosen
eines Mannes 1943-2020

K.R.G. HOFFMANN

© 2020 K.R.G. HOFFMANN

Die Deutsche Nationalbibliothek verzeichnet diese Publikation in der Deutschen Nationalbibliografie; detaillierte bibliografische Daten sind im Internet über http://dnb.d-nb.de abrufbar.

Umschlaggestaltung:
Juliane Wernhard

Fotografen:
Andreas Imhof, Rheinberg, „Goldelse" a. d. Siegessäule Berlin, 2015
Nancy Marisa Arlt/Ponnath, Berlin, Coverfoto-RS, 2020

Lektorat:
Erika Kühn

Verlag & Druck:
tredition GmbH, Halenreie 40-44, 22359 Hamburg

Paperback: ISBN 978-3-7482-6297-8
Hardcover: ISBN 978-3-7482-6235-0
e-Book: ISBN 978-3-7482-6236-7

Inhalt

Das Einzige, was Menschen Ewigkeit verleiht, ist nicht die Geschichte, sondern eine Geschichte, die man erzählt.

Aus dem Gilgameschepos – entstanden zwischen 2.100 und 600 v. Chr.

Formate im Herbst

Herbst 2013 in Berlin an einem Tag des sich in die Länge ziehenden Altweibersommers in einem Reinickendorfer Gartenrestaurant. Das Geschirr der letzten Mittagsgäste ist abgeräumt und alles neu eingedeckt. In etwa drei Stunden ist mit dem Eintreffen gutbürgerlicher Abendgesellschaften zu rechnen. Jetzt ist „Happy hour time". Alles ruhig - das Personal steht privatissime zu Diensten. Zwei Tischreihen von meinem Platz entfernt sitzt ein Mann an der Stirnseite eines Tisches, der von 5 leeren Gartenstühlen umstanden ist. Diese Komposition lässt darauf schließen - Man(n) erwartet Gäste. Der Mann scheint das Alleinsein in der nachmittäglichen, wärmenden Sonne zu genießen. Bequem im Gartenstuhl mit Armlehne sitzend, hat er vor sich auf dem Tisch eine Karaffe mit Weißwein stehen. Scheint auch noch nicht lange da zu sein, denn aus der Karaffe fehlt nicht mehr als eines Glases Menge.

Zwischen den ersten drei Fingern seiner linken Hand bewegt er spielerisch die Zigarrenspitze, die quasi das Mundstück für eine Zigarre im Korona-Format bildet. Das Erscheinungsbild dieses Mannes lässt vermuten, es könne sich bei der Zigarre um eine „Havanna" handeln. Die könnte ein Longfiller sein. Das sind ineinander gedrehte Blätter, entgegen Füllungen aus kleingeschnipseltem oder gerupftem Tabak - Shortfiller genannt. Der Beobachtete schaut gedankenversunken auf den langen Brand seiner Zigarre. Erst als dieser gute zwei Zentimeter lang ist, für Longfiller charakteristisch, streift er die Asche ab. Eine Zigarrenspitze macht noch keinen Snob, meinte „Zigarrenpapst" Davidoff. Er schrieb: "Leute, die eine „Havanna" mit Spitze rauchen, trinken womöglich Champagner mit Strohhalm. Wie auch immer, unverfälscht und voll genießen – dann ist alles richtig!"

Später werde ich erfahren, der Mann raucht seit gut vierzig Jahren Zigarren nur in Spitze. So rauchend, wird er sagen, das ließe ihn gleichzeitig schreiben, oder auf der Computertastatur tippen, telefonieren oder am Lenkrad sitzend Auto fahren. Die universelle Handhabung der Zigarrenspitze förderte seinen Konsum und ließ ihn bis zu sieben Koronas täglich schmauchen. Voll genießend, so habe ich den Alleinsitzenden vor Augen. Ohne zu inhalieren, lässt er den Rauch im Mund zirkulieren und bläst hernach abgekühlte blaue Wölkchen in die laue Herbstluft.

Der Beobachtete schaut zu mir herüber – unsere Blicke treffen sich.

Mit einem brennenden Fidibus-Zündel, bei dem es sich um einen Streifen Zedernholz handelt, den ich mit dem Feuerzeug anstecke, sorge ich für einen sich über den gesamten Durchmesser ausbreitenden Anbrand.

Nach dieser Prozedur hebe ich wieder den Blick. Ich schaue in das offene Gesicht des Beobachters. Da drückt sich so viel Sympathie aus, dass es mir wie die Erfüllung eines Wunschs vorkommt, just in diesem Augenblick von ihm angesprochen zu werden.

„Gutes Teil das, Herr Nachbar – sieht nach Havanna aus."

„Man gönnt sich ja sonst nichts, Herr Nachbar, scheinen ja den gleichen Geschmack zu haben."

„Wenn es Sie nach Unterhaltung gelüstet, geben Sie mir die Ehre und setzen Sie sich her."

Mir gefällt die leicht ins Ironische überkippende Ansprache.

„Gerne, augenblicklich zu tun das Beste!", erwidere ich im selben Duktus.

Im Aufstehen, das Bierglas mit dem Unterdeckel in der einen und die Zigarre zwischen drei Fingern der anderen Hand, gehe zu seinem Tisch. Stehend begrüßen wir uns und nehmen dann einander gegenüber Platz.

ER Berliner - ICH Berliner, frotzelnd, - landsmannschaftliches Treffen.

ICH vier Jahre älter, beide studiert und, wie man so sagt, augenscheinlich gut drauf.

ER, von einer Lesehilfe abgesehen, brillenlos.

ICH mit randlosen gleitsichtigen 6 Dioptrien ausgestattet.

Beide in Sommerweste.

ER trägt ein Hemd mit Umschlagmanschetten und eine über jeden Zweifel erhabene, von Hand gebundene Seidenfliege.

ICH mit offenem Kragen und umgeschlagenen Hemdsärmeln. Gespannt und neugierig suchen wir nach Schnittstellen in den zurückliegenden sieben Jahrzehnten.

Beide hatten wir es beruflich mit Menschen zu tun.

ER ein WOSSI - ICH ein WOSSI.

Die Begriffe WESSI, OSSI und WOSSI haben sich für uns Deutsche im geographisch und politisch geteilten Vaterland entwickelt. WESSIS, das waren Leute, die im Westen lebten. OSSIS wohnten in der ehemaligen DDR. WOSSI ist die Kombination von beiden und setzt in Sprache um, sowohl in der DDR als auch im Westen gelebt zu haben. Man bediente sich der drei Termini hüben wie drüben - nicht immer wertfrei. ER und ICH, Bürger einer wieder zusammenfindenden Nation, erinnern sich dieser Termini, zufrieden darüber, dass sie heute kaum noch, höchstens auf Kalauerniveau, gebräuchlich sind.

ER aus Berlin-Britz stammend, im Bezirk Friedrichshain aufgewachsen, fünf Jahre nach dem Mauerbau beim zweiten Fluchtversuch in den Westen gelangt, Student, junger Wissenschaftler, Unternehmer, Manager, Designer, Rentner.

ICH ursprünglich aus Berlin-Mitte. Meine Mutter lebte nach dem Krieg ohne Mann - ich ohne Vater. Der, Berufssoldat, galt seit den letzten Abwehrschlachten vor Berlin auf den Seelower Höhen 1945 als vermisst. Um die tausend Aufbaustunden hatte Mutter als Trümmerfrau geleistet, wurde dafür prämiert, und der Sohn durfte bis zum Abitur auf die Oberschule. Für meine Zulassung an die Universität hatte Mutters Trümmerfrauen-Bonus kein Gewicht mehr. Ich hatte kein Pioniertuch getragen und war nicht Mitglied der Freien Deutschen Jugend. 'Mangelnde gesellschaftliche Mitarbeit', so lautete die Begründung für die Nichtzulassung an die Humboldt-Universität.

In Westberlin dauerte die Schulzeit bis zum Abitur 13 Jahre. Das Ostberliner Abitur nach 12 Jahren reichte nicht für die Immatrikulation an den Universitäten in West-Berlin und dem übrigen Bundesgebiet. So ging ich für das 13. nach West-Berlin - wohnte aber weiter in Ostberlin, bei Muttern in der Reinhardstraße, nur eine S-Bahnstation von meiner neuen Schule in Tiergarten entfernt. Mein nunmehr zweites Abitur, in den Naturwissenschaften eine ganze Note besser als mein Ost-Abitur, war jetzt die Eintrittskarte zur Immatrikulation an der Freien Universität, Fachrichtung Germanistik und Geschichte, Lehramt. Wohnort blieb weiter Hotel „Mutter". Mitte August 1961 wurde die Mauer gebaut. Mit der geborgten Identität eines Kommilitonen, der aus Hessen stammte, konnte ich zwei Wochen später - das DDR-System arbeitete noch an der Undurchlässigkeit seiner Einmauerung - in den freien Teil Berlins flüchten. Zeugnisse und Geburtsurkunde hatte ich mit Leukoplast auf den Körper geklebt. So sehr es meine Mutter schmerzte, von mir in Ostberlin zurückgelassen worden zu sein, frohlockte sie doch bei dem Gedanken an mein Leben in Freiheit. Tausenden Menschen ist von den Kommilitonen der Berliner Universitäten der Weg in die westliche Hemisphäre ermöglicht worden - eine bis heute nachklingende heroische Leistung der damaligen Studentenschaft. Verhaftungen gegen Ende 1961 zeigten dann an, der DDR-Käse hatte so gesehen, nun keine Löcher mehr. Mein Studium dauerte 11 Semester, denen sich 80 als Gymnasiallehrer anschlossen.

Getretene Kieselsteine lenken meinen Blick in Richtung des Geräuschs. Eine Dame in Begleitung zweier Herren, alle um die Mitte Vierzig, nähert sich unserem Tisch. ER erhebt sich, seine Zigarrenspitze ruht im für Zigarren dimensionierten Aschenbecher. Ich beobachte eine Begrüßungsszene, wie sie unter Freunden und guten Bekannten heutzutage gang und gäbe ist. ER umarmt aus der Dreiergruppe zuerst die Dame. Links und rechts bekommt sie einen angedeuteten Kuss auf die Wangen und dann strahlen sie sich an. Das herzliche Willkommen läuft bei den beiden Männern genauso ab - nur ohne Küsschen.
ER, ROLAND, stellt uns einander vor.
Die lockere Kennenlern-Konversation nimmt gerade Fahrt auf, als eine jüngere Dame hinzutritt und sie unterbricht. Weil sie dazugehört, geht das herzliche Szenario noch einmal reihum. Die Gesprächskultur, bei der das Ausreden-lassen so selbstverständlich ist, wie die achtungsvolle Einbeziehung von nicht Anwesenden, zeigt den Respekt im Umgang miteinander. Mein Eindruck - hier sind kultivierte Freunde beisammen.
Die liebenswerte Runde bleibt zusammen, die Sonne verlässt den Horizont, der Wirt gibt uns Decken, damit wir weiter im Freien verweilen können.
Ich freue mich über die Bereicherung meines Bekanntenkreises.

Voraus, der Leichenschmaus

Sieben Jahre sind seither vergangen. Roland ist tot!

Er war mir zum Freund geworden. Den Gipfel der Freundschaft bildete unsere gemeinsame Adresse. Wir wohnten in einem

Reinickendorfer Wohnpark für Senioren, wo im selben Haus jeder sein Appartement hatte. Dort verbrachten wir viel Zeit miteinander. Manches unserer Gespräche endete mit dem einander ausgedrückten Respekt, solch erbaulicher Erörterungen überhaupt fähig zu sein. Es war eine beiderseitige Freude, mit Roland im Kreise anderer Gesprächspartner wechselseitig geistreiche verbale Korsettstangen zu reichen. Aus Spaß an der Freude spielte für uns nicht einmal das Thema die ausschlaggebende Rolle. Rolands und meine Freunde, das war eine illustre Palette von Leuten, die sich von spontan bis regelmäßig trafen. Ein festes Stammlokal hatten wir nicht. An trockenen und warmen Tagen saßen wir manchmal bis spät in die Nacht vor den Cafés, politisierten, taten einander kund, was wir beispielsweise mit Frauen erlebt oder durchlitten hatten und redeten über Gott und die Welt, über die sich Reiseberichte wie ein Netz spannten. Beim Leutebeobachten hielt die Betrachtung der nachgewachsenen Damenwelt unsere Augen und Sinne aktiv. Das ging soweit, dass schon mal galant nach dem Woher und Wohin gefragt wurde. Die Lust zu rauchen schränkte die Auswahl der Treffpunkte in den kühlen Jahreszeiten zwar ein, aber Berlin ist die Metropole exquisit geführter Raucherlounges. Möglichkeiten, das überbordende Kulturangebot Berlins auszukosten, handhaben wir wie die meisten Einheimischen. Gäste von außerhalb wussten über Events in der Stadt oft besser Bescheid und legten so für uns die Spur.

Roland und mir ging es gesundheitlich ausgesprochen gut. Wir glaubten, auf hundert Lebensjahre programmiert zu sein.

Bei Roland hat das leider nicht geklappt. Jetzt ist er unter einer großen Säule aus rotbraunem Granit beerdigt. Ungefähr hundert Leute haben ihm soeben bei blauem Himmel eines Tages im Mai, das letzte Geleit gegeben. Schon auf dem Friedhof hörte ich so etwas wie: "Dolle Grabsteinvariante das....."

Gut die Hälfte der Trauergemeinde sitzt momentan Aperitif trinkend um mich herum - beim Leichenschmaus. Seine Moderation ist mir eine Selbstverständlichkeit.

Die älteste Freundschaft, fünfundsechzig Jahre, die zwischen Roland und Peter bestand, bekundet dieser durch seine Anwesenheit. Er ist immer noch aktiver Segelflieger. Jedes Jahr muss er vor der Flugmedizinischen Kommission erscheinen, um ein weiteres Jahr fliegen zu dürfen. Rank und schlank ist seine Erscheinung, eben die eines aktiven Sportlers. Man traut ihm gut und gern noch einige Jahre Fliegerei zu. Angelika, Franzke, Winfried, Frenzel, Krause, „Der Lange" mit Frau Elke, Holzapfel und natürlich 'Wölkchen' pflegten über mindestens 10 bis 50 Jahre die Freundschaft zu Roland. Gute Bekannte, die kurz oder über längere Phasen Rolands Weg gekreuzt hatten, komplettieren die Leichenschmaus-Gesellschaft. Jene, die Rolands Wesen mit formten und nicht in dieser Runde sitzen, bilden vielleicht im Universum Spalier?

„Nun erzähl doch endlich, wie kommt die Säule auf das Grab?", verlangt Winfried.

„Gemach, gemach, ihr seht doch, meine Zigarre braucht noch den Zündel! -Pause- Also, in mein Blickfeld kam die Säule, als wir gelegentlich wegen einer Besorgung an ihr vorüberfuhren und Roland mich auf sie aufmerksam machte. Seit zehn Jahren führte sein Weg des öfteren an dieser rotbraunen übermannshohen Granitsäule mit baumdickem Durchmesser vorbei. Sie stand auf dem Hof eines Steinmetzes in Berlin Pankow direkt an der B96a. Roland hatte sich in den Kopf gesetzt, diese Säule als seinen Grabstein haben zu wollen, sofern es sie noch gäbe, wenn er nicht mehr sei.

Roland hatte für den Tag X überhaupt keine Vorkehrungen getroffen. Wir wollten ja hundert Jahre alt werden. Für mich war die Säule ein Gedanke, dem Freund bei seinem Heimgang von dieser Welt einen letzten Freundschaftsdienst zu erweisen. Ich machte mich also auf den Weg, der eher eine Suche war. Die Säule stand immer noch auf dem Grundstück eines Steinmetz-und Bildhauermeisters, der auch über den Bezirk hinaus ein bekannter Steinrestaurator ist. Als ich den Mann aufsuchte, stand vor mir die personifizierte Steinmetz-Dynastie von Pankow. Seine Vorfahren gehörten bereits zur Steinmetz-Zunft, und sein Bruder und ein Neffe haben auch ihre Betriebe in fußläufiger Nähe. Mein Interesse an der Säule wurde, ich hatte es kaum ausgesprochen, zweifelsfrei und bestimmt gekontert:

„Die Säule ist unverkäuflich! So lange ich lebe, wird die nicht verkauft!"

„Na, da kann man doch sicherlich etwas regeln, lassen Sie mich erklären....."

„Da gibt es nichts zu erklären. Die Säule ist ein Andenken an meinen

Vater. Der hat sie aus den Trümmern der Reichskanzlei geborgen, sozusagen vor ihrer Zerstörung gerettet."

„Hören Sie mir doch wenigstens zu! Ich will die Säule für meinen verstorbenen Freund, der sie sich zu Lebzeiten als Grabstein ausgesucht hat."

„Ihr Freund? Wer war denn das? Hier war mal jemand, das mag bestimmt schon sechs sieben Jahre her sein, der genau das vorhatte. Seinen Namen habe ich vergessen, aber Fliege trug er. Daran erinnere ich mich."

„Kein Zweifel, das war Roland!"

„Ich habe dem damals genau das Gleiche gesagt, wie Ihnen heute. Er ließ aber nicht locker. Er meinte, es sei gut zu hören, dass ich die Säule nicht verkaufen würde. Er wüsste auch gar nicht, was er solange mit ihr machen solle. Sowohl bei mir als auch bei ihm würde das mit dem Tod ja noch ein Weilchen dauern. Könnte ja sein, meinte er, dass, wenn ich eines Tages in Rente ginge, die Säule dann vielleicht doch verkäuflich sei. Er würde immer mal wieder vorbeischauen. Das war's, seitdem habe ich nichts mehr von Ihrem Roland gehört oder gesehen."

„Und jetzt bin ich hier. Wenn Sie gestatten, ich komme mit einer Leseprobe aus dem Manuskript über Rolands Leben vorbei. Wenn Ihnen die Person „Roland" gefällt, reden wir noch einmal über die Säule."

„Einverstanden, aber ich verspreche nichts!"

Auf der Heimfahrt überlegte ich, welche Passagen geeignet seien, um sie als Leseprobe für den Steinmetz auszudrucken. Ich entschied mich für die Vorbereitung der zweiten, letztendlich erfolgreichen Flucht Rolands von Ost- nach West Berlin 1966.

Zwei Tage später war ich wie verabredet wieder bei Steinmetzmeister Carlo. Die Leseprobe werde er sich zu Gemüte ziehen. Wir verabredeten uns an Ort und Stelle für dieselbe Woche."

Ich erhebe mein Glas in Richtung Steinmetz:

„Carlo, ich begrüße dich herzlich in dieser Runde! Ich will es kurz machen, unser Roland hat dir gefallen, und so wechselte die Säule ihren Besitzer."

„Moment, Moment", unterbricht mich Carlo:

„Roland war ein ordentlicher Typ, aber eine Szene, die er beschreibt, ging mir zu Herzen. Er hatte seinem Freund das Ehrenwort gegeben. Sie hatten einander versprochen, einer holt den anderen innerhalb eines Jahres nach, wenn einem die Flucht in den Westen ohne den Freund gelänge. Das hat er geschafft. Darum gab ich die Säule."

„Danke, Carlo!

Die Säule war also da, aber mit ihr auch ein neues Problem. Die Friedhöfe in Berlin haben Satzungen, die die Errichtung einer Säule ausschließen. Ich musste also einen Friedhof finden, der Rolands Säule erlauben würde. Denkt daran, wenn ihr euren Hinterbliebenen Wünsche hinterlasst. Früher konnten die Hinterbliebenen sogar kleine Paläste auf den Gräbern errichten. Heute stehen sie unter Denkmalschutz. Vier Friedhöfe habe ich angefragt, und genauso viele Absagen habe ich mir eingehandelt. Inzwischen waren drei Monate vergangen, und das Beerdigungsinstitut wurde ungeduldig. Wie und wann es mit der Urne weitergehen sollte hatte ich von der Aufstellung der Säule auf Rolands Grab abhängig gemacht. Carlo lieferte dann letztlich die Säule mit der allumfassenden Insigne „Vita militare" und den Friedhof mit Genehmigung gleich mit. Eine Skulptur von Carlo auf diesem Gelände bedeutete nämlich diesem hier einen Prestigegewinn. Carlo! Dir dafür einen freundlichen Zutrank außer der Reihe. Ende gut, alles gut. Bitte sich zu erheben!"

Wir stoßen an:

„Vivat crescat floriat in memoriam Roland."

Dem Gescharre der Stühle und dem Klingen der Gläser folgt eine kurze erwartungsvolle Stille. Das Essen wird hereingetragen.

Die letzten Esser haben mittlerweile auch ihr Dessert verspeist.

Ich erteile Raucherlaubnis.

„Das passt!", ist Remuss zu vernehmen.

„Du hast ja mit Roland das Thema 'Zigarre und Genuss derselben' kultig gehandhabt. Eine 'Havanna' gehörte zu eurer definierten allumfassenden Lebensqualität. Innerlich muss ich jetzt schmunzeln. Roland gab, bezogen auf die propagierte Gefährlichkeit des Zigarrenkonsums, eine These zum Besten. Er hätte eine medizinische Studie gelesen, die bei den 1,6 Millionen Kubanern heute schon

dreitausend über Hundertjährige festgestellt habe. Als Ursache für die statistisch lange Lebenserwartung vermuteten die Mediziner, dies hinge mit dem jahrzehntelangen Embargo zusammen, welches die USA, Präsident EISENHOWER 1960, über Castros Reich verhängt hätten. Damit waren die Kubaner von allen in der übrigen Welt gebräuchlichen Antibiotika abgeschnitten. Spöttisch lächelnd trug Roland in Bezug auf das Gelesene seine Gegenthese vor.
Kubas geomorphologischer Untergrund ist vulkanischen Ursprungs. Der dortigen roten Erde wird landläufig, quasi als Alleinstellungsmerkmal, der Geschmack der kubanischen Tabakpflanze zugeschrieben. In Kuba laufen die Menschen über die Generationen hinweg, Männlein und Weiblein gleichermaßen, von morgens bis abends mit einem Zigarrenstummel im Mund herum. Vielleicht haben diese Tabaks Spurenelemente in sich, die das Leben länger währen lassen. Als Beispiel nannte er dich und sich. 'Wir rauchen seit fünfzig Jahren täglich Kuba-Zigarren' sagte er, und von unserem bevorstehendem Ableben kann überhaupt keine Rede sein. Hätte ich das Geld, würde ich aus reiner Forschungslust eine Vergleichsstudie auf den Kanaren initiieren, um bei gleicher geomorphologischer Ausgangslage statistisch Signifikantes aufzuspüren.' Verrückt genug dazu war er ja."
„Na zumindest in Einem hatte er recht. Ich habe auf Kuba die ständig rauchenden oder Zigarre nuckelnden Einheimischen gesehen", wirft Werner ein.
Frenzel, als nichtrauchender Arzt:
„Ohne Zigarrenrauchen säßen wir vielleicht nicht zum Leichenschmaus hier. Vielleicht würde Roland noch leben."
Ich erwidere:
„Das ist ja wohl nicht dein Ernst. Unser Genießen kubanischen Tabaks, von dir als lasterhaft bespöttelt, zeitigte weder bei Roland noch bei mir Beeinträchtigungen."
„Jetzt will ich es genau wissen, weshalb oder wie ist Roland denn nun in die ewigen Jagdgründe gegangen?", fragt Dirk.
„Könnte dazu etwas sagen, aber bevor ich das tue, muss ich die Absolution der anwesenden Damen, zuvorderst die von 'Wölkchen' einholen. Es geht um eine Pietät fordernde Petitesse."

Wölkchen prompt:
"Wir sind volljährig und nicht nachtragend, lass hören!"
„Wölkchen, dich hat Roland sehr geliebt. Es klang wie Stolz, wenn er von zwölf gemeinsamen Jahren sprach, in denen er dir immer treu gewesen sei. Eure Trennung haben wir, das weißt du, eigentlich nie verstanden. Der aufmerksame Umgang, den ihr beide nach der Trennung miteinander pflegtet, war eine Demonstration tiefer Freundschaft. Bewunderns- und bedauernswert zugleich, das Ganze."
"Genug der Ehre, ist ja gut, komm zum Kern," meint Wölkchen.
„Ihr wisst, in den letzten Jahren flog Roland mindestens einmal im Jahr nach Thailand. Franske, du lebst dort seit 30 Jahren. Winfried, du bist wie ein Zugvogel. Wenn es in Berlin kalt wird, fliegst du ab und bleibst, bis der Frühling hier wieder Fuß fasst. Frenzel und Peter, ihr habt dort öfter euren Urlaub verbracht, weil ihr es mit der Flucht vor dem Winter in Deutschland hieltet wie Winfried und Roland. Eure Treffen dort habt ihr genossen. Roland hat sich rundum wohlgefühlt. Zurückgekehrt war er voll des Lobes über die Wirkung einer aus Indien stammenden Viagra-Variante, die nicht nur unserer Generation zeit- und punktgenau die nötige Manneskraft spendet. Darauf angesprochen spendierte er auch schon mal eins von den Tütchen, die aussehen wie eingeschweißte Erfrischungstücher. Mit Ananas- oder Orangengeschmack gehörten sie zu seiner Rundumversorgung wie die Zigarren.
Als man ihn aus dem Appartement im Wohnpark abholte, sah ich auf der breiten Matratzen-Holzumrandung seiner Schlaflandschaft solch ein geöffnetes Plastiktütchen liegen. Mich hatte nämlich morgens eine Frau angerufen, deren Stimme ich erkannt zu haben glaube. Ihren Namen zu nennen, würde sie kompromittieren – es handelt sich immerhin um eine Dame der Gesellschaft. Sie bat mich als Rolands Freund, nach ihm zu schauen. Sie klang seltsam aufgeregt:
„Es ist etwas passiert!"
Das Tütchen auf dem Bettrahmen lässt mich über Rolands letzte Wahrnehmungen auf Erden mutmaßen.
Ich wünsche ihm, erlebt zu haben, was die Franzosen den "süßen Tod" nennen. Wenn das passiert sein sollte, wäre ihm widerfahren, was

Männer sich als "Letztes" wünschen mögen, aber was sich statistisch in nur einem Prozent aller plötzlichen Todesfälle widerspiegelt. Von diesem vielleicht einen Prozent wären dann noch die lustvollen von den tragischen Begebenheiten zu trennen. Ich lebe ja nun auch schon acht Jahrzehnte und denke im Hinblick auf mein Lebensende an Rolands möglichen Abgang. Andere planen in diese Richtung vor. Rolf EDEN, ihr kennt ja noch den ehemaligen Berliner Playboy und Unternehmer, der schwadronierte mit 80 Jahren im Fernsehen, er hätte testamentarisch und notariell verfügt, dass, wenn ihn der Tod beim Akt heimsuchen sollte, der beteiligten Frau 300.000 Euro auszubezahlen seien."

Remuss ergreift nochmals das Wort:

„Diese Geschichte hätte Roland nicht besser ausgemalt! So wie wir hier sitzen, ergötzen wir uns an Rolands Eloquenz. Mitunter beantwortete er Fragen, die im Raum waberten, aber noch nicht gestellt waren. Gewollt, manchmal auch wider Willen, stand er so im Mittelpunkt polarisierender Meinungen. Er wurde nicht nur aus unserem Kreis angesprochen, seine Erlebnisse und Beurteilungen der Schriftform zu übergeben. Er sei schließlich Zeitzeuge und aber auch Akteur. Ihm schien das zu gewaltig. Er tat das als emotionale Augenblickskomplimente ab."

Christian wirft ein:

„Die sich wiederholenden Anregungen formten dann doch die Tat. Er ließ uns ja wissen, dass er sich an die Niederschrift seines Lebens gemacht habe. War leider für ihn und für jene zu spät, die nicht mehr sind, aber die zu ihren Lebzeiten gerne noch einmal nachgelesen hätten."

„Na dann komme ich jetzt mal zum ernsten Teil unseres Beisammenseins."

Ich stehe auf, nehme einen Schluck aus dem Weinglas und wende mich, rechts neben mir platziert, Wölkchen zu.

„Du hast mir Rolands Vita-Niederschrift mit dem Titel „Drei Metamorphosen eines Berliners" gegeben. Ich möge nach meinem Gusto darüber verfügen, sagst du. Natürlich kenne ich den Inhalt in allen Teilen. Oft war er bekümmert, weil er sich in ständiger

Umschreibung seiner „jetzt endgültig letzten Fassung" befand.

„Ich mag ein Erzähler sein", sagte er, „aber Romanschreiben ist etwas Anderes."

Christian dazwischen:

„Hört sich ja an, als hätte er befürchtet, seine Vita nicht veröffentlichen zu können."

„Nicht ganz meine Meinung. Die vorliegende Abfassung ist gut genug, sie der Öffentlichkeit zu unterbreiten. Das will ich als letzten Dienst für unseren Freund tun. Aus der Ich-Form werde ich sie in die dritte Person umschreiben."

Beifall wird mir zuteil und auf gutes Gelingen leeren wir "ex" unsere Gläser.

Wurzeln, und wie es mit Roland begann

Das Erscheinungsbild eines Baumes samt seiner Krone begründen Breite und Tiefe seiner Wurzeln

Der Ur-Großvater Georg führte das Unternehmen gemeinsam mit seiner Frau Anna. Sie hatten drei Söhne, Hans, Robert, Gerhard, und die Tochter Else. Vier Kinder zu haben war im letzten Viertel des 19. Jahrhunderts eher die untere Grenze der Familienplanung, so es diese überhaupt gab. Den Kinderreichtum und das mit ihm einhergehende Wachstum des deutschen Volkes empfand man als göttliche Fügung. Die Geburtsstatistiken der Industrienationen Frankreich und England waren ähnlich. Noch nach dem ersten Weltkrieg gehörten vier oder fünf Kinder zur normalen Familie. Nach dem zweiten Weltkrieg, einhergehend mit dem Wirtschaftswunder, fiel die statistische Kinderzahl von Generation zu Generation bis unter die, die Bevölkerungszahl erhaltende rote Linie, die bei etwa 2,7 Kindern liegt. Eine Familie mit drei Kindern zählt schon als kinderreich. Mathematisch gesehen sterben wir genuine Deutsche aus.

Den Erstgeborenen, Hans, hat eine Lungenentzündung nicht erwachsen werden lassen. Dadurch war für die spätere Unternehmensführung der nach diesem Schicksalsschlag an die Stelle des Erstgeborenen aufgerückte Robert vorbestimmt. Er litt daran, zu wenig Luft in die Lungen zu bekommen, was seine Wehruntauglichkeit bewirkte. Ihn zeichneten jedoch Wissbegierde und Lerneifer aus. Bücher zu erwerben, sie zu lesen und sich mit den Lesefreudigen unter seinen Kunden auszutauschen machte ihm bis ins hohe Alter Freude. Eigentlich hätte er ein „Studierter" werden müssen, aber die Familienräson ging vor. Er wurde „Koofmich" im elterlichen Betrieb.

Der Hafer, das Futter für die Lastpferde, Gemüse- und Sämereien und die Gewächshauspflanzen wurden über den Güterbahnanschluss Hermannstraße direkt aus dem Brandenburgischen von den Bauern und Gutsverwaltern angeliefert oder aus Biesenthal abgeholt. Größere Bestellungen wurden mit dem Fuhrwerk, aber schon vor der Weltwirtschaftskrise 1929 mit dem Lieferauto zur Kundschaft transportiert. Über den Ladentisch kauften die Leute ihre Schnittblumen, Samen für die Balkonpflanzen, sowie Gartenzwerge aus Ton und allerlei Gartengerät. Rolands Ur-Großvater Georg war ein in der Wolle gefärbter deutsch-nationaler „Kaiserlicher" und besaß demzufolge mehrere in Silber gefasste gusseiserne Plaketten „Gold gab ich für Eisen". Er gab aus Patriotismus, wie Millionen Reichsbürger auch, Gold her, um es zu Kruppstahl-Kanonen werden zu lassen.

Rudolf, ein Berliner Kaufmannsgeselle, hatte die Tochter Else von Rolands späterem Ur-Großvater 1921 geheiratet. Mit ihrer Mitgift hat er die "Samenhandlung Anders", etwa 3 Kilometer (im geraden Straßenverlauf) von Urgroßvaters Laden entfernt, in der Chausseestraße 111, eröffnen können. Ihre Wohnung befand sich in der Chausseestraße 120/Ecke Gradestraße, gegenüber dem Kino „Filmeck", in der zweiten Etage. 1923 wurde die Tochter Margot geboren und ihr Brüderchen Horst folgte fünf Jahre später. Margot bekam als junges Mädchen Klavierunterricht und übte im Esszimmer. Im Gegensatz zu ihrem Bruder, kam sie über die ihr abverlangten Etüden und vielleicht deswegen lustlose Behandlung des Instruments nicht hinaus. In ihrer Wohnung hatten sowohl der jüngere Bruder Horst als auch Margot ein eigenes Zimmer.

In Rudolfs Filiale versorgten sich die in nachbarschaftlicher Nähe gelegenen Kleingartenbesitzer mit ihren zahlreichen Kleinbetrieben und die Laubenpieper in Britz mit Obst und einem großen Samenangebot, Gemüse und Blumen.

Rudolf hatte noch einen älteren Bruder namens Ernst. Den überfuhr als Kind eine Straßenbahn. In Folge dessen war ihm ein Bein amputiert worden, das durch eine Holzprothese ersetzt wurde. Er wurde ein sogenannter „Goldfasan", dekoriert mit dem „Parteiabzeichen in Gold". Das bekam man für den frühzeitigen NSDAP-Beitritt mit niedriger Mitgliedsnummer oder für besonderen Einsatz in der Auseinandersetzung mit den Kommunisten. Die machten es der NSDAP in den Zwanzigern und Anfang der dreißiger Jahre schwer, sich in Berlin zu behaupten.

Auch Rudolf besaß das „Parteiabzeichen in Gold". Aus ärmlichen Verhältnissen stammend, hatte er es zum Kleinunternehmer gebracht. Die Bestimmungen des Versailler Vertrages empfand er als nationale Schmach. Aus der Wanderbewegung kommend, gaben ihm die nationalen und sozialistischen Ideale der „Bewegung" Hoffnung. Er vertraute auf die Kraft der Gemeinschaft, die Deutschland stark unter den Völkern würde werden lassen.

Als Samenhändler verband er das Gute mit dem Nützlichen. So beriet er die Kleingärtner, wie sie, dem Gedanken nach autarker Versorgung der Familie mit Obst und Gemüse folgend, ihre Gartenflächen optimal im Sinne einer ertragreichen Nutzung bewirtschaften konnten. Eine fünfköpfige Familie konnte mit einer Fläche von ca. 400 m^2 Größe ihren Jahresbedarf an Obst und Gemüse decken. Er organisierte Vorträge und Vorführungen, wobei ihm das eigene Grundstück in Buckow-West als Demonstrationsfläche diente. Sein Engagement wurde als vorbildlich für die Hilfe und für den Zusammenhalt unter Volksgenossen wahrgenommen.

Zugleich war Rudolf auch aktives Mitglied im „Britzer-Heimatverein von 1890", heute „Bürgerverein Berlin-Britz". Dieser Verein bildete die gesellschaftliche Mitte in Britz. Mitglied in diesem Verein zu sein gehörte zum guten Ton. Die Ämter im Verein wurden nach strengen Maßstäben vergeben. Bei anstehenden Festlichkeiten, wie Erntedank, Hochzeiten, Jubiläen und anderem mehr wurde gegessen, getanzt und getrunken. Letzteres beförderte auch Händel unter den Teilnehmern. Rudolf kannte seine Pappenheimer. Als Festwart fühlte er sich in der Pflicht, für Schlichtung zu sorgen. Zu vorgerückter Stunde waren die

Prügelattacken eines bestimmten Bauern oft ein zu erwartender Programmpunkt. Rudolf bezog bei seinen von diesem Bauern schon regelrecht erwarteten Schlichtungsversuchen des öfteren mehr Blessuren, als sie die zuvor raufenden Kontrahenten davongetragen hatten. Ehefrau Else oblag dann die Pflege ihres verwundeten Helden. Für die ärztliche Betreuung und Versorgung der Familie war der Arzt für Allgemeinmedizin Dr. Levi zuständig. Das Verhältnis zwischen Rudolf und dem Familienarzt ging über das übliche Verhältnis zwischen Verkäufer und Kunde, zwischen Arzt und Patient hinaus. Für Rudolf war es eine gesellschaftliche Grenzüberschreitung, dass er als kleiner Kaufmann ohne höheren Schulabschluss mit dem Akademikerhaushalt des Doktors in freundschaftlicher Beziehung stand. Für den Doktor gaben wohl Rudolfs kaufmännische Reputation sowie dessen soziale Aktivitäten den Ausschlag für das vertrauliche Verhältnis. Dr. Levi war der Kommandeur der „Britzer Sanitätskolonne", zu der Rudolf als Rettungssanitäter gehörte. Ausgezeichnet mit dem Eisernen Kreuz 2. Klasse hatte er im ersten Weltkrieg als Sanitäts-Gefreiter den Gaseinsatz erlebt. Die „Britzer Sanitätskolonne" war eine motorisierte Notarztversorgung. Mit der hatte es in Britz seine Besonderheiten. In ihr halfen nämlich auch die Gattin des Doktors und Rudolfs Ehefrau Else als Schwestern bei Großveranstaltungen mit. Die Männer waren alle Mitglieder in der Kameradschaft des Nationalsozialistischen Kraftfahrkorps (NSKK). Diese Vereinigung war aus dem ADAC hervorgegangen. Die Aufnahme in das NSKK setzte zwar keinen Führerschein und Kenntnisse über Kraftfahrzeuge voraus, aber nur Personen mit Ariernachweis wurden Mitglieder. Doktor Levis gesellschaftlicher Status als ein angesehener Arzt und ehemaliger Offizier im Feld überwog das Fehlen eines nicht zu erlangenden Ariernachweises. Er kommandierte die Noteinsätze gut und richtig. Alle waren zufrieden.

Gelegentlich half der Doktor bei der inhaltlichen Ausarbeitung von Reden für Rudolf, und es war zwischen ihnen klar, dass keine Pflanze in die Erde des Kleingartens oder in die Blumenkästen des Doktors kam, die nicht ihre vorherige Bewilligung durch Rudolf erhalten hatte. Das Vertrauensverhältnis zwischen den beiden ging so weit, dass der Doktor während ihres Bereitschaftseinsatzes bei den Olympischen Spielen 1936 zu ihm sagte:

„Rudi, wir planen nach New York zu übersiedeln. Das Klima hier ist für uns beunruhigend. Unser Sohn ist ja, wie du weißt, schon im zweiten Jahr dort. Er kümmert sich um unsere Einreise."
Die folgenden Ereignisse überrollten beide.
Die Verhaftungswelle gegen die Juden in Berlin war 1938 angelaufen. Telefonisch wurde Dr. Levi, dessen Frau "arisch" war, gewarnt, dass zumindest er unmittelbar mit der Verhaftung zu rechnen hätte. Es war am Donnerstag, dem 10. November. Der Anruf erreichte Rudolf kurz vor Ladenschluss.
„Rudi, Eispickel (Spitzname im Kiez, weil er in einem speziellen Lastauto Kunsteis in Stangenform an seine Kundschaft ausfuhr) hat mich angerufen. Ich soll abgeholt werden."
„Ich komme!"
Else rief er, im Gehen begriffen, zu:
„Muss mal schnell zum Levi, den wollen sie verhaften."
„In Ordnung, bring dich nicht in Schwierigkeiten!"
Raus aus dem Laden, und schnell brachte er die etwa eineinhalb Kilometer zwischen Laden und Levis Wohnung hinter sich. Nach Luft schnappend trat er durch die offene Wohnungstür bei den Levis ein und platzte in die Verhaftung des Dr. Levi durch die Parteigenossen. Schnaufend, über die augenscheinlich rüde Situation erregt, keuchte er wütend:
„Macht, dass ihr hier rauskommt, aber dalli! Ganz Britz und Neukölln kennt den Doktor als Kommandanten unserer Sanitätskolonne. Eispickel! Egon! Jahrelang fahrt ihr schon die Noteinsätze mit."
„Der steht genauso auf der Liste wie die anderen Itzigs in Britz", entgegnete ein ihm unbekannter SA-Mann.
„Ich sage euch nochmals, macht, dass ihr rauskommt. Doktor Levi auf der Liste - das ist ein Irrtum, und wehe, ihr klaut hier, ich zeige euch alle in der Kameradschaft an!"
Die Anwesenden, vier SA-Leute, von denen drei aus Rudolfs NSKK-Kameradschaft waren, hielten in ihrem Tun inne und blickten abwartend auf ihren Anführer. Rudolfs Auftritt brachte tatsächlich einen ruhigeren Verlauf in die Verhaftungsaktion – er war ja

schließlich nicht irgendwer, sondern genaugenommen einer von ihnen. Weiteres Stöbern in Schränken und Schubladen hatte ein Ende. Dr. Levi hatte sich einen Mantel übergeworfen, umarmte kurz seine Frau und sagte zu Rudolf gewandt:

„Danke, Rudi, hoffentlich bekommst du jetzt nicht auch noch meinetwegen Schwierigkeiten. Vielleicht klappt es noch mit Amerika."

Bevor der Trupp, mit Dr. Levi in seiner Mitte, die Wohnung verließ, war noch vieldeutig vom Anführer zu vernehmen:

„Wir bringen den Juden zur Sammelstelle in die General-Pape-Straße, aber mit dir, Parteigenosse, sind wir noch nicht fertig!"

Frau Levi stand Rudolf gegenüber, ihre Augen voller Tränen.

„Bitte, lieber Rudolf, nehmen Sie doch einige recht wertvolle Sachen an sich, die ich zusammen mit den Besteckkästen in zwei kleinen Handkoffern verstaut habe. Ich habe ja solche Angst, dass die Leute noch einmal zurückkommen, wenn Sie aus dem Haus sind."

„Wegen der Leute brauchen Sie sich heute keine Sorgen mehr zu machen. Die haben genug andere auf der Liste. Zu Ihrer Beruhigung – ich nehme die Sachen mit. Morgen werde ich mich nach Ihrem Mann erkundigen. Ich glaube nicht, dass es heute hier mit rechten Dingen zugegangen ist."

Rudolf, zurück in seiner Wohnung - der Laden war inzwischen geschlossen - war gerade dabei, seinen Mantel aufzuhängen, als Else schon im Flur stand:

„Was war los, haben sie den Doktor tatsächlich verhaftet?"

„Else, stell dir vor, die eigenen Kameraden waren dabei. Eispickel, Egon und Kalles Ältester, der Stift vom Steinmetz, kennst se ja alle. Angeführt wurden sie von einem Wichtig, Hermann heißt der, aus Neukölln. Ich komme da an und sehe, wie die in Levis Sachen rumwühlen, als wenn der was verbrochen hätte. Da bin ich dazwischen, kannst' de dir ja vorstellen. Mitgenommen haben sie ihn dann trotzdem!"

„Rudi, da haste dir sichalich wat einjehandilt, aba ick varsteh det. Ausjerechnet unsa Dokta Levi, der hat doch nu wirklich sein Herz uff'n richtchen Fleck."

„Else, ich pauke den da raus, er ist mein Freund und unser Kommandant - gleich morgen früh gehe ich los."

„Überleg dir das um Gottes Willen in Ruhe, und wenn de meinst, du musst det wirklich tun - ick kanns dir ja sowieso nich ausreden."

„Leg mir mal für alle Fälle die Uniform raus. Bügle noch Hemd und Hose über."

Er war nicht mehr auf das Tragen der Uniform erpicht als die meisten anderen Männer jener Zeit. Tags darauf, es war früh am Tage, aber nicht später als zu normalen Ladenzeiten, legte er als reputierlicher Bürger den vollen Partei-Wichs an. Sein Braunhemd mit Dienstgradabzeichen und Einheitsbezeichnung auf den Kragenspiegeln, die „Kraftfahrer-Raute" auf dem linken Unterarm - alles musste perfekt sein. Er band den braunen Binder und befestigte Koppelzeug mit Schulterriemen. Die schwarzen Stiefel umschlossen die Reiterhose perfekt. Zufrieden fiel sein Blick auf das gut gepflegte, lackglänzende Stiefelleder. Das „Parteiabzeichen in Gold" nahm er aus der Schatulle und steckte es in Brusthöhe auf die linke Hemdbrusttasche. Komplett wurde alles mit der olivbraunen, steifen Schaftmütze, auf deren Deckel der schwarze Ledersturmriemen aufliegt. Der mit Metallfaden gestickte Hutadler gab dem Ganzen etwas Hoheitliches.

Er besah sich im Spiegel und sah im Geiste den „Hauptmann von Köpenick". Was er jetzt tat, hatte Ähnlichkeit mit der „Köpenickiade", die 32 Jahre zurücklag. Der Unterschied zum Schuster Voigt:

Nicht um seinetwegen und nicht mit der Vergangenheit eines kleinkriminellen Außenseiters würde er losgehen - seine Uniform war echt!

Die Kameradentreue in einer Zeit mit verrückter Verschiebung von Sitte und Anstand forderte ihn heraus. Sollte sein Plan scheitern, würde dreiste Fabulierkunst seine Existenz und jetzige Stellung retten. In dieser Situation konnte er Else nicht zur Mitwisserin werden lassen, als diese sich ihm in den Weg stellte:

„Rudi, denke auch an uns - um Himmels Willen, sei nich leichtsinnig, geh nich mitn Kopp durch de Wand!"

Er packte sie fest an beiden Schultern und sah ihr tief in die Augen:
„Wird schon schiefgehen...."
Er gab ihr einen spitzen Kuss, so einen wie sie ihn bekam, wenn er für
einige Stunden unterwegs zu sein gedachte.
Sich seines geschniegelten Erscheinungsbildes bewusst, begab er sich
zur Sammelstelle. Dort, in der Polizeidirektion in der General-Pape-
Straße, kannte er ein paar Männer, und andererseits kannten einige
ihn als Mitglied der Sanitätskolonne, Geschäftsmann und
Parteigenossen. Die Gänge waren voller Bürger, die sich nach
Angehörigen erkundigten. Rudolf lief an den Wartenden vorbei, die
ihn achtungsvoll passieren ließen. Kurz angeklopft, den Arm zum
Deutschen Gruß:
„Heil Hitler, die Herren," trat er in ein Geschäftszimmer.
„Seit gestern ist der Doktor Levi eingebuchtet, war selber dabei. Nach
dem Mann wird andernorts verlangt. Geht um die Überprüfung von
Passangelegenheiten. Ich will den gleich mitnehmen."
Rudolf war bekannt, sein Goldenes Parteiabzeichen an der Brust
legitimierte ihn hinreichend gegenüber denjenigen, die ihn nicht so
genau kannten. Sein bestimmender Auftritt ließ keinen Zweifel am
Auftrag zu. Ein Wachmann wurde losgeschickt, Dr. Levi vorzuführen.
Rudolf wartete im Geschäftszimmer und beobachtete die routinierte
Maschinerie der zur Juden-Sammelstelle gewordenen Polizeibehörde.
Keine zehn Minuten waren vergangen, als Dr. Levi ins Zimmer geführt
wurde. Der, so hatte es den Anschein, traute seinen Augen nicht. Sein
Freund Rudi stand da in voller SA-Montur vor ihm.
„Herr Doktor Levi, ich hole Sie zwecks Überprüfung ab, muss nur noch
die Überstellung quittieren!," begrüßte Rudolf seinen Freund.
Mit Rudolfs „Heil Hitler!" verließen beide das Geschäftszimmer und
entfernten sich aus dem Gebäude.
Rudolf erklärte auf dem Weg in Doktor Levis Wohnung die Situation:
„Jetzt muss eure Ausreise klargehen. Nur wenn du die offiziell machst,
bin ich auch aus dem Schneider! Dann behaupte ich, deine Verhaftung
war ein Irrtum der Behörde. Wie du das machen musst, weißt du
besser als ich, aber schnell muss das gehen."

„Die Liste mit unserem Namen ist doch schon in der amerikanische Botschaft, die Visa-Eintragung ist nur noch Formsache. Unser Sohn ist Bürge in Amerika. Ich und meine Frau sind bereits in die Liste der zur Einreise berechtigten Personen eingetragen. Die Zustimmung der USA zur Einreise liegt also vor."

„Das hatte ich letztens auch so verstanden - wollte doch eben kein Harakiri begehen."

„Rudi, ohne deinen Einsatz wäre unsere Bemühung womöglich im Sande verlaufen. Gar nicht auszudenken, wenn ich nicht mehr in Berlin auffindbar gewesen wäre!"

Frau Levi war des Dankes voll. Rudolf wehrte alles burschikos als „Sanitäter-Hilfe" ab, obwohl ihm schwante, dass noch etwas nachkomme.

„Jetzt bleibst du solange in der Wohnung, bis ihr einen offiziellen Bescheid von der Botschaft in den Händen habt. Darum soll sich gleich deine Frau persönlich kümmern. Dann lässt du dich in der Öffentlichkeit sehen, gehst zum Einkaufen in die Geschäfte, um jedermann zu zeigen - ich bin legal!," beschwor er nochmals den Freund.

Soweit, so gut! Rudolf war zufrieden mit sich und eigentlich auch damit, dass in Berlins Behörden Ordnung herrschte. Das Gefühl, als Mann rechtschaffend etwas erreicht zu haben, wollte er schleunigst mit Else teilen:

„Na siehste, Else, war allet nich so schlimm, hab unsern Doktor wieder abjeholt! Der ist zu Hause und ordnet Papiere. Wird uns wohl bald Richtung Amerika verlassen."

„Haste aba fein jemacht, dachte schon, jetzt komm's dicke."

nd für Rudi kam es dicke. In der Kameradschaft gab es Rabatz.

Er war am Freitagabend noch in das Vereinslokal seiner Kameradschaft gegangen - hochoffizieller Termin, war ja genug los gewesen.

Seine Parteigenossen beschimpften ihn auf das Übelste:

„Rudolf, sich so vehement für einen Juden einzusetzen ist undeutsch!"

„Ich finde es falsch, alle Juden über einen Kamm zu scheren. Das kann nicht rechtens sein, denn im Feld spielte es überhaupt keine Rolle, ob der Kamerad Christ oder Jude war."

„Du heißt doch „Anders"! Klingt ja auch nicht gerade arisch!

Das war zu viel. Er geriet in Rage!

In dieser Verfassung argumentierte er nicht, er polterte und wurde persönlich! Aus der ihn ehrenden Position eines „alten Kämpfers" (so wurden die Mitglieder genannt, die vor 1933 der NSDAP beigetreten waren) selektierte er:

„August, du, Erich, Kasper und Arnhold habt hier die große Klappe, denkt Wunder wat und wer ihr seid. Ick sage euch wat ihr seid! - Jans kleene „Märzveilchen" seid ihr! Oder soll ick lieber „Märzgefallene" sagen? Erst nach Januar 33 eingetreten, aber heute so tun, als gehöre euch die „Bewegung"!

Mit lautem Knall fiel die Tür zu, als er das Vereinslokal verließ.

Am Samstagmorgen leuchtete ihn ein weißer Davidstern auf seiner Schaufensterscheibe an. Er bestellte die Polizei vor den Laden und argumentierte im Tonfall, als sei der Laden ausgeraubt worden:

„Man soll sofort folgende Verdächtige vorladen!"

Er nannte Namen und Adressen aus der Auseinandersetzung abends zuvor. Als erstes veranlassten die Polizisten, denen Rudolf als honoriger Geschäftsmann bekannt war, dass der Judenstern sofort von der Britzer Feuerwehr abgewaschen wurde. Die befand sich direkt gegenüber seinem Laden in der Hannemannstraße.

Mit der Namensnennung der Verdächtigen hatte Rudolf ins Schwarze getroffen. Recht schnell trafen die Beschuldigten auf dem Revier mit Rudolf aufeinander. Bittersüß erklärten die Übeltäter, „irrtümlich" den Judenstern auf die Fensterscheibe seines Ladens gemalt zu haben. Die Aktion mit der Schaufensterscheibe wäre eigentlich seinem Ladennachbarn zugedacht gewesen. Damit war der Sache aus Sicht der Polizei Genüge getan.

Bereits am Montag der folgenden Woche konnte Dr. Levi seine Legitimation zur Ausreise belegen. Das Ehepaar Levi verließ Wochen später Deutschland legal mit seiner gesamten Habe, wozu auch die von Rudolf in Verwahrung genommenen zwei Handkoffer gehörten. Wegen Amtsmissbrauchs wurde Rudolf nicht belangt. Das konnte auch nicht sein, denn schließlich beruhte die Sache mit Dr. Levi anscheinend auf einem Behördenirrtum.

Dr. Levi kam noch vor seiner Abreise auf einen Kollegen zu sprechen: „Rudolf, dir als Christ und Kamerad empfehle ich meinen Kollegen. Mit Doktor WORONOWSKI erhält deine Familie einen wirklich kompetenten Arzt, wenn ich weg bin. Der Mann war wie wir im Feld. Jetzt braucht er neue Patienten, denn er ist Halbjude. Seine Praxis läuft nicht besonders."

So wurde Dr. Woronowski neuer Hausarzt für Rudolfs Familie. Irgendwann gab es diesen Halbjuden auch nicht mehr, und an seine Stelle trat Herr ARNHEIM, ein „Vierteljude", der bis in die Nachkriegsjahre Hausarzt der Familie blieb.

Bei Kriegsausbruch 1939 wurde Rudolf nicht eingezogen. Die Annahme, der Krieg würde kurz und siegreich sein, hielt seinen Jahrgang 1896 nicht vonnöten.

Rolands Mutter Margot hatte die Städtische Handelsschule in Berlin-Neukölln abgeschlossen und erhielt ab 1940 bei den Telefon- und Telegraphenwerken die Ausbildung zur Stenotypistin. Gleichzeitig wurde sie als Fernmeldepersonal für den Luftschutz ausgebildet. In der elterlichen Samenhandlung half sie wochentags, wie es ihre Zeit zuließ oder der Betrieb es erforderte. Die Wochenenden verbrachte sie mit einer Jugendgruppe, die sich überwiegend in Friedrichshagen traf. Ursprünglich hatten sich die Mitglieder in der nationalsozialistischen Freizeitorganisation „Kraft durch Freude" kennengelernt. Aus diesen meist groß organisierten Zusammenkünften schälte sich die Gruppe heraus, zu der Margot zählte. Sie entsprach dem damals idealisierten Frauenbild einer Marlene Dietrich, mit dem kleinen Unterschied, dass sie blond war. Wenn Marlene sang: „... ich bin von Kopf bis Fuß auf Liebe eingestellt...." war Margot eher die sinnlich-herbe Ausgabe. Sie trug eine Brille, die mehr der Vorsorge galt, dass eine festgestellte Sehschwäche sich nicht verschlechtern möge. Die Gläser waren kaum geschliffen, und zusammen mit dem Gestell wurden dadurch ihre blaugrauen Augen betont. In der Komposition mit ihren blonden Haaren bekam ihr Gesichtsausdruck etwas vornehm Unnahbares.

Die Gemeinschaft machte Ausflüge, damals natürlich zeitlich streng limitiert, ohne außerhäusliche Übernachtungen. Sie feierten

Geburtstage, besuchten Filmvorführungen, Varieté, Theater und segelten mit einem Kajütboot und mit einer Jolle auf dem Müggelsee. Besondere Freundschaft schloss Margot in der Gruppe mit den Grundmann-Brüdern, von denen Kurt ein guter Segler war. Er hatte vor Kriegsausbruch Podiumsplätze bei den Müggelsee-Wettfahrten belegt. Von den fünf Grundmann-Brüdern dienten vier schon in der Wehrmacht. Der fünfte und jüngste, Alfred, wurde als letzter Spross der Familie nicht zu den Waffen gerufen. Es war zu erwarten, dass Margot sich in einen aus dieser Gruppe verlieben und heiraten würde. Nichts war verinnerlicht, was einem Grundmann-Bruder den Vorzug vor den anderen gegeben hätte. Mit 19 Jahren war Margot noch nicht volljährig und stand unter der strengen häuslichen Aufsicht von Vater Rudolf und Mutter Else.

Der Kriegsausbruch kam schneller, als die Liebe wachsen konnte. Schnell wandelten sich längere Aufenthalte der Brüder bei der Truppe zum ständigen Kriegseinsatz. Mit keinem von ihnen gab es ein Treue-Warte-Versprechen.

Es kam also anders und ging ganz schnell.

Ein junger Mann in Lufthansa-Uniform erschien als Kunde in Vaters Laden, stellte der Margot einige Wochen formvollendet nach und gewann ihr Herz. Der Kavalier hieß Karl. Er war Funker und Navigator bei der Lufthansa. Von den Eltern akzeptiert, wurde zu Weihnachten 1941 Verlobung gefeiert.

Es begab sich am 20. April 1942 - Karl diente inzwischen in der Luftwaffe - als Margots Eltern bereits nachmittags mit dem Sohn Horst aufbrachen, um "Führers Geburtstag", feiern zu gehen. Die Wohnung war sozusagen „sturmfrei", und Karl nahm Margot an diesem Tage ihre jugendliche Reinheit. Die galt es damals eigentlich bis zum Ehegelöbnis zu bewahren.

Karl hatte Feindflüge durchlebt. Sie flogen „......gegen Engeland! .... ran an den Feind, ran an den Feind - ...Bomben auf Engeland ...", so tönte die Marschmelodie durch die Kanzel, wenn sie sich über sicherem Gebiet befanden. Karl war als Funker und Navigator dabei. Wenn die eigenen Begleitjäger die Bomber verlassen mussten, weil ihre Eindringtiefe nur geringe Spritreserven für einen Luftkampf ließ, erlebte er den Feind, die Royal Air Force (RAF). Die RAF-Piloten, ständig durch freiwillige Tschechen und Polen aufgefüllt, handelten mit todesmutiger Kampfmoral.

Seine Sehnsucht nach Familie im Frieden wurde von den Erlebnissen in aufopfernden Kampfeinsätzen gespeist. Dass Gottvertrauen keine Lebensversicherung ist, zeigte der Blutzoll, den seine Staffel bereits erbringen musste. Der Lebenswille forderte ihm ab, etwas Unauslöschliches zu schaffen bzw. zu hinterlassen. Seine Sehnsucht nach einem eigenen Kind, was in dem gerade werdenden „Tausendjährigen Reich" glücklich würde aufwachsen können – ließ ihn tun, wie er es tat. Er fühlte sich reif und für den Zeugungsakt mit seiner geliebten Margot auserkoren. Den Schritt Margots vom Mädchen zur Frau vollzog Karl „blank". Ob es gleich der erste Schuss war, oder der zweite, der seine Spermien zielgenau beförderte, mag der Schöpfer wissen. Nach dem Duschen gab es jedenfalls kein langes Verweilen für einen dritten, denn die Führer-Geburtstagsfeier war schließlich keine Nachtveranstaltung – jeden Moment konnten Margots Eltern zurück sein.

Karl entsprach Margots Vorstellung von einem Familienhäuptling. Sie sah sich als eine liebevolle deutsche Frau und Mutter an seiner Seite. Artig, aber auch stolz darauf, eine Frau zu sein, vertraute sie ihrer Mutter an:

„Mutti, ich bin überfällig!"

Vater Rudolf haderte mit dem Unabänderlichen dieser Neuigkeit. Unterschwellig wurmte ihn, von etwas Wichtigem ausgeschlossen gewesen zu sein. Er versuchte noch, das Wann und Wo zu erfragen, aber irgendwie ging ihm ein Licht auf. Er erinnerte sich der Ausflüchte Margots, nicht mit Karl zur Führergeburtstagsfeier mitkommen zu können. Seinem Stande schuldig, reagierte er pragmatisch. Dem Ruf und Schutz seiner Tochter verpflichtet, wurde der Hochzeittermin nach Form und Sitte gerichtet, bevor die "Schande" sichtbar zu werden drohte. Im Juli 1942 wurde der Bund fürs Leben geschlossen.

Die "Schande" war so neu in Rolands Familie nicht. Zwei Generationen zuvor, also im 19. Jahrhundert, hatte Rolands Ur-Oma Anna, gerade sieben Monate verheiratet, ihr erstes Kind zur Welt gebracht. Welch Wunder, ein „Frühchen"! Das war ihr erstgeborener Sohn Hans, der gesund und proper das Licht der Welt erblickte. An ihrem Geburtstag

1967, als sie bereits jenseits der Neunzig war, wurde eher scherzhaft noch einmal nachgerechnet. Man pflegte um diese Zeit allgemein, und das war in Rolands Familie nicht anders, tabulos das offene Wort. Ur-Oma Anna „gestand", beschämt lachend, den letzten ihrer noch verbliebenen Zähne entblößend (des Gebisses hatte sie sich mit Blick auf ihre bevorstehende Bettruhe bereits entledigt), die voreheliche Lust mit ihrem - Gott hab in selig - Georg.

Als Einziger der Familie stand 1941 der andere Sohn des Ur-Großvaters, Onkel Gerhardt, in der Wehrmacht unter Waffen. Seinen kaufmännischen und organisatorischen Fähigkeiten hatte er die Dienststellung eines "Spießes" zu verdanken. Seine Frau, Rolands Tante Ilse, übernahm zu den häuslichen Aufgaben noch kaufmännische Tätigkeiten, die in Friedenszeiten sonst von ihrem Mann ausgeführt wurden. So konnte die Samenhandlung in den ersten Kriegsjahren fast wie zu Friedenszeiten geführt werden.
Margot schloss ihre Ausbildung zur Stenotypistin im August 1942 ab und half als frisch gekürte Ehefrau, mit Roland unter dem Herzen, weiter im elterlichen Betrieb.
Bis zum Herbst 1942 war der Kriegsverlauf aus deutscher Sicht erfolgreich. Der Feldzug gegen Polen im September 1939 endete durch einen Blitzsieg im Bündnis mit der Roten Armee nach 28 Tagen; die Revanche im Westen war nach vier Wochen geglückt, deutsche Panzer säuberten unter Feldmarschall Rommel Nordafrika von den Engländern, und deutsche Truppen standen tief in sowjetischem Gebiet. Das deutsche Volk erwartete den Endsieg. Diese Hoffnung wurde auch nicht beeinträchtigt, als englische Bomber deutsche Städte angriffen. Das Zerstörungswerk aus der Luft über Berlin begann im Juni 1940 und forderte im August die ersten Todesopfer. „Wenn auch nur ein feindliches Flugzeug unser Reichsgebiet überfliegt, will ich „Meier" heißen!", hatte Hermann Göring zu Kriegsbeginn getönt. Im Angesicht der ersten Bombenschäden in der Stadt und zunehmender Luftangriffe hatte der Reichsmarschall bei den Berlinern, sogar im engsten Kreis der ihm Unterstellten, den Namen „Meier" weg. Im März 1944 begannen dann auch die Tagesangriffe durch Bomberverbände der USA-Air Force.

Margot, inzwischen im sechsten Monat schwanger, wurde allabendlich mit dem Sammelbus von zu hause abgeholt und zum Mutter-Kind-Bunker am Alexanderplatz gefahren. Dieser Service sollte den Vätern an den Fronten signalisieren: „Macht euch keine Sorgen, eure Frauen und Kinder sind geschützt." Mit dem 16. Januar 1943, als Margot die voraussichtliche Geburt schon an ihren Fingern abzählen konnte, steigerten die Alliierten ihre Luftangriffe zu einem ständigen Bombardement. Der Bus fuhr verdunkelt die Adressen der Schwangeren und der Frauen mit Babys ab. Margot platzierte sich nach Möglichkeit neben einer der Türen. Ängstlich den schützenden Bunker herbeisehnend, dachte sie: „Ach mein Baby, was für ein Leben wartet bloß auf dich, ich hätte dir eine bessere Zeit gewünscht."

Von alldem wusste Roland nichts. Im Leib seiner Mutter, der dunklen, wärmenden und nährenden Höhle geborgen, muss es wohl wie eine Liebkosung gewirkt haben, wenn sie ihre Hände auf ihren schwellenden Bauch legte. Er ahnte nicht, dass er in diesen Tagen in ständiger Lebensgefahr schwebte. Er wusste nicht, dass er das Glück haben würde, nicht zu denen zu gehören, die ungeboren in den Leibern ihrer Mütter unter den Trümmern eines zerbombten Hauses ums Leben kamen. Am Tag von Rolands Geburt wurde kein Fliegeralarm ausgelöst.

Mit über 75 Jahren Abstand und erlebnisreicher Zeit in den Knochen konstatiert Roland, eine privilegierte Geburt gehabt zu haben. Gesund, männlich, weiß, und als Deutscher kam er in Berlin am 27. Januar 1943 abends gegen 19:00 Uhr als ehelicher Sohn des Karl zur Welt. Vom Chefarzt der Hubammenlehranstalt in Berlin-Neukölln ist der Ausspruch überliefert:

„Jetzt habe ich doch noch meinen Kaisersohn bekommen."

Womöglich dank eines Monarchisten, dem der Geburtstag des letzten deutschen Kaisers Wilhelm II. in erfreulicher Erinnerung war, denn am 27. Januar, zu Kaisers-Geburtstag, bekamen die Kinder schulfrei.

„Hauptsache gesund" - dieser Gedanke spiegelte während der Schwangerschaft damals den sehnlichsten Wunsch seiner Erzeuger wider. Sogar die Frage nach dem gewünschten Geschlecht trat dahinter zurück. Verdrängt war sie aber damit nicht. Das Mysterium der göttlichen Fügung der Geschlechtsbestimmung vermochte auch keine Wahrsagung vorzeitig zu lüften, denn auch die besten unter den "Sehern" kamen über 50 % Treffsicherheit nicht hinaus. Der Ausspruch „Hauptsache gesund" wurde im allgemeinen Sprachgebrauch zur Floskel. Das darin versteckte Klischee von der Gleichwertigkeit der Geschlechter spielte allenfalls beim humanistisch gebildeten Bürgertum eine Rolle. Vorrangig, so hat Roland aus dem Verhalten aller Beteiligten zu später in seinem Familienverbund erfolgten Geburten geschlussfolgert, hatte allerdings auch bei seiner Geburt der Wunsch nach einem Männchen vor dem eines Weibchens gestanden.

De facto mit dem allerletzten Flutsch des wohl schon als Erleichterung von seiner Mutter wahrgenommenen Schlüpfens, Kopf und Schulter waren unter Schmerzen bereits zum Vorschein gekommen, wurde das Geheimnis gelüftet. Die untere Ausprägung war dann für die Akteure seiner Zeugung die Krönung des Glücks.

"Ein gesunder Junge!", vernahm Margot im Abklingen der Schmerzen.

„Gesund" umfasst mehr als man sieht. Neben der optischen und funktionalen Gesundheit ist es eine Summe nicht sichtbarer genetischer Gaben, Veranlagungen und Eigenheiten. So betrachtet blieb es der späteren Sozialisation überlassen, wie sich die 3.700 Gramm Mensch entfalten würden. Für diese Entwicklung wurde ihm durch Taufe der christliche Segen der evangelischen Kirche zuteil.

"Weiß und als Deutscher" klingt nur bei oberflächlicher Betrachtung wie eine Abwertung gegenüber nicht-weiß und nicht-deutsch. Die Welt ist aber wie sie ist und in ihren unterschiedlichen gesellschaftlichen Strukturen weit von praktizierter Gleichheit entfernt. Die Roland zufällig zuteil gewordenen Attribute weiß und deutsch haben ihm, unter Einbeziehung seiner globalen Bewegungsfreiheit, Vorteile geboten.

Mit dem Hinweis, Berliner zu sein, verhält es sich ähnlich. Wohl niemand wird eine Minderwertigkeit daraus konstruieren, nicht in Berlin geboren zu sein. Berliner zu sein, ordnete ihn als Preuße zu den deutschen Stämmen. „Berlinere nicht, sprich anständig!", war das Kredo aller Eltern. Das schnodderige, gleichwohl treffliche Mundwerk, welches im Schmelztiegel einer überwiegend osteuropäisch geprägten Einwanderungsmetropole entstanden war, gab einer deutschen Spezies das Brandding. Den Berliner Dialekt pflegte Roland kultiviert, als landsmannschaftliche Eigenart über Stadt- und Landesgrenzen hinweg. So wurde er allerorten verbal-geographisch fixiert und mit der nicht aufgesetzten Authentizität neugierig willkommen geheißen - auch in Bayern.

Jeder Anfang hat auch ein Ende, doch da gibt es noch die These von der Reinkarnation. Danach lebt unsere Seele nicht nur ein einziges Mal. Sie hat schon wiederholt hier auf Erden gelebt. Die Vorstellung, jeweils nach dem nächsten Tod nach kürzerer oder längerer Zeit neuerlich reinkarniert zu werden, weckte Rolands Interesse in eigener Sache, nach dem kleinen gemeinsamen Nenner zwischen materialistischer und immaterieller Sichtweise seiner seelischen Vorleben zu suchen. Bei allem guten Willen gehörte er zu der Gruppe von Neugierigen, denen sich vorangegangene „Runden" nicht erschlossen haben. So war ihm der Gedanke tröstlich, Nachvollziehbares wäre auch nicht zu erwarten gewesen. Nur die überzeugten und von Zweifeln freien Fundamentalisten unter den Reinkarnationsgläubigen gehen davon aus, dass persönlich-biographisches Wissen reinkarniert wird. Für die Materialisten ist die Seele sowieso nicht existent. Den Glauben an die Reinkarnation lehnen sie schon deswegen ab, weil Wissen und Erfahrungen, die in einem Gehirn stecken, nur durch ein anderes Informationsmedium, zum Beispiel einem Buch oder in medialen Netzwerken, weitergegeben werden können.

Gesetzt den Fall, an der Reinkarnation ist doch etwas dran, hätte Roland sich mit an Sicherheit grenzender Wahrscheinlichkeit gewünscht, in einer Endlosschleife zu schweben, immer wieder gleich geschaffen – gesund, männlich, weiß, und als Deutscher aus Berlin.

Als er zur Welt kam, war die 6. Armee in Stalingrad eingekesselt. Anfang Februar 1943 hat sie sich den Sowjets ergeben. Die Vernichtung der deutschen 6. Armee mit rund 250.000 Soldaten war ein psychologischer Wendepunkt in der Betrachtung des Krieges. Der Endsieg wurde nun von so manchem Volksgenossen mit einem Fragezeichen versehen.

Roland wurde aus der warmen Milchflasche und an Mutter Margots Brust gestillt. Wie oft in Folge einfliegender Bomberverbände seinem saugenden Mund Mutters Brust abrupt wegflutschte, konnte er nicht

erinnern. Voralarm, Alarm, Vollalarm, Entwarnung, durch Radio und über Sirenen intoniert, bestimmten seine Nahrungsaufnahme. Das wahre Glück - Bettchen wechsle dich, aus dem einen raus, in das andere rein - war es wohl nicht gewesen. Typisch Berlin, kam den Zugeteilten der Kellergemeinschaft sarkastisch über die Lippen:
„Arsch noch nicht warm – Luftalarm!," wenn sie im Keller ihre Plätze einnahmen. Roland blieb die Erinnerung, dass er im Hausluftschutzkeller, in dem sein Gitterbettchen stand, mit dem Hausmädchen der Zahnarztfamilie mit Knöpfen gespielt hat. So hat man es ihm auch später erzählt.
Nach der Entbindung nahm Mutter Margot die Fahrten zum Bunker nicht mehr in Anspruch. Die Strecke in Richtung Innenstadt war durch Fliegerangriffe zu unsicher geworden. Die Familie wollte zusammenbleiben.
Die Trefferquote der Bombardements in Berlin war in Britz glücklicherweise überschaubar. Lediglich ein Haus in fünfhundert Meter Entfernung von Rolands Wohnhaus ist 1944 durch eine Sprengbombe zerstört worden.
Die amerikanischen Air Force war am 3. Februar 1945 mit mehr als tausend B-17- Bombern über der Stadt.
„Jetzt hat es unser Haus erwischt", musste Margot denken, als bei einem Krachen die Kellerinsassen erschrocken kurz aufschrien. Von Ruhe gefolgt, wurden Schaden und unmittelbare Gefahr durch Hören eingeschätzt. Auf den obersten Kellerstufen, unterhalb der mit Eisen verkleideten Kellertür, saß der Luftschutzwart, ein Kriegs-Veteran aus dem I. Weltkrieg. Er riss die Tür auf:
„Horst, nimm die Picke und komm!"
Der Brandschutz-Trupp saß im Keller getrennt, zwei Mann am Eingang und zwei weitere am „Durchbruch". Das war für den Fall der Verschüttung eine in den Brandmauern zum Nachbarkeller vorgesehene dünnwandige Stelle. Mit Stangen und Schaufeln in den Händen liefen alle fünf nach oben hinaus. Der Schaden: Eine Brandbombe hatte das Dach durchbrochen. Ein kleiner Dachteil war offen, die Dachziegel lagen zu ihren Füßen, und Phosphor brannte auf den Fußbodenbrettern an mehreren Stellen. Bevor der Dachstuhl hätte aufgegeben werden müssen, wurde mit Sand aus einer bereit

stehenden Kiste gelöscht. Das Loch wurde so gut es ging mit einer Plane abgedeckt.

Das größte Inferno infolge vier konzertierter Bombenangriffe gab es in Dresden, am 13./15. Februar 1945. Mehr als 750.000(!) Spreng-, Phosphor-, Brand-, Stabbrand- und Flammenstrahlbomben trudelten auf Dresden nieder. Die Stadtkommandantur von Dresden meldete am 10. April 1945 an das Führerhauptquartier in Berlin 253.000 Opfer. Das Internationale Rote Kreuz geht in einem Bericht 1946 von 330.000 Opfern eines höllischen Infernos aus. In den fünfziger/sechziger Jahren schwanken in Presse und Politik die Opferzahlen um 400.000 (Adenauer).

Es blieb einer „Historikerkommission", die vom Oberbürgermeister von Dresden im November 2004 berufen wurde, überlassen, den „aktuellen Forschungsstand zur Zahl der durch die Luftangriffe 1945 auf Dresden getöteten Menschen" festzustellen. Die „Berufenen" kamen auf etwa 25.000 Opfer. Als Hilfskrücke für die politisch gewollte Opferzahl diente u.a. das Bestreiten des Abwurfs von Phosphorbomben. Solche waren es aber, die Häuser bis herunter in die Keller vernichtet und dabei eine solche Hitze erzeugt haben, dass sogar Sand und Steine verglasten. So fand man z.B. am Dresdner Altmarkt in ausgegrabenen Kellern, drei Meter unter Straßenniveau, Verfärbungen des Sandsteins von weißbeige nach rot. Partienweise ist der Stein verglast. Ein Berliner Sachverständiger war sich sicher, dass Temperaturen von 1300 bis 1400 Grad und oberirdisch noch weit höhere Temperaturen bis zu 1.600 Grad geherrscht haben müssen. Von den Menschen blieb keine Spur, ihre Knochen waren zu Mehl verbrannt.

Der plausibel mit fehlendem Phosphor um mindestens neunzig Prozent reduzierten Opferzahl gaben die „ausgesuchten, Historiker" ihre Namen. Heute dient ihre "Zählung" als Alibi für medial und in den Schulen als offenkundig verbreitete und gelehrte Geschichte.

Von Honoré de Balzac stammt der treffliche Satz:
„Es gibt zwei Arten von Geschichte: Die eine ist die offizielle, für die Schulbücher bestimmte – die andere ist die Geschichte, welche die wahren Ursachen der Ereignisse birgt."

Götterdämmerung

Opa Rudolf bekam dann doch im Sommer 1943 seine Einberufung zur Luftschutzpolizei in Berlin-Neukölln, Sanitätsdienst. Für die Familie war er nicht aus der Welt, denn nach den Dienstzeiten konnte er in die Wohnung zurück. Im Februar 1945 ergab dieser Luxus keinen Sinn mehr. Seine Einsätze waren Gefahr für Leib und Leben genug, da musste das Hin und Zurück zur Wohnung bei Fliegeralarm nicht auch noch sein. Telefonisch erfuhr er täglich, dass es der Familie den Umständen entsprechend gut geht. Von März bis Anfang April kreuzte er sporadisch bei der Familie auf.

Bruder Ernst, dem sich entgegen seinem Traum von der vordersten Linie bis dato nur die Heimatfront als Mechaniker-Meister im Eternit-Werk Rudow angeboten hatte, fand nunmehr Verwendung bei der Organisation des Volkssturms.

Horst, Jahrgang 1928, befand sich in der Ausbildung zum Flugzeug-Elektromechaniker und brauchte deswegen dem ersten Einberufungsbescheid von 1944 nicht zu folgen. Seinen zweiten Einberufungsbefehl bekam er im Januar 1945, aber dieser Bescheid überschnitt sich mit einem Ausbildungskurs, den er gerade in einem Wehrertüchtigungslager zu absolvieren hatte. Er war also entschuldigt dem Stellungsbefehl nicht gefolgt. Einen weiteren Einberufungsbefehl bekam er nicht mehr. Immer wieder durchsuchten Blockwarte und „Kettenhunde" - so genannt, weil sie über der Uniform eine an einer großen Kette befestigte Blechmarke mit der Aufschrift „Feldgendarmarie" trugen - die Luftschutzkeller während der Alarme. So hat man Deserteure aufgespürt und die letzten Wehrtüchtigen für den Endkampf zum Volkssturm rekrutiert. Horst und sein Schulkamerad Gottschalk, beide noch nicht 17 Jahre alt, saßen nebeneinander im Keller, als sie sich den Kontrolleuren auszuweisen hatten. Gottschalk als Jüngster von vier Buben war vom Waffendienst freigestellt.

„Ihr beide meldet euch morgen, Führer hat Geburtstag, um neun Uhr am Stellplatz gegenüber vom Kino."

Horst und Gottschalk schickten sich an, dieser Aufforderung tags drauf zu folgen. Zusammen traten sie vor die Haustür. Man hörte, gar nicht mehr so weit entfernt, Geschütz-Salven. Die Rote Armee kündigte sich an. (Die Umbenennung in „Sowjetische Armee" erfolgte erst 1946).

Der gesamte Kreuzungsbereich einschließlich des gegenüberliegende Platzes, ihr Meldepunkt vor dem Kino, war zum Militärgelände geworden. Schätzungsweise zweihundert Leute schufen einen Verteidigungswall. SS in ihren typischen Tarnuniformen, Wehrmacht verschiedener Waffengattungen und eine Menge Militärgerät waren zu sehen. Die weitaus größte Gruppe aber war der Volkssturm in Räuberzivil und auch Frauen. Die einen schanzten an einer Panzersperre und anderen wurde die Handhabung von Panzerfäusten gezeigt. Neben dem Pissoir, welches neben Rolands Wohnhaus stand, stapelten sich in offenen Holzkisten dutzende Panzerfäuste. Anscheinend zur sofortigen Verteilung vorgesehen, lagen die Hefte mit der Gebrauchsanleitung obenauf:

„Panzerfaust 30 Meter und 60 Meter für Einzelkämpfer."

Oma Else war den Jungs vor die Tür gefolgt und überblickte das Spektakel. Sie zog Horst am Ärmel zu sich. Kurz und bündig gab sie ihm Order:

„Horst, hiergeblieben, zurück in den Keller! Gottschalk auch du! Sei vernünftig, deine Mutter will es auch!"

„Horst kann ja hierbleiben. Ich melde mich! Meine Brüder sind auch an der Front. Wenn man nach Horst fragt, sage ich: 'habe gesehen, der krümmt sich vor Magenschmerzen, will aber nachkommen.'"

„Gottschalk, dein Vater ist gefallen, deine Mutti braucht euch doch."

„Kann se ja, komm ja wieder."

Niemand der Vorbeilaufenden nahm Notiz von dem Wortwechsel. Diese Worte in falschen Ohren und die Beobachtung - Horst gehorcht der Mutter - hätte für ihn an der Laterne hängend enden können. Er war eher ein sensibles, weiches Teilchen Jungdeutschlands und wohlerzogen - seiner Mutter widerspricht man nicht.

Er ging zurück zur Gemeinschaft, die sich tagelang im Keller aufhielt. Solange kein Fliegeralarm war, blieb die Kellertür offen. Das brachte etwas mehr Durchlüftung. Wenn es die Intervalle der Luftangriffe zuließen, ging man kurz zum Kochen und Vorkochen - von Stromausfällen behindert - in die eigene Wohnung. Essbares improvisierte jeder wie er es vermochte. Horst meldete sich auch am nächsten Tag nicht bei seinem Freund Gottschalk.

Wie alle im Keller hörte er das grollende Mündungsfeuer von Flak-Geschützen. Die Einschläge lagen nicht direkt über ihnen, sondern weiter in Richtung Neukölln.

Dann war die Front vor der Tür, donnernde Einschläge von Flak- und Panzerkanonen sowie das Rattern eines schweren Maschinengewehrs. Das stand anscheinend im eisernen Pissoir. Die Glasscheiben vibrierten in den Fensterrahmen. Die Luftschutzleute waren nur noch durch ihre Helme mit dem Feuerschutzleder von den übrigen Kellerinsassen zu unterscheiden. Die Brandschutzuniform war durch zivile Bekleidung ersetzt. Der Gruppenführer sagte:

„Die Scheiben samt Rahmen fliegen bestimmt raus. Hoffentlich bleiben die Mauern stehen und wir werden nicht verschüttet!"

Die Barrikade an der Kreuzung war von ihren Verteidigern aufgegeben. Heute weiß man, dass es der Stoßkeil der 8. Gardearmee unter General TSCHUIKOW war, der die Verteidigungslinien von Buckow bis Britz überrannt hat. Wehrmacht, Volkssturm und Waffen-SS zogen sich über die Brücke Chausseestraße zurück und schufen am anderen Ufer eine neue Hauptkampflinie vor Neukölln.

Kurz ruhte der Kampf vor dem Haus. Einige Männer aus dem Keller, auch Horst, begaben sich auf Erkundung nach oben. Ihr Haus hatte kaum noch intakte Fensterscheiben, eine Seite der Hauseingangstür fehlte, das verbliebene Türblatt hing in der Luft. Ein getroffener T-34-Panzer der Russen stand schräg in der Straße. Das Pissoir war getroffen, und anscheinend hatten die Ketten eines Panzers dafür gesorgt, dass es dalag, als wären seine Eisenwände zusammengefaltet worden. Die Platten lagen auf einem Leichnam, dessen Beine, in Stiefeln steckend, darunter vorragten. Das Klirren sich nähernder Panzerketten unterbrach die kurze Kampfpause auf der Straßenkreuzung. Mit aufgesessener Infanterie brausten russische Panzer heran und rollten durch eine schmale Lücke in der vormaligen Panzer-Barrikade. Die Beobachter verschwanden schnell im Keller und verrammelten die Tür.

Dem von Oma Else oktroyierten Schwänzen verdankte Horst vielleicht sein Leben.

Die Straßenbrücke in der Chausseestraße, die über den Teltowkanal führte, war in der Nacht vom 22. zum 23. April 1945 bei den Rückzuggefechten von deutschen Einheiten gesprengt worden. Nah am Feind verloren bei dieser Aktion acht junge Verteidiger ihr Leben. Einer von ihnen war Gottschalk, keinen Kilometer vom Elternhaus entfernt. Die gesprengte Chaussee-Straßen-Brücke hielt den weiteren Vormarsch der Sowjetrussen in Richtung Zentrum für kurze Zeit auf. Von der Kreuzung weg wurde der Russen-Tross direkt hinter die erste, nur noch teilweise stehende Häuserzeile gegenüber Rolands Haus auf das Gelände des zentralen Straßenbahnhofs geleitet. Die Hallen und ihre Dächer waren zerschossen. Hier, Schutz suchend zwischen den Waggon-Gerippen, hatten die Verteidiger den Sturmeinheiten Mann gegen Mann Widerstand geleistet.

Die russische Walze stoppte vor der gesprengten Chaussee-Brücke. Es mussten Übersetzmittel (Pontons) herangeführt werden, um den Kanal zu überqueren. Bataillone, die die Kreuzung und die sie umgebenden Wohnblöcke schon passiert hatten, fluteten zurück und weitere Einheiten rückten ein. Die nun zum Stehen gekommene Sowjet-Truppe tobte sich in Britz aus.

In Rolands Luftschutzkeller hatten inzwischen der Zahnarzt, dessen Mutter, seine Frau und die Hausangestellte aus Angst vor den bekannt gewordenen Exzessen der Roten Armee in den von ihnen eingenommenen Gebieten mittels Tabletten Selbstmord begangen. Ihre Leichen sind von Hausbewohnern die Kellertreppe hinaufgetragen und im Hof abgelegt worden. Die Männer hatten, in den Keller zurückgekehrt, noch nicht wieder ihre Plätze eingenommen, als asiatisch aussehende Soldaten die Kellertür aufbrachen. Sie leuchteten die Räume aus, schrien nach möglicherweise anwesenden Soldaten und forderten auf, sich zu zeigen und zu ergeben. Sie stöberten unter den Metallbetten, zerrten Vorhänge weg, brachen Truhen und Kisten auf und verstreuten ihren Inhalt. In Rolands Keller gab es keine deutschen Soldaten. Nach diesem Intermezzo suchten die Sowjets hastig jede Person nach Wertgegenständen ab. „Uhri, Uhri" - alle wurden ihre Uhren los. Halsketten wurden einfach abgerissen, Ringe schmerzhaft von den Fingern gezerrt. Im Nachhinein stellten einige der ausgeraubten und gedemütigten Kellerinsassen fest, dass ihnen schlichte Eheringe belassen worden waren. Der ersten Gruppe folgten weitere. Während die einen noch ihre Gier nach Gold und Pretiosen befriedigten, stießen andere mehrere Frauen die Kellertreppe hinauf. Widerstrebende begleiteten Gebrüll und Schläge mit dem Gewehrkolben. Die anwesenden alten Männer der ehemaligen Luftschutztruppe hatten auch ihre Helme bei den Uniformen zuvor auf dem Hof versteckt. Sie hielten ihre Frauen fest, aber ansonsten mussten sie dem Geschehen ohne Widerstand seinen Lauf lassen.

Nachdem erst einmal wieder Ruhe im Haus herrschte, gingen die verbliebenen alten Männer und Onkel Horst zum Nachschauen nach oben. Ihnen bot sich ein grauenvolles Bild. Die Leiche der Ehefrau des Zahnarztes, die zuvor auf den Hof gelegt worden war, lag nunmehr mit hochgeschlagenem Kleid und zerrissener Unterwäsche auf den Treppenstufen des Hausflurs. Die aus dem Keller weggeführten Frauen kauerten geschändet und weinend in den leerstehenden Wohnungen. Von diesen Ereignissen behielt Roland nur die auf der Kellertreppe herunterkommenden Soldaten in Erinnerung.

Es kamen erneut Rotarmisten in den Keller. Neben der Tür saß aus alter Gewohnheit wie zu Luftschutzzeiten zur Beruhigung der Kellerbewohner der ehemalige Luftschutzwart. Da die Tür nicht mehr zu verschließen war, weil die stürmenden Russen den Schlosszapfen aus dem Türrahmen getreten hatten, wurde nun ein Holzkeil als Verriegelung benutzt. Das war für die wieder erschienenen Russen kein Hindernis. Sie hatten es auf die Frauen abgesehen. Mutter Margot mit Roland auf dem Arm hatte sich wie die übrigen Frauen im Keller auch verkleidet, auf hässlich und alt geschminkt und sah dreckig aus. War alles zwecklos! Roland blieb im Kinderbett zurück.

„Frau komm, Frau komm!"

Margot, Else und andere Frauen sind, wie tags zuvor in den leerstehenden Wohnungen im Haus, alle vergewaltigt worden. Für einige von ihnen war das der zweite Exzess!

Es bestand kein Telefonkontakt mehr vom Wohnhaus zu Opa Rudolf. Der kümmerte sich mit Kameraden verschiedener Waffengattungen um verwundete Soldaten und Zivilisten in einer zentralen Sanitätsstelle im zweiten Untergeschoss am Hermannplatz, etwa vier Kilometer Luftlinie vom Wohnhaus entfernt.

Ein großes Labyrinth verband das dortige Karstadt-Kaufhaus mit der U-Bahn. Jetzt lagen zwischen ihm und der Familie die Russen. Hätte ihn das Schicksal die Gewalt gegenüber den Frauen mitansehen lassen, wäre er aufopfernd vor Frau und Tochter getreten. Vielleicht hätte er einen oder zwei von diesen enthemmten Untermenschen in den Tod geschickt, bevor ihn selbst eine Garbe aus dem Trommelgewehr niedergestreckt hätte. Else und Margot wären danach trotzdem vergewaltigt worden, und der Exzess hätte sicher noch weitere Opfer unter den Kellerinsassen gefordert.

Opa Rudolfs Überblick der Lage ergab sich aus den Berichten der Eingelieferten. Es musste ihm wie ein Film aus einem anderen Leben vorgekommen sein, wenn er daran dachte, was für ein Gaudi es gewesen war, mit der Familie Ausflug und Einkaufen im Kaufhaus Karstadt miteinander zu verbinden. Wie war das schön, Bruder Ernst hatte den Laden offen gehalten und ermöglichte der Familie das Einkaufserlebnis im modernsten Kaufhaus Europas. Die Karstadt-Silhouette, das war Amerika-Architektur im Art-Deko-Stil in Neukölln. Zwei riesige Türme, 32 Meter hoch, mit einem Dachgarten für hunderte Menschen, die dort nachmittags bei Musik schwofen konnten....

Jetzt sah er schreckliches Leid, dem er inzwischen mehr funktionierend als anteilnehmend gegenüberstand. Diejenigen, die man ins zweite Untergeschoss bugsierte, hatten Überlebenschancen, weil sie bereits erstversorgt waren. Es gab zu wenig Tragen und Betten. Neuzugänge legte man dicht nebeneinander auf dünnen Matratzen oder Planen ab. Platz gab es kaum, Hygiene gab es eigentlich keine. Verstorbene wurden wieder nach oben in den hinteren Hof gebracht, wenn der mal nicht unter Beschuss stand. Verpflegung und Hilfsmittel für die Erstversorgung der Verwundeten gab es genug. Die Ärzte und Schwestern handelten, genau wie er und seine Kameraden, hart an ihrer physischen Grenze.

Am Vormittag des 27. April ging der Kampf in der Nachbarschaft zum Haupt-Verbandsplatz zu Ende. Das Rathaus Neukölln war gefallen. Nach dreitägigem Kampf, verteidigt von Waffen-SS, Volkssturm und von der französischen Waffen-SS-Division „Charlemagne", noch jahrzehntelang von den Einheimischen heroisiert, war es von den Russen eingenommen worden. Die

Verteidiger hatten noch Karstadt samt seiner Türme gesprengt, weil sie die riesigen im Komplex gelagerten Lebensmittel nicht in die Hände der Eroberer fallen lassen wollten. Das zuvor das Stadtbild prägende Kaufhaus war eine Ruine. Der unmittelbare schwere Kampflärm hatte sich in einzelne MP-Salven und Einzelfeuer gewandelt.

Opa Rudolf wollte, so nahe an Zuhause, weder den Heldentod sterben, noch in Gefangenschaft geraten. Mit drei Kameraden, die auch aus Berlin und Umgebung stammten, hatte er Vorbereitungen für den Fall getroffen, dass sie nicht, wie über Radio aus dem Oberkommando der Wehrmacht hoffnungsvoll gemeldet, von der Armee Wenck entsetzt werden sollten. Sich früher abzusetzen wäre Desertieren gewesen. Das wollten sie nicht. Sollten sie von den Russen überrollt werden, hatten sie vor, zunächst auf Tauchstation zu gehen. In den Katakomben des unterkellerten Hermannplatzes hatten sie einen kleinen Raum, von dem ein Lüftungsschacht mit Leitereisen an die Oberfläche führte und der von Fremden kaum entdeckt werden dürfte, für einen Aufenthalt von zwei bis drei Tagen vorbereitet. Kaltverpflegung, Decken, Planen, Metallkübel als Toilette sowie die persönliche Fluchtausrüstung, wozu auch Zigaretten gehörten, hatte jeder von ihnen in einem Rotkreuz-Rucksack zusammen mit Zivilkleidung deponiert.

„Die sind oben drin, lass uns verschwinden!", zischte einer der Eingeweihten.

Bis hierhin hatten sie sich um die Verwundeten gekümmert. Die letzten Minuten waren Opa Rudolfs schwerste Prüfung seines Lebens. Er hatte reichlich Medikamente und Verbandsmaterial an die Leidenden verteilt. Mit den Empfängern war er sich bewusst, dass dies der letzte Dienst war, bevor der Feind da sein würde. Ein Wlassow-Russe in schwarzer Uniformhose bat, er möge ihm doch unbedingt eine Pistole besorgen, er dürfe nicht lebend in die Hände der Bolschewiken fallen. Opa Rudolf gab ihm seine eigene. Diese Geste brachte den Beschenkten zum Weinen.

„Neben dem Kopf liegt meine zusammengerollte Uniformjacke, greif in die Brusttasche!"

Opa Rudolf zog eine goldene Kette mit einem Amulett „Jesus am Kreuz" aus der Jacke. Der Verwundete führte es zum Mund und küsste es. Durch seinen Brustverband gehindert, deutete er an, Opa Rudolf mit dem Kreuz zu segnen.

„Nimm das, möge es dich schützen, Kamerad!"

Er nahm das Kreuz. Nur einen kurzen Händedruck und ein „Gott mit dir, Kamerad" brachte er fertig - mehr nicht.

Schnell lief er im Saal zur Nische neben dem Wasserhahn. Hier stand eine Kiste, in die von den verwundeten Soldaten und von den Verstorbenen deren Kleinwaffen abgelegt wurden. Er entschied sich wieder für eine Pistole 38, deren Magazin er überprüfte. Sich schon auf dem Weg zum Versteck glaubend, hielt ihn ein „Halt" auf. Bei der Stimme und dem Platz, von dem aus er das Kommando vernahm, tippte er auf einen vor Tagen Operierten. Dieser lag in einem Metallbett - ein Waffen-SS-Mann aus Graz. Ihm musste er die Pistole laden und entsichern, weil der Mann es nicht selber tun konnte. Ihm fehlte ein Arm und der andere steckte bis zu den Fingern im Verband. Als letzter erreichte er endlich das Versteck.

Den zweiten Tag verbrachten die drei „Zivilisten" in ihrem dunklen Unterschlupf. Kurze Feuersalven aus der Richtung, in der die Verbandssäle der Verwundeten lagen, ließen eine ungefähre Lage dessen, was sich dort abspielte, erahnen. Durch sparsame Taschenlampenbeleuchtung oder beim Umgang mit dem Feuerzeug und ihren glimmenden Zigaretten war in ihrer Räumlichkeit spärlich etwas zu erkennen. Gelegentlich versuchte einer von ihnen, die Lage zu erkunden. Die Wahrscheinlichkeit ihrer Entdeckung beim Verlassen des Verstecks konnte nur aus der Art des Umgebungslärms abgeschätzt werden. Geschützdonner verorteten sie neuerdings Kilometer entfernt, im Stadtzentrum.

Sie wollten los.

Opa Rudolf, bekleidet mit einem zivilen dunkelgrauen Mantel, mit Rot-Kreuz-Binde auf dem linken Arm, darunter die Uniform, in weichen Stiefeln, aber ohne Kopfbedeckung. Die Pistole steckte in der rechten, eine dynamo-betriebene mechanische Taschenlampe in der linken Manteltasche. Zwei Sanitätstaschen, mehr als doppelt so groß als die normale Patronentasche und eine Feldflasche trug er am Sanitäterkreuz-Koppel. Die Sanitätstaschen hatte er mit Bedacht umgeschichtet. Das Verbandsmaterial, bestehend aus verschiedenen Binden, Salben, Sani-Besteck sowie Kaltverpflegung für mehrere Tage, befanden sich im Rucksack. Dieser hatte auf seiner großen Außenlasche das Rote Kreuz auf weißem Grund. Seine Sanitätstaschen beherbergten einen beträchtlichen Schatz: Opium in Röhrchen und Tablettenform, sowie Kreislaufmittel.

„Gott befohlen, Kameraden, Sprung auf - Marsch, Marsch!"

Der Belüftungsschacht, durch ein Gitter gesichert, endete in einem Hofpark. Hier hatte sich eine russische Verpflegungsstelle breitgemacht. Der Austritt aus dem Schacht war riskant. Sie passten einen günstig erscheinenden Augenblick ab und lösten den Gitterring. Angenehm die frische Luft - kaum raus - wenige Meter gelaufen:

„Stoi, stoi!"

Sie rannten hintereinander durch eine Auffahrt, Schussgarben aus Sturmgewehren peitschten, bevor sie sich aus den Augen verloren. Opa Rudolf rannte allein über die Straße und die Kameraden an der gegenüber liegenden Häuserfront entlang. Sie verloren sich und sahen sich nie wieder.

Aus der Gruppe der Russen, die hinter ihnen her war, nahm einer die Verfolgung von Opa Rudolf auf. Dass nur einer hinter ihm her war, hörte er aus den Stiefelschritten, aber sicher war er sich dessen in der Schnelligkeit des Geschehens nicht.

Einschläge der Garben um ihn herum aus der Maschinenpistole machten Opa Rudolf blitzartig klar, dass das Rote Kreuz auf dem Rucksack nicht die erhoffte Schonung, sondern im Gegenteil in der Dunkelheit dem Russen eine bessere Zielerfassung bot. Sich hinzuwerfen schien ihm nur die zweitbeste Lösung, denn dann hätte der Russe ihn gehabt. Ein Torbogen neben ihm erlaubte den Richtungswechsel, raus aus der Schussrichtung. Da, mitten auf dem Hinterhof, ein Loch. Ein schweres Geschoss hatte die Kellerdecke durchschlagen. Egal wie tief und wohin - er sprang.

Eine Ebene tiefer aufgeschlagen, rappelte er sich auf, ohne Zeit für die Überprüfung seiner Glieder. Weiterlaufen konnte er nicht, weil über ihm bereits die Stiefelschritte seines Verfolgers zum Stehen gekommen waren.

Der Russe stand direkt, nur durch die Betondecke getrennt, über ihm: „Ittler kaputt!"

Als sich nichts rührte, schoss er aufs Geratewohl ins dunkle Loch. Sein Schusswinkel gefährdete Opa Rudolf nicht. Hätte der Russe auf der anderen Seite des Lochs über ihm gestanden, hätte es ihn voll erwischt. Sollte der Russe jetzt nachspringen, wäre das sein Tod – Rudolfs Hand umklammerte die entsicherte Pistole.

Der Russe verließ den Hof. Opa Rudolf bewegte sich erst nach einer Weile, um zu erlauschen, ob er allein sei. Dann leuchtete er die Räumlichkeiten aus. Den Weg, den er heruntergekommen war, konnte er nicht nach oben nehmen. Er wollte gerade einen Hof weiter durch den Kelleraufgang wieder an die Luft, als er über sich mitbekam, wie einige Russen zwei Frauen vor sich die Treppen hinunter stießen. Ihm war wichtiger zu erfassen, ob sie bis zu ihm in den Keller kommen würden, als dass er an eine Heldentat dachte. Die Russen prügelten die Frauen in das Vordergebäude und Opa Rudolf schlich zur Straße.

Hier war niemand. Seine Augen tasteten in Wegrichtung mögliche Verstecke und weitere Fluchtwege ab. Langsam, immer auf dem Sprung, kam er voran - mal einige hundert Meter hintereinander, mal Haus für Haus. Das Ausweichen in Seitenstraßen wegen unübersichtlicher Feindlage kostete Zeit und ließ ihn Umwege nehmen, die oft nicht ungefährlicher waren, bevor er sich wieder auf direktem Heimatkurs befand. Die nächtliche Ruhe war von fernem Kampflärm aus der Stadtmitte begleitet und wurde immer mal durch Gewehrfeuer in Salven oder Einzelfeuer in der Nähe unterbrochen.

Er traf auch auf flüchtende und Schutz suchende Leute, wie auch er es war. Jeder hatte genug mit sich selbst zu tun, aber man mutmaßte, welche Gebäudekomplexe und Straßenseiten womöglich in russischer Hand seien. Immer wieder vernahm er Gewehrfeuer in der Nähe.

Es war noch dunkel, als er dort angekommen war, wo vor gut einer Woche die Chaussee-Brücke noch die Havel überspannt hatte. Jetzt kletterten Russen an den schräg zueinander liegenden Brückenteilen von der Britzer Seite in Richtung Neukölln. Über eine Ponton-Behelfsbrücke neben den zerbrochenen Brückenelementen rollte, von Pferdegespannen gezogen, der große Tross der Nachhut. Mittenmang russische Soldaten, die an den Brückenrändern im Gänsemarsch liefen. Es wurde langsam hell. Die Umrisse, in denen er auf Überfahrt wartende Fahrzeuge und T-34 Panzer ausgemacht zu haben glaubte, schälten sich als zu Schrott geschossenes Gerät heraus. Sollte ihnen nichts passiert sein, war er jetzt weniger als drei Kilometer von Else, Horst und Margot mit Roland entfernt. Zwischen ihm und der Familie lag nur noch der Havel-Kanal.

Die Morgendämmerung ausnutzend, lief er am Ufer entlang. Er machte einen auf der schrägen Böschung liegenden ausgebrannten Schützenpanzer aus. Einen Bogen laufend, schlich er sich an. Seitlich zum Fahrzeug tat sich ein Erdtrichter auf. Ein paar Schritte, ein Sprung - und er lag in Deckung im Erdloch. Seine neue Position ließ nun auch die Beobachtung aller Bewegungen von Mensch und Material über den Kanal hinweg zu. Dabei hing er in Gedanken seiner bedauernswerten Entscheidung nach, bei der Gepäckauswahl des Gewichtes wegen auf ein Fernglas verzichtet zu haben. Gerade hatte er ein nahes Geräusch wahrgenommen, als plötzlich jemand von hinten und direkt auf ihn drauf in die Erdkuhle sprang. Er wurde in die Erde gedrückt.

„Ruhig Kamerad, janz ruhig – ick tu dir nischt!"

Opa Rudolf ließ geschehen, was in Bauchlage-Position ohnehin nicht zu ändern war. Trotzdem hatte er die Hand an die Pistole bekommen. Langsam löste der Mann auf ihm den Druck der Klammerung. Opa Rudolf konnte sich umdrehen und blickte in das Gesicht von Eispickel. Eispickel (!) – aus der Britzer-Sanitätskolonne! Beide schauten sich an, als wenn der Leibhaftige vor ihnen stünde.

„Eispickel, was hast du denn vor? Willst mich doch nicht abmurksen?"

„Mensch, Rudi, ick will ooch übert Wassa. Bin aba nich alleene! Een paar Loch weiter liecht Egon – der hat'n verbrannten Unterschenkel. Der Vaband stinkt und seine Schmerzen, sagta, sind firchtalich. Da seh ick een Rot-Kreuz-Sack durch de Jegend hüppen. Ick tu ma denk'n, det is ' ne Schangse uff Hilfe - vastehste?"

„Verstehe, aber wo kommt ihr denn her?"

„Egon und ick war'n Volkssturm. Ham uns bis Hermannplatz zurückjezogen. Da war Ende. Bis hierher sind wa mit Ach und Krach jekommen. Jetzt hamwa nen Kahn am Ufer vasteckt. Den hamwa schon seit vorjestern. Zwee Nächte lang wolltn wa rübermachen. Is verschoben, erste Nacht war zu ville Holterdipolter am Ufer und letzte Nacht konnte Egon nich mehr!"

„Komme auch vom Hermannplatz, den Rest schaffen wir auch noch. Geht doch gar nicht anders, wirst schon sehen!"

„Nächste Nacht muss det klappen, sonst verhungern wa hier im Jras."

„Pass auf, ich gebe dir jetzt von meinen Verpflegungsrationen. Dann kriegst du für alle Fälle schon mal zwei Mullbinden, eine Brandbinde, zwei Schmerztabletten und eine Kreislauftablette. Rührste alle gleich an. Die Kreislauftablette gibst du zuerst. Den Verband nimm ab, wenn ihr gegessen habt und ich noch nicht da sein sollte. Jetzt hau ab - ich beobachte alles."

„Rudi, hab Dank und Jott befohln - bis gleich. Is ja nich so uffrejend, een paar Meter über dir is'n flacher Laufgraben bis zu uns."

Eispickel robbte nach einem prüfenden Rundumblick aus der Mulde. Dann sprang er auf und verschwand unmittelbar aus Opa Rudolfs Blickfeld. Die Umgebung blieb ruhig.

Opa Rudolf wollte nichts durch hastiges Handeln gefährden Er registrierte öfter Schüsse in der Nähe des Brückenüberganges. Am Ufer gab es kleinen Grenzverkehr - raus aus der Stadt. Personen schickten sich an, schwimmend das andere Ufer zu erreichen. Jede dieser fremden Initiativen in seiner Nähe verzögerte seinen Wechsel zu Eispickel und Egon. Dann war mal weit und breit Ruhe. Er sprang in den Graben, vergewisserte sich des Geländes und lief gebückt bis in den befestigten Verbau. Der maß etwa zweieinhalb Meter im Quadrat. Er sah Egon, der auf einer Zeltplanen lag – eine zweite auf ihm.

„Rudi? Dich schickt der Himmel!"

Schon beim ersten Blick auf Egon war Opa Rudolf klar:

Eispickels Überfallaktion war die reine Verzweiflung, seinen Freund zu retten. Egons Gesicht, soweit unter einem nassen Tuch sichtbar, war kalkweiß.

„Eispickel, geh Wasser holen, sieh dich vor, danach hältst du draußen Wache. Ich kümmere mich."

„Na denn sieh mal zu, wie et mit mir steht, fühle mich auf deutsch jesacht, beschissen. Die Wunde iset nich - die Hüfte, ick jlobe die Nieren, denn pinkeln jeht och nich. Die Tabletten ham aba geholfen."

„Jetzt mal ruhig! Mund auf, hier das Thermometer, beiß nicht drauf!"

Opa Rudolf fühlte Egons Puls. Der war schnell und unregelmäßig. Böse Vorahnungen schienen sich zu bestätigen - über 39° Fieber!

„Trink!"

Opa Rudi setzte ihm die Flasche an die fiebrigen Lippen. Egon saugte schwach, und das Wasser sabberte seitlich vorbei.

„Wie hat denn meine Verpflegung geschmeckt?"

„Hab keen Hunger. Nach die ersten Kekse wollt ick kotzen, hab aba nich!"

Ohne weiteren Kommentar machte sich Rudi an das Öffnen des Verbandes, der in Wadenhöhe beginnend bis zum Knie reichte. Was da zum Vorschein kam, war übel:

Die Schienbeinseite mit verkohlten Wundrändern, mosaikartige Fetzen aus Stoff oder Gewebe, verdreckt. Die Wade war aufgedunsen und sah aus wie ein gelber Butterklumpen.

„Wie ist das denn passiert?"

„Ick lieje neben eem Kameradn, da drückt der ne Panzerfaust ab. Der Rückstrahl aus dem Rohr varbrennt mir det Been. Lagen denn unta Beschuss, er tödlich jetroffen, ick bin de Steene runtajerutscht und bis uffn Vabandsplatz jehumpelt. Da hats bloss so jewimmelt, war allet in Ufflösung. Hab noch jans schnell den Verband jekricht. Det war vor fünf Tage. Da hab ick och Eispickel jetroffn."

Das Sprechen fiel Egon schwer, aber er wollte unbedingt noch etwas loswerden.

„Übrigens Rudi, dein Bruder Ernst war ooch uffn Hermannplatz. Da issa den Russen in de Hände jefalln. Hab jesehn, wie sen zusamm mit valleicht zehn Mann abjeführt ham in Richtung Britz."

„Na, ist ja zumindest gut zu hören, dass die überhaupt Gefangene gemacht haben."

Später wurde berichtet, man hätte Ernst in einer Kolonne von

Gefangenen an Hand seiner Prothese ausmachen können, als diese durch den Ort in Richtung Buckow geführt wurden. Mehr hat man nie über seinen Verbleib in Erfahrung bringen können.

Opa Rudolf, alter Sanitätshase, wusste über Egons Zustand genug: „Egon, jetzt gebe ich dir eine Spritze, und wenn Eispickel wieder da ist, rühren wir dir nachher noch Tabletten an. Die Wunde verbinde ich jetzt nicht. Decke sie nur mit Mullstreifen ab, damit Luft ran kommt. Wenn alles gut geht, machen wir heute Nacht rüber."

„Sicha, ick werd loofen, hab kaum noch Schmerzen."

Egon wusste nicht, dass er gleich in Träume versinken würde.

Er dämmerte vor sich hin, als Eispickel wieder da war.

Mit einem seitlichen Kopfnicken deutete Opa Rudolf dem neben ihm stehenden Eispickel, dass er ihn draußen sprechen müsste. Sie flüsterten.

„Eispickel, wäre ein Wunder, wenn Egon das schafft! Klassische Blutvergiftung – Endstadium, müssen wir hinnehmen. Hat jetzt Opium gekriegt. Wenn er klar werden sollte, rühre ich noch zwei Tabletten an. Tut mir leid!"

„Wat für ne Tragik, in Sichtweite von seine Irmgard so zu krepieren!"

Sie saßen stundenlang neben dem mit dem Tode ringenden Kameraden und lauschten. Das unregelmäßige Aufbäumen seiner Atmung ließ sie immer auf der Hut sein einzugreifen, wenn die in Stöhnen übergehende Atmung laut zu werden drohte. Dabei horchten sie auch auf jedes Geräusch neben dem Unterstand. Opa Rudolf fühlte immer wieder einmal den Puls, und Eispickel wechselte wie in Trance ständig die nassen Mulllappen auf Egons Stirn und betupfte dessen trockene, fieberrissige Lippen. Es war noch nicht dunkel, als Egons Kopf zur Seite kippte und Opa Rudolf dessen Tod feststellte.

Eispickel nahm Egons Erkennungsmarke, Soldbuch, Armbanduhr und den Ehering an sich.

„Kannste wat mit seine Pistole anfangen?," fragte er Opa Rudolf

„Nein, habe ich selber!"

„Is ejal, dann hab ick eben zwee."

Sie legten Egons Leichnam, mit den Zeltplanen bedeckt, mitten in den Unterstand. Es sah aus, als läge er in seiner eigenen Gruft. In Anbetracht dieses Bildes summten sie die Melodie:
„Ich hat einen Kameraden - einen bessren findst du nicht....."
„Wenn seine Irmgard lebt, sagen wa ihr, wo Egon liecht, vielleicht kann`sen holen", meinte Eispickel
Bis zu dieser abschließenden Bemerkung hatten sich Eispickel und Opa Rudolf nur in Gedanken mit Egon beschäftigt. Jetzt ging es um die vor ihnen liegende Kanalüberquerung.
„Den Kahn hamwa umjedreht, und ick hab jedn Tach wat oben druff geschmissen. Ob der dicht is, wees ick nich. Paddel jibt it in Form von zwee Feldspaten. Hab ick ooch jefundn!"
Sie warteten, bis es richtig dunkel war.
„Los, Eispickel, Sprung auf Marsch, Marsch – du zuerst, ich sichere."
Er bemerkte zunächst gar nicht, dass sie schon vor dem umgedrehten Kahn angekommen waren. Opa Rudolf legte seinen Rucksack ab – hell, allzu hell leuchtete das Rote Kreuz – und trug ihn zusammen mit den Klappspaten ans Ufer. Geräuschlos war die Abdeckung des kleinen Bootes nicht möglich. Als sie im Begriff waren, sie anzuheben, stand wie aus dem Nichts die Silhouette einer Person zwischen ihnen. Ein Mann, beide Hände in den Taschen eines schwarzen Ledermantels, der ohne Schulterstücke war. Der Kragen war hochgeschlagen, die Schirmmütze ließ den Offizier erkennen.
„Kameraden, kein Theater, ich will mit!"
Egon hatte die Situation sofort erfasst:
„Fass an! Wenn der Kahn dicht is, kannste mit."
„Keine Sorge, Kamerad, die zwanzig Meter schafft der Kahn auch mit Wasser!"
Opa Rudolf sah, wie der Neue seine in dunklen Handschuhen steckenden Hände herausnahm. Ohne weiteres bückte der sich und sagte:
„Bei Drei - Eins Zwei Drei!"
Den Kahn mit den Händen krallend, rannten sie ans Wasser. Jetzt musste es schnell gehen. Egon hielt den Kahn in der Balance. Ohne zu

zögern sprang der Offizier zuerst in den Kahn, dann Opa Rudolf. Egon stieß, zwei Schritte ins Wasser laufend, den Kahn ab, bevor er sich, bis zu den Knien nass, von seitwärts hinten über die Bordkante herein drehte. Der Offizier saß im Bug des Bootes, mit wachem Blick auf das gegenüberliegende Ufer. In der am Bootsrand aufgelegten Hand hielt er seine schussbereite Pistole.

Nur zwanzig Meter! Zu dritt im Kahn, und die Angst, beschossen zu werden, ließ die kurze Zeit wie eine Ewigkeit erscheinen. Als sie fast das andere Ufer erreicht hatten, landete der Offizier bei dem Versuch, springend an Land zu kommen, mit den Stiefeln im Wasser. Er drehte sich um und zog den Kahn mit Kraft etwas auf die Böschung. Schnell waren sie vom Kahn heruntergesprungen und alle warfen sich platt auf den Boden, schräg in die Böschung. Im Gras liegend sagte der Offizier:

„Danke Kameraden! Wohin wollt ihr denn weiter?"

„Wir bleiben in Britz, sind hier zuhause", antworte Opa Rudolf.

„Ich will nach Klein-Machnow. Werde Britz umgehen, bin übrigens von Pappeln, Sturmbannführer, sage das, falls die Familie nach meinem Verbleib suchen muss."

„Na denn, Heil Hitler, Herr Sturmbannführer!"

„Lassen Sie mal, der ist tot!", und als er merkte, dass das für Egon und Opa Rudolf neu war, fügte er hinzu:

„Vorgestern in der Reichskanzlei gefallen!"

Opa Rudolf erinnerte sich an den Russen „Ittler kaputt!", der ihn beinahe erschossen hätte.

Auf der Uferkrone gaben sich alle die Hand und rannten dann gebückt in entgegengesetzte Richtungen davon.

Ortskundig wie sie waren, kamen sie an die rückwärtige Häuserzeile der Chausseestraße heran, ohne bemerkt zu werden. Ihr Standort war jetzt nur etwa hundert Meter von Opa Rudolfs Laden entfernt. Sie gingen vor zur Straße, weil diese irgendwann zumindest von Egon überquert werden musste, um in seine Wohnung in der Hufeisensiedlung zu gelangen. Momentan bot sich die Überquerung aber auch für Opa Rudolf an. Zwischen den Trümmern auf der gegenüberliegenden Straßenseite war weniger mit Russen zu rechnen. Die hielt es wegen der Übersichtlichkeit auf der Straße. Dicht an den Trümmern entlang laufend kamen sie Opa Rudolfs Laden näher. Akkordeonspiel und trunkener Gesang russischer Soldaten kamen aus der angepeilten Zielrichtung der beiden. Dann sah Opa Rudolf die Ladenzeile. Vielleicht fünfzig Meter entfernt standen sie schräg gegenüber auf der anderen Straßenseite in den Trümmern einer Hausruine. Keines der Geschäfte hatte Scheiben in den ehemaligen, bis zum Bodensockel reichenden Schaufenstern. In seinem Laden oder, besser gesagt, in dem, was noch von ihm übrig war, dienten die ehemaligen Schaufenster als Ein- und Ausgänge. Die zwischen den Schaufenstern im 45°- Winkel zueinander stehenden zwei Ladentüren waren in ihren Rahmen eingeklinkt, aber ihre oberen Hälften hatte keine Verglasung mehr. Die schönen schmiedeeisernen Gitter waren noch in ihren Fassungen. Russen taumelten durch die Schaufensteröffnungen von einem in den anderen Laden. Mehrmals kamen sie kurz heraus auf die Straße, ballerten aus ihren Trommelgewehren in die Luft und torkelten wieder hinein. Das machten sie anscheinend zum Refrain eines immer gleichtönend gesungenen Liedes.

„Keen Wunder, dass die da saufen. Ham die janzen Vorräte von Spiritosen-Meier jefundn", flüsterte Egon.

Zwischen ihnen und der Ladenzeile standen ein Lastwagen und ein russischer Schützenpanzerwagen, dazwischen eine Gruppe rauchender, sich unterhaltender Russen mit dem Rücken zu ihnen. Diese waren aber so mit sich beschäftigt, dass Egon und Opa Rudolf ihre Position nicht zu wechseln brauchten. Weiter voran kamen sie aber auch nicht. Nur wenn sich einer aus der Gruppe umdrehen und in ihre Richtung kommen sollte, wären sie entdeckt worden. Auf einem Motorrad kam ein russischer Soldat angefahren und hielt bei der Gruppe. Der Fahrer breitete eine Karte auf dem Tank seines Krades aus, die er aus seiner Umhängetasche gezogen hatte. Dann kam Bewegung in die Truppe. Kommandos wurden gerufen, und die Russen stolperten mit ihrer Bewaffnung aus den Schaufenstern.

Motoren sprangen an, die Soldaten verschwanden in und auf den Fahrzeugen und fuhren in Richtung Chaussee-Übergang weg. Eispickel und Opa Rudolf verabschiedeten sich voneinander und verabredeten, so bald wie möglich miteinander Kontakt aufzunehmen.

Jetzt hielt es Opa-Rudolf nicht länger im Hausflurversteck. Die mit einem Schlag von Russen leergefegte Straße wollte er nutzen, um die letzten dreihundert Meter bis zur Wohnung zurückzulegen. Der Anblick seines Wohnhauses und der Umgebung war recht traurig. Doch im Gegensatz zu den Zerstörungen, die er in den letzten Tagen unterwegs gesehen hatte, hätte seine Umgebung auch schlimmer verwüstet sein können.

Als er schon die große Kreuzung vor seinem Haus überquert hatte, fuhren im dämmrigen Morgenlicht zwei russische Soldaten vorbei, die sich mühten, auf einem Fahrrad voranzukommen. Sie kümmerten sich jedoch nicht weiter um ihn. Das war sein Glück und sein letzter Schreck vor dem Feind.

Er hangelte sich an der in der Luft wedelnden Haustür vorbei und ging die Stufen hinauf. Im ersten Stock hielt er inne, denn aus der Wohnung vernahm er russische Wortfetzen. Dann, in der zweiten Etage, vor seiner Wohnungstür stehend, holte er tief Luft. Er sammelte sich, auf alles gefasst, in alter Vorsicht die Hand in der Manteltasche die Pistole umklammernd und klopfte als Erkennungszeichen:

„da-dada-da!"

Der Hausflur war dunkel, er hörte die klickende Bewegung des Türspions, aber der gab in der Dunkelheit dem suchenden Auge keine Information.

„Wer ist da?", hörte er Horst flüstern.

„Vater!"

Hinter der Tür wurde geräumt, denn das Türblatt war verkeilt, weil das dem Schloss gegenüberliegende Führungsblech aus dem Rahmen gebrochen war. Eine vorgeschobene Anrichte bildete die letzte Barriere. Die Tür ging einen Spalt auf, und Opa Rudolf zwängte sich schnell durch. Horst hing an seinem Hals. Auf dem Flur standen in freudiger Erwartung Else und Margot. Die Tränen des Glücks über das Wiedersehen flossen nur so.

Bei Kerzenlicht in der Küche, das Fenster ohne Scheiben, nur mit einer Decke verhangen, brachten sie sich auf den aktuellen Stand des Geschehenen. Opa fragte die Frauen:

„Seid ihr auch..."

„Ja, Rudi, beide – einmal - am 24. April, in der Wohnung vom Zahnarzt!"

„Diese Schweine. So etwas macht kein deutscher Soldat, wenn doch, steht er an der Wand! Und Horst, wo warst du?"

„Lass mal, Horst konnte gar nichts machen. Wäre er auch bloß aufgestanden, hätten sie ihn erschossen! Die, die uns 'rausgeholt haben, waren Soldaten auf Befehl für ihre Offiziere."

„Papa, ich kann das nicht vergessen. Hoffentlich bekomme ich meine Regel. Karl werde ich nichts erzählen."

„Lasst uns nicht weiter darüber sprechen. Hoffentlich wiederholen sich diese Sauereien nicht!"

„Und überhaupt, ich weiß nicht, wie das alles weitergehen soll", meinte Else.

Burschikos lenkte Opa Rudolf ab:

„Na, mir kannste erst mal Badewasser anheizen. Von allen Uniformteilen, die ich anhabe und die sich in der Wohnung befinden, werden erstmal die Knöpfe und Schnallen abgeschnitten. Alles wird so klein gerissen, dass es in den Kesselofen passt. Margot und Horst, ihr helft der Mutter!"

Die Tischgesellschaft löste sich auf und fand sich kurz darauf wieder ein. Opa Rudolf, im Bademantel, trug die dreckigen Armeeklamotten zusammen mit den aus dem Ankleideschrank stammenden Uniformteilen und lud sie auf dem Küchentisch ab. Margot befummelte sie und schnitt jedem Teil Knöpfe und Schnallen ab. Horst zerlegte, schnitt und riss die Stoffe in ofengerechte Fetzen. Während sie da so Hand zu Hand werkelten, hatte Roland den Thron eingenommen – er saß auf Opa Rudolfs Schoß. Else holte einen nach dem anderen der aufbereiteten Packen für die Ofenbeschickung ab. Zusammen mit etwas Papier qualmte die Ofenfüllung so vor sich hin. Deutsches Linnen und deutsche Wolle gaben ihr Bestes, das Wasser im Badeofen kam langsam auf Temperatur. Dann lag Opa Rudolf im warmen Wasser der Badewanne, an deren Rand sich Roland festhielt. Dank neu eingelegter Klinge gelang es in unblutiger Rasur, die tagelang gewucherten Stoppeln zu entfernen. Rolands Gesicht, beim Zuschauen vom schaumigen Pinsel quer erwischt, ließ ihn glücklich quietschen. Margot bereitete aus Opa Rudolfs letzten zwei mitgebrachten Verpflegungsrationen für alle ein kleines Mahl. Dafür lohnte es sich, am Tisch im Esszimmer einzudecken. Mit Ausnahme Rolands waren sich alle der Besonderheit bewusst, gemeinsam in solch einer Tafelrunde zu sitzen. Und dennoch, etwas war anders.

Der Kampfdonner war weg! Nur ab und zu war mal ein entfernter Knall zu hören, das war's.

In Berlin schwiegen, von einigen Widerstandsnestern abgesehen, seit dem 2. Mai die Waffen.

So ging für Opa Rudolf der Krieg noch vor dem am 8. Mai 1945 unterzeichneten Waffenstillstand zu Ende.

Getreu seinem Eid hatte er dem Führer des Deutschen Reiches und Volkes und Oberbefehlshaber der Wehrmacht bis zu dessen Tod Gehorsam geleistet.

Wie viele Millionen andere Deutsche auch war er einer politisch-ideologischen Verführung aufgesessen und würde dafür noch weitere Rechnungen als die bisherigen Menschenopfer und Kriegsschäden bezahlen müssen.

Als der Pulverdampf verflogen war,

galt es sich zurechtzufinden in dem, was noch verblieben war. Dann ging es um die Trümmerbeseitigung. Zu den Ersten, die sich allerdings befohlenermaßen verdient machten, zählten Onkel Horst und Opa Rudolf.

Durch Bekanntmachung des sowjetrussischen Bezirkskommandanten von Berlin-Britz, der sich im Haus gegenüber Rolands Wohnhaus einquartiert hatte, waren alle Männer aufgerufen, sich am 12. Mai 1945 zur Trümmerbeseitigung an der Kreuzung Chausseestraße/Ecke

Gradestraße einzufinden. Die Schmach, dass der Sieger die Befehle gab, trat zurück hinter der Einsicht, überhaupt in dem Chaos geführt zu werden. Onkel Horst hatte an diesem Tag seinen 18. Geburtstag. Ausgerechnet ihm und Opa Rudolf wurde befohlen, die Steine des Pissoirs, welches ja bei den Kampfhandlungen komplett zerlegt worden war, zu beseitigen. Horst sah in Gedanken noch die in Stiefeln steckenden Beine des Soldaten darunter vorragen. Der Leichnam war inzwischen abtransportiert, und von den anderen Helfern interessierte sich keiner für Horstens Erinnerung.

In der Umgebung gab es in der Folgezeit keine weiteren Übergriffe durch die Soldaten der Roten Armee, wofür wohl auch der Kommandanten-Stab auf der gegenüberliegenden Straßenseite gesorgt hatte. In Rolands Wohnhaus, in dem Licht und Wasser wieder funktionierten, wenn nicht gerade Stromsperre war, hatten sich in der Zahnarztwohnung sowjetrussische Verkehrspolizisten einquartiert.

Mit der Bestandsaufnahme der Schäden in der Samenhandlung hatten Opa Rudolf und Horst in den vergangenen Tagen begonnen. Trostlos das Ganze, die Samenhandlung war besonders in Mitleidenschaft gezogen. Im Nachbarladen, der Filiale der ehemaligen jüdischen Ladenkette Selle, später arisiert in Meyer-Melchers, waren Spirituosen gebunkert. Den Sowjets war dieser Fund die Quelle nicht versiegenden Alkohols. In der Samenhandlung sah es auf den ersten Blick so aus, als sei jeder Gedanke an ein Wiederherrichten vertan. Das Inventar war zertrümmert. Die geplünderte Ware ergab eine Art Fußboden-Schicht. Flaschen und Scherben übersäten den Boden, der von kahlen Wänden mit unzähligen Einschusslöchern umstanden war. Stinkende Nebenräume voller menschlicher Exkremente, verkohltes Holz in einer Feuerstelle mitten in der Ladenfläche, die Decken rußgeschwärzt. Die ehemals schönen hölzernen Regalwände mit ihren Messinggriff-beschlagenen Schubladen waren aus ihren Fächern gerissen. Sie hatten wohl als Schemel gedient und lagen zerstreut und kaputt überall herum. Die Holz-Regalkonstruktion an der Wand war von Gewehrsalven zersplittert. Die treffendste Beschreibung des Ladenzustandes lieferte das Gerippe der einst mehrarmigen Deckenlampe. Nur kleinste Glasringe an den Birnenfassungen gaben den Hinweis auf vormalig vorhandene Glasschalen. Die Löcher in der Decke erklärten:

Hier hat Zielschießen stattgefunden. Das zerfetzte Metallgebilde hing an der Decke wie ein Skelett.

Opa Rudolf blickte auf sein zerstörtes Lebenswerk.

„Lass uns 'mal nachsehen, ob es unsere Utensilien in der Zwischendecke im Klo noch gibt", versuchte Onkel Horst ihn abzulenken. Sie hatten nämlich die Präzisionswaage und das Schmuckstück der Ladentheke, eine eiserne Registrierkasse zusammen mit allerlei Ladenzubehör, wie auch das Telefon, in Höhe des Wasserkastens in der Toilette mit Brettern verschalt. Als sie diese Bastelei zu Jahresbeginn durchgeführt hatten, dachten sie nicht an Eroberung durch die Russen. Sie wollten verhindern, dass, wenn nur die Scheiben zu Bruch gingen und nicht alles durch Volltreffer zerbombt werde, sie nicht noch beklaut würden. Auf Plünderung stand zwar Erschießen, aber der Nimbus einer heilen Volksgemeinschaft war im Wandel. Es gab zu viele, die gar nichts mehr hatten.

Sie gingen nochmals ins Klo, an dem sie beim ersten Durchgang wegen des Gestanks nur flüchtig durch die offene Tür das abgerissene Handwaschbecken wahrgenommen hatten. Jetzt stellten sie fest:

Alles war, wie sie es gerichtet hatten. Es erschien ihnen wie eine Aufforderung, mit dem Anpacken zu beginnen.

Mit der Schubkarre aus dem Garten konnte der Unrat herausgebracht werden. Das Verschließen der Schaufensteröffnungen erfolgte mit Ziegelsteinen aus den Trümmern in der Straße. So kam Stein auf Stein. Von diesen musste zuvor aber vor seiner Verwendung der alte Putz abgeklopft werden, und zwar mit einem einfachen Hammer. Damit der Wand in der Schaufensteröffnung ohne Mörtel halbwegs Stabilität verliehen wurde, war die doppelte Ziegelbreite als verzahnter Verbund erforderlich.

So hatten sie ein paar Tage geschafft, als Eispickel durch die Tür in den Laden trat. Die Schaufensteröffnung war bis zum oberen Rahmen mit Ziegelsteinen fertig verschlossen. Opa Rudolf und Eispickel freuten sich des Wiedersehens. Mit Horst tauschten sie zu dritt Neuigkeiten aus:

„Meene Famijie is komplett. Erna hamse verjewaltigt. Egons Leichnam hamwa jeholt und unta de Erde jebracht. Jetzt hamwa imma noch Übergriffe von de Russen inne Siedlung."

Der Grund seines Besuches war ein ganz praktischer:

„Ick hab meen alten Eiswagen entdeckt. Der war in eene Straßenbarrikade vabaut. Den Uffbau hat et versiebt, denn det Zinkblech is durch. Nu will ick mal kieken, ob wat von det Blech im Kühlraum von de Meyer-Melchers zu jebrauchen is. Habt doch nischt dajejen. oder?"

„Komm Eispickel, schauen wir nach! Ich habe da sowieso eine Idee. Jetzt haben wir unsere Räume soweit entrümpelt und gesichert, da stellt sich doch die Frage, was machen wir mit dem Ladenteil von Meyer-Melchers?"

Opa Rudolf war baff über die Logik, die er so von seinem Sohn nicht kannte. Der Genossenschaft, die Eigentümerin der Ladenpassage war, vorzuschlagen, Meyer-Melchers Ladenteil mit zu übernehmen, bot sich förmlich an. Geschäftsbetreiber würden Meyer-Melchers wohl nicht mehr sein wollen, und die Selle-Juden sind weg. Der Eigentümerin konnte doch gar nichts Besseres geboten werden....

Onkel Horst brachte maßstabsgetreu die Vision „Aus zwei mach eins" auf's Papier. Die beiden Läden zusammengelegt, brächte für die „Samenhandlung Anders" vier Schaufenster - zwei zur Hauptstraße, und die anderen zwei lägen um 90 Grad zum Hauseingang versetzt. So könnte eine Ladenfläche von gut 120 Quadratmetern entstehen. Für die Verwirklichung dieser schönen Vision machten sie sich an die Arbeit, nach dem Opa Rudolf die Zustimmung von der Genossenschaft beigebracht hatte.

Alle Erwachsenen der Familie brachten über Monate körperlich zehrende Opfer. Die für die Reparaturen erforderlichen Materialien und die üblichen Waren für das noch zu gründende Verkaufssortiment konnten nur durch Tausch besorgt werden. Zum Tauschen musste man aber auch erst einmal etwas zu bieten haben. Mutter Margot und Opa Rudolf fuhren "hamstern". Der Terminus HAMSTERN umschreibt den täglichen Aufbruch von zigtausend Stadtmenschen mit Rucksäcken und Taschen in die Vororte Berlins. Mitgenommen wurden Habseligkeiten, die nach Zerstörung, Diebstahl und Plünderung noch vorhanden waren: Silber-Bestecke, wertvolles Porzellan, Schmuck und andere wertvolle kleine Einzelstücke des Hausrats, zum Beispiel Bilder und Teppiche. Wenige, von den Russen nicht beschlagnahmte, noch fahrbereite Waggons der Deutschen Reichsbahn waren total überfüllt. Die von den hungernden Stadtbewohnern aufgesuchte Bauern im Umland verhielten sich nach dem Gesetz eines mangelhaften Angebots gegenüber einer exorbitanten Nachfrage. Man erzählte sich unter anderem von Bauern, die ihre Viehställe mit teuren Teppichen ausgelegt hatten. Selbst Opa Rudolfs aufgesuchte ehemalige Geschäftspartner machten da, bis auf eine Ausnahme, keinen Unterschied. War der Hamster-Tausch-Besuch bei den Bauern abgeschlossen, begann mit den mehr oder weniger erfolgreich getauschten Habseligkeiten im Gepäck die Rückfahrt. Dabei standen die Menschen teilweise während der Fahrt auf den durchlaufenden Trittbrettern unterhalb der Waggontüren. Man hielt sich an den Tür- und Fensterbeschlägen oder aneinander fest. Das gleiche Bild bot sich auf den Plattformen zwischen den Waggons. Die Waghalsigsten unter den Hamsterern stellten sich auf die Puffer zwischen den Waggons, und die Kräftigsten unter ihnen saßen auf den Dächern der Personenwaggons. In diesem Gedrängel kam es öfter zu Gerangel und Prügeleien. Opa Rudolf passte stets auf Mutter Margot auf. Den Gipfel des Risikos dieser Notfahrten stellten dann noch die stichprobenartigen Kontrollen der „Bahnpolizei" dar, die das gehamsterte Gut auch in Beschlag nehmen konnte, denn Hamstern war offiziell verboten! Nach Auffassung der Kontrolleure würden die an den derzeit bestehenden Bewirtschaftungsmaßnahmen des Alliierten Kontrollrates vorbei gehamsterten Güter die allgemeine Versorgungslage noch verschlimmern. Dabei verbesserte sich die wirtschaftliche Lage der Kontrolleure stetig.

Die Hamsterfahrten von Opa Rudolf und Mutter Margot waren relativ erfolgreich. Das lag weniger an ihrem Tauschangebot, sondern eher an ihrer speziellen Suche. Im Unterschied zu den übrigen Hamsterern waren sie nicht schwerpunktmäßig auf der Suche nach Butter, Fleisch, Wurst, Käse und Kartoffeln, ganz abgesehen vom eigenen schmalen Tauschangebot. Sie tauschten Samen ein. Da Samen nicht einfach in der Küche gepresst werden konnten, sondern dies nur unter großem

Druck in einer eigens hierfür konstruierten Presse erfolgen konnte, war die Zahl ihrer Tauschinteressenten begrenzt. Opa Rudolf brachte die erworbenen Samen in die Neuköllner Ölpresse, zu der noch guter alter Geschäftskontakt aus der Vorkriegszeit bestand. An und für sich standen Samen ja unisono unter dem Bewirtschaftungsgesetz, aber Opa Rudolf erklärte die eingetauschten Samen für nicht mehr keimfähig. Mit dieser fachmännischen Klassifizierung fielen sie nicht unter die Bewirtschaftungsrichtlinien und durften gepresst werden. Die Samenanlieferung in die Neuköllner Ölpresse, an den Kontrollen auf Land und Schiene vorbei, war stets eine logistische Meisterleistung. Rolands Familie erhielt ein stattliches flüssiges Öl-Deputat für sich und den kleinen Handel nebenbei. Zuhause wurde meistens trockenes Brot in das Öl getunkt – eine wunderbare Hauptmahlzeit.

Abwechselnd gingen Oma Else und Mutter Margot mit Roland auf den in der Nähe gelegenen Spielplatz, der einen Sandkasten mit fester Ummauerung hatte. Diese eignete sich vortrefflich, um auf ihr mit metallenen Kuchenformen sandige Nachbildungen auszuklopfen. Im August 1945 bekam er dort mit, dass etwas Schlimmes passiert sein musste. Die Frauen sprachen leise und bedrückt davon. Roland erzählte und fragte zu Hause bei Opa Rudolf nach. Der erklärte Roland vor dem Zubettgehen, dass die Erde eine Kugel sei. Roland verstand soviel: Würde man in sie hineinbohren, käme zuerst Wasser, dann würde es immer wärmer, und im Erdinneren wäre alles flüssig vor Hitze:

„Eine Bombe, die in einem weit entfernten Land von den Amerikanern abgeworfen worden ist, hat solch eine Hitze ausgelöst."

Mit diesem Wissen kam Roland auf den Spielplatz. Er buddelte mit der Handschaufel ein Loch, in das er seinen Arm so tief hineinstecken konnte, dass seine Schulter von den Ohren bis zum Mund im Sand steckte. Der Sand war feucht. Er sorgte unter seinen Spielkameraden für große Neugier als er behauptete:

„Da ist schon warmes Wasser!"

Alle Spielkameraden wollten in das Loch greifen. Später, in der Schulzeit, hat Roland diese Episode zuordnen können:

Am 6. August 1945 wurden auf Hiroschima und am 9. August 1945 auf Nagasaki die Atombomben abgeworfen!

Die Sowjets verließen Berlin-Britz in Richtung ihres Ostberliner Sektors, die Amerikaner rückten nach. Britz war jetzt amerikanischer Sektor. Das Zeitfenster zwischen dem Russen-Abzug und dem Ami-Einzug ergab einen großen Schub im Projekt „Ladenbau", das ins Stocken gekommen war. Das fehlende Glas für die Schaufenster konnte besorgt werden. Es stammte aus einem verwaisten Materiallager in der Barackenstadt, die von den Sowjets geräumt worden war. Auf einmal gab es so viel Glas, dass auch die Fenster der Wohnungen noch vor Weihnachten wieder verglast werden konnten. Es war fast unvorstellbar, wie im zerstörten Berlin und in der größtenteils unzerstörten Gartenstadt Berlin-Britz bereits zum Winter nach Kriegsende wieder ein Fleckchen Normalität geschaffen worden war.

Die dreijährige Ausbildung von Onkel Horst zum Flugzeugelektromechaniker zahlte sich aus. Die erworbenen Kenntnisse und seine "goldenen Hände" machten die Hamsterfahrten ab Herbst 1945 unnötig. Er hatte sich darauf spezialisiert, die häufig defekten Sprech- und Funkgeräte der Amerikaner zu reparieren. Hierfür bekam er als Lohn die Erstwährung – Zigaretten - und mehr Material, als er von Fall zu Fall benötigte.

Das Wohn-und Geschäftshaus, in dem sich das Unternehmen von Ur-Opa Georg befand, hatte den Krieg ohne große Beschädigungen überstanden. Das Geld war nichts mehr wert, aber es konnte getauscht werden. Die alten Geschäftskontakte wurden reaktiviert. Die „Samenhandlung Robert Beist" war wieder eröffnet und ernährte die gesamte Ur-Großvater-Familie überwiegend aus der Veräußerung noch vorrätiger Vorkriegsware.

Anfang 1946 wollten Opa Rudolf und Onkel Horst ihren Laden eröffnen. Das Warensortiment, zusammengehamstert, eingetauscht und durch Auffüllung aus dem Lager der „Samenhandlung Robert Beist" war präsentabel. Die Anmietung der Ladenerweiterung war mit der Bau-Genossenschaft geregelt. Die beiden hatten aber in ihre Vorbereitung nicht die in Berlin-Neukölln sehr aktive ANTIFA einbezogen. In der Antifa hatten sich Verfolgte des Naziregimes zusammengetan. Sie trat in den Nachkriegsmonaten als Mittler auf, um die durcheinander geratene gesellschaftliche Struktur neu zu organisieren. An den echten Verfolgten, Sozialdemokraten und

Kommunisten, klebten natürlich sofort vermeintliche Gegner des NS-Systems, die sich eingeredet hatten, eigentlich schon immer dagegen gewesen zu sein. Diese zusammengewürfelten Menschen in der Antifa hatten keine Skrupel bei Legalitätserwägungen gegenüber Nazis oder Leuten, die, aus welchen Gründen auch immer, den Nazis zugerechnet wurden. Die Antifa beschlagnahmte Wohnungen, verfügte Neueinweisungen, konfiszierte Eigentum und andere Vermögenswerte, vorbei an eigentlich bestehenden Gesetzen. Es war die Zeit der Denunziation. Alte Rechnungen, sowohl politischer als auch privater Art, wurden beglichen. So mancher wollte sich einen Startvorteil bei den Siegern sichern. Antifa-Leute erinnerten sich an die NSDAP-Aktivitäten von Opa Rudolf oder wurden von jemandem daran erinnert. Jedenfalls verbot man ihm die Eröffnung seines Ladens. Onkel Horst kam, als 18-Jähriger noch nicht volljährig, als neuer Ladeninhaber nicht in Betracht. Nach der Ablehnung gab es ein zermürbendes Hin und Her von Widerspruch, Genehmigung und wieder erneutem Verbot. Der Ortsbürgermeister von Britz war ein besonderer Aktivposten bei der Verfolgung ehemaliger Mitglieder der NSDAP. Den regte es sogar auf, dass bei der Vergabe der Hunger-Lebensmittelkarten angebliche Nazis gleichberechtigt seien gegenüber den sich als Nicht-Nazis bezeichnenden Bewohnern, und dass die Besatzungsorgane bei der Requirierung von Wohnraum auch keinen Unterschied zwischen vermeintlichen Faschisten und selbsternannten Antifaschisten machten. Trotz dieser bestehenden Querelen erhielt die altbekannte Kundschaft bei Opa Rudolf schon Ware.

Während noch die undurchsichtigen ANTIFA-Verhältnisse andauerten, kamen in den West-Sektoren Berlins die ersten CARE-Pakete aus den USA an. Es gab zwei Sorten von CARE-Paketen. Bei der einen handelte es sich um anonyme Pakete, die durch Geldspenden von Bürgern in den USA bei der Organisation CARE-Paket gekauft wurden und ihren Weg nach Berlin nahmen. Diese Pakete wurden in Westberlin besonders bedürftigen Familien ausgehändigt. Bei der zweiten Sorte CARE-Pakete handelte es sich um Sendungen, die mit Absender und Adresse versehen waren, und so dem zugedachten Empfänger übergeben werden konnten. Opa Rudolf bekam ein CARE-

Paket der zweiten Sorte von seinem alten Freund Dr. Levi aus New York. Seine Freude war riesengroß: „Da siehst Du, was wirkliche Freundschaft ist", richtete er sich an Onkel Horst. Das erste CARE-Paket enthielt Dinge, nach denen sich Rolands Familienmitglieder sehnten – Cornad-Beaf und Pumpernickel in Dosen, Kondensmilch, Lebertran und Zigarren für Opa Rudolf. Die Bedarfsbefriedigung war aber nur die eine Funktion des ersten CARE Paketes. Es entsprach seiner Auffassung von Loyalität, als er kommentierte:
„Werde ihm berichten, wie sie mir Steine in den Weg legen, den Laden zu eröffnen."
Sodann schrieb er also seinem Freund Dr. Levi nach New York an die nun bekannte Absenderadresse. Bald darauf konnte er sich seine Gewerbegenehmigung von der Behörde abholen. Der Laden wurde im November 1946 eröffnet.

Neue Orientierungen

Rolands Vater Karl hatte den Krieg unversehrt überstanden und sich bei seiner Familie im Schwarzwald eingefunden. Er hatte jedoch zu große Angst, durch die damalige Sowjetzone zu seiner Frau nach Berlin zu kommen. Mutter Margot wollte aber, selbst wenn sie eine Reisemöglichkeit gefunden hätte, mit dem kleinen Roland nicht aus dem zusammenstehenden Familienverband weg von Berlin. Womöglich hätte sie in den dörflichen Schwarzwald übersiedeln müssen und wäre gar bei ihr fremden Menschen gelandet. Wie Mutter Margot einige Monate später hat erfahren müssen, war Karl inzwischen eine neue Beziehung mit einer Frau eingegangen. Ein Kind aus dieser Verbindung war wohl auch schon unterwegs. Unterhalt zahlte Vater Karl für Roland keinen.
Die Situation in der Britzer Wohnung: Opa Rudolf, der Familienpatriarch, hatte das Heft fest in der Hand. Mutter Margot war mit Roland in ihre vormalige Mädchenrolle zurückgestuft, und Oma Else fungierte in diesem Sinne als der verlängerte Arm von Opa Rudolf.

Mutter Margot nahm wieder Kontakt zum Jugendfreund Grundmann-Bruder Alfred aus der alten Jugendgruppe in Berlin-Friedrichshagen auf. Von den fünf Grundmann-Brüdern waren drei im Krieg gefallen. Ein Grundmann-Bruder, Kurt, befand sich in russischer Kriegsgefangenschaft. Alfred arbeitete als Mechaniker in der Firma Hecker, einem Friedrichshagener Metallbetrieb. Die Segeljolle vom Bruder hatte er unbeschädigt über den Krieg gerettet. So konnten Alfred und Margot wie zu Vorkriegszeiten Törns auf dem Müggelsee unternehmen.

Als inzwischen Neunzehnjähriger konnte Onkel Horst etwas von der fehlenden Jugendzeit aufholen, die ihm durch die Kriegsjahre verloren gegangen war. Er besuchte in Berlin-Britz eine Tanzschule, die sich in den Räumlichkeiten des Vereinszimmers einer Britzer Kneipe eingerichtet hatte. Seine Tanzpartnerin war das sehr schöne Mädchen namens Traudchen. Onkel Horst war vom Tanzen aber mehr noch von Traudchen begeistert. Einander zugetan, bildeten beide ein Tanzpaar bei den Turnieren, die in Berlin-Britz und Berlin-Neukölln stattfanden. Die Tanz- und Ballkleider wurden von den Witwen und Müttern aus den Vorkriegs-Garderoben, mitunter auch aus Gardinenvorhängen genäht. Einmal geriet Traudchen mit ihren Tanzfreundinnen in eine abendliche Polizeirazzia. Solche Aktionen, die nur der Ergreifung junger Frauen galten, waren häufig, weil das Fraternisieren mit den amerikanischen Soldaten verhindert werden beziehungsweise sich für die Sieger nicht gesundheits-schädigend auswirken sollte. Die Frauen wurden auf einem Lastwagen in ein Polizeigebäude gebracht. Dort untersuchten Ärzte, von weiblichen Hilfskräften assistiert, rigoros und ohne Rücksicht auf Verluste die aufgegriffene Weiblichkeit auf Geschlechtskrankheiten. Bei dieser Prozedur verlor Traudchen ihre Jungfräulichkeit, noch bevor sie ihr von Onkel Horst genommen werden konnte.

Der Winter 1946/47 war der bislang kälteste des 20. Jahrhunderts. Mitte November 1946 kam die erste große Kältewelle nach Berlin. Dass hohe Frosttemperaturen und Schneemassen bis in den März 1947 hinein so überdurchschnittlich kalte Winterlandschaften erzeugte, hatte keiner geahnt. In Britz fällte man die letzten Bäume und machte selbst vor den Obstbäumen nicht halt. Die Menschen waren so verzweifelt, dass sie mit der letzten Kraft, die sie noch aufbieten konnten, aus dem vereisten Boden sogar die Baumstümpfe herauszubrechen versuchten. Von den ehemals etwa 200tausend Bäumen im Tiergarten sind gerade noch ca. 700 stehengeblieben. Auch aus den Ruinen trug man Brennmaterial in Form von Balken und Brettern zusammen. Das waren durchaus gefährliche Unternehmungen. Die Ruinen waren fragile Hausreste, die durch Wind und Wetter ihre ohnehin schwache Standsicherheit weiter einbüßten, beziehungsweise plötzlich auch in sich zusammenfielen. Beim Herausziehen der Balken, durch Gewichtsverlagerung auf irgendwelchen Überständen oder einfach nur infolge einer Erschütterung gab es dabei auch Tote und Verletzte. Demgegenüber ungefährlich, aber anderweitig auch mit Schmerzen verbunden war es, entbehrliche Regale und Schränke zu verheizen. Wenn dieser Fundus nichts Brennbares mehr hergab, ging es ans Herz - dann wurde der Buchbestand nach verzichtbaren Titeln durchforstet. Dabei sank von Mal zu Mal die Schmerzgrenze, liebgewonnene Literatur dem Wunsch nach Wärme zu opfern. In Rolands Familie traf die Auswahl Onkel Robert. Diesem Bücherwurm waren seine großen Bücherschränke im „Berliner Zimmer" und in den anderen Räumlichkeiten der Wohnung schon vor dem Krieg zu groß geworden. Er hortete deswegen seine Bücher auf dem Giebeldach-Boden. Während der Kriegsjahre hatte er deswegen Ärger mit dem Luftschutzwart. Onkel Robert rettete deshalb seinen Bücherschatz stapelweise zwischen die Pflanzen im Gewächshaus auf dem Hof, wo sie der Feuchtigkeit Tribut zahlten. Bei Kriegsende kamen die Bücher deshalb sofort wieder auf den Dachboden. Der Buchbestand lichtete sich dort wider Willen schneller, als er es je erahnt hätte. Wäre es nach ihm gegangen, hätte er im Zimmer lieber seinen Atem gefrieren lassen, als seine Bücher brennen zu sehen, um nicht vor Kälte zu zittern. Es bedurften aber seine Mutter - Ur-Großoma Anna - sein Vater – Ur-Groß-Opa Georg - seine Ehefrau Herta, schwanger mit Tochter Christel, Rolands späterer Cousine, und, nicht ganz unwichtig, die Ladenkundschaft, der Wärme! Er litt wie ein geprügelter Hund. Apropos Hund, wenn in der einen oder anderen Familie der Hund oder die Katze die Kriegswirren (mit-)überlebt hatten, konnten sie kaum noch durchgefüttert werden. Folgerichtig waren solche Vierbeiner in der Stadt selten. Sie wurden entweder von ihren

Haltern, oder schlimmer noch, von darauf spezialisierten Einfängern, durch Schlachtung dem Überlebenswillen der Menschen geopfert. Trefflich und pietätvoll sprachen die Berliner bei Tisch im Angesicht angerichteter Katzen beim Verzehr von "Dachhasen".

Opa Rudolf bekam im schlimmsten Kälte-Monat, und das war der Januar 1947, wieder ein CARE-Paket von seinem Freund Dr. Levi, der Stoffe und Decken schickte. Nach den schlimmen Wintermonaten war aber die Not noch nicht vorbei. Die Schäden an der vor dem Winter gerade wieder etwas in Gang gekommenen Infrastruktur der Ver- und Entsorgung mussten erneut überwunden werden. Straßen- und sonstigen Bahnen fuhren in unregelmäßigen Abständen. Durch die lang anhaltenden sehr frostigen Temperaturen waren die meisten mehrjährigen Pflanzen im Boden erfroren. Eingelagerte Saatkartoffeln waren größtenteils unbrauchbar.

Bei Beobachtung der Freiheiten, wie sie Onkel Horst genießen durfte, und wie sie Opa Rudolf andererseits gegenüber Mutter Margot an den Tag legte, war deren Auszug aus der Britzer Wohnung absehbar. Sie zog mit Roland in den Ostsektor nach Friedrichshagen zu ihrem Jugendfreund, dem Grundmann-Bruder Alfred. Durch Scheidung und erneute Heirat wurde diese Neuorientierung zum Jahreswechsel 1946/47 legalisiert. Grundmann Bruder Alfred fand kurz darauf ein Zuhause für seine neue Familie – eine Zwei-Zimmerwohnung zur Miete in Berlin Friedrichshagen, direkt am Wasser gelegen. In der Nachbarschaft zur Rechten befand sich ein Segelverein mit Werkstatt und Vereinskneipe und zur Linken der Anlegesteg einer Dampfschifffahrtunternehmung. Der kleine Dampfer schipperte Pendler und Ausflügler zu den Ausflugslokalen am Müggelsee bis nach Neu-Helgoland und zurück. Das Spielparadies für Roland war perfekt.

Mutter Margots Auszug aus der elterlichen Wohnung bedeutete hingegen für Opa Rudolf und Oma Else, dass ihnen nunmehr eine Untermieterin zugewiesen wurde. Hierbei handelte es sich um eine Kriegswitwe namens Clawitter aus Schlesien. Die Witwe verdiente sich ein paar Mark durch das Kochen von Sirup und Kohlsuppe. Aus Mutter Margots ehemaligem Zimmer kam infolge dieser Kocherei ein Geruch, der aufdringlich durch Wohnung und Hausflur zog.

Im Frühjahr 1947 wurde Opa Rudolf zum Bezirksobmann gewählt. Hierbei handelte es sich zwar um ein Ehrenamt, aber ein Besucher-

bzw. Arbeitszimmer wurde ihm dennoch zugestanden. Somit fand das kurze Koch-Intermezzo in der Etage sein Ende.

Opa Rudolfs Geschäfte liefen gedeihlich. Ein sehr nachgefragter Artikel war der Tabaksamen. Den verkaufte er in Mengen (1000 Tabaksamenkörner wiegen 0,1 Gramm), kaufte aber für manufakturelle Kleinstfertigung für den Eigenbedarf und Freunde der Skatrunde die geernteten Tabakblätter wieder zurück. Diese Tabakblätter wurden zum Trocknen auf Schnüre gezogen und quer durch den Laden aufgehängt. Die verschiedenen Samen, besonders aber die Tabakblätter, ergaben zusammen einen einzigartigen Duft im gesamten Laden. Ladenbesucher und Kunden honorierten diesen Geruch durch tiefes Durchatmen. Die getrockneten Tabakblätter wurden fermentiert, entrippt und geschnitten. Opa Rudolf rauchte selbstgefertigte Zigarren. Mit der Produktionskette Tabak kam Opa Rudolf deswegen so gut klar, weil er über das Wissen der Rohstoffbehandlung sowie über die Fertigungstechnik verfügte. Besonders die Rezeptur der erforderlichen Fermentiermittel für die Tabakblätter erbrachte so etwas wie einen typischen Geschmack. Das Wickeln, Rollen und Pressen der Zigarren machte aus ihm keineswegs einen autarken Zigarren-Produzenten. Selbst baute er nämlich auf seiner Gartenfläche keinen Tabak an. Andernfalls hätte er auch gleich auf dem Grundstück schlafen müssen. Erntereife Tabakblätter waren begehrtes Diebesgut. Oft waren bei der Ernte die Diebe schneller als die Züchter. Das gleiche galt übrigens auch für Kartoffeln. Die Kunden von Opa Rudolf, sofern sie überhaupt über einen Garten verfügten, bauten aus Angst und Vorsicht vor Verlust in den wenigsten Fällen ihren Tabak in den Gärten an. Tabak, Kartoffeln, Tomaten und andere Nutzpflanzen wurden in Balkonkästen oder in eigens für ihre Aufzucht hergestellten Kisten auf dem Balkon oder im übrigen Wohnungsbereich herangezogen.

Roland wohnte nun mit seiner Mutter bei Grundmann-Bruder Alfred. Die Bewältigung des Winters 1946/47 gestaltete sich im Ostberliner Bezirk Friedrichshagen nicht anders als im amerikanisch besetzten Britz. In den rund um Rolands Wohnhaus liegenden kleinen Wäldchen war es bei Strafe durch die russische Kommandantur verboten, von den letzten Bäumen Äste abzusägen. Gefällt werden durften sie schon gar nicht. Mutter Margot fuhr mit Roland in

Richtung Erkner. In den dortigen Wäldern sammelten sie Kienäpfel, die etwa fünf bis zehn Zentimeter großen Zapfen der Waldkiefer. Ein großer Rucksack und eine Tasche waren stets ihr Gepäck, und ein weiterer kleiner Rucksack befand sich auf Rolands Schultern. Nicht nur über die Hilfe beim Tragen der Kienäpfel hat er zur Beheizung der Dachwohnung beigetragen.

In Richtung Friedrichshagen-Markt führte eine Straßenbahnlinie an Rolands Wohnhaus vorbei. Daneben verlief eine mit Granit-Kopfstein befestigte Straße. Über diese Straße transportierten die Sowjets auf Fuhrwerken, die meist noch einen zusätzlichen Anhänger hatten und mit Pferden bespannt oder von einem Traktor gezogen wurden, Kohle in ihre Garnison. Roland lief mit den Jungen aus der Nachbarschaft neben den Fuhrwerken her, und sie versuchten – meist besonders erfolgreich, wenn es sich um ein Pferdegespann handelte – mit langen Stöcken in die hoch geladenen Kohle zu stochern, damit seitwärts die Stücke herunterfielen. Das ging bestenfalls über eine Strecke von fast hundert Metern. Dann galt es, schnell die Beute zu sichern, bevor vorbeikommende Erwachsene die Kohle aufsammeln konnten. Die sowjetischen Soldaten waren nicht von Hause aus kinderfeindlich, aber durch Geschrei, Drohungen mit dem Trommelgewehr und Peitschenhiebe verteidigen sie ihre Ladung. Wohl aus diesem Grund saßen manchmal gleich zwei Soldaten auf dem Fahrbock. Die verfeinerte Methode, Kohle von den Wagen direkt in ihrer Klaustrecke fallenzulassen, sah so aus:

Die älteren Jungen hievten Roland als den Kleinsten auf den Wagen. Der größte und kräftigste Klaukamerad nahm ihn auf die Schultern und rannte von hinten, außerhalb des Sichtbereichs des Fahrers, an den letzten Wagen heran. Roland zog sich über den Wagenrand und stieß sich über die Schulter seines Trägers nach oben ab. Jetzt musste er ganz schnell mit Händen und Füßen die Kohle über den Rand schieben. Wenn ihn die meist betrunkenen Ivans erblickt hatten, reagierten sie mitunter, als stünden sie unter Feindangriff. Durch abruptes Bremsen und Beschleunigen des Traktors versuchten sie Roland vom Wagen zu schütteln. Bei einem Pferdegespann traf ihn einmal eine Peitsche voll am Bein. Er verlor das Gleichgewicht und wäre beinahe auf das Pflaster der Fahrbahnseite gestürzt.

Geistesgegenwärtig sprang er einen nebenherlaufenden Klaukameraden an. Der federte den Fall ab. Kontrolliert ging sein Abgang von oben so vonstatten wie der Sprung auf's Bett. Er sprang in die ausgestreckten Arme der eng zusammenstehenden Mitstreiter auf der Bürgersteigseite, deren Körper ihm die Matratze bildeten. So fielen dann alle durcheinander und trollten sich unverletzt in Richtung der auf der Fahrbahn verstreuten Kohlestücke. Die Aufteilung der Beute war nicht gerecht. Das begriff Roland aber erst später. Er war erst einmal mit dem Lob zufrieden, welches er von den Großen hörte. Als Beuteanteil bekam er nur ein oder zwei Kohlestücke. Das war immerhin schon etwas, und Mutter Margot und Grundmann-Bruder Alfred freuten sich über seine Mitbringsel. Roland erklärte die Gaben zu gesammelten Fundstücken vom Straßenrand, selbst wenn sich diese im Laufe der Zeit bis zu mehreren vollen Eimern steigerten. Die Kohlenklau-Aktionen unternahmen die Jungs ziemlich regelmäßig, und zwar mit zunehmender Raffinesse. So hielten sie Steine am Straßenrand bereit, die sie vor die rollenden Räder schoben. Beim Überrollen wurde das Gefährt dermaßen durchgerüttelt, dass die Kohlenstücke nur so herunterkullerten. Irgendwann reklamierte Roland dann gegenüber seinen größeren Klaukameraden die ungerechte Aufteilung und forderte von nun an, nicht mehr auf den Wagen klettern zu wollen, sondern wie sie ja auch, nur noch die Kohle aufzusammeln. Ob das den Ausschlag gab oder nicht - auf jeden Fall wurde im Verlaufe der Klauaktionen die Beute gerechter aufgeteilt.
Roland hatte in dieser Zeit noch eine weitere ertragreiche Unternehmung.
Der gesamte Spree-Verlauf an der Hahnsmühle wimmelte von Krebsen. Dass man Krebse essen konnte, und wie sie schmeckten, hatte er von Grundmann-Bruder Alfred erfahren. Wenn sie nämlich mit der Segeljolle abends ins Schilf glitten, um in Ufernähe zu kampieren, hatte dieser oft zum Abendessen ein paar Krebse gefangen. Die Krebse wurden dann in das über offenem Feuer kochende Flusswasser geworfen. Nach wenigen Minuten waren sie knallrot, also gar. Hinter dem Kopfpanzer wurden sie gebrochen und

auseinandergezogen. Danach puhlte man den essbaren Teil, Schwanz und Scheren, aus der Chinin-Panzerung und zusammen mit Kartoffeln, Brot oder Nudeln war die Mahlzeit fertig. Krebse wurden von den Anglern, die an den Uferböschungen saßen und Köder auswarfen, nicht beachtet. Krebse zu fangen war ja auch eher etwas für flinke Jäger. In der Segler-Vereinskneipe neben dem Haus hatte Roland beobachtet, dass Krebse, die zum gelegentlichen Angebot des Wirtes gehörten, von den Seglern geschätzte Leckerbissen waren. Um Fassbrause trinken zu können so viel er wollte, musste er Krebse fangen, das war seine Idee. Er fing an im klassischen Stil zu jagen, so wie er es bei Grundmann-Bruder Alfred gesehen hatte. Ein ca. ein Meter langer Stock war auf etwa zehn Zentimeter an der einen Seite eingeschnitten und am Ende des Schnittes durch einen quer eingelegten Zweig, der als Spaltkeil diente, begrenzt. Der sich am unteren Ende des Zweiges ergebende Zwischenraum war breit genug, um über den Panzer des Krebses gedrückt zu werden. War der Krebs in den Schenkeln des breit gestellten Keils eingeklemmt, konnte er aus dem Wasser gehoben werden. Weil sich die Krebse das aber nicht so einfach gefallen ließen und durch Zusammenkrümmen und katapultartiges Zurückschnellen ihres Schwanzes in größeren Sprüngen flüchteten, stellte Roland auf Handergreifung um. Diese Methode war auch nicht erfolgreicher, weil wie zuvor immer nur ein Krebs beobachtet und gefangen werden konnte. Im Schlamm setzte Roland Fuß vor Fuß, dabei den Krebs und seine erwartete Fluchtrichtung im Blick. Das Aufwühlen des Schlamms war das Ergebnis jeder Attacke. Andere Krebse schreckten hoch und waren dann, nicht mehr in ihrer Ruhestellung, nur schwer zu fangen.

Roland kam also auf die Idee, die Krebsjagd zu "industrialisieren". Es gab Bausteine aus Ziegeln, die von zwei Röhren durchzogen waren. Von diesen Ziegelsteinen legte er unter den Bootsstegen immer zwei Steine übereinander und einige nebeneinander. Die Steine griff er dann später so, dass er mit den Händen beide Enden abdeckte. So hob er Stein für Stein aus dem Wasser, und schüttete sie auf dem Steg aus. Manchmal kamen gleich zwei Krebse aus einem Stein. Es dauerte nicht lange, bis er einen 5-Liter-Eimer mit Krebsen gefüllt hatte. Diese Jagdbeute präsentierte Roland dem Kneipenwirt und nahm neben Lob und Dank ein, zwei oder drei große Glas Fassbrause entgegen. Für den familiären Krebs-Eigenverzehr sorgte er auch vor. Er aß damals wohl zu viele Krebse, sodass er in späteren Jahren keine mehr essen mochte. So ging es ihm auch mit Krabben und Garnelen. Eine Szene in Verbindung zu der Krebsjagd war ihm noch im neuen Jahrtausend im Gedächtnis.

Es war Frühjahr, letzte Eisschollen spiegelten sich wie schwimmende Glasscherben, wenn Wellen das Wasser bewegten. Mutter Margot wollte mit ihm die Verwandten in Westberlin besuchen. Roland freute sich seit Tagen auf diesen Ausflug und war schon frühzeitig komplett, fertig angezogen und gestriegelt. Besonders stolz war er auf seine neuen schwarzen, halbhohen Lederschuhe, die Mutter Margot mit ihm tags zuvor auf Bezugsschein im Laden abgeholt hatte. Auch seine ständige Tageshose, eine Art von Trainingshose, war gegen eine neue, gebügelte, lange schwarze Hose ausgetauscht worden. Bei Mutter Margot dauerte die Reisevorbereitung noch an. Was lag da näher, als sich eventuell anzutreffenden Nachbarn oder Spielkameraden im neuen Staat zu zeigen. Er ging also mit Mutter Margots Genehmigung vor, hinunter vor die Tür. Niemand nahm von ihm Notiz. Na, wenn schon keiner da war, dann interessierten ihn eben die Krebse seiner Kolonie. Gedacht, getan, er also auf den Bootssteg. Auf dem Bauch liegend beugte er sich vor, um in den Röhren nach Krebsen Ausschau zu halten. Dann passierte es. Er verlor das Gleichgewicht und plumpste ins kalte Wasser. Sofort war er wieder auf dem Steg. Er war sich der Reaktion seiner Mutter sicher, wenn die das Malheur wahrnehmen sollte. Die beste Möglichkeit, ihrem zu erwartenden Wutanfall zu entgehen, sah er darin, ihr die Nässe zu verschweigen. So gut er konnte, wrang er das Wasser aus und kniff die Bügelfalte in Fasson. Mutter trat aus dem Haus:

„Wir sind spät dran, aber die Straßenbahn kommt ja gleich."

Vor ihm stehend erkannte sie sofort, was mit Rolands Kleidung passiert war. Seine Hose dampfte und Mutter Margot konnte ihm ansehen, dass es ihm kalt, bitterkalt war. Wie erwartet gab es ein Riesengeschrei und Backpfeifen links, rechts. Roland hatte ihr die Freude genommen, mit ihm an der Hand in Straßen- und S-Bahn und natürlich vor den Verwandten ein bisschen Eindruck zu machen. Rückmarsch nach oben! Schuhe und Strümpfe ausziehen, Hosen, Unterhosen runter. Strafkleidung waren jetzt Leibchen und dicke

Strümpfe. Leibchen, das war ein um die Hüften geknöpfter Latz, der von Mädchen und Jungen gleichermaßen zwischen Unterhemd und Hemd getragen wurde. An ihm befanden sich Strumpfhalter, wie man sie heute als "Strapse" an Frauenkleidern bezeichnet. Am Ende der baumelnden Gummibänder befanden sich Ösen mit Knöpfen. Der Strumpf wurde straff über die Knöpfe hochgezogen, darüber gelegt und mit jeweils zwei Ösen fixiert. Über die dicken braunen Strümpfe kam eine gebügelte kurze Hose, und an die Stelle der neuen Schuhe traten die alten Schnürschuhe. Die nasse Hose und die neuen Schuhe wurden eingepackt und mitgenommen. So trafen sie dann tatsächlich als die letzten Gäste bei den Ur-Großeltern ein. Anlass für die feierliche Veranstaltung, zu der sich die ganze Familie eingefunden hatte, war die Heimkehr des zweiten Sohns vom Ur-Großvater aus russischer Kriegsgefangenschaft. Onkel Gerhardt war zwar kränklich und unterernährt, aber ansonsten unversehrt.

Für Rolands Verwandtschaft mütterlicherseits ergab sich so knapp zwei Jahre nach Ende des Krieges ein Blutzoll von nur einem Mitglied. Dabei handelte es sich um den noch als vermisst geltenden Bruder von Opa Rudolf, Onkel Ernst.

Die „Samenhandlung Beist", seit Kriegsende von der Ur-Großmutter zusammen mit Onkel Robert geführt, sollten fortan Onkel Robert und Onkel Gerhardt gemeinsam führen. Ur-Opa Georg lag schon seit einigen Wochen mit einer Lungenentzündung im Bett, wo sich sein Gesundheitszustand immer weiter verschlechterte. Er ist von der Krankheit nicht mehr genesen. Sein Sohn, Onkel Robert, hatte inzwischen Herta, eine rotblonde, grünäugige, dralle Frau mit gewaltigen Brüsten geheiratet. Auf diese konnte Roland blicken, als Herta die gerade geborene Tochter Christel stillte.

Herta war als Flüchtling in den Kriegsjahren aus Ostpreußen nach Berlin gekommen und hatte in Ur-Großvaters Samenhandlung Anstellung gefunden. Der Anblick von Hertas Brüsten fiel in die Zeit, als Roland zählen und lesen lernte. Wohl jedes Kind erlernte 1946/47 das Zählen anhand der Kinderfibel „Zehn kleine Negerlein". Diese aus buntem Karton bestehende Fibel beschrieb in einem Singsang die Geschichte von zehn kleinen Negerlein, deren Bestand durch einen mehr oder weniger lustigen Schicksalsschlag jeweils um eins von zehn bis Null abnahm. Zählen konnte Roland zwar schon, aber ihm diente das Buch als Vorlage für Leseversuche. Da sprangen also zehn, nur mit einem Blätterschurz um die Hüften bekleidete Negerlein durch den Wald und spazierten über einen umgefallenen Baum, der als Überbrückung eines Baches diente. Beeindruckend bei den weiblichen Negerlein waren die dreieckigen, nackten Brüste. Er zeigte Mutter Margot seine Favoritin und erklärte, dass später einmal seine Frau genau so aussehen müsse. Das geschah zu jener Zeit, als sich bei ihm, wenn er sich auf dem Bauch liegend schupperte, ein wohliges Jucken bemerkbar machte.

Durch die Heirat von Mutter Margot mit Grundmann-Bruder Alfred hatte Roland väterlicherseits sozusagen eine Oma hinzubekommen. Oma Berta war eine Kriegswitwe. Ihr Mann war in den letzten Kriegstagen beim Schanzen mit dem Volkssturm von einem russischen Scharfschützen erschossen worden. Sie lebte im Seitenflügel einer hufeisenförmigen Hofbebauung in Berlin-Friedrichshagen. Hier gab es Hühner und Kaninchen, die sie gut bewachte. Oma Berta kochte alles ein, was an Obst und Gemüse auf ihrer etwa 800 m' großen Scholle wuchs. Ihr größtes Problem bestand jedoch darin, dass sie nicht immer genügend leere Einweckgläser oder keine Gummiringe vorrätig hatte, um dem Einkochen nachzukommen. Roland war ihr immer ein guter Abnehmer. Ihre Natur-Eierkuchen mit wenig Mehl sind ihm als besonders lecker in Erinnerung geblieben.

Von ihren fünf Söhnen waren drei im Krieg gefallen. Der jüngste, Grundmann-Bruder Alfred, und der zweitälteste, Grundmann-Bruder Kurt, der sich noch in russischer Gefangenschaft befand, gaben ihr Hoffnung auf einen Lebensabend in Gemeinschaft. Ab 1947 gab es Briefkontakt mit ihrem Sohn Kurt. Als vom Schulgeld befreites Kind hatte der als einziger ihrer Söhne wegen besonders guter schulischer Leistungen das Gymnasium in Berlin Friedrichshagen absolvieren dürfen. Als Oberleutnant geriet er bei den Rückzugs-Kämpfen in der Ukraine in Gefangenschaft. Dem Grundmann-Bruder Kurt war Margot bereits damals in der Jugendgruppe besonders zugetan. Mit der Gefangenenpost, die Mutter Margot für Oma Berta und Grundmann-Bruder und Ehemann Alfred zu führen übernahm, flammte die Schwärmerei von damals wieder auf. Grundmann-Bruder Kurt hatte wohl einiges im Krieg erlebt und gesehen. Er kehrte im Frühjahr 1948, nunmehr 33-jährig, als ein von den Sowjets zum Kommunisten umerzogener Mann in sein in Trümmern liegendes Berlin zurück. Die Wochenendausflüge an den Müggelsee wurden neuerdings gemeinsam mit Onkel Horst und Traudchen, Onkel Gerhardt mit Frau Ilse, Grundmann-Bruder Alfred, Mutter Margot sowie Grundmann-Bruder Kurt unternommen. Der am häufigsten aufgesuchte Anlegeplatz für die Ausflugstruppe lag in der Nähe zur Badestelle Müggelsee-Teppich. Den Ausflüglern blieb nicht verborgen, dass sich zwischen Grundmann-Bruder Kurt und Mutter Margot etwas anzubahnen begann.

Am 23. Juni 1948 gab es in den West-Sektoren von Berlin die Währungsunion, und am 26. Juni 1948 begann die Blockade West-Berlins durch die Sowjets. Zwei Tage später begannen die West-Alliierten die Versorgung der eigenen Truppen aus der Luft. Diese ging in die Vollversorgung der Bewohner ihrer Sektoren über. Als "Luftbrücke" ging diese Unternehmung in die Geschichte ein, derzufolge es gelang in einer nie dagewesenen Aktion über zwei Millionen Menschen aus der Luft am Leben zu halten.

An der kargen Versorgung der Bevölkerung in den Ost-Berliner Bezirken änderte sich während der Blockade nichts, die weitere Versorgung schien allgemein gesichert. Vielmehr versuchte der Ost-Berliner Magistrat, die Bevölkerung West-Berlins damit zu locken, ihre Grundversorgung von Lebensmitteln und Brennstoffen aus Ost-Berlin zu sichern. Dazu hätten sich die Westberliner im Ostteil anmelden müssen. Moskau hat so versucht, dem weltweit erhobenen Vorwurf zu begegnen, es wolle die Menschen in Westberlin aushungern. Selbst im Angesicht des täglichen Bildes hungernder Familienangehöriger schlug die Bevölkerung West-Berlins aus Angst, so in den Einzugsbereich der Sowjets zu gelangen, überwiegend diese Verlockung aus. Die alte Losung „Lieber tot als rot" erlebte Renaissance. Gerade einmal hunderttausend Westberliner haben bis März 1949 die "sowjetische Großzügigkeit" genutzt. Die Versorgungslage wurde von Woche zu Woche angespannter. Besonders der vorangegangene Winter, in dem viele Bürger in den Wohnungen verhungert und erfroren waren, ließ am Erfolg der „Luftbrücke" zweifeln. Oma Else sagte einmal, wenn sie die CARE.-

Pakete nicht erhalten hätten, wären sie entweder nicht durch den Hungerwinter 1946/47 oder nicht durch die Blockadezeit 1948/49 gekommen.

In acht Monaten Blockadezeit wandelte sich das Ansehen der Westalliierten bei den Berlinern von Siegern über Besatzer bis hin zu befreundeten Schutzmächten. Dazu trugen beispielsweise abertausende meterhohe Bäume bei, die zu den eingeflogenen Gütern zählten. Selbige wurden im Tiergarten gepflanzt und knüpften an die Idylle der Deutschen an, in der Bäume und Wald ihre romantische Überhöhung hatten.

In der Blockadezeit machte sich Mutter Margot oft mit Roland auf den Weg, um Eier, Kaninchenfleisch und Eingemachtes von Oma Berta aus Friedrichshagen nach Britz zu schaffen. Das war nicht ohne Risiko, denn die Kontrollen in der S-Bahn durch die unter kommunistischer Aufsicht Ostberlins stehende Bahn-Polizei (VOPO) dienten besonders dem Ziel, das Transportieren der Verpflegung von Ost nach West zu unterbinden.

Auch die Bevölkerung in Ost-Berlin hatte Angst vor einem Rückzug der West-Alliierten aus Berlin. Die Vorbehalte, oft bis zum Hass gegenüber den Sowjets gesteigert, hatten die Bewohner in ganz Berlin verinnerlicht. Diese Einstellung war auch bei Mutter Margot verständlicherweise tief verankert. Sie ging mit Roland auf der Hauptstraße von Friedrichshagen immer beim selben Bäcker einkaufen. Für den war das stets ein spannendes Erlebnis.

Vor dem Bedienungstresen befand sich ein im Terrazzo-Fußboden eingelassener Fußabtreter aus längs verlaufenden Holzstreben. Die Bäckersfrau kannte Oma Berta, und der freundschaftliche Kontakt zwischen den beiden Frauen ging auf Mutter Margot, vor allem aber auf Roland über. So durfte der vor den Augen aller Kunden immer versuchen, mit seinen kleinen Fingern die zwischen den Rost des engen Gitters gefallenen Schnipsel von Lebensmittelkartenabschnitten herauszufriemeln. Wenn es ihm gelang, bekam er von der Bäckersfrau prompt ein kleines Stück Kuchenrand.

Einmal, sie hatten gerade den Einkauf erledigt und warteten auf die Straßenbahn, bekam er den Stolz von Mutter Margot und ihre Wut auf die Sowjet-Russen schmerzlich zu spüren.

Mutter Margot stand mit anderen deutschen Frauen, ihn an der Hand, auf dem Bürgersteig und wartete auf die Straßenbahn. Neben den Schienen gab es zwischen der Fahrbahn und dem Bürgersteig eine Verkehrsinsel. Auf der Verkehrsinsel stand eine Gruppe wohl alkoholisierter „Russenweiber", zu der sich die deutschen Frauen nicht stellen wollten. Die auffälligen Weibsbilder warfen mehrere Geldmünzen auf die Fahrbahn in Richtung der deutschen Frauen, die auf dem Bürgersteig standen. Nur zu gern hätten die Siegerfrauen beobachtet, wie sich die deutschen Frauen zu ihren Füßen um die Münzen balgen. Roland war schnell, sammelte die Münzen auf und streckte sie stolz, in freudiger Erwartung ihres Lobes, der Mutter entgegen. Es kam kein Lob, sondern unerwartet eine klatschende Backpfeife. Mutter Margot nahm das Geld und warf die Münzen in Richtung der Russinnen auf die Fahrbahn zurück. Keine andere Frau ging vor, um die Münzen erneut aufzusammeln. Als die Straßenbahn kam, warteten die deutschen Frauen, bis die Russinnen eingestiegen waren, um dann in den anderen Wagen zu gelangen, wo sie weiter unter sich blieben.

Bei Rolands damaliger Erziehung spielte die Angst vor den Russen ebenfalls eine Rolle. Manches Mal spielte er irgendwo im Freien und musste austreten. Für die Geschäftserledigung extra bis nach Hause und dann noch drei Etagen hinauf zu laufen, lag ihm fern. Der Weg nach Hause zur Toilette war womöglich länger, als dass der zunehmende Druck von ihm noch hätte ertragen werden können. In solchen Situationen suchte er ein uneinsehbares Plätzchen in Gottes freier Natur. Dort wischte er sich mit einem Blatt den Allerwertesten ab. Da blieb dann schon mal ein bisschen „brown-color" in der Unterhose. Die Reaktion von Mutter Margot war die Drohung: "Wenn du das so weitermachst, gebe ich dich bei den Russen ab."

Beim Besuch der Großeltern in Britz ging Opa Rudolf mit Roland auch auf den Friedhof in der Neuköllner Hermannstraße bis an dessen Ende. Ein Maschendrahtzaun trennte den Friedhof vom Flughafen Tempelhof. Ganz niedrig flogen die DC-3-Blockade-Transportflugzeuge der Amerikaner über sie hinweg. Kaum war eine Maschine gelandet und rollte aus, war schon das nächste Flugzeug über ihnen. Roland konnte die Besatzungen unmittelbar sehen.

Zwischen den Gräbern jagten Zuschauer, ob jung oder alt, den manchmal herabsegelnden kleinen Fallschirmen hinterher, an denen Schokolade, Bonbons oder Kaugummis hingen. Die Amerikaner waren für sie die Größten.

Am Geburtstag von Onkel Horst, dem 12. Mai 1949, war die Blockade der Russen gescheitert. Die Flugzeuge der Alliierten flogen aber noch bis Ende September mit vollem Einsatz, um Vorräte anzulegen. Damit sollte dem nächsten Winter vorgesorgt werden, denn Sicherheit vor neuen Schikanen durch die Kommunisten gab es keine.

Die Westberliner atmeten auf. Die Ostberliner fühlten überwiegend mit ihnen, aber so glücklich wie die Westberliner waren sie nicht. Im sowjetischen Sektor hatte sich zwar nichts geändert, aber es gab zwei Währungen in der Stadt. In West-Berlin gab es auf einmal alles zu kaufen. Der Währungswert zwischen der Ostmark und der Westmark differierte stark. Jetzt wurde nicht mehr Ware gegen Ware getauscht, sondern nur noch mit Geld für Ware bezahlt. Das wurde natürlich von der Bevölkerung in Ost-Berlin als klare Benachteiligung empfunden. Es gab zwar alles zu kaufen, aber eben nur in Westberlin. Die erste Wechselstube in Westberlin verkaufte eine Deutsche Mark im Juli 1948 für 2,20 Ostmark. Schnell stieg der Kurs von West zu Ost von 1:3, auf 1:5 bis 1:8. Normal verdienende Bürger aus Ostberlin konnten nicht regelmäßig in Westberlin einkaufen. Rolands Ur-Großeltern und Großeltern aber schütteten nach den vorangegangenen Notjahren das ganze Füllhorn der neuen Möglichkeiten über ihm aus.

Am 1. September 1949 wurde Roland bei schönem Wetter eingeschult. Er bekam gleich drei große Schultüten. Fotografiert werden konnte er aber nur mit Zweien, und so musste eine der Schultüten immer abwechselnd von einer der Omas gehalten werden. Er hatte einen prächtigen und gleichermaßen robusten Schulranzen bekommen. Der stammte von Opa Rudolf und war aus hellbraunem Rindsleder. Federtasche für Bleistifte, Federhalter, Buntstifte und Radiergummi sowie Hefte, Malblock, Knete, Schulkreide, Schiefertafel mit Schwamm - alles war neu. Die Einschulung war, vom Beschenktwerden her betrachtet, wie Weihnachten im Sommer. In den Schultüten befanden sich Süßigkeiten, Murmeln und Bucker. Murmeln waren glasierte Tonkugeln. Bucker waren runde Glaskugeln, größer als die Murmeln. Schule ist schön, und so war sie es auch für

Roland in der ersten Klasse. Der Schulbetrieb war zweischichtig. Der Unterricht fand zwei Wochen lang vormittags und darauf zwei Wochen am Nachmittag statt. Sein Schulweg dauerte zu Fuß etwa 15 Minuten und führte durch einen von zusammengerutschten Schützengräben durchzogenen ehemaligen Wald, wo jetzt ausgebrannte Autos und rostender Militärschrott lagen.

Die Grundmann-Brüder Alfred und Kurt hatten ihr Verhältnis zu Mutter Margot sortiert und unspektakulär geklärt. Die Ehe mit dem jüngeren Grundmann-Bruder Alfred wurde geschieden. Mutter Margot heiratete unmittelbar darauf, im Jahr 1950, den 10 Jahre älteren Grundmann-Bruder Kurt. Zu Grundmann-Bruder Alfred hatte Roland weiterhin Kontakt, und ab und zu segelte dieser mit ihm auf dem Müggelsee - so wie früher. Eine neue Oma bekam Roland nicht, denn Oma Berta war ja auch die Mutter von Grundmann-Bruder Kurt. Sein Nachname wurde auch nicht geändert. Einen gravierenden Unterschied gab es aber doch im neuen Familienkonstrukt. Die Paradigmen politischer Betrachtungsweisen änderten sich unter Grundmann-Bruder Kurt total. Die Deutschen wären nicht besiegt, sondern seien befreit. Die sowjetrussischen Soldaten waren von nun an heldenhafte Kämpfer. Sie hätten zusammen mit deutschen Antifaschisten und auch westlichen Alliierten Deutschland vom Hitler-Faschismus befreit. Den Befreiern, ganz besonders dem sowjetischen Führer Jossif Wissarijonnowitsch Dschugaschwili, genannt STALIN, dem größten Genius unserer Epoche, sei zu danken. Die ruhmreiche Sowjetunion hatte Stalin zum Führer und Deutschland Wilhelm PIECK als Präsidenten. Die deutschen Soldaten waren faschistische Verbrecher. Die Faschisten lebten heute im Westen. Unter der Führung der Kommunisten, angeführt durch die Klasse der Arbeiter und Bauern, werde der Sozialismus in ganz Deutschland siegen....

Die DDR hatte ab 1950 eine neue, eigene Nationalhymne, die den Aufbauwillen, die Friedenssehnsucht und das vereinte deutsche Vaterland im Text manifestierte. Ab 1972 durften die Bürger ihren Text nicht mehr singen, weil die Politik der DDR strikt gegen eine Wiedervereinigung ausgerichtet war und die Militarisierung Mitteldeutschlands als Bestandteil des „Warschauer Paktes" den Friedenswillen konterkarierte.

Mutter Margot wurde Mitglied in der Organisation „Gesellschaft für Deutsch-Sowjetische-Freundschaft" und Kandidatin der „Sozialistischen Einheitspartei Deutschlands (SED)".

Steppke in der Stadt zweier Welten

Vor dem Beginn seines zweiten Schuljahres zogen Margot und Grundmann-Bruder Kurt 1950 in den Bezirk Lichtenberg. In der Eduardstraße war ihnen in der dritten Etage eine nach Brandbombenschaden wieder aufgebaute Wohnung von zweieinhalb Zimmern mit Balkon, Küche, Toilette mit Bad und Ofenheizung, zugewiesen worden.

Das Wohnhaus war von Ruinen-Komplexen umgeben. In ihnen zu spielen war zwar verboten, aber die Neugier, unbekanntes Terrain zu erkunden, überwältigte Roland. Mit nicht immer nur leichtem Gruseln wühlte er sich mit den neuen Spielkameraden durch die Kellerverliese. Meistens hatten sie eine Taschenlampe dabei. Selbst wenn die Batterie ihrem Ende nahe war oder die Birne aufgrund vergammelter Kontakte flimmerte, zwangen sie ihre Augen, in der Dunkelheit Orientierung zu finden. Sich gegenseitig Mut machend, tasteten und schlichen sie durch die feucht und muffig riechenden Katakomben. Die ehemaligen Hausluftschutzkeller waren untereinander verbunden, und so kamen sie erst mehrere Hausaufgänge weiter wieder an die Oberfläche. Wehe, wehe, wenn sie im Halbdunkel unerwartet auf einen Erwachsenen trafen. Dann rannten sie Hals über Kopf mit Mut machendem Gebrüll den Weg zurück. Danach versprachen sie sich zwischen Angst und Neugier einen erneuten Ausflug unter Tage. Brauchbares ist von ihnen aus den Erdgeschossen, Gewölberesten und Luftschutz-Kellernischen nicht zu Tage gebracht worden. Erwachsene wühlten zwischen den Trümmern nicht nur nach Hinterlassenschaften der ehemaligen Bewohner. Buntmetall zum Beispiel war so begehrt, dass von den Wühlern die Kartenhausstatik der bizarren Mauerfragmente oft überschätzt wurde. Es gibt keine Statistik über Verschüttete und/oder zerquetschte Gliedmaßen.

Zur Schule ging Roland nunmehr in Rummelsburg. Dies war ein riesiger Schulkomplex, bestehend aus Grundschule, Oberschule und Hilfsschule. Die neue Klasse war zusammengewürfelt. Als Jahrgangsschüler der zweiten Klasse traf er auf Sitzenbleiber voriger Jahrgänge. Rückgeführte Schüler aus der Hilfsschule waren auch noch da. Der morgendliche Spruch zum Unterrichtsbeginn lautete:
"Hände falten, Köpfchen senken und jetzt an Josef Wissajonnowitsch Stalin denken."
Die Gemengelage von unterschiedlichen Altersstufen und sozialer Herkunft erforderte die Behauptung der eigenen Position. Die Rangstufe in der Klasse wurde in den großen Pausen zwischen Unterrichtsstunden oder vor dem Nachhausegehen bis aufs Blut auf dem Schulhof ausgetragen. Roland war ein sprachgewandter Steppke, der über Worte versuchte, einer Prügelei auszuweichen. Gerade seine spitzzüngige Klappe ließ seine Kontrahenten oft zuschlagen, weil sie das für kürzer und überzeugender hielten. Roland wich solchem Händel nicht aus, auch wenn dem äußeren Anschein nach die Sache für ihn nicht zum Besten schien. Der Mut, es dennoch anzugehen, wurde von Mitschülern anerkannt. Ein oder zwei Jahre Altersunterschied konnte er durch Geschicklichkeit und Mut nicht immer ausgleichen. Es galt so etwas wie ein Verhaltenskodex. Gekämpft wurde Einer gegen Einen, ohne Schlagring oder Messer. Wenn einer blutete oder am Boden liegen blieb, wurde nicht mehr nachgetreten. Der Kampf war entschieden. Unterlag Roland im Kampf, knüpfte er Allianzen, wie z.B. die ganz allgemeine Zusage fürs Abschreiben. Andere Privilegien, zum Beispiel Süßigkeiten verteilen, standen ihm nicht zur Verfügung.
Unter seinen Spielkameraden wurde einer „Galle" genannt. Galle war der Sohn des aus Vorkriegsjahren in Berlin bekannten 6-Tage-Rennradfahrers Gallinke. Galle hatte einen festen Stand in der Hierarchie der Kämpfenden. Nicht, dass er von besonderer Größe und von vor Kraft strotzender Figur gewesen wäre. Er kämpfte nach dem Motto: Weniger ist mehr!
Plötzlich krümmte sich der Gegner oder fiel zusammen. Galle wusste, wo er genau zu treffen hatte, und er wusste, nach welcher Finte er treffsicher beim Gegner würde einschlagen können. Das hatte ihm sein Vater beigebracht. Im Krieg war Galles Vater Fallschirmjäger

gewesen und als solcher vielfach dekoriert. Er hielt sich sportbegeistert körperlich fit. In Galles langem Wohnungsflur hing an der Decke ein gefüllter Leinen-Sandsack. An dem boxte er mit Sohn Galle mit echten Boxhandschuhen. Vor dem Boxsack hatte Galles Vater hier eine Schaukel platziert, die vom Sohn so beherrscht wurde, das er sich mit den Füßen von der Decke abstoßen konnte. Galle war inzwischen der Schaukelei entwachsen, und so kam der Sandsack an die Flurdecke.

Galle und Roland waren die Bestimmer des Jungentrupps im Wohngebiet. Galles Vater fand Roland zu seinem Sohnemann passend. Als ihm die beiden Steppkes Rolands Probleme auf dem Schulhof schilderten war klar: Roland wird trainiert. Beide Galles führten Roland in die Anatomie des menschlichen Körpers ein.

Leber- Leberhaken, anatomisch gesehen ist die Leber zum größten Teil von den Rippen abgedeckt. Nur unten rechts, beim Gegenüber gesehen also links, lugt ein kleiner Ausläufer von ihr vor. Den treffen, und die Leber zieht sich unter großem Schmerz zusammen - die Sache ist erledigt.

Der Solarplexus, ein begehrtes Objekt suchender Fäuste, befindet sich am Übergang von Brustkorb zur Magengrube. Ein Treffer raubt die Luft und "gut is".

Ein Kinnhaken als Aufwärtshaken, gerade oder schräg geschlagen, am besten aus kurzer Distanz ausgeführt, nimmt dem Hirn seinen Dienst.

Die Galles übten mit Roland mitleidlos. Wenn der sich nach ihrer Vorstellung zu dämlich anstellte, musste er halt leiden. Sie zeigten, wie man den Gegner durch Finten täuscht.

„Bloß nicht das Prügeln des Gegners in Richtung Gesicht mitmachen. Arme hoch, schütze dich durch Deckung. Warte ab und hab einen Plan", so lauteten Vater Galles Beschwörungen. Sich selbst vertrauend demonstrierte Roland die erlernte Technik. Das sprach sich herum. Manch unausweichlich scheinender Schlagabtausch kam so erst gar nicht mehr zu Stande. Roland profitierte bis ins Mannesalter von den Box-Einführungen bei den Galles. Er flatterte nie und nirgends – selbstsicher und kühlen Verstandes suchten seine Augen den Kontakt zu denen des Gegners....

Den familiären Besuch von Ost- nach Westberlin versuchte Grundmann-Bruder Kurt zu unterbinden. Umgekehrt fand der regelmäßige familiäre Kontakt von West- nach Ostberlin, wöchentlich immer mittwochs, durch Oma Else statt.

Opa Rudolf war die ideologische Voreingenommenheit seines neuen Schwiegersohns suspekt. Grundmann-Bruder Kurt war nicht der Funktionärstyp oder Agitator. Man sah es einfach an seiner Körpersprache, wenn er mit den Auffassungen seiner Gäste nicht einverstanden war. Er gab zu erkennen, dass er seiner Meinung Widersprechendes nicht hören wollte. Dem wollte sich Opa Rudolf nicht mehr aussetzen. Grundmann-Bruder Kurt wollte und durfte offiziell von der gutgemeinten Unterstützung durch die Westberliner Verwandten nichts wissen. Das betraf beispielsweise Oma Elses bunte Sammelbilder von Sanella oder Sarotti. Solche Serien-Sammelbilder hatten einen hohen Tauschwert auf dem Schulhof. Noch höher wurde Kaugummi bewertet. Kaugummi haben, Kaugummi kauen demonstrierte Überlegenheit und Wohlstand. Eltern von Rolands Klassenkameraden, die in Westberlin arbeiteten, bekamen einen Teil ihres Lohns in Westgeld und brachten neben all den anderen Dingen, die es in Ostberlin nicht zu kaufen gab, Kaugummis mit. Weil Grundmann-Bruder Kurt das schmatzende Kaugummikauen für westlich dekadent hielt, durfte Oma Else nicht liefern. So sehr Roland auch bettelte, sie tat es einfach nicht. Roland musste sich seine Kaugummis eintauschen. Zu Hause, wenn mit dem Erscheinen von Mutter oder Grundmann-Bruder Kurt zu rechnen war, klebte er seinen angefangenen Kaugummi zwischen seine Bleistifte und kaute tags darauf weiter. Mickymaus oder Comic-Western besaß Roland nicht. Hingegen hatten Mitschüler neue Hefte gelesen und unterhielten sich darüber. Roland konnte die Hefte nicht lesen, jedenfalls nicht sofort. Die Unterhaltungen fanden ohne ihn statt. Geschichten über Kriegsgeschehnisse, wie sie Schulkameraden in ihren Familien erzählt wurden, glaubte er eher als den grundsätzlich gegenteiligen Beschreibungen von Grundmann-Bruder Kurt. Dieser sprach nie über eigene Kriegserlebnisse. Mit Bewunderung sprachen die älteren Jungen von bekannten Kämpfern, zu denen sie Feldmarschall Rommel in Afrika, Kampfpiloten, Ritterkreuzträger mit Eichenlaub, Schwertern und Brillanten, Gallant und Rudel oder den U-

Boot-Kommandant Prien zählten. Der Mut der deutschen Soldaten, sich der Übermacht ihrer Gegner bis zum Schluss zu erwehren, machte sie Roland und seinen Altersgenossen zu Helden.

Die Abenteuer des Karl May waren als Schundliteratur eingestuft und durften weder besessen noch ausgeliehen werden. Karl May befand sich in fast jedem Bücherschrank der Erwachsenen, weil er Bestandteil ihrer Jugendbibliotheken war. Das Verbot machte besonders neugierig und so wurden diese Bücher als Schätze untereinander geliehen. Mit der Entgegennahme eines solchen Buches übernahm Roland natürlich auch die Verantwortung für dessen Unversehrtheit bis zur Rückgabe. So war jede Ausleihe stets ein konspirativer Akt. Wie andere Altersgenossen auch las er mit der Taschenlampe unter der Bettdecke, wenn sich in der Wohnung Ruhe eingestellt hatte. Morgens legte er seinen jeweiligen Leseschatz in einen Hohlraum, der sich auftat, wenn er die unterste Schublade seines Schrankes herausnahm. Der Boden des Schrankes schloss durch Holzplatten ab. Über die Führungsschienen zog er die unterste Schublade völlig heraus, legte das Buch in den sich anbietenden Hohlraum und setzte die Schublade wieder ein.

Als Roland die erste oder zweite Rangstelle in der Klasse innehatte, wurde er zu den Geburtstagsfeiern der Mitschüler eingeladen. Auch zwischen solchen Anlässen wurde der Klassenhäuptling zu anderen Familien mit nach Hause genommen. Roland als Einzelkind folgte gerne diesen Einladungen, denn ihm fehlte die Spielgemeinschaft in der Wohnung. Er war ein sogenanntes Schlüsselkind. Schlüsselkinder trugen den Wohnungsschlüssel an einem Band um den Hals. Mutter Margot und Grundmann-Bruder Kurt waren berufstätig. Schlüsselkinder kamen nach Schulschluss in eine leere Wohnung. Wohl aus Lust, mehr in seiner Freizeit zu erleben, trat er, ohne vorher zu Hause zu fragen, eines Tages den "Jungen Pionieren" bei. Der Gruß unter den Jungpionieren war: „Seid bereit", der Widergruß lautete: „Immer bereit". Von der Pionierleiterin bekam er ein blaues Halstuch geschenkt und ihm wurde gezeigt, wie er es zu knoten hatte. Mit dem umgebundenen Halstuch empfing er Grundmann-Bruder Kurt an der Wohnungstür. Der kaufte ihm tags darauf das weiße Jungpionier-Hemd mit dem aufgenähten Emblem auf dem Ärmel, die zur Uniform gehörende blaue kurze Pionier-Hose und weiße Kniestrümpfe. Die

Organisation der „Jungen Pioniere" hatte attraktive Angebote. Es gab kostenlose Kinokarten, Kindertheater-Karten und man unternahm Besichtigungen und Ausflüge. Als Jungpionier aus kommunistischem Funktionärs-Haushalt war er nicht in jeder Familie als Spielkamerad willkommen. Demzufolge reduzierten sich die häuslichen Einladungen.

Grundmann-Bruder Kurt arbeitete im Zentralkomitee der SED, dem höchsten Führungsgremium in der Sowjetzone. Diese nannte sich nach einem Gründungsakt am 7. Oktober 1949 jetzt Deutsche Demokratische Republik (DDR). Margot, die seit Mai 1950 in einem Verlag als Stenotypistin gearbeitet hatte, war seit August 1951 Schulsekretärin in Lichtenberg.

Beeindruckt und stolz war Roland auf Grundmann- Bruder Kurt, nachdem dieser ihn zusammen mit Mutter Margot zu einer Weihnachtsfeier mitgenommen hatte, bei der Staatspräsident Wilhelm Pieck zugegen war. Roland saß in Pionier-Uniform an einer langen Festtafel. Der Staatspräsident lief die gesamte Tischreihe ab. Vor Roland stehend, wurde von einem eilfertig im Weihnachtssack kramenden Angestellten "Das versteinerte Brot" hervorgeholt. Dieses Märchenbuch schenkte ihm der Präsident. Das den anderen Pionieren zu erzählen war schon toll, aber über diesen Kreis hinaus kam kein größeres Interesse bei seinen Alterskameraden auf.

Oma Else war wieder zu Besuch und brachte in buntes Seiden-Papier gewickelte runde orangefarbene Früchte mit. Ihr Duft war fremdartig, aber interessant. Wie in einen Apfel biss Roland in die orangefarbene Kugel. Das war die erste Apfelsine seines Lebens. Als er Grundmann-Bruder Kurt fragte, warum es denn diese schöne Frucht nicht auch im HO-Laden zu kaufen gäbe, versuchte der ihm dies mit Übergangsschwierigkeiten zu erklären. Auch wenn Oma Else mal ganz schnell vorbeischauen musste, um Zitronen zu bringen, deren Vitamin C zur Bekämpfung einer Erkältung notwendig war – gleiche Frage, gleiche Antwort: „Übergangsschwierigkeiten".

Oma Else erzählte, in Westberlin seien die Lebensmittelkarten abgeschafft. Die wieder an Grundmann-Bruder Kurt gestellte Frage, warum es Lebensmittelkarten bei ihnen weiter gäbe, obwohl doch der Sozialismus gegenüber dem Westen siegen würde, erbrachte den zu erwartenden Hinweis auf die „Übergangsschwierigkeiten". Die letzten

Lebensmittelkarten in Ost-Berlin verschwanden acht Jahre später, im Mai 1958.

Onkel Horst hatte zusammen mit Opa Rudolf erneut den Laden umgebaut. Diesmal wurden aus dem großen Laden wieder wie zur Vorkriegszeit, zwei Läden. In einem hatte Opa Rudolf sein Auskommen, aus dem der Zeit angepassten Warensortiment. Die Leute konnten jetzt Gemüse und Obst frisch in den Lebensmittelgeschäften kaufen. Der eigene Anbau war nicht mehr von die Grundversorgung sichernder Bedeutung. Opa Rudolfs quasi private Zigarrenproduktion stieß an die Grenzen der Gewerbeerlaubnis. Die guten Zeiten seiner Produktionslinie hatten nach der Blockade ihren Höhepunkt überschritten. Es gab ausreichend Rauchwaren allerorten. Im Verhältnis zu den Kosten der Eigenproduktion waren sie sogar relativ preiswert. Den Leuten fehlte über alle Sparten hinweg immer häufiger die Zeit, sich um wachsende Keimlinge zu kümmern. In den Gärten wollte man jetzt entspannen und Spaß haben. Opa Rudolf verkaufte für diese Rasen-Romantik die Utensilien und sicherte die Kundschaft durch eine Lotto-Annahmestelle.

Onkel Horst führte im anderen Ladenteil Kinderspiel- und Schreibwaren. Traudchen und er waren immer noch zusammen und hatten es in den Turnier-Tanzwettbewerben zu allerlei Ehren gebracht. Sie hatten viel Spaß, waren aber , weil nicht verheiratet - damals durchaus Grund genug - kinderlos.

Bei den Spielkameraden im Wohngebiet waren die Vorbehalte gegenüber Roland nicht so groß wie in der Schule, ganz im Gegenteil. Für Roland war der Kinderspielzeugladen von Onkel Horst eine tolle Sache. Über diesen Weg fand der erste mit Luftkammer-Gummireifen versehene Roller in seine Straße. Mit diesem Vehikel hatte er alle Spielkameraden auf seiner Seite. Abwechselnd durfte jeder auf dem Roller seine Runden drehen. Grundmann-Bruder Kurt war es gar nicht recht, dass ausgerechnet in seiner staatsnahen Familie ein aus westlicher Produktion stammendes protziges Spielmobil existierte.

Es gab noch weitere Transfers zwischen den Welten:

„Onkel Horst, eine Murmel aus glasiertem Ton kostet bei uns drei Pfennige, bei dir zwei Pfennige West."

„Ja und?"

„Ich finde deine Glasbucker schön. Die gibt es nicht im Osten, wollen wir tauschen?" Ich bringe für einen Glasbucker, der zehn Pfennig kostet, fünf und für die größeren sieben oder acht Tonmurmeln."

„OK, mein Kompagnon, bring die Murmeln, kannst dir heute schon die Bucker aussuchen."

Roland schaffte tausende von den Tonmurmeln zu Onkel Horst in den Laden.

Auf dem Schulhof mischte er sich unter die privilegiert mit Glasbuckern um Gewinn Murmelnden.

„Wenn einer von euch Bucker haben will, kann er welche bei mir eintauschen!", warb er die Spieler

Roland ging lieber 'raus auf ein körnig planiertes Trümmerstück zum Fußballspielen, als sofort die Hausaufgaben zu erledigen. Diese machte abends, von der Arbeit gekommen, Mutter Margot mit ihm. Keine vergnügliche Sache. Mutter Margot war strenger und penibler als die Lehrer.

Auf dem Bolzplatz bildeten die Jungen Mannschaften, die aus den gerade Anwesenden zusammengestellt wurden. Zwei vorab bestimmte Mannschaftsführer stellten sich in etwa 2 Meter Entfernung voneinander auf und gingen, Fuß an Fuß setzend, aufeinander zu. Derjenige, der zuletzt einen vollen Fuß setzen konnte, durfte unter den übrigen Spielwilligen zuerst einen weiteren für seine Mannschaft auswählen. Die Mannschaften standen sich gegenüber und begrüßten sich zum Spiel mit: "Zickezacke, Zickezacke, hei, hei, hei" oder „Sport frei", manchmal tat es auch ein schlichtes „Sieg Heil". Als Fußball diente ein genähter Lederfußball mit einer inwendigen Gummiblase, deren Luftventilverschluss durch eine Lederriemen-Verschnürung verkleidet war. Das undichte Ventil erforderte Vorlaufzeit:

„Wat is nu, wolln wa nu die Verschnürung uffmachen zum Pumpen oder spieln wa gleich mit det bischen Luft?", war die oft gestellte Frage.

Im August 1951 fanden in Ost-Berlin die "III.Weltfestspiele der Jugend und Studenten" statt. Das war für die Ostberliner Bevölkerung eine Öffnung zu internationalem Flair. Die Ruinenstadt litt unter Quartiermangel. Man appellierte, für mehrere zehntausende Gäste Logierplätze zu stellen. Rolands Kinderzimmer diente drei deutschen

Gästen als Bleibe. In diesen Tagen herrschten für sechs Personen in der kleinen Zweieinhalbzimmerwohnung abenteuerliche Zustände. Ein besonderer Ort war der Balkon. Rolands Familie wohnte im 4. Stock. Im Gegensatz zu den Balkons der darunter liegenden Stockwerken war dieser nicht verglast, sondern nach oben offen. Im Wohnbezirk lief ein Wettbewerb um die Auszeichnung des am schönsten geschmückten Balkons oder der am schönsten geschmückten Fenster und Hauseingänge. Da der nach oben offene Balkon mit vielen Papierfähnchen aus allerlei Ländern sowie mit Lampions üppig geschmückt worden war, gewann Rolands Familie. Der Balkon war zusammen mit dem Wohnzimmer bis in die Nacht Treffpunkt für Familie und Gäste.

In der Schule sind linierte Unterschriften-Sammelhefte verteilt worden, deren Seiten mit bunten Landesfahnen bedruckt waren. Die Schüler zogen aus, um möglichst viele Unterschriften von Festspielteilnehmern zu ergattern, die diese unter ihre Landesfahne setzen sollten. Äußeres und exotische Gewänder waren besondere Trophäen. „Ich habe einen Inder mit Turban!" „Ich zwei kohleschwarze Neger mit Leoparden-Umhang!" „Ich brauche noch Japaner und Chinesen!" Ein anderer: "Ick hab Araber uff meene Liste!" So wetteiferten sie tagelang.

Zum normalen Arbeitspensum (in der Regel 48 Wochenstunden) planten viele Berliner Familien „Aufbaustunden" ein. Das waren mehr oder weniger freiwillig zu erbringende Arbeitseinheiten an Feierabenden oder Wochenenden. Einzeln, in Gruppen von Freunden und Kollegen, Brigaden oder Hausgemeinschaften leistete man diese Einsätze. Natürlich war es nicht erstrebenswert; nach der Arbeit auf irgendeinem Trümmergrundstück Gebäudereste abzureißen, Steine zu klopfen oder Schutt zu schippen. Das Ganze funktionierte unter den staatlich Bediensteten wie ein Selbstläufer. Wie sollte man als Kommunist und/oder Funktionär Kollegen oder Bekannten erklären, womöglich keine Aufbaustunden zu erbringen. Es war Usus, sich zu Aufbaustunden-Leistungen zu verpflichten. Den Nachweis über volle und halbe Stunden stempelte der aufsichtführende Trümmerfeld-Obmann in das Aufbaustundenheft ein, welches jeder sein eigen nannte. Roland hatte auch so ein Heft. Auf Lastkraftwagen, Traktoren oder Pferdefuhrwerken fuhr er mit und half bei ihrem Entladen auf der Trümmerkippe. Die Kippe bestand aus Schutt, der einen ehemaligen, teilweise nach dem Krieg gesprengten Hochbunker mächtig überdeckte. Sie überragte wie ein natürlicher Berg sämtliche Dächer um ihn herum. Später wurde dieser Trümmerberg bepflanzt und ist zu einem riesigen Park in Friedrichshain geworden. Trefflich sein "Innenleben" bezeichnend, gaben ihm die Berliner den Namen „Mont Klamott".

Als kleine Verpflegung gab es auf den Trümmerplätzen süßen Tee oder Muckefuck-Kaffee, sogenannte Lorke - Ersatzkaffee aus verschiedenen Getreidesorten, dazu bestrichene Marmeladenbrotstullen. Spontane Aktionen, wer zum Beispiel am schnellsten zwanzig Steine putzt, das heißt mittels Hammer von altem Mörtel säubert und stapelt, lockerten die Stimmung. Eine Art Kontaktplatz waren die Treffen auf den Steinschutthaufen auch. Viele Frauen waren ohne Mann. Der war gefallen, vermisst, in Gefangenschaft oder kriegsversehrt. So wurde also auch geschäkert. Das blieb in Erinnerung, weil es manchmal lustig war, zu beobachten, welcher Deckel auf welchen Topf zu passen glaubte.

Aufbaustundenhefte hatten auch den Charakter einer großen Lotterie. Es wurde propagiert, dass die Leute mit den meisten Aufbaustunden die größten Chancen hätten, später zu Bewohnern der gerade in der Planung befindlichen Stalinallee werden zu können. Wer hundert Halbschichten (100x4Std=400Std) leistete, erhielt ein Los der Aufbaulotterie. In dieser Allee in Friedrichshain sollten Wohnungen entstehen, deren architektonische Ansicht, vor allem aber ihre Grundrissgestaltung und Ausstattung in ihrer Gesamtheit den Fortschritt eines sozialistischen Wohnungsbaus für Jedermann verkörpern sollten. Nach einem Losverfahren sollten die Aufbauhelfer Berücksichtigung finden. Bereits im Mai 1952 zogen Mieter in die Wohnungen des ersten Hochhauses an der Weberwiese ein. Dreißig Arbeiterfamilien, darunter auch Trümmerfrauen und Bauarbeiter, waren unter den Erstbeziehern. Die neuen Bewohner hatten zu ertragen, dass noch Wochen nach ihrem Einzug tausende Neugieriger aus Ost und West durch ihre Wohnung zogen, um sich ein Bild von der Vision des neu entstehenden Berlin machen zu können. Roland war mit Mutter Margot und Grundmann-Bruder Kurt dabei. Die Wanderungen durch die neu bezogenen Wohnungen wurden nach

Wochen von einem Ausstellungspavillon neben dem Hochhaus abgefangen. Die Durchmischung der Erstbezieher stärkte anfangs propagandistisch zwar das Vertrauen auf das Losverfahren, aber auf die später vollendete Stalinallee bezogen, war das nur die halbe Wahrheit. Neben den Losen existierten feste Kontingente für Günstlinge des Systems, von denen keiner je eine Aufbaustunde geleistet hatte.

Roland hatte für sich eine neue Freizeitbeschäftigung entdeckt, die auch bei Grundmann-Bruder Kurt auf Interesse stieß. Es ging um Zierfisch-Zucht. Die mit ihr einhergehenden Pflichten teilten sie sich. Roland ging nachmittags Wasserflöhe kaufen, und die Reinigung des Aquariums einschließlich der Sauerstoffversorgungsanlage bewerkstelligten sie gemeinsam. Stolz präsentierten sie Mutter Margot und dem Besuch die Zunahme der Population. Bei der Aufzucht der Spezies Guppys hatten sie ein glückliches Händchen. Die Guppys hatten so lange fächerartige, bunte Schwänze, dass sie beim Schwimmen schwanzlastig waren. Weil die Guppys so besonders wirkten, ließ sich die Tierhandlung, bei der sie Wasserflöhe und allerlei Zubehör erwarben, aus dieser Züchtung versorgen. Kaufmännisch betrachtet versorgten sich die Fische also selber.

Stalin, als größte Statue auf deutschem Boden, etwa 5m hoch, und in Bronze gegossen, stand seit 1951 in der Allee, die seinen Namen trug. Er starb im März 1953. Die Schulklassen kondolieren. Dabei ging es nicht darum, mit Papierfahnen bestückt am Straßenrand der Stalinallee, in noblen schwarzen Karossen vorbeifahrenden Kommunistenführern zuzuwinken, wie es des Öfteren im Schuljahr statt Unterrichts geschah. Die gesamte Wegstrecke betrug rund 4 Kilometer. Auf den letzten hundert Metern hatten sie zu schweigen. Am Sockel, auf dem Stalin stand, angekommen, war aus dem Normalschritt ein schlurfendes Schleichen geworden, welches sie den Erwachsenen gleichtaten. Weinende Menschen, Tränen überströmte Gesichter, mit Gestik tiefster Trauer und Anteilnahme - so schlich die von ihren Arbeitsplätzen abkommandierte Masse, komplette Arbeitskollektive, Brigaden und Abteilungen, an der Stalin-Büste vorüber. Jahre später konnte Roland aus den Erfahrungen anderer Begebenheiten nachvollziehen, dass es in dieser Gemeinschaft durchaus Sinn machte, ein paar Tränen, sichtbar für die nahe stehenden Kollegen, zu vergießen. Man beobachtete sich gegenseitig, um den Grad der sozialistisch-sowjetischen Durchdringung einander abzuschauen. Stalin war tot, aber der dumm-platte sowjetische Stalinismus als die angestrebte deutsche Lebensform lebte weiter. Der Ritus, jedem Substantiv das Wort „sozialistisch" voranzustellen, wurde bis zum Zusammenbruch der DDR zelebriert und geheuchelt.

Das vierte Schuljahr war zu Ende. Roland war zwei Tagen zuvor in einem Ferienlager in Neu-Fahrland bei Potsdam angekommen, als sich am 17. Juni 1953 auf dem gesamten Gebiet der DDR der Aufstand entwickelte. An diesem Tag gab es einen lauten Knall aus Richtung der Hauptstraße, und zu sehen war ein hoher dunkler Rauchpilz. Neugierig liefen die Jungen aus dem Ferienlager in dessen Richtung und sahen einen Tankwagen der Sowjets ausbrennen. Zwischen den schaulustigen Erwachsenen stehend wunderte sich Roland, dass niemand Mitleid mit dem verkohlten Leichnam des Fahrers zeigte. Vom 17. Juni und den Unruhen in Berlin bekam Roland nur mit, dass Vieles durcheinander geraten sein musste. Mutter Margot hatte Roland noch bei der Abreise versprochen, ihn in Neu-Fahrland abzuholen, um am kommenden Samstag zur Hochzeit von Onkel Horst und Traudchen zu fahren. Die Reise zur Hochzeitsfeier schien in Frage gestellt. So war es dann auch. Drei Tage später, als Onkel Horst sein Traudchen am 20. Juni heiraten konnte, war die Stimmung wegen der politischen Lage getrübt. Die Zukunft wurde wieder einmal von den Berlinern als höchst unsicher empfunden. Die Sektorenübergänge waren gesperrt und der vom Osten verwaltete S-Bahn-Betrieb war seit dem 17. Juni unterbrochen. Auch die U-Bahn fuhr nicht mehr über die Sektorengrenze. Keiner der im Osten wohnenden Freunde und Verwandten von Horst und Traudchen konnten die Hochzeit besuchen. Niemand wusste, ob und wann diese Einschränkungen aufgehoben würden. Mit dem 22. Juni begann sich der Verkehr zwischen den Sektoren wieder zu normalisieren. Der Betrieb der U-Bahn im Ostsektor und der S-Bahn funktionierten wieder, zunächst jedoch nur bis zur Sektorengrenze. Vom 9. Juli 1953 an konnte man wieder mit den Bahnen durch die Sektoren fahren.

Das Beste für Roland wollend, kam der Gedanke auf, ihn in einem Internat unterzubringen. Das passte ideal zur Karriereplanung vom

Grundmann-Bruder Kurt. Das Internat befand sich in Grünheide bei Berlin.

Es war, über alles gesehen, im Internat ein verlockendes Leben. Funktionärs-Kinder aus dem Internat gingen in die am Ort befindliche Schule. Die Gruppenbetreuer kontrollierten die Hausaufgaben nur teilweise. Ansonsten kam es darauf an, sich in die Gemeinschaft einzufügen. Sportlicher Wettkampf wurde groß geschrieben. Roland war unter seinen Alterskameraden der schnellste Läufer im Internat und in der Schule. Der Sport und seine Persönlichkeit überhaupt brachten ihm Ansehen. An der Tafel im Unterricht spielte er allerdings oft den Klassenclown. Es gab dort einen Freund namens Dirk, mit dem er 12 Jahre später einen Schwur leistete, der diesem letztlich den Weg in die westliche Hemisphäre geebnet hat.

Nach Rolands Geburtstag zogen Mutter und Grundmann-Bruder Kurt im Februar die Notbremse. Sie holten ihn aus dem Internat zurück, weil seine Versetzung von Klasse 5 nach Klasse 6 unmöglich schien. Mutter Margot arbeitete im Sekretariat der Grundschule in Lichtenberg. Dorthin erfolgte auch die Umschulung.

Fünf Minuten Fußweg entfernt lag das Jugendtheater „Theater der Freundschaft". Es gab keine neue Vorstellung, zu deren Generalprobe nicht für jeden interessierten Schüler seiner Schule Freikarten und für deren Eltern verbilligte Eintrittskarten verteilt wurden. Als Roland erfuhr, am Theater würden Komparsen für die Nachmittags-vorstellungen gesucht, wollte er Komparse sein. Das klappte! In einer sehr bewegten, mit Gesang getragenen Rolle stand er auf der Bühne. In einem Stück, mit Räubern im Walde, gab er einen Hasen! Alle über die Bühne hoppelnden Hasen sangen mit dem Chor. Der Ohrwurm blieb ihm unvergessen.

"Potz, plaus, ei der Daus, Geld und fette Beute,
flix flux keinen Mux, sonst, ihr lieben Leute,
drehn wir euch schrumm schrumm schrumm,
eh ihr's denkt den Kragen rum,
und dann seid zu aller Nooot –
ihr noch mima mause tooot!"

Zu beobachten wie die Theaterleute miteinander umgingen, ihre Proben, das wuselige Treiben unterschiedlichster Dienste und die Aufregung, bevor sich der Vorhang öffnete, das war eine Welt für sich.

Als kleiner Akteur auf der Bühne, Verwandte und Freunde im Publikum wissend, das hatte etwas.

Die Umschulung Rolands erfolgte rechtzeitig und zahlte sich aus. Die Schande des Sitzenbleibens blieb ihm erspart. Besser noch: Es gab auf dem Jahreszeugnis noch nicht einmal eine Vier.

1954 trat die deutsche Mannschaft zum Turnier der Fußballweltmeisterschaft in der Schweiz an. Roland befand sich, wie alle Jahre in den Sommermonaten, in einem schönen Ferienlager. Die Betreuer fragten:

„Für wen drückt ihr denn die Daumen?"

Wissend, dass es sich um eine rein westdeutsche Besetzung, also ohne einen DDR-Spieler handelt, sagten sie naiv und offen:

„Klar, für die Deutschen!"

Das passte den Erziehern gar nicht und sie bekamen Oberwasser, als Ungarn gegen Deutschland 8:3 in der Vorrunde gewann. Die Überlegenheit eines sozialistischen Kollektivs gegenüber einer aus kapitalistischen Egoisten zusammengesetzten Mannschaft schien bestätigt. Deutschland kam über die Türkei, Jugoslawien und Österreich doch bis ins Finale. Dort traf man wieder auf die Ungarn. Wohl weil die sozialistischen Ungarn als Sieger schon vor dem Endspiel festzustehen schienen, durfte die Rundfunkübertragung gemeinsam mit den Erwachsenen gehört werden. Nach deren Einschätzung stand nun eine Demonstration sozialistischer Überlegenheit bevor. Bei allem Zweifel an der Chance für die Deutsche Mannschaft hatte diese voreingenommene Betrachtung für Roland und seine Freunde keinen Wert. Um keinen der Erzieher zu verärgern, äußerten sie salomonisch zu Beginn der Übertragung:

„Der Bessere möge gewinnen."

Bei Halbzeit führten die Ungarn 2:0. Die Betreuer gaben sich, den Sieg der sozialistischen Freunde vor Augen, als dialektische Besserwisser. Die Männer um Fritz WALTER erkämpften jedoch mit ihrem grandiosen Torwart Toni TUREK den Ausgleich und errangen dann durch Helmut RAHN den Siegtreffer zum 3:2. Deutschland war Fußballweltmeister! Die Gruppenleiter, vom spontanen ehrlichen

Jubel überwältigt, wurden im Siegestaumel ihrer Schutzbefohlenen mitgerissen.

Nach den Ferien, zu Beginn des sechsten Schuljahres, kam Roland im Sog der Schulversetzung von Mutter Margot wieder in eine andere Schule. Diese war jetzt in Berlin-Friedrichsfelde. In der neuen Klasse sollte sein Schülerdasein nicht glücklich sein. Einerseits musste er sich wiederum in der Rangordnung neu behaupten und andererseits wurden seine diesbezüglichen Händel sofort Mutter Margot von den Lehrern gemeldet. Das gleiche galt für nicht oder schlecht gemachte Hausaufgaben. Zur Schule musste er jetzt 10 Minuten zur U-Bahn gehen, drei Stationen fahren und dann noch einmal 10 Minuten laufen.

Neben der Schule lag das Friedhofs-Areal des ehemaligen Schlossparks, welches später dem neu geschaffenen "Tierpark Berlin" zugeschlagen und dann teilweise mit Wohnhäusern bebaut wurde. Vor seiner Neuwidmung war das gesamte Areal stark verwildert. In großen Bombenkratern hatten sich kleine Teiche mit eigenständigen Biotopen gebildet. Hier kreuchte und fleuchte alles – von Molch und Blindschleiche bis zur Ringelnatter. Sonntags ging Roland allein oder mit Schulkameraden, mit Köcher und Gläsern ausgestattet, um Schmetterlinge, seine Freunde, um Getier für ihre Terrarien zu fangen. Mit Äther betäubt, dann mit Nadeln aufgespießt, wurden die Schmetterlinge in kleine Glaskästchen eingeklebt. Diese bestanden aus quadratisch geschnittenen Glasscheiben, die, schon zugeschnitten, in der Tierhandlung käuflich zu erwerben waren. Zwischen die Scheiben wurden Leisten eingeklebt. Fertig war das Glaskästchen, das später noch von Roland an den Rändern angemalt und beschriftet wurde. Das Interesse für solche selbst zu bastelnden Kästchen, das fachmännische Fangen und Aufbereiten der Schmetterlinge und die Fertigung der Schaukästchen hatte er in einem der Ferienlager erlernt. Mit den von ihm gebastelten Kästchen konnte er vortrefflich seine Geschenke für alle Anlässe im Verwandten - und Freundeskreis abdecken.

In den Schulferien zweimal, manchmal auch dreimal, konnte er in solch ein Lager reisen. Engagierte Betreuer, sport-und spieltechnisch voll ausgestattet und bei bester Verpflegung, von lieben Landfrauen zubereitet, da gab es kaum Heimweh. Es blieben keine Wünsche offen.

Hier traf Roland auf Kinder, deren Elternhäuser dem seinen ähnlich waren. Es galt, sich immer wieder neu in die Gemeinschaft einzupassen. Eines dieser Ferienlager war zum Beispiel das Schloss Wachwitz bei Dresden, einem der ehemaligen Wohnsitze der Wettiner (August der Starke). In den Bibliotheksräumen des Schlosses lernte er Schach zu spielen.

Von Onkel Robert hatte er eine Fotobox geschenkt bekommen, in die ein Film für acht Aufnahmen eingelegt werden konnte. Nur acht Fotos, die hatte er schon am ersten Tag geschossen. Auf fünf Mark für die ganze Lagerzeit war das Taschengeld von den Erziehern limitiert. Grundmann-Bruder Kurt war einer der Wenigen, die sich penibel an diese Vorgabe hielt. Roland war also seinen Spielkameraden finanziell unterlegen. Demgegenüber war seine Stellung in den Ferienlagern stets eine besondere. Als Berliner hatte er mehr aus der Welt zu erzählen als es dem Horizont der aus den Provinzstädten stammenden Kinder entsprach. So erzählte er vom Leben in der Stadt mit den zwei Welten. Die größte Aufmerksamkeit bekam er beim Erzählen von Western-Filmen. Roland konnte aus Kinofilmen erzählen, die er in Farbe gesehen hatte. Das war etwas Besonderes, weil zu dieser Zeit in der Provinz meist Filme in Schwarz/Weiß gezeigt wurden. Schon mit der Beschreibung der von ihm besuchten Kinos gewann er Aufmerksamkeit, denn in den Provinzen wurden die Filmrollen im zwei- oder dreiwöchigen Rhythmus angefahren und dann im Zelt oder in der Ortskneipe abgespielt. Oft spielten Rolands Zuhörer mit ihm die Hauptszenen nach, in denen sich die Kontrahenten Kirk Douglas, Jerry Cooper, John Wayn u.a. beim Schießduell gegenüberstanden. Seine Roman- und Filmkenntnisse waren so nachgefragt, dass er aus eigener Anschauung nicht so viel Quellen im Kopf hatte, wie man sie ihm zu schildern abverlangte. Um sich keine Blöße zu geben und die erworbene Anerkennung zu halten, erzählte er aus dem Stehgreif ausgedachte (Film-)Handlungen. Für die ihm abverlangten Dienste einigte man sich vorher darauf, ihm beim nächsten Ausflug einen Film für seine Fotobox zu kaufen.

Die Wohnungen der Stalinallee in den Blocks bis zum Frankfurter Tor waren vergeben und bezogen. Ehemalige Verfolgte des Nationalsozialismus, Amtsträger und Funktionäre der DDR oder Leute, derer man sich mit dieser Zuweisung ihre Loyalität für den

Aufbau des Sozialismus in Ostberlin sichern wollte, waren besonders berücksichtigt worden. Die von Mutter Margot und Grundmann-Bruder Kurt geleisteten Aufbaustunden lagen im höheren dreistelligen Bereich. Gewiss nicht durch das Losverfahren, aber wiederum auch nicht ohne ihre erbrachten Aufbaustunden als sozialistische Eigenleistung, bekamen sie Anfang September 1954 eine Wohnung im letzten Wohnblock (G-Süd). Die Berliner nannten die Wohnblöcke, weil sie dem Baustil der Moskauer Prachtbauten ähnelten, „Klein Moskau". Es handelte sich um eine Vierzimmer-Wohnung mit gekacheltem Bad und Toilette, Fernheizung, Warmwasser, zwei Balkone, Besen- und Abstellraum. Die Küche war eine Wohnküche, in der unter einer großen Terrazzo-Arbeitsplatte ein Unterschrank eingebaut war, in dem sich ein Zinkkasten für die Eisaufnahme befand. Milch und andere Lebensmittel mittels elektrischer Kühlschränke zu kühlen, entsprach noch nicht der normalen Küchenausstattung in Ost-Berlin. Im Haus gab es auf jeder Etage Müllschlucker und Fahrstuhl. Die Wohnungen waren über Klingel-Gegensprechanlage erreichbar und ein Kinderwagen- sowie ein Fahrradraum befanden sich im Erdgeschoss jeden Aufgangs. Ein Hausgemeinschafts- oder Tischtennisraum befand sich auf dem Dachgarten, der ebenfalls von jedem Bewohner und seinen Gästen benutzt werden konnte. Sie hatten Telefon, was in Ost-Berlin allein für sich schon ein Privileg erster Güte darstellte. Für die großzügige Wohnung waren knapp 100 Ostmark Monatsmiete zu zahlen. Legt man diesem Mietpreis den sich in den 30ger Jahren für Berlin üblichen 25 Prozent eines Monatsgehaltes oder einen Wochenlohn zugrunde, waren die Mieten in der Stalinallee sehr niedrig. Angesichts der Entwicklung, dass der Mann als Alleinverdiener durch die Berufstätigkeit der Frau in der DDR-Familie abgelöst wurde, war das Mietniveau fast schon niedlich. Rendite oder Unterhaltskosten spielten nach sozialistischer Rechnung keine Rolle.

Mutter Margot und Grundmann-Bruder Kurt komplettierten ihre neuen Nachkriegsmöbel gleichzeitig mit dem Einzug. Die Einrichtung entsprach der allgemeinen Vorstellung von moderner Wohnkultur.

Die bauliche Konzeption der Wohnungen in der Stalinallee bildete die Spitze des sozialen Wohnungsbaues in ganz Berlin. Dieser Vergleich hält auch gegenüber der Neubauplanung des im Westteil gelegenen

Hansaviertels im Bezirk Tiergarten stand. Hier war die Bausubstanz zu gut neunzig Prozent im Krieg zerstört. Seit 1953 wurde geplant und in den Jahren von 1955 bis 1960 die moderne Stadtplanung und Architektur jener Zeit realisiert. Den Rahmen gab damals die Internationale Bauausstellung von 1957, die heute als Projektion der klassischen Nachkriegsmoderne gilt. Die Bauten und ihre Grundrisse waren auch Versuche, neue Wohnformen zu erproben. Die Häuser in der Stalinallee und die im Hansaviertel stehen als städtebauliches Dokumente ihrer Zeit für das finanziell Machbare, Gewollte und Gekonnte.

Mutter Margot wurde 31 Jahre alt. Was lag näher, als Bruder Horst und sein ihm angetrautes Traudchen einzuladen. Als Onkel Horst und Traudchen den bereits anwesenden Gästen vorgestellt wurden, hieß es immer:
„Das ist der Genosse Direktor, das ist die Genossin Leiterin, das ist der Genosse XY und seine Frau, die Genossin..." und so weiter und so weiter. Für Horst und Traudchen ein befremdliches Willkommen.
Im Gegensatz zu seiner Schwester Margot war aus Onkel Horst ein virtuoser Klavier- und Akkordeonspieler geworden. Er hatte sein Akkordeon mitgebracht und musizierte mit Gesang für die Festgesellschaft. Im Verlauf der Feier kamen wie selbstverständlich auch Gäste aus der Hausgemeinschaft hinzu. Polonaise war angesagt. Es ging hinaus auf das Treppenpodest, die breiten Treppen hinunter, Onkel Horst vorneweg, hinter ihm Margot und sich anschließend der ganze Schwanz von Genossen und Genossinnen. Ein Lied reihte sich an das andere, und irgendwann ging es weiter mit der Melodie:
„Wir wolln unsern alten Kaiser Wilhhelm wieder habn, aber den mittn Bart, aber den mittn Bart, mittn langem Bart...."
Mutter Margot zuppelte an ihrem Bruder. Der war im Spielrausch und merkte das Zuppeln verspätet, denn inzwischen sang er als letzter, und die Mitläufer schauten sich betreten an. Wie kann denn so etwas hier gesungen werden...? Es wurde weiter gefeiert, aber der „Kaiser mittn Bart" blieb als „deplazierter" Sangesakt bei den Grundmanns in den Köpfen...
Der Umzug in die Stalinallee war ein Jahr her. Aus praktischer Erwägung kam es für Roland zum fünften Schulwechsel in sechs

Jahren. Die Abkürzung durch einen Torbogen nehmend, über dem „6. Hof" stand, war er in sieben Minuten in der Schule. Die Vorderhäuser und Seitenflügel dieses Komplexes waren weggebombt oder abgerissen. In dieser Schule saß Mutter Margot nicht im Schulsekretariat.

Die Stalinallee der fünfziger Jahre war, gemessen am Verkehrsaufkommen und lustwandelnden Menschen in Ostberlin, überdimensioniert. Rolands Wohnblock war der letzte Block im "Klein-Moskau-Stil" stadtauswärts auf der rechten Seite. Zwischen diesem Block und der gegenüberliegenden Häuserzeile lag ein weiter Zwischenraum: Breiter Bürgersteig mit Fahrradweg, Pflasterstreifen für die breiten steinernen Sockel der Laternen, eine Fahrbahn mit zwei Spuren, eine ebenso breite Rasen-Zwischeninsel, eine Fahrbahn mit zwei Spuren in Gegenrichtung, der Laternenstreifen, der Fahrradweg in Gegenrichtung, eine große Fläche, die so breit ist wie die vorgenannten Flächen zusammen, und nochmals ein breiter, mit Platten belegter Bürgersteig. Wenn z.B. Fotos oder Filmaufnahmen von der Stalinallee gemacht wurden, stoppte die Verkehrspolizei die Autos in beide Richtungen und ließ dem Verkehr anschließend wieder freien Lauf, um die Illusion eines Großstadtdynamik widerspiegelnden Verkehrsaufkommens auf Zelluloid festzuhalten.

Als Rolands Familie einzog, ragten noch Schutt und Trümmer ehemaliger Fundamente zwischen und über dem Niveau der geplanten Grünflächen. Nach und nach erfolgte die Einrichtung der Ladengeschäfte. Aus ihrer Anordnung und Zuordnung wurde der Anspruch der Stalinallee als Ganzes sichtbar. Hier sollte das Wohnungsbauprogramm für Berlin als beispielhafte Zukunftsvision, und in den Schaufenstern die Leistungskraft der sozialistischen Gesellschaft demonstriert werden.

Die teilweise Offenlegung der Verbrechen Stalins durch Chrustschow 1956/57 überstand Stalin zwar noch unbehelligt bis in den November 1966 auf seinem Sockel in der Allee, die seinen Namen trug, aber aus dem Arbeitszimmer von Grundmann-Bruder Kurt verschwanden die in rotes Leder eingebundenen gesammelten Reden Stalins aus der ersten Reihe der verglasten Bücherfront. Sie wurden nicht vernichtet, sondern quer hinter die Reihe der vorne stehenden Prachtbände von Lenin, Karl Marx, Friedrich Engels und Walter Ulbricht dekoriert. Die belletristischen Bücher dieser Bibliothek umfassten die Werke deutscher und russischer Autoren, die als unbedenklich im Sinne der sozialistischen Erbauung galten. Insgesamt mögen es weniger als die Zahl der Finger an Rolands Händen gewesen sein, derer er sich aus diesem Angebot bedient hat. Seine Begeisterung am Lesen konnte er anderweitig befriedigen. Im Erdgeschoss seines Hauses eröffnete nämlich eine Leihbücherei. In Hauspantoffeln konnte er hinuntergehen und sich sämtliche Bücher ausleihen. Es gab Tage, an denen er ein ganzes Buch auslas. Darunter litt natürlich die Erledigung seiner Schulaufgaben. Dass Roland das große sich ihm bietende Bücherangebot nutzen konnte, war an und für sich eine günstige Fügung. Niemand stand bei der Auswahl des Lesestoffs anleitend zur Seite. So las er oft kommunistischen Schund, der die Bezeichnung Literatur nicht verdiente. Er erlag dem Bedürfnis an beschriebener Aktion. Er las von russischen und kommunistischen Heldentaten im 2. Weltkrieg und er duldete der Story wegen sogar, dass es letztlich deutsche Soldaten waren, denen man sämtliche Grässlichkeiten zuschrieb. Er trauerte gelegentlich noch Jahre später ob der ihm so verlustig gegangenen Zeit.

Grundmann Bruder Kurt und Mutter Margot nahmen zur Kenntnis, dass er viel las, und damit war die Sache für sie positiv abgehakt – der Junge lernt. Der Umfang des von ihm bewältigten Lesestoffs hat ihm, gemessen an den gebotenen Möglichkeiten, einen immerhin überdurchschnittlichen schöngeistigen und/oder philosophischen Horizont eröffnet. Es waren neben den deutschen Klassikern die Literaten und Schriftsteller des neunzehnten Jahrhunderts, besonders die russischen und französischen, die einen Fundus besserer Allgemeinbildung schufen. Seine Phantasie löste sich in den Weiten beschriebener Länder auf und ließ ihn von dort durchlebten Abenteuern träumen.

Schräg gegenüber, im letzten Block gegenüber dem Frankfurter Tor, eröffnete im Frühjahr 1956 ein Reisebüro (DER). In Ostberlin und in der übrigen "DDR" gab es so gut wie keinen nennenswerten Auslandstourismus. Die Leute, die für Auslandsreisen das Geld hatten, reisten über Westberlin. Das geschah via Flug von Tempelhof bzw. per Bahn ins Bundesgebiet oder ins europäische Ausland. Um so mehr sorgte die öffentliche Ankündigung für Aufsehen, dass es tags darauf

Reiseangebote für DDR-Bürger nach Bulgarien in eben diesem Reisebüro geben würde. Der Preis von über 1.000 Mark pro Person sorgte schon für eine Vorauswahl, wenn man ihm z.B. das Monatsgehalt einer Verkäuferin von 240 Ost-Mark gegenüberstellt. Als Roland mittags, von der Schule kommend, am Reisebüro vorbei ging, saßen Leute auf Stühlen vor dem Laden. Zu Hause angekommen erreichte ihn der Anruf seiner Mutter:

„Mach deine Hausaufgaben und stelle dich bitte in die Reihe! Wenn wir nach Hause kommen, lösen wir dich ab."

So handhabten sie es dann. In der Nacht lösten die Eltern einander ab, und am nächsten Vormittag zählten sie zu den Glücklichen, die einen Antrag auf eine Urlaubsreise nach Bulgarien in der Hand hielten. Wie auch immer die Endzuteilung erfolgt sein mochte, sie flogen nach Bulgarien. Roland war zur selben Zeit wieder in einem Sommerferienlager.

An Rolands 12. Geburtstag, führte Mutter Margot ihn morgens vor dem Weg in die Schule feierlich zu den aufgebauten Geschenken im Wohnzimmer. Er hatte zwölf brennende Kerzen auszupusten. Mutter Margot nahm seine Hand, schaute ihm ernst in die Augen und erklärte:

„Du bist jetzt adoptiert! Kurt ist nunmehr dein einziger und richtiger Vater."

Warm und einfühlsam klang Kurts Stimme:

„Bist mir ja schon lange mein Sohn!"

Vater und Sohn umarmten sich herzlich.

Roland fand die Regelung prima. In allen Jahren hatte er nichts Schlechtes an Kurt ausmachen können. Er hatte nie lauten Streit zwischen Mutter Margot und ihm vernommen, Schläge, selbst Backpfeifen, hatte er nicht ein einziges Mal von ihm erhalten. Kurts Gesamtpersönlichkeit, seine Belesenheit und handwerkliche Geschicklichkeit, hatten ihn ihm zum Vorbild werden lassen.

Die schulischen Leistungen von Roland hatten sich nicht verbessert und konnten bei allem Wohlwollen höchstens als „durchwachsen" bezeichnet werden. Wie jedes Jahr am Anfang des Schuljahres einer der besten Schüler in der Klasse, fand er sich zu Weihnachten in der Gruppe der Versetzungsgefährdeten. Gute Noten hatte er in Deutsch,

Geschichte, Erdkunde, Musik und Sport. Bis zum Ende des Schuljahres hatte er Mühe, ohne eine 4 auf dem Zeugnis die Versetzung zu erreichen. Die Lehrer erklärten den Eltern zwar stets auf den Elternabenden, Roland sei zu wesentlich besseren Leistungen fähig, wenn er nur nicht so faul bei der Erledigung der Hausaufgaben wäre. Selbst Vaters finanzielle Anreize, ihm für eine 2 fünfzig Pfennige und für jede 1 eine Mark geben zu wollen, fruchteten nicht wirklich. Bei einer 4 hatte Roland nämlich fünfzig Pfennige zu zahlen und für eine 5 eine Mark.

Jeder Schüler hatte ein Tagebuch zu führen. Hier trug der Lehrer Mitteilungen, Lob oder Tadel ein. Die Schüler hatten für jedes Fach die erhaltenen Zensuren selber einzutragen. Das Tagebuch mussten die Eltern wöchentlich unterschreiben. Roland trug nur die Zensuren von 1-3 ein, „vergaß" die Zensuren 4 und 5, und wenn Geldnot war, nahm er noch Zweier und Einser auf. Das Anreizsystem wurde nach Entdeckung seiner Manipulationen ersatzlos gestrichen.

Mindestens einmal in der Woche kontrollierten die Lehrer Schulmappen. Es ging dabei darum, Nichtsozialistisches zu konfiszieren. Darunter fielen Miniaturautos der Deutschen Wehrmacht, Wehrmachtssoldaten aus gebranntem Ton, Westernfiguren aus Plastik, Comics, Western- und Landserhefte, Wasserpistolen, Sanella-Sammelbilder u.a.m.. Rolands Schulmappe wurde selten oder nie vom Klassenlehrer durchwühlt, weil bei ihm als „Jungem Pionier" und Sohn aus einer Funktionärsfamilie solche Spielsachen und „Schundliteratur" nicht zu vermuten waren. Das führte dazu, dass die Klassenkameraden ihre Habe bei ihm deponierten, bis die Kontrolle abgeschlossen war. Durch Lehrerwechsel ging ihm das Privileg, „nicht kontrolliert zu werden", verloren. Der Fund von West-Literatur in seiner Schulmappe schlug zu Hause ein wie eine Bombe.

Die Eltern waren zwischenzeitlich über die Schulleistungen zumindest beruhigt, wenn er ihnen ein neues Abzeichen „Für gutes Wissen" vorlegte. Roland wartete mit Silber auf. Die Organisation der „Jungen Pioniere" vergab diese Anerkennungen in Bronze, Silber und Gold für Abfragen den Sozialismus betreffender Zusammenhänge. Es war ein ganz kleiner, dem schulischen Lehrplan zuzuordnender Stoff, der in diese spezielle Abzeichenvergabe einging. Die erste

Fremdsprache war Russisch. Es zu lehren war nicht einem ausgebildeten Pädagogen, sondern einem Altkommunisten übertragen worden. Der hatte die Sprache bei den „Sowjetischen Freunden" im Exil erlernt. Ihm machte Rolands Klasse die Unterrichtsstunden sehr schwer. Neudeutsch, er wurde „gemobbt". Die Vorbehalte gegen die Sprache gingen einher mit der allgemeinen Einstellung gegenüber allem Russischen.

Rolands Eltern haben gerne daran geglaubt, dass er zu den leistungsstärkeren Schülern in der Klasse zählte, weil es sich bei denen, die die Auszeichnungen zuerkannten, u.a. auch um seine Klassenlehrerin handelte. Dass er immer wieder am Kurs „Für gutes Wissen" teilnahm, hing in Wahrheit mit der Verehrung zusammen, die er für seine Klassenlehrerin empfand, die auch gleichzeitig die Pionierleiterin an der Schule war. Die von ihm Verehrte roch nach seinem Dafürhalten gut und sah, egal was sie anhatte, immer schick aus. Selbst das FDJ-Hemd betonte ihre Figur.

Als einmal ein gemeinsamer Theaterbesuch geplant war, hatte Roland irgend etwas mit einem Jungen getauscht, nur um die nummerierte Platzkarte neben seiner Lehrerin zu ergattern. Er war ganz aufgeregt in seiner Vorfreude. Für Männer gab es damals eine Duftcreme, mit der das Haar durchkämmt wurde. Roland kaufte eine solche Tube 'GLÄTT'. Fast die ganze Tube setze er für seine Vorbereitung auf den Theaterbesuch ein. Stolz saß er abends neben ihr. Zwei Jahre später im Abschlussferienlager seiner Klasse am Lagerfeuer erfuhr er dann: „Roland, du hast im Theater so penetrant gerochen, dass mich in der großen Pause die hinter uns sitzende Frau vor dem Frisierspiegel in der Toilette auf den Geruch angesprochen hat."

Sie lachten beide bei der Erinnerung, und Roland, ganz der galante Kavalier:

„Ich weiß, es ist besser dezent zu duften als aufdringlich zu riechen. Hätte ich es besser gekonnt, Sie sind es mir wert."

Lehrerwechsel waren nicht gerade selten, weil viele Lehrer nach West-Berlin übersiedelten.

Allgemein war der Flüchtlingsstrom von Ost-Berlin in den Westen bei weitem nicht so stark, wie es der Flüchtlingsstrom aus den übrigen DDR-Provinzen gewesen ist. Die Berliner hatten im Gegensatz zu den Landsleuten von außerhalb Berlins die Möglichkeit, sich täglich der jeweils besseren Variante der zwei Welten zu bedienen. Deshalb siedelte der Berliner ausnahmsweise spontan in den Westen über, wenn er politische Verfolgung oder Benachteiligung befürchten musste. So mancher Ost-Berliner arbeitete in West-Berlin und bereitete sich in aller Ruhe auf den Umzug nach Westberlin nach dem Motto vor: Erst eine Wohnung dann - der Wechsel.

Viele ehemalige Schulkameraden von Roland gingen nach der vierten Klasse in West-Berliner Gymnasien, wohnten aber weiter mit den Eltern in Ost-Berlin. In West-Berlin wurde keine politische Einstellung, weder die des Schüler noch die seiner Eltern, für den Besuch des Gymnasiums abgefragt. Der Nachweis proletarischer Herkunft erübrigte sich.

Rolands Status in der Klasse war gut. Die Interessen begannen sich zu verlagern. Die Auswahl der Freundschaften fand nicht mehr nach der politischen Orientierung der Elternhäuser statt. Der Freundeskreis unterlag anderen Maßstäben. Mädels rückten in das Blickfeld der Begierde. Beurteilt wurden die von den Jungen figürlich nach dem Entwicklungsstand ihrer weiblichen Proportionen und nach ihrer Garderobe.

Petticoats aus dem Westen zu tragen, war nur wenigen Mädchen möglich. Ihre nähenden Mütter glichen das aus. Die Jungen verglichen untereinander ihre Kleidung und die Mädchen schätzten diese auch ab. Der Unterschied zwischen der Kleidung aus dem Westen und der aus der Ost-Produktion war augenscheinlich. Im Unterschied zur Mädchenkleidung konnte für die Jungs nicht die Nähkunst der Mütter zaubern. Die Jungs trugen, sobald die Sonne wärmte, kurze Lederhosen. Entscheidend war hier das Leder. Die Lederhosen aus dem Westen waren aus steiferem Rindsleder und die aus dem Osten aus etwas schlabbrigem Ziegenleder. In den Taschen hatte ein Junge immer Taschentuch, Kamm und, wenn vorhanden, Uhr. Ein Taschenmesser oder kleinerer Hirschfänger mit Horngriff steckte in der seitlich aufgenähten Scheide der Lederhose, Den größten Unterschied bildete das Schuhwerk. Aus dem Westen kamen die Schuhe mit dicken Kreppsohlen. Die gab es in Ost-Berlin nicht. Den wohl größten Zuspruch erhielt derjenige, der ein Kofferradio hatte. Mit ihm konnte, batteriebetrieben, unabhängig vom Stromnetz empfangen werden. In der Schule war das Mitbringen von

Kofferradios verboten. Die Geräte waren auf Grund ihres hohen Westgeld-Preises recht selten. In Rolands Klasse hatte nur ein Junge so ein Radio. Dessen kleinerer Bruder, noch nicht schulpflichtig, wartete auf ihn zum Schulschluss vor dem Haupttor, um ihm das Radio zu übergeben. Er, mit dem Radio auf dem Arm, und alle standen um ihn herum. So wurde RIAS-Schlagermusik gehört.

Ein weiteres Statussymbol war das Fahrrad. Nicht das Fahrrad an sich, sondern seine Herkunft, seine Form und seine Ausstattung gaben dem Fahrer die Wertigkeit. Ein Fahrrad aus dem Westen war das Maß der Dinge. Die Fahrräder aus dem Westen hatten schmalere Felgen, Felgenbremsen vorn und hinten und Mehrgangschaltung. Wenn die Pedale im Leerlauf standen und die Nabe surrte, ergab das einen Sound, der die Blicke der Passanten wandern ließ. Sollten dem Rad diese Attribute fehlen, konnte über kleines Zubehör der Ostlook gemildert werden. Hierbei half die Montage eines anderen Lenkers. Der nach seiner Form benannte „Ochsenkopf-Lenker" galt als Mindesteinstand für ein standesgemäßes Fahrrad. Über besondere Gummi- und Plastiküberzieher für die Lenker- und Bremsgriffe und bunte Ölabstrichringe auf den Naben kam man der Norm, wenn auch auf schmerzlich niedrigerem Niveau, näher. Außerhalb jeder normalen Vergleichbarkeit befand sich der Status eines Rennradbesitzers. Ein Rennfahrrad hatte nur jemand, dessen Eltern über richtig gute Westverbindungen verfügten.

Die Fahrräder von Lehrern und Schülern, die mit dem Rad zur Schule kamen, standen auf dem Schulhof neben dem Heizungskeller. Hier wurde nicht geklaut. Auf dem Schulhof zu klauen oder überhaupt einem Mitschüler etwas wegzunehmen, was man selber gerne haben wollte, widersprach dem als normal empfundenen Grundkodex von Ehre und Anstand. Rennfahrrad fahren und dabei Nietenhosen tragen war die Statusspitze. Nietenhosen waren in der Schule verboten. Die Niethosenträger der Klasse kamen in erlaubten Hosen zum Unterricht und zogen sich nach dem Unterricht in der Toilette für den Heimweg um. So angezogen konnten sie noch einige Straßen weiter mit den Mädels schäkern.

Gott-sei-Dank wurden Liebesbriefe zwischen den Jungen und Mädchen nicht allein wegen der Summe vorhandener Statussymbole ausgetauscht. Roland war im Kreis der Mädchen ein geschätzter

Junge. Sie wussten, Roland ist ein Beschützer. Wenn nämlich Ungerechtigkeit in der Luft lag, ergriff Roland Partei. Da waren auch noch seine beeindruckenden Leistungen im Sport und seine höflichen Umgangsformen. Roland war der Typ eines „burschikosen Charmeurs". Sein größtes Handikap hingegen waren seine rotblonden Haare. Ein rotblonder Typ entsprach damals so gar nicht dem Ideal der Mädchen. Sängertypen wie Vico Torriani, Freddi Quinn, Bill Haley oder Elvis Presley waren gefragt. Wenn sie also bei einem Jungen nur den Anflug einer Ähnlichkeit zu den Typenmerkmalen ihrer Idole erkannten, fiel die Entscheidung immer zu dessen Gunsten aus. Selbst rabaukenhaftes Benehmen oder allgemeines Doofsein wurde von den Mädchen eher akzeptiert als ein rotblonder Freund. Auch wenn Roland seine Haare so wie Elvis hinten zum Entenschwanz kämmte, änderte das nichts, denn rotblond war nicht schwarz. Das Kämmen der Haare zum Entenschwanz konnte Roland immer erst auf dem Schulweg vornehmen, denn seine Eltern hätten ihm die Haare eher ganz kurz schneiden lassen, als einen Entenschwanz, wie ihn Elvis heimlich trug, zu tolerieren. Und trotzdem, seine Mühe wurde von der höchst umworbenen Schönheit beider Parallelklassen, Sylvia, belohnt. Die während der Unterrichtsstunden über mehrere Bankreihen hinweg ausgetauschten Liebeszettel brachten ihm die Verabredung mit Sylvia nach der Schule bei ihm zu Hause ein. Irgendwie muss er sich aber bei diesem Treffen nicht richtig um sie gekümmert haben. Möglicherweise erzählte er ihr zu viel aus einem gerade gelesenen Buch. Sie gab ihm aber immerhin einen flüchtigen Kuss auf die Lippen, den er als die Krönung und den Beginn des Miteinandergehens gedeutet hat. Sein Herz war von Sylvia voll erobert. Es war sein erster schmerzlich empfundener Liebeskummer, als sich Sylvia einige Tage später von seinem Schulfreund Jürgen ins Kino nach Westberlin einladen ließ. Einen Vorteil hatte diese kleine Begebenheit dennoch. Sylvia hatte mit dem kurzen, aber für alle Klassenkameradinnen sichtbaren Interesse an ihm den Bann gebrochen. Roland war nunmehr auch für andere Mädchen von Interesse – trotz seiner rotblonden Haare.

Den ersten Liebeskummer half ihm seine platonische Verehrung einer Frau mindern, die mit ihrem Mann im sechsten Stock seines Wohnhauses lebte. Diese Frau war eine Künstlerin – Malerin. Über alle

Maßen schön, entsprach sie wohl exakt dem idealen Frauenbild, welches jeder Mann zu jener Zeit hatte. Hätte es Misswahlen in der Stalinallee gegeben, wäre sie mit Abstand zur Königin gewählt worden. Etwa 1,60m groß, die dunkelblonden, über die Brust reichenden langen Haare zum Pferdeschwanz gebunden und diesen nach vorne übergeworfen, betonte sie ihre Figur durch enge Rollkragenpullover. Diese Schönheit fragte bei den Eltern an, weil Roland immer so besonders freundlich zu ihr sei, ob sie es erlaubten, wenn er ihr Modell sitzen würde. Roland war hin und weg, als die Eltern das an ihn weitergaben. Malen wolle sie Roland in Öl als „Jungen Pionier" mit weißem Hemd und Halstuch. Ihr lichtdurchflutetes Atelier befand sich auf dem Dachgarten. Da saß Roland Stunde um Stunde. Er wagte sich nicht zu bewegen, konnte aber lange in ihre grünlich-gemaserten Augen schauen, wenn sie an ihm für die Pinselstriche Maß nahm. Nach der Sitzung träumte er sich abends, mit ihr vor Augen, in den Schlaf. Den Altersunterschied von etwa 10 Jahren empfand er als ungerecht und tragisch. Er brachte nicht den Mut auf, sie zu fragen, ob er ihr einen richtigen Kuss geben dürfe....

Im Hausaufgang in der vierten Etage wohnte Rolands Spielfreund Peter. Der war zwei Jahre älter, aber nur eine Klasse über ihm, weil er erst mit sieben Jahren eingeschult worden war. Peter besuchte die Oberschule. Rolands Eltern begrüßten und förderten diese Freundschaft. Peter glänzte mit besonders guten schulischen Leistungen. Er wurde zu familiären Unternehmungen, auch auf Urlaubs-Sommerreisen mitgenommen. In dem Alter war es prima, bei Freunden schlafen zu dürfen. Weil Peter sich sein Zimmer mit seinem fünf Jahre jüngeren Bruder teilen musste, schlief er gerne bei Roland. Die Geburtstagsfeiern wurden zusammengelegt – Peter hatte zwei Tage vor Roland Geburtstag. Rolands Eltern war Peters Zielstrebigkeit vorbildhaft. Sie hofften sehnlichst, Roland würde ihm nacheifern.

Schule war von Montag bis Sonnabend, genau wie die Arbeit der Eltern. Aus der Schule kam Roland samstags gegen elf Uhr nach Hause. Seine Eltern trafen gegen 13 Uhr ein. Dann ging es zu dritt, und wenn Peter dabei war, zu viert mit dem Fahrrad ab nach Motzen. Eine Strecke von ca. 50 km war zu bewältigen. Abends zuvor hatte jeder sein Rad auf Funktion überprüft und die unverzichtbaren Sachen auf den Gepäckträgern verzurrt. Ziel war ein ehemaliger Ton-Abbau, dessen Gelände großräumig von Nudisten genutzt wurde. Das Wasser war so klar, dass noch Loren aus dem ehemaligen Betrieb des Ton-Abbaus in der Tiefe sichtbar waren. In den zwanziger Jahren, im kulturell ins Grenzenlose explodierenden Berlin, hatten sich Sympathisanten textilfreier Bewegung gefunden. Diesen Leuten, als Gruppe ohne politisches Korsett, stand damals nur die kleinbürgerliche Voreingenommenheit gegenüber. Mit ihr gab es abseits, südöstlich vor Berlin im Märkischen gelegen, keine Probleme. So markierten und kultivierten sie das Revier nach ihrem Dafürhalten. Sowohl die Ideologie der Nationalsozialisten als auch folgend die der Kommunisten interpretierten die Freikörperkultur als „Guten Betrag für Körperkultur und Sport im Sinne der Volksgesundheit". Die meisten Vereinsmitglieder hatten ihren Familien kleine Hütten gebaut, die wiederum im Laufe der Jahrzehnte untereinander weitergegeben wurden. Für Gäste oder neue Mitglieder gab es ein großes Gemeinschaftshaus. Das war eine riesige hohe Bretterhalle mit einer großen Veranda. Hier suchten sich die einzelnen Familien ihre Liegestätten für das Wochenende in gezimmerten Holzbetten mit Strohsäcken. Es konnten auch eigene Zelte im Freien aufgeschlagen werden. Gegessen wurde das von zu Hause Mitgebrachte. Warme Mahlzeiten entstanden über einer gemauerten Feuerstelle, die sich seitlich der Baracke befand. Auf dem Gelände wurde Volleyball, Völkerball oder Tischtennis gespielt. Ein stabiler Holzsteg, der von der Hauptbadestelle in den See führte, diente als Anlauffläche für kunstvolle Kopfsprünge ins Wasser. Sonntagabends wurde immer zeitig losgefahren, um bis zum Einbruch der Dunkelheit wieder in der Stalinallee anzukommen.

Die Frauenbrüste, die Roland bei der FKK zu sehen bekam, hatten nicht die geometrisch gerundeten Formen, wie er sie von den Bildern aus „Zehn kleine Negerlein" in Erinnerung hatte. Was ihm seither textilverkleidet, als Skulptur geformt oder auf Zelluloid vor Augen kam, brachte inhaltlich keinen Zweifel. Mit den Brüsten seiner Mutter (Mädchenkörbchen), die nicht herunterhingen, konnte er leider nur wenige vergleichen. Die Brüste der Frauen und Mädchen, so viel stand fest, erscheinen in ihrer Natürlichkeit vielfältig. Enttäuschte Erwartung wollte er es nicht nennen, aber zuvorderst stand bei starker Neugier, ultimativ „Schönes" in seiner Vorstellung zu modellieren. Das Verhältnis von Schwerkraft und Fülle im Einklang mit festem Gewebe verhalf ihm später zum Idealbild. Die Frauen bedienten sich erfreulicherweise reicher Auswahl textiler Büstenhalter - über Jahrzehnte spannendes Entblättern. Peters damalige Erkenntnis über die Formen der Frauenbrüste, nicht beschwert durch das Ideal aus „Zehn kleine Negerlein", verlief spontan. Ihn erquickte die Vielfalt der Formen, was ihm Festlegungen ersparte.

Der Umgang der Nackedeis untereinander war natürlich. Peter und Roland tauschten neugierig aus, mit welchen der in etwa gleichaltrigen Mädchen sie gerne engeren Kontakt haben wollten. Da war ein Mädchen namens Rosemarie, das gerne mit ihnen schwimmen ging. „Zufällig", aber doch häufig berührten sie sich im Wasser. Beim spielerischen Untertauchen berührten sie sich dabei überall und Roland nahm jede dieser Berührungen sinnlich auf. Unter Wasser schwammen sie so aufeinander zu, dass die Körper über ihre volle Länge beim aneinander Vorbeigleiten Kontakt hatten. Rosemarie lachte. Roland und Peter konnten entweder nicht lange genug und so schnell wie möglich wieder mit Rosemarie ins Wasser. Natürlich wollten beide mit Rosemarie auch in Berlin Kontakt haben. Mit Roland klappte eine Verabredung zuerst. Als Treff hatten sie die „Milchbar Berlin" in der Stalinallee gewählt. Das war eine Tagesbar im Schick einer Eisdiele, die es schöner auch nicht im Westen der Stadt gab. Das Interieur bildete die über die Grenzen hinweg bestimmende Moderne jener Zeit. Von den Nierentischen mit dazu passenden bunten Stühlen und thematisch im Stil bemalten Wänden bis zu den aus Hochglanzkarton bestehenden Eiskarten - alles war aufeinander abgestimmt. Die Eiskarte war so besonders, dass sie sofort nach der getroffenen Auswahl vom Personal wieder eingesammelt wurde. Als Souvenirs begehrt, wurden sie den Besuchern aus dem Westen von der Bedienung, "unter dem Tisch", gegen D-Mark verkauft. In den ersten Wochen nach ihrer Eröffnung standen dort Schlangen auf Einlass wartender Gäste. Der Bekanntheitsgrad der "Milchbar Berlin" war als Treffpunkt vergleichbar mit der 1969 auf dem Alexanderplatz errichteten Weltzeituhr. Rosemarie und Roland tranken hier

Milchshakes. Sich bekleidet gegenüber sitzend waren sie einander fremd und etwas verkrampft.

Die Fahrten in das FKK-Gelände nach Motzen gingen nur über zwei Sommer. Peter hatte später, als die Fahrten nach Motzen nicht mehr gemeinsam stattfanden, mit der schönen Rosemarie in Berlin Kontakt aufgenommen. Aber es kam auch zwischen ihnen noch nicht einmal zum händchenhaltenden Spazierengehen.

Rolands Eltern pachteten ein Grundstück, mit einem eineinhalbgeschossigen Holzhäuschen, in Ostberlin sagte man "Datsche" (nach dem russischen Datscha) am Rande Berlins, in Waldesruh. Da es sich um ein Waldgrundstück handelte, bedurfte es keiner großen Pflege für ein gefälliges Aussehen. Ein bisschen Ernte von Obst, Gemüse und Blumen erforderte hingegen immense Mühe im glazial-sandigen Boden. An dem Holzhäuschen wurde innen und außen ständig repariert, ausgebessert und sogar angebaut. Rolands Vater war handwerklicher Allrounder. Von ihm hat sich Roland Einiges abgeschaut. Angefangen beim Geradeklopfen von Nägeln, denn neue Nägel gab es selten zu kaufen, bis zum Reparieren sämtlicher mechanischer Verschleißteile hat Roland später so ziemlich alles wieder gangbar machen können. Das erklärte sich weniger aus einer überdurchschnittliche Begabung, sondern war eher der Tatsache zuzuschreiben, dass er, dem Stand der Technik entsprechend, nur logisch dem Kraftverlauf folgen musste. Dort, wo die Kraftweitergabe unterbrochen war, lag der Fehler! Der war sichtbar oder/und messbar, im Gegensatz zu den heutigen elektronischen Regelkreisen in den Chips.

Zum FKK-Besuch kam es nur noch bei gemeinsamen Urlauben an der Ostsee auf der Insel Hiddensee.

Ein Klassenausflug zu Beginn des Schuljahres 1956 führte Roland in das Konzentrationslager (KZ) Sachsenhausen, einem Ortsteil von Oranienburg. Über die KZ der Nazizeit hatte er in jedem der Schuljahre gehört und gelesen. Im Vordergrund standen hierbei stets die inhaftierten kommunistischen Arbeiterführer. Der Roman "Das siebte Kreuz" spielte in dieser Geschichtsdarstellung eine hervorgehobene Rolle. Diesem Roman von Anna Seghers liegt eine Schilderung des KZ Osthofen in der Nähe von Worms zugrunde, wo sich das Lager auf einem damals stillgelegten Fabrikgelände befand.

So ein Lager war auch das zur Gedenkstätte ausgebaute KZ Buchenwald, bei Weimar gelegen, welches sie im Jahr zuvor besucht hatten. In Buchenwald wurde ihnen das Lagersystem nach Anna Seghers erklärt. Diesmal, im KZ Sachsenhausen, wurde ihm und seinen Mitschülern erstmals eine Gaskammer gezeigt, in denen sowjetische Kriegsgefangene durch die Nazis vergast worden sein sollten. Die Besichtigung der Gaskammer beeindruckte ihn sehr und verschwand über Wochen nicht aus seiner Phantasie.

Im Oktober gab es einen Volksaufstand im sozialistischen Ungarn. Fotos von verstümmelten Leichen, bei denen es sich um Kommunisten gehandelt haben soll, erschienen auf den Titelseiten der Ostberliner Zeitungen. Im Unterricht wurden sie als Beweise für faschistische Vorgehensweisen vorgelegt. Die geschilderten Verbrechen der Nazis in Sachsenhausen im Kopf, ergriff Rolands Klasse Partei für die „sowjetischen Freunde", die den Ungarnaufstand brachial niederwarfen. Etwa 12 Jahre später las Roland, dass die Gaskammer in Sachsenhausen eine Konstruktion der Sowjets gewesen ist. In einer eidesstattlichen Erklärung beschreibt ein ehemaliger Nachkriegs-Internierter der Sowjets, die im ehemaligen KZ Sachsenhausen eines ihrer Sonderlager errichtet hatten, seine Mitarbeit an der Bauausführung der „Gaskammer". Erst in diesem Jahrtausend ist die „Gaskammer" in Sachsenhausen abgerissen und aus dem jahrzehntelang gepflegten Horrorszenario "Deutsche Faschisten" in Sachsenhausen entfernt worden.

Einige Hausaufgänge neben dem Rolands befand sich der größte und wohl am besten belieferte Laden „Wild und Geflügel" in Ostberlin. Die Gänse wurden in dünnwandigen Sperrholzkisten aus Polen angeliefert. Die leeren Kisten wanderten auf einen riesigen Haufen hinter dem Hausblock. Hier besorgten sich alle Interessenten aus der Umgebung Bastel- und Brennholz, bevor die von der HO (Handelsorganisation) geplante Sammelabholung zum Zuge kam. Roland fertigte aus dem Sperrholz einige anspruchsvolle Laubsägearbeiten als Weihnachtsgeschenke für Eltern und Verwandte. Mit Peter bastelte er aus diesem Material ein schönes großes Kasperle-Theater. Als sie dieses Vorhaben angingen war es die Begeisterung, durch spätere Vorstellungen vielleicht ihren Geldbedarf für Kinobesuche decken zu können. Sie ahnten nicht, wie zeitnah sich ihre Mühe auszahlen würde. Das Kasperle-Theater, schön anzusehen, stellten sie unten im Kinderwagenraum auf. Dann klingelten sie, auch an Wochenenden, bei Familien mit Kindern, die noch nicht zur Schule gingen. Den Müttern sagten sie, dass in Kürze eine Kasperle-Vorführung begänne. Die Kinder sollten einen Groschen mitbringen. Zehn und mehr Kinder kamen zusammen, die dann erwartungsvoll vor der kleinen Theaterbühne auf Kasperle warteten. Von ihren Müttern und Vätern, glücklich darüber, dass ihnen für etwa 2 Stunden die Kinder abgenommen waren, hatten diese mehr als nur einen Groschen mitbekommen. Bei den ersten Vorspielstücken orientierten sie sich an bekannten Märchen. Weil den Kinder-Kunden aber nicht viele Male dieselben Stücke vorgespielt werden konnten, trugen Roland und Peter Stegreif-Geschichten vor. Ihre Vorführungen dauerten manchmal gerade so lange, um es anschließend noch zum Beginn einer Nachmittags-Kinovorstellung zu schaffen. Die freudige Erwartung auf den Besuch einer Filmvorstellung wurde öfters enttäuscht, weil entweder beide nicht oder nur einer von ihnen eingelassen wurde. Es gab Filme, die waren ab 14, 16 oder erst ab 18 Jahren zugelassen. Nicht immer glaubte der Kartenverkäufer das ihm gegenüber behauptete Alter.

Der Winter 1956/57 brachte Ende Januar Kältegrade von unter 20°. Sogar der Müggelsee war zugefroren. Vielerorts platzten die Wasserrohre, und die Belieferung mit Kohle brach völlig zusammen. In Rolands Schule gab es diese Probleme gleich mehrfach. Im Schulbetrieb gab es einen neuen Begriff "Kälteferien". Morgens pünktlich um 8:00 Uhr in der Schule, saßen die Schüler in Mantel und Mütze in den Bänken. Der Lehrer gab der Klasse die Hausaufgaben bekannt. Er nannte die Buchseiten und Aufgaben für die einzelnen Fächer, wohl In der Hoffnung, irgendwie würden seine Schüler zu Hause einen warmen Platz zum Lernen finden. Kurz darauf schickte er die Klasse nach Hause. Wenn anschließend die Schüler nicht nach Hause gingen, vermissten die Eltern ihre Kinder nicht, weil sie sie ja in der Schule glaubten. Fast alle Klassen, und die von Roland war nur eine von mehreren im Bezirk, machten sich auf den Weg in Richtung Oberbaum-Brücke. Auf die Straßenbahn konnte man sich nicht verlassen, weil deren Oberleitungen immer wieder abschnittsweise dem Frost zum Opfer fielen. Weiterer Grund für den Fußmarsch war

die Relation zwischen Fahrpreis und Kinokarte. Die nur 4 Straßenbahn-Stationen kosteten hin einen Groschen und zurück noch einen - die Kinokarte 1 Mark. Es war also Eile geboten, denn zeitlich versetzt zwischen 8:30 – 9:15 Uhr begannen jenseits der Oberbaumbrücke in Westberlin die Kinovorstellungen. Das Kinoprogramm wechselte täglich, und vorweg gab es die "Fox Tönende Wochenschau". Es war aber nicht nur die Zeit, die es einzuhalten galt. Rechtzeitiges Kommen sicherte überhaupt einen Platz, und nur bei frühzeitigem Eintreffen konnte ein guter Sitzplatz ergattert werden. Oft musste gerannt werden, weil die Verteilung der Hausaufgaben länger gedauert hatte. Die Schulranzen auf dem Weg und im Kino waren lästig. Sie wurden deshalb in einem Bäckerladen abgestellt, der auf dem Weg lag. Bei der guten Bäckersfrau stapelten sich die Schulranzen, die erst Stunden später auf dem Nachhauseweg wieder von ihnen abgeholt wurden. Es gab nahe hinter der Sektorengrenze die Film-Theater Lido, Stella, WBT, Oppelner und Casino. Bei Vorlage irgendeiner Ost-Identifikation, das konnte auch ein Pionierausweis sein, zahlte man mit einer Ostmark, egal wie der Kurs gerade stand. Es war möglich, nach einem Film sofort ins nächste Kino zu gehen, da die Anfangszeiten um 15 Minuten versetzt lagen. Wenn das Geld für die zweite oder dritte Vorstellung nicht reichte, begab man sich in eine der zahlreichen kleinen Stehhallen und hörte sich die neuesten Schlager aus den ständig spielenden Musikboxen an. Irgend jemand hatte immer ein Paar Pimperlinge übrig, um eine neue Platte aufzulegen. Wieder zu Hause eingetroffen, fragte Mutter, eher aus Routine denn wissbegierig:
„Wie war es in der Schule, war was los?"
Auf dem selben Level kam die Antwort:
„Alles knorke heute!"
Unausgesprochen blieb, dass das „Schulprogramm" des Tages aus ein, zwei, ausnahmsweise sogar drei Western-Filmen bestand. Die Vorfreude galt bereits dem nächsten Kälteferien-Tag. Rolands Eltern blieben die täglichen Ausflüge nicht verborgen. Am Grenzübergang versah nämlich ein Polizist, der in Rolands Wohnhaus in der fünften Etage wohnte, seinen Dienst. Der hatte natürlich nichts Besseres zu

tun, als seinem Genossen, Rolands Vater, zu berichten, dass er täglich seinen Sohn mit den Klassenkameraden in den Westen wandern sehe. Die Kasperle-Einnahmen sprudelten synchron zu den Kälteferien prächtig. Mit dem Ende der Kälteperiode gingen auch die Kasperle-Einnahmen zurück. Womöglich war die Gutgläubigkeit der Mütter ausgenutzt, täglich würde den Kindern ein „neues" Programm geboten.

Im achten Schuljahr machte man Roland als „Pionier" automatisch zum FDJ-ler. Bedeutender in diesem Schuljahr war jedoch, dass die Konfirmations- und Jugendweihefeiern stattfanden. Für Roland war, dem sozialistischen Menschenbild entsprechend, die Jugendweihe vorbestimmt. Seitdem Mutter mit Kurt verheiratet war, gab es abends kein gemeinsames Gebet vor dem Einschlafen mehr, Roland wurde atheistisch erzogen. Gleich ob Einsegnung oder Jugendweihe, in allen Familien legte man Geschenke und Geld zurück, um den Übergang vom Kind zum Erwachsenen unvergesslich werden zu lassen.

Roland wurde von Kopf bis Fuß als „Mann" eingekleidet. Sakko, lange Hose, Hemd mit Umschlagmanschetten, Manschettenknöpfe, Krawatte und gerade in Ostberlin in den Verkauf gelangte Kreppschuhe. Die Gesamtkomposition, von Mutter Margot zusammengestellt, spiegelte formvollendeten höchsten Standard. Roland gab mit einer Größe von etwa 1,70m eine gute Figur ab. So stand er dann zwischen den Mädchen seiner Klasse. Wunderschöne Petticoats, dazu Lack-Ballerina-Schuhe, Seidenhandschuhe, Handtäschchen und hochgesteckte Frisuren machten aus ihnen plötzlich kleine Damen. Ab jetzt ging Roland wie ein Erwachsener gekleidet ins Theater, nicht mehr mit gebügelter kurzer Hose über langen Strümpfen. Eine vergoldete Armbanduhr mit Datumsanzeige ersetzte die verchromte Taschenuhr. Das Stück aber, das alle anderen Geschenke übertraf, war ein Kofferradio. Mit dem Kofferradio gab es wenige Tage später Ärger. Jetzt war es Roland, der mit einem Kofferradio im Arm dastand. Von einer Gruppe Jungen umringt, hörten sie im RIAS die „Schlager der Woche". Um den Klang weithin schallen zu lassen, fand diese Anhörung im Säulengang des Nachbarblocks statt. Prompt erschien der für den Abschnitt zuständige Polizist und kassierte unter großem Protest der Anwesenden Rolands Kofferradio:

„Det Kofferradio bekommste wieder, wenn dein Vater mit dir uffs

Revier kommt!"

Es blieb ihm nichts anderes übrig, als dem Vater zu beichten, dass er „Schlager der Woche" gehört hätte. Auf dem Polizeirevier angekommen, erklärte der eine Polizist-Genosse dem anderen Genossen, Roland sei das Kofferradio wegen "Gedanken groben Unfugs" abgenommen worden. Sein Vater reagierte anders als erwartet. Er kommentierte die schlichte Begründung des Genossen Polizisten nicht. Das Kofferradio, welches wieder zurückgegeben worden war, gab der Vater ohne weitere Auflagen oder Belehrungen an den Sohn weiter.

Wie inzwischen in fast jeder Familie im Haus, gab es natürlich auch bei Roland ein Fernsehgerät. Abends, manchmal bis neun Uhr, schaute die ganze Familie gemeinsam. Er durfte auch, wenn er die Hausaufgaben erledigt hatte, alleine fernsehen. Ausdrücklich war ihm verboten, auf den Westsender umzuschalten. Dem Verbot schenkte er keine Beachtung, weil er es als unangebrachte Bevormundung empfand. Da er nachmittags gegen 14 Uhr zu Hause war und die Eltern regelmäßig immer gegen 18 Uhr eintrafen, schaute er also Westfernsehen. Das Geräusch des Fahrstuhls und das Geklapper der Fahrstuhltür auf der Etage ließen ihm immer genug Zeit, um schnell auf den Ostsender zurückzuschalten, bevor die Eltern das Wohnzimmer betraten. Eines Tages fragte ihn sein Vater unmittelbar nach seiner Heimkehr:

„Hattest du gerade Westfernsehen an?"

Roland im Brustton der Überzeugung: „NEIN!"

„Gibst du mir dein Ehrenwort darauf?"

Roland gab sein Ehrenwort!

Daraufhin zeigte der Vater ihm den Ratschendrehknopf, mit dem man die Sender, "klack, klack, klack" einstellen konnte. Der untere, nicht im Blickfeld liegende Sektor der Ratsche war vom Vater mit einem kleinen schmalen Papierstreifen überklebt worden. Beim Drehen des Knopfes auf den Westsender war der Papierstreifen zerrissen.

Roland hatte seine Ehre verloren!

Das war für ihn dermaßen demütigend, dass er noch Jahre später vieles dafür getan hätte, um vom Vater bezüglich des Ehrenwortes Absolution zu erhalten. Die bekam er nie!

Das Westfernsehen am häuslichen Gerät fand für Roland ab sofort nicht mehr statt. Er ging nunmehr immer drei Etagen höher zu einer Familie, in der zwei Söhne Westfernsehen anschauen durften, so oft, so lange und wann sie wollten. Gegen 18 Uhr ging er dann hinunter, um mit den Eltern pünktlich zu Abend zu essen.

Roland hatte es doch tatsächlich vollbracht, die Schule zu beenden, ohne jemals eine "4" auf dem Zeugnis zu haben. Seine minimalistische Einstellung fand er bestätigt. Die Schule lag hinter ihm. Vor ihm stand die Entscheidung, wie er mit dem Abschluss der achten Klasse seine berufliche Ausbildung angehen sollte.

Sein Vater wechselte von der Tageszeitung, zum Allgemeinen Deutschen Nachrichtendienst (ADN). Margot arbeitete inzwischen auch dort. Als Auslandskorrespondent reiste er jetzt durch die Welt. So kam er von Aufenthalten in Paris, Melbourne und Kairo zurück, was für Roland höchst beeindruckend war. Er hatte viel über die Kontinente und ihre Länder gelesen. Andere Kulturen, ihre Geschichte und Reisebeschreibungen fesselten ihn. In seiner Bibliothek standen zum Beispiel drei bebilderte Bände "Afrika", von denen er Passagen auf die Seite genau aufschlagen konnte, so oft hatte er sie gelesen. Er hatte Fernweh und wäre gerne als Abenteurer oder Archäologe unterwegs gewesen. Wenn es also um seine berufliche Orientierung ging, konnte es sich nur um ein Berufsbild handeln, welches ihm das Tor zur weiten Welt öffnen würde. Pilot, das erschien ihm trefflich.

In der DDR war gerade der Aufbau einer eigenen Flugzeugindustrie angelaufen. In Ludwigsfelde bei Berlin war mit dem Bau von Strahlturbinen begonnen worden. Roland las von einem Internat, gelegen in Ludwigsfelde bei Berlin, in dem Facharbeiter ausgebildet wurden und gleichzeitig Segelflug betrieben werden konnte. So fuhr er nach Ludwigsfelde, schaute sich das Internat an und sprach mit Internats-Lehrlingen und Ausbildern. Beeindruckt vom Enthusiasmus der Lehrlinge und ihrer Ausbilder, kam er nach Berlin zurück. Während der Berufsausbildung den Einstieg in die Fliegerei zu bekommen, das als Einstieg, gefiel ihm schon mal gut. Besser noch war die Aussicht als einer der besten Segelflieger, die Motorflugausbildung anzuschließen. Sein Entschluss stand fest. Die Chance, über den Segelflug zum Motorflug zu kommen, um Pilot zu werden, wollte er ergreifen. Er wollte unbedingt auf das Internat, und so war ihm die konkrete Benennung eines Facharbeiterberufs in seiner schriftlichen Bewerbung vollkommen nebensächlich. Nie vergaß er die Formulierung eines Satzes aus seinem damaligen Bewerbungsschreiben, das er an die Direktion der Flugzeugwerke, zu Händen des Herrn Professor Dr. BAADE, richtete: „....es wäre nebensächlich, ob er einen Ausbildungsplatz zum Hobler, Dreher, Fräser, Werkzeugmacher oder Triebwerkmechaniker bekäme, Hauptsache sei, er werde in das Internat aufgenommen." Sein Internatswunsch nach Ludwigsfelde traf voll auf die Interessenlage seiner Eltern. Die planten einen mehrjährigen Auslandseinsatz im Auftrag des ADN. Mit dem (fernen) Berufsziel seines Sohnes kam der Vater gut zurecht. Er sah den Ausbildungsweg zu einem Piloten der DDR-Lufthansa anders als sein Sohn, weil er das Abitur als den besseren Einstieg betrachtete. Also besorgte er rechtzeitig die Vertragsunterlagen eines ebenfalls in Ludwigsfelde befindlichen Internats, in dem mit dem Abitur auch Segelflug mit späterem Zugang zum Motorflug möglich wäre. So kam es, dass zwei unterschiedliche Vertragsunterlagen für Rolands Ausbildung auf dem Tisch lagen. Es gab eine denkwürdige Zusammenkunft im Arbeitszimmer des Vaters. Das Einverständnis musste gegenüber dem Internat auch durch die Unterschrift der Eltern erklärt werden. Hinter seinem Schreibtisch sitzend fragte der Vater den Sohn:

„Welchen der zwei vor dir liegenden Verträge willst Du von mir unterschrieben haben?"

Roland, völlig von sich überzeugt und froh, aus dem Schulbetrieb 'raus zu sein:

„Bitte unterschreibe den Vertrag, für das Internat Lehrlingskombinat „Philipp Müller"! Ich mache dort den Facharbeiter zum Universal-Fräser. Das Handwerkliche reizt mich mehr als die Oberschule."

Der Vater sah Roland lang und ernst an.

„Ich kann jetzt einfach unterschreiben, so wie du es möchtest. Überlege es dir jetzt endgültig! Wenn ich jetzt so unterschreibe wie du es forderst, will ich in Zukunft nie einen Vorwurf von dir hören!"

Roland, 14 Jahre alt, von sich überzeugt, alles zu können, alles zu verstehen und alles erreichen zu können was er sich vornimmt:

„Niemals werde ich dir einen Vorwurf machen, darauf kannst du dich verlassen, darauf hast du mein Wort!"

Roland war der ernste Unterton seines Vaters und sein zögerliches Handeln unverständlich. Was sollte es seinerseits später schon für Vorwürfe geben, von ihm, dem deutschen Facharbeiter. Arbeiter in der DDR zu sein, war doch der von allen gelobte gesellschaftliche Status. Außerdem würde der Facharbeiterabschluss nur eine kurze Episode auf seinem Berufsweg zum Piloten darstellen. Irgendwo hatte Roland den Spruch gelesen, ihn quasi zu seinem Credo erkoren:

„Ich weiß alles, ich kann alles, ich darf alles!"

Mit dieser, ihm auch später oft als provokant und überheblich ausgelegten Äußerung, verlangte er die Unterschrift vom Vater. Der unterschrieb den Antrag zur Ausbildung als Facharbeiter zum Universalfräser, im Internat „Philipp Müller".

Rolands letzte Vorbereitung auf das Erwachsensein war der Besuch einer Tanzschule. Eine solche befand sich nur fünf Minuten von der Wohnung entfernt. Schulabgängern, die es verpasst hatten, vor Konformation oder Jugendweihe tanzen zu lernen, wurde im Juli ein 1957 Kurs für Standarttanz angeboten. Über 6 Wochen, wochentags, täglich nachmittags, wurde unter engagierter Anleitung geübt. Roland bekam nicht die Tanzpartnerin seiner ersten Wahl, aber immerhin konnte er sich bei einem Mädchen eintakten, das Rhythmus im Blut zu haben schien und stolz darauf war, von ihm geführt zu werden.

Die Tanzpartnerin seiner Wahl wäre allerdings ein Mädchen gewesen, das bereits in einem Parallelkurs für Fortgeschrittene von einem Jungen betanzt wurde. Man nannte sie Gina. In ihrer schönen Aufmachung war sie der Star unter den Tanzschülerinnen. Hintergrund ihrer adretten Erscheinung war die Schneiderwerkstatt ihres Vaters in Verbindung mit ihrer Lehrstelle. Ihr war gelungen, was einem Lottogewinn gleichkam. Der Berufswunsch "Friseuse" stand bei tausenden Mädchen an erster Stelle. In der damaligen Planwirtschaft waren demgegenüber aber in Ostberlin nur wenige Lehrstellenplätze für den Jahrgang vorgesehen. Gina konnte aus dem Vollen schöpfen, weil sie einen Lehrvertrag in einem privat geführten Friseursalon für Damen und Herren in der Schönhauser Allee bekommen hatte. Ihr Lehrmeister war eine große Nummer in der Handwerksinnung und so kam Gina als Haar-Kopf-Modell kostenlos zu den aktuellsten Frisuren.

Sie erschien zum Kurs gekleidet und frisiert wie die Damen von Welt auf dem Kurfürstendamm.

Im gegenüberliegenden Hausblock von Rolands Wohnung gab es die Gastronomie "Frankfurter Tor". Im Erdgeschoss befand sich eine große Speisegaststätte und in der darüber liegenden Etage ein Tanzcafé. In dieses Tanzcafé gingen die Schüler nach dem Üben, um mit den erlernten Schritten Ehre einzulegen. Dieses Vergnügen währte aus zweierlei Gründen nicht bis zum Ende der Live-Musik. Der Umsatz, den Roland und alle zusammen zustande brachten, war es nicht, der sie beim Bedienungspersonal und der Kapelle zu gern gesehenen Gästen hat werden lassen. Das Erscheinungsbild als Jugendgruppe, angemessen gekleidet, die Jungs mit „Schlips und Kragen", die Mädels in ihren von Petticoats ausgestellten Kleidern, und als die Schritte beherrschende Tanzpaare, gaben den Ausschlag. Wenn um 19:00 Uhr der Kapellmeister die Gäste begrüßte, sich und jeden Musiker des Quartetts vorgestellt hatte, waren bei Erklingen der ersten Melodie die Tanzschüler auf dem Parkett. Die Erwachsenen wären zu diesem Zeitpunkt ohne deren Aktivität noch gar nicht in Tanzstimmung gewesen. Sie wurden sozusagen vorzeitig animiert. Gina war inzwischen die ständige Begleiterin von Roland - modisch-schick, schlank, halblang topfrisiertes schwarzes Haar, braune Augen und aufregend proportioniert. Sie tanzte wie sie aussah. Die Zeit musste genutzt werden, denn um 22.00 Uhr war für die Minderjährigen "Schluss mit lustig". Der zweite Grund für ein vorzeitiges Tanzende waren junge Männer, älter als die Tanzschüler, die deren Tischdamen aufforderten oder einfach auf der Tanzfläche abklatschten. Gina ließ sich nicht abklatschen, sie wollte Roland. Oft saßen die mitgebrachten Mädels, von Rolands Freunden eingeführt, bis zu ihrem Zapfenstreich an den Tischen anderer Kavaliere. Die meisten Mädchen folgten nicht aus überschwappender Sympathie zu Karl-Heinz, Manfred, Wolfgang, Klaus oder Roland. Sie kamen einfach mit, weil sie wussten, mit Rolands Freunden kämen sie an der Einlass-Garderobe vorbei. Manfred und Karl-Heinz waren gerade 18, und Roland ging in ihrer Begleitung optisch auch als volljährig durch. Selbst wenn die Freunde einmal nicht dabei waren, reichte Rolands adretter Auftritt. Andere Jungen im gleichen Alter oder junge Männer machten sich an die Begleiterinnen von Roland und seinen Freunden 'ran und hatten ihnen als Kavaliere mehr zu bieten. Sie kamen als Westberliner oder Ostberliner, hatten in Westberlin Arbeit oder standen dort in Ausbildung. Westgeld, 1:4 bis 1:6 umgetauscht, machten sie Roland und Freunde zu zweiten Siegern.

Rolands Eltern waren zwei Monate bevor er ins Internat ging, zu ihrem Auslandseinsatz nach Damaskus abgeflogen. Von der Partei SED bekam Roland einen „Paten" gestellt. Das war ein alter Genosse, bei dem er sich alle zwei Wochen zu melden hatte, oder jederzeit kommen konnte, um zu erzählen, was es Neues gäbe. Von ihm bekam er ein Taschengeld von 30 Mark pro Monat ausgehändigt. Wenn Roland, plausibel und ausnahmsweise, einen höheren Bedarf reklamierte, entschied der „Pate" über den geforderten Betrag. Die Wohnung wurde von der schon jahrelang für die Familie arbeitenden Zugehfrau sauber gehalten. Ihr oblag auch die Pflege von Rolands Wäsche. Das Taschengeld besserte sich Roland durch Besuche bei seinen Großeltern, Onkels und Tanten in Westberlin auf.

Öffnung der Horizonte

Am 1. September 1957 zog Roland in das Internat "Philipp Müller" im Birkengrund in Ludwigsfelde. Die Bausubstanz des Internats stammte aus den dreißiger Jahren. Ein zweigeschossiger Wohntrakt mit ausgebautem Dachgeschoss und einen um 90° versetzt stehenden Gesellschafts-Bau, in dem sich im Erdgeschosses ein großer Speisesaal und darüber, im ausgebauten Dachgeschoss, ein großer Veranstaltungsraum befanden. Hinter dem Gebäude eine Turnhalle mit Giebeldach, so wie es die übrigen Gebäude auch hatten. Durch die Anliegerstraße und eine gärtnerisch gestaltete Einfriedung mit gepflasterten Katzensteinen getrennt, lag ein großer Sportplatz, dessen Mittelpunkt ein mit Rasen bewachsener Fußballplatz bildete. Eine 400m-Aschenbahn umrandete den Platz. Die gesamte Anlage, die Häuser, Bänke und Rasenflächen waren sauber und gepflegt.

Jungen und Mädchen waren voneinander getrennt untergebracht. Im Wohnblock gab es zwei Hauptaufgänge, von denen einer als Zugang zur dritten Etage, wo die Mädchen einquartiert waren, ständig verschlossen war. Den Jungen war es verboten, die dritte Etage der Mädchen zu besuchen. Rolands 2-Bett-Zimmer lag in der ersten Etage mit dem Fenster zum Sportplatz. Neben seinem Zimmer verlief die Treppe zu den Mädchen, durch eine verglaste Doppeltür getrennt. Im Internatskomplex lebten etwa 250 Lehrlinge.

Gegen 6:30 Uhr wurde aufgestanden. Nach Morgentoilette und Frühstück traten alle Internats-Lehrlinge, deren Unterricht zur Normalschicht-Zeit um 8:00 Uhr begann, auf der Straße in Fünferreihen an. Diese Kolonne setzte sich gegen 7:40 Uhr in Richtung Industriekomplex in Bewegung. Vorbei an zerstörten Hallen der ehemaligen Henkel-Luftfahrtindustriewerke, die über das über das gesamte Areal verstreute, größere Trümmerlandschaften bildeten. Im ersten Lehrjahr gab es nur Normalschichten. Auf dem riesigen Industriegelände befand sich auch die Produktion von Motorrollern. Produziert wurden die Typen „Pitty", „Wiesel" und später „Berlin". Mit diesem Produktionszweig hatten die Lehrlinge aus dem Internat nichts zu tun. Die Triebwerksproduktion hatte einen separierten Standort auf dem Gelände. Die etwa 100 anmarschierten Lehrlinge verteilten sich in Klassenräume eingeschossiger Hallen, in denen der gesamte Maschinenpark mit zahlreichen Werkstätten untergebracht war. Die Werkstätten und Klassenzimmer hatten alle große Außensichtflächen, die aus metallenen kleinrahmigen Industrieglasfenstern bestanden.

In den Fluren zu den Klassenräumen und Werkstätten hingen DIN A4 große Fotos ehemaliger Lehrlinge, die nach ihrem Facharbeiterabschluss als beste Segelflieger für die Motorflugausbildung ausgewählt worden waren. Die Bilder sprachen Roland an. Sein immer wiederkehrender Gedanke beim Vorbeigehen: 'Mein Foto wird auch hier hängen!'

Ab dem zweiten Lehrjahr wurde im Schichtbetrieb gearbeitet. Die Frühschicht begann im Industriekomplex um 6:00 Uhr und endete um 14:00 Uhr. Lehrlinge im Schichtdienst marschierten nicht in Marschkolonne zu den Werkstätten, sondern teilten sich den Zieleinlauf selber ein. Die Spätschicht dauerte von 14:00 bis 22:00 Uhr. Zuspätkommen wurde sanktioniert durch Reinigungsarbeiten, zum Beispiel Papier und Kippen aufsammeln vor aller Augen. Mehrmaliger Verstoß konnte auch auf die Benotung des gesellschaftlichen Verhaltens durchschlagen. Der Sonnabend stand zur freien Verfügung. Dann wurde zum Beispiel auf dem

Segelflugplatz in Saarmund oder in der Werkstatt am und für das Fluggerät gearbeitet. Der Rhythmus zwischen der Früh- und Spätschicht, wurde jeweils nach drei Wochen durch eine Woche Schule zur Normalschicht-Zeit unterbrochen. Durch den umschlägigen Rhythmus ergaben sich zusammenhängende lange Wochenenden.

Für Roland begann im ersten Lehrjahr die Metall-Grundausbildung. Da wurde gefeilt, gehämmert, geschmiedet und später an Maschinen gehobelt, gebohrt, geschliffen, gedreht und gefräst. In den Berufsschulklassen gab es Schulabgänger mit dem Abschluss achte, zehnte und zwölfte Klasse (Abitur). Die Leistungsanforderungen waren für alle gleich, aber die Dauer der Ausbildungszeit differierte. Für Rolands Ausbildungszeit bis zum Facharbeiter waren drei Jahre vorbestimmt.

In der ersten Woche wurden alle, man kann sagen automatisch, Mitglied im Freien Deutsche Gewerkschaftsbund (FDGB), in der „Gesellschaft für Deutsch- Sowjetische Freundschaft" (DSF) und die meisten traten, so wie Roland, in die „Gesellschaft für Sport und Technik" (GST) ein. Mehr ging nicht, weniger aber auch nicht. Wie hätte jemand in der vorhandenen Gruppendynamik begründen wollen, nicht in die Gewerkschaft oder nicht in die DSF eintreten zu wollen?

Die Lehrausbilder waren fast ausschließlich Facharbeiter der ehemaligen Flugzeugindustrie–Henkel-Werke, die hier bis zum Kriegsende ansässig waren. Sie waren Moleküle einer über Generationen gebildeten Masse, die weltweit den Nimbus von Qualität geschaffen hatte. In Verbindung mit den deutschen Tugenden verkörperten sie ganz allgemein die deutsche industrielle Schaffenskraft. Den ihnen anvertrauten Schützlingen sollten und wollten sie Stolz und Selbstbewusstsein auf ihr handwerkliches Können vermitteln. Der Maschinenpark, zum Beispiel die Dreh- und Fräsmaschinen, an denen gearbeitet wurde, waren die modernsten, die es damals gab. Es handelte sich überwiegend um in der DDR nachgebaute Schweizer Werkzeugtypen. Bei den Maßgenauigkeiten ging es nicht um Zehntelmillimeter, nicht um Hundertstelmillimeter, sondern um µ (Mü). Von der eigenen Perfektion überzeugt, erlaubten sich die Ausbilder gegenüber ihren Lehrlingen jede Strenge. Nur so ließen sich ihrer Meinung nach gute deutsche Facharbeiter zeugen. Roland bekam von seinem Ausbilder die flache Hand an den Hinterkopf, nur weil er seine Mikroschraube nicht auf dem bereitgelegten Lappen, sondern auf der blanken Werkbank abgelegt hatte. Seine Reaktion darauf war nicht etwa Protest oder Beschwerde, sondern er schämte sich. Solche und ähnlich spürbare erzieherische Erlebnisse behielt jeder für sich, denn die alten Berufshasen hatten ja in der Sache recht. Keiner von Rolands Kameraden wollte den anderen wissen lassen, fehlerhaft mit dem Werkzeug oder dem Werkstück umgegangen zu sein oder sogar Ausschuss gefertigt zu haben. Ein Lob aus dem Mund des Meisters erzeugte hingegen das Gefühl von Zugehörigkeit zur Spezialisten-Elite.

Das erste Prüfungs-Werkstück war nach 3 Monaten ein aus einem Rohling gefeilter Hammer. Den Rohling hatte Roland selbst aus einem Eisenklotz mittels Sauerstoffbrenner gebrannt und hernach mit Maschinenkraft auf Rohmaß gehobelt. Die gefeilten Maßgenauigkeiten lagen im Zehntelmillimeter-Bereich. Die Radien und Flächen für Finne und Pinne hatten keinen Winkel- und Schablonen-Spielraum. Das zweite Prüfungsstück nach einem Jahr war ein aus Aluminium-Guss in letzter Feinarbeit geschwabbeltes Flugzeugmodell der BB-152, das von einem Ständer gehalten, auf einem runden Sockel arretiert war. Wie beim Hammer galt der Qualitätsanspruch für Maße, Flächen, Winkel, Radien, Gewinde, Gravuren und Kurven für alle aus Rohmaterial gefertigten Einzelteile.

1957/58 verfügte die Flugzeugindustrie der DDR über sieben Produktionsbetriebe mit rund 25.000 Beschäftigten. Der Flugzeugtyp BB-152 war technisch seiner Zeit voraus. Es war wohl das erste Flugzeug mit Gondel-Strahltriebwerken. Mit Genehmigung durch die Sowjetunion in der Version einer strahlgetriebenen Mittelstrecken-Passagiermaschine durfte es produziert werden. Dieser Superjet aus Dresden feierte schon Triumphe, bevor noch der erste Prototyp fertiggestellt war. In Fachpublikationen erschienen bereits Verkaufsanzeigen. Die Belegschaft erfuhr, aus der Sowjetunion, Großbritannien und Indien lägen Kaufoptionen vor. Selbst die Lehrlinge als kleinste Rädchen in dieser Industrie hatten das Gefühl, an etwas ganz Besonderem mitzutun. Anfang Dezember 1958 fand der Erstflug der BB-152 statt.

Und dann Leipzig, Frühjahrsmesse 1959, der Staatsratsvorsitzende ULBRICHT will seinem Gast N. CHRUSCHTSCHOW das Produkt DDR-deutscher Schaffenskraft vorführen. Er fordert den sofortigen Überflug der BB 152 über das Messegelände, wobei die Bordbesatzung „brüderliche Kampfesgrüße" live funken sollte. Zu diesem Zeitpunkt kehrte die BB 152 gerade von einem Messflug zum Stützpunkt in Dresden zurück und befand sich in der dritten Kurve zum Landeanflug. Die Turbinen waren gedrosselt, der neue Schub setzte damals mit einer Verzögerung von 5-7 Sekunden ein, die Strömung riss ab und die Maschine schmierte über Ottendorf-Okrilla ab. Die Besatzung war tot und in Folge war es die Flugzeugindustrie der DDR auch....

In der DDR-Öffentlichkeit hielt sich lange die „Verschwörungstheorie", der „große Bruder" in Moskau" hätte durch Sabotage nachgeholfen, die sich abzeichnende Konkurrenz "Made in GDR" zu zerstören. Tatsache blieb, dass sich die DDR mit dem Absturz um den erhofften Wirtschaftsaufschwung durch hauseigene Düsenjets gebracht hatte.

Anfang Oktober 1957 saß Roland zum ersten Mai angeschnallt auf einem Fluggerät. Seine Segelflugausbildung hatte begonnen. Ganze 50 Pfennige hatte er dafür monatlich an die GST zu zahlen. Der SG-38, wobei es sich bei „SG" um die Abkürzung für Schul-Gleiter und bei der "38" um die Jahrgangsklasse handelt, war das Segel-Standardflugzeug der vierziger Jahre. Der Flugplatz in Saarmund bei Potsdam hatte eine jahrzehntelange Tradition. Endmoränen der letzten Eiszeit hatten eine hügelige Landschaft hinterlassen, zu der großflächige ebene Heideflächen gehörten. Hier probten Flugenthusiasten schon vor Ausbruch des I. Weltkrieges mit Geräten, sowohl ohne als auch mit Motorunterstützung, gegen den Wind zu starten. Aus Letzteren wurden später kriegstechnisch wertvolle Maschinen. Die Versailler Verträge von 1918 verboten Deutschland die Entwicklung von Flugzeugen sowie das Motorfliegen. Zu Beginn der Zwanziger Jahre fand in Saarmund Segelfliegen statt. 1933 bis 1944 bekam die begeisterte Hitlerjugend hier, wie in anderen Segelflugschulen im Reich auch, ihre Grundausbildung zu Flugzeugführern. Der SG-38 galt als modernstes Einstiegsfluggerät. Für Roland bestand jetzt, ca. 15 Jahre später, die gleiche Ausgangslage.

Vor dem Fliegen war „Pendeln" angesagt – so der Name für die Übung. Der komplette SG-38 war über seinem Schwerpunkt an einem Haken in der Halle aufgehängt. Gewöhnungsbedürftig bei der Pendel-Übung war die Sitzhaltung. Roland saß wie auf einem Gartenstuhl, um den herum nichts war. Eine Verkleidung vorne und hinten, oben und unten, links und rechts gab es nicht. Über die Fußpedale und den Steuerknüppel konnten die drei Ruder, Quer-, Seiten- und Höhenruder bewegt werden. Diese Betätigung war das Pendeln. Über die Wintermonate wurde nicht geflogen. Der Schulgleiter SG-38 ist ein stahlseilverspannter Hochdecker in Holzbauweise. Das Fluggerät wurde von den Fluganwärtern und Flugschülern bei sachkundiger Beobachtung und Kontrolle durch die Segelflieger-Asse und Fluglehrer bis auf die letzte Schraube zerlegt und überholt, wozu auch das Spleißen von Drahtseilen gehörte. Gespleißte Drahtseile zwischen dem Spannturm, Flügeln und Rumpf geben der Fläche den notwendigen Halt. Die gesamte Ruderflächenmechanik erfolgte über zahlreiche Drahtseile und Umlenkrollen.

Mit Roland zusammen begannen 1957 etwa 30 Jungen ihre Segelflugausbildung auf dem Stützpunkt in Saarmund bei Berlin. Um sich später für die Motorflugausbildung bewerben zu können, musste mindestens die Segelflugprüfung „B", besser noch die „C", abgeschlossen sein. Die erste Prüfung war die „A", für die etwa 30 Starts absolviert werden mussten. Jeder einzelne Flug setzte sich aus den drei Elementen Start, Flug, und Landung zusammen. Die Elemente wurden jeweils einzeln mit Zensuren bewertet und zu einer Gesamtnote zusammengefasst. Die letzten 10 Flüge mussten im Durchschnitt mindestens bei 2,4 liegen, sonst konnte der Prüfungsflug nicht stattfinden. Besser und effizienter als über die Wochenenden ließ sich die Summe von rund 30 Flügen innerhalb eines geschlossenen Lehrganges erreichen. Roland plante, im Sommer 1958 an zwei Lehrgängen teilzunehmen zu dürfen, die ihm die „A" und die „B" Prüfung sichern sollten. Um die Chance zu nutzen, für die Lehrgänge von den Ausbildern eingetragen zu werden, besuchte er regelmäßig über die Zeit der Nichtflugmonate die Werkstunden für die Fluggeräte-Pflege auf dem Hangar in Saarmund oder den Werkstätten auf dem Betriebsgelände. Saarmund war gut über den Bahnhof "Genshagener Heide" mit der Regionalbahn zu erreichen, der am Rande des Industriekomplexes lag. Der Hangar in Saarmund war ein kürzlich errichteter Neubau, wo noch genügend Arbeit zu leisten war, um den Segelflug-Betrieb zu verbessern. Ehrgeiz der angehenden und schon aktiven Flugschüler drückte sich zahlenmäßig in ihrer Anwesenheit zu den freiwilligen Arbeitseinheiten aus.

Der bisher intensive Kontakt zu Peter wurde sporadischer. Peter hatte sich über seine Schule in diesem Jahr, ohne dass die beiden sich über ihr deckungsgleiches Interesse als Ausgangspunkt für ein Berufsziel ausgetauscht hatten, in die Gesellschaft für Sport und Technik (GST), Sparte Segelflug, eingetragen. Sein Segelflugstützpunkt war "Friedersdorf". Zu diesem fuhr er von zu Hause aus mit dem Fahrrad. Einfacher hatte er es mit den Pflegearbeiten am Fluggerät, die jeder in den Monaten ohne Flugbetrieb zu leisten hatte. Die Werkstatt für "Friedersdorf" befand sich auf dem Hinterhof eines Wohnhauses in der Frankfurter Allee, nur fünf Minuten von Peters Wohnung entfernt. Das machte es ihm einfach, Segelflug und Schule zeitlich zu vereinbaren.

Roland hatte im Internat schnell einen guten Stand. Er war in der Leichtathletik bei Wettkämpfen über 100m und 400m unter den Lehrlingen aufgefallen. Das Sportabzeichen in Gold hatte er auch erworben. Das galt schon als etwas Besonderes unter den Internatszöglingen.

Interesse, Mädchenbekanntschaften im Internat zu vertiefen, waren nicht sein Programm. Besondere „Schönheiten" waren ihm im und außerhalb des Internats auch nicht aufgefallen. Das lag wohl auch daran, dass er freitags und über das Wochenende mit den Arbeitseinsätzen für den Segelflug beschäftigt war. Wenn das nicht der Fall war, fuhr er von Ludwigsfelde nach Berlin in die Wohnung. Über die Wochenenden lief allerdings die Verbindungsaufnahme zum anderen Geschlecht. Samstags und sonntags ging man zum Tanz ins Kulturhaus Ludwigsfelde bzw. in nachbarschaftlich gelegene Dorfsäle oder erlebte andere gemischte Unternehmungen. Roland versprach sich von der Lebensführung seines ersten Sturm und Drangs im Berliner Wohngebiet eine größere Vielfalt, als er sie in der vom Alltäglichen bestimmten Atmosphäre der Internatsumgebung zu finden glaubte.

Eigentlich durften die Lehrlinge vom Internat „Philipp Müller" nicht auf dem direkten Weg nach Berlin fahren. Die direkte Route lautete: „Birkengrund" bis Teltow mit der Eisenbahn und ab Teltow mit der S-Bahn - einmal vom Osten rein in den Westen und wieder raus nach Ostberlin. Die Internatsbewohner sollten nicht durch Westberlin fahren. Nach Vorgabe der Heimleitung sollte der Außenringverkehr benutzt werden, wie der Name schon sagt, eine Verbindung um die Westberliner Bezirke herum. Später wurde diese Verbindung „Sputnik" genannt. Weg und Fahrt über den Bahnhof „Genshagener Heide" waren unverhältnismäßig umständlich. Direkt am Sportplatz des Internats lag der Bahnhof „Birkengrund". Von dort nach Berlin zu fahren, ersparte nicht nur den etwa drei Kilometer langen Fußweg zur „Genshagener Heide" sondern überdies noch zusätzliche Fahrzeit von mehr als einer Stunde. Der Bahnhof „Genshagner Heide" wurde nur für die Fahrten nach Saarmund gewählt. Die Bahn hielt hier nur vier bis fünfmal am Tage. Die politisierte Heimleitung konnte ihre Regelung nicht durchziehen, und zu überwachen war das Verhalten der Internatszöglinge auch nicht. Auf dem direkten Weg mit der Eisenbahn von „Birkengrund" nach Teltow und von dort mit der S-Bahn zu fahren, war für Roland bequem und gleichzeitig attraktiv. Über Südkreuz kam er am nächstgelegenen S-Bahnhof „Hermannstraße" bei seinen Großeltern, Onkeln und Tanten in Westberlin vorbei. Seine ohnehin starke emotionale Bindung zum mütterlichen Verwandtenkreis erhöhte durch die verkehrstechnische Konstellation die Zahl der Besuche. Keiner dieser Verwandten konnte verstehen, dass Roland vom 14. bis zum 17. Lebensjahr allein in Berlin lebte, seine Eltern hingegen in Damaskus. Das führte erfreulicherweise zu dem Ergebnis, dass immer, wenn er bei ihnen auftauchte, und das geschah mindestens alle drei Wochen, ein Zusatz-Taschengeld in seine Börse floss. Weil es sich ja nicht nur um einen einzigen Verwandten handelte, sondern noch um Ur-Oma Anna, Opa Rudolf, Oma Else; Onkel Robert, Tante Herta, Onkel Gerhardt, Onkel Horst und Tante Traudchen, die jedes Mal ein paar DM übrig hatten, summierte sich das Taschengeld. Nicht alle wurden von ihm auf einmal besucht, sondern immer schön der Reihe nach. Die Geberlaune sollte nicht vom vordergründigen Eindruck überzogen werden. Vorteilhaft für seine Besuchs- und Sammeltour waren die im Kiez dicht beieinander liegenden Wohnungen und Geschäfte aller Verwandten. Onkel Robert und Oma Else waren seine zuverlässigsten und großzügigsten Sponsoren. Nicht dass er diese Konstellation maßlos ausgenutzt hätte, aber es war eben schon eine für Rolands Lebensführung ausschlaggebende Proportion, wenn zu dem im ersten Lehrjahr monatlichen 70.- Ostmark gut und gerne 50.- D-Mark hinzukamen. Simpel erklärt sich das zum Beispiel an den damaligen Umgangsformen. Über emanzipatorische Gleichheit zwischen Mann und Frau in der Öffentlichkeit machte man sich damals wenig oder keine Gedanken. Der Mann hatte als Kavalier die Zigaretten vorzuhalten und die Rechnung zu bezahlen. Natürlich machte eine Zigarette von „HB", „Stuyvesandt", oder „Lux" bei der Dame einen ganz anderen Eindruck, als eine Ostzigarette „Kasino" oder „Orient". Die Westzigarette als solche wurde wahrgenommen – man erkannte sie an ihrem typisch hellbraunen Filter. Selbst nach dem Rauchen erkannten das Bedienungspersonal oder neu am Tisch platzierte Gäste den Zigarettenstummel. So scheinbar als Westler oder Gast mit „dicker Marie" ausgemacht, erbrachte das Personal gut-tuenden Spitzenservice. Diese Lebensart, 12 Stück in der Packung für 1.- DM, Restaurantrechnungen sowie Kino - und andere Eintrittskarten wären ohne die zusätzlichen 50.- D-Mark im Monat undenkbar gewesen. Für eine Westmark konnten zu jener Zeit fünf bis sechs Ostmark eingetauscht werden. Der liebe Onkel Robert hatte als Krönung des Geldsegens eine Prämie von 50.- DM ausgelobt, wenn Roland ihn jemals im Schach schlagen würde. Versucht hatte er das von Anbeginn, aber bis in die Vorweihnachtszeit 1959 gelang es ihm nicht. Der Ehrgeiz, den „Jack-Pott" zu knacken, flammte bei jedem Besuch auf, und so dauerte der Besuch durch die Schachspielerei manchmal 3 Partien lang hintereinander. Das war länger, als die eingeplante Zeit für die übrigen Besuche zuließ.

Zwei Schaufenster neben Rolands Hausaufgang in der Stalinallee befand sich eine Herrenmaßkonfektion. Hier ließ sich Roland aus gutem Tuch einen Anzug schneidern, dessen Preis für Ost-Maßstäbe exorbitant hoch war. Mit der Rechnung ging er zu seinem „Partei-Paten" und bat um Begleichung. Ohne Murren wurde sie übernommen.

In seiner Berliner Wohnumgebung hatte er inzwischen einen Spitznamen. „Sonnenseite" nannte man ihn, weil er ständig über eine „sturmfreie Bude" verfügen konnte. Für damalige Verhältnisse bedeutete eine „sturmfreie Bude" mehr als ein Motorrad. Die angesagtesten Maschinen waren die tschechischen „Javas". Die „Java 250" war schon ein gehöriger Brummer, aber die „Java 350" war der Gipfel aller Träume. Die „Java 350" fuhr glatte 120 Km/h. Für Roland lag eine Motorisierung außer Reichweite, denn ihm fehlten noch gute zwei Jahre bis zur Volljährigkeit mit 18.

Die Feten in der „sturmfreien Bude" waren nach heutigem Verständnis keine Partys. Etwas Wein hatten man zuvor im Café „Frankfurter Tor" genippt – eine Flasche Wein für vier und manchmal sogar sechs Personen. Gegessen hatten sie schon zuvor, weil selbst das Billigste auf der Karte, Bockwurst mit Kartoffelsalat, und das mal zwei für die Partnerin mit, ihre Finanzen arg strapaziert hätte. Den Tanzspaß mit ihren Begleiterinnen, dessen Ende obligatorisch 22:00 Uhr kam, beendeten die Freunde auch früher. Sie wollten Zärtlichkeiten austauschen, und Rolands Wohnung lag nur die Straßenbreite entfernt.

Den Arm um die Schulter von Gina gelegt, begab sich Roland in beidseitiger Vorfreude zusammen mit den Freunden an den kuscheligen Ort. Weil sie Zärtlichkeiten auszutauschen wollten und auch mit Rücksicht auf die Scheu der Mädchen überhaupt, waren sie in der Regel zwei, ausnahmsweise drei Pärchen. Jedes Pärchen verzog sich dann in eines der Zimmer. Die zwischen Gina und Roland ausgetauschten Zärtlichkeiten waren leidenschaftliches Drängeln im zeitlichen Limit. Spätestens um 24:00 Uhr musste Gina sonnabends zu Hause in Berlin-Pankow sein, zwei Minuten Fußweg von der U-Bahn-Endstation „Pankow", heute „Vinetastraße". Das kleine Zeitfenster und ihre jungfräuliche Ängstlichkeit setzten Rolands drängendem Werben Grenzen. Bestens vorangekommen glaubte er schon zu sein, wenn er auf der Schlafcouch, halb sitzend, halb liegend, Ginas Bluse geöffnet und durch Herunterziehen des BH ihre Brust mehr fühlen als sehen konnte. Sowie seine Fingerspitzen unter dem Schlüpfergummi angekommen waren, wurde die Hand sanft, aber bestimmt weggeschoben. Gina genoss das Streicheln im Schritt, durch das Höschen von der Haut getrennt. Alles blieb Rolands Initiative überlassen. Gina legte in seinem Schoß nicht Hand an, weil sie nur mit der Abwehr seiner intimeren Kontaktsuche beschäftigt war. So verstrich die kurze Zeit, denn die Heimfahrt kostete alles in allem, abhängig von den Zuganschlüssen, etwa 40 Minuten.

Gina wohnte bei ihren Eltern über dem eigenem Laden und Atelier des Vaters in Berlin-Pankow. Als Roland Gina einmal im Schneeregen leicht verspätet nach Hause brachte, fing Ginas Vater beide im Hausflur ab. Vorwurfsvoll stellte der klar, dass er keine Zeitüberschreitung dulde. Roland stellte sich ihm mit vollem Namen vor. Jovial monierte Ginas Vater, dass Roland keinen Hut trüge. Er prophezeite:

„Junger Mann, wenn Sie weiterhin ohne Kopfbedeckung umherlaufen, verlieren Sie bald ihren Haarschopf."

Rolands Umgang mit Gina schien ihm wohl passend.

Auf dem Weg zurück in seine Wohnung konnte er annehmen, dass die Mitstreiter mit ihren Partnerinnen den Heimweg angetreten hatten. Sonntags darauf trafen sich die Jungs dann zur „Manöverkritik" und schwadronierten untereinander, wie weit sie es mit Knutschen und Fummeln gebracht hätten.

Für zwei Wochen, die Weihnachtswoche eingeschlossen, kamen Rolands Eltern nach Berlin. Den Freunden und netten Kollegen gaben sie einen Empfang. Für die drei gab es auch privatissime harmonische Tage, mit dem ganzen Programm festlicher Einstimmung. Weinachtbaum aussuchen, ihn schmücken, Konzertbesuch, Gänsebraten-Essen, Spazierengehen, gemeinsam Fernsehen und viel erzählen. Vom Gabentisch blieb Roland eine Geldbörse und passend im Design eine Brieftasche aus ganz dünnem Kamelleder, verziert mit farbigen orientalischen Prägungen, in Erinnerung. Die Erinnerung hat überdauert, weil ihn dieses Accessoire einige Jahre begleitete.

Nach dem Abflug der Eltern zurück nach Damaskus blieben nur noch eineinhalb Tage Zeit für die Vorbereitung einer Silvesterfeier, die Roland spontan in der Wohnung auszurichten gedachte. Gina konnte er nicht einladen. Sie war mit ihren Eltern im Harz zum Wintersport. So musste er sich darauf verlassen, dass seine Gästen ein Mädchen für ihn mitbringen. Im Mittelpunkt der Vorbereitung standen Musik und Technik. Das Tonbandgerät von Rolands Vater musste mit aktuellen Elvis Song-Spulen bestückt werden. Hierfür hatte er Onkel Horst als helfende Hand im Hinterkopf. Weitere Verantwortung trug er mit dem Ansetzen der Bowle. In zwei großen Glasgefäßen musste parallel die Mischung für die erwarteten zehn Gäste gelingen. Aus dem Zuschauen, wenn seine Eltern einen Umtrunk anrichteten, glaubte er sich der Aufgabe gewachsen. Seinerseits hatte er alles im Griff und für Speisen, Tischfeuerwerk, Gießblei und Knallerei hatten die Gäste zu sorgen zugesagt.

Mit buntem Kopfschmuck und Luftschlangen umlegt, trafen sie ein. Rolands Spannung stieg bei jedem Haustürklingelton, dies möge die ihm zugesagte Fetendame sein. Ihr Erscheinen nahm seiner Erwartung jede Höhe. Der erste Eindruck - vor ihm stand eine pummelige kleine graue Maus. Pupertätspickel auf ihrer Stirn, Kinn und Wange hatte sie auszudrücken versucht. Mit Puder die Rötungen zu kaschieren, erbrachte kleinste Krümel, die sich wie Streusel über das Gesicht verteilten. Der kleine, spitze Papphut auf ihrer Dauerwellenmähne, schloss die Betrachtung ab, denn weibliche Formen waren nicht markant. Nun, Roland kannte ja das Märchen von Christian Andersen vom hässlichen Entlein, welches sich zum wunderschönen Schwan wandelt. Roland rekapitulierte:

'Nee, liebe Freunde, bis zum Jahreswechsel sind es keine vier Stunden mehr, und bis dahin wird sich auch durch Bowle die Maus nicht zur bezaubernden Fee wandeln.'

Von der Alibi-Handhabung, mit der die Freunde seine Bitte um eine Partydame unerfüllt ließen, war er bedient. Er gab gegenüber dem Mitbringsel, entgegen seiner Gefühlslage, den charmanten Gastgeber und tanzte auch mit ihm. Spaß und Stimmungseinlagen seiner Gäste quittierte er gekünstelt, weil er sich weder seine Laune, noch die Anstrengung sie zu verbergen, anmerken lassen wollte. Es kam noch krasser. Gemeinsam hatten alle die letzten Sekunden des alten Jahres im Chor herunter gezählt. Die Pärchen umarmten und küssten sich. Roland werkelte am Tonbandgerät. Die ganze Festgemeinde drängelte auf den, der Allee zugewandten Balkon. Roland stand allein auf dem zweiten Balkon zur Hinterfront, von wo er den durcheinander schallenden Lärm glücklich Silvester-Feiernder vernahm. Er empfand tiefe Einsamkeit. Nach diesem frustrierenden Start in das Jahr 1958 verlangte er trotzig nach Besserem im Jahresverlauf.

Nicht einmal im Traum hätte seine Phantasie ausgereicht, Bilder zu malen, wie sich das Stoßgebet erfüllen würde!

Gäste, deren Angehörige telefonisch erreichbar waren, weil sie über das Privileg eines Anschlusses verfügten, belagerten den Apparat in Rolands Wohnung. Als sich der Schwarm zu verlaufen begann, klingelte das Telefon. Am anderen Ende die Eltern, die ihm aus dem fernen Damaskus „Frohes Neujahr" zukommen ließen und für das neue Jahr das Beste wünschten. Allein mit dem Aufräumen beschäftigt, klingelte das Telefon erneut. Gina am Apparat, unter anderem mit der Frage:

„Bist du mir treu geblieben?"

„Ganz sicher!", konnte er reinen Herzens bejahen.

„Am 2. Januar bin ich wieder mit den Eltern in Berlin."

„Prima, dann gehen wir Freitag und Samstag ins „Frankfurter Tor".

Gina aus der Entfernung des Internats bei Laune zu halten, war für Roland ein ständiges Lavieren zwischen seinen Präsenzpflichten. Er konnte in der Woche nur ausnahmsweise, und zu den Wochenenden musste er zwischen den übrigen Pflichten jonglieren.

An einem Samstagabend im März war es soweit, Roland hatte die jungfräuliche Gina nach zarter Hartnäckigkeit neben sich liegen. Ihre Bluse war ausgezogen, die Träger des BH heruntergestreift - der baumelte wie ein Gürtel um ihre Hüfte. Der Rock war nicht ausgezogen, nur nach oben geschoben. Das Höschen hatte sie sich von ihm bis zu den Knien, unter den Strumpfbändern vorbei, herunterziehen lassen. Mit der Befreiung ihrer Füße vom hinderlichen Höschen erbrachte sie ihren Anteil am Entkleiden. Dieser Moment reichte Roland, den Hosengürtel samt Schlitz zu öffnen und zusammen mit der Unterhose bis zu den Knien abzustreifen. Zärtlich, nicht in plumper Hast, mit wie wahnsinnig klopfendem Herzen, legte er sich auf sie, zwischen ihre ausgestellten weißen Schenkel. Sie fühlten ihre Nacktheit, voneinander sahen sie nur die Gesichter. Roland küsste sie, während eine Hand ihr Haar und den Hals unterhalb der Ohren streichelte. Mit der anderen rückte er sie sich zurecht. Mehr ängstlich als geil, hauchte sie:

„Hast du das schon einmal gemacht?"

„Ja doch", flüsterte Roland.

Sein Glied rutschte zwischen buschigen Haaren durch ihre Schamlippen an der sehnlich erhofften Stelle vorbei und glitt in ihre Gesäßfalte. Er glaubte sich am Ziel. Bevor er sich aus dieser sinnlichen Täuschung gelöst hatte, um bei besserer Erfassung einen zweiten Gleitstoß führen zu können, wand Gina sich aus der Umarmung und begann sich wieder anzuziehen.

In der Woche darauf war Gina für Roland nicht erreichbar. Aus dem Internat alarmierte er telefonisch seinen Freund Karl-Heinz. Das war der Sohn des Polizisten aus dem 5. Stock, der ihn wegen seiner Ost-West-Wanderungen bei Rolands Vater verpfiffen hatte. Er bat ihn, bei Gina nach dem Rechten zu sehen. Auf Karl-Heinz konnte Roland sich bei dieser Mission voll verlassen, denn er war der häufigste Mitstreiter bei ihren „Sichtungszügen". Karl-Heinz wusste, dass Roland Gina sehr liebte und wollte ihm helfen, sie nicht zu verlieren. Sie vereinbarten, dass wenn er mit ihr spräche und dabei den Eindruck gewänne, sie liebe Roland weiterhin, er ihm ein Telegramm ins Internat schicken solle. Als Code-Text für Ginas Liebesbestätigung solle er „Ich glaube an den Weihnachtsmann" telegraphieren. Roland käme dann sofort nach Berlin. Das Telegramm mit dem erhofften Text kam im Internat an. Telegramme wurden von der Heimleitung entgegengenommen und gelesen. Weil der Heimleiter einen Code auszumachen glaubte, rief er Roland zwecks Aufklärung zu sich. In der Euphorie über die vorliegende verschlüsselte Liebeserklärung erzählte Roland ihm die ganze Geschichte. Der Heimleiter war so verständnisvoll, Roland die sofortige Reise nach Berlin zu empfehlen. Voller Erwartung machte sich Roland auf den Weg zu Gina. Die war allerdings nicht so eingestimmt, wie nach dem Telegramm von Karl-Heinz von ihm angenommen. Rolands Besuch schien sie zu irritieren – sie druckste 'rum, indem sie Belanglosigkeiten von sich gab, die ihr Verhältnis zu Roland betont ausklammerten. Mit schwerem Herzen fuhr Roland ins Internat zurück. Die Geschichte mit Gina endete für Roland mit schmerzendem Liebeskummer. Zwei Wochen später fuhr Gina als Soziusbraut, den Fahrer eng umschlungen, auf einer „Java 350" an ihm vorüber.

Die zwei Aufgänge im Internatsgebäude, die in die dritte Etage führten, bildeten keine Besuchsstrasse von den Jungs zu den Mädchen. Der eine Aufgang, dessen Doppeltür zur dritten Etage neben Rolands Zimmer lag, war ständig verschlossen. Der Schlüssel hing, als Notausgang gedacht, in einem Kästchen hinter Glas, neben der Tür auf der Flurinnenseite. Der zweite Aufgang war tagsüber offen und wurde ab 23:00 Uhr, nach Rückkehr der Spätschicht, von der Treppenhausseite her abgeschlossen. Für Notfälle hing auch hier ein Schlüssel auf der Innenseite neben der Tür. Die Jungs waren ja nun alle Metall-Spezies, und von daher war es eine der leichtesten Übungen, einen Nachschlüssel anzufertigen. Roland kannte die Phantasie seiner Kumpels, mittels Nachschlüssel bei den Mädchen einzusteigen. Sich daran zu beteiligen erweckte, aufgrund der Möglichkeiten die sich für ihn in Berlin ergaben, nicht sein Interesse. Eines Tages wurden alle Heimbewohner in den Veranstaltungsraum gerufen. Man eröffnete der versammelten Internatsgemeinde, dass zwei Jungs bei den Mädchen gewesen wären. Sie hätten daher das Internat zu verlassen. Aufgeflogen war die Sache durch den Verrat aufeinander eifersüchtiger Mädchen. Tatsächlich hatte der Trip, wie sich bald zeigte, bei einem der Mädchen Folgen. Es wurde schwanger. Das Problem „Schwangerschaft" bildete sowieso einen Anker in den Köpfen der Jungen und der Mädchen.

Tausend-und-eine-Nacht

Auf zu neuen Ufern, das war die Laune, mit der Roland die gesetzlichen drei Feiertage im Mai kommen sah. Die fielen 1958 günstig. Eigentlich war schon der Mittwochabend so gut wie Samstag, denn am Donnerstag war der 1. Mai - Feiertag der Werktätigen. Sofort in ein langes Wochenende abzufahren war aber nicht möglich, weil für den 1. Mai vormittags Demonstration angesagt war. So gab es am Mittwoch einen langen Skatabend, denn am nächsten Morgen konnte ja länger geschlafen werden. Um 10:00 Uhr mussten die Lehrlinge am Bahnhof Ludwigsfelde Aufstellung genommen haben um, mit Transparenten ausgestattet, in die Ortsmitte Ludwigsfelde zu marschieren. Sich der Demonstrationsteilnahme völlig zu entziehen, wäre dumm gewesen, weil das Fehlen den Lehrern, Lehrausbildern und der Heimleitung aufgefallen wäre. Deren Anwesenheit folgte im

Prinzip demselben Muster wie dem ihrer Zöglinge. Nichtteilnahme an einer Demonstration war gleichzusetzen mit Gleichgültigkeit gegenüber sozialistischer Solidarität. So etwas fand sich irgendwann negativ in der Beurteilung zur Aktivität an gesellschaftlicher Arbeit wieder. Roland hatte seine genaue Vorstellung zum Ablauf des Mai-Defilee. Nach dem Vorbeimarsch an der Ehrentribüne würde die Kontrolle der Demonstranten bei Auflösung der Marschblöcke unübersichtlich sein. Roland würde also vorher Gott und die Welt begrüßen. Dann würde man sich wohl aus den Augen verlieren. Er saß, wie vorausgesehen, mit anderen Internatsbewohnern, quietschvergnügt im Zug nach Berlin, als die 1. Maiveranstaltung mit Reden, Ordensverleihungen und Prämienausschüttungen ihren Verlauf nahm.

Am frühen Nachmittag bereitete er sich auf den abendlichen Besuch mit Karl-Heinz im Tanzcafé „Frankfurter Tor" vor. Durch frühzeitiges Eintreffen erlangte er Platzvorteil zu einer jungen Dame von vielleicht 20 Jahren, was ihm logistisch die Tanzaufforderung erleichterte. Sie saß zusammen mit ihrer Freundin und deren Freund am Nachbartisch. Hemmungen, sie im Geplauder mit dem Begleitpärchen mit seiner Tanzaufforderung womöglich zu stören, hatte Roland schon deswegen nicht, weil er sie Monate zuvor, immer mit demselben Mann, hier hatte tanzen sehen. Er tanzte damals mit Gina, aber mit der nebenan sitzenden Frau gab es damals öfter flüchtigen Blickkontakt. Ohne dass ihm andere Kavaliere zuvorkommen konnten, absolvierte er nun mit ihr perfekt Tanz um Tanz. Ihre Freude daran las er in ihrem Gesicht. Vorgestellt hatten sie einander - Barbara war ihr Name. Bei einem Slowfox legte sie ihre Arme um Rolands Hals. Die Uhrzeiger näherten sich der 10, für Roland wurde es höchste Zeit, ihr das Nachhausebringen anzubieten. Sie hatte nichts dagegen, denn ihre Bekannten wollten auch aufbrechen. Sie müssten aber konspirativ vorgehen. Das sie begleitende Pärchen müsse glauben, sie sei allein nach Hause gegangen. So verabschiedeten sie sich vor der Garderobe alle voneinander, Barbara und Roland mit dem Geheimnis, sich gleich, entgegengesetzt zur Laufrichtung ihrer Freunde, an der vier Minuten entfernten Straßenkreuzung zu treffen. So weit so gut, spannend war es ja schon bis hierher. Rolands Mitstreiter Karl-Heinz

hatte noch vor der Verabschiedung an der Garderobe mitbekommen, dass er seine Tanzpartnerin noch begleiten würde:
„Ich wünsch dir das ganze Programm!", waren seine Worte, als sie sich im Foyer trennten.
In der Lohnbuchhaltung vom Apparatebau-Treptow arbeite sie, verheiratete Mutter sei sie auch, und ihre kleine Tochter schliefe heute bei Oma und Opa. Das sei deren Geschenk zu ihrem heutigen 1. Mai. Ihr Mann führe zur See und befände sich schon seit Wochen auf großer Fahrt. Schlendernd waren sie nach zehn Minuten vor Barbaras Haus in der Boxhagener Straße angekommen. Den Abschied befürchtend, zog Roland sie eng zu sich, umarmte sie druckvoll und küsste sie so gut er konnte. Nach diesem Kuss schauten sie sich tief in die Augen. Keck gab Roland zum Besten:
„Es gelüstet mich nach unserer Nachtwanderung eine Tasse Kaffee zu schlürfen." Sie reagierte unkompliziert:
„Wenn du versprichst, danach wieder ganz leise das Haus zu verlassen, kannst du mit nach oben kommen."
Roland war von den Socken – 'sollte da noch etwas gehen?'
In der zweiten Etage Vorderhaus angekommen, ließ sie ihn ein. Nachdem er ihr im schmalen Flur aus dem Mantel geholfen hatte, nahm sie ihm seinen ab und hängte ihn auf einen Bügel neben den ihren. Vom schlauchartigen Flur gingen links und rechts Türen ab. Roland war gespannt, welche sich für ihn öffnen würde. An der Küchentür, als solche durch eine halbhohe Milchglaseinfassung erkennbar, waren sie schon bis zur Garderobe vorbei, und die daneben liegende war durch eine schmale Einfassung einer im oberen Drittel grünen Buntglasscheibe, als Toilette auszumachen. Blieben noch zwei Türen auf der rechten Seite und eine frontal am Flurende. Es war die erste Tür rechts. Ins Wohnzimmer getreten, sollte er Platz nehmen. Er schaltete schnell. Zwischen einem furnierten, nicht ausgezogenen Art-Deko-Tisch und einem Sofa mit Hochlehne aus der selben Zeit zwängte er sich vorsichtig durch und ließ sich neben einer der seitlichen, großvolumigen, runden Armlehnen in den Sitz fallen. Jetzt musste es von ihrer Reaktion abhängen, ob sie ihm nahe sein wollte oder förmlich das 'Kaffeepäuschen' durchzuspielen gedachte.

Vor ihm der Tisch, auf dem auf einer Häkeldecke eine silberne Schale stand, in der drei Apfelsinen lagen. Um den Tisch standen zwei Stühle, zum Sofa passend, mit unterfüttertem Leder von Polsternägeln umsäumten Sitzflächen und ein Kindersitzgestell aus Holz. Erleuchtet war das Zimmer durch einen Kronleuchter mit fünf eigelbfarbenen Schalen. An der gegenüberliegenden Wand stand ein aus der selben Zelt stammendes Büfett mit einem Aufsatz, dessen frontale Türen verglast, und dessen Seiten durch gebogene Fassetten geschliffener Scheiben gestaltet waren. Darin befanden sich ein, wohl Meißener-Porzellan-Kaffee-Service und allerlei Nippes. Barbara machte das Licht des Kronleuchters aus. Es war einen Moment dunkel. Sie lief am Büfett vorbei zu einer Stehlampe, die direkt an seiner Sitzlehne stand und knipste sie am im Holzlampenständer eingefassten Schalter an. Roland ergriff ihren Unterarm und zog sie vorsichtig zwischen dem Tisch und seinen Knie zu sich aufs Sofa. Liebreizend fragte sie:
„Soll ich nicht besser noch Kaffee kochen?"
„Hat Zeit," antwortete er, umarmte sie und legte sie sich zum Küssen bequem. Die Anordnung ihrer Körper wurde zunehmend unbequem - es war klar, die Lust aufeinander fände hier auf des Sofas Enge keine sinnliche Erfüllung. Da richtete Barbara sich auf.
'War er zu weit gegangen oder hatte sie die gleichen Gedanken?', schoss es ihm durch den Kopf.
„Ich gehe dann mal ins Bad!", sagte sie, und stand auf. Nach von ihm gefühlter Ewigkeit, tatsächlich nach wenigen Minuten, stand sie im geschlossenen Morgenmantel, mit Pantoffeln an den Füßen, im Türrahmen:
„Du kannst jetzt ins Bad. Mich findest du im Schlafzimmer."
Ein bis fast an die Oberdecke reichender Warmwasserkessel stand links, direkt neben der Tür. In Reihe neben ihm eine emaillierte Badewanne auf Füßen. Abgeschlossen wurde die Reihung von einem kastenförmigen, emaillierten, gusseisernen Waschbecken mit einem Wasserhahn, zu dem zwei Schläuche führten. Seitlich versetzt zum Waschbecken war der Toilettensitz. Seine Spülung erfolgte durch ein senkrechtes Rohr mit einem aufgeschraubten Druckspülknopf aus

Messing an seinem Ende. Sitz und Spüle waren am Raumende unterhalb eines kleinen Belüftungsfensters platziert. Über die Ecke des Waschbeckens war ein sauberes Handtuch gelegt, auf dem ein gewaschener, trockener Waschlappen lag. In seiner Vorfreude auf Barbara fand er keine Zeit, das System nach Kalt-und Warmwasser zu durchschauen. Sakko, Hemd, Krawatte, Unterhemd, Hose legte er über den Wannenrand, die Strümpfe steckte er in die Schuhe und wusch sich kalt. In Unterhose trat er barfüßig durch die Tür zum Schlafzimmer. Es war die den Flur abschließende, die jetzt halb offen stand. Das Schlafzimmer war voll ausgefüllt von einem großen Ehebett. Das hatte einzeln bezogene, getrennte Matratzen zwischen denen längs Rahmenbretter verliefen. Rechts und links ein Nachtschränkchen mit jeweils einer Nachttischlampe, von der die eingeschaltete ein funzeliges Licht gab. Ein Kindergitterbett, daneben eine Anrichte, auf der Babysachen und gestapelte, gebügelte Stoffwindeln lagen, stand vor dem Fenster und ein riesengroßer Kleiderschrank parallel zum Bett an der Wand. Barbara lag im Bett zur Fensterseite, nur ihr Kopf lugte unter der Federdecke hervor: „Komm zu mir, ich habe schon angewärmt."
Roland schlüpfte zu ihr unter die Decke. Sie war komplett nackt. Wie bei Callisto und Arcas - 'von der nackten Frau fest gebannt, brennt im Mark das empfangene Feuer'. Jetzt entledigte er sich seiner Unterhose, die vorher auszuziehen er nicht gewagt hatte, weil er einen Ständer in seiner vollen Entfaltung hatte. Die Bettwäsche duftete frisch aufgezogen. An Barbaras Haut glaubte er den Hauch von Fichtennadeln wahrzunehmen. Ihre sexuelle Lust stillte sie anfangs inniglich auf sich bezogen. Roland tat es, wie von ihr gerichtet. Erstmals erlebte er, dass und wie eine Frau unter ihm ihren Höhepunkt fand. Ihre mehrmaligen orgiastischen Zuckungen, jede einzeln, empfand er wie eine göttliche Ordensverleihung. Den Erguss währenddessen erinnerte er als die Verschmelzung allen Glücks auf Erden. Seine Augen sogen jedes Detail auf, die Hände glitten über die Rundungen ihres straffen Körpers. Er nahm wahr, wie ihre Brustwarzen sich bei Zungenberührung aufrichteten und festigten.

Seine Finger ertasteten zart den Punkt zwischen den Schamlippen, der ihm literarisch und verbal als der ultimative Auslöser der höchsten Lust beschrieben war. Jetzt fühlte er ihn erstmals an der Fingerkuppe seines Zeigefingers. Lippen und Zunge taten es den Fingern gleich. Eine Sequenz war für sie auch das erste Mal, und wohl deshalb konnte er sie noch nach Jahrzehnten erinnern. Roland konnte gar nicht genug bekommen, und so kam er zwischen zwei Vereinigungen in ihrer anerkennend und lieb sein Glied streichelnden Hand. Sie fand das so erregend, dass sie ihm das Gesehen-Erlebte detailgenau aus ihrem Hineindenken und Hineinfühlen beschrieb und dabei schwor, diese Erstmaligkeit mit ihm immer vor Augen, in Erinnerung zu behalten. Umgekehrt hielt Roland sich zurück ihr zu sagen, dass er in ihren Armen vom Jüngling zum Mann geworden war. Warum sollte er auch - er hatte potent seinen Mann gestanden. Sie taten viel für - und miteinander. Morgengrau deutete den Tag an. Barbara erinnerte ihn an sein Versprechen, sich ganz leise im Haus zu bewegen. Sie war etwas ängstlich und hatte es eilig, ihn zu verabschieden. Der vor Stunden angebotene Kaffee fiel der aufgekommenen Hektik zum Opfer. Sie beteuerte wiederholt, dass sie das, was sie getan hätten, noch nie zuvor in ihrer Ehe gemacht hätte und ihr Mann nicht von den Nachbarn aufgestachelt werden dürfe. Na, an ihm sollte es nicht liegen. Um jedes Knarren zu vermeiden, trat er beim Hinuntergehen vorsichtig auf die Treppenstufen nahe der Wand. Diese Stufen war er vor nicht einmal sechs Stunden als Jüngling mit Barbara empor gestiegen und kam jetzt auf ihnen, mit gut 15 Jahren, als erprobter Mann herunter:

„Um diese Zeit ist die Haustür nicht mehr abgeschlossen, wenn doch, musst du zurückkommen, den Schlüssel holen, aufschließen und danach wieder raufbringen."

Er solle sie nicht besuchen kommen, das könnte zu Komplikationen führen. Sein Vorschlag, sich am Freitag oder Sonnabend wieder zu treffen, scheiterte an ihren familiären Verpflichtungen. Sie würden sich vielleicht wieder einmal im „Frankfurter Tor" treffen. Telefon hatte sie nicht, und wie er auf dem Heimweg überlegte - er kannte nicht einmal ihren Familiennamen.

Zu Hause in seinem Zimmer zog er sich aus und legte sich auf die Schlafcouch. In den Schlaf gleitend nahm er als Letztes Barbaras Duft wahr, der seinem Körper noch anhaftete. Nach dem Ausschlafen am frühen Freitagnachmittag konnte er es nach der Körperpflege kaum erwarten, Karl-Heinz, Mitstreiter am Abend zuvor, von seinem epochalen Erlebnis zu erzählen. Der hatte seinen „Jünglingsstatus" mit 17, vor einem Jahr, verloren. Sie wünschten sich jetzt auf gleicher Männer-Augenhöhe einander – möge das Füllhorn der Lust lebenslang über sie geschüttet werden. Bei aller Ehrerbietung gegenüber der Pflicht, ständig Gaben aus dem Füllhorn der Lust zu empfangen, könnte eine Variante von sinnvoll erfülltem Leben ergeben. So oder ähnlich sinnierten sie, bevor Roland die Fahrt zu seiner Segelfluggemeinschaft antrat.

Mit wachen Augen ging Roland durch die Gegend. Beim Tanzen, die Mädels und Frauen aus den Büros, während der Bahnfahrten in den Zugabteilen, die Friseusen in Ludwigsfelde, die Krankenschwestern in der Poliklinik, oder, oder, - verlockende Anreize, die ihm situationsabhängig zu Zielen wurden. Im Selbstbewusstsein des frisch gekürten Mannes, mit Phantasie und charmanter Mühe, bekam er die eine oder andere in die Waagerechte. Vorfreude auf ein „Schläfchen" schwante ihm in der Phase, wenn seinem Ertasten des BH-Verschlusses keine Schranke gesetzt wurde. Die Verschlusssysteme waren im Einzelnen variantenreich. Er erinnert ihrer drei. Kleine Linsenkopfknöpfe von Stoffschlingen umlegt, in senkrechter Reihe untereinander, zwei kleine Metallhaken in Ösen eingehakt, oder ganz modern, fein und teuer aus dem Westen stammend, ein flacher Plastikhaken, über den von oben eine Schlaufe geschoben war. Während sich die Zungen umeinander wanden, lösten seine Finger das Haltesystem auf dem Rücken. Überrascht, meistens aber von der unaufdringlichen Fingerfertigkeit beruhigt, sich in den Händen eines einfühlsamen und im Vorspiel bewanderten Mannes zu kuscheln, durfte er Brüste in ihrer ganzen Pracht streicheln. Sozusagen einen Herzschlag außer der Reihe löste es in ihm aus, wenn mit dem Anheben des Beckens signalisiert wurde, dass nichts gegen das Herunterstreifen des Höschens unternommen würde. Diese

Vorbereitung beherrschte Roland liegend vortrefflich. Mit der linken Hand zog er das Höschen soweit herunter, bis er mit dem linken Fuß einfädeln konnte. So bekam er das Höschen völlig von ihren Beinen, ohne das Austauschen von Zärtlichkeiten mit den Händen zu unterbrechen. Mit den später auf dem Markt befindlichen Strumpfhosen wäre das nicht so spielerisch-elegant abgelaufen, aber bei Frauen mit Lusterfahrung nahm deren Eigeninitiative beim Ausziehen zu.

Es gab ja verschiedene Orte und Stellungen, wo es zu körperlichen Vereinigungen kam. Zum Beispiel sie stehend, im Rücken den Gartenzaun als Stütze. Zur damaligen Zeit machte gerade ein Witz die Runde. Eine Frau zeigte ihre Vergewaltigung an. Vor Gericht wurde sie vom Richter aufgefordert:

„Erzählen Sie mal, wie war das denn nun mit Ihrer Vergewaltigung."

„Na, Herr Richter, der Angeklagte drückte mich an den Gartenzaun und drang in mich ein."

„Warum haben Sie sich denn nicht gewehrt und den Unhold weggestoßen?"

„Das konnte ich nicht, Herr Richter, mit der einen Hand musste ich den Rock hochhalten und mit der anderen hielt ich das Einkaufsnetz."

Dieser Witz kam Roland ausgerechnet in den Kopf, als er selber mal am Zaun zu Gange war. Er musste lachen - es gab kein Happyend mit der Dame.

Die Mädels waren kaum auf einmalige, flüchtige Bekanntschaften aus. Es gab da so etwas wie ein unsichtbares Informationssystem unter ihnen. Neugier, gepaart mit Lust und Hoffnung, den Wunsch auf das ewige Glück im Hinterkopf, so kamen sie auf Roland zu. Es mögen auch Bekanntschaften darunter gewesen sein, in denen er das Frischfleisch und/oder die Abwechslung in einer schon vorhandenen Bindung gewesen ist. Roland hat also nicht immer genommen, er wurde es auch. Seine Initiativen bescherten ihm ein neues Problem. Oft zitterte er der Bestätigung der Menstruation durch ein Mädchen entgegen. Manches Mal war die erwartete Regel kritisch überzogen. Kam endlich die beglückende Nachricht von Monika oder Renate, war Roland nicht immer vollkommen beruhigt. Er wusste nämlich nicht, ob beispielsweise Regina ebenfalls Entwarnung signalisieren würde.

142

Es ist sogar vorgekommen, dass inzwischen von ihm abgelegte Gespielinnen, ihn bewusst haben zappeln lassen. Die finale Feststellung - Schwanger und Baby - hätte für Roland, und wohl für fast jeden Mann dieser Zeit bedeutet - dann muss geheiratet werden! Diese ultima ratio im Kopf, legte er bei der Auswahl seiner Freundinnen zumindest größten Wert auf ihre optische Vollkommenheit. Wenn schon Heirat, dann bitte mit einer vorzeigbaren Schönheit!

In jeder Toilette und auf den Bahnhöfen hingen Kondomautomaten. Roland bediente sich ihrer nicht. Mit Überzieher fühlte er nicht das Feuchte um sich herum. In der Mehrzahl kannten die Mädels ihren Körper gut. Sie horchten in sich hinein, zählten die Tage vor und nach der Mensis. Die klügsten unter ihnen kombinierten diese Verhütungsvariante mit der Temperaturmessung. Solcherlei Abwägung überließ Roland, Gott befohlen, den Mädchen. Manchmal war die Vorsicht so punktgenau, dass nach dem nächtlichen Ineinander-Aufgehen bereits morgens das lustvolle Weitermachen rot untermalt wurde. Umgekehrt hinterließen „die Tage" in ihrem letzten Stadium schmierige Spuren. Solcherlei „Malheur" blieb seiner Nase nicht verborgen. Die Säfte rochen anders und ließen seine Kraft schwinden. Bei aller Theorie und Planung, die gegenseitige, fast animalische Wollust auf körperliche Vereinigung kam des öfteren dem Denken zuvor. Den Koitus-Interruptus glaubte Roland auf den Punkt zu beherrschen, trieb also sozusagen Roulette mit dem Leichtsinn. Abtreibungen waren verboten. Hatte man die Adresse von einem Arzt, dann war man schon gut dran. Die Option Abbruch und Ausschabung, erforderte zwischen 1.000 und 1.500 Mark - bar auf den Tisch.

Im Sommer 1958 wollte Roland ja nun zum Segelfluglehrgang nach Saarmund. Für ihn kam es jedoch ganz anders als gedacht
Seine Mutter hatte große Sehnsucht nach ihm und war zusammen mit dem Vater nach Berlin gekommen. Irgendwie, so stellte sie sich vor, könne sie hier mit Vater Urlaub auf der Datsche machen und so in Rolands Nähe sein. Kaum angekommen erhielten beide die Anweisung, dringend nach Damaskus zurückzukehren. Margot war dazu nur bereit, wenn Roland mit ihnen gemeinsam nach Damaskus reisen dürfe. Das wurde gestattet!

Fünfzehnjährig wurde ihm ein Pass ausgestellt! Der 'normale' DDR-Bürger hatte keinen Reisepass – einen solchen benötigte er mangels Devisen für ein Reiseziel im kapitalistischen Ausland auch nicht. Roland war sich des Privilegs, einen Pass ausgestellt zu bekommen, nicht bewusst - nahm es als formale Selbstverständlichkeit. Der touristische Horizontmus für die West-Deutschen und Westberliner hatte sich weltweit geöffnet. Geld zum Umtausch vorausgesetzt, konnte auch aus der DDR und Ostberlin über Westberlin gen Westen gereist werden. Bei den westlichen Behörden fand der privatreisende DDR-Mensch Unterstützung. Er musste zuvor zum Beispiel die Genehmigung durch das „Allied Travel Board" einholen. Das war natürlich, an der DDR-Aufsicht vorbei, eine inoffizielle Option. Normalerweise war für die DDR-Bevölkerung an jedem Schlagbaum Ende. Von hohen finanziellen Dimensionen und einem ärmlich limitierten Devisenumtausch abgesehen, mit Personalausweis ausgestattet, mussten für Reisen in sozialistische Nachbarländer Visa beantragt werden. Die wurden bei Vorlage einer im Zielreiseland beglaubigten Einladung in zeitlich begrenzte Klappkarten, einer Art Passersatz, Reisedokument genannt, eingetragen.

Von den Großeltern bekam Roland noch schnell einen schönen modernen Reisekoffer geschenkt. Dieser Reisekoffer war aus hellblauem, dehnbarem Kunststoff mit auffälligen Schlössern und Applikationen. Der Koffer fiel sogar noch unter den ohnehin schon repräsentativen Kamellederkoffern seiner Eltern auf. Onkel Robert fragte, ob er noch etwas zu seiner Reise beitragen könne. Roland hatte tatsächlich eine Idee parat, die er ihm enthusiastisch entwickelte: „Bringe mir bitte vor der Abreise das Autofahren bei. Als Europäer wird man in Syrien bestimmt nicht nach dem Führerschein gefragt. Onkel Robert stell dir vor, ich in Syrien hinter dem Lenkrad eines amerikanischen Straßenkreuzers!"

Tante Herta hörte die Schwärmerei mit.

„Kommt gar nicht Frage, Robert, das machst du nicht!"

Den Fahrspaß hätte sie ihm sicherlich gegönnt. Aber aus ihr sprach die Angst um die Unversehrtheit des gerade neu erworbenen Pkw-Goliath.

„Komm mit, kannst mir beim Wagenwaschen helfen!", forderte der Onkel ablenkend Roland auf.

So kam Roland heimlich zu seiner ersten Fahrstunde. Auf dem großen Garagenhof ließ er Roland im Kreis und kreuz und quer mit allen Schaltvorgängen fahren. Währenddessen saß Onkel Robert auf dem Beifahrersitz. Als letzte Übung des ersten Fahrunterrichts sollte Roland rückwärts in die Garage fahren. Der Pkw-Goliath hatte Revolverschaltung. Onkel Robert griff zu Roland über das Lenkrad: „Ich lege jetzt den Rückwärtsgang ein. Du lässt dann sachte die Kupplung kommen!"

Sie schauten beide über die Schulter nach hinten. Roland ließ die Kupplung kommen und gab Gas. Der Wagen fuhr aber nicht rückwärts, sondern vorwärts. Der Rückwärtsgang war doch nicht eingelegt. So geschah es, dass sich eine, aus einem auf dem Hof stehenden Handwagen herausragende Eisenstange in den Scheinwerfer des neuen Pkw-Goliath bohrte. Beide waren erschrocken. Onkel Robert stand die Beichte gegenüber Herta bevor. Roland tat es Leid, dass er ihn in diese Situation gebracht hatte. Nach diesem Fiasko traute Roland sich nicht unter die Augen von Tante Herta. Er fuhr ab, ohne sich zu verabschieden.

Für vier Wochen ging es mit den Eltern nach Damaskus.

Syrien, das war ein anderer Kulturkreis.

Damaskus, das war 1958 noch richtiger Orient.

Auf dem Flughafen von Damaskus wurde das Gepäck aus der Maschine herunter gereicht und der Gepäckträger begrüßte die Familie:

„Heil Hitler!"

„Ist das hier üblich?," fragte Roland verwundert den Vater.

„Blödsinn, der Gepäckträger ist anscheinend betrunken," war die Antwort.

Im Verlauf seines Aufenthaltes in Damaskus machte Roland die Beobachtung, dass die Grußformel "Heil Hitler" gegenüber Deutschen so ungewöhnlich nicht war. Hitler war allgemein als ehemaliger Führer der Deutschen bekannt. Er wurde verehrt, weil er gegen die Kolonialmacht der Engländer gekämpft hatte. Wenn man von den

Arabern als Deutscher ausgemacht war, was bei Rolands Aussehen immer deren erste Option war, hatte das ihr besonderes Wohlwollen zur Folge. Außerdem tranken die Araber - die meisten von ihnen sind Moslems - keinen Alkohol.

Rolands Eltern wohnten in einer Villa in der Aberomani-Straße im vornehmen Viertel von Damaskus. Eine Hausangestellte war ihnen zu Diensten, deren Marotte es war, sich sporadisch der Eier aus dem Kühlschrank zu bedienen. Mit dem Eigelb pflegte sie ihre langen schwarzen Haare. Für den Einkauf der Lebensmittel war sie nicht zuständig. So war sich die Familie nie sicher, wann sie dem Haustürverkäufer frische Eier abzunehmen hatte, weil der Rhythmus der Haarpflegeprozedur unbekannt blieb.

Morgens wurde Roland durch den Singsang des Muezzin und die Rufe der durch die Straße ziehenden Kaktusfrüchte-Verkäufer geweckt. Diese Früchte wurden schon früh morgens geerntet und, mit feuchten Tüchern bedeckt, vor die Villen gefahren.

Rolands Aufenthalt in Damaskus wäre beinahe nach zwei Tagen zu Ende gewesen. Um sich vor unliebsamen Bakterien zu schützen, sollte er am ersten Morgen nach seiner Ankunft ein Glas Arrak trinken. Dieses weiß-farbige Getränk, ein ungesüßter Anisschnaps, hatte einen für ihn eigenartigen Geruch. Der erste Schluck schmeckte ihm gar nicht. Sein Vater hatte ein Einsehen und verlangte, dass er alternativ zum Mittagessen, welches sie im Konsulat zu sich nehmen würden, ein Glas Labahn zu trinken hätte. Als das Glas zu Mittag vor ihm auf dem Tisch stand, erkannte er in ihm einen Milchtrank. Bei dem fettigen Milchgeruch konnte Roland sich nicht vorstellen, das herunter zu bekommen. Er ekelte sich. Ohne Getränke nahm er das Essen zu sich. Der Mittagstisch war irgendwann komplett abgeräumt, nur noch das Glas Labahn stand vor ihm. Einen großen Aufstand konnte sein Vater aber nicht machen, denn sie befanden sich ja nicht in ihren vier Wänden, sondern in Sicht- und Hörweite der Konsulatsmitarbeiter. Seine letzte Rettung vor dem Trinkenmüssen sah Roland darin, dem Vater zu versichern, abends dann doch lieber das Glas Arrak zu Hause einzunehmen. Abends derselbe Ablauf. Es stand nur noch das Glas Arrak vor ihm. Sein Vater verlangte ultimativ: „Wenn du nicht trinkst, rufe ich jetzt sofort die SAS an und veranlasse deinen sofortigen Rückflug!"

Roland trank immer noch nicht. Mutter Margot versuchte zu vermitteln, aber es half auch nicht, als sie zu weinen anfing. Vater ging zum Telefon. Sie kannte seine konsequente Handlungsweise. Als Vater dann allerdings den Telefonhörer in der Hand hatte und schon mit der SAS verbunden war, drückte Roland seine Nasenflügel zu und schüttete den Arrak in sich hinein.

Rolands Vater stand ein deutschsprachiger Sekretär zu Diensten, bei dem es sich um einen Engländer handelte. Der bekam von ihm den Auftrag, Roland den Suk von Damaskus zu zeigen. Wichtig sei, so der Auftrag, Roland die arabischen Zahlen an den Linienbussen zu erklären, damit er zukünftig selbstständig die Stadt durchstreifen könne.

Der Suk von Damaskus war ein jahrtausendealtes Marktlabyrinth. Ihn kurzfristig zu besuchen, um sagen zu können, ihn gesehen und erlebt zu haben, ist unmöglich. Der Suk von Damaskus teilt sich auf in viele ineinander übergehende und gleichermaßen von einander getrennte Teilmärkte. Man spricht von Themenmärkten. Da gibt es den Leder-, Stoffe und Seiden-, Gold und Silber-, Kupferhandwerker-, Fleisch-, Gewürz-, Fischmarkt und viele andere mehr. Bei seinen ersten zwei Marktexkursionen befand Roland sich in Begleitung des Sekretärs. Dieser versuchte, ihm das orientalische Gewirr so gut wie möglich zu erklären. Besonderen Wert legte er dabei auf eine zukünftige eigenständige Begehung durch Roland und auf dessen Sicherheit. So schärfte er ihm ein:

„Wenn du einmal unter Arabern in Bedrängnis geraten solltest, dann suche Blickkontakt zu deinem Gegenüber und fixiere standhaft dessen Augen! Dann schreist du laut im Befehlston. Es kommt dabei überhaupt nicht darauf an, ob du etwas Sinnvolles oder Zusammenhängendes von dir gibst. Allein der Tonfall hilft dir! Der Araber im Allgemeinen hat Respekt und Scheu vor dem Europäer! Er hat verinnerlicht, Befehle zu hören und zu befolgen! Außerdem ist er gegenüber einem hellhäutigen Europäer feige. Sollten dich die ständig herumwuselnden Bettelkinder und Heranwachsenden bedrängen oder ihre Anzahl unübersichtlich sein, dann wirf eine Handvoll kleinster Münzen in eine Richtung über die Schulter und entferne dich langsam entgegengesetzt."

Dermaßen vorbereitet und eingewiesen ging Roland anderntags auf Entdeckung. Als junger Mann von 1,73m Größe, mit kräftigen runden Schultern bei schlanker Taille, gut durchtrainiert und muskulös mit länglich ausgeprägten Bizeps - Angst kannte er nicht.

Roland kann sagen, Damaskus sei von ihm durchwandert worden. Er wäre erst nach Monaten wieder nach Deutschland gekommen, wenn er allen Einladungen gefolgt wäre, die er auf seinen Streifzügen erhalten hatte. Ihm ist keine einzige unangenehme Begebenheit widerfahren. Seit damals begleitete Roland der hohe Respekt vor den Menschen, die als Moslems durchs Leben gehen.

Zu Mittag wurde im Konsulat gegessen. An einer langen Tafel, nach Rangstellung geordnet, saßen die Diplomaten, deren Ehefrauen und sonstige Angestellte. An der Front der Tafel saß der Konsul. Vater saß mit Mutter und Roland am gegenüberliegenden Ende der Tafel, sozusagen am Katzentisch. Als Auslandskorrespondent gehörte Rolands Vater nicht zum Konsulatspersonal. Bedient wurde durch sehr freundliche arabische Serviererinnen. Unter denen fiel Roland eine besonders auf, weil sie ihm mehrmals besonders freundliche und neugierige Blicke zuwarf. Einige Tage später hatte sich diese besonders freundliche Serviererin mit beeindruckend offenherzigem Dekolletee eingefunden. Den Anwesenden fielen die Roland zugedachten Gunstbezeugungen des Mädchens auf. Der Konsul bat eine andere Serviererin zu sich und diese verließ daraufhin zusammen mit ihrer offenherzigen Kollegin den Raum. Mutter erzählte am Abend:

„Der Konsul hat die Offenherzige zum Umziehen nach Hause geschickt."

Tatsächlich reduzierte sich tags darauf deren Freundlichkeit während des Servierens auf das protokollarische Maß. Die Eltern gingen mit Roland meist spätnachmittags in einen Club, dessen Besuch nur Ausländern vorbehalten war. Um einen großen Swimmingpool lagen die Gäste, und liviertes Personal erfüllte deren Wünsche. Der Swimmingpool hatte einen Sprungturm. Roland zeigte variantenreiche Sprünge. Ein junges Mädchen beobachtete seine sportlichen Einlagen. Wohl beeindruckt, war sie hocherfreut, als er sie ansprach. Dieses Mädchen sprach deutsch, denn sie war die Tochter eines westdeutschen Geschäftsmannes. Auch dieses mehrere Tage anhaltende leichte Anbändeln blieb den DDR-Leuten unter den Clubgästen nicht verborgen. Eine Einladung des Mädels zu einer abendlichen Gartenparty in ihrer Villa, die sich ausdrücklich auch auf Rolands Eltern erstreckte, durfte nicht wahrgenommen werden.

Auf vier Wochen Damaskus und Ausflüge in Syrien sowie einen Abstecher nach Beirut im Libanon folgte Rolands Abreise mit der SAS via Stockholm nach Ostberlin-Schönefeld. Dort angekommen ging er mit seinem schönen Koffer im hellgrauen neuen Maßanzug durch ein Spalier neugieriger Flugplatzbesucher. Von denen hatte sich sicherlich keiner vorstellen können, dass Roland tags darauf wieder als Lehrling an der Fräsmaschine eines DDR-Betriebes stehen würde. In seiner weltmännischen Aufmachung fuhr er dann mit der S-Bahn bis nach Teltow und von dort mit der Eisenbahn bis zum Bahnhof 'Birkenwald' vors Internat.

Hier hatte sich Einiges entwickelt, was ihm zu denken geben musste. Kameraden seiner Fluggemeinschaft hatten inzwischen ihre „A"-Prüfung im Segelflug abgelegt und arbeiteten sich zur „B" vor. Die kameradschaftliche Verbundenheit schloss ihn nicht mehr so ein, wie es vor seiner Reise der Fall war. Er wurde nicht mehr als der sich um jeden Preis aufreibende Mitbewerber gesehen. Neid spielte bei einigen Kameraden mit. Er sollte nach ihrem Empfinden nicht alles haben können. Während sie sich am Hang zur „A" abrackerten, hatte er in Damaskus Urlaub machen können. Sein Rückstand in der Fliegerei sei halt hier der Preis. Sie glaubten an sein Ausscheiden als Konkurrent - meinten damit eigene gestiegene Chancen. Er war einer der Wenigen seines Jahrgangs ohne Prüfung. In den Monaten August, September bis in den Oktober hinein gab es keine Anfänger-Hangausbildung auf dem SG-38 mehr. Erst im Juni/Juli 1959 würde es wieder einen Lehrgang für Anfänger geben. Rolands Kameraden wurden jetzt als Segelflieger zur „B"-Prüfung mit der Winde hochgezogen und konnten so bis zum Saisonende des Flugbetriebes noch zahlreiche Starts absolvieren. Der Abstand zum Ausbildungsniveau seiner Kameraden vergrößerte sich in eine uneinholbare Dimension. Ihm blieb nur, subalterne Hilfsdienste auf dem Fluggelände zu verrichten. Roland war sich in dieser Hinsicht keiner Arbeit zu schade. Als Belohnung wurde er von gestandenen

Segelfliegern in doppelsitzigen Segelflugzeugen mit in die Luft genommen. So konnte er zumindest ein Gefühl für die Handhabung des Steuerknüppels für Quer-und Höhenruder und über die Fußpedale für das Seitenruder erlangen.

Mit dem zweiten Lehrjahr befand Roland sich im Schichtbetrieb. Sein Lohn betrug neuerdings 80 Mark im Monat. Jetzt erlebte er einen Tagesablauf, der einen Lebensrhythmus aufwies, auf den er sich einzurichten hätte, wenn ihm sein Traumziel 'Pilot' abhanden käme.

An den Feierabenden außerhalb der Flugsaison spielte Roland mit seinen Kumpeln gerne Skat, auch mit den Ausbildern. Diese bekamen bei ihrem relativ bescheidenen Lohn weniger Taschengeld von ihren Frauen, als Ronald und seine Kameraden zur Verfügung hatten. Roland war ein gut gelittener Mitspieler in den verschiedensten Zusammensetzungen der Skatrunden. Meist wurde „Bierlachs" gespielt. Wer zuerst bei einer Dreierrunde 400 Minuspunkte erreicht hatte - gespielt wurde mit „Grand" und „Null-Ouvert" - musste eine Runde Bier bestellen. Bei vier Teilnehmern in der Skat-Runde musste bei 500 Minuspunkten das Bier bestellt werden. Hinzu kamen Bierrunden beim „Gran mit Vieren" oder wenn ein Spiel mit „Kontra + Re" oder „Kontra", „Re+Bock" verloren wurde. So kamen dann mitunter schon hin und wieder über zehn Biere hintereinander zusammen.

Mit solchen Neuigkeiten kreuzte Roland dann bei Opa Rudolf auf. Eines Tages schwadronierte er:

„Bin heute noch platt. Habe gestern fünfzehn Bier beim Skat gekippt!"

Opa Rudolf erwiderte nichts. Auf einmal rief er vom Balkon ins Wohnzimmer:

„Roland, komm mal schnell!"

Im Hausdurchgang des dreigeschossigen Siedlungshauses, der von der Straße zum großen Hofgarten führte, standen Jugendliche, die mehr oder weniger grölten, weil sie schon etliche Bier intus hatten.

Opa Rudolf zeigte auf die Gruppe und meinte:

„Die könnten ja auch deine Kumpels werden, scheinen ja so zu saufen, wie du es dir wohl angewöhnst."

Irgendwie schien Opa Rudolf den richtigen Ton im richtigen Moment und am passenden Objekt getroffen zu haben. Auf Roland wirkte das jedenfalls so einleuchtend, dass er von diesem Tage an niemals wieder aus Imponiergehabe getrunken hat. Nicht, das Roland seither nicht betrunken gewesen wäre. Er war ein reiner Lusttrinker. In schlechter Laune brauchte er überhaupt keinen Alkohol. Bei guter Laune, in geselliger Runde, trank er auf dem Level der Gesellschaft. Wenn er merkte, dass er nichts mehr vertragen konnte, wusste er sich zurückzunehmen. Niemand hat Roland jemals unangenehm in betrunkenem Zustand erlebt. In bier- und wein-launiger ausgefallener Stimmung hat man ihn nicht als den pöbelnden Typ, sondern als besonders lustigen Zeitgenossen in Erinnerung. Schon die Vorahnung der bei ihm langanhaltenden Ausnüchterungs-Nachwirkungen setzte seinem Trinkverhalten Grenzen. In all den Jahren, bei jeder Festivität zögerte er anfänglich, überhaupt Alkohol zu trinken. So hat er Festivitäten erlebt, wo seine Mitzecher anwesenden Damen keine Kavalierdienste mehr angedeihen lassen konnten. Seine Verfassung hatte hingegen Reserven...

Die Erzählungen von Rolands Skatkünsten waren Opa Rudolf Referenz genug, ihn in seine Altherrenrunde einzuführen. Zur Skatrunde gehörte auch Eispickel. Der fuhr weiter, mit einem inzwischen neuen Eiswagen zur Kundschaft. Es wurde um Zehntelpfennige gespielt. Rolands risikofreudige Spieleinstellung erbrachte ihm in diesem Kreis, auf die miteinander verbrachte Gesamtspielzeit bezogen, mehr ein, als sie ihn an Geld gekostet hat.

Es war Sommer 1959. Roland hatte einen Platz im Lehrgang für die „A" Prüfung im Segelflug bekommen. Darüber war er sehr froh. Da er auf ziemlich verlorenem Posten gegenüber seinen Jahrgangs-Kameraden stand, wollte er dies ehrgeizig ausbügeln. Untergebracht waren die angehenden Segelflieger im Hangar des „Segelflugstützpunkt Saarmund", in dem Feldbetten standen. Die Gruppenstärke des Lehrgangs betrug um die zwanzig Mann. Wecken war um 5:30 Uhr. Morgentoilette mit kaltem Wasser. 5:45 Uhr antreten zur Frühsportvariante Dauerlauf in den Ortskern zur Gaststätte „Zur Stadt Leipzig" zum gemeinsamen Frühstück. Die Fluglehrer nahmen hin und zurück das Fahrrad. 7:30 Uhr auf dem Hangar zurück, zum Fahnenappell mit Tageseinführung durch den

Stützpunktkommandanten.

Das Fluggerät, der SG-38, wurde zusammen mit Gummiseil, Signalfahnen, Erste-Hilfe-Koffer, Wasserkübel und Schutzhelmen auf dem Zweirad-Bulli auf den Hang gerollt. Ab 8:00 Uhr wurde geflogen. Jeder Start war eine Gemeinschaftsleistung. Der für den Start vorgesehene Kamerad wurde auf dem SG-38 angeschnallt. Die Haltemannschaft, bestehend aus zwei Mann, die den Sporn festzuhalten hatte, nahm ihre Position ein. Das Gummiseil wurde am vorderen Einrast-Ring eingeklinkt.

Lauter Befehl des Ausbilders:

„Ausziehen!"

V-förmig wurde, auf jeder Seite von 8 Mann, das Gummiseil zum Katapultstart ausgelegt.

Lauter Befehl des Ausbilders:

„Laufen!"

Die 16 Kameraden rannten am Hang hinunter.

Lauter Befehl des Ausbilders:

„Los!"

Die Haltemannschaft, deren Fuß-hacken sich im Sandboden eingebohrt hatten, ließ los.

Der SG-38 überflog zwischen die den Hang hinunter rennenden Kameraden. Das Gummiseil fiel automatisch aus seiner Arretierung. Der SG38 landete nach ca. 30 Sekunden Flugzeit etwa 300m entfernt.

Die Kameraden, die das Gummiseil ausgezogen hatten, rannten dem fliegenden SG-38 hinterher. Ein Kamerad lief schon, während die Zugmannschaft noch das Seil auszog, ganz außen mit dem leeren Zweirad-Bulli an allen vorbei, um neben dem gelandeten SG-38 für das Aufladen bereitzustehen, sobald die Zugmannschaft eintraf. Inzwischen waren zwei Kameraden damit beschäftigt, das Gummiseil wieder für den nächsten Start hinauf in Position zu bringen. Schnellstmöglich, also im Laufschritt, wurde der SG-38 auf dem Zweirad-Bulli wieder den Hang hinauf an den Start gebracht. Bitten von Kameraden, aus dem Laufschrift in ein ruhigeres Tempo zu verfallen, gab es nicht. Jedem war klar, dass er umso öfter zum Flug kam, je mehr Starts am Tage geschafft würden. Der kräftezehrende

Rhythmus am Hang wurde nicht von allen Kameraden durchgehalten. Wer schlapp machte, legte eine Pause ein. Damit verzichtete er automatisch auf seine Startansetzung und wurde erst nach seiner Reaktivierung wieder in die Startfolge aufgenommen. Das Mittagessen wurde im Kübel angeliefert und von den Kameraden zu sich genommen, wie es die eigene Abkömmlichkeit aus dem Mannschaftsdienst zuließ. Der Flugbetrieb wurde 10 Stunden ohne Unterbrechung durchgezogen.

Der Sommer 1959 war sehr heiß. Am Hang herrschten gegen Mittag um die 40° Celsius. Wenn einer von ihnen umfiel oder taumelte, legten sie ihn mit einem nassen Tuch im Nacken hinter einen Schatten werfenden Strauch. Alle hofften, auch im eigenen Interesse, dass er bald wieder mitziehen werde. Vorteile ergaben sich, bei allem Mitleid, auch aus so einem Ausfall. Die eigene Startfolge rückte vor. An einem „Tag des offenen Platzes", zu dem Eltern, Freunde und Bekannte eingeladen waren, konnte ein Elternpaar nicht mit ansehen, welchen Strapazen ihr Sprössling ausgesetzt war. Sie nahmen ihren Jungen aus der Ausbildung mit nach Hause. Zusammen mit schon zwei zuvor abgesprungenen ehemaligen Kameraden war das eine fast „Darwinsche Auslese". Um 19:00 Uhr beim gemeinsamen Abendessen in der Gaststätte schwamm die zerlaufene Butter in der Schüssel, weil es keinen Kühlschrank gab. Die Butter tunkten sie mit dem Brot aus der Gemeinschaftsschüssel.

Es gab nur wenige Mädchen in Saarmund und Umgebung, und diese waren in Händen der alten Segelflughasen. Bei aller Neugier, Roland war viel zu platt, um sich bei denen unbeliebt zu machen.

In kürzester Zeit, mit 28 Starts, hatte Roland die Segelflugprüfung „A" abgelegt. Es war wohl alter Brauch auf dem Stützpunkt, diesen Einstieg in die Fliegerei mit dem heimlichen gegenseitigen Abschneiden der Haare zu dokumentieren. Weil die Flugschüler, abends auf den Hangar zurückgekehrt, vor Müdigkeit immer sofort einschliefen, konnte Roland sich auch an diesem Abend nur noch anfänglich bei einem Teil der Kameraden daran beteiligen, ihnen die Haarpracht zu nehmen. Irgendwann war er aber wider Willen doch eingeschlafen. Morgens stellte er fest, dass ihm einseitig die Haare fehlten. Zum morgendlichen Fahnenappell standen sie den Ausbildern gegenüber, die sich auch ihr Lachen über das Aussehen ihrer Schüler nicht verkneifen konnten. Der Fahnenappell schien aus dem Ruder zu laufen. Mit letztmaliger Aufforderung zur Disziplin drohten die Ausbilder, demjenigen, der jetzt noch lachen sollte, „Trauer" an. „Trauer" war der Terminus für Flugsperre. Vor Roland im Glied stand ein Kamerad, bei dem es gelungen war, eine richtige Tonsur bis auf die weiße Kopfhaut zu rasieren. Der wackelte provozierend für die hinter ihm Stehenden mit dem Kopf, und Roland bekam einen regelrechten Lachkrampf. Er musste aus dem Glied treten, und ihm wurde für den ersten Tag auf dem Weg zur „B" ein Tag „Trauer" zugesprochen. Jetzt wurde nicht mehr mit dem Gummiseil, sondern mit der Motorwinde gestartet.

Im folgenden August war Roland glücklicher Teilnehmer eines weiteren Lehrgangs in Brandenburg. Dieser forderte den Segelflugschülern körperlich nicht mehr das Letzte ab. Windenstarts brachten den SG-38, der mit einer demontierbaren Verkleidung „Boot" versehen war, in die Luft. Die Landung war nach der Platzrunde, von wenigen misslungenen Ziellandungen abgesehen, wieder nahe dem Startplatz. Nur durch das Ausrutschen des gelandeten SG-38 auf der Graspiste ergab sich eine Wegstrecke von wenigen Metern, die natürlich im Laufschritt genommen wurde. Mittagessen gab es im Ort in einer Gaststätte, deren Spezialität Pferdefleisch in allen Variationen war. Das Pferdeschnitzel war so groß, dass es über den Tellerrand ragte. Zusammen mit Soße und Schrippe kostete es 90 Pfennige.

Abends kümmerten sie sich im Ort auch um das spärliche Mädchen-Angebot. Der Zufall wollte es, dass eine FDJ-Agitprop-Gruppe, wie sie damals über das brandenburgische Land zogen, um die Bauern zum freiwilligen Eintritt in die LPG zu überzeugen, Quartier im Ort bezog. Aus dieser Gruppe blieb Roland eine Sängerin in Erinnerung, die so zu küssen verstand, dass er glaubte, sie würde ihm den Gaumen weglutschen. So wollte er auch küssen können, aber es gab nur eine Nacht. Der Agitprop-Bus fuhr weiter – einzigartig, unvergesslich das Ganze.

Nach 57 Starts auf dem SG-38 flog Roland am Monatsende zur „B". Damit war für ihn der Segelflug im Jahr 1959 zu Ende. Bei aller ihm entgegengebrachten Sympathie und Anerkennung dafür, dass er sich für den Segelflug zerrissen hatte, würde er wohl nach Meinung der

Ausbilder nicht zu den vier oder fünf Auserwählten gehören, die im Jahr 1960 zur Motorflugausbildung zur Delegierung standen. Der allgemeine Status der Kameraden seines Jahrgangs war die „C". Bei den besten von ihnen handelte es sich auch noch um Abiturienten. Roland mit nur der „B" war fliegerisch anerkannt 'gut' bis 'sehr gut'. Das brachte ihm dennoch nur die 5. oder 6. Stelle einer noch fiktiven Auswahlliste und den gutgemeinten Rat, im nächsten Jahr würde es für ihn eher klappen.

Delegiert zu werden hieß noch nicht, angenommen zu sein. So wie aus Saarmund würden von anderen Segelflug-Stützpunkten in der DDR etwa 400 Bewerber zur Auswahl gemeldet werden. Diese Masse müsste dann eine Auslese über sich ergehen lassen, wobei von der Flugmedizinischen Kommission die größte Siebung zu erwarten war. Überhaupt in diese Auswahl zu kommen, schien für ihn ziemlich unwahrscheinlich.

Ein trauriger Zufall kam ihm zu Hilfe.

Als Roland wieder einmal von einem seiner feucht-fröhlichen Wochenendurlaube in Berlin zum Internat zurück kam, erfuhr er von einem Unglück, welches sich tags zuvor im Jungen-Waschraum des Internats zugetragen hatte. Ausgerechnet die Kameraden, welche ihm in der fiktiven Auswahlliste vorstanden, waren schwer verletzt worden. In der weiträumigen Umgebung des Internats, im Schutt der im Krieg zerstörten Werkhallen, lagen noch Mengen an Munition und Blindgänger. Dieser Umstand wurde von seinen Kameraden leichtsinnigerweise genutzt. Im gekachelten Waschraum explodierte ein Blindgänger. Sie hatten ihn auseinandergenommen, um mit seinem Sprengstoff eine selbstgebaute Rakete zu bestücken. Einer verlor dabei ein Auge, ein anderer zwei Finger der Hand, und einem dritten musste eine große Risswunde am Arm genäht werden. Der völlig zerstörte Waschraum fiel bei dieser Bilanz schon gar nicht mehr ins Gewicht. So makaber sich das liest, Roland rückte auf der Auserwähltenliste vor und wurde als Bewerber vom Lehrkombinat der Motorflugschule empfohlen.

Jeder zur Auswahl delegierte Bewerber musste in körperlich bester Verfassung zur flugmedizinischen Untersuchung antreten. Da durfte keine Plombe im Zahn sein, keine Narbe länger als 3cm, allerbeste Sehfähigkeit, Belastungsproben und anderes mehr. Größer als 1,75m durfte man auch nicht sein, weil andernfalls der Platz in der Flugzeugkabine (MIG), Wachstum angenommen, zu niedrig wäre. Natürlich kamen politische Beurteilungskriterien hinzu, und diese erstreckten sich auch auf die Angehörigen. Die gesellschaftliche Einstellung gegenüber der DDR und das Vorhandensein von Westverwandtschaft wurden abgefragt.

Peter hatte bei allem Prüfungsstress zum Abitur auch die „C" erworben. Sein fortgeschrittener fliegerischer Stand erklärt sich - in Friedersdorf gab es keinen Hang. Der SG-38 wurde dort vom ersten Start an von der Motorwinde in die Luft gezogen. Das geht viel schneller, und obendrein taten ihm nie die Hände und Schultern vom Reiben des Gummiseils weh. Der Segelflugstützpunkt „Friedersdorf" meldete aber 1960 keinen seiner Segelflieger zur Motorflugschule. Nach dem Abitur zog Peter in ein Studentenwohnheim in Dresden. Dort begann er den Studiengang „Elektrotechnik".

April 1960. Auf dem Stützpunkt Sarmund hatte sich zu Ostern alles eingefunden, was in die Luft wollte. Roland wurde ins Büro gerufen. Drei Fluglehrer und sein alter Fluglehrer SCHMUTZLER standen beisammen:

„Wir haben hier eine tolle Nachricht, die aber ganz besonders dich freuen wird. Du wirst bereits im Mai an der „Motorflugschule Neuhausen" bei Cottbus antreten."

„Das ist ja bombig. Sie wissen alle, wie sehr ich mir das gewünscht habe."

„Kannst jetzt gleich noch einen Start kriegen und sozusagen deine Ehrenrunde um den Platz machen!"

Er war der einzige aus dem Lehrkombinat, der in diesem Jahr auf der Motorflugschule angenommen wurde. Sein Traum realisierte sich – sein Porträtfoto würde nunmehr als Ansporn für die nachrückenden Lehrlinge auf dem Flur zu den Werkstätten hängen. Die bei ihm ausgelösten Glücksgefühle in den folgenden Wochen sind rückblickend kaum zu beschreiben.

Die auf drei Jahre angesetzte Ausbildungszeit wurde für Roland um vier Monate verkürzt. Er zog aus dem Internat aus. Bis zum Beginn der Motorflugschulung ließ er es sich in der Berliner Wohnung gutgehen. Da müssen seine Freunde und er es wohl übertrieben haben. Jedenfalls bekam Roland einen Brief der Eltern. Deren neues Domizil war nunmehr Bagdad. Mutter fragte nach seinem Lebenswandel, weil sich die Zugehfrau bei ihr über das Chaos beschwert hätte, welches neuerdings in allen Zimmern der Wohnung zu beseitigen sei. Roland meldete sich bei seinem „Partei-Paten" und machte den Vorschlag, ab sofort die Reinigung und die Wäsche selber zu übernehmen, um sich, wie er sagte, das Taschengeld aufzubessern. Der „Partei-Pate" fand das in Ordnung - Roland war eine Mitwisserin los.

Es kam aber richtig dicke.

Rolands Eltern kündigten ihre Ankunft in Berlin an. Wenige Tage nach ihrer Ankunft gaben sie stets für Freunde zu Hause einen Empfang. Das Buffet war immer vom Feinsten, und exotische Zutaten gaben ihm stets ein exklusives Niveau. Mutter hatte zwar die komplette Planung, von der Ausstattung über die optische Gestaltung bis zur Speiseabfolge im Kopf. Ohne ihre Zugehfrau wäre so eine Festivität aber weder in der Vorbereitung, ihrem Ablauf und der späteren Säuberung nie und nimmer zu bewerkstelligen gewesen. Schon am Tag ihrer Ankunft wunderte sie sich darüber, dass die Zugehfrau sich nicht hatte blicken lassen. Sie ahnte ja nicht einmal, dass es sie nicht mehr gab.

Die einzige, aber lustige Geschichte, die Roland und Mutter miteinander austauschten, war ein Erlebnis, das sie in Bagdad mit dem damaligen Präsidenten des Irak, KASSEM, hatte. Er war ein orientalischer Mannstyp, ein Frauenschwarm seiner Zeit. Seine Empfänge waren wegen ihrer opulenten Ausstattung gelobte und von den Würdenträgern der Auslandsvertretungen gern besuchte Festivitäten. Sich seiner Wirkung auf Frauen bewusst, buhlte er um die Gunst der europäischen Diplomatenfrauen. So ließ er beispielsweise farbige Fotos von sich, mit Widmung und in goldener Umrahmung, unter ihnen verteilen. Mutter Margot, mit 37 Jahren eine schöne Erscheinung, bekam das Angebot, eine seiner Frauen zu werden. Wie sie erzählte, hätte er 200(!) weiße Kamele für sie geboten. Kassem wurde später während eines Putsches von dem späteren Machthaber Saddam HUSSEIN zu Tode gebracht.

In Rolands Freundeskreis hatte sich Wolfgang fest etabliert. Er war aus gutbürgerlichem Haus, Vater leitender Ingenieur, Mutter Hausfrau und Dame, die nie ohne Hut, Handschuhe und Tasche vor die Tür ging. Die Familie hatte Roland wohl auch deswegen wie einen zweiten Sohn in ihrer Familie aufgenommen, weil Wolfgang auch ein Einzelkind war. Wolfgang und Roland erfreuten sich ihres Lebens, und mehr oder weniger war ihnen auch bewusst, dass sie einen relativ privilegierten Lebenswandel führten. Da saßen sie vor dem Kamin und malten sich aus, wie sie sich im hohen Alter von vielleicht einmal fünfzig Jahren, genau hier, ihrer Mädcheneroberungen erinnern würden. Die zeitliche Dimension war riesig, selber einmal fünfzig Jahre alt zu sein, überstieg einfach ihre Vorstellung.

Wolfgangs Mutter wusch auch Rolands Wäsche. Die Hosen bügelten sich Wolfgang und Roland immer selbst, denn das war eine Kunst, die sie glaubten besser zu beherrschen, als es andere Hände für sie fertigbrächten.

Jetzt, nachdem das Kind in den Brunnen gefallen war, erzählten sie Wolfgangs Mutter vom Verschwinden der ehemaligen Zugehfrau. Sie bettelten quasi händeringend, Wolfgangs Mutter möge einspringen, um bei der Vorbereitung, Durchführung und Nachbereitung des unmittelbar bevorstehenden Empfangs Mutter Margot zur Hand zu gehen. Die fühlte sich überrumpelt, im Einzelnen überfordert, und der zugedachte Status passte ihr schon gar nicht. Roland und Wolfgang verblieben mit ihr so, dass sie es sich überlegen werde, wenn sie zuvor mit Mutter Margot gesprochen hätte. Nun beichtete Roland seiner Mutter die Kündigung der Zugehfrau. Sie lud in ihren Vorhaltungen die ganze Verantwortung für das Gelingen des bevorstehenden Empfangs auf Rolands Schultern:

„Wenn ich das Vater erzähle, kannst du dir ja seine Reaktion ausmalen. Sieh zu, wie du das regelst. Der Empfang muss stattfinden!"

Mutter Margot sprach mit Wolfgangs Mutter und die beiden brachten wie geplant, den beeindruckenden Empfang zu Stande. Diese Begebenheit war der Beginn einer jahrzehntelangen Freundschaft zwischen den Frauen.

Roland konnte übrigens an dem Empfang nicht teilnehmen, weil er zur „Motorflugschule Neuhausen" abgereist war.

Am Morgen des 9. Mai, gegen 6.30 Uhr, fuhr der Zug in den Bahnhof von „Neuhausen" bei Cottbus ein. Seitlich neben dem Bahnhof lag der Flugplatz, unschwer erkennbar am links vom

Eingangstor aufgestellten alten zweisitzigen sowjetischen Flugzeug des Typs Jak-11. Das diente ehemals der Schulung von Jagdflugzeug-Piloten. Die Außenaufhängung für eine 25-kg- oder 50-kg-Bombe war demontiert. Abgerüstet und nicht mehr flugtüchtig bot sie dennoch ein imposantes Entree.

Hinter der Jak-11 sah man das Gerüst eines etwa 10m hohen Sprungturms. In gleicher Blickrichtung stand das größte Flugzeug auf dem Platz, eine Antonow AN2 - ein riesiger Vogel. Mit einer Spannweite von rund 18m, der weltweit größte einmotorige Doppeldecker. Rolands Rundumblick blieb an vier Jakowlew-Flugzeugen des Typs Jak-18 hängen. Das sind sowjetische zweisitzige Schulungsflugzeuge, Spannweite 11m, mit Fünfzylinder-Sternmotor, Höchstgeschwindigkeit etwa 300km/h. Sie verfügen über einziehbare Fahrwerke und haben ein Spornrad am Heck. Er vermutete, das könnten die für ihn und seine neuen Kameraden vorgesehenen Maschinen sein. Ohne Halt ging er auf sie zu. Er war nicht der Einzige, der sich nach der Ausfahrt des Zuges aus dem Bahnhof in Richtung Flugplatz in Bewegung gesetzt hatte und gleich zu den Maschinen gegangen war.

In einer von drei Baracken stand eine Doppelflügeltür offen. Hier trafen 15 Neue im Speisesaal aufeinander. Auf einer Tischreihe, mit weißem Tuch überdeckt, stapelten sich Hackepeterbrötchen zu Pyramiden, die mit einem Steingut-Krug voll saurer Gurken, sowie Apfelsaft- und Selterflaschen ein zweites kurzes Frühstück ergaben. In der selben Baracke gab es noch den Fallschirm-, den Unterrichts- und den Kartenraum.

Einer von den Offiziellen wies sie ein:

„Im Fallschirmraum liegen für jeden Bettzeug und Fliegerkombi. Gehen Sie in die Unterkünfte-Baracke, beziehen Sie Ihr Bett. In einer halben Stunde, um 9:00 Uhr, Treffen im Unterrichtsraum – in Fliegerkombi." Jedem der Neuen passte die Fliegerkombi, obwohl es sie nur in einer Größe gab.

Im Unterrichtsraum saßen sie an drei Tischreihen hintereinander. Der Flugplatzkommandant stellte sich, drei weitere Fluglehrer und vier Techniker/Mechaniker vor. Jeder Schüler stand nach namentlichem Aufruf auf, nannte Wohnort und Segelflugheimat. Aus Berlin war Roland der einzige mit noch einem Kameraden aus dem Berliner

Umfeld. In der Fliegerkombination aus hellblauem Leinen mit durchlaufendem Reißverschluss und aufgenähter Kartentasche auf dem linken Oberschenkel sahen sie wie richtige Piloten aus. Diesem Anschein bald inhaltlich zu entsprechen - daran zweifelte keiner von ihnen. Hier und heute spürten sie sich als fliegerische Kameradschaft.

Für sie als gute Segelflieger begann am selben Tag die praktische Ausbildung auf der Jak-18. Der Fluglehrer saß in der Doppelkabine hinten. Beim Motorflug gibt es mehr zu tun als im Segelflugzeug. Genau dieses Mehr an technischer Koordination nach erteilter Anweisung beobachtete und schätzte der Ausbilder ab. Die Einweisungsflüge mögen zusammengerechnet innerhalb von zwei Tagen keine halbe Stunde Flugzeit betragen haben, als Roland seinen ersten Platzrunden-Alleinflug bekam.

Alle Horizonte hatten sich ihm als Siebzehnjährigem geöffnet. Anders als beim Segelflug beherrschte jetzt er die Luft, denn nun konnte Motorkraft für sichere Strömung unter den Tragflächen sorgen. Vor Freude sang er in der Kabine.

Theoretische Unterweisungen und das Üben einer Flugfigur nach der anderen wechselten sich ab. Seine Fluglehrer waren ehemalige Kampfpiloten aus dem II. Weltkrieg. Der Flugplatzkommandant hatte über Kreta Lastensegler geflogen und war als Kampfflieger zweimal abgeschossen worden. Ein anderer hatte über fünfzig Abschüsse über dem Kanal und in Russland, wo er später selbst abgeschossen wurde. Das erste mit Düsentriebwerken ausgestattete Jagdflugzeug, die Messerschmitt 262, war auch von einem geflogen worden. Über ihre Fliegerzeit im Krieg sollten sie zwar nicht sprechen, aber dass sie es doch taten, zeigte das kameradschaftliche Verhältnis. Der an Jahren jüngste der Ausbilder war amtierender Weltmeister im Kunstflug.

Die Kunstflugzone befand sich in 1000 – 1500m Höhe. Der Platzanflug durfte nicht unter 500 m Höhe erfolgen und in der dritten Platzkurve mussten es noch 400m sein. Alle wollten fehlerfrei und mit dem Pfiff an Vollkommenheit ihre Flugleistungen zeigen. Das begann mit dem Start. Roland ließ die Maschine Geschwindigkeit aufnehmen, wobei er sie mit Vollgas bis unmittelbar zum Flugplatzende so dicht über dem Boden hielt, dass die Propeller beinahe die Grashalme berührten. Kurz vor einer Baumreihe, die den Bahndamm begrenzte, zog er, den

Steuerknüppel fast reißend, die Maschine in eine Linkskurve steil hoch. Bei der Landung war es der Ehrgeiz, immer genau neben dem Landekreuz „Dreipunkt" aufzusetzen. „Dreipunkt" heißt, dass die zwei Fahrwerkräder gleichzeitig aufsetzen und unmittelbar danach das Heckspornrad. Punktlandung nennt man das. Das beherrschten die Schüler so gut, dass eine Vermessung nur Abweichungen unterhalb der Einmeter-Grenze ergeben hätte. Keine rekordverdächtige Qualifikation - im Segelflug muss, ohne Gas geben zu können, bei unterschiedlichen Windstärken aus allen Richtungen das Landekreuz auch getroffen werden.

Die meisten Übungen flogen sie allein ohne Fluglehrer. Beobachtet und bewertet wurde mit dem Fernglas vom Boden aus. Die Sichtprüfung währte in der Regel nicht länger als die Übung dauerte, denn es waren meist mehrere Maschinen in der Luft. Im Anschluss zu den angemeldeten Figuren - Trudeln, Vollkreis links/rechts, Aufschwung, Abschwung, Looping, Rolle u.a. - musste Höhe bis auf Platzanflugniveau verloren werden. Das ließ sie zu alleinbestimmenden Flugzeugführern werden. Dabei vollbrachten sie die Flugkombinationen spontan.

Roland machte das Trudeln besonderen Spaß. Bei dieser Übung lässt man das Flugzeug im Steigflug aushungern, indem das Gas in den Leerlauf zurückgenommen wird. Pedale links, Seitenruder durchgetreten und diagonal den Steuerknüppel rechts bis zum Anschlag angezogen. Das Flugzeug kippt kopflastig seitlich nach rechts ab. Immer noch im Leerlauf trudelt es nach unten. Das besondere Können bei dieser Übung besteht darin, vor dem Ausleiten der Umdrehung abzuschätzen, wie weit die Maschine noch nachdreht, bis sie zu einer zuvor ausgemachten Orientierung am Boden, beispielsweise einer Straße, stabilisiert und ausgerichtet wird. Sie befindet sich jetzt im Sturzflug und den galt es auch als solchen senkrecht wie ein hängendes Lot auszuführen. Der Kopf drückte an das Kabinendach, die Maschine stürzte senkrecht auf den Boden zu. Dabei wurden die Luftdruckventile überlastet und es knatterte, als würde ein Maschinengewehr rattern. Roland wusste nicht, ab welcher Höhe dieses Geräusch von den Beobachtern am Boden gehört werden konnte, aber die gesamte Übung, von Nichtfliegern beobachtet, sieht spektakulär aus. An die Sturzphase schließt sich dann eine seitlichsenkrechte Kampfkurve an, die die zuvor aufgenommene Maximalgeschwindigkeit als Schwung aus dem Sturzflug aufnimmt. Bei einer Trudelumdrehung verliert das Flugzeug etwa 400m an Höhe. Mit Vollgas schießt es dann wieder in den Himmel. Einen Moment ist die Schwerkraft so stark, dass die Augenlider über die Pupillen rutschen.

Nicht immer flogen Roland und Kameraden die Maschine anschließend in die Kampfkurve, manchmal blieben sie im Sturzflug, und steuerten ein Bodenziel an.

Juli/August, die Ernte wurde eingefahren und, wie zu dieser Jahreszeit in der DDR üblich, waren die studentischen Erntehelfer auf den LPG-Äckern. Sie wühlten sich in Linien durch die Furchen, aber über den ganzen Tag wurde ihnen Kunstflug am Himmel über Neuhausen geboten. Die Erntehelfer bildeten für Roland und Kameraden zwar verbotene, aber nichtsdestotrotz verlockende Bodenziele. Besonders bei den Trudelmanövern dachten manchmal die zu ihnen hochschauenden bleichgesichtigen Krabbelwesen, ein Flugzeug fiele auf sie hernieder. Bei der ersten Trudelumdrehung staunten sie, nach der zweiten wich das Staunen dem Zweifel, und wenn dann das Flugzeug im Sturzflug mit Geknatter genau auf sie zuzuschießen schien, stoben sie wie aufgeschreckte Hühner auseinander. Beim „Anflug auf Bodenziele" waren sie manchmal so tief, dass sie zur dritten Platzkurve steigen mussten. Unter Androhung von Flugsperre „Trauer" waren solche Manöver unterhalb der Kunstflughöhe verboten.

Nicht jeder „Anflug auf Bodenziele" konnte vom Boden aus beobachtet werden. Darauf spekulierend, unter der Beobachtung durchzuschlüpfen, gönnte man sich den Spaß. Wurde einer erwischt, musste er beim Platzkommandanten 'Männchen machen'. Der verhängte wegen der Prävention „Trauer".

Dorsch, einer von ihnen, musste antreten:

„Dorsch, das war kein Sturzflug! Fehlte bloß noch, dass Sie mit den Tragflächen zur Begrüßung gewackelt hätten. Wenn ich das noch einmal sehe, kriegen Sie fünf Tage Trauer! Heute haben sie „Trauer"!"

Roland musste nach exaktem Sturzflug auch einmal zum Rapport:

„Das war doch wohl mal wieder unterhalb der Platzhöhe!? Menschenskind, Sie riskieren „Trauer"! Weggetreten!"

Roland konzentrierte sich, wieder eine optimale Landung genau am Kreuz zu zeigen. Nachdem er gerade den Gashebel auf Leerlauf gezogen hatte, also kurz vor dem Aufsetzen, kam den Befehl über Kopfhörer:

„Durchstarten!"

Mit Vollgas flog er über die vierte Kurve wieder an und dachte: „Donnerwetter, der Kommandant prüft meine Reflexe."

Nach seinem Dafürhalten in Erwartung seiner erneut gut vorbereiteten Punktlandung, im letzten Moment vor dem Aufsetzen, kam wieder das scharfe Kommando:

„Durchstarten!"

Er flog also zum dritten Mal aus der Platzrunde an und begriff mit gehörigem Schreck, den Grund für die Landeabbrüche. Er hatte zweimal versäumt, die Landeklappen auszufahren. Nach der Landung erklang die Stimme unmissverständlich:

„Ich will Sie sofort hier sehen!"

Mit Schiss trat er im Leitstellenbus vor seinen Kommandanten:

„Was wollten Sie denn demonstrieren, Sie Heldenklau? Schreiben Sie 300 Mal auf: Im Landeanflug Landeklappen ausfahren. Vorlage morgen früh 7:00 Uhr. Weggetreten!"

Diese Strafe war beschämend, aber nicht so schlimm wie „Trauer".

Bahnkarten nach Hause bekamen sie im Dreiwochenrhythmus, von Sonnabend bis Montag zum Frühstück. Um der Welt zu zeigen, Wer und Was sie seien, reisten sie in Fliegerkombis. Roland wusch seine Freitags im Becken. Ausgewrungen kam sie zum nächtlichen Trocknen unters Laken. Vor dem Frühstück wurde sie noch akkurat gebügelt. Von Berlin oder aus noch größerer Entfernung mit der Bahn zurück war zeitlich für jeden eine schwierige Abwägung. Entweder man fuhr schon Sonntagmittag ab, dann kam man abends in Neuhausen an. Fuhr man abends ab, kam man erst Montag in aller Frühe an. Früh angereist, wurde man gefragt:

„Schlaf gehabt?" Es ging um fünf Stunden.

„Jawoll!"

Es gab hilfswillige Schlafwagenschaffner, die „Schlafwagen" auf die Fahrkarte II. Klasse schrieben und abstempelten.

Ohne glaubwürdigen Schlafnachweis wäre man nicht in die Luft gekommen, sondern hätte wie ein Verkehrspolizist Maschinen mit Fähnchen eingewiesen – auch eine Art von „Trauer".

Wenn die Flugschüler am Samstagabend in der Dorf-Gaststätte erschienen, hatten sie freie Auswahl unter den Erntehelferinnen, in die sie auch Dorfgewächse einbezogen. Um die männlichen Kommilitonen der Studentinnen nicht gegen sich aufzubringen, bekamen die schon mal von Roland und seinen Kameraden Freibier. Man wollte keinen Streit bei der Buhlerei. Es bestand sogar so etwas wie eine Allianz zwischen den Studenten und der verklemmt wirkenden männlichen Landjugend. Die stand in Grüppchen am Rand des Tanzsaals, in Thekennähe und in Dichte vor dem Zugang zu den Toiletten. Da war ein Abbau von Antipathie gegen die fremden Wilderer, Stadtmenschen, Studenten und Flieger mit ein paar Bier und flotten Worten nicht zu erreichen. Geld für Bier und Schnaps hatte die Dorfjugend selbst.

Die Toilette konnte man beispielsweise nur über einen Flur erreichen, der so schmal war, dass zwei sich entgegenkommende Personen aneinander vorbeiquetschen mussten. Schon vor dem Gang bauten sich Dörfler auf. Diese mussten erst einmal passiert werden, aber dann standen wieder Einzelne an den Wänden im Toilettenzugang. Diesen Gefahrenherd umgingen die Ortsfremden. Das kleine Geschäft fand seine Erledigung im Buschgestrüpp um die Dorfkneipe. Die gleichen Bedürfnisse der Mädels mussten dann aber doch durch Mannesmut ihrer Kavaliere abgesichert werden. Quetschend und schiebend versuchte man an den Wegelagerern vorbeizukommen, ohne deren provokantes Geschubse zu erwidern. In Laufrichtung mit dem Rücken die Wand wischend, sich lieber höflich entschuldigend, schien dies die klügere Option. Dass sich keine größeren Prügeleien entwickelten, war dem Dorfschmied und seinem Sohn zu verdanken. Die beiden, jeder für sich ein von Statur richtiges Elefantenbaby von vielleicht zwei Zentnern auf knapp zwei Meter Höhe, waren die kraftstrotzenden Platzhirsche. Beide hatten einen angestammten Thekenplatz. Die Umstehenden reichten ihnen bestenfalls bis zur Schulter. Die Schmiede waren so etwas wie die Kumpel vom Dienst für Roland und seine Kameraden. Attraktiv für Frauenaugen sah keiner der beiden aus. Aus rotbraun gegerbter Gesichtshaut, die von Narben eingebrannter Schlacke oder glühender Funken stammten, sprossen stoppelige Barthaare, die keine geschlossene Fläche bildeten. Beim Sohn ließen vernarbte Flechten keinen Haarwuchs zu. Das wilde blonde Kopfhaar mochte eine Schere am Nacken und an den Seiten gestutzt haben, aber für eine Fasson hatte bestimmt kein Friseur Hand angelegt. Wenngleich sauber angezogen, wirkten sie, als hätten sie gerade ihre Lederschürzen abgelegt. Ihre Hemdärmel spannten über den Muskeln. Die oberen vier Hemdknöpfe hätten sich nicht schließen lassen. Goldig-rotblond quollen zwischen der Knopfleiste die Brusthaare hervor. Ihr Bier tranken sie aus Literkrügen. Ein normales Bierglas in ihren großflächigen dicken Pranken mit wurstförmigen Fingern, hätte wie ein Likörglas ausgesehen. Der Vater war vom Sohn durch die ihm fehlenden oberen Vorderzähne zu unterscheiden. Bei aller Urwüchsigkeit ging von ihnen nichts Bedrohliches aus. Zur Flugschule hatten beide über viele Jahre Kontakt. Dort gab es immer wieder einmal Bedarf für schmiedekundiges Handanlegen. Über die Jahre war man bestens miteinander bekannt. Auf ihre Flieger waren sie stolz. Der letzte Dorftrottel wusste, dass diese unter dem Schutz der beiden Schmiede standen. Wäre es trotzdem einmal zu einer Schlägerei mit Flugschülern gekommen, wären den Beteiligten, unabhängig von der tatsächlichen Schuldfrage, einige Tage „Trauer" aufgebrummt worden. Jeder Flugschüler, ob in einer festen Beziehung oder nicht, kam, über die Wochen betrachtet, bei den Mädels ans Ziel.

Roland hatte sich einer Studentin namens Marion, die aus Magdeburg stammte, genähert. Von ihrem frischen, sonnengebräunten Gesicht und ihren, soweit er sehen konnte, sonnengebräunten Händen und Armen war er von Anfang an fasziniert. Als er sie das erste Mal sah, trug sie lange Hosen, und er hoffte im Moment seiner Wahl, ihre Beine mögen so grazil sein, wie ihre schmalen, ebenfalls sonnengebräunten Schultern mit dem dazwischen liegenden strammen Dekolleté. Sie war locker und ungezwungen, dabei von sprachlicher Schlagfertigkeit. Für ein flüchtiges Erntehelfer-Abenteuer hätte sie keine Antenne, das müsse er hinnehmen. Roland war so stolz, sie an seiner Seite zu haben, dass er Angst hatte, sie durch forsches Drängeln zu verlieren. Er spazierte mit ihr durch das Dorf in den Abend hinein, sie sahen den Sonnenuntergang und redeten über Literatur. So ging das zwei

Wochen lang. Ihr figurbetontes Sommerkleid zog ihn in seinen Bann und getanzt haben sie zusammen, als wären sie schon lange ein Paar. Endlich war dann auch für ihn Erntezeit – sie sank unter freiem Himmel vor ihm hernieder. Sie fingen an, sich die Zukunft ihrer Beziehung auszumalen. An Marion stimmte einfach alles. Roland war herzlichst engagiert. Marion reiste mit dem Versprechen ab, ihm sofort ein Bild von sich zu schicken. Die Eroberungen seiner Kameraden hatten quantitativ mehr Aktion zu bieten. Roland empfand das nicht als Summe bedauernswert verpasster Gelegenheiten. Er glaubte die Zukunft zu kennen. Er fühlte sich mit Marion verbunden. Die Dimension seiner Gefühle ließ ihn das lange Vorspiel nivellieren. Er glaubte, mit ihnen sei etwas Großartiges geschehen.

Für den 7. August erhielten alle Eltern vom Stützpunktleiter eine Einladung zum „Tag des offenen Platzes". Vom Frühstück an, über den ganzen Tag, konnten sich die Familienangehörigen den Flugbetrieb ansehen und mit den Ausbildern sprechen. Roland hätte das gerne auch seinen Eltern geboten, aber die waren in Bagdad. Er verlustierte sich mit Marion, deren Anwesenheit ihn beglückte.

Das kameradschaftliche Verhältnis zwischen Flugschülern und Fluglehrern schloss die Mechaniker ein. Diese waren es schließlich, die die Technik zuverlässig in Stand hielten. Manchmal mussten Nachtschichten eingelegt werden, um eine Maschine am nächsten Tag wieder einsatzbereit zu haben.

Sowjetische Flugschüler besuchten den Stützpunkt. Roland und seine Kameraden erfuhren, über wie viele Maschinen sie verfügten und wie viele Starts sie innerhalb einer Woche durchführten. Die Sowjets hatten doppelt so viele Flugzeuge. Keines davon war annähend so alt wie die deutschen Maschinen. Die neueren Maschinen der Sowjets (Jak-18A) hatten kein Spornrad am Heck. Deren Maschinen hatten ein einziehbares Bugrad. Ein weiterer Vorteil der Jak-18A bestand darin, dass sie über einen Öl-Souffleur verfügte. Den deutschen Jak-18, denen der Öl-Souffleur fehlte, wurde bei zu langer Rückenlage das Motoröl abgesaugt. Der Rumpf der Maschine verfärbte sich dann schwarz/ölig und man sprach von einer „Ölsardine". Das Abwaschen des Öls war eine "Sauarbeit", aber das Mindeste, den Mechanikern dabei zu helfen. Über die gesamte Ausbildungszeit wurden mit den anfangs vier Maschinen, ausgenommen die Schlechtwettertage, an denen Theorie auf dem Stundenplan stand, von morgens bis abends geflogen. In der letzten Woche gab es immerhin noch drei einsatzbereite Maschinen. Die sowjetischen Startzahlen erreichten nicht die des besuchten Stützpunkts. Die Sowjets hatten Reparaturstau. Aus den Erzählungen hörten sie heraus, dass ihre Mechaniker einen besseren Status hatten, als die sowjetischen Kollegen bei ihren Fliegern.

Bei aller Kameradschaft gab es auch Konkurrenz unter den Flugschülern. Jede Übung musste in Reihenfolge mehrmals gut bewertet sein, bevor die nächste Figur oder Übung begonnen werden durfte. Dabei kam neben der Bewertung das Wetter ins Spiel. Wenn durch Wetterbedingungen die Beobachtung der einen oder anderen Figur nicht möglich war, aber andere Übungen von Kameraden geflogen werden konnten, die vielleicht nur einen Start im Programm weiter waren, hatten letztere einen Vorteil. Das waren beispielsweise Instrumenten- oder Streckenflug. Von den Flugschülern wollte keiner ins Hintertreffen geraten. Die Abhängigkeit vom Wetter oder der Einsatzfähigkeit des Fluggeräts hing wie ein Damoklesschwert über jedem Kameraden.

Im Verlaufe der Wochen wurde auch klar, dass die Ausbildungsvorgabe für die Fluglehrer darin bestand, jeden für eine anschließende Ausbildung auf einem MiG-Jäger vorzubereiten. Die Fluglehrer, allen voran der Flugplatzkommandant, kamen ins Schwärmen, wenn sie von den Möglichkeiten sprachen, die jedem von ihnen geboten wären:

„Eine Düsenmaschine fliegen ist das Größte und Schönste, was es heutzutage für einen Flieger gibt. Ich würde alles dafür geben, auch eine MiG zu fliegen."

Dorsch rutschte so einfach aus dem Bauch heraus:

„Ich kann mich auch als Transport- oder Düngemittelflieger vorstellen."

So hatten sie ihren Kommandanten noch nicht erlebt:

„Das ist ja fast schon Defätismus! Wissen Sie, was für enorme Kosten der Staat für ihre Ausbildung ausgibt. Es wäre ja wohl ein Witz, wenn wir hier Düngemittelflieger ausbilden. Die Düse ist Ziel eines jeden meiner Flugschüler."

Das war deutlich, aber Rolands Ziel nach der Armeezeit war die zivile Luftfahrt. Da waren Qualifikationen mit der MiG eher hinderlich denn förderlich. Von Stund an behielt Roland seine Zukunftspläne vor den ihm nahestehenden Kameraden zurück.

Nunmehr tüftelte er an einer Strategie, die für seine Empfehlung an die Armee im Sinne zivile Luftfahrt nützlich werden könnte. Er ging davon aus, dass es auch Empfehlungen zur Armee-Motorflugschule geben würde. Da musste er dabei sein! Gewichtig sei sicherlich die Auswertung der Streckenflüge. Sich auf die akribisch vorzubereiten machte also doppelten Sinn.

Erstens, bei den Streckenflügen galt als oberstes Gebot, dass, wenn sich einer verfliegen sollte, er spätestens nach 30 Minuten seine Orientierung ausschließlich in Richtung Osten zu suchen hatte. Sollte jemand das vorgegebene Limit überfliegen, würden Abfangjäger der sowjetischen Freunde oder der NVA aufsteigen, um zu erkunden, ob da jemand in den Westen abhauen wolle. Im Zweifelsfall würde eine Landung so oder so erzwungen.

Zweitens, sich zu verfliegen und auch noch die Orientierung zu verlieren, wäre der Gau. Besonders gelungene Zielanflüge auf der Strecke brächten ihn der Motorflug- näher als der MiG-Schule.

Streckenflüge mussten in selbst gezeichneten Flugkarten nach Entfernung, Zeitplanung und Zielen den Ausbildern vorgelegt werden. Nach Besprechung mit dem Fluglehrer wurde der Flugauftrag schriftlich ausgehändigt. Es galt, Windrichtungen und Windstärken mit der Geschwindigkeit zu kombinieren. Bei einigen Aufträgen mussten auf die Minute genau Objekte am Boden, zum Beispiel ein Kirchturm in einem vorbestimmten Dorf oder ein Bahnhof überflogen werden. Dabei konnte bei Flügen, deren Flugzeit länger als zwei Stunden betrug und auf denen über mehreren Städten Richtungsänderungen vorgesehen waren, viel falsch gemacht werden. Ständiges Navigieren war nötig. Der Zielüberflug wurde aus dem jeweiligen Objekt an die Flugüberwachung und von dort dem Stützpunkt übermittelt. Roland rieb sich in der Maschine vor Freude die Hände, wenn er ein um das andere Mal einen minutengenauen Anflug hinter sich gebracht hatte. Beim Überfliegen in fünf bis sechshundert Metern Höhe bestaunte er immer wieder das bunte Landschaftsbild unter ihm, und manchmal summte er dabei die Melodie zum Liedtext.

'Oh Vaterland, wie bist du schön mit deinen Flüssen, Feldern, Tälern, deinen Höhn und all den stolzen Wäldern...'

Ein weiteres Ausbildungsfach neben Flugzeugtechnik, Navigation und praktischen Übungen war die Fallschirmkunde. Es wurde gezeigt und geübt, wie genau ein Fallschirm zusammengelegt sein muss, damit er sich im Notfall problemlos öffnen kann. Eine Mindesthöhe von 300 Metern Höhe müsse nach Abwurf des Kabinendaches, gegeben sein, um nicht wie ein Stein zu plumpsen. Jeder trug seinen Fallschirm vor dem Flug am Körper. Der Fallschirm war eigenhändig zusammengelegt. Er baumelte beim Laufen in den Kniekehlen. In der Maschine nahm ihn eine Wanne im Sitz auf und man saß auf ihm. Roland und seine Kameraden konnten Handgriff und Ablauf des Notfalls, den Ausstieg aus dem Flugzeug theoretisch herunterbeten als hätten sie es x-mal getan. Die größte Praxisnähe hingegen ergab sich für sie einmal am Gerüst des Sprungturms auf dem Platz. Da haben sie mit dem Fallschirm, der als Glocke befestigt war, den Sprung simuliert. Dabei kam es auf die Abrollbewegung am Boden an. Aus Flughöhe ist aber mit dem Fallschirm weder Roland noch einer seiner Kameraden jemals gesprungen. Die auf dem Flugplatz stationierte AN-2 startete fast täglich zur Fallschirmspringerausbildung zu einem außerhalb der Kunstflugzonen gelegenen Gelände. Nicht dass Roland und seine Kameraden das Fallschirmspringen vermisst hätten. Es wäre ihnen nämlich von der Flugzeit abgegangen. Unter sich fragten sie sich dennoch, warum sie nicht auch das Fallschirmspringen probten:

„Man will uns nicht ermuntern, bei jedem Furz gleich die Maschine zu verlassen."

„Klar, wenn der Furz nicht gleich ein gerissenes Seil oder ein weggeflogenes Ruder ist, bleib'ste drin. Fliegerisch geht da immer noch was."

„Is doch so, in der Kabine bist'e erst mal sicher."

„Der Ausstieg in finaler Notlage ist einfach. Aber die musst du spätestens in dreihundertfünfzig Meter erkannt haben."

„Dreihundertfünfzig sind aber auch verlockend hoch, unverletzt mit der Maschine runter zu kommen!"

In der ersten Oktoberwoche gab es Tage mit Temperaturen von morgens um die 4-6 Grad. Die Fluglehrer warnten, der Temperaturabfall mit der Höhe könnte in der Kunstflugzone bis auf unter Null Grad fallen:

„Bei gedrosseltem Motor kann die Hundert-Grad-Mindesttemperatur der Zylinderköpfe erreicht werden! Achten Sie besonders auf die Instrumente. Sofort in normale Fluglage zurück und Gas geben. Bei Zündungsausfall sofort Notentriegelung der Direkteinspritzung und pumpen. Noch Fragen?"

Keiner hatte Fragen, das Gehörte wussten sie.

Roland kam in die Bredouille - Aussteigen oder Notlanden im Wald. Nach Verlassen der Kunstflugzone in 1000m Höhe setzte die Zündung in 800m aus. Der Motor, zuvor gedrosselt, sprang nicht wieder an. Er handelte - entriegelte links und pumpte:

„Melde Platzanflug!" hatte er gerade durchgegeben und unmittelbar darauf rief er:

„Keine Zündung – pumpe!"

„Weiterpumpen - Zündung kommt!", hörte er.

Der Boden kam näher. Die Kürze der Zeit ließ die Angst nicht fühlen - er hatte genug zu tun. Bei Höhenverlust aus Angst mit der Verringerung des Gleitwinkels zu reagieren, verbot ihm die fundamentale Kenntnis. Anders zu handeln hätte zum Strömungsabriss am Flugzeug geführt. Die Maschine wäre unkontrolliert zu Boden getrudelt. Wie sagt der Segelflieger:

„Geschwindigkeit ist das halbe Leben!"

Ruck-zuck war die 300m-Mindesthöhe für den Fallschirmausstieg unterschritten. Kaum noch Hoffnung auf Vermeidung einer Notlandung, brav weiter pumpend, schaute er nach Landungsalternativen. Unter ihm dichter Wald.

Die Baumspitzen sind in so einem Fall als Fläche anzusehen. Auf ihr muss versucht werden zu landen wie auf einem Teppich - so die Theorie.

In etwa 30m Höhe öffnete sich der Baumkronen-Teppich. Er sah sich schon zwischen die Bäume krachen.

'Notlandung!' wollte er gerade rufen - da sprang der Motor an.

Er reagierte, als hätte es keine Not gegeben, gab Vollgas und stieg auf 200m, um die Landebahn anzufliegen. Für die Flugbeobachtung vom Platz war seine Maschine zuvor bereits vom Horizont verschwunden. Sie tauchte im Anflug zur 4. Kurve wieder auf.

Als er die Maschine abgestellt hatte, aus der Kabine 'raus auf die Tragfläche und von ihr auf den Boden sprang, stand schon der Jeep der Platzleitung vor ihm. Ab zum Rapport beim Stützpunktkommandanten:

„Melde mich wohlbehalten zurück. Besonderes Vorkommnis: Keine Zündung!"

„In welcher Höhe?"

„Etwa in 800m, kam ohne Störung aus Vollkreis links/rechts mit Motor raus, meldete Platzanflug, und da setzte die Zündung aus."

Hätte sich auch nur die Möglichkeit angedeutet, eine Temperaturunterschreitung der Zylinderköpfe könnte ursächlich, und womöglich die Instrumentenanzeige nicht beachtet worden sein, hätte er am selben Tag die Heimreise mit Schimpf und Schande antreten können.

Stattdessen lobte der Platzkommandant:

„Kaltschnäuzig, Grundmann, alle Achtung!"

Eigentlich stand ihm dieses Lob auch eher zu als der Rausschmiss. Auch im Nachhinein nahm er an, keinen Augenblick die Instrumentenanzeige übersehen zu haben. Die Maschine kam sofort in Mechanikerhände.

Am 15. Oktober 1960 war es soweit. Die Unterkünfte mussten von den Schülern gesäubert werden, und zwar so, wie sie von ihnen bei der Ankunft vorgefunden worden waren. Am Nachmittag wurden die Abschlüsse bekanntgegeben. Roland wurde in den Klassenraum gebeten. Alle Fluglehrer saßen an einer zusammengestellten Tischreihe mit weißer Decke vor ihm. Den Abschluss jeder Sektion ergab die Empfehlung für die Flugausbildung in der Armee. Seine lautete „Motorflugschule Dessau". Er war tatsächlich der Einzige, der nicht auf die Düse kam. Entweder hing diese Empfehlung mit seinem Alter zusammen, oder seine Strategie der bestens gelungenen Ziel-Anflüge hatte obsiegt. Alle Kameraden hatten ihre Ausbildung erfolgreich beendet. Sie kamen nach Cottbus, Forst oder Kamen. Roland konnte seine Freude nicht so zeigen, wie ihm zumute war. Vor diesem Gremium wäre das als provokant ausgelegt worden.

Am nächsten Morgen hatte jeder Zweibeiner auf dem Flugplatz eine feucht-fröhliche Nacht im erweiterten Kameradenkreis überlebt. Roland, ohne Schlaf, bügelte ganz früh seine Fliegerkombi. Jeder sah zu, schnellstmöglich auf Heimreise zu gehen.

Das sehnsüchtig erwartete Foto von Marion hatte er, wie versprochen, eine Woche drauf erhalten. Sie hatte ihrer Mutter von ihm erzählt. Marion lebte mit Mutter und Großmutter zusammen in einem kleinen Häuschen bei Magdeburg. Der Vater war im Krieg gefallen. Mutter war Zuschneiderin in einem volkseigenen Magdeburger Bekleidungsbetrieb. Marion studierte Fertigungs-technologie und träumte davon, später einmal Mode zu entwerfen. Roland wollte sie unbedingt gleich jetzt im Anschluss an die Motorflugschule besuchen.

Wie es sich gehörte, mit Blumen für jede der Frauen, kam er dort an. Das gefiel. Er fand sich in einem pedantisch sauberen und hellen Haushalt wieder. Nach freundlichster Begrüßung machten Mutter und Großmutter aus ihrer angestauten Neugier kein Geheimnis. In dieser heimischen Umgebung schien die Uhr in der Vorkriegszeit stehengeblieben zu sein. Ansprechend das Ganze. Bei Kaffee und Kuchen schwärmte Roland von der Fliegerei und seiner bevorstehenden 12-jährigen Armeezeit als Pilot. Damals war Armeedienst noch freiwillig, und wer den antrat, wurde nicht allerorts dafür bewundert. Diese Voreingenommenheit gegenüber der Nationalen Volksarmee (NVA) glaubte er bei den Frauen zu spüren. Die Atmosphäre war jedenfalls unterschwellig geprägt von Vorbehalten gegenüber der Welt, die er verkörperte. Die Frauen erzählten auch von ihren zahlreichen Verwandten in Westdeutschland und ließen durchblicken, welche beruflichen Möglichkeiten Marion auch dort hätte. Roland wurde nicht eingeladen, über Nacht zu bleiben. Marion begleitete ihn nicht zum Bahnhof, weil sie spät abends nur mit der Taxe nach Hause hätte fahren können. Täglich wartete Roland auf einen Brief von ihr, denn einen Telefonanschluss hatte die Familie nicht.

Wieder in Berlin, begeisterte Wolfgang ihn mit der Idee:

„Jetzt fehlt dir bloß noch die Fahrerlaubnis!"

„Kann'ste zaubern?"

„Bist doch in der GST – die machen das, wenn du zur NVA gehst!"

Tatsächlich, der vormilitärischen Ausbildung in der GST galt große Aufmerksamkeit. Mit dem Angebot, den Führerschein für Motorrad oder Auto machen zu können, wurde um Mitglieder in Berlin geworben. Die einzelnen Stützpunkte standen untereinander im Wettbewerb, möglichst viele Jugendliche zu requirieren. Für Motorrad und LKW den Führerschein zu machen war ein schlagendes Argument. Die damit einhergehende vormilitärische Ausbildung wurde akzeptiert. Die Verlockung, über die GST den Führerschein zu erhalten, hielt sich in Berlin dennoch in Grenzen. Roland stellte sich den Fahrlehrern der GST-Gruppe vor und erzählte von seiner Flugausbildung sowie der unmittelbar bevorstehenden Einberufung. Als Ansporn für andere wollte man ihm gerne noch Motorrad-und LKW-Fahren beibringen. Bei den Fahrschullehrern kam regelrecht Freude auf, denn sie hatten auf wundersame Weise einen zusätzlichen Fahrschüler gewonnen. Intensiv geschult, war in nur drei Wochen die Klasse 1 (Motorräder aller Klassen) und V (alle PKW und LKW) abgelegt. Die I erlernte er auf dem Motorradtyp MZ, das Autofahren auf einem LKW-H3. Mit dem Erwerb des Führerscheins hätte er, ohne 18 Jahre alt zu sein, am Straßenverkehr teilnehmen können. Dass er tatsächlich fahren würde, war unwahrscheinlich. In seinem Bekanntenkreis hatte keiner der Erwachsenen ein eigenes Auto, und Autos wurden damals nicht verliehen. Nicht nur die Ersatzteilfrage im Schadensfall stand im Raum, sondern ein Auto war damals kein Gebrauchsgegenstand, sondern ein wertvoller Besitz, den es zu hüten galt. Das Gleiche traf auf die Motorradbesitzer zu, von denen es im weiteren Bekanntenkreis einige gab. Die Fahrerlaubnis war für Roland also ein Prestige-Dokument, sozusagen ein Scheck auf die Zukunft.

In der Woche vor seiner Einberufung kam ein Brief von Marion. Es war ein Abschiedsbrief. Ihr täte alles sehr leid. Ohne Absender, abgestempelt in Gießen. Sie war zu ihren Verwandten nach

Westdeutschland übergesiedelt – salopp gesagt, sie war aus der DDR abgehauen. Er empfand die Flucht Marions als Verrat an allem, was sie beide mit Phantasie ausgemalt hatten. Traurig und enttäuscht, gab ihm der Beginn seiner Motorflugausbildung Kraft. Vielleicht hätte er ohne die Flugausbildung im Kopf im nächsten Zug nach Gießen gesessen. Gerne hätte er erfahren, ob der Schritt ihrer Übersiedlung auch etwas mit seiner Person zu tun hatte. Jetzt war die Sache für ihn unabänderlich. Es gab mehrere Fluchten aus seinem Bekanntenkreis in den Westen. So gesehen hatte Marions Abgang auch etwas Banales. Sie würde glücklich sein mit der Karriere zur Designerin, und er würde fliegen. Er bereute die verpassten Gelegenheiten mit anderen Mädels in Neuhausen weniger, als er die so romantische Entwicklung bis hin zur Waagerechten missen wollte. Nun stand er ohne Zukunftstraum in Liebe da, war solo und traurig - das tat so weh.

Am Mittwoch, dem 17. November 1960, hatte sich Roland bis 18 Uhr bei der NVA-Offiziersschule „Motorflugschule Dessau" an der Wache zu melden. Mitzubringen seien kompletter Kulturbeutel und Turnschuhe.

Freitag zuvor fuhr er letztmalig zu seinen Verwandten nach Westberlin, um ihnen aus seinem Fliegerleben zu erzählen. Nicht uneitel nahm er ihre Bewunderung wahr. Ihm zugesteckte finanzielle Zuwendungen erhöhten sein Wohlgefühl, aber er verdrängte diesen gedanklichen Zusammenhang, weil er ihm schäbig erschien. Den Anwesenden war klar, Roland steht im Übergang zu einem neuen Lebensabschnitt. Die vor ihm liegende langjährige „Armee-Zeit" gab natürlich Anlass zur Nachdenklichkeit. Wie würden die zukünftigen Kontakte aussehen? Ganz vorsichtig wurde dann doch ihm gegenüber im Konjunktiv gedeutet, dass zukünftig der Kontakt miteinander unter dem Ost-West-Konflikt würde leiden müssen. Roland konnte dem nicht widersprechen, aber genau sowenig wollte er hier und jetzt die Konsequenz akzeptieren. Er vergewisserte sie seiner Liebe, so wie er sich ihrer Liebe sicher sei. Dem gesellschaftlichen Systemstreit würde er mit Sicherheit keinen Platz im Familienkreis geben. Es sei für ihn einfach schön zu spüren, dass alles stimmig ist und zusammenpasst. Jeder von ihnen wollte gerne an den Status quo glauben und man war's zufrieden sich anderem zuzuwenden.

Sonnabend-Nachmittag traf er sich bei Karl-Heinz mit Wolfgang zu Kaffee und Kuchen. Ein bisschen Wehmut lag in der Luft, weil ab jetzt die seltenen Heimaturlaube von der Armee den Rhythmus gemeinsamer Unternehmungen bestimmen würden. Auf die abgehauene Marion zu sprechen kommend, wiegelte Karl-Heinz ab: „Nimm's nicht so schwer - es wächst immer wieder etwas nach."

Seine Armeeeinberufung hatte sich auch unter den Freunden seiner Eltern herumgesprochen. Sein „Partei-Pate", der mit Rolands Ortswechsel nach Dessau ein anderer sein würde, hatte ihn angerufen und für den Samstagabend zu einer Geburtstagsfeier eingeladen. Sie würde seinem Wohnblock gegenüber bei Genossen stattfinden. Er hatte nichts Besseres zu tun. Da saßen nun alte Kommunisten mit ihren Frauen. Einige tranken mehr und nur Wenige weniger. Getanzt wurde Foxtrott, Walzer und Wald und Wiese, so lange ihr Pegel das zuließ. Wie damals nicht selten, hatten ehemals Verfolgte Nachholbedarf in Sachen Frauen. So waren Eheverhältnisse mit größerem Altersunterschied bei den Paaren nichts Besonderes. Einer der Genossen hatte eine ehemalige Tänzerin zur Frau, die jetzt als Trainerin Ballettgruppen in Form hielt. In der Geburtstagsrunde war ihre Erscheinung Blick-und Angelpunkt. Es war nicht das von einer alltäglichen Dauerwelle eingerahmte Gesicht, sondern das bestimmte Etwas, das aus ihr sprach, was Roland vom ersten Augenkontakt an in seinen Bann zog. Als sich der Schwarm zu verlaufen begann, flüsterte sie ihm beim letzten Tanz zu:

"Wenn du willst, komme ich zu dir, nachdem ich meinen Mann nach Hause gebracht habe."

Roland wollte.

„Ich rufe an, wenn ich von zu Hause abfahren kann."

Ihr Mann war einer von denen, dessen Zustand jenseits von gut und böse lag.

Zu seiner Wohnung musste Roland nur über die Straße gehen, und ihre Wohnung lag in der Stalin-Allee nur vier Blocks entfernt. Tatsächlich meldete sie sich 20 Minuten später:

„Ich habe das Taxi gleich warten lassen, fahre jetzt los."

Wenig später läutete sie über die Haussprechanlage. Schon an der Wohnungstür umarmte sie ihn, ihr Parfüm war stark. Sie, 38 Jahre alt, mit Abstand die älteste Frau, mit der Roland bisher den Akt zu

vollziehen gedachte. Ohne Vorspiel ging es auf die von ihm
hergerichtete Schlafcouch. Sie zeigte sich im schummerigen Licht
seiner Schreibtischlampe fast wie Gott sie schuf – nur ihre Scham war
an den Rändern zu einem kleinen dunklen Dreieck mit gleichmäßig
gestutzten Haaren rasiert. Der Körper war makellos, das Gewebe fest.
Zum ersten Mal sah er an einer Frau, er glaubte seinen Augen kaum zu
trauen, rubinrot lackierte Zehennägel. Noch bevor er in sie eindrang,
flüsterte sie:
„Du kannst spritzen."
Wonnevoll dachte er kreativ an Neues, da hatte sie sich schon,
gelenkig wie ein Gummimensch, in anderer Stellung positioniert. Sie
lebten sich bis in den anbrechenden Morgen orgiastisch aneinander
aus. Roland hatte am ganzen Körper „Knutschflecke".

Gewachsene Flügel gebrochen und abgeschnitten

Es war ein trocken-wolkiger, von gelegentlichen Sonnenstrahlen
aufgeheiterter früher Nachmittag, als Roland vor dem Wachtor der
„Motorflugschule Dessau" ankam.
Die Flugschule war erst Anfang 1959 im Rahmen einer
Neustrukturierung der Luftstreitkräfte durch die Zusammenführung
in einem Schulgeschwader, bestehend aus den Staffeln der IL-14, der
An-2 und L-60, in Betrieb genommen worden. Dem Geschwader war
die Offiziersschule angeschlossen. Dieser oblag die theoretische
Ausbildung der Flugschüler. Im Geschwader wurden die eigenen
Fluglehrer ausgebildet. Später wurden hier auch die Flugzeugführer
für die Lufthansa/Interflug auf der An-2, der Il-14 und für den
Agrarflug auf der L-60 geschult.
Das sollte also auf Jahre sein neues Zuhause werden.
Von einem Läufer-Soldaten wurde er in das achtgeschossige
Haupthaus zu einer Kommandostube geführt. Dort saß hinter einer
Barriere ein Offizier mit weiteren Mannschaftsdienstgraden, die auf
die Neuzugänge warteten. Begrüßt wurde er mit „Genosse Flieger"
und zu antworten hatte er mit Genosse und Dienstgrad. „Flieger"
entsprach dem bei den "Sandlauschern" üblichen „Soldat". Die
Dienstgrade waren ihm, wie den anderen Neuzugängen auch, aus der

vormilitärischen Ausbildung bekannt. Irgendetwas schien einem Unteroffizier an ihm besonders interessant. Er fragte, weil sein Laufzettel sich in den Händen des Hauptmanns befand, wo er denn herkäme:

„Aus Berlin, Genosse Unteroffizier".

„Na genau darauf habe ich auch getippt."

Roland stand da, neben sich seinen auffälliger Reisekoffer, dessen Inhalt so gering war, dass er auch in einer Aktentasche Platz gefunden hätte. Mit diesem Koffer bei der Armee anzutreten galt Roland als Signal, aus weltmännischer Zivilgesellschaft zu kommen. Staubmantel über dem Arm, West-Nayteshemd, dünner Lederschlips, kariertes Sakko, am Revers das Segelfliegerabzeichen, zwei weiße Schwingen auf blauem Grund, gebügelte Hose mit engem Schlag und vorne spitz auslaufende schwarze Halbschuhe. Er gab das Bild eines Jung-Gentlement aus der Stadt der zwei Welten.

Anerkennung heischend für seine getroffene geographische Einordnung, blickte der Unteroffizier zum Genossen Hauptmann. Der erwiderte prompt mit zustimmendem Nicken und blieb ganz formal:

„Gut, Genosse Unteroffizier, übernehmen Sie den jungen Genossen!"

Das war der Auftrag, Roland die Stube zuzuweisen und die weiteren Abläufe zu erklären. Sie liefen über einen Flur, dessen braunes Linoleum wie eine Speckschwarte glänzte. Er war nicht der erste Angereiste, aber noch so rechtzeitig, dass er sich in dem zugewiesenen 12-Mann-Saal unter den metallenen Doppelstockbetten ein freies, Fensterreihe zweite Etage, aussuchen konnte. Es gab für die ganze Flugschülertruppe zwei große Säle und vier 6-Mann-Zimmer, Letztere waren bereits bei Rolands Ankunft belegt. Auf dem Eisenbettgestell lag eine nicht bezogene Matratze und am Fußende gestapelt, ein Keil, eine Decke, Laken, Kopf- und Bettbezug. Die Bezüge waren blau-weiß kariert, und wie nach den schon von den anwesenden Kameraden „gebauten" Ergebnissen zu beurteilen war, gab das dem lichtdurchfluteten Saal eine bäuerliche Jugendherbergs-Atmosphäre. Nach der Zimmerbestimmung ging es zur Bekleidungskammer. Roland erhielt eine Zeltplane, die er auf dem Boden auszubreiten hatte. Auf die Zeltplane wurden Uniform- und Ausrüstungsgegenstände gelegt, deren Entgegennahme kein Ende zu nehmen schien. Es gab zwei Uniformen. Die Hauptuniform war nicht neu. Es handelte sich um eine gereinigte, aber schon gebrauchte Flieger-Ausgehuniform (Soldatenuniform mit offen umgelegtem Revers mit den Patten der Luftstreitkräfte). Bei der zweiten Uniform handelte es sich um eine Art Arbeitsuniform aus Drillich. Schwerer Wintermantel, Koppel, Käppi, Schirmmütze, ein Paar „Knobelbecher", so hießen in der Armee die Stiefel aus dickem Schweinsleder, drei mal Unterwäsche (lang), drei Paar Schulterstücke ohne "Beschlag", vier weiße, einknöpfbare Kragenbinden, Stahlhelm, Umhängetasche mit Gasmaske, ein Kochgeschirr, vier graue Fußlappen, (das waren etwa 30x30cm quadratisch umsäumte Scheuertücher). Als Sportbekleidung wurde ein dunkelblauer Trainingsanzug, schwarze Sporthose, weißes Sporthemd, und dunkelblaue Schwimmhose zugeteilt. Der Unteroffizier zeigte ihm den zu seinem Bett gehörenden Spind. Der war so schmal wie der Werkstattspind im Internat. Hier sollten sämtliche der soeben empfangenen und seine spärlichen privaten Sachen Platz finden. Sein Koffer passte nicht hinein, und als er ihn obenauf legen wollte, hieß es sofort:

„Stopp, so geht das nicht. Auf dem Schrank haben Zeltplane, Kochgeschirr, Stahlhelm und die Gasmaske ihren Platz. Sehen Sie sich den eingeräumten Musterschrank links neben der Tür an. So will ich am Abend den Spind sehen. Ihren Koffer geben Sie in der Kleiderkammer ab. Sie können ihn in den ersten Heimaturlaub mitzunehmen. Den gibt es nicht vor Weihnachten. Von den Zivilsachen können sie sich auch gleich verabschieden. Zivil zu tragen wird auch beim ersten Heimaturlaub nicht gestattet sein. Jetzt lassen Sie sich von den Kameraden zeigen, wie Sie das Bett zu bauen haben. Wecken ist um 6:00 Uhr. Heute Abend können Sie sich mit dem Kochgeschirr im Speisesaal einfinden, um Abendbrot als Kaltverpflegung in Empfang zu nehmen."

Sie waren vielleicht 20 Minuten miteinander beschäftigt. Die ausgegebenen Gegenstände, sofern sie nicht hängend im Spind untergebracht waren, mussten „auf Kante", das heißt, übereinander gefaltet, wie mit dem Lineal gezogen drapiert werden. Einer, der zur der Einführung der Neulinge abgestellt war, machte sich unbeliebt. Er lästerte über missglückte Drapierungen mit deftigen Sprüchen. Er durfte das. Sein Dienstgrad "Feldwebel" deckte sein Benehmen. Das so augenscheinlich ausgekostete Machtgefühl sorgte bei den Neulingen für Missstimmung. Der Mann arbeite an diesem Abend für sein späteres Pseudonym „Schleifer", welches er nach ihrer Grundausbildung verdienter Maßen trug.

Besonders fremdartig und regelrecht kulturlos wurde von Roland empfunden, Fußlappen anstelle von Socken wickeln zu sollen. Mit den Fußlappen (30x30cm quadratische, umsäumte Scheuertücher) musste das nach vorne eingeschlagene Uniformhosenbein umwickelt werden. So musste alsdann in die Knobelbecher eingestiegen werden. Was sollte er machen. Diese Primitiv-Vorgabe zu monieren kam ihm nicht an. Er stand ja schließlich am Anfang seiner militärischen Laufbahn.

Inzwischen waren weitere Ankömmlinge hinzugekommen. Die zuvor Angereisten saßen, in die verteilten Trainingsanzüge gekleidet, um zwei längliche Tische herum, die in der Mitte des Saales auf dem spiegelnden Linoleumboden standen. Man stellte einander vor und tauschte sich aus, wo, wann und mit wem geflogen worden war. Kein Berliner weit und breit. Wie sich tags darauf herausstellte, waren unter den 46 Kameraden nur zwei aus Berlin und Umgebung. Dem anderen Rand-Berliner war Roland zuvor noch nicht begegnet.

Auf dem Weg zum gemeinsamen Essenfassen erkundeten sie noch etwas vom Schulgelände. Um 22:00 Uhr schallte es: „Nachtruhe" durch den Gang, das Licht ging aus, aber man redete in Grüppchen noch Stunden miteinander - man war neugierig zu erfahren, welcher Kamerad das gleiche Los gezogen hatte. Sie ahnten, die nächsten Wochen würden kein Zuckerschlecken. Der auf dem Gang gebrüllte Weckruf des UvD erscholl um 6:00 Uhr morgens: „Nachtruhe beenden! Fertig machen zum Frühsport! Sammeln vor dem Hausausgang in fünf Minuten!"

Es war ein sonniger Septembermorgen, die frische Luft animierte förmlich, den vom Unteroffizier begonnenen Dauerlauf, die Dehnungsübungen und Liegestütze zu absolvieren. Nach 15 Minuten war Schluss und jeder machte Morgentoilette. Der Waschraum nahm die volle Belegschaft auf, da zwei parallel verlaufende Wasch-Doppelreihen mit unzähligen Hähnen auf jeder Seite genügend Wasserdruck hervorbrachten.

Um 7:00 Uhr ging es in geschlossener Kolonne im Gleichschritt in den Kantinenraum zum Frühstück. Es gab zwar keinen Bohnenkaffee, aber die Menge an Schrippen, Brot, Butter, Wurstbelag, Harzer-Käse und Marmelade war reichlich.

Um 8:00 Uhr standen sie in Gruppen in Turnhose und -hemd vor dem Sanitätsrevier. Hier sollte von Ärzten und Schwestern ihr Gesundheitsstatus protokolliert werden.

Die Schwestern gaben für Roland altersmäßig und auch sonst keine begehrenswerten Kontaktziele ab. Trotzdem war er versucht, da es immerhin Frauen waren, sich über ihre Bewegungen unter den weißen Kitteln ein geistiges Bild ihrer Proportionen zu malen.

Ohne sich etwas dabei zu denken, zog er, wie von den Ärzten verlangt, auch noch seine Hose herunter. Den Oberkörper hatte er bereits zuvor entblößen müssen. Die aus Berlin mitgebrachten „Knutschflecke" waren teils noch dunkelblau, manche gingen an ihren Rändern schon in grünlich-gelb über. Na, das war doch etwas für die Damen, worüber sich mit den Ärzten ein paar anzügliche Bemerkungen austauschen ließen:

„Nach Schlag-Hämatomen scheint mir das nicht auszusehen, oder?", fragte der Genosse Stabsarzt in die Runde der Weißkittel. Zu Roland gewandt:

„Na Genosse, scheinen ja schwer unterwegs gewesen zu sein. Will nicht hoffen, dass Sie heute schlappmachen."

„Nein, Genosse Stabsarzt, überall voll einsatzbereit."

Wohlwollendes Nicken beim Stabsarzt, freundliches Nicken der Assistenten und angedeutetes Kichern bei den Schwestern. Diese Episode war von seinen Kameraden aufgenommen worden wie ein von Mann zu Mann erteilter Ritterschlag im Sinne von:

„Toller Hecht, der Berliner."

Drei Wochen Grundausbildung hatten begonnen. Sie waren in Zweierreihe auf dem Flur angetreten. Die Regularien wurden ihnen vom „Schleifer" vorgetragen:

„Ausgang, also Austritt vor das Kasernengebäude, gibt es in der ersten Woche nicht. In der zweiten Woche Ausgang in Gruppe mit Begleitung! Gemeinsame Stadtbegehung an Restaurationen und Kneipen vorbei, welche von Ihnen als Offiziersschüler nicht aufgesucht werden dürfen. An diesen Orten kommt es häufig zu gezielten Provokationen durch „kriminelle Subjekte", und geschlechtskranke Frauen gibt es dort auch. In der letzten Woche bekommt jeder zwei Mal individuellen Ausgang 17.00 - 22:00 Uhr. Den aber nur, wenn Sie zuvor allen Pflichten nachgekommen sind. Wenn nicht – Ausgang gestrichen! Abendessen in der Kantine entfällt, weil nach 21:00 Uhr geschlossen. Bei Ausgang ist der Friseur aufzusuchen und wer keine schwarzen Halbschuhe von zu Hause mitgebracht hat, kauft sich welche."

Es musste ein Stubenältester benannt werden. An Jahren zwar Jüngster, wurde Roland trotzdem vergattert – weil er wohl am ersten Tag den größten Auftritt gehabt hatte. Jetzt hatte er jedem ins Zimmer eintretenden Vorgesetzten Meldung zu erstatten. Umgekehrt war er die Person, die die Beseitigung bei Kontrollen festgestellter Mängel an die Zimmerbelegschaft zu delegieren hatte.

Exerzieren ohne Waffen und mehrmaliges Rennen über die 3000m lange Sturmbahn mit der Eskaladierwand. „Sprung auf, Marsch Marsch", unter und über die Hindernisse hinweg jagten die Neulinge vorwärts. Gleichschritt, Stechschritt und militärisches Bewegen wurden so lange exerziert, bis auch der Letzte wie eine aufgezogene Marionette funktionierte. Von morgens bis zur einstündigen Mittagspause und weiter bis zum Dunkelwerden um 16:00 Uhr war der tägliche Rhythmus. Anschließend stand Revier-Reinigen an.

Roland wurde zum Spezialisten in der Handhabung der Bohnerkeule (Blocker), und hatte somit Anteil am stetig hochglänzenden Linoleum-Fußbodenbelag aller Räume. Die Kameraden lernten, auch die Nasszellen bis in den letzten Winkel zu pflegen. Ohne „besondere Vorkommnisse", von Ausfällen des „Schleifers" einmal abgesehen, erfüllten sie diese Obliegenheiten.

Dann kam das Exerzieren mit der Waffe. Die Waffe war der deutsche Landser-Karabiner 98K. Mit diesem 'Modell-Schießgewehr' hatte schon die Großvatergeneration exerziert und gekämpft. Beim Demontieren, mit verbundenen Augen, Zusammensetzen des Gewehrschlosses sowie das Lauf-Reinigen mit Waffenöl wurde Inbrunst verlangt. Mit dem Gewehr wurde das Präsentieren, genannt „Griffekloppen", geübt. Der Terminus „Griffekloppen" war später das Pseudonym für „Frauen klarmachen". Beim Tanzen die Körper der Damen mit Handauflage gedrückt, um die wortlose vorentscheidende Abfrage für ein „Ja", „Nein" oder „Vielleicht" auszuloten.

Als weitere Waffen wurde die Handhabung der russischen PPSh 41, einer Maschinenpistole mit rundem Magazin und der AK47 (Awtomat Kalaschnikowa) geübt. Am Interessantesten war die Handhabung der Makarow-Pistole. Diese würde, wenn sie Offiziere seien, zur Uniform getragen.

Preußisch, höchst korrekt ging es auf dem Schießstand zu. Jede einzelne Patrone musste nach Anstehen durch Unterschrift als empfangen und jede Patronenhülse als Rückgabe quittiert werden. Weil auf dem Schießplatz, nur einen Steinwurf weit entfernt, auch die „sowjetischen Freunde" ihre Schießübungen absolvierten, konnte Rolands Truppe beobachten, dass dort die Patronen in die offen hingehaltene Mütze geschüttet wurden und ungezählt blieben.

Im Oktober gab es Regen. Der hinterließ mehr oder weniger große Pfützen. Der „Schleifer" peilte solche Pfützen und schlammigen Rinnsale am Wegesrand an, und schrie:

„Flieger von rechts!" oder „Flieger von links!"

Ohne Rücksicht auf Uniform und Ausrüstung warfen sie sich in den Matsch. Abends dann Auswaschen, Trocknen der Uniformteile und Waffenreinigung bis zur Nachtruhe.

Eine obligatorische Aufgabe war es, die einknöpfbaren Kragenbinden mit der Handwaschbürste zu schrubben, um nicht beim morgendlichen Appell als „Zigeuner" aufzufallen. Ausgewrungen und feucht wurden die Kragenbinden unter das Laken gelegt und mit der Körperwärme über Nacht getrocknet.

Die Wochenenden auf den Zimmern begannen am Sonnabend ab 13:00 Uhr. Fernsehen gab es zeitweise im Gemeinschaftsraum. Man hatte man Glück, wenn man Platz an einer der Tischtennisplatten fand. Post zu lesen bis zum Auswendigkönnen oder selber zu schreiben brachte etwas von der Welt zurück, die man mit Eintritt in die Armee verloren hatte. In Skat-runden wurde um Zehntelpfennige - eher ein symbolischer Betrag - gespielt. Um Geld zu spielen war verboten, wie auch das Trinken von Alkohol im Schulbereich. Die Eintönigkeit förderte seine sportliche Eigeninitiative. Er unternahm Intervall-Training und freute sich über Zeitverbesserungen auf der Kurzstrecke bis zu 400m. Wohin ihn diese Fähigkeit führen sollte, ahnte er nicht.

Die Grundausbildung war in ihrer Kürze hart, aber nicht grenzüberschreitend. Im Vergleich zu den üblicherweise längeren Grundausbildungszeiten der Nichtoffiziersschüler und schon erst recht im Verhältnis zur späteren Wehrpflichtigen-Ausbildung war Rolands Kompanie „gut bedient".

Die Laune war entspannt, als der abschließende Leistungstest anstand, laut Tagesbefehl ein Marsch von 25 Kilometern mit Stahlhelm auf dem Kopf und voller Ausrüstung nach Karte und Kompass quer durch das Gelände:

„Die letzten 5 Kilometer des Rückmarsches legen Sie mit aufgezogener Gasmaske zurück."

Es nahmen vier Unteroffiziere als Beobachter für je einen Mannschaftszug an der Übung teil. Der Genosse Hauptmann nannte als letzten Wendepunkt eine Gaststätte, an der er die Gruppen erwarten würde:

„Dem Zug, der zuerst an der Kneipe eintrifft, wird auf dem Rückweg die Gasmaske erlassen."

Mit Kompass und Karte umzugehen war für Roland und seine Kameraden keine Hürde. Alle vier Züge erreichten vorzeitig den Treffpunkt, zu dem der Genosse Hauptmann sich hatte fahren lassen:

„Ihr seid alle gut gewesen, Gasmaske auf dem Rückmarsch entfällt!"

Die Fußlappen in den Knobelbechern hatten bei einigen von ihnen Blasen bis auf das rohe Fleisch produziert, aber der Gedanke an die nunmehr beendete Grundausbildung half, sie zu ertragen.

Jetzt, am Ende der Grundausbildung, machte sich Roland so seine Gedanken über die Welt, in die er eingetreten war. Der Umgang uniformierter Menschen miteinander ist weitestgehend gekünstelt. Das Weitergeben von Anordnungen und Befehlen überwiegend in schreiendem Tonfall, als seien die Empfänger allesamt schwerhörig, auch das Meldung-machen, wobei einer auf den anderen im Stechschritt zugeht, ist widernatürlich. Ein rechter Militarist würde er wohl nie. Die Fliegerei, so seine Hoffnung, werde das in den bevorstehenden 12 Dienstjahren kompensieren.

Am Freitag sollte die Vereidigung stattfinden. Abends zuvor wurden die als gebraucht empfangenen Ausgehuniformen in der Bekleidungskammer abgegeben und in nagelneue umgetauscht. Der Stoff war zwar der gleiche kratzende feldgraue Stoff wie bei der

Uniform zuvor, aber neu ist halt neu, und die silberne Litze am Kragen für den Offiziersschüler war auch dran. Zu den Uniformjacken gab es zwei hellgraue Oberhemden, einen olivgrauen Schlips und einen olivfarbenen Pullover mit V-Ausschnitt. Am Morgen bekamen alle zum Appell ihre Schulterstücke als Offiziersschüler. Die graue Grundfläche war durch eine silberfarbene Litze umschlossen, und in der Mitte war ein gotisches „S" aufgestickt. Das Besondere an der Uniform der Luftstreitkräfte war, dass sie mit Schlips zum Hemd zu tragen war, nicht wie die der „Sandlatscher", bei denen die Uniformjacke ohne Kragenhemd bis zum Hals zugeknöpft war. Beim Wintermantel wurden die Revers aufgeschlagen, so dass das Hemd mit dem Schlips zum Vorschein kam. Das Aufschlagen des Revers war den „Sandlatschern" auch möglich, sichtbar blieb nur die bis zum Hals geschlossene Uniformjacke. Dieser unterschiedliche "Schick" zwischen den Waffengattungen hatte in der Deutschen Armee Tradition. In der späteren NVA-Historie wurde das Hemd mit Krawatte zur Uniformjacke auch anderen Waffengattungen zuteil.

Das gesamte Militär in der Motorflugschule-Dessau, das sich nicht im operativen Dienst befand, war angetreten. Die Piloten der Flugschule in ihren Paradeuniformen gaben ein schönes Bild ab. Der Anblick wäre noch prächtiger gewesen, jedoch war im Oktober schon "Winter" befohlen worden. Der warme Sonnentag blieb unberücksichtigt - man war nach Befehlslage im Wintermantel angetreten.

Der Block der Technik-Offiziere war auch stattlich. Das Wachbatallion der Schule, drei Kompanien stark, machte in der übrigen Kulisse grau in grau einen etwas ärmlichen Eindruck. Zuschauer waren auf einer kleinen Bühne platziert. Da saßen eingeladene Eltern, Gruppen „Junger Pioniere" und FDJ-ler, eine Arbeiterfunktionärs-Abordnung aus dem Dessauer Waggon-Werk und zahlreiche Offiziersfrauen, die ihre Männer defilieren sehen wollten. Staffelartig meldete ein Offizier zunächst dem Dienst-Ranghöheren, dieser wieder bis zum Kommandeur der Motorflugschule, der ein Oberst war.

Der schickte flammende Hetze an den Klassenfeind im Westen, der recht persönliche Worte an Roland und seine Kameraden für den freiwillig gewählten Waffendienst folgten. Er wünschte Erfolg für ihre Ausbildung zum Flugzeugführer. Die Vereidigung war der Höhepunkt.

Der Fahnenträger, ein Major, eskortiert von zwei Leutnants mit gezogenen Paradesäbeln, brachte die Truppenfahne. Der Eid wurde gesprochen und die neuen Offiziersschüler sprachen im Chor: "Ja, das geloben wir!"

Roland fehlten am Tag seiner Vereidigung noch knapp drei Monate zur Volljährigkeit mit 18 Jahren. Nach den schmetternden Klängen des preußischen Defiliermarschs marschierte er zusammen mit seinen Kameraden im Stechschritt an der Tribüne vorbei.

Kaum passiert galt - Orientierung in Richtung Kantine. Dort war ein gemeinsames Gänsebraten-Essen mit den Gästen vorbereitet. Da die an diesem Tage nicht vereidigten Marschierer noch in die Waffenkammern mussten, um ihre Gewehre abzugeben, hatten Roland und Kameraden die Auswahl unter den eingedeckten Tischen. Nach dem Mittagessen und anschließendem Beisammensein mit den Gästen gab es Ausgang bis 22.00 Uhr. Roland hatte keine Gäste. Die Eltern waren in Bagdad. Sein Nachmittagsprogramm war ein Atelierbesuch beim Uniformschneider.

Die „Schneidersleut" hatten ab September stets mächtig zu tun. Zum Jahrestag der DDR wurden Orden verliehen, Beförderungen ausgesprochen, und die Weihnachtsfeiertage waren auch nicht mehr weit. So wurde viel Tuch vernäht. Roland wollte schnellstens seine Ausgehuniform bekommen. Einen Zweireiher aus Offizierstuch mit blauen Biesen und bis zur Grenze der Zulässigkeit enge Hosen stellte er sich vor. Das Jackett sollte figurbetont, die Schulterstücken aufgenäht und nicht, wie üblich, wie kleine Bretter einseitig arretiert auf den Schultern wackeln. So eine „Gala-Uniform" kostete damals so viel wie zwei Monatssolde zusammen ausmachten. Er war nicht der einzige seiner Klasse, der eine Galauniform wollte, aber der erste, der sich diesen Traum zu erfüllen wusste. Als Finanzier hatte er an seinen neu benannten „Partei-Paten" gedacht, der in Leipzig wohnte: Vaters Freund, ein alter VVN-Kommunist, Dekan der journalistischen Fakultät der Universität zu Leipzig.

Der Schneider hatte zugesagt, noch vor den Feiertagen zu liefern. Das passte, da Roland früher ohnehin keinen Heimaturlaub bekommen würde. Nach der Schneiderei zufrieden durch die Straße wandernd, sah Roland plötzlich den „Schleifer" um die Straßenecke biegen und auf sich zukommen. In etwa drei Meter Entfernung grüßte der durch

Handanlegen an die Mütze. Roland erwiderte. Der Vorgang führte ihm in Sekundenschnelle die Hierarchie vor Augen, in der er einen großen Schritt vorgerückt war. Er, 17 Jahre alt, gerade drei Wochen in der Armee, wurde von einem Soldaten, der über viele Jahre bis zum Feldwebel befördert worden war, vorschriftsmäßig zuerst gegrüßt. Das wollte Roland gleich noch einmal erleben. Er flitzte um den Häuserbock. Auf diese Weise kam er dem „Schleifer" erneut entgegen, und die Grußzeremonie konnte wiederholt werden. Gegenüber diesem "Kommiss-Kopf" tat ihm das gut.

Nach der Grundausbildung wurden die Offiziersschüler innerhalb des Haupthauses auf 4-Bettzimmer verlegt. Jetzt waren die Betten nicht mehr doppelstöckig und jeder hatte seinen kleinen Nachttisch. Den Wochenrhythmus bestimmte der Schulbesuch. Mit Ausnahme militärischer Übungen trugen sie keine Stiefel, sondern Halbschuhe zu den gebügelten Uniform-Hosen, das Hemd mit Schlips, darüber den Pullunder mit V-Ausschnitt. Die Uniformjacke war im Unterricht entbehrlich, wurde aber beim Appell und außerhalb des Schulgebäudes getragen. Der Dienst erstreckte sich von Montag bis Samstag. Wecken 6:00 Uhr, Frühsport 15 Minuten, Frühstück 07:00 Uhr, ab 8:00 Uhr Unterricht in Blöcken von 90 Minuten, von 10 minütigen Pausen unterbrochen. 13:00-14:00 Uhr Mittagspause. Zu den Mahlzeiten wurde im Gleichschritt marschiert. Bis 18:00 Uhr Unterricht und/oder Selbststudium im Klassenraum. 19:00 Uhr Abendbrot. Freizeit, Abendtoilette, 22:30 Uhr Licht aus, Nachtruhe. Sonnabends dauerte der Unterricht bis 11:30 Uhr. Dann konnte verlängerter Ausgang, entweder bis Sonntag 24:00 oder ausnahmsweise bis Montag zum Dienst 6:00 Uhr genehmigt werden.

Trotz verlängerter Ausgangszeiten und der Heimat fern, fehlte ihm eine kurzweilige Gespielin. Man stelle sich das einmal vor: Uniformierte aller Waffengattungen drängen in die Kneipen der umliegenden Dörfer. Auf dem Parkett der üblichen Festsäle wird getanzt, und auf den oberhalb umlaufenden Galerien drängeln sich die Nichttänzer. Die Luft ist vom Zigarettenrauch trüb, von Bier- und Essensgeruch durchzogen. Die Anzahl von Frauen steht in klarem Missverhältnis zu den Männern. Die Atmosphäre ist trunken, es gibt Streit beim Aufeinandertreffen von Luftwaffe und "Sandlatschern". Die Frauen, sich ihrer Ausnahmestellung bewusst, akzeptieren mehr oder weniger aufdringliche Annäherungsversuche, mittendrin noch als „Matratzen" bekannte Dorfschönheiten.

Sogenannte „anständige Mädchen" kamen nur in Gruppen und gingen so auch wieder nach Hause. Roland war für seine Kameraden eine Art Fremdenführer. Sie versprachen sich von seiner in ihren Augen weltmännischen Prägung die Spürnase für adäquate Kontakte. Er klapperte mit ihnen Dessau und Umgebung ab. Die Kameraden-Staffage erbrachte ihm keinen Vorteil. Als Einzelkämpfer unterwegs wäre wohl mehr für ihn gelaufen. Notgedrungen akzeptierte er die Kameraderie als frauenlosen Spaßfaktor. Das Herum-Gestochere im Rudel in den provinziellen Weiten verstärkte die Sehnsucht nach seinem Berlin. Dort wusste er um das reichliche Frauenangebot und seinen Heimvorteil.

Das Weihnachtsfest und der Jahreswechsel 1960/61 standen bevor. Es sollte den ersten Heimaturlaub nach über drei Monaten geben. Den Berlin-Urlaub fest im Blick galt es, die Galauniform rechtzeitig beim Schneider abzuholen. Gut sechshundert Mark standen auf der Uhr. Dafür musste noch eine Fahrt nach Leipzig unternommen werden, um beim Professor die erforderliche Summe abzugreifen. Es klappte ohne große Verrenkung, denn in Kenntnis der Investition hatte Pate Heinrich bei Rolands Vater die Geldausgabe schon zuvor abgefragt.

Roland fühlte sich so gut in seiner Gala-Uniform, dass er noch im Atelier Porträt-Standfotos machen ließ.

Der siebentägige Urlaub, über die Weihnachtsfeiertage oder über Silvester, wurde nach Familienstand zugeteilt. Wer verheiratet, verlobt oder sich verloben wollte, hatte Erstzugriff auf Weihnachten. Die Übrigen konnten bis zu fünfzig Prozent Mannschaftsstärke zwischen Weihnachten und Silvester wählen. Rolands Eltern waren in Bagdad, und ihm war nicht nach stillen Stunden allein in Berlin. An den Festabenden waren die Tanzlokale und Bars in Berlin, wenn überhaupt geöffnet, nicht sonderlich frequentiert. Er wollte zurück ins Leben! So entschied er sich ohne Wenn und Aber für die Silvestervariante.

Knappe acht Tage selbstbestimmten Lebens erwarteten ihn. Seine Geldbörse hatte er im Dezember bedeckt gehalten. Ihr fehlten lediglich, aber immerhin nennenswert 30.- Mark für die als Geschenke vorgesehenen Fotos. 300.- Mark waren, gemessen an dem beabsichtigten Tag-und Nachtprogramm in der Hauptstadt, nicht üppig. Dann gab es noch so eine Art Notgroschen, der aus 180.- DM bestand, die noch aus der letzten Verabschiedung bei den Verwandten bestand. Insgeheim sah er seine lieben Verwandten im Berliner Westen als spendable Christkinder....

Sein Heimaturlaubsschein mit Bahnroute und Fahrkarte für die 2. Klasse waren seine Reiselegitimation. Auf dem Urlaubsschein war vermerkt - kein Zivil!

Das Einzige, was ihn als ehemals reisenden Zivilisten ausweisen konnte, war der auffällige Reisekoffer. Die Zugverbindung war günstig. Ganz Gentleman, trat er seinen ab Dessau reservierten Sitzplatz an eine Frau ab. Diese Geste erbrachte ihm ein lieblich ausgesprochenes „Dankeschön" mit freundlichem Augenaufschlag, aber keinen Flirt. Der steckengebliebene Kontaktversuch ließ ihn bis Berlin auf dem Gang stehen, denn auch der Restaurantwagen war voll besetzt.

Seine Ankunft in Berlin überschnitt sich mit der Heimkehr seiner Freunde nach einem normalen Arbeitstag. Gleich am Abend ging es zusammen mit deren Freundinnen ins „Frankfurter Tor". Die Freundinnen kannte Roland, denn sie waren nicht ausgetauscht worden. Er hatte seine Gala-Uniform angezogen. Dieser Aufzug brachte keine zusätzlichen Punkte, weder beim bekannten Bedienpersonal, noch beim Kapellmeister nebst Bandmitgliedern. Das Gegenteil war der Fall. Besucher in Uniform waren von den Servierkräften als finanziell schwach ausgemacht. Und überhaupt, wer ging schon freiwillig zur Armee? Entweder war man als Soldat oder Gefreiter bei der Fahne, weil man später studieren wollte oder man gehörte zu den Männern, denen im Zivilleben die Führung fehlte. Bei Uniformierten mit Litze oder Silber auf den Schulterstücken war der „Längerdienende" erkennbar. In diesem Falle konnte eine Loyalität gegenüber dem Sozialismus und der DDR vermutet werden. Das brachte kein Plus gegenüber spendablen Zivilisten. Die annoncierten der Kapelle eine Lage für gewünschte Melodien und ließen Essen und Getränke für umworbene Damen auffahren. Gegenüber Kavalieren aus Westberlin oder 1:5 getauschter Mark war der uniformierte Roland nur zweiter Sieger. Er wurde als Tänzer wahrgenommen, jedoch an seiner Person bestand kein Interesse.

Der erste Urlaubstag ging ohne streichelnde Frauenhände zu Ende.

In Uniform konnte Roland ja nicht nach Westberlin fahren. Er zog Zivil an: Lederjacke, Röhrenhose, spitze Schuhe. Mit der S-Bahn fuhr er über den Grenzbahnhof Treptow nach Westberlin. Nach seinem Dafürhalten tat er etwas ganz Normales – etwas, wie er es immer so gemacht hatte. Wenn ausgerechnet er unter Tausenden von Reisenden aus dem Zug geholt worden wäre, hätten man ihm das übel ausgelegt. Auf der Hinfahrt hätte das „Fahnenflucht" und auf der Rückfahrt „Kontaktaufnahme mit dem Feind" (Spionageverdacht) geheißen. Seine Armeekarriere wäre mit Sicherheit beendet, und es hätte sogar Gefängnis die Folge sein können. Solche Gedanken musste er nicht einmal verdrängen. Er spürte nicht den Hauch von Illoyalität gegenüber Staat und Armee. So hatte er noch nicht einmal erhöhten Blutdruck, als Kontrolleure am Bahnhof Treptow an ihm im Abteil vorbeigingen. Er vertraute seinem Aussehen als ein ganz normaler Berliner ohne Gepäck.

Zuerst führte ihn seine Besuchstour in den Laden der Ur-Großeltern zu Ur-Oma Anna. Unangemeldet stand er vor ihr, denn telefonisch aus Ostberlin den Besuch anzukündigen, verbot sich aus Vorsicht vor eventuellen Mithörern. Onkel Robert, Tante Herta und Onkel Gerhard waren auch im Haus. Onkel Robert schenkte er das Schwarz-weiß-Foto „Roland in Galauniform". Anschließend besuchte er Opa Rudolf und Oma Else, bei denen auch die inzwischen telefonisch herbeigerufenen Onkel Horst und Traudchen auf ihn warteten. Es war wie beim letzten Zusammensein, bevor er vor fast vier Monaten zur Armee eingerückt war - einfach herzlich und heimisch.

Opa Rudolf wollte „Roland in Galauniform" nicht:

„Versteh mich, mein Junge, ich will nicht schon wieder neue Uniformierte auf der Anrichte. Schenk mir mal ein schönes Bild in Zivil."

In der ganzen Wiedersehensfreude sorgte er sich:

„Sei bloß nicht so leichtsinnig. Wenn dich die Vopos erwischen, buchten sie dich ein."

Nicht die Verwandten beruhigten Roland, sondern im Gegenteil, er wollte es besonders männlich tun. Er ließ seinen bekannt flapsigen Spruch los:

„Ich weiß alles, ich kann alles, ich darf alles."

So ganz im Innern hörte er sich Blödsinn reden.

Die Familie hatte ganz nebenbei Rolands Geldbörse mit rund 290.-DM gefüllt. Roland fuhr zum Bahnhof Zoo, wo er sich mit zehn Stangen Zigaretten, Marke „Ernte 23" und „Peter Stuyvesandt", eindeckte. In der Wechselstube am Bahnhof tauschte er fünfhundert Ostmark ein. Beim Spazieren und der Fahrt mit der Hochbahn sah er über den Kinoeingängen und an den Litfaßsäulen riesige Werbebilder für den Film „Serengeti darf nicht sterben". Den wollte er sich am nächsten Tag unbedingt ansehen.

An diesem Abend ging Roland nicht ins „Frankfurter Tor", sondern alleine in Zivil ins Café „Budapest" neben dem Restaurant „Warschau" in der Stalin-Allee. Dort befand sich im Untergeschoss die Nachttanzbar „Tokajer Keller". Zu Fuß war sie etwa 10 Minuten von seiner Wohnung entfernt. Sie war bei den Berlinern so gefragt, dass es ohne vorherige Platzreservierung keinen Einlass gab. In diesem Fall musste mit einer Packung Westzigaretten oder einem Geldschein nachgeholfen werden. Westzigaretten wirkten mehr! Roland tanzte und trank bis zum frühen Morgen. Allerdings hatten sich die Frauen schon zu den Festtagen bis zum Jahreswechsel in der Wahl ihrer Partner festgelegt. Was noch betanzt werden wollte, war allenfalls zweite Garde oder lag deutlich über seinem Alter.

So ging Rolands zweiter Tag zu Ende, und der dritte begann mit dem Heimweg vom „Tokajer Keller" bei frostiger Luft. Angekommen war er wieder nüchtern.

Kino, erste Nachmittagsvorstellung, war Programm. Diesmal nahm Roland die U-Bahn. Das, was er mit dem Film „Serengeti darf nicht sterben" erlebte, sollte ihm über Jahre in Erinnerung bleiben. Es war nicht nur einfach ein Film, sondern ein Filmereignis, das sich von all seinen früheren Kinobesuchen abhob. Mit stehendem Applaus wurde der Film am Ende gefeiert. Der Eindruck von Landschaft und Tieren um den Ngorongoro-Krater, von Bernhard und Michael GRZIMEK so eindrucksvoll dokumentiert, hat sich bei Roland eingebrannt. Afrika blieb ihm als Reisetraum.

Damals unvorstellbar, mit der „Serengeti" war Kino im unvermauerten Berlin für Roland gestorben.

Es war nur die Schleife über die Wohnung zum Kleiderwechsel vonnöten. Mit neuer Hoffnung machte er sich zeitig zum „Tokajer-

Keller"auf. Wie selbstverständlich wechselte eine Packung „Ernte 23"
in die Hände des Einlassers, der sich ihm als Platzanweiser andiente.
Zuvorkommend begleitete er ihn bis zu einem Tisch direkt an der
Tanzfläche und verabschiedete sich mit:
„Waidmanns Heil".
Roland griff diese Vertraulichkeit auf:
„Waidmanns Dank, wenn Sie sich verdient machen wollen, platzieren
Sie doch nette Damen auf die freien Plätze an meinem Tisch."
„Wird jemacht, der Herr!"
Und tatsächlich, es mochte eine Viertelstunde vergangen sein, die
Tanzfläche füllte sich allmählich, als der rührige Platzanweiser mit
zwei Damen vor Rolands Tisch stand und artig fragte:
„Haben der Herr etwas dagegen, wenn sich die zwei Damen zu ihm an
den Tisch setzen?"
„Ganz ehrlich? Ich wüsste keine bessere Frage gestellt zu bekommen!"
Roland frohlockte innerlich.
Er erhob sich und half galant, einen der freien Stühle der
nächststehenden Dame bereitzuhalten. Den anderen Stuhl hatte der
Platzanweiser an der Lehne umgriffen, um ihn der zweiten Dame zu
widmen.
Nur ganz flüchtig konnte Roland dem sich abwendenden
Platzanweiser „Bestens" zuflüstern.
Die platzierten Damen waren ungefähr in seinem Alter, der
Preisklasse des „Tokajer-Kellers" entsprechend gekleidet und modern
frisiert. An der Sprache erkannte er:
'Beide landsmännisch aus der Region.'
Der Abend ließ sich gut an, die Stimmung am Tisch war knisternd-
neugierig. Inzwischen waren zwei weitere Gläser serviert und man
trank zu dritt bernsteinfarbenen Tokajer-Wein aus der Flasche, die
Roland eingangs bestellt hatte. Die Getränkekarte studierend,
erblickte eine der Damen über deren Rand hinweg einen ihr
bekannten jungen Mann auf der Tanzfläche. Nachdem dieser seine
Tanzdame zu ihrem Tisch zurückgebracht hatte, kam er an Rolands
Tisch. Die Damen schienen erfreut, ihn zu sehen. Es war klar, der
vierte Platz am Tisch gehört ihm. Als würden Roland und der junge

Mann sich schon länger kennen, war man sofort einig, die gesamte Rechnung durch zwei zu teilen. Es wurde ungarische Salami auf geröstetem Brot bestellt – eine exquisite Anrichtung des Hauses. Sie wechselten zu „Sowjetskoje Schampanskoje", dem Klassiker aus der Krim. Kultivierte Veranstaltung das Ganze! Roland tanzte so gut, dass beide Frauen abwechselnd von ihm geführt werden wollten. Der junge Mann, Hans sein Name, hatte es auf die Dame Jutta abgesehen und für Roland blieb die Dame Inge. Roland war das so oder so gleich, denn ihm gefiel Jutta genauso wie Inge. Natürlich wurde nach dem Beruf gefragt. Roland erklärte sich zum Studenten an einer Fachschule in Dessau. Hans war Dekorateur im KADEWE am Wittenbergplatz. Jutta und Inge stammten aus Potsdam und arbeiteten als Serviererinnen in einer Westberliner Restauration. Es war die letzte Nacht vor dem Jahresende. Für Roland klang es, als hätte Hans seine Gedanken gelesen:

„Sag mal, Roland, will'ste nich zur Silvestersause ins Restaurant von Jutta und Inge kommen?"

Die Damen schauten gespannt:

„Lässt sich einrichten. Komme gerne zu schönen Damen."

Roland hatte mit jedem Tanz bei Inge mehr das Gefühl, er befände sich auf dem richtigen Weg. Bei jedem seiner körperlichen Hinweise gab sie zu verstehen, dass sie ihn gerne so eng und nahe fühlte. Körpersprache beim Tanzen ist eine der sinnlichen Verständigungen. Den in Nachbarschaft Tanzenden und der neugierig beobachtenden Gemeinde war das wortlose Zwiegespräch zu verbergen.

Gegen zwei Uhr morgens brachen sie auf. Roland vergaß nicht, sich gegenüber dem Platzanweiser ehrlich zu machen. Noch eine Packung „Ernte 23" wechselte den Besitzer. Inge blockte Rolands Angebot ab, mit zu ihm zu kommen:

„Das geht mir zu schnell. Bin ja schließlich ein anständiges Mädchen", witzelte sie.

Hans war motorisiert und hatte seinen VW in der Seitenstraße zum Tokajer-Keller abgestellt. Er bot den Mädels an, sie in den Tiergarten zu fahren. Dort, so schien er zu wissen, hatten beide jeweils ein Zimmer zur Untermiete im Souterrain des Restaurants, in dem sie tagsüber arbeiteten. Roland hatte mitbekommen, dass Jutta und Hans gemeinsam nächtigen würden. Er ging bis zum Auto mit, wobei Inge und er, sich küssend, kaum voneinander loskamen. Sie mussten es schließlich, denn Hans wollte losfahren. Unmittelbar bevor sie einstieg, kam sie mit dem Mund an sein Ohr:

„Ab morgen bin ich sicher." Rolands Herz schlug bis zum Hals - das klang ja wie ein Versprechen!

Er hatte jetzt wieder den gleichen ernüchternden Heimweg vor sich, aber er trat ihn diesmal in der Hoffnung auf einen krönenden Jahreswechsel mit Inge an.

Die Freunde waren überrascht, sein neues Silvesterprogramm - Einladung von zwei Potsdamerinnen - zu vernehmen. Natürlich verschwieg er am Telefon tunlichst, dass es sich um eine Einladung in Westberlin handele.

Er wollte aus- und vorschlafen, aber das klappte nicht. Klar war, dass er besten Zwirn anlegen würde, aber unsicher darüber, welches Gastgeschenk er in die ihm unbekannte Silvestergesellschaft einbringen könne. Irgendeine Flasche mitzubringen, hieße Eulen nach Athen tragen, denn die Einladende schien ja Wirtsfrau zu sein. Ihr Flüssiges zu übergeben, erschien ihm nicht sonderlich originell. Er entschied sich für Blumen. Ausgerechnet Samstag, und er brauchte Blumen. Keine fünf Minuten entfernt in der Rigaer Straße gab es einen privaten Blumenladen, dessen Betreiber Parterre neben dem Laden wohnten. Also hin! Die Laden- und Wohnjalousien waren runter gelassen. Er klingelte und pochte an die Haustür. Mit dem verlockenden Angebot, den doppelten Preis zu zahlen, für welche Blumen auch immer, erzielte er Wirkung. Die Ladentürjalousie wurde hochgezogen. Sein die Notlage spiegelnder Charme entfachte bei der Blumenfrau guten Willen und Kreativität. Das stumpfe braune Packpapier wurde von ihr in künstlerischer Optik um die Blumen gewickelt. Zehn Mark kostete ihn der Spaß. Für Inge ließ er sich ein ganz persönliches Geschenk einfallen. Mutter Margot hatte ihm ja vor zwei Jahren die Portemonnaie-Brieftasche aus feinstem Baby-Kamelleder mit eingestanzten orientalischen Motiven geschenkt. Gedacht, getan, eingepackt und hingelegt zum Vorschlafen. Nicht so ausgeruht wie erhofft, aber unternehmungslustig, machte er sich in den Westberliner Tiergarten auf. Das angesteuerte Restaurant lag am oberen Ende der Potsdamer Straße. Nicht die allerbeste Lage damals, denn etwa zweihundert Meter weiter südlich begann der größte Straßenstrich von Berlin. „Kutscher" hieß wohl die Gasstätte, gegenüber dem Redaktionshaus vom "Tagesspiegel" gelegen. Die Fahrt in den Westen fand mit der U-Bahn statt. Ernstlich nicht an Kompliziertes denkend – es war ja Silvester - passierte er die Sektorengrenze. Am Ort des Geschehens gegen Acht eingetroffen, wurde er als der Herr Student aus Ostberlin herzlich von Hans der Festgesellschaft nach und nach vorgestellt. Hans hatte, wie vermutet, die Nacht mit Jutta verbracht. Eindruck machte Roland bei der Gastgeberin mit dem kunstvoll eingewickelten Blumenstrauß. Inges Freude, ihn wiederzusehen, war überzeugend und liebreizend. Mit seinem Geschenk brachte er sie allerdings so aus der Fassung, dass sie sich erst einmal mit Jutta zurückzog, um es zu bestaunen. Die Festgesellschaft bestand aus etwa 100 Leuten. Im großen Festsaal des Restaurants gab es Sitz- und Tischreihen entlang der Wände. In der Saalmitte wurde auf einer großen Parkettfläche getanzt. Eine sechsköpfige Band mit drei Saxophonisten, die sich untereinander als Solisten ablösten, heizte die Stimmung an. Bockwurst mit Kartoffelsalat und Obst-Bowle gab es kostenlos bis zum Abwinken.

Da sich Inge und Jutta mit um die Bedienung kümmerten, hatte Roland es zwischenzeitlich mit mehreren Damen zu tun, deren Männern nicht nach Tanzen war oder eine Pause eingelegt hatten.

Es war gegen zehn Uhr, als Inge die Initiative ergriff. Von Roland bei den letzten Takten eines langsamen Walzers geführt, um den sie wohl zuvor bei der Kapelle gebeten hatte, rief sie Jutta zu:

„Ich bin gleich mal kurz weg."

„Roland", flüsterte sie, „ich will dich und zwar jetzt, noch in diesem Jahr."

Potz-plautz (!), das war ja eine ähnliche Ansage wie sie ihm letztens im September zugeflüstert worden war.

Von der Küche gab es einen Zugang zum Treppenhaus, das auch zu den im Souterrain gelegenen Dienstmädchenkammern führte. Die waren Juttas und Inges Zuhause. Vermieterin war Inges Chefin. Im Moment war diese durch den Trubel voll in Anspruch genommen, und so konnte das Betreten der Mädchenzimmer unbemerkt erfolgen. Roland nahm schnell wahr, dass das Zimmer wie ein Provisorium wirkte.

Inge knöpfte ihre Servierschürze ab, zog den Rock aus und streifte das Höschen herunter. Die Strümpfe blieben am Strumpfhalter, die Bluse knöpfte sie auf, ohne den BH zu öffnen. Roland erfasste die Situation, tat es ihr gleich, und entledigte sich seiner Schuhe und Hosen. Sitzend umarmten sie sich und kippten auf das mit einer Tagesdecke abgedeckte Bett. Zeit für's Ansehen figürlicher Einzelheiten Inges blieb nicht. Sie küssten sich – er drang in sie ein und kurz darauf war es schon passiert. Inge stöhnte wonniglich – glücklich schauten sie sich an. Bei ihr schien es ähnlich abgelaufen zu sein. Das ganze Drumherum machte den Eindruck, als hätte Inge lange keinen Mann gehabt, so wie Roland keine Frau. Rolands Lust war immens. Nach dem Erguss blieb die volle Erektion. Das sah Inge und er vernahm: „Ich freue mich auf dich im neuen Jahr."

Jetzt drängte sie aber zum Anziehen, denn sie müsse sich wieder sehen lassen. Mit freudig glasigen Augen tauchten sie in die Festgemeinde ein. Jutta warf Roland einen wissenden Blick zu, so als hätte sie Anteil an dem Geschehenen. Für Roland hing der Himmel voller Geigen. Am liebsten hätte er jeden der feiernden Gäste umarmt. Es quälte ihn förmlich, diesen seinen ersten "Ruckzucki" völlig für sich behalten zu müssen. Inge war selig und beide wünschten, sich mit sehnsüchtigen Blicken befeuernd, das neue Jahr herbei.

Es war soweit:

„Prosit Neujahr!", schrie Roland aus vollem Herzen.

Auf der Straße vor dem Restaurant stehend, knallten rings um ihn herum die Böller und flogen die Raketen in den schnee-rieseligen Himmel. Inge hielt er im Arm und bei ihm lief der Film des zum Jahresende Erlebten ab. Erst gegen 4 Uhr morgens hatte sich der Schwarm, verzögert durch zu wenige Taxen, verlaufen. Jutta war mit Hans im Taxi verschwunden. Neujahr-Mittag wären sie wieder da. Inge bat Roland, sich pro forma bei ihrer Chefin zu verabschieden. Er tat es mit Dank und Respekt. In einem passenden Augenblick geleitete Inge schnell ihren Roland zurück ins Zimmer:

„Kannst es dir nach dem Waschen unter der Bettdecke bequem machen. Die Ölofenheizung ist seit gestern aus. Ich komme, wenn ich mit der Chefin und den Mädels das Nötigste aufgeräumt habe."

Nun merkte Roland, dass beide Zimmer durch Türen über eine Durchgangs- Nasszelle mit Waschstelle, Kochnische und, durch einen Wachstuchvorhang getrennt, Toilette verbunden waren. Das wirkliche Zuhause von Jutta und Inge, so hatten sie erzählt, läge in Potsdam. Die Einfachheit der Bleibe ergab Sinn.

Im Dämmerschlaf hörte er Inge nach ihm fragen. Zwischen der Frage und ihrem Erscheinen lagen noch Waschgeräusche – dann stand sie in ihrer ganzen Vollkommenheit nackt vor ihm am Bett. Er begeisterte sich am Anblick ihrer schlanken Beine, die auch ohne betonende Absatzschuhe scheinbar endlos schienen. Die langen Schenkel schlossen sich erst im oberen Schritt. Ihre mädchenhaft zarten Brüste lagen kaum auf, und die Brustwarzen hatten einen kleinen dezenten "Hof". Hätte Roland einen Frauenkörper nach seinem damaligen Ideal zeichnen sollen, wäre Inges Bild entstanden.

Wenn zwei schöne Körper zusammenkommen, verlangt jeder seine ganze Wahrnehmung. Die Neugier verlängert das Vorspiel und der Akt selbst bildet den Schlusspunkt gegenseitiger Verehrung.

Roland und Inge fanden sich öfter, bevor sie totenähnlich in den hellen Neujahrsmorgen schliefen. Nach einer Katzenwäsche lagen sie glücklich entspannt beieinander - im Unterschied zur Nacht bei vollständiger Helligkeit. Diese Vertrautheit hatte Roland noch nicht erlebt. Er empfand sie als das Optimum zwischen Mann und Frau.

Jutta war schon wiederholt an der Tür:

„Frohes Neues Jahr, wie geht's euch beiden? Wir wollen oben essen!"

„Wir kommen jetzt, lenk' die Chefin ab! Dann essen wir zusammen."

Der fünfte Urlaubstag nahm seinen Gang.

Es war nach 12 Uhr, als sie im für die Öffentlichkeit geschlossenen Restaurant mit Jutta zusammentrafen. Die Chefin war auch schon zu Gange und erfreut, Roland wiederzusehen:

„Die Liebe muss ja groß sein, wenn du schon wieder hier bist."

Im selben Atemzug gab sie an die Küche weiter:

„Bitte jedem zwei Eier mit Speck. Kartoffelsalat ist ja noch da."

So saßen sie dann alle Fünf um den runden Stammtisch gegenüber dem Tresen im vorderen Saal. Jutta und Hans neckten sich und kicherten miteinander, ohne dabei mitzubekommen, dass sie

nebenbei ihre Tages- und Nachtplanungen kundtaten. Die Chefin wollte mehr über Roland erfahren. Von Hans schien sie das Wichtigste zu kennen. Ihre Neugier entsprang fürsorglichem Interesse um ihre Mädels. Roland erahnte Komplikationen, und so richtig lügen wollte er auch nicht. Ihm kam zupass, die Wirtin kannte den Laden von Rolands Großvater vom Sehen her. Ohne dass Verdacht aufkam, begann er von einer schulischen Vorbereitung in Dessau zu erzählen, die später zum Ingenieur führen würde. Sein Flunkern erleichterte den Vertrauensaufbau bei der Chefin. Sie kannte Dessau, wo sie schon mal Verwandte besuchte. Rolands Schilderungen der Stadt waren nachvollziehbar, weil richtig. Trotzdem wollte Roland Inge reinen Wein über seine Person einschenken. Dies in Westberlin zu tun, schien ihm unpassend. Er nahm Inge beiseite:
„Ich möchte dich mit zu mir nehmen. Will mit dir alleine sein und alles von dir wissen."
Sie reagierte erfreut und neugierig. Kumpelhaft-freundschaftlich verabschiedeten sie sich aus der Runde, so als sähe man sich in Kürze sowieso wieder.

Kaum wahrnehmbar ging es via U-Bahn über die Grenze. Als Inge in der Garderobe von Rolands Wohnung den Militärmantel hängen sah, war sie völlig konsterniert. So etwas hatte sie nicht erwartet! Sie machte noch in der Garderobe kehrt und war im Gehen begriffen. Roland hielt sie in der Umarmung fest, und es gelang ihm, ihr den Mantel abzustreifen. Irgendwie kamen sie bis in die Küche an den Tisch. Roland redete und redete, während er eine Flasche Wein öffnete. Inge gab schluchzend Halbsätze von sich und hätte wohl am liebsten losgeheult. Seine Zutrank-Gesten blieben unerwidert. Ganz allmählich, nach einer kaum zu ertragenden Weile, wurde sie ruhiger. Sie schien aufnahmebereit für Rolands Geschichte, vielleicht war sie aber nur neugierig. Er rechtfertigte seine Verhaltensweise ohne Schuldbewusstsein. Inge fragte vorsichtig, aber deshalb nicht weniger vorwurfsvoll:
„Meinst du nicht, Offenheit wäre besser gewesen? Hätte ich doch verdient, oder?"
„Wie denn? Mein Interesse für dich war doch echt!"

„Du weißt schon, was oder wie ich das meine!"

„Schon, aber wer sagte mir, dass du nicht weg gewesen wärst, bevor du mich richtig kennengelernt hast? Mir fiel das schwer genug!"

Er setzte noch einen drauf:

„Was meinst du eigentlich, welches Risiko es für mich war, in Zivil und ohne Papiere in eine mir unbekannte Festgesellschaft nach Westberlin zu kommen?"

„Lass gut sein!"

Roland monologisierte weiter, aber dann – endlich – erwiderte sie seinen Zutrank.

Sie fragte und prüfte quasi ab, woher er Westzigaretten und Westgeld hatte. Er erzählte von dem überwältigenden Filmerlebnis „Serengeti darf nicht sterben" und warb darum, mit ihr noch einmal hinzugehen. Die Plausibilität und sein werbend-warmer Ton brachten sie soweit, von sich zu erzählen. Sie saßen sich am Tisch gegenüber. Ihre Hände hatten zueinander gefunden und lagen halb ausgestreckt aufeinander.

Jutta und Inge, beide 18 Jahre alt, hatten im letzten August ihre Ausbildung zur Servierfachfrau in Potsdam abgeschlossen. Inge war seit dem zweiten Lehrjahr mit dem ersten Mann ihres Lebens liiert, den sie in der Berufsschule kennengelernt hatte. Nach der Lehre war ihr Freund zum Kellnern nach Rügen gegangen. Dort hatte er sie mit einer seiner Kolleginnen betrogen, was ihr hinterbracht wurde. Am Boden zerstört, wollte Inge nur noch weg. Jutta und sie waren ohnehin nicht von der Aussicht begeistert, in der tristen DDR bzw. ihrer HO-Gaststätten-Organisation zu kellnern. Ihr Glück im Westen zu suchen sollte keine Flucht sein. Schritt für Schritt sollte das Verlassen vonstatten gehen. Bei ihrer Arbeitssuche kamen sie bestens im „Kutscher" unter. Mindestens einmal im Monat fuhr sie zusammen mit Jutta nach Potsdam zu den Eltern, wo sie beide noch polizeilich gemeldet seien. Den DDR-Personalausweis hatten sie auch noch.

„Wenn ich mit Jutta tanzen gehe, dann gerne nach Ostberlin in den „Tokajer-Keller". Dort arbeitet eine Bekannte aus unserer Lehrzeit in der Küche. Das Publikum als solches ist uns vertrauter als das im Westen. Dort behandelt man uns oft als „Ostbräute", als seien wir auf „Kohle" aus."

Die Krise schien überstanden, schätzte Roland die Lage ein, denn in Inges Augen funkelte es, wenn auch nur sekundenschnell, lieb auf. Sie zogen in Rolands Zimmer und er ließ sie wie selbstverständlich allein, um sich im Bad frisch zu machen. Die Privatatmosphäre des Zimmers half ihr, das Rolandbild auszumalen.

Im seidenen Morgenmantel, der aus dem Orient stammte, und einen seidenen Umhang seiner Mutter über dem Arm, kam er zurück. Sie nahm die Gabe und drückte sich mit einem flüchtigen Kuss an ihm vorbei in Richtung Bad. Roland richtete die Schlafcouch und hörte das Einlassen das Badewassers. Er schätzte, genügend Zeit für ein Telefonat mit Karl-Heinz oder Wolfgang zu haben. Karl-Heinz war erreichbar:

„Habe heute schon mehrmals versucht, meinen Neujahrsgruß loszuwerden."

„Karl-Heinz, lass dir sagen, ich bin unsterblich mit allem Drum und Dran verliebt. Im Moment habe ich noch Besuch, aber morgen können wir uns bei dir gleich nach der Arbeit treffen. Du rufst jetzt Wolfgang an. Morgen nehmen wir uns die Zeit zum Plauschen."

Leise machte sich Roland durch Klopfen an der Badezimmertür bemerkbar:

"Findest du dich mit allem zurecht?"

„Alles prima, kannst ruhig reinkommen."

Sie lag im Fichtennadelschaum. Um sie zu küssen, beugte er sich über den Badewannenrand. Sie zog ihn mit einem Arm zu sich und mit dem anderen streifte sie ihm den Morgenmantel ab. Einander helfend drängelten sie sich in der Wanne. Sie wurde untergetaucht und Roland gab sich Mühe, eine Postion zu finden, die zuließ, was sie wollten. Der Terrazzofußboden stand unter Wasser, Rolands Morgenmantel fing an zu schwimmen, aber die Wanne war immer noch voll. Ihre Beine über seinen Schultern, so fanden sie sich. Vom Oberwasserabfluss zog er sich eine lange Schramme am Rücken zu. Im Verhältnis zur vorangegangenen Lust sah er darin Amors Wegzoll. Die gesunkene Wassertemperatur meldete sich als Aufforderung zum Aussteigen. Sie trockneten einander ab. Sie im seidenen Umhang, er nur mit Handtuch um die Hüften, hüpften sie zu Rolands Schlafcouch.

Sich liebkosend, dabei neue Formulierungen ihrer Liebe flüsternd, ließen sie es langsam angehen. Roland vernahm noch mehrmals Inges wonnigliches Stöhnen. Vor dem Einschlafen versicherte er seiner Inge: „Ich wecke dich um 7:00 Uhr, kümmere mich ums Frühstück und bringe ich dich zur U-Bahn. Bis 10:00 Uhr kommst du bequem in den „Kutscher".

In enger Umarmung schliefen sie tatsächlich. Roland weckte das Schrillen des Telefons. Schlaftrunken stand er auf und nahm in der Diele die Neujahrsgrüße der Eltern aus Bagdad entgegen. Die, erfreut ihn nach vergeblichen Versuchen endlich erreicht zu haben, erfuhren Inges Namen und dass sie seine große Liebe sei. Schon um 6:00 Uhr, sie lagen immer noch locker umarmt, glitt er unter ihrem Arm heraus. Inge merkte es nicht.

Rolands sechster Urlaubstag hatte begonnen.

Vor der Morgentoilette legte er das Badezimmer trocken. Nur mit dem Handtuch um die Hüften werkelte er in der Küche und deckte den Tisch. Alles sollte vollkommen sein, sogar eine Kerze im Ständer hatte er aus dem Wohnzimmer geholt. Inzwischen war etwa eine halbe Stunde vergangen, als Roland sich wieder zu Inge legte. Vorsichtig und zart streichelte er ihr Gesicht, worauf sie ihn glücklich anlächelte. – was für eine Offenbarung! Die erste bewusste Umarmung ging über in eine konzertierte Erweckung, die erst mit Inges wonniglichem Stöhnen ihren Abschluss fand:

„Du kannst dich noch etwas rekeln, ich bereite alles vor."

Roland nahm aus dem Schrank frische Unterwäsche, Hemd, Socken und eine andere gebügelte Hose. Nebenbei erklärte er ihr den Begriff „unerlaubter Zivilist", der er heute wieder sein werde.

Er kochte für jeden zwei Eier und, was ja nicht jeder Haushalt in diesen Jahren in Ostberlin zu bieten hatte, Bohnenkaffee. Als hätte sie ihn gerochen, kam sie aus dem Bad. Ihre brünetten Haare, mädchenhaft gescheitelt, hatte sie beidseitig zu kleinen Zöpfen geflochten. Die blauen Augen leuchteten liebevoll. Im ganzen Gesicht kein bisschen Kosmetik. Die Haut war glatt, seidig-matt, als läge Creme auf ihr – natürlich, schön und schick das Ganze. Der gedeckte

Tisch mit der brennenden Kerze entlockte ihr ein anerkennendes „Oh", und fachmännisch lobte sie die Konsistenz der von Roland gekochten Eier. Sie strich wie selbstverständlich neben ihren auch Rolands Brotscheiben. Das war ein richtig trautes Frühstück.

Die Zeit blieb nicht stehen, sie mussten los. Hätten sie vom Frankfurter Tor drei Haltestellen mit der Straßenbahn genommen, wären die letzten Minuten vor dem Abschied kürzer gewesen. So liefen sie lieber bis zum U-Bahnhof Oberbaumbrücke und waren Teil des Stroms Berufstätiger auf ihrem Weg zur Arbeit. Inge wusste, Roland musste in zwei Tagen zur Armee zurück und so stand für sie außer Frage, nach der Arbeit wieder zu ihm zu gehen. Roland käme nicht herüber, er würde sie um 20.00 Uhr wieder hier an der Oberbaumbrücke erwarten. Mit etwas schlechtem Gewissen gegenüber Inge, weil sie vollen Einsatz im Restaurant bringen musste, legte er sich nach der Zeitungslektüre zum Schlafen. Ausgeruht und gespannt darauf, mit den Freunden über die Lage zu schwatzen, fuhr er am Nachmittag mit dem Fahrstuhl drei Etagen höher zu Karl-Heinz. Fast zeitgleich mit Wolfgang, der den Fahrstuhl ins Erdgeschoss beorderte, als Karl-Heinz in der fünften Etage Roland einließ. Wolfgang und Karl-Heinz hatten im erweiterten Freundeskreis Silvester gefeiert. Ein nennenswertes Ereignis dieser Feier war, dass die traditionellen Bockwürste zum Kartoffelsalat sämtlich geplatzt waren, weil Wolfgang am Herd stand. Rolands Schilderung hingegen, mit Leidenschaft vorgetragen, erbrachte steigende Neugier, Inge kennenzulernen. Diesem Wunsch entsprach Roland nur allzu gerne, denn er war überzeugt, mit Inge ein Leckerlie zu präsentieren: „Gehen wir doch zusammen am Dienstagabend in den „Tokajer-Keller"!"

Abends stand Roland vor der U-Bahnstation, wo er, weil zu früh angekommen war, zwei Züge abwarten musste. Die letzten Schritte rannte sie, um sich ihm in die Arme zu werfen. Die Straßenbahn stand abfahrbereit in der Endhaltestelle, und 15 Minuten später waren beide wieder bei Roland zu Hause. Natürlich war sie müde, aber nach der Dusche nicht zum Schlafen aufgelegt. Die Vorstellung, wieder in seinen Armen zu liegen, hatte ihr tagsüber Kraft und Freude gegeben, und nun genoss sie die Erfüllung ihrer Vorstellung.

Sie schliefen bald in des Wortes wahrer Bedeutung. Vor dem Aufstehen waren sie besonders lieb zueinander - der bevorstehende Tagesablauf trat ins Bewusstsein. Roland war in seiner Gastgeberrolle so perfekt wie tags zuvor. Sein Frühstück - Rühreier mit durchwachsenem Speck - honorierte Inges anerkennender Appetit.

Für den Abend stand an, mit Rolands Freunden im „Tokajer-Keller" zu tanzen. Inge wollte Jutta mitbringen. Das, so fand Roland, sei eine gute Idee, wobei er Bedenken äußerte, wenn auch Hans dabei sein würde. Vor Hans wollte er nicht von Angesicht zu Angesicht seine wahre Identität auch noch einmal offenbaren. Inzwischen hatte Inge ihm erzählt, dass Jutta und Hans eine Verbindung ohne Zukunft führten. Hans hätte nämlich Alimente an zwei Verkäuferinnen für je ein Kind zu zahlen. Sie wolle sehen, wie das Treffen heute Abend zu arrangieren sei.

Als Teilchen der zur Arbeit strömenden Menschenmasse auf der Warschauer-Brücke angekommen, ließen sie vor dem Abschied noch einen Zug abfahren, bevor sich ihre Hände zum Abschied öffneten. Danach wartete Roland auf den nächsten Zug und fuhr eine Station in den Westen. Zu Fuß über die Oberbaum-Brücke in den Westen zu laufen, verbot sich aus Vorsicht. Es könnte sein, dass der Vater von Karl-Heinz an der Grenzlinie Dienst hätte. Roland rief Opa Rudolf aus einer Telefonzelle an, um sich noch einmal für die Weihnachtsgaben zu bedanken, vor allem aber, um ihm zu sagen, dass mit seinen Besuchen in Westberlin alles gut gegangen sei. Sie verabredeten, dass er, nach Hause zurückgekehrt, noch einmal anrufen würde, um ein „Frohes Neujahr" zu wünschen, als Code dafür, dass er jetzt auch wieder gut zurückgekommen sei. Über denselben Weg kam er zurück in den Osten und rief wie verabredet bei Opa Rudolf an. Er ahnte nicht, dass er auf Jahre sein letztes Telefonat nach Westberlin geführt hatte. Übrig gebliebene etwa 300.- DM schlossen dieses Kapitel erst einmal ab.

Am vorletzten Urlaubstag musste Alltägliches, manches davon wie Pflicht empfunden, erledigt werden. Er zog seine Uniform an, um Wolfgangs Mutter aufzusuchen. Ihr war er für die Fürsorge dankbar, mit der sie seinen Aufenthalt in der Wohnung vorbereitet hatte. Ein mächtiger Berg Wäsche war abzugeben. Das war natürlich kein Vorbeibringen von Auftragsarbeit, sondern bei Kaffee und Gebäck würde er erzählen, wie es so ging. Die gute Frau wollte sicherlich Anderes erzählt bekommen als Roland sie wissen ließ. Seine Gedanken kreisten um Inge, aber genau das wollte er wegen der Ost-West-Problematik nicht preisgeben. Er konnte nämlich davon ausgehen, dass Mutter Margot auf diesem Wege erfahren würde, wie er zwischen den Welten hin und her spazierte. Wolfgangs Mutter war dermaßen unpolitisch, dass sie einfach schwatzen würde, als wären Rolands Grenzquerungen normal. Das hätte mittlere bis schwere Beunruhigung bei den Eltern verursacht. Der Plausch fand sein Ende: „Für euren „Tokajer-Keller"-Besuch habe ich Wolfgangs Hemd schon gebügelt rausgelegt."

Wenig später prüfte er den Sitz des zivilen Zwirn und machte sich bester Laune auf den Weg ins Zentrum. Im „Das Gute Buch" am Alex durchstöberte er das Angebot. Zwischen „aktuell" und „erhältlich" bestand durch die vergangene Weihnachtszeit und planwirtschaftlich gesteuerten Verteilung, wie bei anderen Produkten auch, ein dialektischer Zusammenhang. Auch als er sich die zweite große Buchhandlung „Karl-Marx", schräg gegenüber vom „Tokajer-Keller" in der Stalinallee gelegen, vornahm, verdarb ihm der Widerspruch zwischen „aktuell" und „erhältlich" nicht die gute Laune. Ihm fiel rein gar nichts Lohnenswertes in die Hände. In zwei Cafés hatte er sich unterhalten, bedienen lassen und genüsslich demonstrativ seine Westzigaretten geraucht. So war die Zeit herangerückt, zu der im „Tokajer-Keller" der Platzanweiser seinen Dienst aufnahm. Erfreut, ihn bereits anzutreffen, suchten die beiden einen exponiert gelegenen Tisch. Für acht Personen wurde, bei Platzeinnahme gegen 20 Uhr, reserviert. Wieder war er eine Packung seiner Zigaretten los. Karl-Heinz und Freundin hatten Roland zu Hause abgeholt. Wolfgang hatte sich mit der Seinigen vor dem Eingang getroffen. Von neugierigen und bewundernden Blicken der übrigen Gäste begleitet, führte der Platzanweiser Jutta und Inge zu ihrem Tisch. Die Begrüßung am Tisch war stilvollendet und von Herzlichkeit. Vier attraktive Frauen am Tisch dreier junger Männer machte die Drei zu beneideten Vertretern ihres Geschlechts. Jutta war ohne Hans erschienen. Ihn und die "Kutscherwirtin" sah er nie wieder. Während die Bedienung mit der Aufnahme der Bestellung begann, kam Jutta, zu Roland gewandt, gleich zur Sache:

"Na, du bist mir ja einer, du Schlingel. Mach mir bloß nicht meine Inge unglücklich!"

„Grundgütige Jutta, ich liebe Inge so wie keine Frau zuvor. Ich kann mir gar nicht vorstellen, dass jemals eine andere ihren Platz einnimmt."

So machte Roland der Tischgesellschaft deutlich, wie es um ihn und Inge stand. Diese konnte auch nicht mehr an sich halten, küsste Roland und sagte für alle hörbar:

„Morgen habe ich frei!"

Mit dieser Losung konnte der Abend für Roland nicht besser beginnen – er war nur glücklich. Seine Stimmung färbte auf die Freunde ab, und der süßliche „Sowjetskoje Schampanskoje" floß reichlich.

Der Frauenüberschuss an Rolands Tisch sorgte für sich mühende wechselnde Kavaliere. Einer von ihnen, in gut sitzendem Anzug mit perfekt gebundenem Windsor-Krawattenknoten, machte auch auf dem Parkett eine gute Figur. Er geleitete Jutta zurück an den Tisch, bedankte sich bei ihr für den Tanz und bei der Tischgesellschaft für das hierfür zuvor abgefragte Einverständnis. Er wendete sich erst ab, nachdem sich Jutta auf den von ihm geschobenen Stuhl gesetzt hatte. Diesem Herrn erlaubten Rolands Freunde, sich an ihren Tisch zu setzen. Angemessen, mit einer weitere Flasche „Sowjetkoje Schampanskoje" führte sich der neue Kavalier ein, inzwischen die fünfte Flasche am Tisch. Jutta hatte ihren Spaß, und Inge war als Freundin von Wolfgangs und Karl-Heinz Partnerinnen angenommen. Die Stimmung schlug auch durch Abtanzen des Alkoholpegels nicht um und hätte mit Sicherheit noch weitere Stunden angehalten. Mit Ausnahme von Roland und Inge wartete auf die anderen ein Arbeitstag, und so begab sich die Gesellschaft gegen 2 Uhr geschlossen zur Garderobe. Von Roland gebeten, hatte der beflissene Platzanweiser für zwei Taxen gesorgt, wofür Roland wieder gutlaunig eine Packung Zigaretten spendierte. Von Jutta unwidersprochen nahm auch der neue Kavalier im Taxi von Roland und Inge Platz. Fünf Minuten später stiegen Inge und Roland, zu Hause angekommen, aus. Jutta und der neue Kavalier fuhren weiter.

Inge und Roland in freudiger Erwartung auf Zweisamkeit, turtelten ins Bad, ließen Wasser ein und erlebten sich im Fichtennadelschaum ohne vergleichbare Überschwemmung gegenüber dem ersten Mal. Nach einer kurzen Mütze Schlaf, die sie am liebsten vermieden hätten, überschattete schon der nahende Abschied den Morgen. Tapfer unterhielten sie sich über Alltägliches, wobei sie auch über besuchte Theateraufführungen und Literatur sprachen. Inge hatte im vergangenen Jahr die „Dreigroschenoper" im Berliner Ensemble und den Schauspieler WINTERSTEIN in „Nathan der Weise" im Deutschen Theater erlebt. Sie zählten sich die Operetten vor und sangen die an, die sie im Metropol-Theater genossen hatten. Über andere Länder sprechend, stellte sich heraus, dass sie beide von dem Buch „Ich war in Timbuktu" gleichermaßen gefesselt waren. Dieses Buch, erstmals 1955 in Ostberlin erschienen, war übrigens einer der in Ostberlin nachgefragtesten Abenteuerromane. Da die Papierzuteilungen an die nicht zum Regierungsapparat gehörenden Verlage stark kontingentiert waren, konnte die Belletristik-Nachfrage nur durch Ausleihe befriedigt werden. Roland und Inge testeten sich spaßeshalber ab, wer von ihnen mehr gelesen, mehr gehört und mehr besucht hatte.

Dass Inge nicht dumm oder gar gewöhnlich war, hatte Roland schon am ersten Abend im „Tokajer-Keller" gemerkt. Seine mitunter doppelsinnigen Anspielungen und Neckereien wurden von Inge wohlgefällig aufgenommen und mit Eigenwitz, in passende Bilder gepackt, pariert. Damit war sie für ihn eine abgerundete Persönlichkeit. So mag es sich auch für sie angefühlt haben. Wenn eine „Blitzheirat" seiner West-Fernsehbildung nach in Las Vegas möglich war, auch in Berlin möglich gewesen wäre, hätten sie die noch vor der Abfahrt durchgezogen.

Bei allem Ehrgeiz war keine Zeit zu vertrödeln. Dennoch machte sich Hunger bemerkbar. Der Kühlschrank gab nichts mehr her. Sie zogen sich an, gingen über die Straße ins Restaurant „Frankfurter Tor" - Erdgeschoss - und aßen deutsch-gutbürgerlich. Das vorzügliche Mittagsgericht fand unter dem Damokles-Schwert der schrumpfenden Zeit keine sonderliche Würdigung. Sie hatten schon während des Essens bezahlt.

Gierig und lustvoll und mit dem Wunsch, nichts zu verpassen, verbrachten sie miteinander die letzten Stunden.

Dann war es soweit, Roland zog die Uniform an:

„Schnieke die Uniform, aber du siehst jetzt ganz anders aus. Ich liebe dich trotzdem!"

Er über der Galauniform mit Militärwintermantel und Mütze, sie mit einem hellen Wintermantel und Hutschiffchen, so liefen sie untergehakt in Richtung S-Bahnhof „Warschauer Straße". Es war schon dunkel, aber durch die Licht spendenden Schaufensterscheiben und die Straßenbeleuchtung erkannten sich Uniformträger. Roland trug in der linken Hand eine Reisetasche. Inges eingehakter Arm fiel öfter herunter, weil er grüßen oder einen Gruß erwidern musste.

Inge hatte Spaß:

„Pass auf, da kommt wieder einer."

Sie fuhren noch eine Station bis zum „Ostbahnhof", wo sie sich zu den Fernzugbahnsteigen begaben. Ein riesiges Getümmel, Roland und Inge waren eins von vielen Armisten-Paaren. Anscheinend war die Urlaubsregelung überall gleich. Ihr Plan: Sie bleibt auf dem Bahnsteig, während er im eingefahrenen Zug, der ja hier erst eingesetzt würde, einen Platz zu ergattern sucht. Das klappte und so klammerten sie noch minutenlang aneinander. Sie schworen einander, ganz viele Briefe zu schreiben:

„Wirf um Gottes Willen deine Briefe in Ostberlin oder Potsdam ein", ermahnte Roland, „ich schreibe dir nach Potsdam."

„Da wird sich ja meine Mutter wundern, wenn ich sie jetzt so oft besuche!"

Als letztes flüsterte sie ihm ins Ohr:

„Ich spüre noch so, als seist du in mir."

So ein Abschied kann nur nachempfunden werden von Menschen, die sich, bis in die letzte Faser verliebt, voneinander trennen müssen.

In Dessau empfing ihn eisiges Schneetreiben. Da seine Geldbörse immer noch voller war als bei der Abreise, gönnte er sich ein Taxi. Am Kasernentor wechselte sein Zustand. Wie bei einem eingetroffenen Paket wurde an ihm die Ankunft vollzogen. Der abgelaufene Urlaubsschein wurde mit Uhrzeit abgestempelt und einbehalten. Vor dem Gang in die Stube musste er vor dem OvD noch „Männchen machen":

„Melde mich ohne besondere Vorkommnisse aus dem Heimaturlaub zurück."

Automatisch und unwirklich kam ihm alles vor. Die Kameraden wünschten einander „Frohes Neujahr" und tauschten bis tief in die Nacht Urlaubserlebnisse aus. Roland hätte bis in den Morgen erzählen können, aber mit so viel politischer Realität - das tat man nicht. Sein herzbewegendes Thema „Inge" beizusteuern, wäre ihm außerdem in diesem Kreis wie eine Entweihung vorgekommen.

Der Unterrichtsstoff wurde konzentriert durchgezogen. Ausgerechnet in der von ihm ungeliebten Mathematik in der Schule, lief er zu guter Leistung auf. In der sphärischen Trigonometrie mussten Orthodrome und Loxodrome berechnet werden. In der Navigation wurde geübt, die Verbindung zweier Städte auf der Erde mit mathematischen Funktionen unter Zuhilfenahme von Logarithmus-Tabellen zu berechnen. Hier ließ Roland seiner Phantasie von fernen Ländern auf anderen Kontinenten freien Lauf. So flog Roland von Dessau nach New-York, Wladiwostok, Melbourne, Kapstadt und stellte Stopp-over-Flüge rund um die Welt zusammen – auf dem Papier.

Postempfang erfolgte immer über die Schreibstube, Briefversand über einen Briefkasten, der neben dem Haupteingang zur Kaserne innerhalb des Schulgeländes stand. Alle fünf oder sechs Tage kam Post von Inge. In diesem zeitlichen Rhythmus schrieb auch Roland, wobei die Briefe in Folge ihrer unterschiedlichen Zustellungswege im Sinne von Anschreiben und Antwort nicht zueinander passten. Manchmal überholte auch ein Brief den zuvor abgeschickten. Daraus ergab sich neben der verlängerten Wartezeit auch Spaß, weil sich manchmal herausstellte, dass sie gleiche Gedanken und Empfindungen zur selben Zeit aufs Papier gebracht hatten.

Als sich Roland zwei Wochen vor seinem 18. Geburtstag wieder zum Postempfang meldete, wurde er zum Genossen Oberst, dem Schulkommandeur, beordert. Hinter dem Schreibtisch sitzend nahm dieser die zackige Meldung Rolands entgegen und zog dann einen Heftordner zu sich. Als er ihn aufschlug, erblickte Roland einen Brief mit vielen bunten Marken. Es war ein Brief aus dem Irak/Bagdad. Der Kommandeur konnte zwar auf dem Absender den Familiennamen von Roland lesen, aber er wusste nichts über den Zusammenhang. Als

Roland aufklärte, dass seine Eltern im Auftrag der DDR im Irak seien, hellte sich das Gesicht des Kommandeurs freundlich auf:

„Setzen wir uns doch 'rüber."

Roland wurde gebeten, im Sessel Platz zu nehmen, und der Ordonnanzoffizier wurde aus dem Vorzimmer herbeigerufen. Der Kommandeur erklärte:

„Eine Postkontrolle findet ja in der Schule nicht statt, aber aus dem kapitalistischen Orient ist ein Brief ja schon etwas Besonderes. Wollen sie eine Tasse Kaffee trinken? – Bohnenkaffee!", fügte er noch hinzu.

„Gerne, Genosse Oberst."

„Sie können den Brief gleich hier lesen - ich störe Sie nicht."

Roland folgte der Bitte seines Kommandeurs. Der Inhalt hatte es in sich! Mutter Margot wollte ihn ursprünglich zu seinem 18. Geburtstag in Dessau besuchen, das hätte sich terminlich inzwischen jedoch zerschlagen. Sie fragte an, ob es statthaft sei, ihn im Februar in der Schule zu besuchen.

„Genosse Oberst, meine Mutter fragt an, ob sie mich hier in der Flugschule besuchen dürfe."

„Selbstverständlich kann die Genossin Sie hier besuchen. Bei exakter Terminplanung würde ich sie auch empfangen", stimmte er erfreut zu. Der Kommandeur plauderte noch eine ganze Weile mit Roland, der auch erzählte, dass er selber schon im Orient gewesen sei. Zum Abschied gab ihm der Kommandeur noch mit auf den Weg:

„Übrigens, wenn Sie einmal irgendwelche Probleme haben sollten, lassen Sie sich immer gleich bei mir direkt melden."

Roland dankte mit dem Hinweis:

„Genosse Oberst, ich sehe keine Probleme."

Er ahnte nicht, wie hilfreich der offerierte „kleine Dienstweg" für ihn noch sein würde.

In ihrem zweiten Brief kündigte sich Inge als „sicheres Geburtstagsgeschenk" an. Samstag gegen Mittag träfe sie ein und erst in der Nacht von Sonntag auf Montag müsse sie zurück. Nichts war ihm wichtiger, als noch vor der bekannten Briefkastenleerung und noch vor der Abklärung seiner Ausgangserlaubnis Inges Geschenkankündigung sehnsüchtig zu erwidern. Er steigerte sich in die

Abfassung eines stündlichen Ablaufplanes, in dem er gedanklich vorwegnahm, wie sie die Stunden miteinander verbringen könnten. Der Brief kam ihm einfühlsam und schnell aus der Feder. Seine Vorstellung war stark, er glaubte Inge zu sehen und zu spüren. Der Gang zum Briefkasten fand mit Ständer statt.

Den „kleinen Dienstweg zum Genossen Oberst" musste er nicht bemühen, der hatte schnell die Runde gemacht. Er bekam verlängerten Ausgang, und Glück bei der Hotelreservierung hatte er auch. Die guten Hotels und deren beste Zimmer waren über die Wochenenden in der Regel ausgebucht. Roland war in Dessau mit noch fünf ungeöffneten Stangen, drei „Ernte 23", zwei „Peter Stuyvesandt" sowie vier losen Packungen gut bestückt. Dieser Vorrat erklärt sich – Roland war gar kein rechter Raucher. Sucht auf Nikotin kannte er nicht, vielleicht weil er nie auf Lunge geraucht hatte. Sein Rauchen war mehr Show und Teil der Kommunikation in Gesellschaft. Nichtsdestoweniger achtete er immer darauf, Zigaretten zu besitzen und sei es nur, um sie als „Ersatzwährung" zu gebrauchen. Hier in Dessau, so seine Erwartung, sollte eine Packung aus dem Fundus noch überzeugender wirken als in Ostberlin. Dass er als Uniformträger Westzigaretten verteilte, mag zwar wunderlich gewesen sein, aber so dann ja nun auch wieder nicht, schließlich gab es ja alle möglichen Kontakte, zu Zeiten offener Grenzen an sie zu gelangen. Er hatte Erfolg, musste allerdings das gesamte Wochenende buchen, weil sonst dem Hotel angesichts der anhängigen Buchungen ein Verlust entstanden wäre. Der Geburtstag von Roland fiel auf Donnerstag. Nach dem Unterricht konnte er sich ein Geburtstagstelegramm auf der Schreibstube abholen. „Allerliebsten Glückwunsch, Geschenk kommt Samstag um 11:25 Uhr. Inge".

Nach diesem Telegramm gab Roland eine Freibierrunde für die Gratulanten, die sich im Restaurant-Casino eingefunden hatten. Um 22:00 Uhr fiel Roland, dicht umnebelt, aber zufrieden in den Schlaf.

Am Samstag durfte er die letzte Unterrichtsstunde versäumen und war mit dem Ausgangsschein - ohne Zivilerlaubnis - schon um 10 Uhr aus der Kaserne heraus. Mit Blumenstrauß steuerte er durch das Bahnhofsgebäude. Fast ängstlich folgte er jeder Durchsage. Möge bloß keine Verspätung angekündigt werden. Alles verlief planmäßig, Er erblickte Inge vor der geschlossenen Waggontür. Neben den ausrollenden Wagons herrennend, stand er an der Tür, als der Zug hielt. Er fing Inge auf, als sie sich vom vorletzten Wagontritt in seine Arme fallen ließ. Die Blumen verloren bei dieser Aktion ein paar ihrer Blüten, aber das Gebinde als solches erfüllte den ihm zugedachten Zweck. Inges Augen waren von Freudentränen gefüllt.

Nach den damaligen Gepflogenheiten musste jeder an der Hotelrezeption die Personal-Dokumente vorlegen. Es zahlte sich aus, dass Inge noch immer ihren DDR-Ausweis besaß. Sie hatten nur kleines Gepäck, aber es wurde dennoch auf das Zimmer getragen – gab ja Trinkgeld. Roland hatte in seiner Reisetasche eine Flasche Rotkäppchen Sekt. Diese Vorsorge minderte die Trinkgeldgabe gegenüber dem Preis, der für den Sekt im Hotel zu bezahlen gewesen wäre. Sofort ging es ans „Geschenk-Auspacken" und Inges wonnigliches Stöhnen war für Roland reiches Herzensgeschenk. Roland begab sich mit Inge abends ins Restaurant. Sie wählten den Tisch so, dass sie ihn mit Beginn der Tanzmusik nicht wechseln mussten. Roland sonnte sich förmlich, mit Inge tanzend über das Parkett schwebend, unter den Blicken der Gäste, worunter sich auch Offiziere aus der Flugschule befanden. Was Wunder, am Sonntag war die obligatorische Hotelfrühstückszeit bereits verstrichen, als sie auf dem Zimmer nach ihm verlangten. Kurzerhand erklärten sie das Mittagsgericht zu ihrem Frühstück, und mit „Geschenk-Nachlese" taten sie, als könnten sie der bevorstehenden Trennung durch Intensität ein Schnippchen schlagen. Sie erlebten sich ziemlich genau so, wie es Roland in seiner brieflichen Ablaufplanung gedanklich vorweggenommen hatte.

Inge war verwundert, dass Roland für den kurzen Weg vom Hotel zum Bahnhof ein Taxi bestellte. Damit sie überhaupt etwas von Dessau zu sehen bekam, ließen sie sich durch die Stadt fahren. Inge sah den Haupteingang der Flugschule, und er beschrieb ihr beim Anblick des achtgeschossigen Haupthauses, wo sich sein Zimmer ungefähr befand. Gegen 22 Uhr, der Zug musste jeden Moment in den Bahnhof einfahren, trösteten sie sich mit der Feststellung, dass die letzte Trennung vorübergegangen sei, ohne ihre Liebe anzutasten. Inges Zug hatte den Bahnhof verlassen. Roland überprüfte seine Börse, um herauszufinden, ob er sich noch eine Taxifahrt zur Schule leisten könne.

Streber so weit das Auge reicht, diesen Eindruck vermittelte die Etage von Roland und seinen Kameraden. Im Februar fanden schriftliche Zwischenprüfungen statt.

Ein Telegramm-Empfang unterbrach kurz den Vorbereitungsstress.

„Sind in Berlin, warten auf Anruf. Eltern."

Mutter Margot organisierte die Besuchsabsprache mit dem Kommandeur. Der befahl Roland zu sich:

„Wir erwarten die Genossin nach der Prüfungswoche am Montag um 11:00 Uhr hier in der Schule. An diesem Tag sind Sie vom Dienst befreit, können ganztägig Ausgangsuniform tragen und bekommen Ausgang bis 22:00 Uhr."

Eine Viertelstunde vor 11 Uhr wurde Mutter Margot in einer schwarzen Wolga-Limousine am Haupttor vorgefahren. Dort hatte Roland sie erwartet. Sie umarmten sich, wobei Mutter Margot gerührt auch die Geburtstagsglückwünsche des Vaters flüsterte. Da sie am Eingangstor angemeldet war, führte ein Läufer sie zum Kommandeur. Roland vernahm einen anerkennenden Pfiff, bevor Mutter Margot zusammen mit dem Läufer im Haupthaus verschwand. Der Pfiff galt seiner Mutter Sie war als elegante Dame von Männeraugen geortet worden. Der Pfiff schien ihm plump, aber zugleich verständlich. Der Anblick seiner Mutter in einem tailliert geschnittenen Übergangsmantel mit Hut, Handtasche und unter dreiviertellangen Ärmeln über die Handgelenke gezogenen Lederhandschuhen, auf mittelhohen, schmalen Absätzen, war besonders in dieser von Damenerscheinungen verlassenen Welt sehenswert. Roland kümmerte sich um den Fahrer, indem er ihm vom Parkplatz den Weg zum Restaurant-Casino beschrieb. Dort würde er ihn abholen, wenn es soweit wäre. Dann begab er sich zum Kommandeur. Formvollendet machte er vor den Augen seiner Mutter dem Oberst Meldung. Man plauderte, und der Oberst lud Mutter Margot und Roland zum Mittagessen im Kreis von zwei weiteren Offizieren in das Restaurant-Casino ein. Hier gab es einen Bereich, den zu frequentieren hohen Gästen oder ausgesuchten Offiziersgesellschaften vorbehalten war. Es gab Wild mit Preiselbeeren und Kartoffelknödel, dazu wurde ein bulgarischer Rotwein kredenzt. Mutter Margot bat den Fahrer, der es sich im Nebenraum bei Königsberger Klops hatte gutgehen lassen, die zwei kleineren Pakete aus dem Wagen zu holen. Er kam zurück mit zwei Paketen in Würfelform, groß wie Schuhkartons, die er wie Orden auf gestreckten Armen vor sich hertrug. Rolands erster Gedanke war: „Jetzt kommen meine Geschenke. Ist doch verrückt, wenn ich die aus dem goldglänzenden Papier, das augenscheinlich nicht aus der DDR stammt, vor aller Augen öffnen soll."

Gott sei Dank war dem nicht so:

„Diese „kleinen Mitbringsel" sind als Gruß an Sie aus dem Irak vom Genossen Kurt und mir gedacht."

Den Charme der Genossin genießend, stellte sich nach dem Öffnen heraus, dass es sich bei dem einen um unter Zellophan mit Bast umwickelte Datteln, bei dem anderen um Feigen handelte. Mutter Margot erwähnte:

„Für die Kameraden von Roland, die ja eine ganze Klasse sind, hält der Fahrer eine Extra-Packung parat."

Der Nachmittag wurde langsam dämmerig. Die Offiziere verabschiedeten sich unter Komplimenten für Mutter Margot, Grüße an den Genossen Kurt und erfolgreichen Dienst im Ausland. Mutter Margot und Roland blieben allein im Gesellschaftsraum, und für Servicewünsche tat noch ein Ordonnanzoffizier am Eingang Dienst.

Nun waren alle von Mutter Margots Gaben anlässlich des 18. Geburtstags ihres Sohnes bedacht worden, aber so langsam fragte er sich, was denn für ihn abfallen würde. Mutter Margot nestelte an ihrer Handtasche, um ihr ein Kuvert zu entnehmen, das die gleichen Außenmaße hatte wie die Tasche. Erraten konnte Roland nichts – Geldscheine sind jedenfalls kleiner, dachte er. Mutter Margot wurde ganz förmlich:

„Du bist ja nun volljährig. Vater und ich haben überlegt, deinen Bewegungsradius durch ein Motorrad zu vergrößern. Das Ganze hat aber eine Bedingung und einen Haken."

Sie schob ihm das Kuvert über den Tisch, in dem sich der Prospekt der „Pannonia 250 TLB de Lux (mit Verkleidung), 247ccm, 14 PS, 110km/h, 4 Liter Benzin auf 100 km, befand. Roland war perplex, er wusste nicht, ob er träumte oder wach sei. Bevor er in dem Prospekt blättern konnte, erläuterte Mutter Margot die Bedingung:

„Die Maschine kostet knapp 3.300 Mark. Diese Summe würden wir uns zu dritt aufteilen. Das heißt, 1.300 Mark übernimmt Vater, 1.300

Mark ich und 700.- Mark musst du bezahlen. Weil du ja keine 700.- Mark hast, gibt Vater dir einen Kredit. Den musst du ab sofort mit monatlich 40.- Mark zurückzahlen. Wenn du dem so zustimmst, dann kommt der Haken: Die Maschine wird erst Anfang April geliefert."
Roland fiel seiner Mutter um den Hals und stimmte allem zu.
„Ich habe mir das auch nicht anders vorstellen können", meinte sie, „deshalb habe ich im Verkaufsbüro als Auslieferungsadresse schon die Flugschule angegeben."

Mutter Margot war erfreut zu hören, dass Roland in Inge ein Mädchen gefunden hatte, das ihn zu lieben schien. Roland ließ natürlich alle mit Westberlin zusammenhängenden Informationen unerwähnt. Mutter Margot hatte sich nach der Verabschiedung in den Wagen gesetzt, und Roland lief neben dem Wagen her bis ans Haupttor. Dort gab ihm der Fahrer das Paket, das die Ausmaße einer großen Hutschachtel hatte. Roland trug das goldige Präsent, obenauf den Pannonia-Prospekt und die Kaufdokumente. Mit dem Kinn hielt er die Gaben eingeklemmt. Angekommen in seiner Etage, halfen ihm die Kameraden beim Auswickeln. Es wurden Datteln und Feigen freigelegt, und jeder griff zu. Manchmal wurde seiner spendablen Familie gedankt, und bis zur Bettruhe gab es keine Datteln und Feigen mehr. Roland war nicht von der Lektüre des Pannonia-Prospektes zu trennen. Am nächsten Tag schrieb er Inge von der Geburtstagsüberraschung durch seine Eltern. Deren Geschenk überträfe nicht das ihre, aber in seiner Art sei es ebenfalls Spitze. Zukünftig könnten sie sich dann entgegenkommen, und bis nach Potsdam könne er zu den Wochenenden auch ohne zusätzliche Ausgangsgenehmigung fahren. Wenn er bloß schon wüsste, wann genau die Maschine angeliefert würde. Vielleicht klappe das schon zu den Osterfeiertagen, denn wenn er Glück habe, bekäme er einen verlängerten Wochenendausgang. Inge tat ihre Freude auf das Wiedersehen zu den Feiertagen mit der Ankündigung kund, es gäbe zwar „sichere", aber womöglich „rote" Ostern.
Da Roland in seiner Staffel-Klasse ein geschätzter Kamerad war, dessen Meinung etwas galt, hatte die Partei (SED) an ihm Interesse. Er war mit 18 Jahren volljährig und somit zur Anwerbung freigegeben. Jeder Truppenführer in der NVA hatte einen Politoffizier zur Seite. Diese Politnik-Struktur war von der Sowjetarmee übernommen, wo

sie sich in den Jahren der Machtübernahme zu Zeiten der Oktoberrevolution gebildet hatte. Die Doktrin dieser Struktur bestand darin, dass politisch-ideologisches Handeln Vorrang vor militärischen Erwägungen hatte. Dieser Maxime folgend sind an der Front und hinter ihr in den Revolutionsjahren, dem I. Weltkrieg und, potenziert im II. Weltkrieg, Millionen Soldaten geopfert worden. Die Idealprojektion sieht im militärischen Führer und seinem politischen Pendant, dem Politkommissar, eine kreative Symbiose. In der NVA war der militärische Fachoffizier zuständig für das operative Geschehen. Der Politoffizier, Mitglied der Partei, wie der militärische Führer bis auf ganz wenige Ausnahmen auch, überwachte die politische Marschrichtung, wie sie die SED-Führung bestimmte. Der Politleutnant stand also dem militärischen Führer vor, unabhängig vom Dienstgrad. Das Korsett für diesen Führungsauftrag bildete die Parteigruppe. Eine solche existierte in jedem Bataillon. Die Parteigruppe mit Schulungsveranstaltungen, Versammlungen und eigener Disziplinarordnung, bildete quasi eine Truppe in der Truppe. Die Parteigruppe in Rolands Klasse hatte sich ihn als Objekt der Begierde für ihre Reihen auserkoren. Die Gruppe gab sich den Parteiauftrag, Roland als Kandidaten für die SED zu gewinnen. Zu einem Sechsaugengespräch trafen Politleutnant, Klassenkamerad und Roland zusammen.

„Wir haben die ehrenvolle Aufgabe von unserer Parteigruppe bekommen, dich als Kandidat der Partei zu werben. Wie findest du das?"

„Für das Vertrauen danke ich euch."

Roland wusste, was die Stunde geschlagen hatte. Er war sich in Gedanken sicher:

'Hier und heute werde ich meinen Eintritt nicht erklären – aber wie sage ich's meinem Kinde?'

Durch Hörensagen hatte er mitbekommen, wie z.B. die „10 Gebote der sozialistischen Moral und Ethik", von Walter Ulbricht auf dem Parteitag als Richtschnur für die Erschaffung des neuen sozialistischen Menschen verkündet, in der SED-Parteigruppe an der Schule zur Disziplinierung gehandhabt wurde. Eifernde Genossen taten sich als Pharisäer hervor und prangerten die Moral von

Individuen an. Die „Zehn Gebote der sozialistischen Moral und Ethik" argumentativ als Schild gebrauchend, richteten und rächten sich Genossen untereinander oder zeigten so, wenn sie einander nicht leiden konnten. Roland wollte sich partout kein weiteres Korsett anlegen lassen. Die seiner ganzen Statur innewohnende Individualität und nicht zuletzt seine politisch nicht immer auf Parteilinie liegende Auffassung von Diesem und Jenem - das zu bewahren war ihm wichtiger als die Planerfüllung der Parteigruppe. Das alles zusammen so in Sprache zu packen, ohne den Ehrgeiz der um ihn ringenden Genossen zu verletzen, erforderte feinstes Gespür für die Grenzen ihrer Aufnahmefähigkeit und -bereitschaft.

Um die heutige Situation erst einmal zu überstehen, könne er seinen Schritt zum Parteikandidaten zu einem späteren Zeitpunkt anbieten, zum Beispiel dem 7. Oktober, dem „Jahrestag der DDR-Gründung". In der ganzen Republik würden an diesem Tag die neuen Mitglieder bzw. Kandidaten in die SED aufgenommen. Seine Werber waren hartnäckig, sie wollten ihre Planerfüllung. Der Anwerbungsversuch zog sich in die Länge. Als Abschluss fand man die Formel, man könne sich ja für die Vorbereitung des 7. Oktober noch einmal unterhalten.

Das war natürlich nur eine Floskel, denn unter dem Strich hatte Roland einen solchen durch den ehrgeizigen Parteiauftrag des Politleutnants gezogen. Diesem blieb das nachhaltig im Gedächtnis haften....

Der März näherte sich dem Ende, von der Auslieferung des Motorrades war nichts Neues zu vernehmen. Inge und Roland organisierten sich wie bei ihrem ersten Treffen in Dessau und verbrachten von Ostersonntag vormittags bis zum Ostermontagabend Stunden, die ihnen beiden guttaten. Von der Stadt hatte Inge wieder nichts gesehen. Inge, beeindruckt von der Großzügigkeit, die Rolands Eltern mit dem geschenkten Motorrad obwalten ließen, freute sich über die Grüße, die Mutter Margot ihr unbekannterweise hatte ausrichten lassen. Die Maschine zeigte Roland ihr auf dem farbigen Prospekt. Inge war begeistert. Sie malten sich aus, Karten vor sich auf dem Bett ausgebreitet, wie sie mit dem Motorrad, wenn es endlich da wäre, gemeinsam durch die Lande fahren würden. Der Mai schien ihnen ideal, denn vom Wetter abgesehen, worauf sie keinen Einfluss hatten, waren es die zahlreichen Feiertage, die sie Pläne schmieden ließen. Den Jahresurlaub, angedacht für August/September, verbanden sie mit Ostseelandschaften. Mit den Reisevorstellungen im Kopf war diesmal der Abschied nicht so schmerzhaft.

Am Vormittag des 12. April 1961 waren Roland, seine Kameraden wie wohl alle anderen Soldaten der Flugschule auch, völlig besoffen vor Freude! Es war die Meldung durch's Radio gekommen, der erste Mensch, Juri GAGARIN, drehe im Orbit seine Runde! Der Unterricht war unterbrochen. Aus den Diskussionen um diese Meldung, ihre Bedeutung, ihre Betrachtung im Lichte des Klassenkampfes – was auch immer - niemand wollte aus dem euphorisierenden Sog dieser Nachricht gerissen werden.

Der Tag hatte speziell für Roland noch eine schöne Überraschung parat. Ein Anruf, Roland solle sich sofort am Haupttor einfinden. Ein Motorrad sei geliefert und müsse von ihm abgenommen werden!
Die Formalitäten waren schnell erledigt. Roland war begeistert, er schob sein Motorrad vom Haupttor weg, in einen Holzunterstand auf dem Kasernengelände, wo Fahrräder, Mopeds und einige andere Motorräder standen. Er war allein mit seiner neuen Errungenschaft, denn seine Kameraden hatten mit Juri Gagarin zu tun.
Die Maschine, mit von ihm quittierten zwei Liter Sprit betankt, lief im Leerlauf prima. Erstmalig vor acht, letztmalig vor sieben Monaten hatte Roland in der Fahrschule auf einem Motorrad gesessen. Er hatte nie Angst oder Sorge in neuen Situationen, und so traute er sich selbstverständlich zu, das Gerät zu beherrschen. Sei es, dass er die Kupplung zu schnell kommen ließ und die Maschine unerwartet viel „Bums" hatte - jedenfalls fuhr die Maschine mit ihm, nicht er mit ihr. In der Holzrückwand des Unterstandes kam sie zum Stehen. Abgesehen von zwei herausgebrochenen Holzlatten war die Bestandsaufnahme des Schadens am Motorrad niederschmetternd. Die verchromte Einfassung des Scheinwerfers war deformiert, der vordere Kotflügel seitlich eingebeult und der Lack auf den Teleskop-Federhalterungen bis auf seine Unterschicht zerkratzt. Die Bestandsaufnahme war deswegen so verheerend, weil sie vor dem Hintergrund der desolaten Ersatzteilbeschaffung in der DDR geschah. Bedröppelt und niedergeschlagen von seiner Blödheit erschien er bei

seinen Kameraden, ohne sofort von seiner neuen Maschine zu berichten. Erst als es draußen dunkel war, ging er mit seinen engsten Kameraden in den nur schummerig beleuchteten Holzunterstand, um sein Motorrad zu zeigen. Bei der Beleuchtung machte die Maschine keinen ganz so bemitleidenswerten Eindruck wie bei Tageslicht. Die Beschädigungen blieben den Kameraden natürlich nicht verborgen. Seine „Fahrkünste" machten im Kameradenkreis die Runde. Die gingen, ohne ihn, in wechselnden Gruppen zur Besichtigung. Nach dem Motto: „Wer den Schaden hat, braucht für den Spott nicht zu sorgen" musste sich Roland Sprüche anhören, die auch etwas mit dem Neid der Besitzlosen zu tun hatten.

„Juri Gagarin im Orbit und Roland an der Holzwand im Schuppen", das war noch einer der harmlosen.

Am selben Abend schnitt Roland aus dem Prospekt die farbige Fotografie seiner Maschine aus und steckte diese mit genauester Beschreibung der beschädigten Teile in einen Brief an Inge. Wenn überhaupt, so seine Einschätzung, könnte sie sich in Berlin umhören, ob die Ersatzteile irgendwie zu beschaffen seien. Auch äußerte er die Bitte, ob sie nicht zusammen mit Jutta, um nicht zu schreiben, in Westberlin, einen Sturzhelm aussuchen könne. Das Geld hätte er!

Der Torwache blieb die Beschädigung des Holzunterstandes durch ihn nicht verborgen und wurde als „Besonderes Vorkommnis" aktenkundig. Über den Dienstweg wurde Roland von seinem Kompaniechef verdonnert, den Holzunterstand zu reparieren. Geschähe das nicht schnellstens, würde er in Regress genommen. Leicht gesagt, aber wo sollte er 2,50 Meter lange Holzbretter herbekommen? In der Technikkompanie fand er einen Spezi, der ihm für seine Ersatzwährung, 3mal „Peter Stuyvesandt", das Material gab und bei der Reparatur zu Diensten war.

Inge war der ihr übertragenen Aufgabe gewachsen. Sie wurde noch im April teilweise fündig. Für 70.- Mark hatte sie die Einfassung des Scheinwerfers bekommen. Die Sache mit dem Sturzhelm hatte sie, zusammen mit Jutta, die herzlich grüßen ließ, auch geschafft. Für den Kotflügel machte sie Hoffnung, dass sie diesen zu Pfingsten für 200.- Mark in Potsdam abholen könne. Roland hatte inzwischen den Kotflügel als alter Metallspezi ausgebeult und mit roter Farbe halbwegs ansehnlich hergerichtet. Die Kratzer an der Teleskopstange konnte er ausreiben und so mit roter Farbe kaschieren, dass die Blessur nur bei genauem Hinschauen zu erkennen war.

Der Mai ist an Feiertagen reich – 1961 fielen sie für die berufstätige Bevölkerung vorteilhaft. Für Roland bedeutete diese Konstellation nur teilweise dienstfrei. Am Sonntag, dem 30. April, war ein 1. Sportwettkampf mit den sowjetischen Freunden angesetzt. Das war insofern von Bedeutung, weil Roland als Leichtathlet seiner Schule an zwei Wettkampftagen für die Läufe über hundert, zweihundert und vierhundert Meter Ehre einlegen sollte. Anschließend war Trinken, um nicht zu sagen Saufen mit den Waffenbrüdern auf dem Programm. Am 1. Mai war in Dessau-Mitte an einer Ehrentribüne vorbeizumarschieren. Nachmittags Ausgang bis 22 Uhr. Eine Woche später der gleiche Ablauf. Am Sonntag, dem 7. Mai, 2. Sportwettkampf mit den sowjetischen Waffenbrüdern – Urkundenverteilung für die Besten. Anschließendes „gemütliches Beisammensein mit den sowjetischen Freunden." Am darauffolgenden 8. Mai, dem „Tag der Befreiung", marschieren mit den Waffenbrüdern, vorbei an der am Straßenrand stehenden Dessauer Bevölkerung.

Für Inge und Roland gab es vor Pfingsten noch „Himmelfahrt" als gesetzlichen Feiertag, zu dem Inge aber arbeiten musste. Für den anschließenden Freitag bat Roland um ganztägigen Ausgang. Er könne in Potsdam Ersatzteile für sein Motorrad abholen, wenn er nicht käme, würden sie anderweitig verkauft. Kaum zu glauben, aber weil immer jemand irgend etwas in der DDR zu kaufen suchte, reagierte sein Kompaniechef verständnisvoll und genehmigte die Ausfahrt bis 24:00 Uhr. Roland hatte außerdem etwas gut bei ihm, denn bei den Sportwettkämpfen hatte er einen ersten und einen dritten Platz für die Schule erkämpft.

Er fuhr in Uniform, mit Stahlhelm. Inge erwartete ihn in Potsdam in der Nähe von Schloss Sanssouci, außer Sichtweite von Passanten. Als Sozias auf seiner Maschine, wollte sie keinen Anlass für Fragen geben. Für Soziusfahrer waren Schutzhelme damals noch nicht Pflicht. In einer wie eine Kombi wirkenden Hose mit gleichfarbiger Windjacke stand sie da – mit zwei gleichen Helmen in der Hand. Als Roland das sah, wusste er nicht, ob er mehr über Inge oder die Helme vor Freude jubeln sollte. Inge fand die Maschine motzig schön. Mit gleichen Helmen waren sie für jeden sichtbar ein Paar. Die Helme waren

Spiegelköpfe mit waagerecht verlaufenden roten Pfeilen, schwarzen Ohrschützern und Riemen. Roland verstaute den Stahlhelm im Rucksack, worin auch Inges Picknicktasche verschwand. Inge war unter ihrem Helm nicht mehr erkennbar. So unternahmen Roland und Inge – sie mit dem Rucksack auf dem Rücken - ihre erste gemeinsame Fahrt. Als Ziel hatte Roland auf der Karte einen See bestimmt, der über einen Waldweg mit dem Motorrad erreichbar war. Sie fanden unweit des Waldweges einen Platz, der nicht vom See her eingesehen werden konnte. Inge hatte in ihrer perfektionistischen Art eine Decke in der Picknicktasche, die sie ausbreitete und glattstrich. Als sei sie zu Hause in Gottes freier Natur hätte nur ihr wonnigliches Stöhnen zufälligen Besuchern den Weg zu ihrem Lager weisen können. Sie mussten diesmal ganz vorsichtig mit sich umgehen, weil Inge „hochgradig bereit" war. Roland hatte Gottvertrauen in seine Koitus-Interruptus-Beherrschung.

Inge blieb in der Sonne liegen, während Roland zur Maschine ging, um die Scheinwerferverkleidung abzubauen und neu zu montieren. Inge hatte richtig eingekauft, alles passte. Mit seinem Werk zufrieden ging er zu ihr, um abzurechnen. Die 70.- Mark für die Teile nahm sie an, als er ihr aber das West-Geld für zwei Helme geben wollte, machte sie einen Aufstand:

„Na das wäre ja noch schöner, der eine Helm gehört ja mir! Du musst also nur einen bezahlen! Hebe das Geld für den Kotflügel auf, denn 200.- Mark müssen, wenn alles klappt, Pfingsten bezahlt werden."

Unkompliziert und praktisch – so war eben seine Inge. So blieb ihm immer noch eine Westgeldreserve in Berlin von ~250.- DM als Notgroschen. Erst als es dunkel wurde, gaben sie ihr Liebesnest auf. In der erstbesten Dorfgaststätte kehrten sie ein und wurden in ihrer Aufmachung als Berliner Stadtmenschen bestaunt – Rolands Motorrad hatte Berliner Kennzeichen. Sie aßen beide doppelt viel, weil die Portionen klein, ihr Hunger über den Tag aber groß geworden war. Roland fuhr Inge bis in die Nähe des Bahnhofs Potsdam, wo sie sich fast hastig verabschiedeten. Pfingsten würde sie, wenn heute alles gut gegangen sei, wieder „sicher" sein. Alles andere wäre eine Katastrophe. Ihren Helm packte sie nicht in die Picknicktasche, sondern trug ihn, an ihr baumelnd, wie eine Trophäe.

Es war alles gut gegangen, auf ihren „Kalender" konnte sich Inge verlassen. Mit dem Spreewald als Ziel holte Roland Inge das nächste Mal in Potsdam ab. In Lübben fanden sie Quartier und begingen „sichere Pfingsten". Über das Wochenende des „17.Juni", der im Westen gesetzlicher Feiertag war, schauten sie sich Weimar und Jena an. Den letzten Ausflug vor dem gemeinsamen Jahresurlaub begannen sie am 22. Juli im Harz. Sie kannten sich jetzt über ein halbes Jahr, ihre Liebe war zur unverbrüchlichen Selbstverständlichkeit gewachsen. In den vergangenen Monaten hatten sie sich, über die Begeisterung ihrer Vitalität hinaus, als Charaktere schätzen gelernt. Trotzdem waren sie sich bewusst, dass etwas Unausgesprochenes über ihrer Beziehung lag. Das in seiner tiefen Bedeutung zu diskutieren, wurde von den ständig neuen Eindrücken, die sie bei ihren zeitlich limitierten Zusammenkünften erlebten, überlagert. Sich dessen bewusst, nahm jeder die aktuelle Situation als willkommenen Ausgleich für die Verdrängung. Der bevorstehende Jahresurlaub, darüber waren sie außer Zweifel, brächte Ruhe und Zeit, miteinander über die Zukunft zu sprechen. Den genehmigten Jahresurlaub ab dem 21. August hatte Roland mit Zivilerlaubnis in der Tasche. Mit kleiner Campingausrüstung wollten sie, wenn Platz zu finden sei, als „Wildcamper", bis zum 20. September die Ostseeküste abfahren, ansonsten in Pensionen übernachten. Losgehen sollte es ab Berlin - nach Rolands Besuch bei den Verwandten mit vorhersehbarer Auffrischung seiner Börse.

Die schulischen Jahresprüfungen lagen hinter ihm.

Im August 1961 fanden alljährlich Sportwettkämpfe zwischen Dessauer Armeeeinheiten und sowjetischen Waffenbrüdern statt. So war es auch am Sonnabend, dem 12. August 1961. Er war in den Laufdisziplinen angetreten. Wie üblich fand im Anschluss an die Wettkämpfe „Ringelpiez mit Anfassen" statt. Es fanden Akteure und Fangemeinde bei Musik und Trank zusammen. Roland war nicht auf Frauensuche. In diesem Kreis war er als mehrfacher Sieger bekannt, und als solchem machten Frauen ihm auch „schöne Augen". Diese ignorierte er, als wäre er zu blöd und naiv sie wahrzunehmen. Er trank und redete so lange mit den Nichttänzern, dass er schließlich Unterkunft und Bett mit „Schlagseite" erreichte.

Sonntag 13. August 1961, gegen 10 Uhr, noch in der Regenerationsphase auf dem Bett liegend, vernahm er Getrappel und Unruhe auf der Etage:

„Atze, Atze! Berlin wird dicht gemacht und dann zugeschissen!"

„Blödsinn, lasst mich in Ruhe!"

Kurz darauf stand der Politnik vor seinem Bett.

„Die Klassen werden in einer halben Stunde 'raustreten. Sie wissen ja, was da vor sich geht - oder?"

Natürlich gab Roland vor zu wissen, was politisch vor sich gehe. Zu sagen, er wisse von nichts - das tat man einfach nicht.

In den verbleibenden Minuten bis zum Appell verschaffte er sich ein ungefähres Bild aus dem Radio, das ihm die Lage halbwegs plausibel machte.

Die Mannschaft war auf dem Flur angetreten. Der Kompaniechef und der Politnik standen vor der Mannschaft. Roland wurde befohlen vorzutreten.

„Der Genosse nimmt jetzt zur Situation in Berlin Stellung!"

Roland fühlte sich politisch und landsmannschaftlich als einziger Berliner in den drei Klassen emporgehoben, die politische Situation zu erklären. Im gängigen Vokabular trug er vor, warum die aktuelle Sperrung der Grenzübergänge Sinn machte. Über Jahrzehnte blieb ihm sinngemäß seine Lageeinschätzung in Erinnerung:

In Berlin wird im Moment mal wieder die Grenze geschlossen. Das passiert wegen des unkontrollierten Personenverkehrs zwischen den vier Sektoren. Es wird verschärft kontrolliert, um Schmuggel zu unterbinden oder zwielichtiger Leute habhaft zu werden. Nach ein paar Tagen läuft wieder alles normal. Längstens war eine Woche lang nach dem 17. Juni 1953 die Grenze dicht. Es leuchtet ja wohl jedem ein, unsere Hauptstadt kann man schließlich nicht teilen. Wie sagte im Juni unser Staatsratsvorsitzender Walter Ulbricht:

„Niemand hat die Absicht, eine Mauer zu errichten. Unsere Bauarbeiter haben wichtigere Aufgaben."

Roland hätte gerne noch weiter begründet, dass Familien in Berlin nicht voneinander getrennt werden können u.a.m.. Er war überrascht, als ihm der Politleutnant abrupt dankte und ihn ins Glied zurückzutreten befahl.

Danach saß Roland im Kameradenkreis vor dem Fernseher im Aufenthaltsraum. Die Parteigruppe hatte sich gesondert in einem der Schulräume zusammengefunden. Roland diskutierte im kleinen Kreis. Seine Auffassung, es sei von einer temporären Grenzschließung auszugehen, wurde von den Anwesenden geteilt. In dieser Runde behandelten sie auch den Aufmarsch der Kampfgruppen aus den Berliner Betrieben. Zumindest hätten die jetzt erst einmal Schadenfreude nach dem Motto:

„Jetzt bekommen die ständigen Westgänger eins ausgewischt." Diejenigen, die in Westberlin arbeiteten und im Ostteil billig wohnten und lebten, waren nämlich den für wenig Lohn in Ostmark schuftenden Ostberlinern ein Dorn im Auge. Seine Kameraden hatten etwa dieselbe Einstellung. Sie sahen sich nämlich schon immer gegenüber den Bürgern von Berlin mit seinen zwei Welten benachteiligt. Im Ganzen, so der Tenor, könne es trotzdem keine ständige Trennung zwischen dem Ost- und Westteil geben. Das hieße Verletzung humanitärer Selbstverständlichkeiten. Alle im Gesprächskreis hatten Bildung und Erziehung zum Humanismus in der DDR genossen. Diese Basis schloss eine rigorose Trennung von Familien Ost/West aus!

Dem vermeintlich Bösen, anonym den Kapitalisten, Imperialisten und Kriegstreibern im Westen eins auszuwischen, das war die propagandistische Einstimmung für die morgens auf den Weg geschickten Hundertschaften der Betriebs-Kampfgruppen. Überwiegend war den Betriebs-Kampfgruppen-Mitgliedern nicht das Ausmaß dessen bewusst, zu was sich die Aktion entpuppen würde. Viele von ihnen waren später im Familienkreis beschämt darüber, woran sie sich als Staffage beteiligt hatten. Maßgeblicher Akteur war die Armee mit ihrer klaren Befehls- und Gehorsamsstruktur. In den aktiven Einheiten in und um Berlin waren nur ganz vereinzelt Berliner. Die Masse der Soldaten wusste im Einzelnen nicht, was sich aus ihrem Tun entwickeln würde. Sie befolgten lediglich die Befehle ihrer Vorgesetzten.

An Rolands Schule wurde noch im Verlauf des Nachmittags die erste offizielle Sprachregelung durch die Parteigruppe bekannt gemacht:

„Es handelt sich um „Grenzsicherungsmaßnahmen", die der Kriegsvorbereitung des Westens entgegengestellt werden!"

Montag war der Stundenplan umgestellt, Politunterricht den ganzen Tag. Besonders Rolands Argumente, von ihm oder anderen Kameraden tags zuvor diskutiert, wurden selektiv als beispielhafte Auseinandersetzung im Klassenkampf geführt. Der Gedanke vom Humanismus dialektisch definiert:

Humanismus ist, was der Macht der Arbeiter und Bauern dient. Was der Macht der Arbeiter und Bauern hilft, bestimmt die Partei. Ergo, was Humanismus ist, bestimmt die Partei!

Roland hatte Glück, in der sich in dialektische Zusammenhänge steigernden Diskussion nicht noch als Klassenfeind angeprangert worden zu sein.

Die in seinen Ohren als dümmlich nachklingende offizielle Betrachtung der Teilung seiner Heimatstadt konnte und wollte er nicht akzeptieren. Er hielt seinen Politleutnant und dessen Parteigruppenmitglieder für intellektuelle „Dumpfbacken", die sogar wider den normalen Menschenverstand argumentierten. Solcherlei Gedanken konnte er mit Niemandem austauschen. Versöhnlich schien ihm bei dieser innerlichen Beschau nur, dass er standhaft geblieben war, als man ihn für die SED anwerben wollte.

Wo war Inge?

Roland wusste nicht, ob Inge von der Grenzschließung auf der West- oder Ostseite überrascht worden war.

Was würde aus dem geplanten gemeinsamen Urlaub?

Er schrieb an Inge einen Text, der zwar Antworten verlangte, aber von dem er nicht wusste, wie der zu Inge gelangen könnte.

Was ist überhaupt mit Urlaub? Wie komme ich nach Berlin?

Seine Welt drohte zusammenzubrechen! Mit keinem konnte er über seine Probleme sprechen. Von Inge zu erzählen brächte Fragen auf, denen er sich nicht ausgesetzt sehen wollte.

Er erinnerte sich des Angebotes des Schulkommandeurs.

Tatsächlich, dieser war sofort für ihn zu sprechen.

Rolands Berlin-Argumentation hatte sich nämlich schon bis zu ihm herumgesprochen. Schon durch einige Stationen der Übermittlung entstellt, lautete der brandaktuelle Informationsstand des Kommandeurs, Roland sähe in der Absicherung der Grenze zum Klassenfeind inhumanes Verhalten der SED. Roland bestritt und verbat sich eine derartige Auslegung seiner Diskussionsbeiträge. Es kam zur Gegenüberstellung mit dem Politleutnant, der als Diskussionsleiter einräumen musste, einen Vorwurf gegenüber der SED-Führung durch Roland habe es, genau genommen, nicht gegeben. Nach einigem Wenn und Aber gab er klein bei – die von Roland eingebrachten Betrachtungen hätten wohl nur subjektiv-beispielhaften Charakter gehabt.

Vorläufig war der Politleutnant mit seiner unterschwelligen Einschätzung, Roland sei womöglich ein politisch unzuverlässiger Kantonist, abgeblitzt.

Nach diesem Verbal-Scharmützel war Roland mit dem Oberst allein im Zimmer.

Endlich wurde er die ihn virulent beschäftigende Frage los:

„Genosse Oberst, ich habe ab Ende August terminierten Jahresurlaub. Will, mit Freundin geplant, an die Ostsee! Wie sieht es damit aus?"

„Ich kann dazu im Moment nichts sagen - Sie bekommen Bescheid."

Abends wurde Roland noch einmal zum Schulkommandeur befohlen. Kaffee stand auf dem Tisch.

„Ich appelliere an Ihre politische Einsicht, Genosse. Über Berlin können Sie vorläufig nicht, und den Bezirk Potsdam müssen Sie umfahren."

Für Roland klang das wie die Beschreibung einer Katastrophe.

„Sie werden in Binz auf Rügen in einem unserer Objekte Urlaub machen. Zivilerlaubnis bekommen Sie für den gesamten Bezirk Rostock. Quartier für Sie ist das Kurhaus in Binz vom 21. August bis 13. September. Ganze 90.- Mark kostet Sie der Spaß, mit Freundin doppelt. Das ist aus meiner Kenntnis der beste Urlaubsplatz an der Ostsee."

Roland trank seinen Kaffee aus. Von der Fürsorge des Schulkommandeurs war er beeindruckt:

„Danke, Genosse Oberst. Ich werde eine Karte schicken!"

Aus der Audienz entlassen, rief er Wolfgangs Mutter an:

„Bitte packen Sie mir meinen schönen Koffer, Sie wissen schon! Zwei Sommer-Anzüge, passende Schuhe, die Jeans, drei weiße Hemden kurzärmlig und drei mit Manschetten, zwei Sommerkrawatten, Socken und, wenn ich etwas vergessen haben sollte, alles rein, was nach Binz im Sommer passt. Auch meinen Seiden-Morgenmantel. Den Koffer geben Sie bitte sofort als Urlaubsgepäck bei der Bahn auf. Adresse ist die Gepäckaufbewahrung Binz auf meinen Namen."

Die gute Frau versicherte ihre Hilfe. Dann kam sie ins Schwärmen: „Vor Jahren habe ich mit meinem Mann dort Urlaub gemacht. Ich wäre gerne an deiner Stelle. Unsereiner bekommt ja dort außerhalb des FDGB keine Zimmer zu bezahlbaren Preisen."

„Ich würde gerne mit Ihnen tauschen, käme lieber nach Berlin, ist für mich aber gesperrt!"

Die gute Frau konnte Roland nicht verstehen.

Zu Inge konnte er bis zum Urlaubstermin keinen Kontakt herstellen und ihrerseits gab es auch kein Telegramm. Ihm schwante, dass das so wie mit Marion enden würde.

Mit gemischten Gefühlen, aber zuerst einmal froh, aus der Kaserne raus zu sein, brauste er durch sonnendurchflutete Landschaften los. Außerhalb von Ortschaften fuhr er nach Straßenniveau und was die Maschine hergab. Das empfand er als Freisein.

Ganze 200.- Mark in der Urlaubskasse, ergänzt durch die letzten Stangen 2mal „Ernte 23", 1mal „Peter Stuyvesandt" und zwei lose Packungen, sollten vorläufig für Sprit und Urlaubsausgaben reichen. Die Option der West-Verwandten-Pipeline gab es nicht mehr. Sein Notgroschen in DM konnte er noch nicht einmal umtauschen, es sei denn offiziell zum Kurs 1:1 und der Nachfrage, woher er die Devisen denn habe. Zum Kurs von 7:1 konnte man zwar „unter der Hand" tauschen, das kam für ihn aber nicht in Frage, denn es hätte ihn kriminalisiert. Anfang September kämen noch 330.- Mark als Monatssold auf das Konto, wovon 40 Mark für die Motorradabzahlung abzurechnen waren. Eine dürftige Ausstattung für den jungen Kavalier.

Als Option für eine Aufbesserung sah er seinen „Partei-Paten". Deshalb fuhr er also nicht gleich an die Ostsee, sondern zunächst nach Leipzig. Der Professor war erfreut, ihn zu sehen, denn die Eltern hätten vor kurzem angerufen, um sich zu erkundigen. Er war in der Villa allein, weil Ehefrau und Tochter über das Wochenende verreist waren. Das größte Zimmer im Haus war nicht das Wohn-, sondern des Professors Arbeitszimmer. Maßgefertigte Holzregale bis zur Decke, in denen Bücher standen oder gestapelt lagen. Vor einem riesigen Schreibtisch im Stil der zwanziger Jahre standen zwei Sessel aus jener Zeit mit Armlehnen, so breit wie Elefantenfüße. Hier machten sie es sich bequem. Des Professors liebstes Getränk war Wodka, und wenn er allein war, trank er etwas mehr. Unbeobachtet von den Frauen, animierte er Roland bereits mittags, mit ihm zu trinken. Mit gelockerter Zunge tat Roland seine Meinung zur „Berlin-Abriegelung" kund. Er beklagte, dass diese Maßnahme des Staates seine persönliche Familienplanung völlig durcheinander zu bringen drohe. Er wäre aber mit Sicherheit nur ein Schicksal unter hunderttausenden. Der Professor stimmte dem zu, verlor aber kein Wort über verletzte Humanität. Er zog sich auf die Erlebnis-Position des verfolgten Kommunisten zurück, die ihn nach Jahren im KZ als Emigranten in die Sowjetunion geführt hatte. Aus dieser moralisch unantastbaren Position redete er sich emotional in Rage, stellte den Existenzkampf für ein sozialistisches Deutschland in den Vordergrund und segnete jede Maßnahme der Partei in der Vergangenheit und für die Zukunft gleich mit ab:

„Roland, deine Sichtweise muss vom Klassenstandpunkt ausgehen. Du darfst nicht nach subjektivem Empfinden wackeln. Mit Emotionen über die Partei kommst du in Zukunft nicht klar!"

Roland war enttäuscht und zugleich erschrocken über soviel Ignoranz im Kopf eines kommunistischen Intellektuellen. Er schrieb diese kämpferisch klingende Dialektik auch nicht dem inzwischen reichlich konsumierten Alkohol zu. Was er gehört hatte, war Klartext! So ideologisch ausgerichtet, um nicht zu sagen „bekloppt", würde er nie funktionieren! Die „Genossen-Atmosphäre" machte er sich aus gefühlter moralischer Überlegenheit zunutze. Er setzte den Professor in die Pflicht:

„Meine bisher erbrachten Opfer im Zuge der Errichtung der „Grenzsicherung" verlangen eigentlich deinen solidarischen Beitrag. 300.- Mark täten meiner Urlaubsbörse gut!"

Der Professor zog sich aus dem Sessel, tastete sich für´s Gleichgewicht an der Schreibtischkante bis zur Schublade, entnahm ihr Geld und reichte 300 Mark kumpelhaft und Wodka-launig herüber: „Wir Kommunisten müssen doch zusammenhalten!"

Roland hatte schlecht geschlafen, das Gespräch mit dem Professor war sein Albtraum! Dieser sah den klassenkämpferischen Diskurs gefühlsmäßig als vollzogene Verbrüderung mit seinem Patensohn. Roland saß nach dem gemeinsamen Frühstück auf dem Motorrad und hatte den Gang eingelegt, als der Professor ihn mit angewinkelt erhobener Faust verabschiedete.

Der Fahrtwind holte ihm zwar den Restalkohol, aber nicht den kompromisslosen „Klartext" aus dem Kopf. Er passierte Streckenabschnitte, die er noch mit Inge als Sozia passiert hatte. Das für ihn bestimmte Urlaubsdomizil war der dominanteste Hotelbau in der allgemein als „Bäderarchitektur" bezeichneten Bauweise entlang der Uferpromenade. Balkone, Veranden und Erker gaben dem Kurhaus Prunk. Er fuhr mit dem Motorrad direkt auf die Auffahrt und stellte die Maschine neben dem Haupteingang ab. Er wollte, dass seine Anfahrt vom Personal beobachtet würde. Durch die vornehm-plüschige Empfangshalle schritt er zur Rezeption. Sein NVA-Urlaubsschein erbrachte an der Rezeption freundliches Bemühen: „Wären Sie mit dem nächsten „Rasenden Roland" eingetroffen, hätten Sie sofort auf's Zimmer gekonnt. Es wird gerade gerichtet. Sie sind allein - hier sind zwei Personen gemeldet?"

„Ja, ich bleibe allein, die zweite Person ist dienstlich verhindert."

„Kein Problem, entweder sie zahlen für das reservierte Zimmer einen Aufschlag von 30 Mark, oder Sie bekommen ein kleineres. Wie beliebt?"

„Ich behalte das reservierte Zimmer. Es zu richten hat Zeit, denn ich muss erst einmal zum Bahnhof, um mein eingelagertes Gepäck abzuholen.

„Ihr Motorrad stellen Sie später bitte in unserem Seitenhof ab."

Langsam fuhr er die Uferpromenade und an den Häusern der Nebenstraßen entlang. Der Stilmix von Klassizismus und Jugendstil zusammen mit den lustwandelnden Urlaubern stimmte ihn ein und machte neugierig.

Sein Koffer hatte den Bahntransport gut überstanden. Er packte ihn in einem Zimmer mit Seeblick in der zweiten Etage aus. Die von Wolfgangs Mutter ausgesuchten Sachen waren vollständig. Zwei

Betten, durch einen Nachtschrank getrennt und eine eigene Nasszelle. Letzteres war Luxus in den pompösen Häusern, die von außen in ihrem morbiden Charme einen besseren Eindruck erweckten, als es ihr Inneres bot. Es handelte sich fast ausschließlich um FDGB-eigene Objekte, für die nicht das Geld zur Verfügung stand, sie in zeitgemäßen Standard zu versetzen.

Zwei Besonderheiten des Kurhauskomplexes übertrafen alle anderen Urlaubsquartiere in Binz. Zum Einen gab eine riesige Terrasse vor dem Hotel, die nur durch die Strandpromenade vom Strand getrennt war. Von 15:00-17:00 Uhr durch Live-Musik unterhalten, saß irgendwann jeder Urlauber in Binz und Umgebung hier mit Kind und Kegel zu Kaffee, Kuchen und Eis. Nach dem Motto: „Sehen und gesehen werden" weilten hier Gäste aller Altersstufen. Abends spielte die Live-Musik-Kapelle von 19:00–24:00 Uhr im Festsaal zum Tanz, zu dem die Männer nur mit Schlips und Kragen eingelassen wurden. Im Kurhaus bewegten sich die Gäste mit ihren Ehefrauen bzw. weiblichen Begleitungen so zwanglos wie in „normalen" Hotels. Das Haus beherbergte auch Zivilisten. Armeeangehörige wurden erst gegen Abend dominant. Am Abend seiner Ankunft war er in Galauniform im großen Saal. Dienstgrade unter Major bzw. Korvettenkapitän erblickte er nicht. Seine Gala-Uniform der Luftwaffe war auch ohne Sterne schick genug. Er fühlte sich gesellschaftssicher.

Das „a la carte" im Kulturhaus-Binz war vergleichsweise reichhaltig und erhielt durch erstklassigen Service Luxuscharakter. Frische weiße Tischdeckungen, Stoffservietten und unter ständiger Aufsicht des Saalchefs wieselndes Personal ließen den Hauch des Mondänen der 20/30er Jahre durch die Säle wehen. Damals traf man hier zu legendären Festen zusammen.

Roland wollte Vieles auf einmal genießen. Gleich am ersten Tag spielte er stundenlang am Strand Volleyball. Das nahm ihm der Teint seiner Haut übel. Ein Sonnenbrand schlug Blasen auf Schultern, Rücken und Schenkeln. Sein Gesicht war rot wie ein gekochter Krebs und die Ober- und Unterlippen von Herpes-Bläschen aufgequollen. Das Malheur „Sonnenbrand und seine Folgen" wurde von den Binzern mit Rat und Tat so selbstverständlich gehandhabt wie das Aufstellen der Strandkörbe. Am Tag und vor dem Einschlafen wurden die Flächen mit Quark bespachtelt. Für Dosierung und Handhabung wurde Roland eine ältere Frau anempfohlen, die in der Hotelwäscherei beschäftigt war. Diese war als Helferin für Sonnengeschädigte bekannt, wie eine zaubernde Hexe. Sie legte bei Roland Hand an, wobei sie wirkliches Mitleid mit dem Grad seiner Verbrennungen zeigte. Ihr ostpreußischer Akzent mit dem rollenden „R", machte ihn neugierig. Als junge Frau war sie in den letzten Kriegsmonaten aus den Masuren über Kolberg nach Stralsund gekommen. Auf der Flucht vor der Roten Armee waren die Russen schon einmal an ihrem Treck vorbeigekommen. Sie hatte viel Entsetzliches erlebt und gesehen. Roland kannte Flucht und Vertreibung nur als Pseudonym für deutsche Kriegsschuld. Sein Interesse an ihrer Geschichte förderte eine ganze Familiensaga zu Tage. Daraus ergab sich so viel Behandlungszeit, dass sie beide beim Erzählen den Heilungsvorgang hätten beobachten können.

Zwei Tage hatte er liegend im Zimmer zugebracht. Danach war er, zwar immer noch gehandicapt, wieder an der frischen Luft unterwegs. Von langen Hemdsärmeln geschützt, fuhr er an der Ostseeküste von Ort zu Ort. Herrliche Landschaften, die er auf von Bäumen gesäumten Straßen passierte, die der Wind zu urigen Gebilden geformt hatte. Allein unterwegs, mit Berliner Nummer an der Maschine, Weststurzhelm, die Westzigarettenpackung vor sich auf den Tisch gelegt, fand er schnell Kontakt zu Einheimischen und Touristen. Diese hofften von ihm zu erfahren, was es in Berlin Neues gebe. Tatsächlich war es umgekehrt. Vom Hörensagen waren bestimmte Bilder entstanden. In Wismar erzählte ihm der gerade zum E-Schweißer ernannte Facharbeiter Helmut:

„Ich habe gerade meinen Facharbeiter gemacht. In zwei Wochen werde ich bei den Luftstreitkräften dienen, besser gesagt, dienen müssen."

Helmut und seine Lehrlingskollegen hatten in der „VEB Mathias Thesen-Werft Wismar" Ende Juli ihre Abschlussprüfungen zum Facharbeiter bestanden. Die Facharbeiterbriefe seien ihnen aber nicht ausgehändigt worden. In der Woche nach dem 13. August seien er und seine Kollegen in der Werkskantine zusammengerufen worden. Ohne Umschweife sei ihnen eröffnet worden:

„Jetzt bestehen klare Verhältnisse – in den Westen türmen geht nicht mehr. Jeder von euch hat drei Möglichkeiten:

„Erstens: Abkommandierung in die LPG (Landwirtschaftliche-Produktions-Genossenschaft); zweitens: Freiwillige Verpflichtung zur NVA; drittens: Rost klopfen in der Werft!"

„Ich habe mich zu den Luftstreitkräften gemeldet. Im Gegensatz zu den Grenztruppen mit drei Jahren muss ich nur zwei Jahre dienen."

Weil er an die Fachhochschule zum Ingenieur-Studium delegiert werden wollte, erschien ihm der „freiwillige" Armeedienst in der Luftwaffe als das geringere Übel.

Eine andere Geschichte erzählte ihm ein Soldat, der maßlos sauer darüber war, wie er als Randberliner gepiesackt würde. Als Landsmann durch das Berliner Nummernschild ausgemacht, kam Roland ihm gerade recht. Als sich noch herausstellte, dass Roland so wie er bei den Luftstreitkräften war, wurde klar - die Handhabung seiner eigenen Urlaubsplatzbestimmung durch die Flugschule hatte System. Der Soldat diente in Bansin. Sein Heimatort war Eichwalde bei Berlin, eine Gemeinde, die direkt an das Stadtgebiet von Berlin grenzte. Die Straße, in der er wohnte, war nicht einmal 50 Meter von der Berliner Stadtgrenze entfernt. Wenn dieser Soldat auf Heimaturlaub fuhr, kam er bislang nach ca. 4 Stunden zu Hause an. Jetzt nach dem Mauerbau durfte er nicht mehr durch Ostberlin, sondern musste Berlin umfahren. Das bedeutete über Schwerin, Neu-Brandenburg, Frankfurt-Oder nach Königs Wusterhausen mit der Eisenbahn und von dort mit der S-Bahn nach Eichwalde. Eine Station weiter Grünau. Das gehörte aber schon zu Berlin-Ost, wohin er ja nicht durfte. Die gesamte Fahrzeit betrug nunmehr nicht vier, sondern ungefähr 15(!) Stunden. Erklärung für das Fernhalten von Armeeangehörigen von Berlin ergab sich aus der Stimmung, wie sie in Berlin nach dem Mauerbau herrschte. Die NVA-Soldaten sollten nicht 1:1 von reisenden Armeeangehörigen, also an der Truppenindoktrination vorbei, eine reale Lageübersicht erhalten. An der „Mauer", dieser Begriff war inzwischen umgangssprachlich der Terminus für die „Grenzmaßnahmen", hatte es die ersten Toten gegeben. Das hatten die Leute aus dem (West-)Rundfunk erfahren. Wie Lauffeuer breiteten sich diese Nachricht aus. Roland dachte: „Mein Gott, in was für einer Zeit lebe ich eigentlich?"

Seine Fahrten durch die Gegend waren finanziell nicht so anspruchsvoll, wie sie hätten ausfallen können, wenn er nach dem

Frühstück nicht im Hotel, als Äquivalent für den ausfallenden Mittagstisch in der Vollpension, belegte Brote bekommen hätte. Zum Abendessen war er stets zurück und bereits umgezogen, um die Tanzveranstaltung zu besuchen.

Sein Herpes war zwar nicht mehr virulent, aber kleine blutige Krater auf den Lippen mussten sich noch schließen. Selbst wenn eine Tanzpartnerin über diese Verunstaltung hinweggesehen hätte, ein späterer Kuss hätte dem Rot ihrer Lippen eine weitere Farbnuance hinzugefügt – von Rolands jedes sinnliche Gefühl übertreffenden Schmerzen ganz abgesehen. Das Handicap erlaubte Roland keine der Eroberung dienende Attacke. Er war auf Beobachtung reduziert. Das turtelige Beieinander auf dem Parkett und an den Tischen machte ihm schwer zu schaffen. Er sah sich gedanklich mit Inge. Mehr aus Neugier als aus Jagdfieber hatte er am Abend vor dem Sonnenbrand mit einer Dame getanzt, die sicherlich älter war als er, aber noch diesseits der Dreißig. Ein Blickfang war ihre feminine Haltung. Sie saß allein an einem Tisch, der seitlich unterhalb der Bühne stand, auf der die Fünf-Mann-Kapelle ihren Platz hatte. Er nahm zwar wahr, dass es ihr Freude bereitete mit ihm zu tanzen, aber ebenso musste er feststellen, dass sie seine werbenden Annoncen überging, als gäbe es sie nicht. Überhaupt fiel ihm auf, dass er so ziemlich der einzige von zahlreich anwesenden Männern war, gleich ob in Zivil oder Uniform, der diese Schönheit zum Tanz aufforderte.

Es waren einige Tage mit der Behandlung von Rolands Sonnenbrand vergangen.

Am Nachmittag saß sie auf der Hotelterrasse, auch wieder an einem Tisch in Nähe der Kapelle. Als sie sich sahen, winkten sie einander über mehrere Tische hinweg zu. Als er nun wieder im Festsaal erschien, erblickte er die Dame seines Interesses. Sie saß wieder allein am Tisch. Er ging ohne Umschweife auf sie zu. Seine Bitte, an ihrem Tisch Platz nehmen zu dürfen, kam ihr gelegen. Sie war erfreut ihn zu sehen, hatte sie doch angenommen, er sei abgereist. Auf dem Motorrad hatte sie ihn nämlich abfahren sehen. Roland klärte seinen Verbleib der letzten Tage auf und bemitleidete sein heutiges Aussehen:

„Mehr als mit Ihnen zu tanzen kann ich nicht bieten, aber diesen Spaß gönne ich uns."

Er erfuhr ihren Namen – Erika - und endlich auch, warum sie nur selten tanzte und trotzdem immer anwesend war.

„Einer der beiden Saxophonisten ist mein Mann. Weil das bekannt ist, werde ich nur von Männern aufgefordert, die das nicht wissen. Die Kapelle steht hier unter Vertrag über die ganze Saison, bis Ende September."

Roland war überrascht und geplättet! Er war ja nicht als Eintänzer hier. Als Kavalier suchte er seinen Kummer verdrängende Frauenbekanntschaften. Die Enttäuschung ließ er sich nicht anmerken und überspielte sie:

„Verstehe, wir tanzen ja gut miteinander. Können wir doch wiederholen, oder?"

Etwas anderes blieb ihm in seiner Verfassung sowieso nicht übrig, und mit ihr im Arm konnte er immer noch von anderen Damen beobachtet werden, die von seinem Handicap keine Ahnung hatten.

In einer großen Pause, die von der Kapelle stündlich eingelegt wurde, erschien der Saxophon spielende Ehemann am Tisch. Man stellte sich einander vor. Roland blickte in ein von tiefen dunklen Augenrändern gezeichnetes, blasses Gesicht. Der Mann wäre, wenn er aufrecht gestanden hätte, so groß gewesen wie Roland, aber seine Körperhaltung war so gekrümmt wie beim Blasen des Saxophons. Zwischen Erika und ihrem Mann David lag augenscheinlich ein größerer Altersunterschied. Die Persönlichkeit dieses Mannes machte einzig die brillante Beherrschung seines Instrumentes aus. Ansonsten trank er in den fünfzehn Minuten Pause zwei zahnputzbechergroße Gläser „Plovdiv-Cognak", bevor er wieder auf die Bühne musste. Noch vor dem Ende des Tanzabends verabschiedete sich Roland. Beim Tanzen hatten Erika und er wirklich Freude, und der Gesprächsstoff ging ihnen auch nicht aus. So war es fast selbstverständlich, dass sie sich für den nächsten Tag erneut verabredeten.

Tagsüber spazierte Roland durch Binz, spielte mit hochgeschlagenem Hemdkragen in langen Popelinhosen Volleyball, saß oder lag im Schatten. Seine wehleidigen Gedanken vermochten weder das schöne Wetter noch die ihn umgebende Urlaubsatmosphäre zu verdrängen. Ganz schlimm war es, wenn er Paare in trauter Zweisamkeit beobachtete. Es drängte ihn, seine Gefühlswärme zu teilen – sein Hormonpegel war übervoll. Zwei Tage, da biss die Maus keinen Faden ab, brauchte es noch, bis er als Mann von der Damenwelt akzeptiert und wieder voll einsatzfähig sein würde.

Im Gegensatz zu vorangegangenen Reisen war diesmal das Schriftliche im Lot. Seine Unpässlichkeit förderte Postkartengrüße an Verwandte, Bekannte, Freunde und den Genossen Oberst zu schreiben. Der Menge wegen in kurzen Abfassungen, kamen sie alle auf den Postweg.

Zufällig liefen sich Erika und Roland am Nachmittag über den Weg. Erika erinnerte daran, dass sie für den Abend verabredet seien.

„Hast du eine Idee oder einen Vorschlag für meine Haare? Ich bin auf dem Weg zum Friseur."

„Habe ich nicht. Deine halblangen Haare gekämmt oder gelegt, haben ja Ähnlichkeit mit der Frisur von Gina Lollobrigida."

Dieser Hinweis, als Kompliment gedacht, wurde als solches von ihr vermerkt. Neckenderweise bekam Roland den Rat:

„Halte dich von der Sonne fern, sonst wird es noch nicht einmal etwas mit einem Handkuss."

An der Ferne zu Inge war nichts zu ändern, sein Egoismus schlug durch. Bei Erika würde er „Attacke reiten".

Als Roland sich abends an den Tisch zu Erika setzte, legte er ein Männertreu-Blümchen, welches er vor dem Hotel dem Terrassen-schmuck „entnommen" hatte, vor sie. Die Geste blieb von der Umgebung unbemerkt. Die Eröffnung war gelungen. Erika war von der unauffälligen Traute Rolands beeindruckt, und dieser fand ihre Frisur richtig toll. Ihre Unterhaltung war reich an Andeutungen, und sie kicherten mit Schalk in den Augen. Mit der Metapher, frische Luft schnappen zu müssen, verabredeten sie sich seitlich vor dem Hauptausgang des Hotels. Einzeln verließen sie den Festsaal. Die vorangegangene Konspiration bedurfte keines weiteren Vorspiels. Sie küssten sich, eng von oben bis unten umschlungen, im uneinsehbar gelegenen Winkel zum Hotelfoyer. Erika würde ihrem Mann heute Abend sagen, dass sie am Vormittag, wenn er noch ausschliefe, einkaufen gehen würde. Das war die Vorbereitung für den Besuch in Rolands Zimmer. Nacheinander trafen sie wieder an ihrem Tisch ein. Zur großen Pause kam der Saxophonist wieder zu seiner Frau und

Roland an den Tisch. Obligatorisch trank er bis zum nächsten Auftritt sein Quantum und bot zwischendurch Roland jovial das „Du" an. Erika verabschiedete sich von Roland, der die letzte Stunde das Treiben im Tanzsaal allein beobachtete. Seine Gedanken waren mit dem morgendlichen Rendezvous beschäftigt. Er nahm sich vor, frühzeitig das Hotel zu verlassen, um bei Öffnung des HO-Ladens eine Flasche Sekt zu kaufen, da viel billiger, als sie jetzt noch im Restaurant auf die Rechnung setzen zu lassen. Er war erfolgreich. „Rotkäppchen Sekt", in der ganzen DDR Mangelware, gab es in Binz im normalen HO. Leise klopfte es gegen 9 Uhr an seiner Tür. Erika stand im luftigen Kleid vor ihm. Sozusagen als Signal an Erika, zur leichteren Überbrückung der ersten Scheu gedacht, empfing Roland in Seiden-Morgenmantel über der Unterhose. Galant führte er sie an das dem Fenster nahestehende Bett. Sie war recht ungehemmt, denn als er mit dem Öffnen der Sektflasche beschäftigt war, griff sie die bereitstehenden Gläser, um das Einfüllen zu erleichtern. Sie tranken, nebeneinander auf der Bettkante sitzend, die Gläser bis zur Neige. Sie wollte keine Nachfüllung, und so nahm er ihr das Glas aus der Hand. Er musste sie nicht bitten, es sich auf dem schmalen Bett bequem zu machen. Das Kleid glitt an ihr ab. Sie legte es auf das andere Bett und sich selbst im zweiteiligen Badeanzug neben Roland. Roland glitt liegend aus dem Morgenmantel. Seine Haut pellte sich noch an einigen Stellen, aber in rotbrauner Indianertönung gab sein durchtrainierter Körper eine vor Gesundheit und Kraft strotzende Ansicht. Diese Optik erfüllte Erikas Erwartung wohl. Vorsichtig, aber zielbewusst streichelten und küssten sie sich in Erregung. Als Roland sich anschickte, ihr das Oberteil des Badeanzuges auszuziehen, kam sie ihm zuvor. Vier Hände tasteten die Körper ab, wobei sich die Hosen wie von selbst verloren. Zwei Körper in lang entbehrter Lust trafen aufeinander. Jeder wollte sich und dem anderen alles geben. Erikas Körper zuckte noch in nachklingenden Orgasmen, als Roland mit breit ausgestreckten Armen zur Entspannung tiefe Atemzüge nahm. Sie genossen Lust und Sekt abwechselnd.

Erikas Halbwahrheiten gegenüber ihrem Mann waren überzeugend. Sie schlossen die Wahrheit bis zu Rolands Abreise aus. Mit Davids Einverständnis durchfuhr Erika als Sozia mit Roland die Ostseelandschaft. Ohne lange suchen zu müssen fanden beide für trautes Beisammensein Plätze in freier Landschaft. Es bestand eine harmonische Beredsamkeit. Erikas trinkender David wusste, wenn er vormittags ausschlief, seine Frau beschäftigt. Gegen Mittag trafen sich die Eheleute am Strand, sahen Roland im Kreis der Volleyballspieler zu, oder sie alle drei saßen auf der Hotelterrasse beisammen. Ab 15:00 Uhr spielte David auf der Terrasse zum Tanz, Zeit für Roland, sich zu kümmern. Die Tage in Binz taten Roland gut. Dass dieses „Dolce Vita" zeitlich limitiert war, bereitete ihm keine Bange. Gelassen sah er seinem Abreisetag entgegen. Tags zuvor verschickte er wieder seinen schönen Koffer mit den Zivilsachen an Wolfgangs Mutter.

Am Abend traf er sich mit Erika am angestammten Tisch zum Tanz. Zuvor waren sie zusammen auf Rolands Zimmer. David wusste von Rolands Urlaubsende und seiner Abreise am nächsten Tag. Er spielte sich am Saxophon als freundschaftliche Reverenz an Roland, fast die Seele aus dem Leib. Mehrmals spielte er die von Erika und Roland gern getanzte Melodie zu „Die Liebe ist ein seltsames Spiel". Als er in der Pause an den Tisch kam, trank er noch einen Becher „Plovdiv-Cognak" speziell auf Roland, weil er ihn als Kavalier für seine Frau vermissen würde. Für den nächsten Morgen gab sie David in dieser Abschiedsatmosphäre noch den Hinweis, mit Roland vor der Abreise frühstücken zu wollen. David fand das eine schöne Idee.

Als Erika am nächsten Morgen in sein Zimmer kam, stand der bevorstehende Abschied zwischen ihnen. Sie gingen ganz vorsichtig aufeinander zu – keiner wollte etwas Dummes sagen, denn sie wussten, jeder würde seines Weges gehen. Roland war robuster als Erika. Er konnte sich aber auch in ihre Lage denken. Im Bewusstsein des Endes ihrer Liaison liebten sie sich, als gäbe es dieses Ende nicht. Anschließend begleitete sie sein Abschiedsdefilee beim Personal. Roland bedankte sich für die empfangenen Freundlichkeiten während seines Aufenthaltes, ohne seine 'Zauberhexe' zu vergessen.

An seiner Maschine angekommen, gab Erika ihm einen Kuss auf die Wange und drückte ihm zum Andenken einen markstückgroßen Bernstein in die Hand.

„Heb ihn auf. Er soll dich an uns in Binz erinnern. Flugzeuge in der Luft werden mich an dich denken lassen."

Er ließ die Maschine aufheulen und in einem Kavaliersstart, mit in die Luft gezogenem Vorderrad, fuhr er die Auffahrt herunter. Es gab keinen Grund zur Eile, denn in der Flugschule musste er erst um 24:00 Uhr eintreffen. An jeder Gast- oder Raststätte, wo ihm durch geparkte Fahrzeuge oder Gäste potenzielle Gesprächspartner zu sein schienen, hielt er an. Eine einzige Stange Westzigaretten war ihm noch geblieben und jede einzelne Zigarette war ihm im Wert gestiegen, denn mit Nachschub war nicht zu rechnen. Die Sonne war gerade untergegangen, als er in Dessau eintraf:

„Um 8:00 Uhr beim Politoffizier einfinden!" teilte man ihm bei seiner Rückmeldung auf der Schreibstube mit. Von jetzt auf gleich – der Dienst hatte ihn wieder.

Großes Hallo bei den Kameraden. In seinem Zimmer fehlte Kamerad Emil. Das war der einzige schon verheiratete Kamerad in Rolands Zimmer. Jetzt befände der sich im Krankenhaus, also nicht im Lazarett der Flugschule. Dort würde man an seinem 'Pimmel rumschnippeln', lästerten die beiden Zimmerkameraden.

Der Grund, sich beim Politnik melden zu müssen, erklärte sich ihm bei Vergegenwärtigung des Datums. Man würde sich wohl wieder um seinen Beitritt in die SED kümmern wollen. Der Feiertag zum 7. Oktober war ja nicht mehr weit. Er schlief mit einer unverbindlichen, aber nicht vor den Kopf stoßenden Argumentation zu seiner innerlich gefestigten erneuten SED-Absage ein.

Wie erwartet saß der Politnik mit einem Kameraden/Genossen der Parteigruppe im Kompaniechefzimmer. Man begrüßte ihn als aus dem Urlaub zurückgekehrten Kameraden. Er möge doch bitte erzählen, was er so erlebt hätte. Dieses Gespräch solle er als zwanglose Unterhaltung sehen. Sie würde mit allen aus dem Urlaub zurückgekehrten Genossen geführt, weil man erfahren wolle, was und wie außerhalb der Armee geredet würde. Roland holte weit aus und gab Allgemeines zum Besten. Trotz des angebotenen Kaffees war es kein Urlaubsgeplauder, sondern eher ein freundliches Verhör. So wurde er beispielsweise gefragt:

„Wo kommen denn die Westzigaretten her, die man dich rauchen sieht?" Ups!

„Warum bist du denn nicht mit deiner Freundin aus Potsdam in den Urlaub gefahren?"

„Wie bist du zu deinem Sturzhelm gekommen?"

Rolands Antworten, simpel und in sich nachvollziehbar, nahmen jedem Verdacht die Spitze. Er bekam Oberwasser und fragte provokant zurück:

„Was macht denn diese Befragung für einen Sinn?"

„Leg doch nicht alles so auf die Goldwaage, wir werfen dir doch nichts vor!"

Das Gespräch fand sein Ende, ohne den Parteieintritt zu thematisieren.

Nach zwei Tagen waren sie wieder auf der Stube komplett. Kamerad Emil war nach 6 Tagen Krankenhausaufenthalt zurück. Er war gutgelaunt. Unter seiner aufgeknöpften Uniformjacke sichtbar, lag um den Hals eine Schlinge aus Verbandsstoff:

„Ich bin nur kurz da. Vor mir liegen 10 Tage Genesungsurlaub mit meiner Frau in einem Offiziersheim. In zwei Tagen bin ich weg. Vorher müssen sie mir nur noch die Fäden ziehen."

Donnerwetter, das war ja wirklich eine Ansage – 10 Tage Genesungsurlaub!

Die Sorge um die Gesundheit der Kameraden Flugschüler war sprichwörtlich. Schließlich investierte der Staat in seine Flugschüler viel und wollte keinen krankheitsbedingten Ausfall verkraften müssen. Salopp gesagt, wenn jemand erhöhte Temperatur meldete, standen sofort Ärzte am Bett, um zu diagnostizieren und zu behandeln. Bei 10 Tagen Genesungsurlaub musste es sich demzufolge um eine schwere Operation gehandelt haben. Roland und seine Stubenkameraden waren neugierig, denn immerhin handelte es sich um Emils 'Bestes Stück', an dem geschnippelt worden war. Burschikos kameradschaftlich, von Einfühlsamkeit kaum die Spur, aber wissbegierig auch um das eigene „Beste Stück", wollten sie es genau wissen. Emil zierte sich, bequemte sich dann aber:

"Beim Geschlechtsverkehr habe ich immer Schmerzen an der Vorhaut verspürt. Die Eichel war erigiert größer, als meine Vorhaut sich weiten konnte. Der Lazarett-Arzt diagnostizierte „Phimose", auf Deutsch Vorhautverengung. Eine solche Laune der Natur, meinte er, sei nur durch einen medizinischen Eingriff zu beheben. Die Operation sei von äußerster Sensibilität und nur von spezialisierten Ärzten durchzuführen. Deshalb bin ich an einen Professor außerhalb der Armee überwiesen worden. Der praktiziert in einer Privatklinik in Dessau. Der Professor hat ringsherum die Vorhaut verkürzt bzw. abgeschnitten und ringsum die Schnittstelle vernäht."

„Lange Rede, kurzer Sinn. Zeig her dein 'Bestes Stück'!"

Bevor sie betrachten konnten, was sie sehen wollten, musste Emil erst einmal von seinem Glied ein Hütchen aus Verbandsstoff abnehmen, das von der Schlinge um den Hals gehalten wurde. Das freigelegte Teil schien in Höhe der Eichelmitte von einer rotbraun-geschnürten Wurst umgeben. Zwischen schwarzen Fäden, wie bei einer eng geschnürten Leberwurst oder vergleichbar mit den Drähten eines Adventskranzes, die das zusammengeschnürte Tannengrün arretieren sollen, quollen relativ mächtige Fleischnoppen hervor. Rolands Phantasie erkannte eine Projektion, die nach seiner Einschätzung in Aktion, der Frau einen höheren Lustgewinn bescheren könne. Als alles wieder von Emil verpackt war und sich die Kameraden abgewandt hatten, ging er auf Emil zu:

„Deine Frau wird vor Lust jubeln. Du hast jetzt Noppen am Glied!"

Prompt bekam er die Zusage einer Rückmeldung.

Vierzehn Tage später war Emil wieder da. Roland erfuhr, es sei nach noch anfänglichem Wundschmerz phantastisch gelaufen. Emils Glied zierte jetzt ein Kranz fleischiger Noppen – schön anzusehen und in Rolands Phantasie funktional vorstellbar.

An Roland zogen die Wochen ohne emotionale Höhepunkte vorbei. Einen gedanklichen Anker bildete Berlin. Berlin als Pseudonym für Leben und Erleben, Menschen, Freunde, bekannte und neue Kultur rund um die Uhr auf Abruf. Wie wird er es bei seinem ersten Eintauchen nach dem Mauerbau finden. Er vertraute der Zusage aus dem Sommer, zum Jahresende nach Berlin reisen zu dürfen. Dass es nicht klappen könne, schloss er schon deshalb aus, weil die Eltern ihren Weihnachtsurlaub über die Feiertage in Berlin angekündigt hatten. Wie könnte ihm vor diesem Hintergrund die Reise nach Berlin verweigert werden? Klar war, dass er in diesem Jahr nicht über den Jahreswechsel, sondern zu den Festtagen Urlaub einreichen würde. Vorfreude hatte er auch auf ein Wiedersehen mit Freund Peter. Der hatte als Reaktion auf die Urlaubskarte geantwortet, dass er voraussichtlich für zwei Wochen im Dezember aus Dresden nach Berlin käme.

22.-28. Dezember lautete der Urlaubsschein – ohne Zivilerlaubnis. Frühmorgens, es war noch dunkel, fuhr er, den Armee-Wintermantel über der Uniform, Schal bis zum Sturzhelm, Schaftstiefel über den Hosen, im Schneewind los. Den direkten Weg auf der Autobahn über die Avus in die Innenstadt gab es nicht mehr. Über Schönefeld, Treptow nach Friedrichshain angefahren, gab es großes Hallo zu Hause. Mutter Margot, Vater Kurt und Wolfgangs Mutter waren in der Endphase der Vorbereitung für den geplanten Empfang, der für Freunde am Abend anstand. Die Arbeit wurde erst einmal unterbrochen.

Ein Brief war auch für ihn da. Roland erkannte Inges Schrift!

Mit einem Gefühl von Bangen und Hoffen überflog er den Text auf drei zweiseitig beschriebenen Blättern. Alles zu Ende – das als Fazit! Der Wiedersehenstrubel war für ihn zu Ende!

Der Brief von Inge war einen Monat alt. Sie schreibe erst jetzt, denn sie habe Zeit gebraucht, um sich und die Situation zu ordnen. Von der Grenzschließung wurde sie in Westberlin überrascht. Nach Potsdam fuhr sie selbstverständlich nicht mehr. Ihrer Mutter hätte sie sich per Brief erklärt. Ihm schrieb sie nicht, um ihn nicht zu kompromittieren. Es seien für sie, besonders im Rückblick auf den geplatzten Urlaub, sehr traurige Wochen gewesen, und sie hätte gerne mit ihm telefoniert, wenn wenigstens das möglich gewesen wäre. Ihr wäre ohnehin vor dem Urlaub klar gewesen, dass sie beide ihre Zukunft zu klären hätten. Ihrer Einschätzung nach hätte wohl alles von ihr abgehangen. Die Möglichkeit, dass er mit ihr zusammen in den Westen gehen würde, hatte sie ausgeschlossen. Irgendwann hätte es für sie geheißen, wenn sie Familienbande eingegangen wären, wieder in der DDR für den Sozialismus zu arbeiten. Ohne Zweifel, das hätte sie nicht gewollt. Sie verlöre in ihm einen Menschen, den sie sehr liebe. Das Schicksal hätte es gut mit ihnen gemeint, sie zueinander gebracht zu haben – auf grausame Weise hätte es sie wieder getrennt. Der Mauerbau, so schlimm und gemein er sei, hätte vorweggenommen, was sie beide so oder so zu bewältigen gehabt hätten. Gemeinsam mit Jutta meldete sie sich im Flüchtlingslager in

Berlin-Marienfelde. Dort hätten sie nach dem Aufnahmeverfahren entscheiden können, in welches Bundesland sie ausgeflogen werden wollten. Weil sie sich in Berlin am besten auskannten, wollten sie vorläufig erst einmal hier bleiben. Jutta hatte eine nette amerikanische Familie kennengelernt, die zurück in die Staaten beordert war. Von dieser Familie bekam Jutta das Angebot, sie als au-pair-Mädchen mit in die Staaten zu nehmen. Jutta war sofort bereit, denn mit Hans war es vorbei, und einen neuen festen Freund hatte sie nicht. Jutta wollte aber nicht ohne ihre langjährige beste Freundin in die USA. Die Familie, wohl nicht ganz ohne Beziehungen, hätte jetzt die Anträge für Jutta und sie gestellt. Wenn es mit der Arbeitserlaubnis klappen sollte, würden sie Weihnachten schon in den Staaten sein. Einen anderen Mann, das solle er auch noch wissen, hätte es für sie nicht gegeben. Er hätte immer in ihrem Herzen einen Platz. Ihm wünsche sie für die Zukunft, dass er aus der Luft viel von der Welt sehen möge. Jutta hätte ja gleich gesagt, dass es zwischen ihnen zu Komplikationen kommen würde, aber auch sie ließe ihn grüßen. Sollten sie abreisen, dächte sie daran, in ihrem bisschen Gepäck als größtes Teil den Motorradhelm als Andenken mitzunehmen. Um den Weg, auf dem dieser Brief zu ihm gelangt sei, brauche er sich keine Sorgen zu machen. Er sei von dem amerikanischen Familienvater in Ostberlin frankiert und dort in den Kasten geworfen worden.

Es mochte etwa eine halbe Stunde vergangen sei, als sich sein Vater mit dem Vorschlag meldete, mit ihm den Versuch zu unternehmen einen Weihnachtsbaum zu kaufen. Diese Aktion war Roland als Ablenkung willkommen. Ein Weihnachtsbaum als Blickfang und Krönung deutschen Festambientes war eigentlich aus organisatorischen Gründen schon gestrichen. Mit Rolands Motorrad als Transportviehekel, wollten sie doch noch die Weihnachtsbaumplätze abfahren. Das Unterfangen, unter den wahrscheinlich nur noch aus Nadelgestrüpp bestehenden Restbeständen etwas Weihnachtsbaum-Ähnliches zu erstehen, könnte vielleicht noch in den Berliner Randbezirken Köpenick oder Friedrichshagen gelingen. Vor dem Aufbruch mit dem Motorrad stand noch die schwierige Frage nach der Motorrad-Bekleidung für den

Vater. Skischuhe, Hose, Wintermantel und Pelzschapka – so saß er dann auf dem Soziussitz. Der gemeinsame Spaß am Abenteuer war vordergründig gegenüber dem eigentlichen Reisegrund. Allem Unken zum Trotz, fanden sie eine Fichte, die ohne Übertreibung als Weihnachtsbaum bezeichnet werden konnte. Der Transport dieses recht imposanten Exemplars seiner Gattung war, auch eng verschnürt, auf dem Motorrad waghalsig und gegen die Straßenverkehrsregeln. Vielleicht war es die Uniform von Roland, die sich gegenüber der Polizei als Vorteil bewährte. Der Baum, Lametta behangen, mit Kugeln, Sternen und Kerzen versehen, strahlte und brachte die Gäste auf den ersten Blick in Feststimmung. Die Familie hatte noch bis zum Abflug der Eltern Freude an ihm.

Zu dem abendlichen Empfang kamen auch Wolfgang mit Freundin und, von Roland besonders erwartet, Peter. Es gab eine Menge zu erzählen, weil ja in Berlin viel passiert war. Ihr Freundes- und Bekanntenkreis, von den Ereignissen der Grenzschließung betroffen, war kleiner geworden. Inge war weg und aus Rolands direktem Freundeskreis waren Wolfgangs Freundin und Karl-Heinz samt Freundin im Westen. Aus dem Bekanntenkreis eines jeden von ihnen waren es einige, die allein oder mit Familie Hals über Kopf noch einen Weg in den Westen gefunden hatten. Eine Familienflucht aus der Nachbarschaft war fast zum Lachen, wenn ihr Ausgang letztendlich nicht als Tragödie geendet hätte. Die Familie bestand aus der Mutter und ihren vier Söhnen, von denen die zwei jüngsten gerade erwachsen waren. Das waren die ihnen allen bekannten Jüngel-Brüder aus einem der Nachbaraufgänge. Die ganze Familie wollte durch einen Tunnel nach Westberlin flüchten. Es ergab sich aber bei der Flucht, dass die Mutter, mächtig beleibt, nicht durch den Tunneleinstieg passte. Nachdem sie allein wieder nach Hause zurückgekehrt war, wurde sie später verhaftet. Jetzt, als sie darüber sprachen, saß diese Frau im Gefängnis und wartete auf ihren Prozess. Peter und Roland einigten sich, zur Mauerbesichtigung aufzubrechen. Es sollte Rolands Erstbesichtigung sein. Wolfgang hatte keine Lust, wieder einmal die Mauer ansehen zu müssen.

Die Temperatur war niedrig, der Restschnee knirschte unter den Füßen, als sie sich auf der Friedrichstraße der Mauer näherten, wo sie den amerikanischen Sektor abriegelte. Roland trug Uniform. Das reichte für sie beide aus, die äußerste Polizeikontrolle passieren zu dürfen. So nahe war Peter zuvor auch noch nie an das von den Berlinern als „Bauwerk der Schande" bezeichnete Gebilde herangekommen. Sie standen, keine zwanzig Meter entfernt vor einer Mauer aus grauen Quadersteinen. Aus ihr ragten Eisenstangen, die in Richtung Osten abgewinkelt, befestigtem gerolltem Stacheldraht als Stabilisierung dienten. Die Abriegelung war real und ihr Anblick richtig brutal. Sinnbildlich erkannten beide als Berliner ihre ohnmächtige Abhängigkeit von den Siegermächten. Von den Berlinern ist den Westalliierten, besonders den Amerikanern, übelgenommen worden, dass die während der Mauererrichtung im August nicht eingeschritten waren. In ihrer Wut und Ohnmacht gegenüber den DDR-Machthabern, von denen man annahm, sie handelten in Moskaus Auftrag, wurden die Amis als mitverantwortlich beschimpft. Bis auf Protestnoten, und diese auch noch zögerlich und sukzessive verfasst, haben sie nichts unternommen. Über dieses Verhalten machten sich, wenn auch aus unterschiedlichen Perspektiven, sowohl die Mauer-Gegner als auch die DDR-Verantwortlichen lustig. Am besten kamen, als kleinste Garnison der Alliierten in Berlin, noch die Franzosen im Urteil der Berliner weg. Die Franzosen hatten nämlich, zumindest anfangs, konsequent jede feste Anlage an ihren Sektorengrenzen mit Bulldozern wieder eingerissen. Die Reaktion der NVA bestand darin, die zuvor eingerissenen Befestigungen zehn Meter tiefer auf DDR-Gelände wieder zu errichten. Ein erneuter Abriss auf DDR-Gebiet hätte womöglich die Russen auf den Plan gerufen.

Jetzt war am Check-Point-Charly in der Friedrichstraße inzwischen eine Kontrollarchitektur aus Baracken und Schranken entstanden, die Normalität gewordene Langfristigkeit ausstrahlte. Während sie noch dastanden, gegenseitig Detailbeobachtungen und Gedanken austauschten, kamen zwei Grenzsoldaten mit nach vorne umgehängten Kalaschnikow-Maschinengewehren auf sie zu und sprachen in sächsischem Akzent:

„So, jetzt sind Sie weit genug, entfernen Sie sich in Richtung Friedrichstraße."

Als Berliner fühlten sie sich, im sächsischen Dialekt angesprochen, wie von Nichtdeutschen behandelt. Ihr Empfinden war wie die

allgemeine Stimmung - über der gesamten Weihnachtsstimmung in Berlin lag Wehmut. Verwandte und Westberliner Besucher durften nicht nach Ostberlin. Die Telefonverbindungen waren unterbrochen. Einige Westberliner kamen als Besucher dennoch durch. Sie hatten sich in den zurückliegenden Monaten westdeutsche Pässe besorgt. Verständnisvolle und hilfsbereite Amtsleute in westdeutschen Städten und Gemeinden akzeptierten Anmeldungen zum angeblichen Zweitwohnsitz. Mit diesem Nachweis wurde ein Bundesdeutscher Pass ausgestellt. Die Amtsleute handelten sowohl ohne als auch mit Wissen ihrer Vorgesetzten. Viele Anfragen und Bitten von Berlinern wurden von den politischen Parteien in die westdeutschen Wahlkreise von Abgeordneten des Deutschen Bundestages weitergereicht. Diese glücklichen Westberliner konnten also als mit Pass ausgewiesene Westdeutsche in die DDR-Hauptstadt einreisen.
Besonders hart traf es hingegen die Menschen, die nach dem 13. August noch nach Westberlin gelangt waren. Sie waren zum Weihnachtsfest '61 erstmals von der Familie getrennt und hatten keine Hoffnung, die im Osten Verbliebenen wiederzusehen. Bei aller Loyalität gegenüber der DDR hatten weder Peter noch Roland für dieses schäbige Verhalten ihrer politischen Führung das geringste Verständnis. Nach Gesprächen mit Peter in der einen oder anderen Kneipenrunde stand keinem von beiden der Sinn nach anschließendem fröhlichen Nachtleben. Die Feiertage verbrachte Peter mit Roland in dessen Familie. Mit Vater Kurt ergab sich ein Schachturnier – jeder gegen jeden. Mutter Margot kümmerte sich um den Gänsebraten. Die gleichlautende Fernsehsendung „Zwischen Frühstück und Gänsebraten" mit Heinz Quermann und Margot Ebert im DDR-Fernsehen schauten sie sich alle gemeinsam an. Das Schachturnier gewann übrigens Peter.

Nach den Festtagen gingen sie doch noch gemeinsam mit Wolfgang und dessen neuer Freundin in den „Tokajer Keller" – in Zivil. Für Roland war „außer Moos nichts los". Seine Füße waren schwer wie Blei. Die gefühlte Trägheit und eine bisher nicht gekannte Unentschlossenheit hätte ihn bei jedem Musikbeginn zu spät am Tisch einer für den Tanz Auserwählten ankommen lassen. Es quälten in die Bilder der vor zwölf Monate hier verbrachten Stunden. Den ehemaligen Platzanweiser kannte nur noch die Toilettenfrau, von der er erfuhr:

„Ach se meenen den Uwe. Der hats in Westen jeschafft! Det Personal is komplett neu und de Jäste sind ooch anders. Kieken se mal uff meen Teller!"

Roland sah nur ein paar 10-Pfennigmünzen auf dem Trinkgeldteller. Das war alles so deprimierend. Zurück am Tisch gab es Damenwahl. Eine Frau stand vor ihm. Er tat ihr weh und sich selber auch mit seinem Verhalten, ihr den Tanz zu verwehren. Seinen Freunden blieb nicht verborgen, mit ihm war nichts los - so kannten sie Roland nicht. Er verabschiedete sich kurz darauf. Zuvor mutmaßte er noch in der Runde, dass er sicherlich wieder vor seinem Politkommissar Bericht werde erstatten müssen, was er so in Berlin gehört und gesehen hätte:

"Es widert mich schon jetzt an, wenn ich daran denke, wie ich sozusagen auf Befehl zum Lügen verdonnert werde!"

So war es dann auch. Nachdem auch die über Neujahr beurlaubten Kameraden wieder zurückgekehrt waren, wurde jedem seine Urlaubsgeschichte abgeschöpft.

Roland wünschte sich, Gehörtes oder Gedachtes schneller mit der Hand schreiben zu können. Mit Steno könne er beispielsweise in den Vorlesungen mitschreiben. Auf der Volkshochschule, so fand er heraus, gab es den Kurs für Stenographie. Der hatte allerdings schon im Oktober begonnen, doch wortgewandt wurde er zum Nachrücker, weil andere inzwischen wieder abgesprungen waren. Zweimal in der Woche, zwei Stunden dienstags und donnerstags um 18:00 Uhr, fuhr er zur Schule. Neben der Aussicht auf schnelleres Schreiben eröffnete sich ihm unerwartet der volle Griff in die Dessauer Frauenwelt. In der Klasse waren 21 Teilnehmerinnen mit ihm als einzigem Mann. Bei Vollzähligkeit waren dienstags und donnerstags, die Lehrerin eingeschlossen, 22 Frauen für zwei Stunden mit ihm in einem Raum. So ganz am Anfang war das den Frauen und Mädchen nicht ausgesprochen recht, aber wer wollte einem in der Armee dienenden Sohn des Volkes den Platz im Kurs streitig machen? Mit seiner Berliner Art, schlagfertig und höflich als Kavalier, gelang es ihm die Vorbehalte abzubauen. In Roland sah man nach einigen

Unterrichtseinheiten eher den Mann, dem man Hilfe angedeihen lassen konnte. Sein Steno-Rückstand schrie ja förmlich nach (Nach)hilfe. Für die schon älteren Damen, wozu auch die strenge Lehrerin zählte, eine fast instinktive Reaktion. Für die Mädchen in festen Händen und die mehr oder weniger glücklich verheirateten Frauen blieb Roland ein Neutrum. Aber dann waren da immer noch sieben Fräuleins, für die er als Mann interessant schien. Mit seinen Augen und seinem Anspruch betrachtet, waren es immerhin noch vier, die der Mühe lohnen könnten, von ihm hofiert zu werden. So waren alsbald auch aus der analysierten Substanz von vier Damen eine unterschiedlich vorgetragene Vielzahl von Signalen zu verzeichnen. Allen war die Neugier eigen. Seine Anmeldung zum Steno erklärte er über den beabsichtigten Zweck hinaus. Er sei nicht schwul, aktuell unbeweibt, und verklemmt gegenüber Frauen sei er auch nicht. Den infrage kommenden Mädchen bildete seine Erklärung, er sei nur aus Mangel an Gelegenheit ohne Freundin, den Treibsatz, seinen Status zu verändern. Nach dem Stenounterricht ging es in wechselnder Gruppenstärke ins Café. Diese Treffen waren immer von kurzer Dauer, denn um 22:00 Uhr musste Roland wieder in der Kaserne sein. Ein Mädchen war in der unterschiedlichen Zusammensetzung der Café-Runde immer dabei. Das war Elisabeth, genannt Elli. Elli war eine VON aus einer alten Adelsdynastie.

Der Winter schien sich im März zu verabschieden. Elli handelte durchdacht, sie erschien dicker angepummelt zum Stenounterricht, als es auf der Straße zu tragen noch notwendig gewesen wäre. So war Elli die erste, die von Roland mit dem Motorrad nach Hause gefahren wurde. Sie bewohnte mit ihren Eltern die Etage einer großen, grauen Bauhaus-Villa. Die Mutter schneiderte und änderte für private Kundschaft Kleidung und ihr Vater war als Konstrukteur, für was und wen auch immer, tätig. Das sich wiederholende Nachhausebringen blieb nicht unbemerkt – Elli gab an Roland die Einladung der Eltern zu Kaffee und Kuchen weiter. Sonnabends fuhr Roland zum Besuch bei Ellis Eltern vor. Mangels Frischblumen hatte Roland ein großes Konfektarrangement, welches er schön hatte verpacken lassen, für die Frau des Hauses mitgenommen. Ellis Mutter hatte angemessen angerichtet - nachmittags Käsekuchen ohne Boden mit Bohnenkaffee und abends war es eine kalte Platte mit Hackepeter-Brötchen.

Während Elli zwischen Küche und Wohnzimmer hin und her wieselte, bediente und nachschenkte, erzählten die Eltern von ihrer Tochter. Auf die Oberschule hätte man sie trotz sehr guter Noten nicht zugelassen. Jetzt hätte sie die Mittlere Reife als Schulabschluss. Als Berufsziel wolle sie examinierte Stenotypistin werden. Als Roland von sich erzählte, hatte er den Eindruck, als würde er der Frau Mutter einen Hauch aus der großen weiten Welt angedeihen lassen. Neugierig fragte die immer wieder Einzelheiten zu Rolands Reisen nach. Von Berlin konnte sie auch kaum genug erzählt bekommen. Über den Mauerbau gab es keine zwei Meinungen in der Runde. Der nette Abend fand mit Rolands Verabschiedung seinen Ausklang, bei der die Mutter betonte, sie würden sich ja von nun an öfter sehen. Das glatte Gegenteil war der Fall. Roland hatte sich auf schulische Prüfungen vorzubereiten, zu der auch das fehlerfreie Buchstabieren der Piloten (englisch) gehörte. Bis in die letzte Märzwoche blieb keine Zeit mehr für den Steno-Unterricht.

Der Prüfungsdruck war vorüber. Roland holte Elli nach drei Wochen sonnabends zum Tanzen ab. Seine Ausgangserlaubnis ging bis Sonntag 24:00 Uhr. Elli hatte Erlaubnis von ihren Eltern, bei ihrer Freundin zu übernachten, die im Schwesternwohnheim der Klinik ein Zimmer bewohnte. Tatsächlich war diese Freundin bis Sonntagabend bei ihrem Freund in dessen Wohnung. Die Konstellation des sturmfreien Zimmers war als Überraschung für Roland gedacht. Sie hatten gerade den zugewiesenen Platz im Tanzcafé eingenommen, als Elli ihm den Schlüssel für das Zimmer zeigte. Da der Ober sich mit dem Service, den Sekt und ein Glas Apfelsaft an den Tisch zu bringen, Zeit gelassen hatte, ging Roland aufs Ganze. Er bat darum, die Flasche nicht zu öffnen. Der Sekt kam aus dem Kühler, die Flasche wurde abgetrocknet und gleich bezahlt. Die Spontanität wurde von Elli mit einem Kniestubser unter dem Tisch und liebevollem Augenaufschlag kommentiert. Beim schnellen Austrinken des Apfelsaftes war Elli zur Hälfte beteiligt. Sie bei ihm eingehakt, drängelten sie zur Garderobe. Die Garderobiere schob ihnen mit einem verstehenden „Einen netten Abend noch" die Sachen entgegen.

Beim Fahren durch die Dessauer City schmiegte Elli sich ganz fest an Roland. Vor dem Schwesternheim angekommen, – Elli kannte den Weg - bewegten sie sich, als kämen sie zu Besuch. Das Zimmer war

spartanisch eingerichtet, aber man merkte ihm an – hier wohnt eine Frau. Nach dem Eintritt schaute man auf die Seitenwand eines Kleiderschrankes, an dessen Ende das Fußende eines schmalen Bettes herausragte. Hinter der Tür waren an der Wand Garderobenhaken mit Bügeln. Auf dem Fensterbrett standen zwei Hyazinthen in Gläsern, auf dem mit einer Decke abgedeckten Bett lag ein alter, struppiger Teddy. Eine Stadtansicht von Prag prangte unter Glas und gegenüber hing ein Regal mit Glasschiebetür, hinter der sich Geschirr für Kaffee, Tee und Kräutern in Döschen befanden. Das Regal war oberhalb voll mit Büchern bestanden. Unter dem Fenster war eine Schreibplatte eingebaut, auf der wie auf dem kleinen Wohnzimmertisch kleine Häkeldeckchen lagen. Es gab einen Tisch mit zwei Stühlen. Eine Doppel-Kochplatte stand auf einem kleinen Schränkchen neben einer Schiebetür, die zu einer Nische mit Toilette und Waschbecken führte. Den Luxus von Badewanne und Dusche, so erfuhren sie später von der Freundin, gab es für die Schwestern in einem Gemeinschaftsraum am Ende des Flures. Der Gesamteindruck des Zimmers, penibel-sauber. Es gab ein frisch bezogenes Bett, beide waren aufeinander gespannt – nichts und niemand stand der Phantasie eines jeden von ihnen im Wege. Roland, wie gehabt der aufmerksame Galante, übernahm die Initiative, als wären sie nicht erstmals zusammen. Sie tranken sich den Sekt aus Tassen zu, als stießen sie mit Bleikristall an. Liebkosend kippten sie aus der Sitzhaltung auf dem Bett in die Waagerechte und entledigten sich beim Kuscheln gegenseitig der Textilien. Roland hatte ein Kleinod weiblicher Schöpfung entblättert. Von der optischen Unberührtheit beeindruckt fragte er wie beiläufig:
„Bist du sicher?"
„Mach dir keine Sorgen!" – Elli wusste, was sie tat.
Von ihrer elfenbeinfarbenen Haut hob sich eine gewölbte, buschig-dunkelhaarige Scham ab. Wie er im Akt fühlte und hernach ertastete, waren ihre Schamlippen kaum kleiner als ihre Ohren. Zwischen den großzügig dimensionierten Schamlippen gleitend ohne einzudringen, genoss er auch Befriedung. Das war einzigartig und sollte es für ihn bis ins hohe Alter bleiben. Kaum bekleidet, einander aufs Neue reizend, verbrachten sie in diesem Liebesnest die Nacht und den ganzen Sonntag. Versorgt haben sie sich mit vorgefundenen alten

Keksen und Tee. Sie räumten alles wieder schön auf, und Elli schrieb der Zimmerbewohnerin ein paar nette Zeilen für das gewährte Gastrecht. Auch Roland unterschrieb. Am späten Nachmittag, es wurde schon dämmerig, fuhr Roland seine Elli nach Hause. Sie lud ihn ein, mit reinzukommen. Die Mutter war erfreut, sie beide zu sehen, und als dann auch noch die Frage kam, ob sie Hunger hätten wurde deutlich, Ellis Mutter schien ein Licht aufgegangen zu sein. Sie machte Eierkuchen und beide langten mächtig zu.

Auch Emil war von einem Familienwochenende in die Kaserne zurückgekehrt. Die mit Elli ausgekostete Sexualität im Kopf, kam der Roland als Gesprächspartner gerade recht. Wieder einmal neugierig, wollte er Emils Glied sehen. Ihm war die noppige Umrandung von Emils Penis nicht aus dem Kopf gegangen. Nun wollte er sehen, wie sich alles jetzt, nach knapp einem halben Jahr, darstellte. Er sah, fleischige große Noppen in der selben Farbe wie das übrige Gewebe, gleichmäßig ringsherum.

„Besser kann ja der Noppenkranz nicht ausgeprägt sein. Hält er das, wonach es aussieht?"

„Glaub mir, von Mann zu Mann, meine Frau jubelt anders als vorher!"

„Das lasse ich auch machen! Dann noch zehn Tage Genesungsurlaub zum Üben obendrauf, ist doch Klasse."

Um zum Stabsarzt vorgelassen zu werden, musste er erst einmal an den Schwestern vorbeikommen. Als die von ihm wissen wollten, was er denn hätte, spielte er den Schamvollen und redete von Schmerzen am Glied. Das wolle er ihnen aber nicht zeigen! Die Schwestern tippten auf Geschlechtskrankheit und ließen ihn mit dieser Ansage zum Stabsarzt vor. Es war der 2. April, als er morgens vor dem Schreibtisch des Genossen Stabsarzt stand.

„Na, Genosse, wo liegt das Problem?"

Roland beschrieb seine angeblichen Beschwerden so, wie ihm Emil seine vorherigen Probleme geschildert hatte:

„Na dann mal Hosen runter!"

Der Stabsarzt beugte sich über den Schreibtisch vor, ohne hinter ihm vorzukommen:

„Das ist ja wohl ein verspäteter Aprilscherz, Genosse. Sie haben doch keine Phimose!"

„Was weiß ich, Genosse Stabsarzt, aber die Symptome sind so, wie ich sie beschrieben habe!"

„Sagen Sie mal, befindet sich nicht in Ihrer Klasse der Emil?"

„Jawohl, Genosse Stabsarzt, der liegt in meinem Zimmer."

Der Stabsarzt schaute Roland grinsend an:

„Um sicher zu gehen, schreibe ich Ihnen eine Überweisung zu dem Professor, der den Emil operiert hat. Selbst wenn der Herr Kollege Sie operieren sollte, die Wartezeit auf einen OP-Termin ist beträchtlich."

Mit der Überweisung in der Tasche war Roland vom Dienst befreit, um den Professor aufzusuchen. Nach einer Wartezeit bis in den Nachmittag stand er am selben Tag vor dem Professor. Der nahm Rolands bestes Stück in die Hand, schüttelte immer wieder mit dem Kopf:

„Verstehe nicht, wie der Herr Kollege zu seiner Diagnose kommt?"

Roland beschrieb seine „Beschwerden" in weiteren Ausmalungen, wobei er von den Ergebnissen, wie der Herr Professor sie bei seinem Stubenkameraden Emil herbeigeführt hatte, schwärmte. Vielleicht war die detaillierte Beschreibung, die Roland von Emils Penis gab, vertrauensbildend. Roland redete offen über den seiner Meinung nach höheren Lustgewinn beim Geschlechtsverkehr für die Partnerin. Das war der Ansatz für die sich anschließende Fachsimpelei. Der Professor erklärte die aus seiner Sicht schlüssige Beschreibung, wie sie Roland gegeben hatte, mit der Art seiner operativen Vorgehensweise. Bei seinem Eingriff handele es sich um eine sogenannte Zirkumzision, die einen Rand der Vorhaut rundherum noch oberhalb der Eichel abschneidet. Die Schnittwunde wird rundherum vernäht. Nicht zwangsläufig, aber bei seinen Operationen überwiegend, entsteht dann die von Roland erwünschte Ausprägung. Es müsse klar sein, im Idealfall zöge allenfalls die Frau Vorteil aus diesem Eingriff. Er hatte diese Variante bei seinem Einsatz in Frankreich kennengelernt, wo sie sich auch in der Wehrmacht herumgesprochen hätte. Ohne ihm eine hundertprozentige Garantie für das gewünschte Ergebnis geben zu wollen:

„Der OP-Termin wäre am 26. April, wenn Sie nicht in der nächsten Woche absagen. Am Vortag müssen Sie sich bis 16:00 Uhr hier im Haus einfinden. Dem Kollegen Stabsarzt bestellen Sie mal kollegiale Grüße. Ich hoffe nicht auf eine Phimose-Welle an der Flugschule."

Innerlich jubilierend, den Herrn Professor für die „notwendige" Operation gewonnen zu haben, ließ sich Roland, in die Kaserne zurückgekehrt, beim Genossen Stabsarzt melden. Der, wohl auch neugierig, ließ ihn sofort eintreten. Als Roland wörtlich ausrichtete, was der Herr Professor bestellen ließ, lächelte der:

„Grüße zurück und machen Sie bloß nicht so viel Reklame von der Sache!", gab er bei der Verabschiedung aus dem Med.-Punkt mit auf den Weg.

Ellis Freundinnen hatten ihr Zusammengehen mit Roland inzwischen hingenommen. Seine Teilnahme am Steno-Kurs lief inzwischen außer Konkurrenz. Durch die häufigen Fehlzeiten war er mit dem Vorschlag der Lehrerin einverstanden, weiterhin am Kurs teilnehmen zu können aber ohne Aussicht, ihn mit einem qualifizierten Abschluss zu beenden. Bei den Cafe'-Besuchen blieb Roland weiter Hahn im Korb. Das war auch sein Hauptinteresse zum weiteren Kursverbleib. Er verbrachte noch einmal ein Wochenende mit Elli im Zimmer der Freundin. Für die Osterfeiertage hatte Roland vom Karfreitag bis zum Ostermontag Wochenendurlaub genehmigt bekommen. Den wollten sie gemeinsam in Berlin verbringen. Die Erlaubnis von Ellis Eltern zu bekommen war reine Formsache.

Da sich an Rolands Absicht im Hinblick auf den Operationstermin nichts geändert hat, bereitete er so nebenbei die Legende für seine Erklärung gegenüber Elli vor. Er erzählte ihr besonders ausführlich von seinem Leichtathletiktraining. Dem ging er ja tatsächlich nach wie vor nach.

In Berlin war es für sie alle schön. Rolands Eltern waren auch da, um ihren Abschied aus dem Irak und ihren neuen Einsatz, womöglich in Cuba, vorzubereiten. So wurde viel erzählt und Elli konnte sich ein Bild von Rolands Familie machen. Sie hatten beide genug Gelegenheit für die intime Ostereiersuche.

Roland nahm die von seinem „Besten Stück" ans Hirn gegebenen Empfindungen besonders aufmerksam wahr. Bei jedem Akt mit Elli fühlte er, dass er die bevorstehende Operation eigentlich nicht brauchte. Ein höheres Maß eigener Empfindung, als er sie wahrnahm, kann es eigentlich gar nicht geben.

Im Trainingsanzug der Armee meldete er sich im Trakt der Klinik, in dem der Professor praktizierte. Der Bau selbst war ein zweigeschossiger grundsolider Zweckbau aus den zwanziger Jahren mit bröseliger grauer Putzfassade. Lange, zur Innenseite der großflächigen Anlage gerichtete Fensterfronten bildeten die Begrenzung heller Wandelgänge, von denen Zimmer und Säle abgingen. Weil er erwartet wurde, waren die Formalitäten schnell erledigt. In dem ihm zugewiesenen Zimmer im Erdgeschoss gelegen standen zwar zwei Betten, aber nur seines war belegt. Die Schwester, die seine Aufnahme vorgenommen hatte und ihn jetzt in das Zimmer führte, sah richtig fesch in Tracht mit dem steifem, weißen Häubchen aus. Auch zwei andere Schwestern, die ihm begegneten, waren des Hinterherschauens wert. Die ihn führende Schwester wusste natürlich nicht, welche Operation ihm bevorstand. Für den Abend kündigte sie die Visite des Professors mit seinen Ärzten an. Von einer hinzugekommenen Schwester bekam er Blut abgenommen. Blutdruck wurde gemessen und er beantwortete allerlei Fragen zu bisherigen Krankheiten. Die Atmosphäre lockerte Roland mit kecken Redensarten und versteckten Anspielungen auf. Die beiden Schwestern, soviel konnte er schon einmal festhalten, waren von ihm als Neuzugang begeistert. Er wollte wissen:
„Ich muss noch nach Draußen telefonieren, wo bitte, kann ich das tun?"
„Eigentlich nur aus einer Telefonzelle, die etwas entfernt, rechts vor dem Haus, auf der Straße steht. Wenn Sie aber etwas mit dem Anruf warten, könnten Sie ausnahmsweise nach der Abendvisite und der anschließenden Essensausgabe ins Dienst- Schwesterzimmer kommen und von dort telefonieren."
Sein Charme trug Früchte.
Die Tür ging auf und der Professor trat ein, begleitet von einem Arzt, einer Kollegin und einer Protokollschwester:

„Das ist mein Flieger!", stellte er Roland seinem Begleitpersonal vor. „Sie wollen es also wirklich!", begrüßte er Roland. Er stellte ihm die beiden Ärzte vor und mit der Bemerkung:

„Über diesen Patienten will ich mit Ihnen im Anschluss an die Visite noch sprechen", sagte er noch, schon im Gehen begriffen.

Roland konnte sich gerade noch der ihm aufgetragenen Grußübermittlung entledigen:

„Der Genosse Stabsarzt lässt Sie grüßen. Er glaubt, ich sei die letzte überstellte Phimose".

„Danke, wir sehen uns Morgen früh. Wird schon werden, mein Flieger!"

Die Visite war beendet. Das Abendessen war ausgefahren und Roland hatte sich in aller Ruhe im Haus umgesehen. Vor dem Dienstzimmer der Schwestern wartete er geduldig, bis die eintraf, welche ihm die Telefonbenutzung angeboten hatte. Als er dann den Telefonhörer am Ohr hatte, um mit Elli zu sprechen, waren gleichzeitig drei Schwestern im Zimmer. Er schilderte seinem „Unfall"!

"Elli, ich habe beim Training einen stechenden Schmerz im Kniegelenk verspürt. Jetzt kann ich nicht mehr laufen, selbst das Humpeln auf einem Bein verursacht Schmerzen im verletzten Knie. Ich bin gleich vom Med.-Punkt der Schule mit dem Sanka (Sanitätskraftwagen) in die Klinik gefahren worden. Gerade ist alles abschließend untersucht worden, und morgen früh werde ich operiert. Soviel ist sicher, zu den Wettkämpfen im Mai werde ich nicht antreten."

Den Schwestern im Zimmer, die seine Geschichte mitangehört hatten, blieb vor Staunen der Mund offen stehen. Als Elli anbot, sofort vorbeikommen zu wollen, wies Roland auf die streng einzuhaltenden Besuchszeiten hin. Sie könne ihn frühestens morgen in der Zeit von 18:00 – 19:00 Uhr besuchen. Er bekam liebe tröstende Worte und aus dem Hintergrund von Ellis Mutter zugerufene Besserungswünsche.

Jetzt stand er vor der dreiköpfigen Frauengemeinde, die neugierig geworden durch den mitangehörten Dialog, von ihm aufgeklärt werden wollte:

„Liebe Damen, Sie wissen ja, morgen früh wird meine Phimose operiert."

Das wussten die anwesenden Schwestern zu diesem Zeitpunkt zwar nicht, aber mit seiner vertraulichen Vereinnahmung spekulierte er darauf, einen solidarischen Schulterschluss mit ihnen herbeiführen zu können. Er brauchte ihre Verschwiegenheit gegenüber seinem Besuch. Er fabulierte:

"Ich will meiner Freundin und deren Freundinnen nichts über den wahren Hintergrund meiner Anwesenheit auf der Station erzählen. Aus diesem Grund habe ich mir die eben gehörte Geschichte ausgedacht. Genau genommen habe ich eine Schleimbeutelentzündung links, unterhalb der Kniescheibe, medizinisch „Bursitis angrinse". Die habe ich mir beim Lauftraining zugezogen. Die Behandlung soll - im Bett liegend, das Bein in Ruhestellung nach oben auf einer Schiene liegend, mit Kaltbeuteln umlegt – erfolgen. Konnten Sie mir folgen?"

Erfreut, mit solch einer Show auf der Station für Stimmung und Abwechslung zu sorgen, gaben die Schwestern als verschworene Gemeinschaft ihr Einverständnis:

„In Ordnung, wir spielen mit."

Wie geplant ist der Eingriff an Roland vollzogen worden. Er lag im Bett, noch leicht von der vorherigen Narkose umnebelt. Der „kleine Roland" war umwickelt, und aus seiner Harnröhre führte ein Schlauch, der in einer „schwimmenden Ente" endete, die zwischen seinen Beinen ruhte. Die Schwester, die ihm sein Mittagessen brachte, hatte auch eine mit Verbandstoff umwickelte Drahtschiene auf dem Wagen, die aussah wie eine kleine Rampe. Die stellte sie mit dem Hinweis auf die Nachmittagsshow quer ans Fußende in sein Bett. Elli wollte um 18:00 Uhr zu Besuch erscheinen. Ihre Ankunft musste durch Lagerung seines Beines auf der Schiene vorbereitet werden. Vorausschauend war die Verkleidung der Drahtkonstruktion mit Verbandsstoff umwickelt. Damit war ein Sichtschutz zur „schwimmenden Ente" geschaffen.

Elli kam mit einer Freundin aus dem Steno-Kurs, die auch betrübt schien, Roland so verletzt zu wissen. Die beiden hatten Blumen dabei und saßen rechts und links auf seinem Bett. Immer wieder ging die Tür auf und „seine" Schwestern lugten ins Zimmer, sich vom Fortgang der Show überzeugend, und sich dann kichernd wieder verabschiedend. Die beiden Mädchen schöpften keinen Verdacht, und Roland unterhielt sie mit lustigen Geschichten. Die ständige aufmerksame Kontrolle durch die Schwestern schien ihnen Bestätigung, dass Roland hier in guten Händen sei. Rolands Besuch war gerade weg, als der Professor mit seinen Assistenten zur Visite kam. Noch immer lag das Bein auf der Rampe und Roland erklärte: „Habe die Konstruktion gewählt, weil ich mein Geheimnis dem Damenbesuch nicht lüften will!"

„Das ist ja mal originell." Im verständnisvollen Lachen ging fast unter: „Mein Flieger, Sie können mit dem erhofften Ergebnis rechnen. Komplikation Fehlanzeige! In zwei Tagen können Sie aufstehen. Zwar wird das in den Schwellkörper fließende Blut anfangs schmerzhaft sein, aber das ist der normale Heilungsverlauf. Zur Schmerzlinderung bekommen Sie einen Tragekorb aus Verbandsstoff, der durch eine Schlinge um den Hals den Penis nicht hängen lässt."

Elli kam jeden Tag mit einer anderen Freundin aus dem Kurs zu Besuch. Sie flüsterte ihm ihre Sehnsucht zu und war überrascht, als Roland ihre fühlend suchende Hand mit Blickwendung zur anwesenden Freundin, so als wolle er nicht, dass die diese Intimität bemerken könnte, festhielt und sanft unter der Bettdecke wieder vorschob.

Dann war es soweit! Er konnte, links und rechts von seinen Besucherinnen flankiert, den Wandelgang ablaufen. Um das Knie hatten „seine" Schwestern ihm einen breiten Verband gelegt, der ihm half, sein Bein steif zu halten. Die Show-Ausstattung machte eine Krücke komplett. Wenn er mit seinen Besucherinnen auf dem Flur spazierend humpelte, überholte ihn eine „seiner" Schwestern und zuppelte an der Schlinge. Dann hüpfte Roland vor Schmerz. Dieses Spiel gönnten sich „seine" Schwestern in wiederholten Anläufen und liefen kichernd davon. Da wurden Rolands Besucherinnen so neugierig, dass die nun auch Spaß daran hatten, mal an der Schlinge zu zuppeln. Allein, ihnen fehlte die Phantasie, um den wahren Grund

für seine scheinbar unkontrollierten Hüpfer echt nachvollziehen zu können, als Roland erklärte:
„Ich bekomme immer einen Schreck bei den unerwarteten Attacken. Jedes Mal könnte ich das Gleichgewicht verlieren. Dann müsste ich mein lädiertes Knie belasten."
Einsichtig unterließen Elli und ihre Freundin weitere Zuppelei. Als wieder eine Schwester im Begriff war sich heranzuschleichen ließ sie, ihr in der Form gar nicht zugetrauten Bestimmtheit richtig Dampf ab:
„Nun lassen Sie doch endlich mal die Kinderei! Schließlich darf er sein Knie nicht belasten."
Die Schwester, überrascht und verdutzt über diese Attacke, machte ohne ein Wort kehrt, und nach ein paar Schritten rannte sie wie von einer Maus verfolgt ins Schwesternzimmer. Bis dorthin hatte sie es gerade noch geschafft, sich den Lachanfall zu verkneifen. Unmittelbar darauf hörte man mehrere Schwestern vor Lachen wiehern.
Roland wartete auf Genesung - weiter war nichts zu tun. Um keine Langeweile aufkommen zulassen, besuchte er richtige Kranke in den Zimmern. Er brauchte Gesprächs- und Schachpartner. Gerne suchte er die Nähe zu zwei Schwestern. Seine Schäkerei mit ihnen sollte nicht als plumpes Hinterherhecheln von ihnen empfunden werden, also ging er ihnen bei der Erledigung ihrer Pflichten zur Hand. So wurde er bei der Mittags- und Abendessenausgabe zu einem vollwertigen Helfer im Schwesterteam. Er fühlte sich wohl auf der Männerstation.
Seine Genesung war so weit vorangekommen, dass der Professor seine Entlassung ankündigte:
"Mein Flieger, Sie werden mit der Auflage entlassen, sich weitere Tage dienstlich zu schonen. In fünf Tagen werden die Fäden gezogen. Anschließend, so werde ich es meinem Kollegen vorschlagen, sind Ihnen 12 Tage Genesungsurlaub zu verordnen. Hatte ich auch für Ihren Kameraden Emil vorgeschlagen. Zehn Tage hat er dann bekommen."
Roland war im Grunde genommen zufrieden. Er machte aber dem Professor einen anderen Vorschlag:

„Herr Professor, ich möchte mich für meine Operation und die mir hier erwiesenen Freundlichkeiten nützlich machen. Bis zum Fädenziehen könnte ich doch auf der Station bleiben."

„Na gut, bis Montag, dann machen Sie wenigstens keine vorzeitigen Dummheiten."

Der Professor hatte wohl mitbekommen, dass Roland auf der Männerstation den Schwestern half und das ganze Team sich mit ihm gut verstand.

Auf der Station gab es die attraktive Schwester Ilse. Sie war sein Zielobjekt in der Riege. Ilse war zwar verheiratet, aber Status hin, Status her, der übrigen Männerwelt schien sie sich nicht zu verschließen. Unter den Patienten sagte man scherzhaft:

„Ilse – jeder will'se."

So brannte sich ihm der Name mit – Ilse-will'se - ein. Mit Ilse-will'se plauderte er zwei Nachtschichten. In der zweiten wurden sie verbal sehr vertraulich. Er erzählte ihr von seiner geheimen Mission, die ihn auf die Station geführt hatte. In der Atmosphäre erotischer Gravitation schilderten sie einander erlebten Sex. Rolands malte aus, wie nach seiner Erwartung zusätzliches Lustempfinden von der Partnerin wahrgenommen werden würde.

„Momentan stehe ich ja wieder fast wie ein Jüngling in der Welt."

An dieser Stelle hakte Schwester Ilse-will'se ein. Wahrscheinlich hatte ihre Phantasie Bilder projiziert, so ergriffen klang ihr Wunsch:

„Ich mache dich erneut zum Mann!"

Im Gleichklang seiner gefühlten Geilheit antwortete er:

„Ganz wirklich? Ich unternähme gerne mit dir den Akt des „Erstflugs".

„Also ganz konkret, mir fällt dazu unsere Datsche am Kühnauer See ein", kam von Ilse-will'se die pragmatische Lösung.

So einander versprochen verblieben sie, dass er sie kurz vor der Rückreise aus dem Genesungsurlaub anrufen werde. Schichtwechsel stand an – eine Nacht prickelnder Phantasien ging zu Ende.

Er rekapitulierte seine Verhaltensweise zu Elli. Warum hatte er ihr den wahren Grund seines Krankenhausaufenthaltes verschwiegen? War es die Befürchtung, sie könne seine Absicht auf Penisoptimierung als Monitum am Sex mit ihr verstehen? Das war aber genau+*-sowenig der Fall, wie er nicht ausschließen konnte, dass sie mit ihrer Mutter darüber sprechen würde. Er befürchtete, keinen Einfluss auf die Betrachtungsweise dieser letztendlich kleinbürgerlichen Dame zu haben. Der Sache einfach ihren Lauf zu lassen wählte er als die wohl unkomplizierteste Lösung.

Die Fäden wurden gezogen, und die Noppen machten den erhofft prächtigen Eindruck. Er verabschiedete sich vom Professor mit Dank und Anerkennung. Den Schwestern bot er an, sie zu einer Leichtathletikveranstaltung einzuladen, wo er starten würde. Bei Schwester Ilse-will'se vergewisserte er sich des Versprechens, welches einzulösen seiner Rückkehr aus dem anstehenden Genesungsurlaub galt.

In die Schule zurückgekehrt, stellte er sein Glied dem Stabsarzt vor. Was er sah, fand Lob. Eingedenk der Empfehlung, keine Reklame zu machen, zeigte er nur seinem Zimmerkameraden Emil sein „Bestes Stück". Sie klopften sich gegenseitig auf die Schultern, wobei allein Emil wusste, wie sich die Sache in Aktion auszahlt. Roland stand der „Erstflug" ja noch bevor!

Seine zehn Tage Genesungsurlaub wurden von den Klassenkameraden mit gesundem Neid quittiert. Elli, über seine Krankenhausentlassung erfreut, wollte natürlich das kommende Wochenende mit ihm verplanen:

„In zwei Tagen, also noch vor dem Wochenende, bin ich in den Harz zum Aufbautraining abkommandiert. Fahrtechnisch bin ich dort nicht beweglich, weil meine Maschine in Dessau bleibt", log er.

Ihm war ein Offiziersheim im Harzer Ort 'Sorge' bestimmt worden. Da unmittelbar im Harzer Sperrgebiet zur BRD gelegen, durfte er nicht mit dem Motorrad anfahren, sondern musste die Bahn nehmen. Die Bahnanfahrt mit der "Rübelandbahn" via Halberstadt und Blankenburg war weithin als eine romantische Tour bekannt. Das mag sie auch gewesen sein. Roland sah das nicht romantisch, sondern in puncto Fahrkomfort der Zeit hinterher. Das Reiseziel 'Sorge' über 'Tanne' war weder bequem noch schnell zu erreichen. 'Tanne' war der größere, nächstgelegene Ort zu 'Sorge'. Mit dem weiteren Nachbarort

'Elend' hatten diese Ortschaften zusammen vielleicht 500 Einwohner. 'Schierke', als der größte Ort in der Region, hatte mit etwa tausend Einwohnern, schon die überregionale Bedeutung einer Urlaubsmetropole.

Das Heim in 'Sorge' war ein Haus mit Hotelbetrieb. Der recht große Bau im Landhausstil der zwanziger/dreißiger Jahre dominierte die Häuser der Umgebung. Roland hatte ein Einzelzimmer mit Nasszelle. Die Belegung war ausgelastet mit Leuten, deren Armeezugehörigkeit nur an Einzelstücken ihrer Bekleidung wie Trainingsanzügen, Pullovern, oder Hosen zu erkennen war. Dienstgrade waren kaum auszumachen. Frauen zählten zum Personal, waren mittleren Alters, und für Rolands Augen kein Blickfang.

Die größte Gruppe stellte die alpine DDR-Frauen-Auswahl mit ihrem Trainerstab, die hier ihr Trainingsdomizil hatte. Der Anblick der weiblichen Akteure der Alpinen Mannschaft – ein Augenschmaus für Anspruchsvolle. Es waren nicht ihre eher asketischen, von Wind und Wetter immer frisch aussehenden Gesichter, sondern ihre knackigen Figuren, die festes Gewebe augenscheinlich machten.

Die Verpflegung war vom Feinsten. Ansonsten gab es nur Ostfernsehen im Großen Frühstücksraum, Schach- und Tischtennisspielen, Lesen und Patiencen legen. Außerhalb war Wald, und wegen der Berge war der ohne Horizont. Von Roland anders erhofft und deshalb wohl anders wahrgenommen als von den wenigen Touristen. Bei denen handelte es sich, wohl wegen der Grenznähe, um Gruppen. Den Ursprung der Ortsnamen 'Sorge' und 'Elend' leiteten die Einheimischen anders ab, als die Ausdrücke bei nicht Nicht-Einheimischen-Stadtmenschen assoziieren. 'Sorge' zum Beispiel führen sie auf das mittelhochdeutsche Wort 'Zarge' zurück, welches soviel wie Grenze bedeutet. Sorgenvolle Verhältnisse in der Vergangenheit, wie es sie in der Region tatsächlich über längere Zeitabschnitte gegeben hat, ließen sie ungern als Ableitung gelten, weil ihre aktuelle Existenz tatsächlich sorgenfrei war. Bei 'Elend' wird der mittelhochdeutsche Begriff 'Ellende' als Bezugspunkt gesehen, der soviel wie „fremdes Land" außerhalb, weitab, einsam gelegen, beschreiben soll. Sowohl 'Elend' als auch 'Sorge' haben in der neueren Vergangenheit, zum Beispiel in der Zeit der französischen Besetzung des Harzes, Sorgen und Elend erfahren. Die napoleonischen Truppen waren ärmlich heruntergekommen und hungerten wie die Bevölkerung auch. Durch die spätere Schließung der Eisenverhüttung traf man wieder auf Sorgen und elendige Verhältnisse in der gesamten Region.

Für Rolands Betrachtung traf die Ableitung – weitab, einsam gelegen – ihren Kern. Er fühlte sich wie in der Verbannung, denn vor Uniformträgern musste er sich auf seinen Spaziergängen obendrein immer wieder mit seinen „Dokumenten" ausweisen. Die stehende oder hängende Figur einer „Brockenhexe" in Räumen oder Geschäftsauslagen kam ihm wie die Parodie seiner Lage vor. Die geographische Lage von 'Sorge' und 'Elend', im Sperrgebiet zur Bundesrepublik, das war eine sprachlich treffende Assoziation. Roland urteilte so, weil er ihre vorherige Bedeutung für den Tourismus nicht kannte. Er hatte die Fernsicht vom Brocken, bei gutem Wetter etwa 70 km, nicht zuvor und jetzt im Mai 1962 nicht (mehr) erfahren dürfen. Der Brocken, der mit seinen rd. 1.100 Metern die übrige Mittelgebirgslandschaft weit überragt, war als das Herz der gesamten Region bereits entrissen. Auf seinem Gipfel herrschte jetzt kalter Krieg. Der Brocken-Fels stand und steht, während um ihn herum Völker und Weisheiten sich wandelten. Heute dient seine Erscheinung als beliebte Aussichtsplattform mit allem Komfort für Jedermann.

Der Aktionsradius von Roland reichte, von einem Abstecher nach Elend, Tanne und Schierke über Sorge abgesehen, nicht hinaus. Erwähnenswert blieb ihm der über alle Grenzen bekannte Kräuterschnaps „Schierker Feuerstein".

Seinen Lebensrhythmus bildeten Aufbruch und Heimkehr der alpinen Mannschaft in seinem Quartier. Wenn er morgens gegen halb 9 Uhr den Frühstücksraum betrat, hatten die Mannschaftsmitglieder schon gemeinsamen Frühsport und Frühstück hinter sich. Mittagsschlaf war wohl vorgegeben, denn ab 14:00 Uhr hörte und sah man eine Stunde niemanden von ihnen und abends nach 21:00 Uhr waren im Restaurantbereich, selten genug, vereinzelt Hotelgäste mit sich selbst beschäftigt.

Wenn Roland so durch die Gegend wanderte, schupperte seine nicht mehr durch Haut geschützte, jetzt blank liegende Eichel in der Unterhose. Die Zipfelmütze aus Verbandsstoff mit der Schlinge um den Hals trug er nicht mehr. Diese Empfindlichkeit, die so unangenehm nicht war, hatte Phasen, in denen er mit erigiertem Glied unterwegs war. Ihm wurde gewahr, dass seit seinem letzten Beisammensein mit Elli schon Wochen vergangen waren. Er war sozusagen reif! Der mit Ilse-will'se zu vollziehende, versprochene „Erstflug" lag auch bei schneller Logistik, noch in relativer Ferne.

'Wenn er bloß nicht so weit ab vom Schuss seinen Genesungsurlaub verbringen müsste', bemitleidete er sich.

So eine wasserfreie Wüste war ja das Hotel mit der alpinen Leistungsriege nun auch wieder nicht, um nicht zumindest versuchsweise nach einer weiblichen Oase Ausschau zu halten.

Tischtennis zu spielen gehörte anscheinend zu von den Trainern erkorenen Lockerungen ihrer Schützlinge. Es waren fünf Platten im Erdgeschoss aufgestellt. Eine davon, die Beliebteste, stand im Galerievorbau des Hotels. Von dort konnte man etwas vom sonstigen Geschehen im und vor dem Hotel beobachten und wurde selbst als Akteur wahrgenommen. Die übrigen Platten standen in Räumen des Innenbereichs, wo Spieler und Spielerinnen unter sich waren. Roland hatte sich als ebenbürtiger Gegner in die Spielgemeinde eingebracht. Er forderte aus der Mannschaft eine Frau auf, zu der er über Tischtennis hinaus Kontakt finden wollte. Diese Sportlerin hatte ihn während seiner Spaziergänge im Training mit Skiern, an deren Blättern Rollen befestigt waren, überholt. In der Anstrengung des zu bewältigenden Anstiegs fand sie noch Luft für einen freundlichen Gruß. Als er ihr nachsah und beobachtete, mit welcher Grazie und dabei Wucht in der Bewegung sie die Strecke nahm, gefiel sie ihm. Er wollte sie kennenlernen. So platzierte er sich, um in Kontakt zu kommen, zeitlich und örtlich, wenn sie sich vor dem Hotel die Schier anspannte und später so, dass sie auf ihrer Trainingsstrecke wieder an ihm vorbeikommen musste. Um sie zu locken, hatte er die begehrteste Platte reserviert. Ihr flüchtiger Kontakt unter freiem Himmel erleichterte die erste Verabredung zum Tischtennismatch.

Donnerwetter, die Frau konnte spielen, dass, wenn auch selten aber immerhin, er zweiter Sieger war. Es erübrigte sich, ihr einen Frauenbonus zukommen zu lassen. Die von ihr so erkämpfte Emanzipation zeitigte Früchte bei der Konversation – nach dem Match bei Wasser oder Brause. Roland wollte diese Frau, deren Namen Gisela er verständlicherweise nie vergessen hat.

Abends kam sie zu ihm aufs Zimmer. Die wohl schönste Sache der Welt nahm ihren Lauf. In Gisela lernte er eine Frau kennen, deren mittelgroße Figur ein Gesamtpaket sich schön abzeichnender Muskeln, Vitalität, Gesundheit und Kraft darstellte. Der „Erstflug" in neuer „Ausstattung" als solcher war für Roland auch ein Wagnis. Bei aller Erwartung auf eine vor Glück überschäumende Frau hatte er auch Respekt vor der Kraft und Ausdauer einer Leistungssportlerin. Beide waren sie dann aber zufrieden. Gisela hatte ihn besonders gespürt und wollte Rolands „kleinen Lustknüppel" aus der Nähe betrachten. So einen Kranz hatte sie natürlich noch nicht gesehen. Die Noppen ringsherum hoben sich in der Farbe vom übrigen Gewebe des Schwellkörpers ab. Sie sahen aus wie rubinrote, etwas längliche, waagerecht liegende Perlen. Roland erklärte das farbige Aussehen mit der erfreulichen Enge ihrer Vagina und ihrer Ausdauer im Akt. Am nächsten Morgen kam es Roland so vor, von Giselas Zimmerkameradin neugierig betrachtet zu sein. Die Frauen hatten sich wohl einander anvertraut. Wie dem auch sei, ganze zwei Tage blieben Roland und Gisela, sich zu genießen. Gegen 5 Uhr morgens verlangte der Rhythmus von Giselas Trainingstruppe, sich der kuscheligen Atmosphäre in Rolands Zimmer zu entziehen. Am Abschiedsmorgen schenkte sie ihm, bevor sie das Zimmer verließ, einen Stein, wie Erika in Binz. Nicht Bernstein, sondern ein sogenanntes Marienglas von etwa 10 cm Größe, typisch für die geologische Wunderkiste des Harzes, sollte Roland an sie erinnern.

Ihm kam diesmal das frühmorgendliche Wecken gelegen, so erreichte er die Post von Sorge im Bahnhofsgebäude zur Öffnungszeit um 8:00 Uhr. Zwei Stunden hätte er auf die telefonische Fernvermittlung nach Dessau warten können, diese Zeitspanne blieb nach Fahrplan für seine Zugverbindung. Das Warten hatte noch gar nicht richtig begonnen, da stand die Verbindung zur Klinik, und besonders passend, Ilse-will'se befand sich im Schwesternzimmer.

„Also dich gibt's doch noch. Hättest ja schon mal früher anrufen können. Wie geht's denn so?"

„Mensch, Ilse, ich bin hier in 'Sorge', das ist Verbannung! Telefonieren ist Glücksache. Dein Blutdruckmesser würde platzen, so pocht mein Herz, dich zu hören!"

„Mir tut es auch gut, deine Stimme zu hören. Wann kommst du denn?"

„Heute Abend, mein Augenschmaus, bin ich in Dessau."

„Tut mir leid, heute hat meine Wochenendschicht bis Montag begonnen. Vielleicht kann ich ab Montag Nachmittag die Laube richten, das willst du doch wissen, oder?"

„Nicht so direkt, aber du hast schon recht. Ich freue mich auf den „Erstflug" mit dir. Ich rufe dich an, wenn ich meinen Ausgang planen kann."

„Küsschen, bis dann."

Im Zugabteil bastelte er an der Aufdröselung seiner Frauenverhältnisse. Bei Ilse-will'se gestaltete sich das erwartungsgemäß. Er sah es deutlich, sein Egoismus war einfach stärker gewesen als sein Versprechen, sich für den „Erstflug" mit Ilse-will'se aufzuheben. Seinen „Frühstart" wird er ihr einfach verschweigen, damit sie nicht den Kick verliert, als seine „erste" Partnerin zu fungieren. Für Elli fiel ihm nichts ein. Es war vorhersehbar, wenn er mit ihr schlafen würde, was nach Lage der Dinge wohl gleich morgen am Sonnabend passieren könnte, bliebe ihr seine „neue Ausstattung" nicht verborgen. Die dann fällige Aufklärung der Sache selbst und die Erklärung der vorangegangenen Schwejkschen-Schelmenstücke bargen Potential für das Beziehungsende. Eigentlich schade, aber da musste er durch.

Freitags in der Schule, wurde er von den Kameraden mit der erfreulichen Nachricht empfangen, dass ihre weitere Ausbildung ab Juni an der IL-I4, stattfinden würde. Auf der Schreibstube teilte ihm der Stabsfeldwebel mit:

„Montag 9:00 Uhr beim Kompaniechef antreten!"

Über die freie öffentliche Telefonzelle vor dem Hauptgebäude rief er kurz Elli an, um seine Rückkehr in Dessau zu verkünden und wie so nebenbei, dass er über das Wochenende nicht aus der Kaserne raus käme. Nächste Woche würden sie für sich planen können. So hatte er erst einmal Zeit gewonnen.

Seine Gedanken waren längst bei Ilse-will'se. Die rief er nämlich danach an, um von ihr ganz genau die Koordinaten der Datsche am Auerhühner See, der ja nur 10 Minuten Fahrzeit von der Kaserne entfernt liegt, zu erfahren.

„Am Montag kannst du dort schon am frühen Nachmittag eintreffen. Dienstag habe ich noch dienstfrei. Mit meinem Mann habe ich alles geregelt, mich sozusagen abgemeldet. Der muss ja arbeiten. Ich habe ihm vorgeschlagen, das Grundstück für die Sommertage zu beackern. Wie findest du mich – bin ich nicht eine fürsorgliche Frau?"

„Ilse, mein Augenschmaus, du bist bombastisch! Ich bringe was zum Anstoßen mit."

Montag! Er nahm an, jetzt würde ihm mitgeteilt werden, was die Kameraden schon wussten. Man wird ihn als Flugschüler auf der IL 14 begrüßen.

„Na denn mal los!", meinte der Stabswedel zu Roland und beide begaben sich auf den Weg zum großen Besprechungsraum.

Bei Eintritt in den Raum meldete der Stabsfeldwebel:

„Wie befohlen, mit Offiziersschüler zur Stelle."

„Danke, wegtreten!"

An der Querfront des rechteckigen Besprechungstischs saßen sein Klassen- und Kompaniechef, der Oberleutnant-Politnik, Hauptmann-Chef der Technischen Kompanie, der ihm vom Sehen her bekannt war, ein ihm unbekannter Hauptmann mit den Biesen, die ihn als Mann von der Sicherheit auswiesen. Diesen Mann hatte Roland zuvor noch nicht im Schulbereich gesehen. Diesen Personen gegenüber, auf der anderen Ende des Tisches, wurde er angewiesen Platz zu nehmen. Sein Kompaniechef eröffnete:

„Ich nehme an, Sie sind voll einsatzfähig aus Ihrem Genesungsurlaub zurückgekehrt?"

„Jawoll, Genosse Hauptmann!"

„Na gut, wir sind hier zusammengekommen, um Ihnen Ihre Versetzung aus der Fliegerstaffel bekanntzugeben. Diese Regelung ergibt sich Kader-politisch. Sie werden nicht weiter zum fliegenden Nachwuchs gehören. Ich möchte hinzufügen, dass es sich nicht um eine disziplinarische Maßnahme handelt. Haben Sie bis hierher verstanden?"

„Nein, Genosse Hauptmann, habe ich nicht!"

Unvermittelt fragte der Hauptmann von der 'anderen Waffengattung': „Parteimitglied oder Kandidat sind Sie doch nicht, oder?"

Fast erleichtert glaubte Roland zu erkennen, was man tatsächlich von ihm will. 'Wenn es nur darauf ankommen sollte, das können sie haben', schießt es ihm durch den Kopf. 'Parteimitglied oder nicht, scheißegal – fliegen will ich!' Er ging darauf ein:

„Ich bin bisher einmal von der Parteigruppe dazu gefragt worden und habe einen späteren Beitritt als passender angesehen!".

„Das weiß ich, aber das ist nur ein Aspekt. Es gibt weitere Fakten! In Ihrem Kaderbogen haben Sie insgesamt 12(!) Verwandte in Westberlin angegeben. Dabei handelt es sich um Verwandtschafts-grade zweiten und dritten Grades. Unklar ist, ob Sie noch heute Kontakt zu ihnen haben!"

Bevor der Hauptmann weitersprechen konnte, nahm Roland das Wort:

„Da ist absolute Funkstille! Die Grenzabriegelung am 13. August macht es unmöglich, dass Verwandte mich in der Hauptstadt besuchen. Telefonische Kontakte sind in Berlin technisch unterbunden und schriftlich hatte ich nie Kontakt in den Westen."

Der Hauptmann fuhr fort:

„Na gut, dem mag so sein. Es gibt aber noch einen Verwandten bzw. dessen Familie mit erstem(!) Verwandtschaftsgrad! Den haben sie in ihren Kaderakten nicht angegeben - es geht um ihren leiblichen Vater!"

Roland war vollkommen durcheinander. Was hatte sein leiblicher Vater, den er bewusst nie kennengelernt hatte, und der über fünfzehn Jahre hinweg nie von seinen Eltern erwähnt wurde, mit seinen

Kaderakten zu tun? Er erfuhr heute erstmalig, dass der noch lebte! Für die Anwesenden klang das wohl wie eine Sensation. Es herrschte eisige Stille.

Jetzt startete Roland einen letzten Versuch, die Entscheidung zu drehen. Eigentlich war ihm klar, dass es an der eingangs verkündeten Entscheidung nichts mehr zu ändern gab. In reiner Verzweiflung, sich vor dem Scherbenhaufen seines jahrelangen Engagements für das Berufsziel Pilot fürchtend, brauste er in Richtung des Vortragenden:

„Genosse Hauptmann, was bilden Sie sich eigentlich ein, meine Kaderakten, ohne mich persönlich zu kennen, dermaßen polemisch zu interpretieren! Meine Eltern genießen das Vertrauen unseres Staates, im kapitalistischen Ausland der DDR zu dienen. Wie kommen Sie darauf, meine Loyalität zu unserem Staat anzuzweifeln?"

Der Hauptmann ging nicht einmal darauf ein:

„Darüber diskutieren wir hier nicht!"

Rolands Politnik, Nichtflieger und Dumpfbacke, fügte süffisant hinzu:

„Beim Genossen Oberst brauchen Sie sich auch erst gar nicht extra melden zu lassen, der ist bereits unterrichtet."

An den Kompaniechef gerichtet gab er Order, den weiteren Ablauf zu erläutern.

„Roland, Sie werden zur technischen Kompanie verlegt. Dort erhalten Sie eine neue und interessante Ausbildung. Aus diesem Grund ist der Genosse Hauptmann von der Technik anwesend. Ich untersage Ihnen, über die getroffene Entscheidung mit den Flugschülern zu sprechen."

Und als Letztes vernahm er wie durch einen Schleier noch einmal den Hauptmann von der Sicherheit:

„Ich vergattere jeden - nichts von dem Gehörten geht aus diesem Zimmer! Genosse Offiziersschüler, alles Gute für Ihre Zukunft in der NVA! Sie können wegtreten."

Die ganzen letzten Minuten kamen Roland vor, als würde man ihm offen ins Herz greifen, die Flügel waren ihm gebrochen. Das Gehörte übertraf seinen geistigen Horizont. Der letzte Satz ließ in noch extra zusammenzucken. Sollte das etwa heißen, dass er seine Armeeverpflichtung von zwölf Jahren zu erfüllen hatte? Seine gesamte

Lebensplanung war innerhalb von Minuten obsolet! Er stand auf und ging ohne Ehrenbezeugung, wie in Trance aus dem Dienstzimmer. Der Hauptmann von der Technik folgte ihm:

„Holen Sie Ihre Sachen und melden Sie sich auf dem Technik-Kompanie-Geschäftszimmer. Man zeigt Ihnen dann die neue Unterkunft. Danach melden Sie sich bei mir."

In seinem Zimmer angekommen legte er sich angezogen auf sein auf Kante gebautes Bett. Gedanken vom Freitod gingen ihm durch den Kopf. Er hörte keine Kameraden auf dem Flur. Die hielten sich ja um diese Zeit in den Schulräumen auf. Nach einer geraumen Weile, leer im Kopf, räumte er seinen Spind. Zwei große Ladungen kamen zusammen. Er hoffte nichts mehr, als dass er seine zwei Transport-Schnürungen unbeobachtet zur Technik-Kompanie, die sich zwei Etagen tiefer im Gebäude befand, würde bugsieren können.

Im Technik-Kompanie-Geschäftszimmer wusste man Bescheid. Ein Gefreiter half ihm beim Tragen und begleitete ihn in sein neues Zimmer. Da waren drei Stahlrohr-Doppelstockbetten, ein Tisch, sechs Stühle und sechs Spinde. Er bezog das letzte freie obere Doppelstockbett.

Nach Einräumen und Bettenbau meldete er sich beim Kompaniechef. Das war ein Hauptmann, der ihn erfreut als Neuzugang in seiner Technikkompanie begrüßte:

„Wir sind die Spezialeinheit, die hier alles am Laufen hält. Der gesamte Fahrzeugpark, sämtliche Treibstoffe für Flugzeuge und KfZ eingeschlossen. Bis auf Ausnahmen sind alle Länger-Dienende. Sie werden eine Ausbildung bei der Flugplatzfeuerwehr bekommen. Moderne Technik und viel Verantwortung! Nach Ihrer beruflichen Qualifikation zu urteilen, passen Sie gut zu uns."

„Was soll denn da passen, ich bin Universalfräser und war Flugzeugführer?"

„Sie sind Facharbeiter und haben doch den Führerschein für alle Klassen! Wir qualifizieren Sie zu einem Feuerwehr-Spezialisten."

„Das lohnt doch gar nicht, ich will aus der Armee raus!"

„Das habe ich nicht zu entscheiden. Jetzt sind sie erst einmal hier! Heute regeln Sie ihre persönlichen Sachen. Schauen Sie sich um, machen Sie sich bekannt. Sie können auch Ausgang bis 22:00 Uhr nehmen."

Im Zimmer zurück traf er auf zwei Bettennachbarn. Die waren neugierig. Was hatte ein Offiziersschüler in ihrem Zimmer verloren? Er konnte nichts sagen, er wollte sich nicht erklären - er fühlte sich schutzlos. Er sah sich einem System ausgeliefert, welchem er nichts, aber auch gar nichts entgegenzusetzen hatte. Ein paar Floskeln, er müsse jetzt erst noch mal weg und am Abend könnten sie dann quatschen. Die Neugier seiner neuen Zimmerkameraden verstärkte seinen Impuls, der keine bewusste Überlegung war. Erst mal raus aus der Kaserne!

Er steckte, mit dem Körper die Einzelheiten seines Tuns vor den Anwesenden verdeckend, seine persönlichen Dokumente, Wehrpass, Zeugnisse, seinen Kulturbeutel und die letzten Westzigaretten in den Rucksack. Dann zog er sich für die Motorradfahrt an:

„Na dann bis zum Abend!", sagte er noch im Hinausgehen und ging wie selbstverständlich zu seiner Maschine. Mit Gruß fuhr er an der Wache am Haupttor vorbei.

'Wo wollte er hin? Zuerst einmal volltanken!'

Inzwischen war es Nachmittag. Er machte sich auf den Weg zum Kühnauer See.

Wie um eine Zusage zu erfüllen, kaufte er Rotkäppchen Sekt, in einem auf dem Weg liegenden Konsum.

Eine braun gestrichene Holzlaube stand zwischen anderen, in einem gepflegten Obstgarten. Das war die gesuchte Datsche von Ilse-will'se. Sie hatte das Motorrad gehört und war vor die Tür getreten.

„Na du kannst es wohl nicht erwarten!", begrüßte sie ihn, als er vom Motorrad stieg. Sie umarmte ihn lieb und dabei fraulich fordernd. Seine steife Haltung zeigte an - es ist anders als von ihr erhofft:

„Roland, was ist los?"

„Ilse, es ist etwas passiert! Das ist so fürchterlich – ich bin der unglücklichste Mensch auf Erden! Du bist die erste Person, mit der ich darüber sprechen kann. Lass uns reingehen. Du musst mir zuhören! Bitte!"

Ob er womöglich Perlen vor die Säue werfen würde oder nicht war ihm völlig egal. Er wollte sich einfach nur den ganzen Weltschmerz von der Seele reden.

Ilse-will'se hörte zu und stellte kaum Fragen. Es verging Zeit - ihr passives Zuhören hatte etwas Weises. Er erwartete keine Ratschläge, und die bekam er auch nicht.

Mit dem Reden formte sich ihm der Trotz, das absehbare Finale zu verzögern.

„Heute fahre ich bestimmt nicht in die Kaserne zurück!"

Ilse-will'ses schweigsames Einfühlen und kein vorlauter Widerspruch, taten gut. Verzweiflung wandelte sie in Geborgenheit:

„Dann bleibst du hier! Ich muss morgen erst um 14:00 Uhr in der Klinik sein. Jetzt schiebe mal das Motorrad vor dem Zaun, vom Weg hinter die Laube"

Sie tranken Kaffee und aßen später von Ilse-will'se selbst gemachtem Kartoffelsalat mit Würstchen. Rolands Selbstzweifel und Traurigkeit standen der ursprünglichen Absicht ihres Treffens im Weg. Sie funktionierten einander ergänzend wie ein trautes Paar. Gemeinsam erledigten sie den Geschirrabwasch, für den das Wasser aus der Schwingpumpe vor der Küche in Eimern hereingeholt werden musste, um dann im Warmwasserboiler auf Temperatur gebracht zu werden.

Als sie ihm beim Geschirr abtrocknen über Kopf und Rücken strich, empfand er Dankbarkeit. Immerhin, er wandte sich ihr zu, und als er ihr in die Augen sah, nahm er Witterung zu Ilse-will'ses Verlangen auf. Seine Neugier steigerte sich bis zur Geilheit. Es war für ihn neu, den Akt mit verdrängten trüben Gedanken anzugehen. Den „Erstflug" vollzog er robust. Ilse-will'se erlebte ihn in der Vorstellung, ihm die erste Frau mit seiner neuen Ausstattung zu sein. Neue Phantasien taten sich ihm auf. Auf den vermeintlichen „Erstflug" und auf schöne Liebe tranken sie „Rotkäppchen-Sekt". Sie nahmen sich Zeit bei ihren Streicheleinheiten. So richtig Schlaf fand Roland nicht. Immer wieder dachte er im Halbschlaf, das alles mit der Armee so nicht erlebt zu haben und nicht dermaßen in der Scheiße zu sitzen, wie er es erwachend dann realisieren musste.

Nach dem Frühstück wollte Roland irgend etwas mit sich anzufangen. Die betrüblichen Tatsachen schwirrten ihm im Kopf. Mit kraftvollem Umgraben einer von Ilse-will'se bezeichneten Gartenfläche machte er sich nützlich. Die körperliche Anstrengung mit der wurzeligen Gartenerde verlangte keine Konversation. Das Spatenblatt in den Boden tretend ging er gedanklich durch, welche Brisanz seine Handlungsweise momentan wohl erreicht haben könnte. Ein schlechtes Gewissen hatte er niemandem gegenüber. Er sah sich gedemütigt - um die Zukunft betrogen, als Opfer!

Sein Fehlen in der Kaserne wird rote Lichter aufleuchten lassen haben. Das war ihm klar. Man nannte das ein „Besonderes Vorkommnis"! Die Ausgangsübertretung war inzwischen bestimmt zum „Unerlaubten Entfernen aus der Truppe" hochgestuft worden. Damit war eine Dimension erreicht, die über die Flugschule hinausreichte. Dem Kommando der Luftstreitkräfte und Luftverteidigung in Strausberg war wohl somit sein Untertauchen auch gemeldet.
Die Situation war aussichtslos! Da war nichts ungeschehen zu machen. Na wenn schon, denn schon – er wollte nicht zurück.
Er würde das, was ihm als momentane Beweglichkeit blieb, bis zur Neige auskosten, so lange wie möglich. Die Folgen waren ihm schnurzpiepe!
Letzte Rückzugsebene könnte sein Pate in Leipzig sein. Vielleicht eine Bastion in der Funktion als Puffer zum finalen Ende. Er war ja schließlich kein Krimineller, sondern ein Mensch, der zurück ins zivile Leben wollte.
Trotz der unterschwelligen Irritationen, Ilse-will'se hat das Abenteuer mit ihm bis zum Abschied ausgekostet. Seine Situation beunruhigte sie - natürlich auch in eigener Sache. Sie wusste nicht, was er vorhatte. Sie ahnte und sah - es wird Schwierigkeiten geben:
„Roland, mein Liebster, ich wünsche dir, dass du eine Lösung findest. Halte mich unbedingt aus der ganzen Sache raus. Ich kann mir kein Theater, schon gar nicht mit meinem Mann, leisten. Kann ich mich darauf verlassen?"
Ohne Blick in die Zukunft sagte er erst einmal:

„Natürlich kannst du dich darauf verlassen! Von dir wird nie die Rede sein!"

„Ruf mich auch nicht an."

„Bevor ich keine Übersicht habe, wirst du nichts von mir hören. Du bist als Mensch großartig, und als Frau war es schön mit dir, danke für alles, du, mein Augenschmaus."

Sie fuhr mit dem Fahrrad in die Klinik und Roland nahm Fahrt auf in Richtung Leipzig. Er fuhr nicht durch Dessau und nicht zur Autobahn, sondern über Landstraßen. Seine Maschine in ihrer gelb-roten Lackierung war auffällig. In der Umgebung wurde sie ihm zugeordnet.

Die ganze Familie, der Professor mit Ehefrau Uschi und Tochter, war zu Hause. Sein Aufkreuzen brachte die Vorbereitung für das Abendessen durcheinander, weil die Frau des Hauses nunmehr richtig eindecken und auftischen wollte.

„Ich muss mich nach Spikes umschauen, die brauche ich für die Leichtathletik. In Dessau gibt es die nicht. Kann ich heute hier übernachten?"

„Hättest auch ruhig vorher anrufen können, ich richte dir das Gästezimmer - kein Problem", monierte Ehefrau Uschi vorsichtig.

„Ich will noch mal los, können ja morgen quatschen", verabschiedete sich die Tochter von der Tafel.

Der Ehefrau Uschi war Rolands Anwesenheit willkommen. Sie glaubte, in ihm einen Gesprächspartner bekommen zu haben. Roland wollte um Gottes Willen jetzt kein Gespräch.

„Ich möchte gleich zu Bett gehen, hatte heute viel zu tun."

Es gab keinen Widerspruch, aber Freude sieht anders aus.

„Wann sollen wir dich wecken? Frühstücken wir zusammen?

„Ich richte mich nach eurem Ablauf, dann sitzen wir zusammen am Tisch. Wir können dann auch zusammen aufbrechen."

Der Professor fragte:

„Wenn ich gegen vier von der Uni komme, bist du dann noch da?"

„Ich denke ja, will ja mit dir noch etwas besprechen."

Als sie morgens zu dritt das Haus verließen, ließ er das Motorrad auf dem Grundstück stehen.

Er wanderte ziellos durch die Stadt. Im Hauptbahnhof saß er im Restaurant, mischte sich unter Reisende, die er um ihre Ziele beneidete. In einem Cafe' beobachtete er Leute, die offensichtlich mit sich und der Welt zufrieden schienen. Er dagegen niedergeschlagen grübelnd:

'Müsste er sich schon heute, oder könnte er sich vielleicht erst morgen dem Professor offenbaren?

Seiner Beichte war zuvorgekommen worden!

Als er nachmittags beim Professor ankam, empfing ihn Uschi gewichtig und aufgeregt.

„Geh ins Arbeitszimmer, wirst schon erwartet!"

„Na da bist du ja, setz dich her!"

Im schönen tiefen Sessel saß er im Arbeitszimmer dem Professor gegenüber. Heute war die Stimmung eine andere, als sie es vor seiner Abfahrt in den Sommerurlaub war.

Ihm war klar, man hatte über alle Kanäle nach ihm gesucht, und da war die Kontaktaufnahme zu seinem Paten nur eine Frage der Zeit. Das Ende nahte!

„Du kannst dir ja denken, was ich erfahren habe! Wann dachtest du denn, mir deine Situation zu offenbaren?"

„Heinrich, Ehrenwort, ich hatte das heute vor! Ich fühle mich saumäßig – es ist alles so aussichtslos. Ich weiß nicht, was ich tun soll. Heinrich, Entschuldigung für den Ärger, den ich euch bereite."

„Ärger ist gut, nach dir wird in der ganzen Republik gefahndet! Die Suche ist auch auf das Grenzgebiet zur BRD ausgedehnt!"

Roland erzählte ohne Punkt und Komma, was ihm widerfahren war. Er erzählte auch von gestern bei Ilse-will'se. An diesem Punkt betonte er auch gleich die Notwendigkeit, diese liebe Person nicht zu kompromittieren. Zum Ende kommend wollte er wissen:

„Wie geht es denn nun weiter? Kannst du etwas tun?"

„Der Chef deiner Schule - ein Oberst, richtig? - scheint ein vernünftiger Mann zu sein. Der hat mich nämlich angerufen und gefragt, ob ich vielleicht wüsste, wo du steckst. Vielleicht wärst du hier? So erfuhr ich, dass du schon seit Montag unterwegs bist. Er hat nicht nachgefragt, wann du bei uns aufgetaucht bist. Der war erleichtert, dass du hier bist. Wir haben eine ganze Weile miteinander gesprochen. Die Suche nach dir in Richtung Westen, so gut würde ich meinen Patensohn kennen, sagte ich ihm, sei Kokolores."

„Hat er auch gesagt, was der Grund für mein Türmen ist?"

„Er hat mir alles erzählt! Roland, bei allem Verständnis, es gibt in der Armee nun einmal Vorschriften, die egal, was passiert, einzuhalten sind – von jedem, auch von dir!"

„Na und jetzt?"

„Ich habe ihm mein Wort darauf gegeben, dass du selbst in die Kaserne zurückkehren wirst. Wollte dir ersparen, von der Militärpolizei abgeholt zu werden. Er hat zugesagt, die Fahndung nach dir einstellen zu lassen. Du musst morgen bis spätestens 10:00 Uhr in der Kaserne sein! Dort wirst du in Arrest genommen!"

„Ja und dann?"

„Das weiß ich nicht. Möglicherweise fliegst du von der Offiziersschule."

„Dass ich nicht mehr fliegen darf, ist doch schon die größte Ungerechtigkeit! Heinrich, wenn ich dann auch noch 11 Jahre zu dienen habe – das überlebe ich nicht!"

„Nun warten wir erst einmal ab. Das alles ist Armee-intern, da kann ich nichts machen!"

„Informiere bitte nicht die Eltern. Die machen sich bloß Sorgen, und helfen können sie mir im Moment sowieso nicht!"

„Einverstanden, übrigens die sind doch nicht mehr im Irak, sondern schon seit einem Monat in Cuba, beim Fidel."

„Ja, ich erinnere mich, hatten sie ja schon Ostern angedeutet. Da waren sie kurz hier und sind gleich wieder weg. Die haben es gut."

„Morgen früh um 6:00 macht dir Uschi ein opulentes Frühstück mit Eiern und Speck und dann, darauf will ich dein Ehrenwort, fährst du direkt in die Kaserne."

„Heinrich, Ehrenwort, danke vielmals, prost!"

Roland schmeckte der Wodka überhaupt nicht, aber er kippte einige, weil ihm Heinrich trinkfester Pate war.

Uschi hatte ihn geweckt, in der Küche roch es nach Kaffee und gebratener Butter in der Pfanne, seine Henkersmahlzeit. Sie schien wohl das Wichtigste zu wissen, jedenfalls verabschiedete sie ihn: „Kopf hoch, Roland!"
Heinrich umarmte ihn mit:
"Mach keine Dummheiten, mein Großer!"
Roland, sicher, unterwegs nicht mehr mit Verhaftung rechnen zu müssen, fuhr über die Autobahn zur Kaserne. Vor dem Wachhaus des Haupttores seiner Kaserne, Freitag gegen 9:30 Uhr, ließ er den Motor wie zum Gruß laut aufheulen. Er sah Bewegung im Kreis der am Wachhaus Diensttuenden kommen. Man wartete offensichtlich schon auf ihn. Ein Soldat trat heraus und befahl, langsam zum Motorradunterstand zu rollen, während er selbst neben der Maschine herlief. Nach Abstellen der Maschine musste Roland ihm den Zündschlüssel geben. Beide gingen dann zur Wachstube zurück. Ein alter Bekannter, der „Schleifer", baute sich vor ihm auf:
„Sie stehen unter Arrest – folgen Sie!"
Zusammen mit noch einem Soldaten lieferten sie ihn im Vorzimmer des Flugschulkommandanten ab. Nach kurzem Warten stand er im Chefzimmer, wo der Oberst mit seinem Ordonnanzoffizier frostig seine Meldung entgegennahmen. Diesmal nix von Platz nehmen oder Kaffeeangebot in der Sitzecke. Der Genosse Oberst stellte hinter seinem Schreibtisch sitzend kurz fest:
"Sie haben gegen sämtliche Regeln der militärischen Disziplin verstoßen und dabei unsere „Motorflugschule Dessau" in Verruf gebracht. In jeder anderen Einheit ständen sie jetzt vor dem Militärstaatsanwalt! Ist Ihnen das überhaupt klar!? Sie können von Glück sagen, dass ich Sie bei Ihrem Paten in Leipzig ausfindig gemacht habe. Hätte man sie irgendwo im Zuge der Fahndung ergriffen, säßen Sie jetzt im richtigen Knast. Mann, man hat Sie mit Verdacht auf Republikflucht in der ganzen Republik gesucht, verstehen Sie das eigentlich!?"
An den anwesenden Ordonnanzoffizier erging die Order:
„Lassen Sie mir den Genossen Professor Heinrich auf die Leitung legen."

Der Oberst und Roland waren einen Moment allein im Zimmer. Roland sagte kleinlaut:

„Genosse Oberst, ich wusste nicht, was ich machen soll! Der Gedanke, mich bei Ihnen zu melden, hatte sich erledigt, als der Politleutnant sagte, Sie wüssten Bescheid – ich bräuchte mich erst gar nicht bei Ihnen melden zu lassen. Die einzige Anlaufdresse war Leipzig."

„Die Verbindung liegt auf, Genosse Oberst!", trat der Ordonnanzoffizier wieder ins Zimmer.

„Hallo, Genosse Professor, danke für die Kooperation! Ihr Patensohn ist wieder bei uns – alles gut gegangen. Kommt jetzt für fünf Tage in leichten Arrest. Am Montag werden ihm die Offiziersschüler-Schulterstücke abgenommen werden, hatte ich ja schon angedeutet. Da muss er durch - werde ihn im Auge behalten!" ..... In Ordnung, wenn ich in Leipzig bin, melde ich mich......" fand das Telefonat sein Ende.

„So, nun zu Ihnen. Sie haben ja gehört, fünf Tage gehen Sie jetzt in Arrest. Am Montag werden Sie vor Ihre angetretenen Kameraden treten. Vor versammelter Mannschaft wird man Ihnen die Schulterstücke herunterreißen. Das ist keine leichte Sache! Ihr Verhalten ist eines Offiziersanwärters unwürdig! Damit ist die Angelegenheit disziplinarisch abgeschlossen und wie es jetzt weitergeht, sagen Ihnen die Genossen von der technischen Kompanie. Sie können wegtreten!"

„Genosse Oberst, weil ich nicht mehr fliegen darf, will ich aus der Armee raus! Wann werde ich entlassen?"

„Sie haben sich auf zwölf Jahre verpflichtet, als Längerdienender haben Sie zum Beispiel im technischen Dienst alle Entwicklungsmöglichkeiten, auch später zum Offizier. Ich sagte: Weggetreten!"

Im Vorzimmer nahmen ihn der Soldat und der „Schleifer" wieder unter ihre Obhut. Alle drei, der „Schleifer" vorneweg, Roland in der Mitte und der Wachsoldat mit aufgesetztem Stahlhelm hinterher, machten sich zu Rolands Zimmer auf. Dort konnte er Unterwäsche, Trainingsanzug, Kultursachen und Lesestoff aufnehmen. Auch zwei Packungen „Ernte 23" brachte er in der Kulturtasche unter. Das

Peinlichste war an staunenden Kameraden vorbei zu müssen, als er sich mit seiner Eskorte auf dem Weg in den Keller befand.

Im Kellergeschoß gab es nicht nur riesige Lagerräume für Lebensmittel aller Art, sondern auch einen Gefangenentrakt.

An der Längsseite eines Ganges gab es eine unscheinbare Stahltür mit Drehknauf und schmalem Sehschlitz im oberen Drittel. Der „Schleifer" drückte auf den Klingelknopf neben der Tür. Von innen verlangte eine Stimme nach der Parole.

Hintereinander traten der „Schleifer", dann Roland, gefolgt von dem Wachsoldaten in einen hell beleuchteten, vielleicht 30m² großen Raum. Die „Stimme", die zuvor nach der Parole gefragt hatte, machte dem „Schleifer" Meldung:

„Arrest belegt mit 1x leicht und 1x streng. Keine besonderen Vorkommnisse."

Der „Schleifer" lieferte Roland ab:

„Hier, Neuzugang, 5 Tage leicht."

Die Übergabe wurde im Arrest-Wachbuch mit Dienstgrad und Uhrzeit protokolliert. Der „Schleifer" zeichnete gegen und verabschiedete sich von Roland:

„Befolgen Sie die Anweisungen des Wachhabenden! Ich übernehme Sie Montag früh!"

Der Raum war spartanisch eingerichtet. Ein rechteckiger Tisch, auf dem Telefon, Radio und ein Aschbecher standen - der Gesamteindruck martialisch. Eine Wand nahmen vier nebeneinander liegende Zellentüren ein. Jeweils zwei waren graugrün und dunkelgrau gestrichen. Die Beschläge der Türen waren von außen angebracht. Drei Scharniere über ihre Höhe von rund 2 Metern auf der rechten Seite und auf der linken zwei waagerecht aufliegende Querriegel. In der Mitte in etwa 1,60m Höhe war jeweils ein Guckloch angebracht. Dieser Wand gegenüber standen sechs Stahlschränke links neben der Eingangstür, der Tisch zusammen mit drei Stühlen rechts der Eingangstür in der Ecke. Die Wandfarbe war ein schmutziges Weiß und der Fußboden nackter Beton. Rechtwinklig zur Zellentürwand gab es noch eine Tür in hellem Blau, die mit einer Glasscheibe in ihrem oberen Drittel als Zugang zu den Sanitärräumen auszumachen war. Beleuchtung sicherte eine elektrische Metall-Schirmlampe an der Decke.

Roland musste jetzt vor dem Wachmann des Zellentraktes alle Sachen auf dem Tisch ausbreiten. Die Zigaretten blieben, so nahm er an, unbeachtet. Er konnte seine Uniform mit dem Trainingsanzug tauschen und die Sachen im Metallspind unterbringen. Der Schlüssel vom Spind wurde an einem Schlüsselbrett aufgehängt. Der Wachmann tat seine Pflicht:

„Ist für dich das erste mal, oder? Du bist doch der Berliner mit der Pannonia! Hab schon von dir gehört. Mach mir hier bloß keinen Ärger. Du kommst in die Zelle Nr. 2. Als Erstes beziehst du die Liegeauflage und ziehst die Decke in den Bezug. Du hast leichten Arrest - das ist wie Ausruhen. Darfst tagsüber liegen, lesen und rauchen. Wenn du auf Toilette musst, rufst du. Nachtruhe ist 22 Uhr, Wecken 6:00 Uhr. Essen zu den üblichen Zeiten. Wenn du ordentlich putzt, wie ich es sage, ist deine Zellentür angelehnt und wir können uns unterhalten. Wenn es an der Tür klingelt, ziehst du die Tür zu. - bist ja schließlich in Arrest!"

„Wer sind die in den anderen Zellen?", wollte Roland wissen.

„Der mit leichten Arrest kam zu spät vom Ausgang zurück – drei Tage - kommt heute Abend raus, lerns'te gleich kennen. Der andere fünf Tage schwer – hat einen Zivilisten verprügelt. Ist noch bis Montagabend hier. Der darf am Tag nicht liegen, muss am Tisch in der Zelle sitzen. Vielleicht macht er das gerade, vielleicht auch nicht. Mein Dienst geht bis morgen früh 8:00 Uhr. Sag mal, ich habe deine Zigaretten gesehen, gibst du mir eine davon ab?"

Roland hätte es mit dem Wachhabenden schlechter treffen können. Ein bisschen Glück, und der nächste Wachaufzug ist vielleicht auch kumpelhaft.

Wenn durch verglaste Fenster Tageslicht, anstatt nur Luft durch Bohrlöcher in Blechrahmen, die sich unterhalb der Decke befanden, in die Zelle gekommen wäre, hätte seine stationäre Bindung dem Vergleich mit Stubenarrest standgehalten. Die abwechselnden Wachaufzüge am Sonnabend und Sonntag waren genauso einfältig wie der vorangegangene, weder besser noch schlechter. Die Gesprächspartner konnte er sich ja nicht aussuchen, und so stieg er ein in die Allerweltsschicksale seines Zellennachbarn und die der sich einander ablösenden Wachsoldaten. Alle Geschichten hatten, auf die Gegenwart bezogen, den gleichen Tenor:

Der Armeedienst, „freiwillig" angetreten, diente als Vehikel, nach dem Abschied aus der Armee bessere Berufsperspektiven zu haben.

Es war Montag, der 28. Mai 1962 – unvergessen!

Ronald hatte Bammel vor dem, was ihm gleich bevorstand. Man wird ihm die gebrochenen Flügel jetzt abschneiden. Es wird demütigend für ihn sein. Er baute sich innerlich auf:

'Haltung bewahren – aufrecht bleiben, sich nichts anmerken lassen. Keiner wird Triumph an ihm befriedigen!'

Um acht Uhr hatte ihn der „Schleifer" aus dem Arrest vorgeführt und befohlen, mit seinen ehemaligen Kameraden anzutreten.

Der „Schleifer" stand, mit Stahlhelm als Wachsoldat kenntlich, seitlich abseits von den angetretenen Offiziersschülern.

Ein Offizier machte dem anderen Meldung, und dann wurde Roland befohlen, mit dem Gesicht zur Front, fünf Schritt vorzutreten. Der Politoffizier trat neben ihn und verlas den Befehl, dass er aus disziplinarischen Gründen als Offiziersschüler zum „Flieger" degradiert sei.

'Alles Lüge! Von wegen disziplinarische Überschreitung – sippenhafte Kaderpolitik, ist der Grund', brodelte es in Roland.

Dann die zeremonielle Demütigung - der Politnik riss ihm die Schulterstücke von der Uniformjacke. Dabei sprach er im Befehlston:

„Sie geben alle Effekten, die Sie als Offiziersschüler ausweisen, auf der Kleiderkammer ab! Genosse Feldwebel, übernehmen Sie den Arrestanten!"

Roland blickte nicht in die Gesichter-Front seiner ehemaligen Kameraden, er sah nur das von Wichtigtuerei strotzende Gesicht des Politniks.

Mittwoch: Roland war nach dem Frühstück aus dem Arrest entlassen und wartete im Geschäftszimmer seiner neuen Kompanie auf Einlass beim Technik-Kompaniechef. Er sah innerlich die Situation als unabänderlich und war bereit, so gut es eben geht, sich zu fügen.

„Eingetreten!", hörte er aus der angelehnten Tür

Im Zimmer standen der Kompaniechef und ein Feldwebel.

„Wie befohlen zum Dienstantritt, Genosse Hauptmann!"

„Da sind Sie ja wieder! Mit Ihrer unerlaubten Entfernung von der Truppe haben Sie unserer Einheit eine Menge Ärger gemacht. Sollte es noch ein „Besondere Vorkommnisse" mit Ihnen geben, fliegen Sie hier auch raus – verstanden?"

„Jawoll, Genosse Hauptmann!"

„Der Genosse Feldwebel ist ihr Gruppenführer. Er wird Sie an der G5 Feuerwehr ausbilden. Die Technik ist kompliziert, aber Sie lernen das, außerdem besitzen Sie ja die Fahrerlaubnis für LKW. Er wird mir wöchentlich Bericht über Ihre Fortschritte erstatten. Wenn das mit Ihnen klappt, werden Sie Feuerwerker und vielleicht sogar Fahrer des G5."

Der Feldwebel wollte wissen:

„Wo, wann und worauf haben Sie fahren gelernt? Haben Sie Fahrpraxis?

„Bei der GST in Berlin auf dem H3, bevor ich hierher auf die Motorflugschule kam, aber gefahren bin ich seither nur Motorrad."

Anscheinend hatte der Feldwebel keine weiteren Mitteilungen mehr für ihn. Der Hauptmann entließ Roland:

„Sie haben vorerst Ausgangssperre! Den ersten Ausgang bekommen Sie in zwei Wochen und zwar begrenzt auf das Stadtgebiet von Dessau. Flieger, weggetreten, warten Sie auf dem Flur!"

Der Feldwebel trat nach einer Weile aus dem Geschäftszimmer - zwei Bücher hatte er unter den Arm geklemmt.

„Kommen Sie, wir gehen in den Aufenthaltsraum."

Der Feldwebel war ein langgedienter NVA-Mann, der stolz darauf war, die G5-Feuerwehr mit einer Besatzung von 5 Mann zu kommandieren. Der G5 - ein Technikmonster der sechziger Jahre, drei Achsen, allradgetrieben(6×6), der Antrieb auf die Vorderachse abschaltbar (6×4), 5-Gang-Wechsel-Getriebe mit Klauenschaltung, 6-Zylinder-Diesel-Motor mit 120 PS. Soweit alles verständlich und mit Neugier auf den Fahrspaß verbunden. Komplizierter wurde es schon mit der vom Fahrzeugmotor angetriebenen dreistufigen Feuerlöschkreisel-pumpe und anderer Aggregate, deren Zusammenwirken mittels Hebel und Motordrehzahl gesteuert werden musste. Ein richtiger Feuerwehrspezialist wäre er aber erst dann, wenn er die feuerwehrtechnische Beladung von „B" und „C"-Profilen, Schläuchen, Rohrleitungen und Schlauchhaspeln im Mix von Wasser, Schaum und Löschmitteln kennen und beherrschen würde.

Roland bekam erst einmal die zwei Bücher mit technischen Beschreibungen.

„Während der Einsatzbereitschaften auf dem Flugplatz, die dreischichtig sind, werden Sie laufend von mir und der übrigen Mannschaft qualifiziert werden."

Ilse-will'se war ihm die einzige Person, die es lohnte kontaktiert zu werden. Er erreichte sie telefonisch. In Kurzform schilderte er die letzten acht Tage. Sie hörte es heraus, er sehnte sich nach ihr! Seine Ausgangssperre ließ kein schnelles Wiedersehen zu. Bestens verstanden fühlte er sich, als sie ihren Dienstplan durchgab. Nachdem also soweit alles in Ordnung war, was sie hätte kompromittieren können, dürfe er sie auch wieder in der Klinik anrufen. Das war für ihn von Bedeutung, damit hatte er etwas, worauf es sich zu freuen lohnte.

Der Dienst im Feuerwehr-G5 war gar nicht so eintönig, wie er ihn befürchtet hatte. Es gab interessante technische Details, und da trafen im Schichtrhythmus Leute in der G5-Kabine zusammen, die in den Stunden ihrer Brandwache einander alles Mögliche erzählten. Die volle Technik, bestehend aus Sanitätsfahrzeug (Sanka), Treibstoffwagen und Feuerwehr, stand nur bei Flugbetrieb der eigenen Maschinen auf dem Platz. Oft waren nur Sanka und Feuerwehr auf dem Flugfeld. Eine Schicht dauerte acht Stunden. Es ergaben sich Überhangzeiten für Brandwachen, wenn sich Flugzeuge verspäteten oder der Flugplatz als Not- oder Ausweichplatz bedient werden musste. Jede Stunde, die zum Beispiel abends nach 22:00 Uhr der Dienst dauerte, da rechneten An-und Abfahrten etc. dazu, konnte morgens nachgeschlafen werden, bzw. befreite von anderweitigen

Diensten. Das, so lautete die Dienstvorschrift, galt auch dann, wenn übungshalber Alarm ausgelöst werden sollte.

Es gab ihm mehrmals einen Stich, wenn er sah, wie seine ehemaligen Kameraden in die IL-14-Maschinen einstiegen. Er sah sie starten und landen.

Für alle Mannschaften, Flugschüler und Bodenpersonal, gab es eine Mahlzeit zwischendurch. Da waren Tische in Freien aufgestellt. An einem Kalten Büfett, konnte sich jeder nach Belieben bedienen. Allerdings waren die Tische für das Bodenpersonal und die Flugmannschaften etwa fünfzig Meter voneinander entfernt. Die Verpflegung war unterschiedlich. Die Flugmannschaften hatten Kaffee, Kakao oder Tee, Weiß- und Schwarzbrot, belegte Stullen, bei Obst Apfelsinen, Bananen, Äpfel. Für die Bodenmannschaften hingegen gab es Tee, belegtes Schwarzbrot und als Obst der Saison.

Selten war Roland auch der Fahrer des G5. Als er aber zeigte, die einzelnen Handgriffe und Funktionen der Feuerwehr zu kennen und bei den Übungen die Aggregate technisch beherrschte, wurde die Ausnahme zur Regel. Für ihn ergab sich so etwas wie Routine im Dienst und der Freizeitgestaltung. Wenn sein Schichtrhythmus es zuließ, trainierte er auf dem Sportplatz. Bei Ausgang, versuchte er sich bei Ilse-will'se auf der Datsche einzuladen.

Noch immer gab es keinen Hinweis darauf, ob und wann er aus der NVA entlassen werden würde. So entstand sein Plan nach dem Motto: „Und bist du nicht willig, so brauch ich Gewalt!"

Genug Zeit hatte er ja, um sich in solchen Gedanken zu ergehen. „Gewalt" dachte er natürlich nicht im Sinne von Abgleiten ins Kriminelle zu forcieren. Im jeweils angedachten Finale wollte er finanziell nicht in Regress genommen werden können und unter der fälligen Bestrafung nicht besonders leiden müssen. Aufmerksamkeit für seinen Abschiedswunsch aus der Armee wollte er durch personifizierte Originalität erzielen. Um so mehr er darüber grübelte, um so deutlicher wurde ihm, soo üppig waren solcherlei Möglichkeiten in dieser Armee auch nicht gerade!

Ein kürzlich aufgedeckter Diebstahl im Verpflegungskeller ließ ihn fast neidisch werden. Da hatte einer, geschickt an den Versorgungsleitungen entlang, den Wanddurchbruch erweitert und sich mit Bananen eingedeckt. Ob der über Bananen hinaus weitere Verpflegung geklaut hatte blieb im Dunkeln. Die hatte der Dümpel an Kameraden verhökert, ausgerechnet Bananen - das fiel ins Auge! Na egal, hätte Roland gewusst, wie er an die Bananen kommt, hätte er sie geklaut und auf einem Tisch im Mannschaftsraum zum allgemeinen Verzehr ausgelegt. So ein „Besondere Vorkommnis" hätte ihm bis nach Strausberg die gewünschte Aufmerksamkeit erbracht.

Bei seinem Gruppenführer hatte er durch seine schnelle Einarbeitung in die Technik einen guten Stand. Wohlbedacht an einem Sonnabend bot Roland sich an, den G5 in einer Geländefahrt entlang des Flugplatzes nach der Schicht zu testen. Er wusste, der Gruppenführer will zu später Stunde schnell nach Hause zur Familie und nicht noch eine Nachtschicht für KfZ-Prüfung einlegen.

„Der Wagen zieht nicht! Ich glaube, der muss mal richtig belastet werden, um Düsen oder Zylinder freizupusten."

„Kannste ja nachher alleine machen. Wenn er danach immer noch stottert, müssen sie in der Werkstatt mal die Einspritzpumpe ansehen."

Nach der Schicht fuhr er Gruppenführer und Mannschaft zum Haupthaus und selber mit dem G5 vor die Garage. Dort deponierte er seine Kalaschnikow, Gasmaske und Stahlhelm.

Er wusste genau, jetzt war er im Begriff, sich über den Gehorsam der Militärmaschinerie hinwegzusetzen!

Er fuhr hinaus auf einen Feldweg. Ziemlich am Ende des Flughafengeländes gab es einen Seitenpfad, der zwecks Abkürzung von den Bauern benutzt wurde, um zu ihren Feldern zu gelangen. Das eigentlich vorgesehene Torelement im Zaun lag zerquetscht im Busch. Roland wusste das, weil er hier des öfteren im Training vorbeilief. Soldaten wussten das auch, weil sie hier ungesehen auf das Gelände kamen, wenn sie ihren Ausgang in der Dorfbar überschritten hatten. Roland gelangte also wie beschrieben auf das öffentliche Straßennetz und fuhr mit seinem G5 direkt vor die Dorfkneipe. Hier tanzte der Bär. Er ging, in Drillichuniform mit Knobelbechern an den Füßen, über die Tanzfläche zur Theke:

„Atze, Atze, willste tanzen?"„Atze, biste wieder ausgerückt?"

„Nee ick mache bloß'in kleenen Test mit der Feuerwehr!"

Eine Gruppe Neugieriger kam von draußen zurück:

„Stimmt, Atze is mit de Feuerwehr hier!", bestätigten sie den Umstehenden.

Roland stand, das zweite Glas Apfelsaft in der Hand, von Neugierigen umringt am Tresen, als sich die Militärstreife neben ihm aufbaute. Die lieferte ihn beim Wachhabenden Offizier des Wachbataillons ab. Dort musste er als Erstes pusten. Alkohol hatte er nicht getrunken, weil er seinen Führerschein nicht riskieren wollte. Es ging alles ganz schnell – er saß im Arrest!

Am Sonntagmorgen wurde ihm die Bestrafung durch seinen Kompanie-Hauptmann verkündet:

„Drei Tage scharfen Arrest! Ich hatte ja gesagt, noch ein Dienstvergehen und ich schmeiße Sie raus! Solche Spinner wie Sie können wir hier nicht gebrauchen! Wenn Sie aus dem Arrest kommen, werden Sie versetzt! Abführen!"

Der Mann hatte wirklich allen Grund, verärgert zu sein. Rolands Tanzbarbesuch war als „Besonderes Vorkommnis" mit Einheits- und Namensnennung nach Strausberg zum Kommando Luftstreitkräfte/Luftverteidigung (LSK/LV) gemeldet worden.

Den Arrest absolvierte Roland trotz „verschärft", wie Stubenarrest. Seine Bewacher behandelten ihn kumpelhaft.

Versetzt wurde er zum Wachbataillon!

Damit hatte er die Sohle in der NVA erreicht. Im Wachbataillon dienten als Soldaten Menschen, die mehrheitlich auch sonst im Leben zu kurz gekommen waren. Mit den meisten von ihnen konnte man in der Armee wenig anfangen. Man nahm sie als Freiwillige, aber über die Freiwilligkeit hinaus hatten die nichts oder wollten nichts bieten. Entweder sie kamen zur Armee, weil sie im Hinblick auf ihre Zukunftschancen dazu genötigt worden waren, oder es fehlte mangels Masse ein ausgelernter Beruf oder, oder...

Seit November 1961 war die Wehrpflicht eingeführt. Aus diesem ersten Jahrgang fanden sich die meisten im Konglomerat des Wachbataillons wieder. Sie stellten hier eine intellektuelle Blutauffrischung dar. Das forderte auch die Führung bis hinunter zum „Schleifer" heraus.

Roland war in einem Schlafsaal mit 12 Mann in Doppelstockbetten untergebracht. Der Ruf „Berlin-Atze" eilte ihm voraus. Sein direkter unmittelbar Vorgesetzter war jetzt der „Schleifer" - ein ambivalentes Verhältnis!

Der Dienst erfolgte nun im 24 Stunden-Takt. Alle 2 Stunden war Wachablösung dort, wo man hinbeordert war. Als verrückteste Wache blieb in Erinnerung:

Ein langer Flur in der sechsten Etage. Erreichbar über Paternoster oder Treppe. Am Ende des Ganges eine beleuchtete Truppenfahne. Die Fahne musste bewacht werden, weil nämlich im Falle ihres Abhandenkommens das Bataillon hätte aufgelöst werden müssen. Diese möglicherweise preußische Tradition von im Pulverdampf der Schlachten bis zuletzt gehaltenen Fahnen verlangte jetzt von Roland die wache Inaugenscheinnahme der Truppenfahne der NVA. Die vor ihm hängende Fahne hatte noch keine Schlacht erlebt. Sollte er in des Flures Wärme vor dem Truppenschmuck einschlafen – Wachvergehen - ab in Arrest! Nein, er schlief nicht ein, denn ein solches „Vorkommnis" würde ja, Papperlelapapp, nicht bis nach Strausberg gemeldet. Der „Schleifer" schlich sich vergebens über die Treppe mehrmals zur Kontrolle an.

Da es sonst nichts Sinnvolles außerhalb der Wachaufzüge zu tun gab, wurde jede Waffe gereinigt, sozusagen bis auf die sichtbare Metallstruktur, Linoleum allerorten gewienert, Waschbecken und Toiletten geputzt, Betten auf scharfe Kanten gebaut. Die Wäsche im Spind wurde mit dem Lineal geprüft. Der Politunterricht war in diesem Programm schon wohltuende Abwechselung und der Dienstsport machte die Truppe glücklich.

Die heterogene Zusammensetzung des Bataillons brach an einer Stelle deutlich zu Tage. Die Wehrpflichtigen wurden häufiger für gute

Wachsamkeit vor der angetretenen Mannschaft belobigt. Sie stellten niedere Dienstgrade, die ihren Ausgang überschritten hatten, beim Versuch, unbemerkt Mauern oder Zäune zu überklettern. Auf die Freiwilligen wurde regelrecht Jagd gemacht. Denen gönnten sie nicht, dass die drei mal so viel Monatssold und ganz allgemein auch mehr Ausgang als sie selber bekamen. In dieser Stimmungslage kam Roland die Idee für ein „Besonderes Vorkommnis".

Sie waren am zweiten Sonnabend im Juli morgens vergattert worden. Am Nachmittag in einer Wachpause setzte er sich mit einem Kameraden zusammen, den er als Motorradfahrer kannte. Sie hatten mit ihren Maschinen schon gemeinsame Ausfahrten unternommen. Ihm machte er den Vorschlag:

„Heute Nacht fangen wir einen Spion!"

„Du spinnst, wie soll das denn gehen?"

„Ich patrouilliere heute den Postenbereich A zur Straße neben deinem B, erklärte er. Da sehe ich eine Person mit Rucksack über die Mauer klettern.

Mein Anruf „Halt", der bleibt nicht stehen;

Mein 2. Anruf: „Halt oder ich schieße!", der rennt weiter.....und zwar in Richtung Postenbereich B - zu dir.

Ich gebe Warnschuss ab – der rennt weiter.

Ich schieße noch 2x scharf in die Luft.

Wenn ich die ersten zwei Schuß abgegeben habe, ist der Spion bereits in deinem Postenbereich.

Du siehst die Person und fängst genauso nach Kommandoruf an zu schießen. Von dir aus läuft er in den Postenbereich C.

„Wer steht denn im Postenbereich C?

„Wenn wir Glück haben ein Wehrpflichtiger, die schießen sofort!"

„Na mal sehn, ich hör mich um".

Die nächste Wachpause ging zu Ende und aus zwei Postenbereichen waren inzwischen drei geworden. Nicht auszuschließen, eher sogar anzunehmen, dass weitere Posten einfach mitballern wollten, wenn die Schüsse ihrem eigenen Wachbereich nahe kämen. Die Zwei einigten sich auf die Wache von 2:00 – 4:00 Uhr. Wie Lausbuben frohlockten sie dem Feuerwerk entgegen.

Roland schrie aus vollem Halse:

„Halt stehenbleiben!" „Stehenbleiben, oder ich schieße!"

Dann schoss er kurz hintereinander in die Luft. Der zweite Schuss ging schon synchron mit dem „Stehenbleiben, oder ich schieße!" vom Nachbarkumpel, der wohl auch drei Schuss abgegeben hat. Denn da krachte auf einmal ein Feuerstoß.

'Na, der hat Nerven - klappt doch, wie spekuliert!', dachte Roland.

An mehren Wachbereichen wurde geschossen und ein zweiter Feuerstoß war auch zu hören. Ziemlich schnell wurden überall die Posten verstärkt und die „Ersttäter" zur Feststellung des Sachverhaltes abgezogen.

Bei Roland nahm ja das beobachtete Eindringen eines möglichen Spions den Anfang. Er schilderte dem OvD, was er gesehen hatte. Die übrigen „Schießer" gaben ihre Beobachtungen ab. Insgesamt sind 67 Schuss verballert worden – in einem Wachaufzug! Bisher lag die Jahresfrequenz bei vielleicht fünf Schuss.

Beim morgendlichen Appell wurde Rolands Wachaufzug für besondere Wachsamkeit gelobt.

Gegen Mittag wurde Roland dann vom „Schleifer" abgeholt.

Es ging in einen Bereich im Gebäude, den er noch nie zuvor betreten hatte. Dort saß er dem OvD der letzten Nacht und einem bekannten Gesicht gegenüber. Es war der Hauptmann von der Sicherheit, der gleich zur Sache kam:

„Sie haben wir uns als Letzten aufgehoben. Die anderen haben alle schon gestanden. Haben Sie doch wohl auch nicht anders erwartet, oder?

„Was denn gestanden?"

„Flieger! Jetzt machen Sie hier keine Mätzchen. Mich interessiert nur die Antwort auf zwei Fragen:

„Erstens: Haben Sie die Idee geliefert für das Schießen mit scharfer Munition, JA oder NEIN? Zweitens: Warum?"

Roland erkannte die Lage und sagte einfach nur:

„Schießen in die Luft, JA zu Frage eins! Das ausgerechnet Sie mich nach dem WARUM fragen, wundert mich doch wirklich! Ich darf nicht mehr fliegen! Deshalb kam ich zur Armee! Jetzt will ich wieder aus der Armee raus und man nennt mir kein Entlassungsdatum!"

„Wenn Sie noch so ein Ding drehen, werden Sie entlassen, und zwar über den Militärstaatsanwalt, von dort nach Schwedt und dann „Unehrenhafte Entlassung! Wollen Sie es soweit kommen lassen? Begreifen Sie was ich sage?"

„Ja, aber für den Militärstaatsanwalt bin ich nicht kriminell!"

„Ich übergebe Sie letztmalig der disziplinarischen Handhabung Ihres Kommandeurs. Weggetreten!"

Beim Bataillonskommandeur vorgeführt, erhielt er 10 Tage strengen Arrest.

Roland hatte es von den Ballermännern am Härtsten getroffen. Die Arrestzellen waren vollbelegt. Einige der Delinquenten kamen auf Warteliste. Die ihm zugedachte 10-Tagesportion wurde sofort verabreicht. Die übrigen Bestraften bekamen fünf und drei Tage – alle streng.

Nach dem Theater im Wachbataillon waren sogar die Wärter dermaßen eingeschüchtert, dass sie mehr die Kontrollen fürchteten, als gegenüber den Arrestanten die Augen zuzudrücken. Bei Roland kam nun wirklich das Gefühl von Eingesperrtsein auf.

Am vierten Arresttag fiel das Personal in anhaltende Hektik. Alles musste dermaßen geputzt werden, als gelte es, die letzte Bazille zu töten. Es drang bis zu den Arrestzellen durch - der General besucht die Flugschule. Der wird zwar sicherlich anderes zu kontrollieren oder zu besichtigen haben, als ausgerechnet Arrestzellen. Es liegt nun aber mal in der Natur der Sache - oben ausgelöster Druck wirkt nach unten durch. Schade, dass Roland noch sechs Arresttage vor sich hatte. Wäre der General ein paar Tage später gekommen, hätte er nicht den Zellentrakt von Alt auf Neu streichen müssen.

Der General sei im Hause, raunte der Buschfunk. Auf einmal stand der „Schleifer" im Zellentrakt:

„Roland, komm'se raus! Ab unter die Dusche, Ausgangsuniform anziehen, sauberes Hemd und saubere Krawatte, dann bei mir melden! Dalli, dalli, zack, zack!"

Roland schwante Höheres, er tat an sich, was er konnte.

Vom „Schleifer" die Kleiderordnung absegnen zu lassen, war er vor ihm angetreten.

Der monierte an der Ausgangsjacke die abgewetzte Stelle an der Schulter, die von einem Sturz mit dem Motorrad herrührte:

„Darüber reden wir noch! So können Sie doch nicht vor den General treten!"

„Spieß", schrie er über den Flur, „gehen Sie mit dem Flieger in die Kleiderkammer und geben Sie dem Mann eine ordentliche Jacke! Dann zu mir! Zack, zack!"

Hin und her - alles im Laufschritt.

Roland bekam eine nagelneue Uniformjacke!

Dann führte der „Schleifer" ihn in das Vorzimmer des Schulkommandeurs.

Der Ordonnanzoffizier des Generals wies ihn vorsichtshalber extra an, sich militärisch exakt vor den General zu stellen.

Die Tür ging auf, der Ordonnanzoffizier trat vor:

„Der Flieger ist jetzt da, Genosse General."

„Soll eintreten!"

Roland spürte - jetzt geht es um Alles.

Er kannte das Zimmer des Schulkommandeurs. Sicherlich wird der General in der links neben der Tür stehenden Sitzecke sitzen oder stehen. Er schätzte den Abstand zwischen sich und der Raummitte. Im Stechschritt marschierte er los. Etwa drei Meter von ihm entfernt stand der General tatsächlich zwischen der Sitzgruppe. Hinter Roland schloss sich die Tür:

„Flieger Roland wie befohlen zur Stelle, Genosse General!"

Stramm stand Roland da, die Hände an der Hosennaht. Eine Ehrenbezeugung ohne Kopfbedeckung gibt es nicht bei Preußens.

„Rühren! Sie sind also der ehemalige Flugschüler, der in den letzten Wochen dreimal für „Besondere Vorkommnisse" in Strausberg gesorgt hat?"

„Jawoll, Genosse General!"

„Was ist denn mit Ihnen los, machen doch einen passablen Eindruck? Der Genosse Oberst sieht das auch so!"

Roland trug kurz seinen Schmerz vor.

„Klare Entscheidung, fliegen werden Sie nicht mehr, aber Sie haben doch in der Armee alle Chancen. Können auch noch Offizier werden."

„Genosse General, alles andere, nur nicht weiter Armee, bin kein Militär-Typ."

„Na, was wollen Sie denn nach der Armee machen?"

„Will studieren, Genosse General, Sport, Geographie oder Journalistik."

„Na, das geht doch so gar nicht, Sie haben Ihr Abitur hier nicht abgeschlossen!"

„Stimmt, will das sofort auf der Abendoberschule machen. Das Wintersemester geht im Oktober los, deswegen will ich schnellstens aus der Armee entlassen werden."

„Hier mein Vorschlag! Sie werden normal mit den freiwilligen Grundwehrdienstleistenden am 1. November entlassen. Ihren Namen will ich in Strausberg nicht noch einmal bei den „Besonderen Vorkommnissen" lesen. Ist das klar?"

„Jawoll, Genosse General!"

„Wenn Sie ihr Abitur tatsächlich gemacht haben sollten, melden sie sich bei mir, ich kümmere mich um den Studienplatz. "

„Prima, Genosse General, werde mich mustergültig verhalten!"

„Übrigens, habe Ihren Vater, den Genossen Grundmann, gerade auf Kuba getroffen. Wenn Sie schreiben, richten Sie ihm meine Grüße aus."

„Das tue ich bestimmt. Genosse General, Genosse Oberst, vielmals Dank!"

Die Tür hatte sich geöffnet und Rolands Dankesworte konnte auch noch der „Schleifer" hören.

So richtig verstand der gar nichts mehr. Da führt er einen Arrestanten zurück in die Zelle, der gerade mit General und Oberst anscheinend geplaudert hatte, direkte Folge - Roland konnte die neue Uniformjacke behalten ....

Im Zellentrakt empfing ihn wieder der Geruch nach frischer Farbe. Sein Besuch beim General sickerte bis zum Wachpersonal durch. Die Reststrafe wurde für ihn und die noch verbliebenen Delinquenten zum Stubenarrest.

Simpel, aber von großer symbolischer Bedeutung - jetzt konnte er sich ein Zentimetermaß kaufen! Das hatten alle Soldaten in der Uniform einstecken, die ihrer Herbstentlassung entgegensahen. Jeden Tag wurde ein Zentimeter abgeschnitten, bezogen auf den 1. November. Von dieser Kraft und Stärke verleihenden Zeremonie war Roland bis dato ausgeschlossen, weil es für ihn bisher kein Entlassungsdatum gegeben hatte.

Auf andere Aussichten lenkten zwei Kameraden aus der Motorradtruppe seinen Blick, mit denen er bei jeder sich bietenden Vereinbarung ihrer Dienste durch die Gegend bretterte. Man könne doch gemeinsam zu dritt, oder wenn es klappte, in voller Besetzung zu viert in Urlaub fahren. Roland wurde vom Bataillonschef der Urlaub bewilligt.

Wie immer stellte sich für Roland die Frage nach angemessener finanzieller Urlaubskasse. Den Professor konnte er als Spender streichen – es fehlte an argumentativer Munition. Schon wochenlang hatte er daran gedacht, seine Gala-Uniform zu verkaufen. Er nahm immer wieder Abstand - zu peinlich schien ihm dieses Unterfangen. Seine Entlassung vor Augen, war die Hemmschwelle aber jetzt niedriger:

'Wie wäre es, wenn er seinem alten Spezi Emil, dem er seine Freude stiftende Ausstattung zu verdanken hatte, ein verlockendes Angebot machen würde.'

Er passte Emil ab, als der allein aus dem Kasino kommend, zur Unterkunft wollte. Kurz erzählten sie sich, wie es so geht. Roland kam zum Thema.

„Sag mal, Emil, hast du eigentlich schon eine Gala-Uniform?"

„Leider nicht! Familie kostet, kannst du glauben - werde schon wieder

Vater!"

„Kannst meine Galauniform für schlappe 300.- Mark – kriegen? Du weißt ja, was die mich gekostet hat."

„Hört sich gut an, wenn nichts an ihr zu ändern ist."

„Glaube nicht, wir haben ja die gleiche Konfektionsgröße. Zugelegt hat ja keiner von uns."

„Na, wie wollen wir das jetzt machen?"

„Ich habe alles vorbereitet. In unserem Waschraum probierst du an!"

„Jetzt gleich?"

„Na klar, dann weißt du, was Sache ist."

Die Uniform passte wie angegossen.

„Emil, fällt dir was auf?"

„Eine Änderung musst du machen lassen, kostet vielleicht 10.- Mark?"

„Ja, ich sehe, was du meinst. In die Schulterstücke muss ein weiterer Balken. Und auf den Ärmel musst du die gekreuzten Propeller aufsticken lassen."

Emil nahm die Uniform mit und bezahlte komplett am übernächsten Tag:

„Roland, meine Frau ist ganz begeistert, lässt dich grüßen und wünscht dir alles Gute."

„Dir und deiner Familie auch alles Gute, ich werde dich lebenslänglich in Erinnerung behalten – du weißt ja warum!"

Weil sie zur Entlassung anstanden, wurde den anderen auch der Urlaub bewilligt. Alle bekamen sie den Urlaubsschein - mit Zivilerlaubnis - für den Bezirk Rostock ausgestellt.

Die gewollte Gruppenfahrt nahm ihren Gang. Sie fuhren an die Ostsee, ausgerüstet mit zwei 2-Mannzelten als Wildzelter, denn die Campingplätze waren voll. Ihre sich in die aufgelockerte Stimmung der Urlauber einordnenden Frohnaturen erbrachte jedem innerhalb der ersten Tage seine Sozius-Braut. Der ganze Urlaub könnte übergangen werden, wenn da nicht die Sache mit der Postkarte gewesen wäre.

Alle Vier hatten die Armee gestrichen satt. Das wollten sie bildhaft zum Ausdruck bringen. Sie ließen sich von einer der Bräute am FKK-

Strand ihre vier eng in einer Sanddüne nebeneinanderliegenden Hintern groß in schwarz/weiß fotografieren. Die Aufnahmen brachten sie zum Entwickeln - auf Postkartengröße. Der Drogist wollte bei der Abholung sogar wissen, wozu denn die Postkartenformate gedacht seien – doch wohl nicht etwa zum offenen Versand? „Neieiein!"

Hätte die Aufnahme rein fachlich fotografisch/künstlerisch, Belichtung, Motivanordnung etc. bewertet werden müssen, man wäre begeistert gewesen. Die Vier waren es allemal, weil es sich um ihre Popos handelte, die da schön zur Geltung kamen. Die Karte wurde an das Wachbataillon der Motorflugschule, mit Text versehen, geschickt:

„Da sind wir - als Urlaubsgruß den Götz von Berlichingen!"

Vier leserliche Unterschriften mit Dienstgrad - der höchste Gefreiter.

Auf der Rückfahrt hatten sie extra noch halt in der Dorfkneipe gemacht, um auf die Minute genau mit aufheulenden Motoren und Hupkonzert vor dem Haupteingang der Flugschule einzubiegen.

Großes Hallo bei der Wache. Bei der Rückmeldung auf der Schreibstube zuerst erwartungsvolle Stille - bis der Kompaniechef eintrat.

„Schau an, meine Urlaubsheimkehrer doch noch pünktlich zurück! Ihre Karte ist angekommen! Eine ausgenommene Frechheit ist das! Sie glauben wohl, wir kennen nicht den Götz von Berlichingen? Sie reisen gleich weiter – zwei Tage leichter Arrest! Abführen!"

Einer von ihnen kam auf Warteliste – der Arrest war voll belegt. Hier roch es immer noch nach Farbe.

Als sie morgens beim Frühstück dem angetroffenen Arrestanten und dem Wachmann von ihrem Urlaub erzählten, kam der „Schleifer" mit dienstlichem Auftrag:

„Roland, kommen Sie wie Sie sind. Der Oberst will Sie sehen."

Auf den Weg dachte Roland:

'Mein Gott, wegen der Postkarten-Lappalie schon wieder antreten...'

Der Oberst empfing ihn mit den Worten:

„Schön braungebrannt sind Sie wieder im Arrest gelandet. Sie treten doch in jeden Fettnapf!"

„Bei der Karte war Alkohol im Spiel. Habe gedacht, wird ja nicht gleich bis zu Ihnen oder nach Strausberg durchschlagen - da habe ich unterschrieben.

„Ihr Hintern ist also drauf, oder?"

„Jawoll, Genosse Oberst, der zweite von links!"

„Abgehakt, habe Sie nicht deshalb kommen lassen. Können vielleicht mal was Gutes für unsere Flugschule leisten! Wie ist Ihre Form? Trauen Sie sich zu, bei den Leichtathletikmeisterschaften der Luftstreitkräfte und Luftverteidigung in Forst anzutreten?"

„Na klar doch! Wann denn?"

„Nächste Woche!"

„Dann muss ich aber hart trainieren, wenn das was werden soll. Dann gibt es da auch noch ein Problem mit meinen Spikes. Die Zacken sind krumm. Ich brauche neue."

„Also Sie werden für die Hundert und Vierhundert gemeldet. Auf der Mittelstrecke haben wir unseren Heino gesetzt. Sie kennen sich doch? Gehen Sie zu ihm, er trainiert auf dem Sportplatz - letztes Jahr hat der für uns 'ne Goldene in dreitausend Meter geholt."

„Ja, wir kennen uns, haben oft zusammen trainiert."

„Sie sind ab sofort zum Training freigestellt!"

„Ich bin heute und morgen noch im Arrest."

„Da bleiben Sie auch - ein Wachposten begleitet Sie zum Training. Nach dem Arrest kriegen Sie Ausgang und dann kaufen Sie sich Spikes. Die Rechnung geben Sie hier im Vorzimmer ab. Jetzt weggetreten zum Trainieren!"

Der „Schleifer" bekam noch Order und dann führte er Roland in den Arresttrakt.

„Sie werden gleich von einem Posten abgeholt, halten Sie sich bereit!"

Die übrigen Delinquenten konnten kaum glauben, was Roland ihnen berichtete.

Dann kam ein Posten, um Roland zu übernehmen. Zuerst ging es mit ihm aufs Zimmer, um Sportsachen zu holen. Dann weiter; Roland im Trainingsanzug vorweg die Richtung angebend, und der Soldat mit Stahlhelm und geschultertem 98K-Karabiner zwei Schritt hinter ihm.

So gingen sie über die Straße zum Sportplatz, der sich außerhalb des Dienstgeländes befand. Sie waren dort nicht alleine. Eine Schulklasse spielte Fußball und andere Soldaten-Sportler trainierten auf der Aschenbahn und in der Wurfanlage. Der besagte Heino, zu dem er Kontakt suchen sollte, war auch unter ihnen.

Eine neugierig machende Personen-Kombination - Roland machte Dehnübungen und neben ihm stand der Soldat mit dem Gewehr! Mit dem so abgegebenen Bild hatte Atze-Berlin (Roland) wieder Neuigkeiten geliefert.

Es kam noch irrer!

Der nächste Tag mit demselben Soldaten in gleicher Marschordnung – Interwall-Training und Übungen aus den Startblöcken. Sommertemperaturen wie sie nur selten höher sind auf dem Platz. In Hemd und Sprinterhöschen war es so warm, dass der Schweiß an den Waden in die Spikes lief. Rolands Training war ambitioniert. Er visierte einen Podiumsplatz an – wenn schon, denn schon!

Der Wachposten unter seinem Stahlhelm, mit dem Gewehr über der Schulter, fiel seiner eigenen Disziplin zum Opfer. Wie er die Ströme an Schweiß in der Uniform mit geschlossenem Kragen absorbiert haben mag, blieb sein Geheimnis.

Rolands Trainingskamerad, Heino, wollte sich im Wasser abkühlen. Sein Ziel war der nur wenige hundert Meter entfernte Strand am See.

„Gute Idee, da komme ich mit!"

„Und was machen wir mit deinem Posten?"

„Den nehmen wir mit!"

Brav fügte der sich, und so gingen sie hintereinander durch den Wald zum See.

Die Badestelle war belebt. Zwischen Familien mit Kindern sonnten sich auch Krankenschwestern aus der Klinik. Als die „ihren" Atze-Berlin erkannten, gab es kicherndes Hallo.

Der Soldat machte gute Miene zum bösen Spiel.

Sich im Wasser tummelnd, beobachteten Heino und Roland – der Wachposten zeigte Eigeninitiative. Er hatte sich Diensterleichterung gegeben, indem er den Stahlhelm abgenommen und das Gewehr schräg über ihn gelegt hatte. So saß er im Schatten unter einem Baum. Sich der dicken Knobelbecher zu entledigen wagte er nicht.

Das Strand-Intermezzo dauerte nicht lange.

Mittagessen stand an.

Die Mädels begehrten auf, als sie sahen, der Soldat setzte den Stahlhelm auf, schulterte das Gewehr und war im Begriff mit den braungebrannten, gut durchtrainierten Sportlern, den Strand zu verlassen. Im Aufbruch riefen sie den Mädels verlockend zu, nachmittags kämen sie wieder. Einige unter ihnen waren Schwestern aus der Klinik, die zur Abendschicht anrücken mussten. Roland gab noch schöne Grüße an Ilse-will'se mit auf den Weg. Bei ihr hatte er sich nach dem Urlaub noch nicht melden können. Sie würde bestimmt Augen machen, wenn sie vom Badeerlebnis ihrer Kolleginnen am See erzählt bekäme.

Roland musste sein Essen im Arresttrakt zu sich nehmen. Da schaute der „Schleifer"vorbei.

„Man hört, sie lassen es sich mit dem Wachposten draußen gutgehen."

„Jawoll, Genosse Feldwebel, einen besseren als den hätten sie nicht abstellen können."

„Na, dann is gut. So einen Arrest wie mit Ihnen hat es hier auch noch nicht gegeben."

Gleich nach dem Essen ging das „Trainingskommando" wieder an den See. Der Wachmann nahm wie selbstverständlich seinen Platz unter dem Baum ein. Im Verlaufe des Nachmittags kam auch Ilse-will'se an den See. Sie wurde von ihrem Mann begleitet. Als sie ihm Roland als ehemaligen Patienten aus der Klinik vorstellte, wusste der nicht, wem er da die Hand gab.

Bevor er am ersten Tag nach dem Arrest zum Kauf der Spikes Ausgang nehmen konnte, musste er am Politunterricht teilnehmen. Es wurde Neues verkündet. Walter Ulbricht hatte bei seiner Rede am 8. September 1962 auf der XVI. „Deutschen Arbeiterkonferenz" den Grenzsicherungsmaßnahmen ihren ab sofort gültigen Terminus verordnet; „Antifaschistischer Schutzwall"!

Diese wissenschaftlich von der staatlichen Kommission für

Öffentlichkeitsarbeit des Presseamts erarbeitete Wortschöpfung wurde dem vom Klassenfeind gebräuchlichen Wort „Mauer" entgegengesetzt.

Sein Trainigskumpel Heino fragte ihn, ob er ihm vielleicht sein Motorrad verkaufen würde. Eine interessante Anfrage war das. Roland brauchte Bares, wenn er aus der Armee raus sein würde.
„Hängt davon ab, was du zahlst!"
„2.300.- Mark auf die Hand."
Roland überlegte, er musste bloß noch eine Rate an die Eltern bezahlen.
„Für 2.500.- Mark mach ich das!"
„Pass auf, wenn ich in Forst mindestens eine Silber-Medaille erkämpfe, bekommst du 2.500.- Mark, wenn nicht, dann bleibt es bei 2.300.- Mark."
„Abgemacht, Übergabe der Maschine mit Papieren nach den Meisterschaften."

Im Bus der Flugschule wurden die Sportler am 15. September 1962 nach Forst gefahren. Untergebracht waren sie in der Flugschule, die es in Forst für die MIG-Ausbildung gab. Roland traf auf Kameraden aus der Motorflugschule in Neuhausen. Die waren alle gut drauf und nahmen mit Verwunderung zur Kenntnis, dass er nicht mehr flog. Aus der Not eine Tugend machend, demonstrierte er mit Zentimetermaß, in 45 Tagen aus der NVA entlassen zu werden.

Die Wettkämpfe verliefen erfolgversprechend, denn Heino kam über die 1500 Meter in den Endlauf. Über 3000 Meter gab es keine Vorläufe, demzufolge war er auch dort im Endlauf. Roland kam über 100 und 400 Meter durch die Vorläufe. Heino hatte das Podium erreicht. Er trug die goldene Medaille um den Hals, als sie abends durch Forst wanderten. Rolands ehrliche Anerkennung ließ ihn natürlich auch an den Endpreis für seine Maschine denken.
Hart, Roland erreichte den undankbaren 4. Platz in der 100 Meter Disziplin. Für den Abschlusstag hatte er noch die Podestchance in den 400 Metern. Als er sich auf dem Platz noch warm machte, sah er General und Oberst nahe an der Aschenbahn in der zweiten Reihe

Mitte sitzen. Er fühlte sich gut - er würde sich die Seele aus dem Leib laufen...

Ganz knapp hinter dem Zweiten lief er ins Ziel! Er hatte seine Medaille! Heino bekam über die 3000 Meter noch einmal Gold. Mit den umgehängten Medaillen tranken und schäkerten sie sich bis zum Zapfenstreich durch Forster Kneipen. Vormittags dösten sie im Bus gen Dessau. Heino in Freude auf die Motorradübergabe und Roland darüber, nun doch die 2.500.- Mark für die Maschine zu bekommen.

Am nächsten Tag eigentlich normaler Dienst, aber niemand hatte Roland eingeteilt. Er nahm sich die Freiheit, nicht in Dienstuniform anzutreten, sondern wanderte wie selbstverständlich im Trainingsanzug durchs Gelände, so als wolle er wieder zum Training. Der „Schleifer" schnappte ihn sich:

„Holen Sie ihre Medaille und melden Sie sich wieder bei mir! Soll Sie beim Oberst abliefern."

Der kam mit ausgestrecktem Arm auf ihn zu und gab ihm die Hand.

„Na großartig mein Lieber, über Ihre Medaille für uns habe ich mich besonders gefreut!"

„Ich auch, Genosse Oberst, zehn Meter längere Bahn, und ich hätte den Zweiten gemacht."

„Für diese Leistung werden Sie belobigt. Zwei Tage Sonderurlaub und 100 DM hätten Sie bekommen. Weil Sie aber so viele negative Einträge in Ihrer Kladde haben, werden stattdessen zwei Bestrafungen gestrichen!"

„Die Medaille reicht mir, Genosse Oberst."

„Na dann machen Sie es gut, mit der Entlassung am 1. November könnte es klappen."

'Was sollte denn der Konjunktiv', dachte er, als er beim Oberst raus war. Die Provokationen der Amerikaner auf angeblich in Kuba stationierte Atomraketen der Sowjets verfolgte Roland im Soldatenkreis in der abendlichen „Aktuellen Kamera". Für ihn war das Geschehen nicht so weit weg wie für die Kameraden, weil er seine Eltern in Havanna wusste. Als er mitbekam, dass Soldaten aus dem Urlaub zurückkehren mussten, Urlaubsscheine eingezogen und neue nicht mehr ausgestellt wurden, tangierte ihn das nicht sonderlich – sein Zentimetermaß hatte bloß noch 44 Kästchen.

Die volle Mobilmachungsbereitschaft in der DDR lief an. „Ständige Gefechtsbereitschaft", der Normalzustand, in dem sich die NVA befand, wurde akribisch befolgt. Ausgang blieb für Jedermann gestrichen. Für Roland blieb die Steigerung nicht ohne Veränderung. Er wurde versetzt. Wieder einmal stand er vor dem Kompaniechef der Technikkompanie:

„Sie kommen jetzt wieder zu uns. Als ausgebildeten Feuerwehrmann brauchen wir Sie hier, ab sofort. Den G5 werden Sie aber nur auf direkten Befehl vor Ort fahren. Sie sind als Löschmann eingeteilt!"

„Ist allemal besser als im Wachbattallion."

„Der Genosse Oberst meint, ich könne mich jetzt auf Sie verlassen."

„Das können Sie, Genosse Hauptmann, bis zum 1. November, dann bin ich weg!"

„Wir befinden uns in erhöhter Gefechtsbereitschaft. Da gibt es keine Entlassungen!"

Die sogenannte Kuba-Krise hatte sich im Oktober 1962 zu einer richtigen Konfrontation zwischen den Vereinigten Staaten von Amerika und der Sowjetunion ausgewachsen. Die Stationierung sowjetischer Mittelstreckenraketen auf Kuba, die Atomsprengköpfe transportieren können, war bewiesen. Die Sowjets wollten ihren Abbau und Abtransport aus Kuba nicht. Die Amerikaner verhängten eine Seeblockade um Kuba herum und waren zum Vernichtungsschlag der sowjetischen Anlagen auf Kuba bereit.

Roland wurde zum Oberst befohlen.

„Hier, ein Telegramm von Ihren Eltern!"

„Nanu, was ist los?"

„Nichts Dramatisches, lesen Sie selber."

- Sind auf der „Völkerfreundschaft", Kurs Heimat. Vati + Mutti.-

„Um Ihre Eltern müssen Sie sich keine Sorgen machen. Sie sehen, unser Staat sorgt für seine Bürger."

Die „Erhöhte Gefechtsbereitschaft" wurde nochmals erhöht auf „Gefechtsbereitschaft bei Kriegsgefahr". Damit war die letzte Stufe vor KRIEG erreicht!

Nur mit geöffnetem Kragenknopf wurde geschlafen, bzw. zwischen den Flugplatzwachen geruht, Stiefel am Bett.

Die Stimmung in der Truppe hatte sich geändert. Zusammengehörigkeit bzw. Aufeinander-Angewiesensein wurden betont. Die Vorgesetzten rückten näher an ihre Untergebenen. Offiziere betonten gegenüber den Soldaten, man befände sich in der selben Lage. Kuba war weit weg, aber die geopolitische Lage des geteilten Vaterlandes, das war jedem Bürger hüben wie drüben seit Jahrzehnten klar, machte Deutschland zum Schlachtfeld. Gerade vor dieser Konsequenz wollte keiner einen bevorstehenden Kriegsausbruch annehmen. Hassgefühle gegen den Deutschen mit der anderen Feldpostnummer gab es in Rolands waffenstarrender Umgebung nicht. Nach Rolands Erinnerung wollte keiner den Bruderkrieg.

Die tatsächliche Brisanz blieb auch bei aller Steigerung des Wahnsinns dem Einzelnen verborgen. Erst Jahre später konnte Roland nachvollziehen, dass, fast schon zufällig zu nennen, die Vernunft obsiegte.

Die Tage der Krise mit ihrer militärischen Hektik verunsicherten Roland. Sein Maßband, nur noch 13 Zentimeter lang, ließ es ihn wie einen historischen Treppenwitz vorkommen, womöglich Krieg unter Waffen zu erleben. Dem verbalen Säbelrasseln setzte er mental den Gang zur Bekleidungskammer entgegen. Hier kontrollierte er in seinem schönen Reisekoffer die Zivilsachen auf Vollständigkeit. Ein zur Entlassung stehender Kamerad gab die Nachricht weiter: "Die Entlassungsscheine liegen ausgefüllt in der Schreibstube. Am 1. sind wir hier raus!"

Das brachte dem Überbringer zwar Aufmerksamkeit, aber wie sich herausstellen sollte, war's nur eine von zahlreichen Latrinenparolen.

Der Dienst bei Kriegsgefahr hatte irreale Dimensionen angenommen. Bestimmte Bereiche im Kasernengelände konnten nur noch bei Nennung einer Parole, die sich von Bereitschaft zu Bereitschaft änderte, betreten werden. Bei all dem Getümmel, Roland verweigerte dem Gedanken Raum zu geben, den Ausbruch des III. Krieges zu erleben.

Er sollte sich täuschen!

Für ihn begann der Krieg, den es nicht gegeben hat!

Es war die Nacht vom 26. auf den 27. Oktober. Um 01:00 Uhr war er von einer Wachschicht auf dem Flugfeld zurückgekommen. Er schlief sofort in Uniform ein. Geschrei auf dem Flur.

„Aufstehen! Alles raustreten! Gefechtsalarm!"

Die Zimmertür wurde aufgerissen, ein Mann mit Stahlhelm und umgehängter Kalaschnikow rüttelte an Rolands Bett, weil der keine Anstalten machte aufzustehen.

"Aufstehen! Gefechtsalarm! Sofort raustreten! Gefechtsalarm!"

„Wohl ein bisschen doof im Kopf? Kriegsspiele mache ich nicht mit! Hatte bis 1:00 Uhr Dienst! Jetzt hau ab!"

Der Wachsoldat, ein Wehrpflichtiger, rannte aus dem Raum.

Die Kameraden aus dem Zimmer rieten ihm:

„Atze steh auf, scheint ernst zu sein!"

„Denke ja gar nicht dran. Vorschrift ist Vorschrift. Ihr wisst doch, jeder Dienst nach 22:00Uhr wird nachgeschlafen, auch bei Übungen und Manöver!"

„Atze, das ist keine Übung, das ist Gefechtsalarm – es ist Krieg!"

Durch die offene Tür rannte ein Hauptmann ins Zimmer vor Rolands Bett. Der brüllte - sein Kopf war vor Wut und Anstrengung puterrot unter dem Stahlhelm. Roland erkannte den Mann. Es war der Politnik Hauptmann, der sich gebärdete, als würde das Haus brennen. Roland kam nicht dazu, die Dienstvorschrift aufzusagen. Er war zwar vom Bett runter, aber der tobende Hauptmann brüllte weiter. Seine Stimme überschlug sich, er keuchte, japste nach Luft:

„Wache! Wache! Wache!"

Zwei Soldaten kamen angestürmt.

„Abführen! Abführen! Das ist Feigheit vor dem Feind! Abführen! Sofort abführen!"

Die zwei Posten nahmen Roland in die Mitte und im Laufschritt, der Hauptmann keuchte vorneweg, ging es mit ihm über den Flur, runter in den Arrest. Dort angekommen, beruhigte der sein Keuchen durch tiefes Durchatmen. In abgehackten Sätzen verkündete er, was Sache ist:

„Flieger, Sie stehen bis auf Weiteres unter strengem Arrest! Ihr Vergehen sind Befehlsverweigerung und „Angst vor dem Feind"! Haben nun Ihr wahres Gesicht zu Staat und NVA gezeigt! "
Er wartete keine Erwiderung ab und entschwand eilig aus dem Zellentrakt.
In Arrest wegen „Angst vor dem Feind"! Bei aller Naivität, aber wo bitte, war der Feind? Und Angst wovor? Er zweifelte ernsthaft an seinem selbstherrlichen Spruch:
„Ich kann alles, ich weiß alles, ich darf alles!".
Die Welt um ihn herum war aus den Fugen geraten!
Was war überhaupt passiert?
Die Krise, Spitz auf Knopf, hatte weltweit die militärischen Stäbe nervös gemacht. Militärische Kommunikation lief technisch über Telexverbindungen. Irgend ein Idiot im Stab in Strausberg hatte finalen Einsatz „Gefechtsalarm" ausgelöst. Der Irrtum war schnell bemerkt, aber er war in der Welt. Nun musste zurückgerudert werden. Das war zwar gut und schön, änderte aber an Rolands Lage gar nichts.
Vormittags, die Aufregung des nächtens ausgelösten Gefechtsalarms hatte sich gelegt, wurde Roland beim Oberst vorgeführt:
"Grundmann, was haben Sie sich denn jetzt wieder erlaubt!"
„Na was ist denn passiert? Hatte doch Recht – Krieg gib's nicht!"
„Jetzt machen Sie hier mal keine Witze! Für Sie war „Gefechtsalarm" und Sie haben den Befehl verweigert! Der Hauptmann leitet Ihre Akte an den Militärstaatsanwalt weiter! Ich kann jetzt nichts mehr für Sie tun! Sie bleiben in Arrest!"
Mit der Herabstufung der Gefechtsbereitschaftsstufe wurde die Befehlsgewalt vom russischen Oberkommando des „Warschauer Paktes" wieder in die nationalen Führungen gelegt. Der Dienstbetrieb normalisierte sich.
Nichtsdestotrotz, an ihm sollte ein Exempel statuiert werden!
Er sah sich, zur falschen Zeit am falschen Ort gewesen zu sein.
'Beschissen die Lage', das sah er deutlich! 'Man würde ihm seine gebrochenen Flügel jetzt auch noch abschneiden!' dachte er.

Es war Dienstag, der 30. Oktober, als Roland dem Oberst erneut vorgeführt wurde. Der „Schleifer" sagte im Gang dorthin:
„Eigentlich schade, so kurz vor dem Ziel noch abgeschossen zu werden. Vielleicht nimmt es doch noch ein gutes Ende mit Ihnen."
Dann stand er vor seinem Oberst:
„Die Situation entspannt sich international. Die vorgesehenen Entlassungen werden auf den 26. November verschoben. Wenn bis dahin in Ihrer Angelegenheit keine Rückmeldung vom Militärstaatsanwalt auf meinem Tisch liegt, werde ich Sie entlassen."
„Da kann ich ja hoffen. Aus tiefstem Herzen – danke, Genosse Oberst."
„Hundertprozentig ist die Sache noch nicht, aber der Dienstweg ist Ihre Chance!"
Tags drauf, wurde er aus dem Arrest entlassen. Die Freude darüber machte ihn gerade. Die Entlassungskandidaten auf seinem Zimmer saßen, über den endgültigen Entlassungstag informiert, vom Dienst befreit, im Trainingsanzug, Bier trinkend um den Tisch. Am liebsten hätte er geheult, so ging ihm das unter die Haut. Man freute sich, ihn in der Runde zu haben. Die Unterschiedlichkeit ihrer Bekleidung, er in Uniform, die übrigen Kameraden im Trainingsanzug, wurde kurz darauf vom „Schleifer" nivelliert:
„Roland, kommse, geben Sie Ihre Effekten auf der Kleiderkammer ab."
Nichts hätte er lieber getan. Als alles erledigt war, folgte ihm der „Schleifer" aus der Kleiderkammer wie zufällig auf den Flur:
„Roland, ganz ehrlich? Ich freue mich für Sie!"
„Danke, kommen sie doch mit ins Zimmer auf ein Bier."
„Kann nicht, bin noch im Dienst!"
„Na dann eben nach dem Dienst im Kasino?"
„Geht ab 14:00 Uhr bei mir."
„Prima, da bin ich wohl noch nüchtern!"
Beim Bier ließen sie, jeder aus seiner Sicht, die Dienstzeit Revue passieren. Zwischendurch kam es soweit, dass sie einander das „Du" anboten.
„Tust du mir den Gefallen und meldest mich morgen beim Oberst an?"
„Klar, mache ich!"

Der Oberst empfing ihn mit den Worten:

„Na, Grundmann, hat ja geklappt. Sie erhalten mit den anderen Ihre Urkunde für den ehrenvollen Dienst in den bewaffneten Organen. Ohne Beförderung werde ich Sie aus der NVA entlassen."

„Das ist ja wohl das Beste, was mir passieren kann."

Leicht schmunzelnd fügte der Oberst an:

„Hätten Sie „Keine Angst vorm Feind" gezeigt, würde ich Sie als Gefreiter entlassen! Grüßen Sie den Professor und Ihre Eltern. Alles Gute für Sie."

Vor der Tür wartete der „Schleifer".

„Na, alles im Lot?"

„Eigentlich schon, werde aber noch nicht einmal als Gefreiter entlassen."

„Dann wirs'de eben so entlassen, wie ich dich kennengelernt habe!"Er rief Ilse-will'se im Dienst an. Die war etwas verschnupft, weil sie seit Wochen nichts von ihm gehört hatte. Als er erklärte, fast den Kriegsausbruch erlebt zu haben und anschließend wieder im Arrest gesessen zu haben, änderte sich ihr Tonfall. Er hatte sie also doch nicht vernachlässigt. Liebliches, frauliches Schwingen drang ihm ins Ohr.

„Am Montag, dem 26. gibt mich die Armee frei. Ich werde in Ehren entlassen. Dann fahre ich nach Berlin. Sehen wir uns? Würde mich glücklich machen!"

„Ich könnte frühestens 15:00 Uhr in der Laube sein."

„Diesmal komme ich in Zivil, mit der Taxe, das Motorrad habe ich verkauft."

„Dann fahre nicht bis vor das Grundstück."

„Gut, ich fahre erst mal zum Bahnhof, gebe den Koffer in die Gepäckaufbewahrung und komme von dort. Die Züge fahren übrigens um 19:30 und 23:30 Uhr. Welche Fahrkarte soll ich kaufen?"

„Wartet denn jemand in Berlin auf dich?"

„Nein, nicht direkt. Warum fragst du?"

„Ich versuche meinen Dienst so zu legen, dass ich am Dienstag „spät" habe. Dann fahren wir zusammen von hier los, ich zur Schicht und du nach Berlin."

Schön, der Start ins zivile Leben – er konnte ohne jemanden fragen zu müssen, seine Abreise aus Dessau selber festlegen.

Rundum glücklich fühlte Roland sich in der Laube. Zwischen lustvollen Zärtlichkeiten hatte er ihr ja eine Menge zu erzählen. Sekt schlürfend, sich ihrer bisherigen Liaison jeder aus seiner Sicht erinnernd, hatten sie Spaß. Ilse-will'se spürte das beiderseitige Ausklammern von dem Danach, fragte aber nicht weiter. Einander hatten sie in den vergangenen Monaten gegeben, was sie vermochten. Sie hat lebenslang verankert, seine Kür vom neuen Jüngling zum neuen Mann erlebt zu haben. Er behält eine Frau von hingebungsvoller Sinnlichkeit in Problem beladener Zeit im Gedächtnis. So schlummerten sie am Frühstück vorbei und begannen senkrecht den Tag genaugenommen mit dem Mittagsessen. Es gab keinen theatralischen Abschied. Sie tauchte in ihr Familienleben und ihn zog es in den Bann einer nach oben offenen Zukunft.

Justierung neuer Perspektiven

Die Dämmerung ging gerade ins Dunkle über, als Roland am Namensschild dreimal als Familiensignal läutete. Bevor der Summton zu vernehmen war, hatte er mit dem Schlüssel die schwere Haustür aufgeschlossen. Weil er ja seinen Koffer dabei hatte, nahm er bis in die zweite Etage den Fahrstuhl, den er durch das Glas der Fahrstuhltür im Erdgeschoss stehen sah. Er hatte von innen gerade die Klapptür beiseite geschoben, als die Fahrstuhltür von außen geöffnet wurde. In den nächsten Momenten gab es keine Fragen. Um ihn schlangen sich nacheinander die Arme von Mutter und Vater, wobei sie ihn in die Wohnung zogen.

„Wir waren schon unruhig, denn wir hatten ja schon gestern mit deinem Erscheinen gerechnet", hörte er Mutter sagen.

Sie öffneten seine Zimmertür und schoben ihn quasi hinein. Überraschung! Aus dem ehemaligen Jugendzimmer war ein Männerzimmer geworden. Der Blickfang, zwei Schaukelstühle aus kunstvoll gebogenem Vierkantstahl mit geflochtenen Weiden für die Sitz- und Rückenflächen vor einem schlichen Schreibtisch aus der Hellerau-Serie. Variable Schlafecke Wandregale, sowie Spind mit

Anrichte - alles neu. Da saß er nun in der neuen Pracht, neunzehn Jahre alt, mit zerstörtem Berufstraum.

„Finde dich erst einmal zurecht und räume ein. Wir sitzen im Wohnzimmer. Wäre schön, wenn du dich bald sehen ließest", hörte er Vater hinter der geschlossenen Tür.

Roland war viel zu aufgekratzt, als das er die Eltern lange warten ließ.

Im Wohnzimmer traf er auf Familienzuwachs.

Jacki war sein Name – ein Papagei – Kuba-Amazone.

„Jacki ist dreisprachig - spanisch, englisch und deutsch", stellte Vater ihn vor.

„Wirklich?"

Wie auf Kommando tippelte Jacki auf der Stange hin und her, in einem Käfig - so groß wie eine Freiluft-Voliere für Singvögel. Er senkte den Kopf, seine Nackenfedern waren aufgerichtet, und er schien zu grüßen. Undeutlich verstand Roland so etwas wie:

„Seeenor, Seeenor!"

Mit einem Hirsekolben durch die Gitterstäbe wollte Roland sich bei Jacki einschmeicheln. Der hatte andere Pläne. Er klammerte sich an die Tür des Käfigs. Das entsprach wohl der bisherigen Praxis – ich will raus. Die Käfigtür durfte von Roland geöffnet werden und Jacki zog sich mit dem Schnabel auf das Volierendach.

In den letzten Monaten hatte es berufliche Veränderungen gegeben, woran nicht selbstbestimmte Umstände ihren Anteil hatten. Jacki gab mit blechern klingendem Trillern das Thema vor – Kuba. Bilder und Mitbringsel kamen auf den Tisch. Fidel Castro auf Kuba, der Alltag der Eltern auf der Insel, ihre Verfassung während der Krisentage - den Kriegsausbruch vor Augen. Parallel hätte Roland die Situation, wie er sie zur selben Zeit in der Armee erlebte, ergänzen können – tat er aber nicht. Ziemlich Hals über Kopf mussten die Eltern ihr Domizil in Havanna aufgeben. Ein Zurück nach Kuba würde es für sie wohl nicht geben. Der gesamte Hausstand wurde aufgelöst und zur Verschiffung klar gemacht. Als Passagiere auf der „Völkerfreundschaft" waren sie auch noch nicht in Sicherheit, denn die Seeblockade vor Kuba durch die Amerikaner hätte auch der zivilen Schifffahrt lästig werden können. In Berlin zurück, stand jetzt die Frage, ob und wo ihr nächster Auslandseinsatz stattfinden würde.

Vorläufig würden sie zu dritt zusammenleben wie eine ganz normale Familie. Roland war der Gesprächsverlauf nur recht – so war seine Situation, die explizit vor den Eltern auszubreiten er ein schlechtes Gewissen hatte, vorläufig aus dem Blickfeld.

Jacki saß noch immer auf seiner Vollähre, das Gespräch schien ihm gleichgültig, denn seine Augenlider klappten zu und er hob sie nur, wenn er andere Geräusche als Sprache oder Bewegungen wahrnahm. Er kletterte nicht selber in den Käfig zurück, sondern wartete ab, bis ihm Vater die Hand vor die Krallen hielt. Jacki spazierte auf Vaters Handrücken und ließ sich von ihm zu seiner Stange reichen. Dabei hatte Vater, Roland und Mutter, den Rücken zugedreht, als er fragte: „Uns ist zu Ohren gekommen, du wärest beinahe vor dem Militärstaatsanwalt gelandet. Willst du uns das nicht mal erzählen?"
'Hätte ich mir denken können, sie wissen also Bescheid', ging es Roland durch den Kopf.
Er erzählte die Sache so, wie er sie jetzt als Zivilist sehen durfte und zog das Ganze bis an den Rand der Lächerlichkeit. Als abschließende Krönung seiner Vorstellung holte er aus seinem Zimmer die Urkunde, in der ihm der „ehrenvolle Dienst in der NVA" bestätigt wurde.
Der Vater bemerkte sehr wohl die bagatellisierende Wahrnehmung seines Sohnes, ließ sie unkommentiert und fragte dann betont neugierig:
„Habe ich richtig gesehen, du bist nicht in Motorradkleidung angekommen?"
„So ist es, das Motorrad habe ich verkauft!"
„Warum denn das?!"
„Vor Wochen bekam ich ein gutes Angebot. Ich brauche jetzt Geld wichtiger als ein Motorrad."
„Da sind wir aber gespannt, schließlich haben wir dir die Maschine ja zu Zweidrittel bezahlt!"
„Ich werde mich gleich morgen in der Abendschule anmelden, in der Händel-Oberschule, der graue Bau, direkt schräg hinter unserem Haus. Ich muss die Hochschulreife erlangen, sonst kann ich nicht studieren. Das will ich aber."

„Was willst du denn später studieren?", wollte Mutter wissen.

„Journalistik oder Sport mit Geographie. Das Schuljahr läuft schon seit vier Wochen. Hoffentlich nehmen die mich noch nachträglich rein."

Süffisant fragte Vater nach:

„Vielleicht hast du die Güte meine Frage zu beantworten. Was hat denn das mit dem Geld vom Motorrad zu tun?"

„Das wären dann vier Tage in der Woche, Montag Dienstag und Donnerstag Freitag, Unterricht von 17:00 bis 22:00 Uhr. Da kann ich nicht als Universalfräser, womöglich im Schichtbetrieb, in der Fabrik arbeiten. Ich brauche eine Arbeit mit Zugriff auf Bücher und Zeit für Schulaufgaben."

„Und wie erklärt sich das mit dem Geld?", fragte Vater fordernd dazwischen:

„Ist doch klar, der Lohn als Facharbeiter wäre mehr als das Doppelte gegenüber dem Gehalt im Buchhandel oder in einer Bibliothek. So eine Anstellung suche ich nämlich. Leben könnte ich davon aber nicht!"

„Bei deinen Ansprüchen sicher nicht. Sieh zu, dass du es packst. Erinnere dich, ich fragte damals, welchen der Internatsverträge in Ludwigsfelde ich unterschreiben solle? Damals lehntest du das Schulinternat ab. Jetzt brauchst du das Abitur! Der Weg fällt dir heute bestimmt schwerer, als er es damals gewesen wäre."

„Hast du eigentlich eine Freundin?", warf Mutter diplomatisch ein.

„Nee, habe ich nicht!", und um weiteres Nachfragen abzuwürgen, schob er nach, „kannst ja für mich auch die Augen offenhalten!"

Das altbekannte Ritual, kurz vor 20 Uhr schaltete Vater den Fernseher an. Hinzugekommen war nunmehr, Jackis Voliere mit einem weißen Laken zuzudecken. Mutter kam mit belegten Broten an den Tisch, den Roland und Vater inzwischen eingedeckt hatten. Neben Selters war zur Feier des Tages auch eine Flasche Wein auf dem Tisch. Zu dritt schauten sie die „Aktuelle Kamera". Quasi beiläufig erfuhr er dabei vom Vater, dass von seinem Freund Peter auf dem Schreibtisch in der Diele eine Postkarte läge, auf der er seine Ankunft zum Wochenende ankündigte. Das war für Roland eine sehr erfreuliche Nachricht, denn von Peter hatte er schon monatelang nichts vernommen.

Der nächste Tag war Alltag, ein ganz gewöhnlicher Berufstag, mitten in der Woche. Er zeigte die Wiederanknüpfung an eine familiäre Wohngemeinschaft. Eigentlich eine banale Situation, aber als sie letztens zusammen lebten - da war er noch Kind.

Die Schulleitung der Abendoberschule machte keine Schwierigkeiten, ihn in die Unterprima -11. Klasse- aufzunehmen, weil er sein spätes Erscheinen mit der durch die Kubakrise verzögerten Entlassung aus der Armee begründen konnte. Am Dienstag hatte er sozusagen seine erste Schnuppereinheit. Er war der Einzige in der Klasse, der seinen Armeedienst hinter sich hatte. Die Klasse hatte 16 Schüler, die meisten waren schon ein oder zwei Jahre im Klassenverband. Altersmäßig waren alle ungefähr in seinem Alter, sieben von ihnen Frauen.

Am frühen Vormittag des Sonnabends klingelte Peter. In Rolands neu eingerichtetem Zimmer erzählten sie sich, wie es jedem von ihnen in der verstrichenen Zeit ergangen war. Roland beneidete Peter im Stillen um die Geradlinigkeit seiner Entwicklung. Der hatte nach dem Abitur das Studium in Dresden begonnen und war immer noch aktiver Segelflieger. Ein glattes Versagen breitete Roland demgegenüber aus. Wie er so seine selbst-darstellerischen, ausschmückenden Schilderungen hörte, hätte er kotzen können – Jahre hatte er verloren - nichts hatte er erreicht. Alles, was er an Zuversicht für die Zukunft mit sich herumtrug, stand in den Sternen – aufgegeben hatte er sich aber noch lange nicht. Das wollte er dem Freund rüberbringen, als er von seiner Absicht sprach, an der Abendoberschule das Abitur nachzuholen.

„Mein unmittelbarer Plan, ich werde über den Jahreswechsel nach Budapest reisen", wechselte Peter das Thema.

„Reist sicherlich in einer FDJ-Studentengruppe der Uni?"

„Nein allein, im letzten Sommer habe ich am Plattensee mit einem Studienfreund gezeltet und dort eine Ungarin, die war Mitglied der Ungarischen Nationalmannschaft im Bodenturnen, kennengelernt. Sie hat mich jetzt zum Jahreswechsel nach Budapest eingeladen."

„Ist das was Ernstes?"

„Kann ich ehrlich noch nicht einmal sagen. Bisher ist das rein freundschaftlich-platonisch."

Als Roland das hörte, kam es ihm so vor, als würde ein Rettungsring gereicht - Pause dem Wassertreten, raus an die Luft, Eindrücke sammeln. Er fragte:

„Sag mal, wäre es recht, wenn ich mitkomme?"

„Spricht nichts dagegen, ganz im Gegenteil, ich würde mich freuen! Wir müssen nur die Visa-Formalien erfüllen. Man braucht für die Ausreise nach Ungarn von dort eine Einladung und von hier muss man ein Reisedokument beantragen. Das wird dann mit dem Visum in den Personalausweis als Passersatz gelegt."

„Die Reisedokument-Beantragung entfällt bei mir, ich habe ja einen Pass. Du musst nur bei deiner Freundin nachfragen, ob sie mich auch einlädt, dann bin ich mit dabei. Quartier braucht sie nicht zu stellen, das suche ich mir an Ort und Stelle."

Als Roland mit den Eltern abends bei Tisch saß, weihte er sie in seine Reisepläne über den Jahreswechsel ein.

„Platzt damit unser gemeinsames Weihnachtsfest?", fragte Mutter.

„Mitnichten, wir fahren erst am 28. Dezember mit dem „Hungaria Express" nach Budapest und sind am 5. Januar wieder hier. Peter muss in der darauffolgenden Woche an die Uni und für mich beginnt dann auch wieder die Abendoberschule."

Es gab da noch ein Problemchen bei der Reisevorbereitung, denn bei der Arbeitssuche war er sehr schnell fündig geworden, und nach nur drei Wochen Mitarbeit brauchte er bereits einige Tage Auszeit.

In der recht bekannten „Kollwitz-Buchhandlung" traf er auf eine Geschäftsführerin, die sich Zeit für ein langes Gespräch mit ihm nahm. Dabei wurde sie auf die reichliche Literaturkenntnis aufmerksam, die Roland aufzuweisen hatte. Letztlich war sie geradezu begeistert, ihn als „Buchhändlerische Hilfskraft" auf Probe einstellen zu können. Diese Frau führte den Buchladen zusammen mit einer weiteren Verkäuferin. Es geisterte schon länger die Idee, durch Außer-Haus-Verkauf in Betrieben den Umsatz der Verkaufsstelle zu erhöhen. Mit ihrer Kollegin die Idee umzusetzen hatte sie kein Glück gehabt, denn die war von der Aussicht einer Vertreterkarriere nicht begeistert. Mit Roland glaubte die Geschäftsführerin einen Dummen gefunden zu haben. Ganze 370.-Mark als Monatslohn bot sie ihm bei 40

Arbeitsstunden in der Woche an. Eigentlich unannehmbar, dachte Roland anfangs, aber als er sich die Besonderheiten seiner in Aussicht genommenen dienstlichen Obliegenheiten so durch den Kopf gehen ließ, erkannte er schon in der Theorie mögliche Gestaltungsvarianten in Bezug auf den Abendschulbesuch. So sagte er einfach mal zu. Nach kurzer Einweisung in den Buchverkauf sollte er also im Außendienst Umsatz machen. Dazu bekam er als Ausstattung ein Fahrrad mit extra breitem Gepäckträger für die Buchexemplare und eine eiserne Geldkassette mit Wechselgeld. Zu den Mittagspausen sollte er in den Kantinen von Betrieben im erreichbaren Radius Prenzlauer Berg, Friedrichshain und Mitte mit einem Verkaufsstand ausgelegter Bücher präsent sein, um sie der Belegschaft zu verkaufen. Einmal machte das die Chefin mit ihm zusammen und dann war Roland Einzelkämpfer. In jedem der Betriebe sollte er etwa im Vierwochenzyklus aufkreuzen. Die Anzahl der von der Chefin akquirierten Betriebe war groß genug, und wurde nach eigenem Dafürhalten von Roland nach Lust, Laune und zu erwartendem Umsatz selektiert. Den Rhythmus der Verkaufstouren schneiderte er so, dass er ab 15 Uhr Zeit zur freien Verfügung hatte. Das Fahrrad, die Bücher und die Kassette nahm er in der Regel mit nach Hause und morgens um 9 Uhr war er in der Buchhandlung, rechnete ab und zurrte auf dem Fahrrad neuen Bestand zum Verkauf fest. Die Chefin ließ ihn machen, weil der Umsatz stimmte. Die Meinungen der Leute über die ausliegende Literatur war sehr unterschiedlich, es gab da die absolute Ablehnung wegen politischer Bevormundung, oder Neugier bis zu Diskussion über Handlung und Verfasser. Da es in dieser Zeit noch die Ausnahme war, einen Fernseher in der Wohnung zu haben, stand das Bücherlesen hoch im Kurs. Es entstanden in dem einen oder anderen Betrieb richtige Fan-Grüppchen, die sich an seinem Stand einfanden. Verheiratet oder nicht, natürlich kam es zu Rendezvous mit Beiprogramm.

Was ihm besonders aus den kalten Monaten in Erinnerung blieb, waren die Besuche in den Pausenräumen der Bierkutscher. Da setzte Roland sich dazu, bevor er seinen Stand in der Kantine aufbaute. Die Bierkutscher, die bei Wind und Wetter auf dem Bock ihrer mit Fässern beladenen Fuhrwerke das Bier zu den Kneipen fuhren oder dort Leergut abholten, das war eine Berliner Spezies. Einmal abgesehen von dem Umgangsjargon dieser Typen, tranken die das Depotat-Bier, für welches sie spezielle Biermarken besaßen, aus Liter-großen Krügen, nur mit eingehängtem Wärmestab. Das waren etwa im Durchmesser eines Groschens, ca. 12 cm lange Metallzylinder, in denen sich heißes Wasser befand. Oberhalb des Henkels, der den Stab im Glas arretieren sollte, war dieser Zylinder verschraubt und konnte nach Gusto entleert und mit heißem Wasser nachgefüllt werden. Roland bekam vom Depotat-Bier ab. Er erinnert, einen der Kutscher an seinem Stand begrüßt zu haben, dem er tatsächlich ein Buch verkauft hat.

Bezüglich der Ungarnreise bat er seine Chefin, als er bereits alle erforderlichen Formalien in der Tasche hatte, um drei Tage Auszeit, die er irgendwie durch Überstunden nachzuarbeiten gedachte. Sein Begehr trug er mit dem Unterton vor, dass er an ihrer Stelle die Reise genehmigen würde. Die Chefin hatte inzwischen erkannt, dass sie in ihm eine Perle hatte, die sie nicht verlieren wollte und wünschte eine schöne Reise.

Roland ersparte sich zusätzliche Hotelkosten. Die Budapester Gastgeberfamilie wohnte in der Budapester Innenstadt in einem der architektonisch reizvollen Bürgerhäuser aus dem Ende des 19. Jahrhunderts. Über die auf den Etagen umlaufenden Galerien im Innenhof erreichten sie eine sehr große Wohnung.

In Erinnerung blieb der ungarische Nationalstolz. Mitternacht zu Silvester wurde die Nationalhymne gespielt - alle Teilnehmer der Festgemeinde standen auf und sangen. Des öfteren wurden Peter oder Roland allein oder auch zusammen, wenn man mitbekommen hatte dass sie Deutsche waren, leise, fast flüsternd auf die fürchterliche Tragödie des von den Sowjets niedergeschlagenen Volksaufstandes von 1956 angesprochen. Dem Erinnern schloss sich dann der Protest gegen die kommunistische Willkür mit dem Bau der Berliner Mauer an. Geschenk-mäßig konnte man aus Ungarn kommend nichts falsch machen. Roland brachte den Eltern zwei große Salamis mit, die in Ost-Berlin ja nur als „Bückware" über den Ladentisch gingen. Sich selber gönnte er ein Paar maßgefertigte schwarze Lederschuhe, die so spitz waren, wie man sie zur Zeit im Westen trug. Auch sein Schuster hasste die Kommunisten.

Es brauchte bis in den Mai, da war ihm das „Bücher unter die Leute bringen" dann doch zu profan. Daran änderte auch nicht, dass er Kompensationsgeschäfte mit sogenannter „Bückware" tätigte. Das waren Bücher, deren Auflage mit Erscheinen gleich vergriffen, die er zum Beispiel gegen Leber im Schlachthof in der Lenin-Allee tauschte. Zu dieser Zeit hätte man ja beinahe glauben können, dass die DDR-Schweine gar keine Leber hätten, so selten war sie regulär erhältlich. Dann war da der Trevira-Stoff im Bekleidungswerk in der Greifswalder u.a.m.. Es graute ihm mit Blick auf den bevorstehen Sommer, diesem Trott nicht adieu sagen zu können.

Die Eltern arbeiteten beim Allgemeinen Nachrichtendienst (ADN). Mutter war dort für Soziales zuständig, wozu auch die Betreuung der betriebseigenen Erholungsstätte in Grünheide gehörte. Als Mutter die Unzufriedenheit Rolands mit seinem Job begriff, ließ sie ihn wissen, dass sie für das Kinderferienlager des ADN einen Rettungsschwimmer suchte. Roland sagte ihr zu, das Rettungsschwimmerzeugnis bis Ende Juni vorzulegen. Als guter Schwimmer bei bombiger Allgemeinkondition absolvierte er im Stadtschwimmbad Lichtenberg die Ausbildung im Wasser und die der Rot-Kreuz-Erste-Hilfe auf dem Trockenen.

In der letzten Juniwoche hatte er den „Rettungsschwimmer" in der Tasche und ab 1. Juni war er Sanitäter und Rettungsschwimmer im Ferienlager. Der Juli und August, ein richtiger Sommer mit viel Sonne und wenig Regen, da beaufsichtigte er zwei Durchgänge von jeweils etwa achtzig Kindern im Alter von 7-14 Jahren. Wenn die Kinder nicht am Badestrand waren, Mittagsruhe hielten oder Spaß- und Spiel Aktivitäten im Lager bestritten, hatte Roland Bereitschaft im großen Sanitäter-zelt, was auch sein Zuhause war. Vor dem Zelt war so eine Art Kontakthof mit Sonnenschutzdach, Tisch und Stühlen, an dem sich Kollegen Erzieher und Erzieherinnen zum Schwatz trafen. So saßen sie denn beieinander, es war Mittagsruhe, die Kinder sollten zwei Stunden schlafen....

Da kam das größte „Kleine Wehwechen" in seiner Sanitäter-zeit auf ihn zu.

Im Zelt der großen Mädels hatte es eine Rauferei zwischen den „Lagerköniginnen" gegeben. Eine hatte der anderen mit dem Kopierstift in die Brust gepiekt, wobei die Spitze abgebrochen, nunmehr im Fleisch verborgen, steckte. Als die Zeltmitbewohnerinnen in ihrem ersten Schock und Schreck das verletzte Mädchen zu Roland brachten, sah der eigentlich nur einen kleinen lilafarbenen Punkt oberhalb des keuschen Brustansatzes der Verletzten. Weil man ihm versicherte, die Bleistiftminenspitze sei abgebrochen und befände sich noch drin, stand die Frage nach Fahrt mit dem Sani-Wagen in die Klinik oder Lösung des Problems an Ort und Stelle. Was würde ihr aller Sanitäter tun? Das wogen die Anwesenden ab und waren neugierig, wie Roland entscheiden würde. Roland sah die Gelegenheit gekommen zu zeigen dass er, wenn es Not tut, mehr konnte, als Pflaster aufzukleben. Er gab seiner Umgebung klare Anweisungen. Schickte die aufgescheuchten Mädels mit einer Erzieherin ins große Mädel-Zelt zurück, forderte einen Erzieher auf, den großen Sanitäts-Kasten aus dem Sani-Fahrzeug zu holen. Als der zurückkam, hatte sich Roland bereits die Hände gewaschen, der Verletzten das Turnhemd über den Kopf gezogen und rings um das Einstichloch mit Alkohol eine antiseptische Fläche geschaffen. Er legte sich Skalpell und Pinzette bereit, hielt beide Instrumentenspitzen über eine Feuerzeugflamme und begann mit der „Operation". Er hatte die Rolle eines Feldschers eingenommen. Örtliche Betäubung hatte der Feldscher nicht. Der Einstichkanal wurde durch einen kleinen Kreuzschnitt verbreitert, bei leichtem Druck auf das Gewebe den Wundkanal etwas auseinandergezogen und siehe da, die nun sichtbare Minenspitze konnte er mit der Pinzette herausziehen. Alles schön mit Jod gepinselt, Pflaster drauf, und fertig war die OP. Seine 13-jährige Patientin hat die ganze Zeit über nicht laut geheult, aber Tränen liefen ihr über das schluchzende Gesicht.

Die Strafe für seine Patientin wegen der Rangelei im Zelt - sie durfte mit der heilenden Wunde vier Tage nicht ins Wasser. Um der Gerechtigkeit Genüge zu tun, musste die andere „Königin" immer an ihrer Seite sein, ihr alle Wünsche erfüllen und durfte auch nicht baden. Heute in Erinnerung gerufen, läuft da irgendwo eine Frau herum, die im Dekolletee ein Feldscher-Zeichen von Roland trägt.

Ein anderes Vorkommnis zeigt, wie eng Glück und Unglück beieinander liegen.

Auf der Busfahrt von Berlin ins Ferienlager nach Grünheide verteilte Roland Gummi-Bade-Kappen, um deren Beschaffung nach Ausbildung als Rettungsschwimmer er seine Mutter gebeten hatte. Gelbe für diejenigen, die sich als Schwimmer meldeten und rote für jene, die ihre Hand als Nichtschwimmer hoben.

Roland saß im Rettungsboot und hatte Spaß mit den Badenden, die immer wieder an seinen Kahn schwammen, ihn schaukelten und mit Wasser spritzten. Gerade einmal energisch zur Ruhe gekommen, beobachtete er eine gelbe Schwimmer-Badekappe, die am Rande der Nichtschwimmerlinie auf- und niedertauchte. Auf einmal tauchte die Badekappe nicht wieder auf. Er glaubte zunächst, es handele sich um den x-ten Versuch, ihn mittels vorgetäuschtem Ertrinken, ins Wasser zu locken. Dafür schien es ihm aber dann doch zu lange. Er zog einige Paddelschläge zügig durch und sprang an die vermeintliche Stelle, wo er die Badekappe zuletzt gesehen hatte. Tatsächlich(!), da schwebte vor ihm ein kleiner Körper! Er umklammerte ihn im Rettungsgriff, brachte sein Gesicht über die Wasseroberfäche und schwamm mit ihm soweit, bis er ihn bequem zum Ufer tragen konnte. In den Sand am Strand gelegt, den Kopf zur Seite, begann er mit der Brustkorbmassage. Das Mädchen spuckte Wasser, hustete, schlug die Augen auf und blickte Orientierung suchend um sich.

So gut so schön, aber was war passiert?

Das Mädchen hatte sich im Bus vor den anderen Mädchen nicht die Blöße geben wollen, Nichtschwimmerin zu sein und die gelbe Badekappe genommen. Um das auch im Wasser nicht auffliegen zu lassen, lief sie mit täuschenden Schwimmbewegungen der Arme bis kurz hinter die Nichtschwimmergrenze. Dann verlor sie aber den Bodenkontakt und kämpfte im tiefen Schwimmbereich um ihr Leben.

Um sicher zu gehen, dass es dem Mädchen wirklich gut geht, hat Roland es anschließend in die Klinik gefahren, konnte es aber gleich wieder mit zurück ins Lager nehmen.

Dieses Ereignis sprach sich bis nach Berlin herum. Als Roland seinen zweimonatigen Einsatz beendet hatte, bekam er unter dem Beifall von ADN-Mitarbeitern von seiner Mutter eine Prämie von 500.-Mark überreicht.

September '63, Roland hatte sich des Geldes wegen entschieden, in einem privaten Betrieb, Vorrichtungsbau, in der Schönhauser Allee als Werkzeugmacher zu arbeiten. Dort wurde nur in Normalschicht von 7:30-15:30 gearbeitet.

In der Abendoberschule begann für Rolands Klasse das Abschlussjahr. Die entstandenen Grüppchen aus dem Vorjahr setzten ihren Rhythmus fort, neben dem Pauken auch Spaß zu haben. Immer Freitags nach der letzten Stunde traf sich im schräg gegenüber der Schule liegenden Tanzcafé 'Frankfurt Tor' ein stabiler Kern. Zu ihm zählte Winfried, der nur „Doktor" genannt wurde, weil er im Unterricht immer alles wusste, und dessen bester Freund Franzke mit dem schönsten Mädel der Klasse an seiner Seite, die Carla hieß. Der Apothekersohn Jimmy, den sie Jimmy nannten weil seine West-Verwandten ihm jeden Wunsch über den GENEX-Geschenkdienst erfüllten und weil er ständig irgendwelche Geschäfte am Laufen hatte. Einer seiner Geschäftsfreunde war in ihrer Runde mit dabei, Manne, ein junger Ingenieur. Die beiden bastelten und verkauften Konverter für den ZDF-Empfang. Jimmy brachte wechselnde Freundinnen mit in die Runde und Manne war immer in Begleitung seiner Sybille, die als Fotomodell arbeitete. Auch Jürgen aus dem Nachbarblock war dabei, der das Abitur bereits hatte und sich im letzten Ausbildungsjahr zum Dekorateur befand. Nicht zu vergessen Mewis, Student der Philosophie an der Humboldt-Universität, der in einem der 'Henselman-Türme' am Frankfurter Tor bei seinen Eltern wohnte. Diese Freitagsrunde besetzte die für sie reservierte Tischgruppe, die von den Nichtabendschülern schon um 20 Uhr belegt wurde. Da fand lebendiger Gedankenaustausch statt. Jeder hatte Träume und Ideen, wie die eingeschränkten Freiräume, wie sie nun einmal in der DDR unabänderlich schienen, dennoch optimal genutzt werden könnten.

Die Information kam in die Runde, ein Freundschaftszug der „Gesellschaft für deutsch-sowjetische Freundschaft" führe über den Jahreswechsel von Berlin über Minsk-Leningrad-Moskau zurück nach Berlin. Roland erkundete über den Vater, was es mit diesem Zug auf sich habe und ob und wie er und seine Freunde da mitfahren könnten.

„Du bist doch Mitglied der „Gesellschaft für deutsch-sowjetische Freundschaft". Geh in den nächsten Tagen zur DSF-Zentrale in Treptow und erkundige dich selbst."

Roland nahm das DSF-Mitgliedsbuch, welches seit der Lehrzeit unbeachtet zwischen seinen Unterlagen lag und machte sich auf den Weg. Er bekundete am DSF-Eingang sein Interesse an dem Freundschaftszug, und nach seiner Namensnennung wurde er zu einem Alt-Genossen geführt, der seinen Besuch zu erwarten schien. Roland solle von sich und seinen Freunden erzählen, forderte der ihn auf. Es gefiel anscheinend, dass er eine Vielzahl von russischen und sowjetischen Autoren aufzählte, deren Bücher er alle gelesen hatte. Da traf er wohl den Nagel auf den Kopf, denn ihm saß ein Literaturfreund und Kenner gegenüber. Andererseits informierte ihn der Mann darüber, dass der für den Jahreswechsel geplante Zug symbolisch 15 Wagons haben würde, für jeden Bezirk der DDR einen. Zwanzig Jugendliche pro Bezirk, die sich in Schule, Studium oder Beruf besonders für die deutsch-sowjetische Freundschaft verdient gemacht hätten, freuten sich bereits, mitfahren zu können. Für den Berlin-Wagon würde gerade die Vergabe getroffen. Lange Rede kurzer Sinn, der Mann bat schnellstens um die Personaldaten von Rolands Freunden, über die er sich von Roland versichern ließ, dass auch denen die deutsch-sowjetische Freundschaft sehr am Herzen läge.

Es war der Knaller, als Roland mit der Neuigkeit rausrückte. Anfangs wollte jeder mitfahren – bei der Teilnehmergebühr von 350.- Mark pro Person für 12 Tage trennte sich die Spreu vom Weizen. Von den Freunden der Freitag-Abendrunde standen Roland, Jimmy, Manne sowie Mewis mit einer Kommilitonin auf der Liste. Die Übrigen waren Studenten der Humboldt-Universität, die über Mewis von der Reisemöglichkeit erfahren hatten.

Weites Land – Leningrad ist nicht Moskau

Zu dritt saßen sie am Tag der Abreise am Frühstückstisch. In ernstem Ton kam Vater auf Rolands Reiseziel zu sprechen:

„So manch einer beneidet dich um diese Reise! Das ist eine große Sache. Du fährst in das Mutterland des Kommunismus. Schau dir alles an, rede vor allem mit den Menschen. Wir sind gespannt auf deine Eindrücke."

„Ist schon klar, auf meine Neugier und Objektivität könnt ihr bauen."

„Mutti und ich haben da noch eine Bitte und ich habe speziell auch noch eine. Du nimmst bitte den Beutel", den er neben seinem Stuhl stehend, hochhob und zu Roland reichte, „und bringst ihn in unser ADN-Büro in Moskau zu den Kollegen."

Mutter erklärte:

„Das sind Weihnachtgeschenke. Von mir sind die zwei Meistermischung Delitzer Schokolade und die Thuringia-Vollmilch Schokolade. Nach denen habe ich speziell für eine Kollegin angestanden. Von der weis ich, dass sie sich besonders freuen wird."

Als Roland den Beutel entgegennahm, fragte er:

„Hebt sich an, als wenn da Kohlen drin sind! Was ist es?"

„Ganz was Besonderes für unsere 'Moskauer' - deutsches Vollkornbrot in der Dose, 4x500 Gramm. Das vermissen die da, wie wir den Lottogewinn!", trumpfte Vater auf.

„Das überbringe ich gerne und was hattest du noch für einen Wunsch?", fragte er weiter.

„Du möchtest bitte in Moskau einen Freund von mir aufsuchen. Das ist ein General. Er spricht gut deutsch. Ich gebe dir hier seine Adresse mit Telefonnummer. Dem überbringst du meine besten Wünsche zum Jahreswechsel und schenkst ihm den Berlin-Bildband."

Auf dem Ostbahnhof stand am Nachmittag des 27. Dezember der Freundschaftszug, vor dem sich Gruppen gebildet hatten. Auch die sich untereinander kennenden Berliner standen zusammen. Ein Mann in mittleren Jahren gab sich als Zugleitung zu erkennen und begrüßte die Jugendfreunde aus Berlin.

„Wer von euch ist denn der Gruppensprecher?"

Bevor eine Diskussion darüber entstehen konnte, sagte Jimmy:

„Das ist der Roland!"

„Na dann, Roland, belegst du mit zwei Jugendfreunden das letzte
Zugabteil. Die übrigen verteilen sich zu viert in den Abteilen."
Roland, erfreut über den Bonus, zu dritt ein Abteil bekommen zu
haben, teilte er es sich mit Jimmy und Manne. Sie machten es sich
bequem und Jimmy präsentierte stolz einen Plattenspieler, der
batteriebetrieben war. Er hatte einen großen Fundus Singl-
Schallplatten, Beat und Twist sowie Ersatz-Baby-Batterien mit dabei.
Bei offener Abteiltür gingen die elektrisierenden Klänge durch den
Wagon. Als der Zug über die Brücke von Frankfurt-Oder ruckelte, und
Jimmy gerade eine neue Platte aufgelegen wollte, ertönte eine laute
Männerstimme auf dem Gang:
„Gedenkminute! Wir fahren in deutsches Gebiet, welches unter
polnischer Verwaltung steht!"
Krach bums, eine Abteiltür knallte zu.
Jimmy, Roland und Manne schauten sich an. Roland stand schnell auf
und machte leise die Abteiltür zu. Manne fragte:
„Wer war denn das, kennt einer die Stimme?"
Roland antwortete:
„Kann ich nicht sagen, aber nach dem Zuknallen der Abteiltür zwei
oder drei Türen weiter war es, bei den Humboldtianern."
Da klopfte es auch schon an der Abteiltür. Ein junger Mann aus ihrer
Berliner Gruppe, den eigentlich niemand von der Uni her kannte, war
als erstes in das Abteil des Berliner Delegationssprechers gekommen:
„Habt ihr das eben gehört? Wer war das? Aus welchem Abteil kam
das?"
Alle drei wussten sofort Bescheid, wer da fragt. Roland antwortete
hilfsbereit:
„Was denn gehört, unsere Musik? Hat einer von euch etwas anderes
gehört?", richtete er sich an Jimmy und Manne.
Die beiden taten interessiert zu hören, was sie denn gehört haben
sollten.
Der Frager wiederholte es nicht, tat eilig, und schloss die Abteiltür
hinter sich. Roland, Jimmy und Manne hörten bloß noch, wie er an die
nächste Abteiltür klopfte...
Nach dieser „Befragung" kannten sie nunmehr ein Gesicht aus der
„Firma", von der sie ohnehin ausgehen mussten, dass sie sich an Bord
befand. Leise, ohne es konkret zu benennen, manchmal reichte ein

Blick oder verdeckter Fingerzeig, begann für dieses Gesicht eine Ausgrenzung, wie sie sich niemand wünscht.

Tage später gab sich der Zimmermitbewohner von Manne als Ausrufer der Gedenkminute zu erkennen. Er hieß Burghart, Student der Zahnmedizin im letzten Studienjahr:

„Dachte, das kann ja mal gesagt werden. Meine Familie stammt aus Ostpreußen. Wir haben da alles verloren. Dank an euch, dass ihr nichts gehört habt, man weiß ja nie, was falsche Ohren daraus noch hätten machen können."

In den Wagons hatte es sich schnell herumgesprochen, dass am Zugende bei den Berlinern die Post mit fetziger Musik abgeht. Was für Roland und seine Freunde auffällig war, die Besucher aus den anderen Wagon tauchten alle im blauen FDJ-Hemd auf. Zu Beginn des Tanzens im Gang fühlten sich Jimmy, Roland und Manne als Hähne im Korb. Allmählich wurde ihnen ihr freundliches Platten-auflegen lästig – sie hatten ihre Wahl getroffen, denn aus ihrer Berlin-Gruppe saßen drei Studentinnen von der Humboldt - Universität auf dem freien Bettplatz in ihrem Abteil. Das waren richtig reizende Zuckerschnecken. Jimmy stellte gönnerhaft den Plattenspieler auf den Gang und übertrug vertrauensvoll das Platten-auflegen einem der Besucher. Die Musik hörten sie hinter der geschlossenen Abteiltür und schäkerten mit den Mädels.

Nach einem kurzen Stopp im Bahnhof Warschau, fuhr ihr Zug in die Nacht und kam am Nachmittag des neuen Tages am Bahnhof Brest zum Stehen. Brest, das war das Schienentor in die Sowjetunion. Hier wurde die Spurweite von der westeuropäischen Normalspur auf die russische Breitspur vollzogen. Technische Einzelheiten blieben ihnen verborgen, denn das Verlassen des Zuges war untersagt. Während des einstündigen Aufenthalts bekamen sie Besuch von sowjetischen Uniformierten, die in Begleitung der deutschen Reiseleitung ihre Namen mit denen auf einer Liste verglichen.

Gleich hinter der Stadt Brest fuhr der Zug in sich aneinanderreihende, von Buschwerk durchzogene Waldlandschaften. Der wie Zuckerguss aussehende Schnee auf dem Geäst ließ trotzdem den Unterschied zu deutschen Wäldern an den zahlreichen Birkenstämmen erkennen. Große, bis zum Horizont reichende, wohl landwirtschaftlich genutzte Flächen, waren wie mit weißem Tuch bedeckt. In aufgekommener

Dunkelheit sah man ganz selten Lichtpunkte, die auf bewohnte eingeschossige Häuschen schließen ließ. Stundenlang durchfahrende Weite auf der breiteren Spur dehnte bei Roland die Relation von Raum und Zeit. Die von 'seinen' russischen Schriftstellern liebevoll beschriebene Heimat malte er in Gedanken aus, als sie am Zugfenster vorbeizogen.

Es war dunkel, als sie ihr erstes Exkursionsziel – Minsk - erreichten. In zehn Bussen, die vor dem Bahnhof für sie bereitstanden, fuhr man alle rund 300 Teilnehmer in ein großes, neu errichtetes Hotel. Auf die Zeitvorstellung um eine Stunde wurden sie an einer großen Uhr im Foyer des Hotels aufmerksam gemacht, weil die jetzt für den weiteren Programmablauf den Takt vorgeben würde. Uhrzeit hin oder her, reif für den Schlaf war kaum einer, denn sie hatten im Zug lange genug gedöst.

Nach dem Abendessen musste Roland kurz zur Delegations-Leiter-Besprechung. Das Programm des nächsten Tages wurde bekanntgegeben und auch ein revanchistischer Spruch wurde zitiert, der im Berlin-Wagon gefallen sein sollte. Roland danach befragt, konnte nichts dazu sagen und dann war die Zusammenkunft auch schon beendet. Danach stieß er auf Jimmy und Manne an der Hotelbar. Die kümmerten sich bei den Zugeroberungen um Zuspruch für die nächsten Tage. Jimmy hatte inzwischen mit einem der umtriebigen Russen, die mit der Ansprache „Druschba" die Angekommenen in ein Gespräch ziehen wollten, zehn Ostmark in fünfzehn Rubel getauscht. Zu sechst kamen sie damit aus, denn eine Flasche „Krimskoje Champagner" kostete an der Bar 'exorbitante' drei Rubel.

Nach dem Frühstück stiegen sie in die vorgefahrenen Busse zu einer ausgedehnten Stadtrundfahrt. Entlang der Hauptstraßen standen neue fünf, manchmal auch sechsgeschossige Wohngebäude. Nicht in der Form nüchterner, langgestreckter Hochhausbauten, wie sie gerade in Ost-Berlin als Verlängerung der Karl-Marx-Alle vom Strausberger Platz Richtung zum Alex fertig gestellt worden waren, sondern im Fassaden-Reichtum des belächelten 'Zuckerbäckerstils' der ehemaligen Stalin-Allee. In diesem Sinne prachtvoll gab es auch viele neue Verwaltungs- und Gesellschaftsbauten zu sehen. Die Großzügigkeit der ganzen Stadtplanung war möglich geworden durch die völlige Zerstörung der Stadt im Krieg. Das, was noch von der alten

Innenstadt teilzerstört übrig geblieben war, war abgerissen worden. In den großen Freiflächen zwischen den Gebäuden standen auffällig viele Denkmäler und legen weithin sichtbar Zeugnis ab, für die Soldaten und Partisanen, die gegen die deutschen Okkupanten gekämpft haben. Für deren Einsatz und den damit verbundenen hohen Blutzoll, wurde Minsk der Status 'Heldenstadt' verliehen. Ein gerade neu errichteter weiträumiger Denkmalkomplex war im Sommer, einige Kilometer auswärts von Minsk, in Trostenez geschaffen worden. In seiner Umgebung wurden über 200.000 (!) Menschen - Juden, Partisanen und Gefangene der sowjetischen Armee - grausam zu Tode gebracht. Obwohl sie von diesen Verbrechen in der Schulzeit gehört und auch Bildmaterial gesehen hatten, überstieg die Größenordnung dieses Mordens in deutscher Verantwortung ihre Phantasie. Zu offenkundig stand die Grausamkeit im Widerspruch zur bisher wahrgenommenen Gastfreundschaft. Ein Erlebnis am Rande blieb in genau dieser Betrachtung von Vergangenheit und Gegenwart in Erinnerung.

Ein Mann an Stelzen unter den Armen, dem ein Bein fehlte und dessen leeres, umgeschlagenes Hosenbein der Gürtel festhielt, stakste auf sie zu. Er hatte an den DDR-Fähnchen an ihren Bussen erkannt, dass sie Deutsche waren. Er wollte unbedingt seine Botschaft loswerden: „Ich habe als Soldat in Minsk gegen die Faschisten gekämpft und bin verwundet worden", wobei er mit der Hand an die Holzkrücke schlug, die das Bein ersetzte „der Krieg ist fürchterlich gewesen, aber ich will euch unbedingt sagen, ich hasse die Deutschen nicht. Nie wieder Krieg, das wünsche ich mir, wie das ganze russische Volk es sich wünscht!"

Nach durchfahrener Nacht fuhren sie in Leningrad ein. St. Petersburg, die Stadt, die Zar Peter der Große schuf und nach sich selbst benannte, trug verschiedene Namen. 1963 trug sie den Namen Leningrad. Als solche sollte sie auch von der Deutschen Wehrmacht 1941 eingenommen werden. Aber nach 872 Tagen (!) musste die Belagerung aufgegeben werden, weil sie dem übermächtigen Druck der Roten Armee weichen musste.

Trotz der schon wieder eine Stunde weiteren Zeit als auf ihren Uhren angezeigt, wurde es um 9 Uhr gerade hell. So, wie man sich Väterchen-Russland im Winter vorstellt, alles weiß bedeckt – einfach nur schön.

Seit 1912 thronte das Hotel ASTORIA als 'erstes Haus am Platze' für gutbetuchte oder nach der Oktoberrevolution gut gestellte Reisende. Es war nach Beschädigung des vorderen Hauptflügels während der Belagerung Leningrads durch deutsche Truppen im II.Weltkrieg zu alter Pracht erblüht.

Wohl kaum einer der etwa dreihundert DDR-Bürger aus dem Freundschaftszug wird zuvor soviel edlen russischen Pomp und Plüsch gesehen haben, wie er sie empfing, als sie aus den Bussen kommend, im Astoria-Vestibül standen.

Die Stadtbegehung und der Besuch der Eremitage am selben Tag, gaben ihnen den Überblick, wie zentral ihr Domizil am Isaak-Platz mit der Reiter Statue vom Zar Nikolai I gegenüber der St. Isaak Kathedrale, nur 10 Gehminuten vom Newski Prospekt, gelegen war. Das machte Lust auf mehr, denn der nächste Tag - Silvester – stand bis zur abendlichen Festveranstaltung zur individuellen Verfügung.

Roland und Jimmy, die das Zimmer teilten, befanden sich nach dem Frühstück auf dem Weg zu ihrem Zimmer, um sich für den Stadtbummel mit den Mädels zurecht zu machen. Eine ältere Hausangestellte war ihnen mit einem Zimmerwagen auf dem langen Korridor gefolgt und deutete an, als sie gemeinsam vor Jimmy und Rolands Tür standen, dass sie zu ihnen hinein wolle. Den Zimmerwagen ließ sie auf dem Flur stehen. Wie ganz selbstverständlich, ging die Frau im Zimmer auf Jimmy zu, griff ihm mit zwei Fingern ans Hemd und fragte auf russisch:

„Skolko, dwapijat Rubla charatscho?" (Wie viel, 25 Rubel gut?)

Jimmy erfasste die Situation sofort:

„Die will wohl mein Hemd kaufen", raunte Jimmy - Roland zu.

Der Frau ging es aber nicht nur um das Hemd. Sie hielt ihren Zeigefinger auf ihre Lippen und zeigte dann auf die Koffer. Es war klar, sie wollte sehen, was Roland und Jimmy sonst noch so hatten. Schnell, aber mehr neugierig als geschäftstüchtig öffneten Roland und Jimmy ihre Koffer und ließen sie gewähren. Flink fingerte die Frau alles durch, nahm heraus was ihr gefiel und legte es neben die Koffer. Bei Verkauf aller auf dem Bett liegenden Sachen hätten Roland und Jimmy auf der Reise ihre Wäsche nicht mehr wechseln können. Zweifelnd ob der Verkauf wirklich eine so gute Idee sei, fragte Roland:

„Wofür wollen wir die Rubel denn wieder loswerden?"

„Hast du vielleicht schon einmal in Champagner gebadet, nee? Na sieh'ste, ich auch nicht! ", meinte Jimmy.

Das war typisch Jimmy, phantasievoll-dekadent!

Nyltex-Hemden, Krawatten, getragene Perlon-Socken, Kugelschreiber und ein Paar Schuhe sind sie losgeworden. Jimmy hatte 110 und Roland 90 Rubel, als die Frau das Zimmer verließ. Viel Geld in Relation zum Monatslohn eines Sowjet von 70-90 Rubel. Die ganze Transaktion dauerte keine 10 Minuten. Als die Frau alles im Hauswagen verstaut hatte, offerierte Jimmy ihr weitere Geschäfte mit Freundinnen und Freunden. Er hätte Interesse an vielleicht 120 Flaschen sowjetischen Champagner, den sie schon in ihrer Abwesenheit hier abstellen könne, wenn sie interessiert sei. Die Babuschka nickte. Für 16 Uhr galt der große Basar mit Jimmy und Roland als festgemacht.

Manne hatte mit den Mädels im Vestibül gewartet und die waren ob der Verspätung nicht länger sauer, als Jimmy und Roland unter dem Siegel der Verschwiegenheit in Bezug auf das 'Gesicht', von ihrer Geschäftsaktivität berichteten. Die Mädels diskutierten, ob und was sie denn verkaufen könnten und Manne merkte man an, dass er bei dem bisher gelaufenen Geschäft gerne schon dabei gewesen wäre, als Jimmy ihm seine Rubel-Barschaft zeigte.

Sie liefen den Newski Prospekt ab und schoben sich im Gedränge an den Warteschlangen in den Geschäften vorbei, um zu sehen, wonach die Leute anstanden. Im Einzelnen blieb ihnen das verborgen, denn die Regale waren, von Dekorationsartikeln abgesehen, leer. Sie fanden trotzdem etwas, wofür es sich lohnte Geld auszugeben. Das waren „Schapkas", Pelzmützen. Von der Verkäuferin darauf aufmerksam gemacht, dass die eigentlich für eine Frau gedacht sei, kaufte Roland sie dennoch für sich, für 20 Rubel. Jimmy hatte erfreulicherweise gesehen, dass eine Flasche „Krimskoje Champagner" 1,50 Rubel kostete. Die sich wiederholenden Anfragen im Gedränge, ob sie DDR-Mark tauschen wollen, lehnten sie in Erwartung auf den bevorstehenden Basar ab. Den ganzen Newski Prospekt entlang waren es alte, dick vermummte Mütterchen, die den Schnee auf dem Gehsteigen wegschaufelten. Zurück fuhren sie mit der U-Bahn. Das waren über lange tiefe Rolltreppen zu erreichende Bahnhöfe, von denen jeder für sich ein Prunkstück in Marmor, Granit und darstellender Skulptur-Kunst war. Die Leningrader lasen sitzend oder stehend Bücher während der Fahrt. Das passte zu dem größten Gedränge, welches sie im Dom Knigi, dem Bücherhaus mit der eindrucksvollen Jugendstilfassade auf dem Newski Prospekt, überstanden hatten.

Voll zufrieden des Erlebten ins Hotel zurückgekehrt, wurde Roland von der Reiseleitung dahingehend informiert, dass zur Silvester-Festveranstaltung im Hotel das FDJ-Hemd obligatorisch sei. Er solle das den Teilnehmern seiner Gruppe weitersagen. Seine zustimmende Erwiderung hielt er zurück, denn zumindest er hatte kein solches dabei und gewiss auch nicht Jimmy, Manne oder Mewis. Er hörte sich um und fand heraus, dass keiner in der Berlin-Gruppe bestätigte das FDJ-Hemd dabei zu haben. Ob das stimmte sei dahingestellt, denn auch das 'Gesicht' opponierte nicht, als man sich absprach, nicht auf die Annonce der Reiseleitung zu reagieren, sondern abends geschlossen in bestem Zwirn zu erscheinen. Die Mädels frohlockten, als die Männer sich einig waren.

Dann platzte Jimmy dazu. Er nahm Roland zur Seite und sagte:

„Das halbe Zimmer steht voller Sektflaschen. Wenn uns da einer besucht, gibt's Knatsch!"

„Jimmy, mach dir nicht ins Hemd, geh hoch und staple alle Flaschen im Badezimmer an der Wand hoch. Siehst ja, ich kann im Moment hier nicht weg. Wie viel sind denn das überhaupt?"

„Bestimmt keine hundert, aber bis 16 Uhr ist ja noch Zeit, vielleicht liefert die Babuschka noch nach."

Unter dem Vorwand, er müsse sich schnell noch um seine zum Bügeln abgegebene Hose kümmern, kratzte Jimmy gleich wieder die Kurve. Als Letztes besprachen die Zurückgebliebenen, wie es ihnen gelingen sollte, vor den übrigen Gruppen die Plätze zu belegen. Sie planten, möglichst gleich die ersten zwei Tischreihen zu belegen, die schon außerhalb des Festsaals, direkt an den Stufen zum Bankettsaal stünden. Mewis bestimmte das 'Gesicht' und zwei weitere Humoldtijaner, sich der Sache anzunehmen. Das 'Gesicht' war auffällig erfreut, so konspirativ mit einbezogen worden zu sein. Roland dachte bei sich:

'Der Mewis hat ein richtig gutes Händchen, der Lanze die Spitze zu brechen.'

Es nahm alles seinen Gang. Jeder freute sich auf den Silvesterabend, der draußen schon um 15:30 Uhr dämmerte.

Von der Babuschka wurden sie nicht enttäuscht. Die kam mit ihrem Zimmerwagen voller „Krimskoje Champagner" pünktlich. Schnell deponierten sie gemeinsam die Flaschen im Bad, bevor Jimmy die Babuschka in jedes Zimmer begleitete, wo die Auswahl der Sachen vor sich ging wie am Morgen. Bei den Männern verlief die Auswahl wie gehabt. Die Mädchen verkauften Nylon-Strümpfe und modische Accessoires. Besonders hatten es der Babuschka die Büstenhalter der Mädels angetan. Davon hätte sie gerne noch mehr bekommen, aber die Mädels wollten nicht freitragend weiterreisen. Das Finale fand dann im Zimmer von Roland und Jimmy statt. Genau 120 Flaschen lagerten im Bad. Die Babuschka wollte drei Rubel für die Flasche. Jimmy wollte nur den Preis bezahlen, den er auf dem Streifzug durch die Stadt gesehen hatte. Man einigte sich auf zwei Rubel bei der Zusage, dass sie die leeren Flaschen wieder wegräume. Per Umlage berappten die Männer für den dekadenten Spaß.

„Manne, du schreibst jetzt auf jedes Blatt der Briefmappe, die auf dem Schreibtisch liegt, einem Namen, gehst runter und belegst damit die Plätze am ersten großen Tisch. Wir fangen inzwischen an, die Wanne zu füllen. Das Champagner-Bad nehmen wir vor dem Ball."

Jimmy sprach aus, was alle im Angesicht der imposant an der Wand aufgestapelten goldenen Flaschenköpfe kaum erwarten konnten. Es sah aus wie in einer Sektkellerei. Als sie die ersten Flaschen in die große Wanne gossen, verlor sich ihr Inhalt wie ein Rinnsal. Logistisch ergab sich ein Problem. Die leeren Flaschen vor der Wanne ließen keinen Platz, um sich zu bewegen. Wie sie es schließlich schafften, die leeren Flaschen gleichzeitig ohne Bruch zwischen die vollen zu stapeln, das war ein künstlerischer Akt. Es dauerte - weit über die Hälfte der Flaschen war inzwischen in die Wanne gegossen - bis sich der Champagner-Pegel wenigstens soweit angehoben hatte, dass es nach einem kläglichen Bad aussah. Das reichte Jimmy schon, nackend in das sprudelnde Nass zu gleiten. Roland, Manne und Mewis duschten ihn mit Champagner. So ging es Reih um und weil vor dem Ausstieg das etwas klebrige Nass mit warmen Wasser abgewischt wurde, war die Wanne, nachdem Mewis als Letzter ausgestiegen war, ordentlich gefüllt.

Vorgeglüht, in Stimmung nahmen sie direkt an den drei Stufen, die in den Bankettsaal führten, ihre Plätze ein. In mehreren Gängen wurden sie beköstigt. Eine Kapelle spielte am anderen Ende des Festsaals zum Tanz. Einleuchtend, an Rolands Tisch unterhielt man die Mädels mit dem gerade genossenen Champagner-Bad. Die wurden immer wuscheliger, das auch erleben zu wollen. Gerne, mit frohlockenden Hintergedanken, kamen die vier Kavaliere der gesteigerten Neugier nacheinander nach. Zu Russisch-Neujahr saßen alle wieder am Tisch beisammen. Zärtlich einander die Hände haltend sah man an den feucht schimmernden Haaren der Damen, dass die noch nicht ganz wieder in Fasson waren.

Hinter den zwei Berliner Tischreihen saßen die Blauhemden ihrer Delegation. Punkt 24 Uhr Ortszeit standen die alle auf. Das schien wie vorher abgesprochen, und stakkatoartig scholl es aus hunderten Kehlen:

„Druschba, Druschba, Druschba, Druschba!", gedacht als besondere Reverenz an die sowjetischen Gäste im Bankettsaal, wo gerade innig Neujahrswünsche ausgetauscht wurden. Das „Druschba" aus deutschen Kehlen war des Guten zu viel - es majorisierte aufdringlich die intime Atmosphäre der wesentlich kleineren sowjetischen Festgesellschaft. Die Leute am benachbarten großen Tisch im Bankettsaal, so hatte Roland den Eindruck, waren, ihnen demonstrativ abgewandt, mit sich selber beschäftigt. Seine Ambivalenz zum Verhalten dieser Tischrunde ließ ihn die acht Personen genauer betrachten. Er hatte bereits, an der Garderobe der Gäste des Bankettsaals wahrgenommen, dass es feiner auch nicht in westlichen Abendgesellschaften aussehen mochte. Die hier versammelten Leute, eine und zwei Generationen älter als er, das waren nicht die aus Presse und Fernsehen bekannten, einfach und schlicht daherkommenden Sowjets. Die Damen trugen Haute Couture und die Herren maßgeschneiderten Zwirn. Was aber noch auffiel, war das unverkennbar rötlich schimmernde russische Gold, welches Hände, Arme und Dekolletees der Damen schmückte. Von Roland darauf hingewiesen, kommentierte Jimmy:

„Holla die Waldfee, das ist wirklich mächtig und prächtig, was mir da vor Augen ist!"

Roland fand den Vergleich zu seinen Literaturbildern der Bojaren beim Zaren oder die der Bourgeoisie in der Zwischenzeit bis zum Krieg, aber zum realen Kommunismus der Sowjetunion passten sie nicht. Die Blicke zu den Tischnachbarn kreuzten sich, bis man einander zunickte. Dem folgte das erhobene Glas - Zeichen des freundlichen Zutrunks.

Als nach deutscher Zeit das „Prosit Neujahr" im Festsaal runtergezählt, und an Rolands Tisch rundum gedrückt und geschmust worden war, kamen vom Nachbartisch zwei Männer zu ihnen herüber, hoben ihre Gläser und prosteten der Tischgemeinschaft zu. Nach dieser freundlichen Geste gingen sich die Tischnachbarn entgegen und alle stießen miteinander an.

„Weißt du", sagte ein Tischnachbar in passablem Deutsch zu Roland, „Leningrad nicht Moskau und Berlin nicht DDR – du verstehst?"

Logistisch hatten die Pärchen abgeklärt, wer bei wem im Zimmer schlafen würde. Weder Roland noch Jimmy wollten im Rest der Nacht den Zugriff auf die Champagner-Wanne verlieren, also teilten sie zu viert ihr Zimmer, mit Programm bis zum Sendeschluss.

Immer noch unter dem Siegel der Verschwiegenheit gab es beim Frühstück weitere Interessenten, die das Champagner-Bad genießen wollten. Jimmy hatte in weiser Voraussicht einen Briefbogen mit „HET"(NEIN) auf die historisch alte Hahn-Armatur gelegt, um zu verhindern, dass Babuschka die Wanne ablässt. Fünf Rubel pro Person verlangte Jimmy. Als Tipp für den absoluten Kick bekamen sie noch, sich gegenseitig Champagner über den Kopf zu gießen. Den mussten sie mitbringen, genau wie die Handtücher. Der Geruch des Alkohols, und die oberflächlich tanzenden Kohlesäure-Bläschen des nachgegossenen „Krimskoje", gaben den Nachzüglern die Phantasie, im Champagner zu liegen.

Physisch schlicht platt vom Staunen und Erleben, fuhren sie am 2. Januar abends in ihrem Zug nach Moskau.

Über Moskaus Straßen fegte eisiger Wind und dort, wo Schnee liegen blieb, sah man vermummte Gestalten, an deren Kleidung sich die Eiskristalle festgesetzt hatten, wie sie ihn mit Reisigbündeln und Schaufeln an den Straßenrändern zentrierten.

Ihre Buskolonne fuhr aus dem Zentrum heraus, die Schneedecke auf der Fahrbahn war hier geschlossen. Sie dachten schon, ihre Unterkunft läge außerhalb, an der Peripherie zur belebten Metropole. Dann wendete der Buskonvoi. Man machte sie darauf aufmerksam, dass hier 23 Kilometer (!) vor dem Zentrum Moskaus der nächstgelegene Ort sei, den die deutsche Wehrmacht im Dezember 1941 erreicht hatte, bevor sie gestoppt und zurückgeschlagen wurde. Auf der Rückfahrt in Richtung Zentrum, teilte sich der Konvoi. Nur drei Busse fuhren bis in Sichtweite der Moskwa-Brücke. Dort lag das Hotel „Metropol", ein alter klassizistischer Bau. Rolands Zimmer war klein, mit schmalem Bett, Schrank und Waschbecken, und wie die meisten von ihnen, musste er sich Toilette und Bad auf dem Gang mit anderen teilen. Die Restaurant- und Gesellschaftsräume luden hingegen im morbiden Charme vergangener Zeiten zum Verweilen ein. Bei der abendlichen Leiterbesprechung wurde Roland davon unterrichtet, dass es einen Protest aus der Leipziger Delegation über das Verhalten seiner Gruppe gäbe. Auf dem Roten Platz sei nämlich aufgefallen, dass zwei Mädels an ihren Anoraks den Pariser Eiffelturm trügen. Dieses Accessoires ließe den Schluss zu, sie seien französische Touristen. Da sie alle hier als Botschafter der DDR unterwegs seien, würde verlangt, den Eiffelturm abzunehmen. So bescheuert die Begründung klingen mochte, sie duldete keinen Widerspruch. Die Mädels fügten sich und sannen auf Revanche gegenüber den Sachsen. Der Zufall lieferte den Ansatz, Roland für einen Protest zu munitionieren. Mädels seiner Gruppe hatten beobachtet, dass einige Sachsen sich im Kaufhaus GUM in einem Touristikshop mit Anstecknadeln des Berliner-Bärenwappens eindeckten und jetzt damit rumliefen.

'Albern, dieser Protest, aber warum ihn nicht offiziell machen, so könne doch die ganze Posse befeuert werden,' dachte er, als er dafür die Zustimmung seiner Berliner einholte.

„Wir verlangen also, dass die Sachsen, die ja keine Berliner sind, den Bären ablegen. Die Hauptstadt der DDR repräsentieren wir! Wir kaufen uns alle eine Anstecknadel "Berlin-Wappen" und gehen damit spazieren."

Als Roland das in der Leiterbesprechung vortrug, zündete die Erkenntnis, mit den Mode-Accessoires ein Possenspiel aufgeführt zu haben...

Am Tage ihres Besuches wurde das Kaufhaus GUM mit Lederschuhen beliefert. Eine riesige Schlange von Bürgern stand im Schneewind an, ungefähr so lang wie die gegenüber vor dem Lenin Mausoleum. Sie teilte sich in zwei Gruppen, rechts und links vom Eingang. Die rechte wartete auf Einlass in den Laden. Jede Person bekam dort ein Paar Schuhe. Die linke Gruppe war bereits aus dem Laden raus und tauschte die Schuhe nach Größe untereinander. Zuvor im Laden gab es weder Zeit noch Platz sich zu vergewissern, was für ein Schuhpaar über den Ladentisch zugeteilt worden war.

Roland entledigte sich der Zusage, den ADN-Kollegen der Eltern die Weihnachtsgaben zu überbringen. Die revanchierten sich ihm gegenüber mit einer Einladungskarte zum großen Weihnachtsempfang im Kreml am 6. Januar. Etwas Eindruckvolleres hätte ihm nicht angetragen werden können, denn im Kreml waren ausgewählte Bürger aller Sowjetrepubliken und Persönlichkeiten der ausländischen Vertretungen eingeladen. Als Roland diese Einladung herumreichte, erblassten die anderen Delegationsleiter quasi vor Ehrfurcht. Als dann auch noch eine Tschaika-Limmosine vor dem Hotel stand, die ihm der General geschickt hatte, um ihn zu sich auf Besuch abzuholen zu lassen, änderte das seinen Status unter den Leitern. Beispielsweise sprach Roland von fehlendem Stil und gebotener Würdigung, als zum Abendbesuch des Bolschoi-Theaters das FDJ-Hemd als obligatorisch angeordnet werden sollte. Seine Einwendungen wurden akzeptiert. Auch die Extrawurst seiner Gruppe in Leningrad stieß nachträglich auf Verständnis. Den Teilnehmern wurde freigestellt, anziehen zu dürfen, was sie wollten.

Der Besuch in der Wohnung des Generals war russisch-warmherzig. Witzelnd über Rolands spitze Schuhe, als Wortspiel 'westlich-pikant', verkniff der sich nach einigen Sto-Gramm-Wodka nicht, als er Roland beim Abschied in die Tschaika-Limmosine half.

Den Roten Platz vor dem großen Tor des Spasky-Turms hatte Roland mit dem Taxi erreicht und spazierte einfach so an zwei wie versteinert stehenden Soldaten vorbei in Richtung Kreml-Innenhof. Am Ende des mächtigen Eingangbogens musste er sich ausweisen und wohl, weil er

Ausländer war, geleitete ihn ein Offizier zwischen anderen, die denselben Weg hatten, bis zu einem von Licht angestrahlten Gebäudekomplex. Hier wechselte seine Begleitperson. Die kümmerte sich um die Garderobenabgabe und führte ihn über eine breite, mit tiefem roten Teppichboden ausgeschlagene Treppe in den ersten Stock. Rolands Russisch war zu schlecht, um bei der Führung von einer räumlichen Herrlichkeit in die nächste die Erklärungen zu verstehen. Das merkte auch 'seine' Ordonanz, und verabschiedete sich sichtlich erleichtert. Roland, nun auf sich gestellt, durchwanderte die Festsäle, sah überbordende Büfetts mit den Spezialitäten der einzelnen Sowjetrepubliken, löffelte Kaviar, kostete hier und trank dort. Er bewegte sich zwischen hunderten Menschen in ihren Nationaltrachten oder in Anzügen, an deren Revers die Orden klimperten, weil es derer so viele waren. Immer wieder wurde geklatscht, wenn wohl besonders hohe politische Persönlichkeiten in der Nähe vorbeiliefen. In einem der Festsäle standen Stehtische mit weißem Tuch überzogen, an denen Schach gespielt wurde. Das war für Roland ein Ankerplatz, denn hier war er Gleicher unter Gleichen. Ein Orden behängter Russe hielt ihm seine geschlossenen Hände für die Farbwahl der Figuren als Aufforderung hin. Das fing ja mal schon nicht so gut an, denn er spielte lieber mit den weißen als mit den gezogenen schwarzen Figuren. Der Russe dachte wohl kurzen Prozess mit Roland machen zu können, so zügig setzte der seine ersten Züge. Inzwischen war ihr Tisch von Neugierigen umstanden. Nicht dass die Landsleute seinem Gegner sprachlich Beistand leisteten, aber das erleichterte oder stöhnende Ausatmen um ihn herum zeigte deutlich, wessen Sieg man erleben wollte. Vielleicht war der psychische Druck für den russischen Genossen zu stark, jedenfalls zog er mit Dame und ließ die kurz los. Das entsetzte Aufatmen der Umgebung ließ ihn in Sekundenschnelle den Fehler bemerken, und er griff wieder nach der Dame um zu korrigieren. Losgelassen ist gezogen! Roland hüpfte das Herz, er schob die Hand seines Gegners zurück und exekutierte die Dame mit den Worten „Nitschewo, Towarritsch". Die Partie war kurz darauf entschieden, und sein Gegner gratulierte mit der Forderung auf sofortige Revanche. Roland dachte nicht daran, ihm die zu geben. Glücklich wollte er sich im Völkergewühl dem Gefühl hingeben, hier im Kreml gesiegt zu haben. Zweimal hintereinander siegen, das zu erzwingen, dafür war sein Gegner vielleicht doch zu stark. Um diese Absicht nicht beleidigend aussehen zu lassen, vertröstete er den Besiegten auf „vielleicht später". Egal, wo Roland in den nächsten Stunden stand, künstlerischen Darbietungen zusah oder sich unterhielt, in Sichtweite hielt der Besiegte Kontakt zu ihm und fragte nach, wann es denn zur Revanche käme. Die Gäste-scharen begannen sich bereits zu lichten und Roland sah den Zeitpunkt gekommen, den Besiegten endgültig loszuwerden. Freundlich ging er auf ihn zu, bedankte sich nochmals für die gespielte Partie und steckte zur Erinnerung sein "Berliner-Bärenwappen" zwischen dessen zahlreiche Orden ans Revers.

Alle paar Meter auf dem Kreml Gelände standen Soldaten Spalier, um zu verhindern, dass sich einer der abwandernden Besucher im Gelände verläuft. Vom Spasky-Turm auf dem Roten Platz, keine Taxe weit und breit, marschierte er die etwa drei Kilometer in eisiger Kälte, bis zum Hotel. Sein weißer Polarfuchs auf dem Kopf hat ihn das vielleicht ohne erfrorene Ohren überstehen lassen. Angekommen, war er wieder nüchtern.

Die letzte Veranstaltung, bevor sie nachmittags in den Zug stiegen, war das Treffen mit Komsomolzen in einem bestimmt tausend Menschen fassenden Kulturpalast. So formal organisiert diese Zusammenkunft auch gewesen ist, machte sie doch deutlich, wie interessiert die Gleichaltrigen waren, über die DDR Informationen aus erster Hand zu bekommen. Die DDR war für sie das ganze, friedliche Deutschland. Ein Traum wurde deutlich, die Sowjets wollten auch einmal die DDR besuchen können.

Die immensen Distanzen ließen die Größe des europäischen Russlands am Abteilfenster vorbeiziehen. Dabei rückten gesprächsweise unwillkürlich Napoleons Truppen und Hitlers Wehrmacht in den Fokus, die beide glaubten, diesen Raum erobern zu können. Komplexer Irrsinn, so das Fazit des historischen Exkurses. Es gab weder militärtechnisch noch macht-strategisch eine Siegchance, allein geographisch mussten die Eroberer in diesen russischen Weiten scheitern.

In Berlin zurück, gab es noch vor der 'Aktuellen Kamera' Zeit, den Eltern erste Reiseeindrücke zu geben:

Er berichtete vom feucht-fröhlichen Besuch beim General und davon, dass einer ihrer Kollegen zu seinen Gunsten auf den Weihnachtsempfang im Kreml verzichtet hat.

„Wird dich ja wohl nicht wundern, das mit der Einladung wissen wir schon. Die Kollegen in Moskau halten ja ständigen Kontakt mit Berlin.", war Vaters nüchterne Feststellung.

„Na klar doch, aber richtet bitte nochmals meinen Dank aus. Das war für mich das Eindrucksvollste auf der ganzen Reise und überhaupt!"

„Du hast ja nun einiges gesehen, wie siehst du die Sowjetunion? wollte Vater Weiteres von Roland wissen.

„Wer nur ein wenig über Russlands Geschichte und Kultur kennt, der spürt förmlich die Seele dieses Volke, wenn man in den Alltag eintaucht. Beeindruckend einerseits die gegenwärtige traumatische Kriegserfahrung und andererseits der ehrliche Wunsch – Freundschaft mit den Deutschen, nie wieder Krieg!"

„Und der sowjetische Kommunismus?", bohrte Vater nach.

„Lass es mich mal so sagen. Nach der reinen Dialektik ist die Sowjetunion ja schon eine Stufe in der gesellschaftlichen Entwicklung weiter, als wir es in der DDR sind. Die haben dort schon den Kommunismus und wir sind im oder auf dem Weg zum Sozialismus. Ist doch soweit richtig, oder?", leitete Roland sein Statement ein.

Na und? Was meinst du?", bohrte Vater weiter.

„Also wenn du es genau wissen willst, wir sollten es beim Sozialismus belassen und nicht die Stufe des sowjetischen Kommunismus erreichen wollen!"

„Das wirst du aber doch wohl auch begründen können?!", war Vaters perplexe Reaktion.

Dann erzählte Roland von der Zuteilungswirtschaft, in der sich eine überwiegend ärmliche Bevölkerung zurechtfinden muss, den gesellschaftlichen Unterschieden, die er deutlicher gesehen hätte, als es sie in der DDR gäbe und einer omnipotenten Kontrollobrigkeit, die er so auch nicht aus der DDR kennen würde.

Die aufgeworfene dialektische Herausforderung war dem Vater an diesem Abend wichtiger, als die eingeschaltete 'Aktuelle Kamera'.

1964, Alltagssplitter; Reiseerlaubnis Richtung Süd-Ost

Zum ersten Treffen mit den daheimgebliebenen Freunden im Frankfurter Tor kam es am zweiten Freitag in 1964. Franzke mit Freundin Carla und Doktor hatten schon vier Tage Unterricht hinter sich. Das Fehlen von Roland sei vom Klassenlehrer vor versammelter Klasse moniert worden.

'Dem werde ich was von der Sowjetunion erzählen und dann ist er wieder gut', dachte Roland, als er das hörte.

Jimmy brachte im Zuge der Reiseberichte den Gedanken auf:

„Es gibt ja keine weiteren Freundschaftszüge, mit denen wir in andere Länder fahren könnten. Vielleicht werden einmal welche über die FDJ organisiert. Auf die hätten wir aber dann keinen Zugriff. Wir sollten über Brieffreundschaften Kontakte in andere Länder pflegen. Um so einflussreicher diese Freundschaften sind, desto hilfreicher könnte eine ausgesprochene Einladung sein, wenn wir mit ihr die Reisegenehmigung als Gruppe beantragen."

Das blieb als Ausgangspunkt für zukünftige Reiseprojekte in den Köpfen.

Wie das so war, Beziehungen und Kontakte bereicherten den Alltag. Franske hatte ohne Studentenausweis Eintrittskarten zur Faschingsfete im Chemischen Institut der Humboldt-Universität Berlin ergattert. Roland, als erster von ihm befragt, kaufte sich sofort mit 15 Mark ein. Bei ihrer Kostümierung legten sie Wert auf Bewegungsfreiheit. Nichts Originelles, als Piraten waren sie unterwegs, Turnhemd mit rot umrandeten Einschusslöchern, breiter Gürtel in den Jeans, Turnschuhe. Rolands taxierende Blicke blieben an einer in seidenem Weiß orientalisch verkleideten Palastschönheit hängen. Seine Ansprache gefiel, sie flanierten durch die phantasievoll gestalteten Räume. Beim Tanzen lag das seidige Gewebe eng um ihre Konturen und ließ auf Traummaße schließen. Der Schleier, der unterhalb der Augen bis zum Kinn abfiel, hütete geheimnisvoll das Antlitz. Umgekehrt hatte er bewusst sein Aussehen nicht verborgen. Im Gegenteil, mit nur angedeuteter Kostümierung wollte er sich zeigen. Sie hatten sich in die Schlange zum Getränkeausschank eingereiht, als Franske dazu kam. Nun muss man wissen, neben Franzke war Roland ein Allerweltstyp. Franzke dagegen hatte das klassische schlanke Gesichtsformat eines Intellektuellen und dazu noch eine randlose Brille. Die Fee aus dem Morgenland schien das auch so zu sehen. Franzkes Ansprache, als Charmeur nicht schlechter drauf als Roland, hatte sogar erreicht, dass die Schönheit ihren Schleier herunterzog, nachdem seine verbale Attacke ihr keine andere Wahl ließ. Ein schönes, treffender, ein außerordentlich schönes Gesicht, schaute sie an...

'Dieser Solitär weiblicher Schönheit ist von mir entdeckt worden und droht nun Franzke in die Hände zu fallen. Wie soll ich ihn bremsen? Der hat doch mit Carla die Schönste aller Klassen der Abendschule und die ist dermaßen verliebt, da kommt kein anderer ran', ging es Roland durch den Kopf.

Da entschuldigte sich der Traum aus dem Morgenland mit dem Versprechen, gleich wieder da zu sein.

„Franzke, du Sohn Gottes, ich bitte dich als Freund, hebe dich hinfort und überlass mir den Engel!"

„Scheinst ja richtig verknallt zu sein, wenn du mich so bittest. Bin ich ja mal gespannt, ob du das verwandelst! Grüß schön, sagst einfach, ich müsse mich nach Carla umsehen", beruhigte er Roland und verschwand im Gewimmel.

Helga hieß sie. Es kam plausibel bei ihr an, als Roland von Franzke und seiner lieben Carla sprach. Einige Tage später waren Helga und Roland ein Paar. Sie, zwei Jahre älter als Roland, Laborassistentin , wohnte in unmittelbarer Nähe zum Brandenburger Tor in der Schadow-Straße. Die Wohnung lag über der ihrer Eltern. Als Liebhaberin klassischer Musik, spielte sie gerne auf dem Klavier, welches aus Platzgründen im Schlafzimmer stand. Mit Roland hatte sie nun einen Liebsten, der so gar keinen Bezug zu klassischer Musik mitbrachte. Es spornte sie förmlich an, Rolands diesbezügliche Kulturwüste zu bewässern. Wenn sie zu Abend aßen, legte sie stets ohnehin eine Platte auf, aber nach erkanntem Defizit benannte sie Ort und Jahr der Aufnahme und erzählte über den Komponisten. So stimmte sie Roland auf den nächsten Konzertbesuch im Metropol-Palast ein, wo sie ein Zweier-Abonnement für beide in der ersten Reihe besorgte. Kurz gesagt, sie waren ein Traumpaar für jeden, der sie zusammen sah.

Rolands Zeitplanung war angespannt. Morgens um 7:30 Uhr stand er an der Werkbank. Hier musste er sich von der Zeichnung bis zur Arbeit mit Maschinen und Werkzeugen voll konzentrieren. Gegen 16:00 Uhr hatte er zu Hause eine Stunde Zeit bis zum Unterricht. Mittwoch- und Sonnabend-Nachmittag blieben für Schulaufgaben. Was sonst noch an Zeit übrig blieb, deckte Helga ab, um die herum sich in Rolands Kopf sowieso alles drehte. Nachtschlaf gab es nur in Intervallen. Er wusste sich nur durch Kurzkrankschreibungen infolge grippaler Infekte zu helfen. So ergab sich Zeit für Schulaufgaben, und auch dem Unterricht konnte er ausgeruht folgen. Die grippalen Infekte ereilten ihn nach Bedarf - in der Prüfungszeit häufiger.

Die anstehenden Abschlussprüfungen schufen Ängste. Es war nämlich nicht so, dass jeder der Klasse, auch zur Prüfung zugelassen wurde. Wäre jeder zugelassen worden, hätte die Durchfallquote das Lehrerkollegium schlecht aussehen lassen. Also wurde in Sitzungen entschieden, wer zugelassen oder nicht zugelassen wird, um somit ein in Nähe von 100% liegendes Ergebnis befeiern zu können. So ergab sich eine Kategorie 'Wackelkandidaten'. Von denen war Roland einer. Das Votum seines Klassenlehrers verhalf ihm in die Gruppe der Zugelassenen. Roland war nämlich der Einzige seiner Klasse, der als Prüfungsschwerpunkt das Steckenpferd seines Klassenlehrers (Deutsch/Geschichte) - Lyrik wählte. Roland sollte damit vor dem Prüfungskollegium brillieren. Im Mündlichen hatte Roland sich soweit gut geschlagen. Die Zeitansetzung der Prüfungsdauer war noch nicht erreicht und Roland fragte, ob er zur aktuellen Verdeutlichung seiner bisherigen Antworten noch ein Gedicht vortragen dürfe, welches er einige Tage zuvor auf einem Lyrik-Abend im Kino Kosmos gehört hätte. Mit seiner Frage wollte er erreichen, von den Prüfern nicht weiter befragt zu werden. Er trug das Gedicht vor und es wurde durch seinen Lehrer als trefflicher Beweis, einer sich in der DDR herausschälenden Lyriker-Generation bewertet.

Am Abend saßen alle Abi-Frischlinge mit ihrem Klassenlehrer im Cafe' 'Frankfurter Tor' in entspannter fröhlicher Runde zusammen. Jeder gab zum Besten, wie er welches Problem mit Spickzetteln und Nachbars Hilfe gelöst hatte. Der Lehrer hörte zu und gönnte allen die offenbarten Erfolgsgeheimnisse. Dann kam Roland an die Reihe und erzählte, wie er sich behalf, als noch Zeit war und er vermeiden wollte weiter befragt zu werden, lieber selber ein Gedicht vorgetragen hätte: „Der Knaller ist dabei gewesen, dass ich das Gedicht, nicht wie angekündigt, beim Kosmos-Lyrikabend gehört hatte, sondern es eines meiner Gedichte gewesen ist, die ich so für mich und Helga gefertigt habe."

„Roland", sagte sein Lehrer, „das hast du doch jetzt nicht mehr nötig zu behaupten, das Gedicht sei von dir gewesen! Es war ja gut ausgewählt, aber doch nicht von dir!"

Die Autorität des Lehrers und seine klare Positionierung ließen Roland im Kreise seiner Mitschüler wie einen Deppen dastehen. Roland versuchte den entstandenen Eindruck bei seinen Mitschülern zu entkräften, aber die schlugen sich nicht auf seine Seite.

'Da lobt und protegiert er mich das ganze Jahr wegen meines in seinen Augen sehr guten 'Lyrikhändchens' und lässt hier die Maske fallen, überhaupt nicht von meinem individuellen Potential überzeugt gewesen zu sein,' schloss Roland innerlich mit dieser Lehrer-Pfeife ab.

Beim Freitagstreff gebrauchte jemand aus der Runde den Begriff 'Korrespondenzclub'. So wollten sie ihre Gruppierung fortan nennen. Ende Mai hat Roland bei seinem Arbeitgeber gekündigt. Der war so traurig nicht, wünschte ihm sogar verständnisvoll für die Zukunft alles Gute. Über die Sommermonate sah Roland sich wieder als Rettungsschwimmer kommen. Da offerierte Jimmy eine Einladungsvariante nach Bukarest. Er hatte zum Ausklang des Deutschlandtreffens den Sohn eines in Ost-Berlin tätigen rumänischen Diplomaten kennengelernt, der ihn und seine Freunde offiziell einladen möchte. Franzke schied für die Mitreise aus. Er war mit Carla gerade dabei, auf Hiddensee als Service-Kräfte anzuheuern um Geld zu verdienen. Nur mit einem Arbeitsvertrag oder mit einer Eintageskarte kam man auf die Insel – zu nahe war die Wassergrenze zu Dänemark. Auch Peter beabsichtigte in den Semesterferien auf Hiddensee zu joppen.

Jürgen war sofort Feuer und Flamme mitzukommen, wenn Roland für alle die Visa-Genehmigungen bewerkstelligen könne. Helga wollte eigentlich auch mitkommen, aber da waren zum einen ihre 21 Urlaubstage nicht ausreichend und zum anderen hatte sie Vorbehalte gegenüber dem Tour-Charakter, tagelang im Zug, mit Gepäck und Zelt mit einer Männertruppe unterwegs zu sein. Es passte einfach nicht zusammen.

Die Reiseroute wurde immer länger und am Ende stand; mit dem Zug nach Bukarest zum Gastgeber, von dort ans Schwarze Meer nach Constanta und weiter nach Bulgarien zum 'Sonnenstrand' in die Bucht von Nessebar im nördlichen Teil des Golfs von Burgas.

Roland bekam als selbsternannter 'Gruppenleiter des 'Correspondence Club Berlin' bedenkenlos die Visa.

Logistisch wollten sie außer dem Zelt möglichst ihr gesamtes Gepäck, einschließlich Jimmys Batterieplattenspieler, in einem großen Koffer unterbringen. Dazu trieben sie einen Überseekoffer, etwa 100x60x50 cm auf, der bestimmt schon sechs Jahrzehnte auf dem Buckel hatte. Funktional war er ohne Mängel, sein Alter verrieten die rundum verlaufenden Holz-Schutzleisten, Messingbeschläge und dicken Lederhandgriffe.

Ende Juni brachen sie auf. Zu dritt belegten sie ein Abteil. Ihre Schlafplätze losten sie untereinander aus. Jeweils einer lag auf der Sitzbank und der Dritte musste auf dem Boden liegen, mit dem Zeltsack als Kopfstütze. Ausstrecken konnte der sich nicht. Der Überseekoffer stand auf dem Gang. Seinetwegen gab es mit dem wechselnden Zugpersonal immer wieder neuen Ärger, das den Koffer nicht im Gang stehen haben wollte. Ohne Alternativplatz wurde der Koffer letztendlich auf dem Gang geduldet.

Spontan entschieden sie sich in Cluj-Napoca auszusteigen, weil sie von Mitreisenden auf die zweitgrößte Stadt Rumäniens, die vor dem Krieg KLAUSENBURG hieß, aufmerksam gemacht wurden. Im Mittelalter von deutschen Siedlern aufgebaut, entwickelte sich hier über Jahrhunderte deutsche Kultur. Das spiegelte sich in der Architektur der unzerstört über den Krieg gekommenen Häuser, den Plätzen und den Grabsteinen auf den Friedhöfen wieder. Von den Siebenbürger Sachsen und ihrem Schicksal nach dem Krieg hatten sie zuvor nichts gewusst. Sie verbanden das durchfahrene Transsylvanien als die Gegend, in der Graf Dracula als Vampir sein Unwesen trieb.

Nach den beeindruckenden Beobachtungen in Klausenburg, wollten sie nun unbedingt auch in Brasov, dem ehemaligen KRONSTADT Quartier nehmen. Quartier ist gut, sie gaben abends angekommen ihren Koffer, der sich inzwischen als unpraktisches Utensil entpuppt hatte, auf der Gepäckstation des Bahnhofs ab. Von dort trugen sie die Zelttasche mit den Stangen und allernötigsten Kultursachen durch die dunkle Innenstadt, bis sie auf einem parkähnlichen Platz ihr Zelt aufschlugen. Am frühen Morgen standen Leute um ihr Zelt herum und staunten sie an. Sie brauchten das Zelt für keine weitere Nacht aufzubauen, ihnen wurde landsmannschaftliche Gastfreundschaft zuteil. Zwei Tage lang erfuhren sie Geschichte und Leid der Siebenbürger Sachsen, als man im Krieg die Juden unter ihnen deportierte und danach im stalinistischen Regime, die arbeitsfähigen Erwachsenen in Arbeitslager verbrachte. Dieser authentische Klagegesang in wehmütiger landsmannschaftlicher Verbundenheit machte bewusst, wie relativ besser es den 'Reichsdeutschen' nach dem Krieg erging.

Bei brütender Hitze schleppte sich der Zug durch die Südkarpaten. Bei der Geschwindigkeit hätte man beinahe nebenherlaufen können so mühselig zog die Lok die Wagons durch die Berge. Das Zugpersonal war damit beschäftigt, den in die Gänge gewehten Ruß mit der Handschaufel aus den Fenstern zu schippen.

Der Hauptbahnhof von Bukarest ist ein imposanter Kopfbahnhof aus dem neunzehnten Jahrhundert mit mehr als einem Dutzend Gleisen. Er ist Zeugnis für Kraft und Zwänge der mit der Industrialisierung einhergegangenen Erschließung Süd-Ost-Europas.

Ihrem Gastgeber fiel ein Stein vom Herzen, als sie sich meldeten, denn sie waren um Tage aus der Zeitplanung geraten. Die Rumänen hatten ganz allgemein nichts mit exakter Zeitplanung am Hut, und ihre Obrigkeit war zudem auch für jede Überraschung gut. So normal wie ihre verspätete Ankunft aufgenommen worden war, kam auch die Aufnahme in der Privatwohnung. Die lag im vornehmen Teil der Bukarester Altstadt. Bukarest erschloss sich ihnen innerhalb von zwei Tagen komplett. Der Diplomatensohn chauffierte sie im Auto seiner

Eltern durch die Stadt, und seine Freunde waren begeistert, als er sie miteinander bekanntmachte. Eines war ihm aber auch klar geworden, so wie sie es taten, würde er nicht mit ihnen weiter nach Bulgarien reisen. Davon war er in Berlin noch ausgegangen, als er sie nach Rumänien eingeladen hatte. Nach Constanta könnten sie noch zusammen in der Bahn fahren. Dort würde er ihnen noch alles zeigen, um anschließend mit seinen Freunden zu urlauben.

Von Contanta über Sofia nach Burgas sollte es weitergehen. Roland hatte seine Freunde überzeugt, man müsse unbedingt in Plovdiv Station machen, um später sagen zu können, in der Stadt des allseits hochgeschätzten Plovdiv-Kognaks gewesen zu sein.

16 Reisetage lagen zwischen Berlin und der Bucht von Burgas, wo sie am Schwarzen Meer standen. Dort erreichten sie mit Nessebar das Gebiet des 'Sonnenstrandes' in Bulgarien. Das Zelt schlugen sie auf, wo sich Zelte und Fahrzeuge bis zum Strand platzierten. Hier baute jeder sein Zelt wie es nach Lage zum Meer gefiel. Man nahm dabei in Kauf, dass Hotelgäste aus etwas dahinter liegenden Häusern zwischen den Campern durchlaufen mussten, um ans Wasser zu gelangen. Ein Deutscher war zum Wochenende gerade dabei, seine exponiert gelegene Dünenburg zu räumen, als Roland und seine Freunde auftauchten und sie im fliegenden Wechsel übernahmen. Die Musik aus Jimmys Plattenspieler wirkte wie ein Magnet auf Nachbarn und einheimische Schönheiten. Um ihr Zelt herum campten im Laufe der Tage mehrere Landsleute aus der Bundesrepublik. Mit ihrem unmittelbaren Nachbarn hatten sie besonderes Glück. Ein Ehepaar war mit seinenTöchtern in einem Citroen DS unterwegs. Die avantgardistische Karosserieform, die vorne wie ein Haifischmaul aussah, war damals optisch und technisch das Nonplusultra von einem PKW. Das Auto hatte eine Hydropneumatik mit der es automatisch seine Bodenfreiheit variieren konnte. Bei abgestelltem Motor senkte es sich langsam bis auf die tiefste Stellung ab. Das Staunen von Roland, Jimmy und Jürgen bildete den Anfang einer erbaulichen Urlaubsbekanntschaft. Das Ehepaar war im Hotel einquartiert und die beiden Mädchen schliefen wunschgemäß im Zelt. In der ersten Nacht schlief ihr Vater bei ihnen. Roland und seine Freunde fungierten zur Freude der Eltern als ritterliche Beschützer

der Nesthäkchen. 'Nesthäkchen' stimmt nicht so ganz, denn die eine Tochter, blond und hübsch, war stolze 17 Jahre alt, ihre Schwester drei Jahre jünger. Keine Woche war vergangen, als die Siebzehnjährige sich in Jürgen verknallte. Das wurde von den Eltern wohlwollend toleriert, weil Jürgen über die Attribute verfügte, die sich Eltern für den Umgang ihrer Kinder wünschen. Finanziell hatten Roland und seine Freunde auch keine Probleme, weil ihre Barschaften nicht ab, sondern zunahmen. Für die bulgarischen Lewa gab es neben dem offiziellen Umtauschkurs einen bis achtmal höheren für Devisen unter der Hand. Den Westdeutschen war es sicherer, und eine solidarische Komponente hatte es für sie auch, lieber mit Roland und seinen Freunden zu einem moderaten Kurs, als mit bulgarischen Zigeunern zu tauschen.

Jimmys Werben um eine einheimische Studentin hatte Erfolg. Dass der auch Roland und Jürgen besondere Freude bereiten würde, damit war ja wirklich nicht zu rechnen gewesen:
„Als ich mir den Präsa überstreifen wollte, schob Deniza meine Hand beiseite und zeigte mir eine etwa 1cm große weiße Kugel, die sie in die Vagina einschob. Nix Baby, sagte sie, bevor wir in Clinch gingen."
Als Jimmy das erzählte, ruhte seine Hand auf Denizas Schulter, deren Kopf an seiner Brust lehnte. Als er „nix Baby" sagte, machte sie sich ruckartig gerade, weil sie zu verstehen glaubte, dass Jimmy von ihr erzählte. Schnell begriff sie, Jimmy schwadronierte nicht, sondern bewundernde Neugier von Roland und Jürgen galten ihrer 'nix Baby-Kugel'. Aus ihrer am Tisch stehenden Tasche kramte sie eine in Silberpapier gewickelte Kugel und legte sie mit damenhaften Augenaufschlag aus der halbgeöffneten Hand auf den Tisch.
Die vor ihnen liegende Innovation, als Lösung ihrer Befürchtungen beim Umgang mit Mädels, fanden sie phantastisch. Sie erfuhren, dass solche Kugeln bei Denizas Freundinnen an der Uni gebräuchlich seien, und wohl nur in Sofia erhältlich wären. Die Freunde überschlugen, was sie so eine Kugel durch Umtausch hin und her letztlich kosten würde. Sie kamen auf fünfzehn Pfennige, wenn sie Denizas Beschaffungsaufwand mit insgesamt 20.- Mark honorieren würden.

Jeder orderte als Urlaubsbeute hundert Kugeln. Deniza hatte ihren Platz in Jimmys Herzen, aber ihnen allen blieb sie unvergessen.

Die Zeit verging schnell, obschon sie bereits fünf Wochen tickte. Auf keinen von ihnen warteten im Juli Verpflichtungen in Berlin. Trotzdem, Rolands Sehnsucht nach Helga fiel ihm angesichts der um ihn herum aufgeblühten Liebe immer schwerer. Etwas anderes kam noch hinzu. Die Westtouristen konnten Tagesausflüge nach Istanbul unternehmen. Im Sommer 1964 war der ostdeutschen Staatssicherheit, weil sich ja der Individualtourismus für DDR-Bürger gerade entwickelte, Bulgarien als Schlupfloch gen Westen noch nicht auffällig. Da sich dies in den folgenden Jahren änderte, wurde ein raffiniertes Netz von hauptamtlichen MfS-Spitzeln in den Hotels und Reisebüros geschaffen. Roland und seine Freunde hätten noch mit geliehenen Pässen nach Istanbul gelangen können! Die benutzten Pässe wären mit der Reisegruppe wieder zurück gekommen. Jimmy und Jürgen spielten das immer detaillierter durch. Jürgens Gedanken galten konkret seiner Liebe zu der älteren Tochter. Die sollte nämlich beim Ausflug mit den Eltern nach Istanbul, schon mal ganz genau das Prozedere studieren.

In einem der nahegelegenen Hotels zu ihrer Strandburg tauchte eine FDJ-Jugendgruppe auf. Die FDJ-ler waren mit dem "TOUREX", einem Reisebüro-Sonderzug, der zwischen Dresden und Varna als Freundschaftszug verkehrte, und von dort mit dem Bus angereist. Jimmys Musik hatte einige von ihnen schnell heimisch werden lassen. Für Roland war interessant, mit dieser Gruppe im "TOUREX" eventuell die Heimreise antreten zu können. Eine Hand wusch die andere, schlussendlich war die Reiseleitung einverstanden als sie erfuhr, Roland sei Gruppenleiter im Freundschaftszug nach Moskau gewesen. Wegen ihres Gruppenvisums könne man ihn aber nur bis an die rumänische Grenze mitnehmen. Der Reiseabschnitt war zwar nicht optimal, aber immerhin hatte er bis dahin Schlaf- und Speisewagen. Roland überließ den Freunden den Überseekoffer und machte sich mit kleinem Gepäck auf den Heimweg. Er war sich keineswegs sicher, seine Freunde überhaupt wiederzusehen. Sollte der Fall eintreten, könnte er mit seiner frühzeitigen Heimkehr die Hände in Unschuld waschen, auch nur im Entferntesten an Flucht seiner Freunde gedacht zu haben.

Helga war außer sich vor Freude, ihn wiederzuhaben. Seine bedeutungsvolle Geheimnistuerei um ein besonderes Mitbringsel ließ sie vor Ungeduld und Neugier beinahe platzen. Er packte, zu hause bei ihr angekommen, Plovdiv-Kognak und eine hauchdünne, mit Blumenknospen bestickte Bluse aus. Sie bedankte sich artig, schien aber zu spüren, da gibt's noch was. Dann legte Roland die Silberkugel auf den Tisch und erklärte, was es mit ihr auf sich habe. Aufeinander scharf und ohnehin experimentierfreudig, probierten sie die Kugel gleich aus, obwohl Helgas Kalenderführung wie ein Reichsbahnfahrplan funktionierte. Im Akt entstand Schaum wie in einer Waschmaschine.... Das hatten ihm die Freunde verschwiegen. Für Roland blieb die 'Superkugel' nichtsdestotrotz, ein Verkaufsschlager.

Phönix aus der Asche

Zwei Wochen später hätte er nicht aus Bulgarien zurückkehren dürfen, denn an der Humboldt-Universität, Philosophische Fakultät, fanden die mündlichen Aufnahmeprüfungen statt. Roland hatte sich zum Fernstudium – Kulturwissenschaft - beworben und wurde angenommen. Eine Frage in der Aufnahmeprüfung vom Dozenten für DIAMAT (Dialektischer Materialismus) blieb unvergessen:
„Erklären Sie uns, warum die sowjetischen Kosmonauten vor den amerikanischen Astronauten auf dem Mond sein werden!"
Antwort:
„Die sowjetischen Kosmonauten sind Teil eines einzigen, großen Kollektivs. Hingegen bestimmen bei den Amerikanern Einzelunternehmen mit Konkurrenzabsichten das Geschehen."

Es gab in der DDR die 'LIGA FÜR VÖLKERFREUNDSCHAFT', deren Aufgabe darin bestand, Informationen über die DDR im Ausland zu verbreiten. Dadurch sollten Freundschaft und kulturelle Beziehungen zwischen der DDR und Gruppierungen in einzelnen Ländern gefestigt werden. Hauptziel war es, die diplomatische Anerkennung der DDR zu erreichen. Roland sprach in der Liga vor, weil er annehmen konnte, dass hier, über den Beckenrand der DDR hinaus, Internationalität zum Programm gehören müsste. Er dokumentierte seine zahlreichen Auslandsreisen und schwärmte von der Völkerfreundschaft als dem wichtigsten Band, welches alle verbindet. Seine Bewerbungsunterlagen wurden mit Interesse dabehalten. In der letzten Augustwoche hielt er seinen Arbeitsvertrag als Referent für 'Bild+Dokumentation' in den Händen. Die 'Liga für Völkerfreundschaft' war dem Nationalrat der DDR zugeordnet – dort zu arbeiten war recht reputierlich.

'Diesmal habe ich eine Sprosse auf der Erfolgsleiter erreicht, ohne Vorankündigung und ohne Protege', sondern Kraft meiner eigenen Hühnersuppe dachte er, als er zuhause damit herausrückte. Vaters Kommentar:

„Dann ist einer meiner alten Freunde, der Paul WANDEL, dein oberster Vorgesetzter!"

Ende August trafen beide, Jimmy und Jürgen, in Berlin ein, und im September war die Runde des 'Correspondence Club Berlin' wieder im 'Frankfurter Tor' komplett. Der Anlass wird wohl unbedeutend gewesen sein, jedenfalls blieb er nicht in Erinnerung, als Mewis einlud, den nächsten Gruppentreff im Kuppelbau des Frankfurter Tor stattfinden zu lassen. Er wohnte in einem der 'Henselman-Türme' bei seinen Eltern. Die weithin sichtbare Kuppel markierte zusammen mit dem gegenüberliegenden zweiten 'Henselman-Turm' als dominantes Ensamble das östliche Ende der Karl-Marx-Allee, als Tor zum Zentrum Alexanderplatz. Die Räumlichkeiten im Turm wurde von den Hausbewohnern und deren Gästen gemeinschaftlich genutzt. Die Hausgemeinschaft hatte der Familie Mewis die Schlüsselgewalt übertragen.

Natürlich fanden die Club-Mitstreiter die exponierte Lage schön. Die Einrichtung, Tische und Stühle, Sitzgruppe und Tischtennisplatte nahmen sich spartanisch aus, weil sie in den hohen Räumen verloren wirkten. Mewis hatte für Bier, Brause und Hackepeter-Schrippen gesorgt. Bei Aufbruch legte er allen nahe, kleinste Rückbleibsel nicht zu übersehen, weil er seinem Vater zugesichert hatte, alles so zu hinterlassen, wie sie es vorgefunden hätten. Dazu zählten auch die Glas-Aschenbecher, die sie mit Toilettenpapier auswischen sollten.

Die Zusammenkünfte in der Henselman-Kuppel wurden häufiger, bis dann Mewis, Jürgen und Roland beim Senior-Mewis saßen. Das war eine Person mit ausgesprochen hoher politischer Reputation in der DDR. Um seine Zustimmung bzw. die seiner Hausgemeinschaft warben sie, um mit ihr beim Rat des Stadtbezirks Friedrichshain vorzusprechen. Als 'Correspondence Club Berlin' wollten sie wöchentlich im Turm zusammenkommen dürfen, natürlich nur als Gruppe, zeitlich begrenzt und ohne terminliche Überschneidungen mit Veranstaltungen von Hausbewohnern. Rein theoretisch eigentlich ein Unding, von den Privilegien der handverlesenen Bewohner im Henselman-Turm etwas abknapsen zu wollen...

Rolands Hinweis bei der Vorstellung, in der 'Liga für Völkerfreundschaft' als Referent tätig zu sein, wurde wohlwollend zur Kenntnis genommen, aber als Jürgen seinen Familiennamen nannte, schoss er damit den Vogel ab. Sein Vater war im Büro von Architekt HENSELMANN maßgeblich an der Ausführungsplanung des 'Platz-Ensemble Frankfurter Tor' beteiligt. Jetzt wohnte er schräg gegenüber und war Senior-Mewis bestens bekannt.

Beim Rat des Standbezirks, dessen Amtssitz nur drei Häuser weiter neben dem 'HenselmanTurm' lag, holten sie sich die Zustimmung ab. Das spornte die Freunde an, den offiziösen Status ihres Clubs weiter auszubauen. Es gab die Idee, einen Briefbogen zu gestalten, der die Adresse des 'Frankfurter Tor 1' mit einer Vignette hervorheben sollte. Jürgen als bestens ausgebildeter Grafiker hatte das Händchen dafür, entwarf, zeichnete und setzte den Entwurf druckfertig. Schön und gut, Drucke und Vervielfältigungen bedurften aber in der DDR einer Genehmigungsnummer, die auf jedem Blatt unten links angegeben sein musste. Solche vergab auch die 'Liga für Völkerfreundschaft' für ihre eigenen Veröffentlichungen. Roland trickste und leitete eine solche Nummer für den Briefbogen um. Die Druckerei staunte nicht schlecht, als Roland den Auftrag erteilte.

Ein dienstliches Projekt, welches zusammen mit der Akademie der Wissenschaften durchgeführt wurde, sollte den westdeutschen Neokolonialismus entlarven. Rolands Zuarbeit bestand darin, geeignete Bilder oder Karikaturen aus westdeutschen Illustrierten zusammenzutragen. Für diese Aufgabenstellung zählten QUICK, REVUE, SPIEGEL und STERN zu Rolands Pflichtlektüre. Die Zeitungen sollten, ohne Mitleser aus dem Kollegenkreis, immer vollständig zurückgegeben werden. Im Revolving-Verfahren bekam er dann die aktuellen Ausgaben. Seine Sekretärin, eine unverheiratete Dreißigjährige, ließ er auch an den Segnungen aus dem Westen teilhaben. Wenn sie sich Schnittmuster aus den Zeitungen skizzierte, bezog Roland auf dem Gang Stellung vor ihrer Tür. Außerhalb der Liga gab er Helga zu lesen ab, was sie sich wünschte. Und dann, als ganz vertrauliche Lektüre gedacht, durften die Clubfreunde des engsten Kreises sich während der wöchentlichen Treffen im 'Henselman-Turm' zurückziehen, um zu erfahren, was so in der Welt geschieht. Das liest sich wie Pille-Palle, aber damals waren die DDR-Zöllner regelrecht abgerichtet, Besucher aus dem Westen, ob mit oder ohne Auto, bis auf's Letzte nach Druckerzeugnissen zu filzen, um sie gegebenenfalls sanktionieren oder erpressen zu können. Die Weitergabe der Zeitschriften sah Roland nicht als Widerstand gegen den Staat. Seine moralische Selbstverständlichkeit begleitete das Gefühl elitärer Genussfreude. So empfanden das auch die Leser im Club.

Jürgen machte einen totunglücklichen Eindruck. Er hatte nach Musterung und Gesundheitscheck vom 'Wehrkreis Kommando Friedrichshain' erfahren, man würde ihn im November '64, einberufen. Seine Einwände, er wäre beruflich unabkömmlich, blieben unberücksichtigt. Weil er angegeben hatte, unbedingt Kunst studieren zu wollen, teilte man ihn den Grenztruppen zu:

„Dann klappt es später auch mit der Studienzulassung.", fügte der Hauptmann vom Wehrkreiskommando seiner Zuweisung an.

Wut und Enttäuschung drückte Jürgen gegenüber Roland und Franzke so aus:

„Wäre ich in Bulgarien abgehauen, wie es mir ja angeboten worden ist, brauchte ich nicht zum Kommiss. Den Dienst in der Bundeswehr kann man verweigern und aus Westberlin wird niemand eingezogen."

Guter Rat war teuer, und den erwartete er jetzt von seinen besten Freunden. Sie kamen überein, es müsse ein gesundheitlicher Grund her, der die bevorstehende Einberufung unmöglich mache. Er könnte sich etwas brechen, vielleicht einen Arm? Roland und Franzke sagten zu, wenn es sein müsse, ihm dabei zu helfen! Mit der Zusage nahm jeder insgeheim an, es würde sich schon noch eine andere Lösung finden oder Jürgen sich seinem Schicksal fügen, schließlich waren es noch drei Wochen hin, bis zur Einberufung.

Am letzten Dienstag vor der Einberufung, im 'HenselmanTurm', schien Jürgen völlig verzweifelt. Noch nicht einmal gegenüber seiner Freundin, die er zwei Monate zuvor im Kollegenkreis kennengelernt hatte, wagte er ein Wort darüber zu verlieren, sich der Einberufung durch einen gestellten Unfall entziehen zu wollen.

Franzke rang sich zu der Frage durch:

„Jürgen, was ist, willst du noch immer, dass wir dir den Arm brechen?"

„Mir bleibt doch gar nichts anderes übrig! Sagt mir lieber, wie das vor sich gehen soll?", äußerte Jürgen betrübt, aber auch bestimmt.

„Es bleiben also noch fünf Tage, nächsten Montag müsstest du antreten!", rekapitulierte Franske.

„Freitag 14 Uhr bei mir, da sind die Eltern noch im Dienst", fixierte Jürgen.

„Na gut, Freitag also, ich bringe einen Spaten mit und Roland einen guten Plovdiv-Konjak, anschließend lassen wir dich in die Klinik abholen."

Jürgen hatte den halben Zahnputzbecher Kognak ausgetrunken, Franske und Roland hatten jeder einen kräftigen Schluck genommen.

Jürgen saß, mit bis über den Ellbogen hochgekrempeltem Hemd, rücklings auf einem Stuhl. Er sollte den Unterarm auf den Zwischenraum zwischen seiner Rückenlehne und der Rückenlehne eines zweiten Stuhls legen, der soweit entfernt stand, dass die Auflagepunkte hinter dem Handgelenk und vor dem Ellbogen lagen. Der knochenbrechende Schlag sollte mit der scharfen Eisenklinge nicht das Gewebe zerfleischen. Dieses Teil sollte nur als herab sausendes Gewicht den Hieb verstärken - treffen sollte der Stiel.

Die gestellte Konstruktion befanden sie gut, schauten sich an und noch bevor Franzke fragen konnte, hielt Roland beide Stuhllehen in festem Griff. Damit zeigte er an; du schlägst - ich sichere! Franzke nahm langsam Maß, zählte bis drei und schlug drauf. Jürgen stöhnte:

„Verdammt, da ist nichts gebrochen!"

„Tut mir leid, Jürgen, dem Homo sapiens sind da wohl innerliche Reflexe beigegeben, einem anderen nicht so weh zu tun. Ich werde es noch einmal versuchen. Bist du einverstanden?"

„Na los, aber überwinde deinen Human-Reflex!", ergab sich Jürgen

Der zweite Schlag erfolgte fürchterlich. Alle glaubten, die Tat sei vollbracht. Jürgen war aufgesprungen, umklammerte seinen Arm und hüpfte vor Schmerz von einem Bein auf's andere - bis zu seiner niederschmetternden Diagnose:

„Er ist nicht gebrochen!"

Roland ging ins Badezimmer und kam mit einem nassen Handtuch zurück, das er unter kaltes Wasser gehalten hatte. Sie legten das Handtuch auf den stark angeschwellenden Unterarm. Franzke gegen den Schreck und Jürgen gegen den Schmerz tranken jeder einen halben Becher Konjak.

Sie saßen neben Jürgen und schauten ihm beim Kühlen des Armes zu. Roland äußerte nachdenklich:

„Ich glaube, wir haben anatomisch falsch angesetzt! Jürgen hatte den Unterarm mit dem Handrücken nach oben aufgelegt. Die Schläge trafen das Muskelgewebe, nicht den Knochen. Besser wäre wohl gewesen, er hätte den Unterarm mit dem Daumen nach oben aufgelegt."

„Was willst du denn damit sagen? Ich haue nicht noch einmal drauf!", ereiferte sich Franzke

„Ich spreche ja nur von der möglichen Fehlerursache. Tatsache ist, wir haben nichts erreicht! Jürgen, was meinst du?"

„Ich glaube, ich kann dir zustimmen! Würdest du's denn machen?"

„Bei unserer Freundschaft, ja!"

Sie bereiteten alles noch einmal vor. Roland kontrollierte die Armauflage, nahm Maß und schlug drauf.

In dem Moment, als Jürgen Schmerz gekrümmt aufsprang, realisierte Roland, dass er in der tausendstel Sekunde nicht mit voller Kraft den Arm getroffen hatte. Das Ergebnis war dementsprechend.

Franske fand als erster Worte:

„Jetzt rufen wir den Rettungswagen und lassen Jürgen in die Klinik abholen."

Schmerz verzerrt wies Jürgen ihn zurecht:

„Das kommt überhaupt nicht in Frage! Die können doch Eins und Eins zusammenzählen. Ich lande womöglich wegen versuchter Selbstverstümmelung vor'm Militärgericht!"

„Jürgen hat Recht! Das Einzige was ihn davor bewahren kann, ist Montag sein ganz normales Einrücken bei der Truppe."

Befragt, wie er denn zu dem lila bis rotfarbenen Unterarm gekommen sei, erzählte Jürgen von einem aufgebockten Auto, welchem bei der Reparatur der Bock weggerutscht, ihm den Arm eingeklemmt hat. Drei Wochen, seine Kameraden wurden in der Grundausbildung durch's Gelände gejagt, kurierte Jürgen bei bester Behandlung seine Blessuren aus. Weitere Nachforschungen zum 'Unfallhergang' gab es keine.

Roland hatte sich gut in der Liga etabliert. Des Öfteren hatte er dafür Sorge zu tragen, für von der Liga betreute Gäste einen Fotografen zu stellen. Die auf Zelluloid festgehaltenen Begegnungen und besonderen Anlässe bekamen die Gäste bei der Abreise zur Erinnerung geschenkt. Für diese Aufgabe konnte er freiberuflich tätige Fotografen beiziehen, die bei Zentral-Bild der DDR gut beleumdet waren. Zu einem von ihnen hatte sich die Exklusiv-Beauftragung ergeben. Ein Mann, um die dreißig Jahre alt mit guten Umgangsformen, nicht von der Stange gekleidet und mit eigenem PKW örtlich flexibel, passte in Rolands Konzept.

Auch wenn schon mal die letzten Fotos spätabends von ihm geschossen wurden, stand er, wenn es sein musste zum Frühstück im Hotel, um die Fotos für die Gäste vor deren Abreise an Roland übergeben zu können. Im eigenen Fotolabor arbeitete er, zusammen mit seiner bei ihm wohnenden Freundin, nachts. Sie schafften es, selbst wenn Abzüge für eine Gruppe gemacht werden mussten. Dann hingen die 24x18cm großen Fotos an quer durch die Wohnung gespannten Leinen zum Trocknen auf. Weil dieser Fotograf der Auftragsvergabe durch Roland sicher sein konnte, hatte er hunderte Bildkassetten anfertigen lassen. Das waren Fotoboxen aus Leinen umspanntem Karton, blau eingefärbt. Als besondere Aufmerksamkeit konnte er mit eigener Maschine in goldfarbigen Lettern individuelle Titel in Buchstaben und Zahlen auf Front und Deckel der Boxen prägen. Es gab Fälle von Termindruck, da war Roland helfende Hand. Der Fotograf fuhr einen 1962er roten Skoda-Felicia-Cabriolet mit Heckflossen. Ob mit oder ohne ihre Freundinnen, sie hatten Spaß bei ihren Ausfahrten.

Die Innovation mit den Foto-Geschenkboxen wurde von Rolands Vorgesetzten mit Freude zur Kenntnis genommen. Geld floss reichlich, so gönnten sich der Fotograf und Roland mit ihren Freundinnen eine Silvestersause '64/65 im neuerbauten Hotel BEROLINA hinter dem Kino INTERNATIONAL. Das Hotel war damals das 'erste Haus am Platze' in Ost-Berlin - steht heute nicht mehr.

Auf die Knie gezwungen

Dem Werben, Roland als Kandidaten für die Aufnahme in die SED zu gewinnen, gab er sich aufgeschlossen, liebäugelte aber insgeheim damit, ihm mit Eintritt in die Liberal Demokratische Partei Deutschland (LDPD) ein Schnippchen zu schlagen. Natürlich konnte er im Kollegenkreis mit keinem darüber sprechen....

Anfang April '65 wurde Roland zum Chef der Liga, Herrn Wandel bestellt. Der übergab ihm als Dankeschön für die geleistete Arbeit zwei der wohl in diesen Tagen begehrtesten Eintrittskarten für den Friedrichstadtpalast. Dort war das Gastspiel des Jahres, der Auftritt von LUIS AMSTRONG, „SATCHMO", der Jazz-Legende aus Amerika, angesagt. Nach dem Konzert tags drauf saß Roland bei seinem Friseur in der Boxhagener Straße. Der schnitt ihm schon jahrelang die Haare, wobei er Witze, auch politische, so zu erzählen vermochte, dass man sie selber nicht so pointensicher repetieren konnte. An diesem Tag war der Friseur auffällig einsilbig. Burschikos wollte Roland ihn aus der Reserve locken:

„Was ist dir denn über die Leber gelaufen? Has'te Ärger mit deinen Weibern?"

„Nee, mein Lieber, ick bin irritiert! Wie bist'e denn jestern bei Amstrong int Fernsehn jekomm? Ick kiek ma ja dit Ostfernsehn sonst nich an, aber jestern wollt ick „Satchmo" sehn. Wen seh ick da mit Braut inne Ehrenloge sitzen?", quatschte er vor aller Kundschaft.

„Das war 'Vitamin B', kennste doch!", versuchte Roland das Gelaber zu beenden.

„Is ja jut, mir brauchste in Zukunft nischt mehr erzähln! Wer jibt dir wohl sone Karten?", schmiss der Friseur ihn aus der bisherigen Vertrautheit.

Das war an diesem Tag nicht der erste Nackenschlag, den Roland zu verdauen hatte. Um die Mittagszeit flogen sowjetische MIGs in Überschallgeschwindigkeit einzeln und in Rotten im Tiefflug über den Reichstag in Richtung Tiergarten. In der von den Berlinern 'Schwangere Auster' genannten Kongresshalle waren die Bundestagsabgeordneten zu einer Sitzung zusammengekommen. Die als Knall wie Donnerschlag bei Überschreiten der Schallgeschwindigkeit auftretenden Stoßwellen bumsten auf der Ostseite im Bereich Liga-Haus und des Brandenburger Tors wie auch im angrenzenden Tiergarten. Sogar im Europacenter gingen Schaufensterscheiben zu Bruch! Bei den ersten Überflügen der MIGs eilten die Liga-Mitarbeiter aus den Büros und schauten aus den Galeriefenstern des Wandelgangs den Maschinen in Richtung Westen nach. Die Leute standen fassungslos da und schauten in Rolands Richtung als der laut, so dass ihn allen hören konnten, sagte:

„Wer provoziert denn hier jetzt wen? Das, was die Freunde hier machen, ist doch gefährlich hoch drei! Ein Bruchteil von Sekunden reicht aus, um eine Maschine in dicht besiedeltes Gebiet abstürzen zu lassen. Ich weiß als ehemaliger Flugzeugführer, wovon ich rede!"

Aus dem Schwarm der Kollegen reagierte keiner – alle verschwanden schleunigst hinter ihren Bürotüren.

Kurz danach klingelte das Telefon. Roland wurde in den Konferenzsaal bestellt. Da saßen nun seine lieben Kollegen, um Rolands Kernfrage 'Wer provoziert hier WEN?' vom Standpunkt der Partei zu bewerten. Die in der Kongresshalle tagenden Bundestagsabgeordneten wurden als Provokateure gebrandmarkt, da ihr Auftritt ein 'eklatanter Verstoß gegen das Berlinabkommen' sei! Deren 'als unantastbar' postuliertes Recht in Berlin tagen zu dürfen, verdeutliche ihre gegen die DDR gerichtete revanchistische Strategie! Die sowjetischen Freunde zeigten mit ihren Flugmanövern Solidarität mit der DDR! Außerdem sei ihre Ausbildung so gut, dass niemand den Absturz befürchten müsse.

Übrigens, bei allem Vertrauen auf Ausbildung und Technik, auf den Tag genau, ein Jahr später, ist eine der modernsten sowjetischen Maschinen, eine Jak-28P, in den Westberliner Stößensee – britischer Sektor – gestürzt. Beide Insassen kamen zu Tode. Sie haben nicht versucht, sich durch den Schleudersitz zu rettet. Andernfalls hätte es womöglich Todesopfer in bewohntem Gebiet gegeben.

Soweit die offizielle Parteilinie als Zurechtweisung an Rolands Adresse, bei der sich die Kollegen übereifrig in Szene setzten. Dann wollte auch noch Rolands Sekretärin Punkte einheimsen:

„Ich wollte auch dem Kollegen sagen, dass er mit seiner Fragestellung Subjektivistisches über die Position der Partei gestellt hat!"

'Du kleine Natter', dachte Roland, 'ab sofort wird es für dich keine Schnittmuster mehr aus meinen Zeitungen geben!'

Seine kleinlichen Rachegelüste änderten nichts daran, dass ihm vor aller Mannschaft, gleich mehrere Zacken aus der Krone gebrochen worden sind!

Die Eltern standen vor ihrem, diesmal für langfristig geplanten, erneuten Auslandseinsatz, diesmal in Rumänien. Kaum nachvollziehbar, in Anbetracht des Mangels an Wohnraum für Familien waren sie der Auffassung, ihre große Wohnung als Leerstand beziehungsweise nur von Roland bewohnt, sei nicht zeitgemäß. Sie erklärten, sich auf Zweieinhalbzimmer verkleinern zu können und konnten sofort in eine Neubauwohnung in der Singerstraße umzuziehen. Der Kollateralschaden, dass Roland seines Zuhauses verlustig gehen würde, sahen sie als hinnehmbar an, weil man ihm eine Einraumwohnung in einem Altbau stellen würde. Rolands Protest wurde mit dem Hinweis gekontert, er wäre alt genug, sich seine vier Wände selber zu erarbeiten. Sein Aus- und Umzug wurde zwangsweise von der Wohnungsgenossenschaft erledigt. Das Zimmer wurde ausgeräumt und nackt, ohne Ausstattung mit Haushalts-Gerätschaft, in die Einraumbehausung mit Toilette auf dem Flur, in der Rigaer Straße 56 verfrachtet. Der Kontakt zu den Eltern war dermaßen gestört, dass es hierfür keine Steigerung gab.

Helga war Rolands Anker. Sie schufen sich ein zwar beengtes, aber lebenswertes Nest, dem Helgas Zuhause den Rahmen gab.

Ein Professor und seine Dolmetscherin aus der Mongolei waren von der Liga eingeladen worden. Roland begleitete die Gäste drei Tage im Wolga-Dienstwagen nicht nur zu Terminen in Berlin, sondern auch nach Meißen, Dresden, Leipzig sowie nach Stralsund und Rostock. Mit dem Fotografen hatte er organisiert, dass der motorisiert stets zur Stelle war. Die VIP-Begleitung kam so gut an, dass Roland samt Fotograf in die Mongolei eingeladen wurden.

In ihrer Phantasie überwanden sie die Entfernung mit der transsibirischen Eisenbahn. Je detaillierter sie ihre diesbezüglichen Studien vorantrieben, desto deutlicher machten die zeitlichen Dimensionen dem Fotografen bewusst, dass er sich beruflich einen solchen Ausstieg nicht würde erlauben können. Roland bot den frei gewordenen Platz seinem Reisekumpel und Clubgenossen Jimmy an. Das machte Sinn. Jimmy hatte keinen Studienplatz bekommen und jobbte bei den Eltern in der Apotheke. Zwar ohne akademische berufliche Perspektive, verfügte er zumindest über Geld und war zeitlich abkömmlich. Jimmy musste nicht überredet werden: „Meine Conditio sine qua non - im November müssen wir zurück sein. Da muss ich zur Armee!"

Diese Zeitspanne klang für Roland aberwitzig lang.

Die Reisevorbereitungen nahmen volle Fahrt auf. Rolands berufliche Position half, Kontakte zu Betrieben in der DDR zu knüpfen, um Unterstützung für sein Reiseprojekt zu erlangen. Mit dem Bemühen, Sponsoren für die technische Ausstattung zu finden, rannte er bei ORWO offene Türen ein. Sein Projekt fiel unmittelbar in die größte Werbekampagne, die die DDR auf dem Gebiet der Wirtschaft im Ausland bis dato gefahren hatte. 1964 hatte sie ihre Markenrechte an AGFA verkauft und war nunmehr gerade dabei, das neue Label (ORiginal WOlfen = ORWO) weltweit zu platzieren. Wie in die Filmfabrik nach Wolfen ließ sich Roland im schwarzen Wolga-Dienstwagen auch in das Kamerawerk PENTACON in Dresden chauffieren. Dort bekam er eine Spiegelreflexkamera PRAKTIKA, die damals in den Geschäften als reine 'Bückware' über die Ladentische ging. Diese Kamera (Verschluss 1x aufziehen, 10x drücken) hatte das Weltniveau, von dem die DDR auf anderen Gebieten nur träumte und zählte von daher zu den fettesten Devisenbringern.

Es wurde für Roland höchste Zeit, bei seinen Vorgesetzten das Reiseprojekt vorzustellen. Er glaubte wirklich, seine Argumente, ganz im Sinne der Liga, erbrächten die Zustimmung für die etwa 10-wöchige Abwesenheit. Dem war aber nicht so! Ihm wurde für die Gesamtdauer der Reise kein unbezahlter Urlaub gegeben. Jung, forsch und nicht zu bremsen fabulierte Roland davon, dann zu kündigen. Halb erschrocken von der Zustimmung die seine Kündigungsabsicht, fand, aber doch überzeugt, das Richtige zu tun, avisierte er seinen Liga-Abschied. Man wünschte im alles Gute und viel Glück. Es schien alles im Lot, die Visa waren in den Pässen und die Vorbereitungen für den Reiseantritt am 28. August abgeschlossen.

Am 20. Juli wartete Roland auf Jimmy in der Hygiene-Inspektion/Dauerimpfstelle des Stadtbezirks Mitte zur Verabreichung einer prophylaktischen Spritze. Diese hatte im Gesundheitspass genauso wichtig vermerkt zu sein, wie die Visa im Pass. Wer nicht kam war Jimmy! Abends im Henselmann-Turm erschien Jimmy auch nicht. Keiner hatte eine Ahnung wo er steckte. Als ihm tags drauf auch Jimmys Eltern nicht weitergeholfen haben, strich er wütend den Freund als Reisebegleiter. Von hause aus positiv veranlagt scheute er, das womöglich für ihn Schlechte anzunehmen. Wie und was auch immer, er würde sie Reise auch allein antreten!

Mit Helga hatte er einen besonders schönen Abend in der „RENI-BAR", die sich im Haus seiner Wohnung, in der Rigaer Straße befand. Das Besondere nahm seinen Lauf als, Helga fragte:
„Was hältst du von Verlobung?"
„Gefühlt hätte ich das auch fragen können! So, nur wir beide haben jetzt das Problem, wo nehmen wir goldene Ringe her?"
„Schau mal, ich habe Altgold", und Helga legte einen Siegelring und zwei Eheringe auf den Tisch, „sind von meinen verstorbenen Großeltern."
Oben in seinem Zimmer zeichnete Roland ihre Vorstellungen auf Papier, bevor sie umarmt einschliefen. Morgens, Helga hatte sich bereits zur Arbeit verabschiedet, klingelte es an der Wohnungstür.

Zwei Männer baten um Einlass. Mit einer Klappkarte wiesen Sie sich als Funktionäre des 'Zentralrat der FDJ' aus:

„Wir haben erfahren, Sie beabsichtigen in den nächsten Tagen eine Auslandsreise in die Sowjetunion und Mongolei anzutreten. Es sind Treffen mit studentischen Jugendorganisationen in der Mongolei geplant. Wer hat Sie hierzu beauftragt? Sie wissen doch wohl, das solche Kontakte ausschließlich durch den Zentralrat der FDJ geknüpft und gepflegt werden? Sie sind auch Vorsitzender eines sogenannten 'Correspondence-Club-Berlin'. Was ist das für eine Vereinigung? Welchem Dachverband gehört sie an?"

Roland erkannte am Duktus der Fragen und dem Auftritt der Besucher, was die Stunde geschlagen hatte. Egal wie und was er antworten würde, es hätte keinen Einfluss auf eine ganz oben gegen sein Projekt getroffene Entscheidung!

Mit dem süffisanten Hinweis, er hätte ja die Reise alleine antreten müssen, weil ihm auch sein Freund Jimmy abhanden gekommen sei, fiel der Hammer! Über eine Stunde zog sich die Beerdigung des Reiseprojektes. Dann hatten es die Herren eilig:

„Um es kurz zu machen, Sie werden die Reise nicht antreten! Ihr Name und die Visa-Nummer sind an der Grenze bekannt. Sollten Sie dennoch versuchen die Ausreise anzutreten, begehen Sie eine Straftat! Sie haben sich beim Rat des Stadtbezirks Friedrichshain zu melden, um eine Protokollnotiz zu unterschreiben. Darin erklären Sie, davon Kenntnis erhalten zu haben, dass die Tätigkeit im Sinne des Clubs mit sofortiger Wirkung einzustellen ist und Rechtsgeschäfte des Clubs bis zum 15. September abzuschließen sind."

Als die Leute gegangen waren, hoffte Roland, endlich aus einem Traum erwachen zu dürfen. Er ließ sich in den Sessel fallen, starrte vor sich hin und suchte nach Erklärungen für das Abgelaufene.

Es war kein Traum, sondern ein De-ja-vu-Erlebnis!

Schon einmal hatte das System ihm etwas genommen - ohne Chance individueller Wehr, einfach aus politischer Opportunität und Macht. Das war, als man ihn aus der weiteren Ausbildung zum Flugzeugführer herausnahm, weil er dreizehn Verwandte im Westen hatte. In diesem System mit Denkschablonen und willkürlicher Gängelung konnte und wollte er nicht alt werden!

Bei den Clubmitgliedern reichte die Gefühlsskala von nicht überrascht-sein bis zu Empörung. Die Vermutung machte die Runde, dass das Verschwinden von Jimmy die Lawine ausgelöst hatte. Für eine Flucht sprach, dass es unter ihnen keine deutlichen Nachstellungen auf Mitwisser gab. Jimmy war der Einberufung zur Armee zuvorgekommen, wobei ihm die Reisevorbereitung mit Roland als Nebelkerze diente. Soweit Roland mitbekam, erreichte in den folgenden Monaten keinen der Freunde Post. Der Kontakt zu Jimmy blieb verloren.

Rolands planloses Verhalten war Helga erklärlich, aber sie spürte auch, dass es nicht die Summe der negativen Maßnahmen waren, sondern es tiefer liegende Veränderungen bei im gegeben hatte. Von Verlobung war schon nicht mehr die Rede. Es gab Tränen, und Roland tat es in der Seele weh als er versuchte, Worte für das Beziehungsende zu finden. Bei dem, was vor ihm lag, konnte er keine Verantwortung für einen lieben Menschen übernehmen!

In Rolands Wohnung gab es keinen Fernseher und so war es ihm zur Gewohnheit geworden, runter zu gehen in die „Reni-Bar". Als gern gesehener Gast hatte er am Bartresen fast immer denselben Platz. Manchmal war Ostberlin wie ein großes Dorf, man traf immer wieder bekannte Gesichter. So geschehen, als Dirk aufkreuzte, den er noch aus Internatszeiten kannte. Dirk wohnte, verkehrsmäßig zwei S-Bahn-Stationen entfernt, in Treptow bei seiner Mutter. Sein 'Reni-Bar' Besuch war einer von zahlreichen Versuchen, das Solo-Dasein durch Kontakt zu weiblichen Solos zu überwinden. Mit dem Wiedersehen kam Roland auf andere Gedanken und partizipierte von Dirks Lebensfreude. So eroberten sie manches einsame Herz. Roland hatte drei Etagen über der Bar die gerichtete Spielwiese. Beim lustvollen Miteinander, gab es jedes mal weit im Hinterkopf, den Gedanken, dies könne auf lange Zeit sein letzter Akt sein. Grund genug, bis zum 'geht nicht mehr' im Rausch der Sinne und Gelüste zu verbleiben.

Idee mit Rückfahrkarte - gescheiterte Flucht -

Monate vergingen ohne konkrete Flucht-Idee. Sicher war er sich allerdings darin, auf keinen Fall eine Flucht zu versuchen, die sein eigenes Leben gefährdete. Die Vorstellung, als zusammengeschossener Krüppel im Westen oder in der DDR ein Leben führen zu müssen, lag jenseits der Güterabwägung. Seine Fluchtchance musste so etwas wie ein Unikat sein. Ein Maßanzug -

ohne Mitwisser und ohne Verantwortung gegenüber anderen Personen.

Im Umkehrschluss bedeutete das - keine Hilfe durch Dritte.

Diese Einschätzung glich der Quadratur des Kreises! Eine Idee, und wäre sie noch so gut, eine Garantie auf Erfolg hätte sie nicht. Und weil dem so war, wollte er in ihre Vorbereitung das Scheitern einbeziehen. Sozusagen als Notbremse - die Flucht aus der Fluchtabsicht. Das Risiko wäre minimiert auf ein zwangsweises Leben in der DDR danach. Zumindest für viele Jahre ohne Karriere, mit der ins Nirgendwo entrückten Sehnsucht nach einer offenen Welt.

So bastelte er gedanklich an einer Konstruktion, die bei Scheitern nicht die Republikflucht als ausschließliche Triebfeder seiner Aktion schlussfolgern lassen sollte, sondern als Dummheit, Naivität und Übermut abgeurteilt werden könnte. So verständlich, wie es ja schon Spuren in seiner Vita gab. Er war ja schließlich kein ausgewiesener Feind der DDR!

Dann kam sie ihm - die Fluchtidee - Idee mit Rückfahrkarte!

Solch ein vages Konstrukt im Ohr Dritter, wenn es denn ein solches gegeben hätte, wäre wie eine halbe Schwangerschaft aufgenommen worden. Die Konjunktive in der Herangehensweise hätte bei Dritten schon deswegen an der Ernsthaftigkeit Zweifel aufkommen lassen, weil es sich um individuelle Freiheiten handelte, derer Roland sich zu bedienen gedachte. Solche waren keinem seiner Bekannten durch Mangel an Vitamin B geläufig. Möglicherweise hätte das Brechen des Siegels der Verschwiegenheit schon das Projekt gefährdet.

Wie sehr er nach Gedankenaustausch lechzte, er hielt sich zurück.

Die Projektidee war genial. Und weil sie das war, bekam seine Phantasie neue Bilder. „Der Westen", „die Freiheit" spiegelten eine Wertigkeit, in der sich alle Inhalte von „Schön" und „Erfolg" bündelten. Die Konturen im Falle des Scheiterns verblassten. Nebensächliches wurde auf einmal wichtig. Als er zum Beispiel Bücher ausquartierte, derer er eigentlich nicht für immer verlustig gehen wollte, bat er Winfried um eine Gefälligkeit. Mit der fadenscheinigen Begründung, die überlagerten Tapeten und Anstriche seiner Zimmerwände komplett entfernen zu wollen und neu zu gestalten, bat er ihn um ihre Unterbringung. Der moserte, bevor er einwilligte:

„Die Bücher kannst du doch in Küche oder Toilette abstellen."

Trotzdem, Winfried holte die zu zwei schweren Paketen geschnürten Bücher mit dem Fahrrad ab. Einer hielt die Ladung auf dem Gepäckträger fest, der andere schob das Fahrrad. Die Pakete landeten, verschnürt wie sie waren, in Winfrieds Keller. Dass zwischen den Buchdeckeln allerlei persönliche Unterlagen zusammengefaltet lagen, wusste nur Roland.

Sein Aktionismus gab ihm Glückshormone, den 'Sprung über die Klippe' bereits hinter sich zu haben, obwohl er sich ja noch im Anlauf auf die Klippe befand.

Die 'Klippe', das war der Gang in die Passstelle!

Mit der Begründung, er wolle die Eltern in Bukarest mit der Bahn besuchen, würde er versuchen, das Visum bei seiner Passstelle zu bekommen. Die Leute dort wussten ja nicht, alles andere hatte er im Kopf, aber bestimmt nicht den Wunsch auf ein Wiedersehen mit den Eltern. Über die vorweihnachtlichen Eindrücke auf der Reise beabsichtige er für die Zeitung zu berichten, so würde er den Besuchswunsch argumentativ unterlegen. Auf der Passstelle kannte man ihn, denn er war ja einer von wenigen DDR-Bürgern, dem oft Individual-Reise-Visa ein-gestempelt worden waren. Begonnen hatte das alles mit Syrien, später dazugekommen Ungarn, Rumänien, Bulgarien, Polen, Sowjetunion und zuletzt die Mongolei. Bis hierher eigentlich eine für sich sprechende Legende. Das Konstrukt hatte eine entscheidende Schnittstelle. Das war der Visum-Stempel. Der war so groß wie das Blatt im Pass. Ganz oben war die Visum-Nummer eingetragen, darunter wurde „einmalig" oder „mehrmalig" durchgestrichen, in den nächsten zwei Zeilen wurde handschriftlich „das" oder „die Zielländer" eingetragen. Soweit so gut, aber dann kam eine Zeile, in die der Reiseweg der zu durchquerenden Länder handschriftlich hinter dem Wort: „über" einzutragen waren.

Auf dieser Zeile beruhte Rolands Spekulation!

Eingetragen werden könnte als Reiseweg: - über - Polen, Ungarn und

356

CSSR oder: - über - CSSR und Ungarn.

Er musste erreichen, dass diese Zeile erst einmal frei blieb. Er wollte sagen, die Reiseroute hinge von Fahrzeiten und Preisen ab, die er ja erst mit Vorlage des Visums erfahren würde. Wenn somit die Reiseroute endgültig feststünde, käme er wieder vorbei, um die Visa-Ausfüllung vervollständigen zu lassen.

Die Schilderung mit der Fahrkartenauskunft stimmte nicht so ganz – könnte aber plausibel für die liebe Frau in der Passstelle klingen. Auskunft über Preise und Fahrrouten bekam man sehr wohl am Schalter, aber die Fahrkarten wurden erst bei Vorlage des Visums ausgehändigt. Mit ein wenig weltläufigem Charme müsste es ihm gelingen, erst einmal den Visa-Stempel ohne Eintrag der Reiseroute zu bekommen.

Das war die entscheidende Spekulation für alles weitere!

„Hier Roland Grundmann, ich möchte bitte die Kollegin Luchs von der Visa-Stelle sprechen", rief er in der Polizeidirektion Friedrichshain an.

„Frau Luchs, schön, dass ich Sie erreiche. Ich bräuchte mal wieder ein Reisevisum, diesmal Rumänien-Bukarest. Kann ich heute oder morgen bei Ihnen vorbeikommen und gleich darauf warten?"

„Haben Sie denn aus Rumänien eine offizielle Einladung?"

„Ich bin es, Roland Grundmann, Sie wissen doch, die Eltern sind in Bukarest, da habe ich weiter keine Einladung – brauche ich doch für die rumänische Botschaft nicht, oder?"

„Ach so, nee, brauchen Sie nicht, kommen Sie Morgen früh vor neun, vorbei."

Kurz nach acht Uhr stand Roland im Zimmer von Frau Luchs.

Roland war angespannt, völlig einstimmt in das Rollenspiel, welches er oft gedanklich hatte ablaufen lassen. Das gesamte Konstrukt baute darauf auf, dass die nette Frau Luchs eine Zeile im Visum vorläufig freilässt und Roland schneller im Zug sitzt, als dieses Versäumnis bemerkt werden wird.

„Ist ja nicht gerade die beste Reisezeit für Rumänien. Fliegen Sie oder reisen Sie mit der Bahn?", fragte Frau Luchs.

„Mit der Bahn", ließ Roland sie wissen. „Über CSSR und Ungarn bin ich
ja schon gefahren, vielleicht fahre ich diesmal über Polen. Auf jeden
Fall werde ich einen Artikel über Bahn, Land und Leute schreiben!"
„Dann lasse ich die Reiseroute frei und Sie kommen vorbei, wenn Sie
das Visum von der Rumänischen Botschaft und die Fahrkarten haben."
„Danke, Frau Luchs, ich melde mich!"
Der Akt der Visum-Vergabe in der Polizeidirektion war so gelaufen,
wie er ihn erträumt hatte.
Jetzt musste es schnell gehen, bevor Frau Luchs ihn vermisste. Am
Abend musste er im Zug sitzen.
Es hatte noch nicht zwölf geschlagen, als er sich mit dem Einreise-
Visum im Pass auf den Weg zum Fahrkartenschalter auf dem
Ostbahnhof machte. Die Frau hinter dem Schalter schaute sich das
Visum an:
„Über Dresden, Prag, Budapest nach Bukarest?"
„Ja." Ohne weiter zu fragen, rechnete sie drauflos. Roland war der
Fahrpreis zu hoch. Er war im Besitz des Internationalen
Studentenausweises und verlangte, den Fahrpreis um 33 % zu
ermäßigen. Den kompletten Rechengang musste sie deshalb
wiederholen. Dabei machte sie ein Gesicht, als hätte Roland ihr ins
private Portemonnaie gegriffen. Dann hielt er die Fahrkarten in den
Händen.
'Jetzt bloß nicht übermütig werden', dachte er.
Das Ausreisen aus der DDR würde klappen, aber angekommen im
Westen wäre er noch lange nicht. Ganz kühl musste er noch die
Schritte gehen, die dann von Bedeutung sein könnten, wenn er es
nämlich nicht in den Westen geschafft haben sollte.
Zwischendurch hatte er sich schon mit seinem Freund Gerd auf dem
Ostbahnhof verabredet. Der, ein alter freiberuflicher Journalist mit
Kontakten in wohl alle Redaktionen Ost-Berlins, war für Roland so
etwas wie ein Türöffner. Weil Roland gelehrig und dankbar seine
Ratschläge zu Themen und Inhalten annahm und Rolands Vater ein
Kollege aus vergangenen Tagen war, hatten sie schon Artikel platziert
und so zusammen auch ein paar Mark verdient.

„Gerd, ich habe das Visum und die Fahrkarten, jetzt möchte ich, dass du mit mir noch eine oder zwei Redaktionen aufsuchst, um dort Interesse an meiner vorweihnachtlichen Reportage zu kitzeln."

„Ich rufe mal in der „TRIBÜNE", und wenn's nicht klappt, danach in der „BERLINER ZEITUNG" an."

Was Roland, neben Gerd am Münzapparat stehend, mitbekam, hörte sich gut an.

„Wir gehen was essen. Die Leute in der Redaktion sind nachmittags für uns zu sprechen."

Aus der Selbstbedienungsschlange zurück am Tisch bat Roland:

„Ich gebe dir meine Wohnungsschlüssel, kümmerst du dich bitte um die Blumen?"

„Klar, mache ich. Wann wirst du spätestens zurück sein?"

„Ich denke, so um den 15. Dezember bin ich wieder hier."

In beiden Redaktionen, vertrauend auf die Referenz von Gerd - und natürlich war auch Rolands Vater bekannt - gab es Zustimmung für Rolands Vorweihnachtsstory. Mehr wollte Roland ja gar nicht. Bei einer Bitte um Vorschuss wäre womöglich das Interesse als solches zurückgenommen worden. Er behielt seine bescheidene finanzielle Ausstattung bedeckt.

Die Zeit wurde knapp. Er brauchte noch Geld, jedem zusätzlichen Schein kam existenzielle Bedeutung zu. Als einzige gute Fee kam als potentielle Geldleiherin noch eine entfernte Tante mütterlicherseits in Frage, die in Treptow wohnte. Bei der wollte er schnell vorbeischauen, um angebliche Grüße von Mutter auszurichten und zu erzählen, er sei gerade im Begriff, sie in Rumänien zu besuchen. Mindestens fünfzig Mark täten der Reisekasse gut. Mit dem Anpumpen würde er sicherlich nicht ins Haus fallen. Kaffeetrinken, Gebäck knabbern und Zeit haben, das würde schon sein müssen. Nach sich in die Länge ziehenden zwei Stunden war die Reisekasse mit 80 Mark aufgestockt. Der gepackte Koffer musste noch aus der Wohnung geholt werden. Bei der Abfahrt um 22:30 Uhr wäre er acht Stunden später in Prag. Gerd erwartete ihn auf dem Ostbahnhof und hechelte hinter Roland die Stufen zum Bahnsteig hoch. Der Koffer lag im Gepäcknetz oberhalb der Sitze im Abteil. Sie standen vor der offenen Zugtür des „Hungaria Express", mit dem Roland ja schon öfter unterwegs gewesen war.

„Einsteigen, Türen schließen – Vorsicht bei Ausfahrt des Zuges!"

Gerd riss seinen Freund zu sich heran, ließ etwas locker und schaute Roland tief und direkt in die Augen.

„Roland, ich säße gerne mit im Abteil - bin zu alt für die Reise. Komm gut an und alles Gute für dich. Hier noch ein Fuffi für unterwegs. Schreib gleich, wenn du dein Ziel erreicht hast!"

Roland spürte, Gerd schien zu ahnen, was gerade passierte.

„Die Erde ist rund, wir sehen uns!", antwortete Roland nebulös.

Schnell ging Roland zurück ins Abteil, zog das Fenster runter und winkte, bis der Zug aus dem Bahnhof raus war. Er zog die Schuhe aus und machte es sich auf der dreisitzigen Bank bequem - er war bis Dresden allein im Abteil. Ab da teilte er sich das Abteil mit einem Zugestiegenen. Seine Ruhestellung brauchte er nicht zu ändern, der Mitreisende machte es sich gleichermaßen bequem.

In Bad Schandau fand die Pass- und Zollkontrolle im Zug statt. Sein Ausreise-Visum mit den freien Zeilen blieb ohne Nachfrage, und die Tschechen drückten auch ihren Einreisestempel ein.

Die Räder rollten ihn in die zweite Etappe.

Er fuhr in Prag am 25. November morgens in aller Frühe im Hauptbahnhof ein. „Hlavni Nadrazi", so nennt man ihn vor, während und nach dem II. Weltkrieg bis heute. Roland kannte sich hier aus. Er stand zum fünften Mal in den Hallen, letztens im Jahr zuvor. Schon die Male zuvor bildeten sie für ihn den schönsten europäischen Bahnknotenpunkt. Diesmal würde er hoffentlich mit einem Zug in die große weite Welt, wie sie sich in der Symbolik seiner Architektur ausdrückt, aus ihm herausrollen. Der Bahnhof in seiner Funktion, Züge und Reisende zu ordnen, ist ein architektonisches Monument des einige Jahre nach seiner Eröffnung untergegangenen Habsburger Reichs. Eingangs der riesigen Kuppelhalle halten liegende Steinfiguren ein Ornament mit goldfarbenen Lettern „praga mater urbium" – Prag die Mutter aller Städte. Es müsste lauten „Bahnhof

Prag - Mutter aller Zughaltestellen". Der lustwandelnde Reisende kann sich kaum sattsehen am Jugendstil, den es vom Fußboden über Wände und Treppen bis in die Gewölbe zu den Kuppeln hin zu bewundern gibt. Roland machte sich zielsicher auf den Weg zum offiziellen Geld-Umtauschschalter. Der hatte rund um die Uhr geöffnet, denn alle Stunde trafen internationale Züge mit Reisenden ein. Sein nächster Gang galt den Toiletten, die auch gefliese separierte Waschräume hatten. Ein wieselflinker Angestellter in weißem Kittel glaubte an seinem Koffer und der Garderobe zu erkennen, in ihm einen Mann aus dem Westen ausgemacht zu haben. Beflissentlich bekam er ein gebügeltes Handtuch mit sauberem Waschlappen gereicht. Wie selbstverständlich nahm er das Reisenecessaire aus dem Koffer und machte für die Morgentoilette den Oberkörper frei. Für seinen elektrischen Rasierapparat fand er eine versteckte Steckdose. Das von ihm ausgereichte Trinkgeld war bestimmt nicht knickerig, aber es waren eben tschechische Kronen und keine Devisen-Mark oder Schillinge. Erfrischt, sich sauber fühlend, brachte er den Koffer in die Gepäckaufbewahrung. Die riesengroße Bahnhofsgaststätte im größten geschlossenen Raum des gesamten Komplexes zu betreten, bedeutete ihm mehr, als nur in ihr zu frühstücken. Hier saßen über die zahlreichen Tische und Plätze verteilt lümmelnde Gestalten, deren Köpfe vornüber auf ihren Unterarmen lagen. Als Alibi hatten sie noch das nicht ganz geleerte Bierglas vor sich auf dem Tisch, aber in Wirklichkeit hatten sie hier genächtigt. Diese, im kalten Raucherqualm und Gaststättenmief vor sich hin dunstenden Gestalten verschwanden zunehmend aus seinem Blickfeld. Im Pulk von Frühgästen, die auf dem Weg zur Arbeit einkehrten, verzehrte er genießerisch Bratkartoffeln mit Ei und trank dazu ein Pilsner. Er schwelgte förmlich mit Blick in die Runde im Status eines Reisenden der KuK-Zeit. Die zurückgedrehte Zeit, so angenehm sie ihm tat, konnte die Unsicherheit seiner Situation nicht vergessen machen – sein Adrenalinpegel war hoch.

Die zweite Etappe sah so aus:

Er brauchte ein billiges Hotel, wo er in Ruhe seinen Pass um ein paar Angaben erweitern, genaugenommen fälschen konnte. Mit dem manipulierten Pass musste morgen früh in der Österreichischen Gesandtschaft ein Durchreisevisum und im Anschluss daran die Fahr- und die Platzkarte für den Vindobona Express nach Wien gekauft werden.

Wenn das alles irgendwie klappen sollte, könnte er nachmittags um 15:00 Uhr zur dritten Etappe im Vindobona Express Richtung Wien unterwegs sein. Und wenn er das Ziel erreichen würde, säße er zum Abendessen in der westlichen Hemisphäre – in der Freiheit.

So klar die Reihenfolge, so unklar war, wie sie abgearbeitet werden sollte. Ohne tschechische Sprache und mit einer Ortskenntnis, die er laufend dem Faltplan von Prag entnehmen musste - das war doch schon recht umständlich.

Auffallend beim Heraustreten auf den Bahnhofsvorplatz war: Hier gab es keine Schneeverwehungen oder festgetretenen Schnee wie in Berlin. Er wandte sich halb links und ging in Richtung Zentrum-Wenzelsplatz. Den Platz, der eigentlich ein überdimensionierter Boulevard von sechzig Metern Breite ist, erreichte er am oberen Ende zum Museum hin. Das Entlanglaufen an den Geschäften, die sich in Häusern mit Jugendstil-Fassaden oder solchen im klassizistischen Baustil befanden, machte genauso viel Freude wie in Berlin. Eigentlich war jede Seite des Wenzelsplatzes dem Gang auf der Prachtstraße der Hauptstadt „Unter den Linden" von der Humboldt-Uni bis zum Brandenburger Tor vergleichbar. Der Wenzelsplatz ist ebenso mit Linden bepflanzt. Auf der gegenüberliegenden Straßenseite fiel Roland eine lange Schlange von Kaufinteressenten auf, so, als wenn es in Berlin Apfelsinen oder Bananen gibt. Gewohnheitsgemäß - wo eine Schlange vor dem Geschäft ist, da informiert man sich - wechselte er die Platzseite. Siehe da, ein Buchladen, in den nur abgezählte Gruppen eingelassen wurden. Bei allen Dingen, die wichtiger für ihn waren, war er doch zu neugierig, um zu erkunden, welche Art von Literatur diesen Auflauf auslöste. Es wird sich höchstwahrscheinlich um eine Lizenzausgabe aus dem Westen handeln, nahm er erst einmal an. Weil durch die Schlange das Schaufenster verdeckt war, stand er, den Hals reckend neben der Schlange. Sein hellgrauer Doppelreiher-Maßmantel mit den aufgesetzten Klappentaschen und dem großen Revers-Kragen machte ihn dabei selbst zum angestaunten Objekt. Eine in der Schlange stehende Frau deutete ihm an, vor sie in die Schlange eintreten zu können. Als er den Platz eingenommen hatte, räumten die vor ihm Anstehenden einer nach dem anderen ihren Platz für ihn. So wurde er quasi bis vor die Ladentür durchgereicht. Da lag auch ein wenig Stolz in der Luft, denn hier zeigte ein Ausländer Interesse an ihrer Leseleidenschaft. Der im Windfang des Ladens stehende Einlasser fragte: „Deutsch – Österreich?"

Die Antwort „Deutsch" ließ dessen Freundlichkeit überschäumen – er konnte vor aller Kundschaftsaugen demonstrieren, welch weltmännischer Service in seinem Laden geboten würde. Mit der Klarstellung, an nichts Bestimmtem interessiert zu sein, sondern sich ganz allgemein umsehen zu wollen, hatte er in dem Buchhändler einen privaten Führer gewonnen. Er solle sich Zeit zum Stöbern nehmen, forderte der ihn auf, als sie im deutschsprachigen Antiquariat standen. Später, in seiner Pausenzeit, könne man im Café nebenan bei Kaffee oder Bier miteinander plaudern. So kam es dann. Roland erfuhr, es waren keine Lizenzausgaben, die die Schlangenbildung verursachten, sondern einfach nur rechtzeitig vor Weihnachten angelieferte tschechische Prosa und Belletristik. Die Prager lesen einfach gern und viel, und deshalb suchen sie lange vor dem Fest nach einem Buchgeschenk. Roland nutzte die Gastfreundschaft und erreichte, dass für ihn beim Internationalen Studentenbund zwecks Unterkunft für eine Nacht angerufen wurde. Dort sagte man zu, er könne sich einen Quartierschein für das Studentenhotel „Florida" abholen. Er erfuhr weiter, wo sich in Prag die Gesandtschaft von Österreich befand und sogar die Öffnungszeiten für die Visaerteilung brachte sein Gesprächspartner in Erfahrung. Inzwischen war die Mittagszeit angebrochen und was lag da näher, als den hilfsbereiten Buchhändler einzuladen. Diese Einladung fiel Roland im Hinblick auf seine schmale Kasse zwar schwer, war aber der ihm erwiesenen Hilfe zumindest angemessen. Erfreut, eingeladen worden zu sein, bestellte der Buchhändler Gulasch, der nach seiner Meinung nur mit echten Prager Knödeln gegessen werden sollte. Nach dem Mittagessen wünschten sie einander alles Gute und Roland lief in Richtung der Wegbeschreibung zum Studentenbund. Der hatte in der Altstadt seine Büroräume und war vom Café aus fußläufig in zehn Minuten erreichbar. Das für ihn bestimmte Hotel lag nicht in der Innenstadt. Die freundlichen Leute beim Studentenbund malten zwar den Weg und die Straßenbahnnummer in seinen Stadtplan, aber es wurde deutlich: Da stand ihm eine zeitliche und physische Herausforderung bevor. Erst einmal musste der Koffer vom Bahnhof geholt werden. Danach ging es mit dem Gepäck zum richtigen Straßenbahnhalt und nach dem Aussteigen musste er einen längeren Fußmarsch absolvieren. In der Straßenbahn sitzend konnte er zwanzig Minuten Kraft tanken, bevor er zehn Minuten den Koffer durch die einsetzende Dämmerung schleppte.

Hinter der Eingangstür des Hotels führten Stufen nach oben vor eine querstehende Rezeption. Ein heiser klingender alter Mann nahm ihm den Quartierschein ab und schickte sich an, seinen Koffer tragen zu wollen. Die Person schien aber so gebrechlich, dass Roland schneller den Griff zu packen bekam. Über den Hinterhof führte der Weg zum Zimmer in die zweite Etage. Er stand in einer wirklich einfachen Absteige. Schmales Bett, Tisch, Stuhl, Schrank, Anrichte, alles optisch im Restnutzungszustand. Ein großes, quadratisches Waschbecken mit zwei kreuz-griffigen Wasserhähnen ließ alte Hotelkultur erahnen. Beim Gebrauch kam aus nur einem Hahn Wasser, und das war kalt. Hinter einer Schiebetür war die Toilette mit Sitzschüssel und Spülkasten. Die Bettwäsche schien frisch und sauber. Zusammen mit dem alten Mann ging er zurück ins Vorderhaus, wo er von ihm in zwei ineinander übergehende große Aufenthaltsräume geführt wurde. Hier saß in abgewetzten Sofas und Sesseln, die halbe studentische Welt, Orientalen und Europäer, die sich radebrechend und in Zeichensprache verständigten. Er war neugierig willkommen geheißen. Nach einer guten Stunde hatte man das Woher und Wohin miteinander ausgetauscht. Roland ging zum alten Mann und fragte nach, ob er sich darauf verlassen könne, morgen früh um sieben Uhr geweckt zu werden. Freundlich blinzelnd gab der Mann darauf sein Wort.

Als er sich auf sein Zimmer zurückziehen wollte, bat ihn ein Orientale, ein Iraker, ihn begleiten zu wollen. Vielleicht kämen sie miteinander ins Geschäft, deutete der an. Auf dem Weg über den Hinterhof blieb der Iraker kurz stehen und offerierte Roland, ihm seine Schuhe und Hemden abkaufen zu wollen. Roland verneinte die Schuhe, aber die Nyltest-Hemden, daran hatte er schon in Berlin gedacht, könnten eventuell als Zweitwährung unterwegs eingesetzt werden. Sechs weiße hatte er dabei und wenn alles klappte, könnte er sich im Westen neue kaufen. Drei Hemden wechselten den Besitzer. Preislich war man sich schnell einig, denn Roland brauchte nur tschechische Kronen für den morgigen Tag. Er blieb allein im Zimmer zurück.

Die Etappe wurde mit der Passfälschung eingeleitet. Vor sich auf dem Tisch hatte er die schwarze Tinte, einen Federhalter, ein DIN A4-Blatt und den Pass. Er studierte Blatt für Blatt seinen Pass. Der Stempel auf der achten Seite „Gesamtes Ausland" entlastete sein rudimentär schlechtes Gewissen. Das unvollständig ausgefüllte Visum betrachtend, dachte er an Frau Luchs in der Passstelle, der, wenn nicht schon jetzt, spätestens morgen sein Fernbleiben auffallen würde. Die mädchenhafte Schönschrift von Frau Luchs war frei von Besonderheiten. Gleichwohl, er hatte noch keine fremden Handschriften nachgemacht. Er übte die Schreibweise der Worte, wie er sie in die Zeile hinter „Über" eintragen wollte. Zweimal schrieb er: CSSR, Österreich, Ungarn, VR Jugoslawien.

Dann machte er sich an den Dokumenteneintrag.

Es war vollbracht, jetzt gab es kein Zurück.

Richtig geschlafen hatte er nicht, deshalb wartete er das Wecken nicht ab, sein Adrenalinpegel trieb ihn aus dem Bett.

‚Der heutige Tag mit seiner zweiten und dritten Etappe bringt die Entscheidung. Wird es den Zieleinlauf geben?', so sinnierte er vor dem Spiegel, als der alte Mann an seiner Zimmertür klopfte. Die

Morgentoilette hatte er da gerade beendet.

„Dobre Den, platit prosim, prosim Taxi- dwazat Minut! (Guten Morgen, Rechnung bitte, bitte Taxi in zwanzig Minuten)", schöpfte er aufgefangene Sprachkenntnisse aus.

Auf die Schlepperei des Koffers zur Straßenbahn und ihre zwanzigminütige Fahrtdauer bis zum Hauptbahnhof konnte er mit den Hemden-Kronen verzichten. Nach der Kofferabgabe in der Gepäckaufbewahrung hatte er eigentlich Frühstück in der großen Halle vor, aber seine innere Unruhe war zu stark – er wollte doch lieber gleich zur Österreichischen Gesandtschaft in die Viktoria Huga fahren.

Dort kam er vor Öffnung um neun Uhr an. Er war nicht der Einzige, der so früh in die Konsularabteilung wollte. Vor dem Haus standen bereits eine Frau und ein Mann. Man grüßte einander. Als zum Einlass aufgeschlossen wurde, standen hinter ihm weitere Personen. Die Frau vor ihm, eine Tschechin, die gutes Deutsch sprach, wollte zum Einkaufen nach Wien und der Mann, ein Ägypter, auch recht gut deutsch sprechend, wollte nach Wien und von dort gleich weiter nach Madrid. Man wolle, wie er ja auch, am Nachmittag den VINDOBONA-EXPRESS nehmen. Eine adrett gekleidete Frau in der Konsularabteilung durchblätterte Rolands Pass mit Bedacht, schaute zu ihm auf, stempelte das auf 48 Stunden befristete Durchreisevisum ein, schaute wieder zu ihm auf, und als er ihr die 26 Kronen auf den Schalter zählte, die er zu zahlen hatte, sagte sie:

„Habe ich so noch nicht gehabt - viel Glück!"

Roland bedankte sich und wäre in seiner Freude nur zu gerne auf das vielsagende „Viel Glück" eingegangen, aber hinter ihm standen Leute und man wusste ja nie...

Die dritte und damit letzte Etappe hatte begonnen.

Die Tschechen-Dame aus der Reihe war inzwischen mit einem Abschiedsgruß entschwunden:

„Vielleicht sieht man sich im Zug."

Der Ägypter war konkreter. Er machte den Vorschlag gemeinsam mit dem Taxi zum Bahnhof zu fahren, um die Fahrkarten zu kaufen.

‚Na besser könne es ja gar nicht laufen" dachte Roland.

Sie bekamen Platzkarten im selben Abteil und bezahlten 21 Kronen pro Person.

Gute vier Stunden, Zeit genug, nun konnte er doch noch in der großen Halle ein böhmisches Bauernomelett frühstücken. Zeit blieb danach immer noch genügend, um noch einmal den Buchhändler vom Wenzelsplatz zu besuchen. Der stand wie gestern vor dem Laden und sortierte die wartende Kundschaft. Als er Roland sah, löste er sich aus dem Pulk und konnte gar nicht aufhören, Rolands Hände zu schütteln. Dem Buchhalter war es eine Ehre, so zu disponieren, dass er kurz darauf wieder mit seinem neuen Freund Roland im Café sitzen konnte. Wie selbstverständlich duzten sie sich. Roland erzählte das Erlebte der letzten vierundzwanzig Stunden. Der Buchhändler hing an Rolands Lippen, denn was er hörte, war für ihn schon die große, weite Welt.

„Du fährst heute mit dem VINDOBONA-EXPRESS? Kennst du denn die Geschichte dieses Zuges? Die ist hochinteressant!"

„Ich sah den VINDOBONA-EXPRESS auf dem Berliner Ostbahnhof. Da fiel er mir als kleine Salon-Zugeinheit mit seinem futuristischen Triebwagen auf. Das ist von meiner Seite alles."

„Genau, von Berlin über Dresden nach Prag und von hier weiter nach Wien. Alle zwei Jahre wechselt die Bahngesellschaft. Mal die Deutsche Reichsbahn, dann die Tschechische Staats- oder die Österreichische Bundesbahn."

„Muss wohl etwas Besonderes sein, mit dem Vindobona zu reisen. Bestimmt auch teurer als andere Züge. Wenn man von ihm sprach, meinte ich von etwas Luxuriösem zu hören."

„Na, kein Wunder, man sagt, mit ihm seien Agenten und Diplomaten im Transit aus dem Westen unterwegs."

Sie plauderten so drei Pilsner-Biere lang. Sich ganz bestimmt wiedersehen zu wollen, versprachen sie sich hoch und heilig.

Roland kam schon eine halbe Stunde vor der Abfahrt mit seinem Koffer auf den Bahnsteig. Vor ihm stand ein kurzer Zug von vier ineinander verkoppelten Salon-Waggons - der VINDOBONA-EXPRESS.

Weit und breit noch kein Ägypter zu sehen. Er stieg also ein und belegte den reservierten Platz. Dann wollte er draußen weiter nach seinen Begleitern sehen. Noch in der Zugtür stehend, im Begriff auf den Bahnsteig zu springen, erblickte er den Ägypter. Sie waren in der Betrachtung ihrer letzten Besorgungen vertieft, als die junge Frau, die nach Wien zum Einkaufen wollte, die Tür aufschob, um sich ihrer Reservierung zu vergewissern. Die Platzverteilung im Abteil war somit abgeschlossen, wie sich bei Ausfahrt des Zuges herausstellte. Roland plauderte galant mit der Dame - seine innere Anspannung war ihm nicht anzumerken. Was wäre aber, wenn er aus dem Zug geholt würde. Niemand würde von der missglückten Flucht erfahren. Er hielt nur schwer an sich, die beiden Mitreisenden im Abteil nicht zu Zeugen seiner Angst werden zu lassen. Wie eine hilfreich ausgestreckte Hand nahm er das Angebot des Ägypters an, mit ihm in den Speisesaal zu gehen. Bourgeoiser Anblick, der fein eingedeckte Speisesalon. Sie bestellten Pilsner Bier, und mit dem ersten Zutrinken leitete Roland seine Geschichte ein:

„Ich möchte mich Ihnen vorstellen: Roland Grundmann aus Ost-Berlin."

„Angenehm, Dr. Abdul Abbas Said, Arzt aus Kairo."

„Wissen Sie, dass es nur unter Todesgefahr Menschen möglich ist, aus der DDR in den Westen zu gelangen?"

„Ja, die Toten an der Berliner Mauer, das erfuhr die ganze Welt."

„Ich will nicht im Kugelhagel sterben, ich versuche es mit diesem Zug! Sie sind Zeuge! Mein Ausreise-Visum ist gefälscht – das Durchreisevisum für Österreich, wissen Sie ja, das ist echt. Die Fluchtidee scheint gut zu sein. Wenn ich die Konsulardame richtig verstanden habe, hat sie bisher noch kein Transitvisum ausgestellt, weil ein DDR-Bürger über eine Einreise nach Rumänien verfügt."

„Bei der Passkontrolle im Abteil könnte ich die Beamten mit meinen Dokumenten ablenken, vielleicht hilft das."

„Schaden kann es jedenfalls nicht. Wenn Sie wollen, könnten sie aber noch etwas Wichtiges tun, wenn ich aus den Zug geholt werden sollte."

„Was kann das sein?"

„Rufen Sie bitte in Wien bei der Botschaft der Bundesrepublik Deutschland an. Melden Sie namentlich meine heutige Verhaftung bei der Passkontrolle im VINDOBONA-EXPRESS. Das ist wichtig, dann verschwinde ich nicht spurlos!"

„Das wird hoffentlich nicht nötig sein, aber ich mache das bestimmt!"

Dr. Abdul Abbas Said wollte viel von Rolands Leben wissen. Das war dem recht, konnte er doch vermitteln, dass er kein Widerständler, sondern einfach nur Bürger sei, der in der freien Welt leben wolle.

Mit der dritten Bierbestellung wurden sie darauf aufmerksam gemacht, dass in Kürze der Speisesalon geräumt sein müsste, weil in einer Stunde die Grenzkontrolle stattfände. Auf dem Weg zurück ins Abteil vereinbarten sie, nicht weiter vor der Mitreisenden über die Situation miteinander zu sprechen.

In Decin stiegen die Grenzer zu und gingen von Abteil zu Abteil. Roland war der Letzte im Abteil, dessen Pass kontrolliert wurde. Zuvor hatte der Ägypter die Beamten mit Fragen und Hinweisen auf Eintragungen in seinem Pass beschäftigt. Mit Herzklopfen bis zum Hals, aber wie selbstverständlich, reichte Roland seinen Pass zur Kontrolle. Der wurde von dem Beamten mehrmals durchblättert. Dann zeigte der den Pass seinem Kollegen, der sich den Pass ganz nahe vor das Gesicht hielt und danach aus anderer Distanz erneut betrachtete.

„Moment!"

Ohne abzustempeln, behielten die Beamten den Pass und verließen das Abteil.

„Jetzt fahren wir noch eine halbe Stunde bis zur Grenze Ceske Velenice, bis dahin haben Sie ihren Pass zurück", versuchte der Arzt zu beruhigen.

Der Zug fuhr in Velenice ein und fuhr kurz darauf weiter.

„Jetzt sind es nur noch ein paar Kilometer, dann sind wir in Österreich!"

„Und was passiert mit meinem Pass?"

Mit einem Ruck, wurde die Abteiltür aufgeschoben. Zwei Uniformierte standen im Gang. Roland sollte sein Gepäck nehmen und heraustreten. Die mitreisende Dame schien die Unabänderlichkeit, in der Roland sich befand, zu erfassen. Ernst und betroffen schaute sie zu ihm auf und reichte ihm die Hand:

„Ich werde für Sie beten, möge Gott Ihnen Frohe Weihnachten bescheren."

Der Ägypter reichte den Koffer herunter, und als er ihn abgestellt hatte, umarmte er Roland:

„Alles Gute für Sie, ich rufe an!"

Ein Grenzer vor ihm, der andere hinter ihm, ging es zur Zugtür. Der Zug bremste und kam vor einer kleinen Baracke zum Stehen, die kein Bahnhofsgebäude war. In der Baracke war eine Holzbank. Er solle auf ihr Platz nehmen, deutete ihm ein Soldat an, der ein Maschinengewehr mit Trommel vor sich hielt. Den VINDOBONA-EXPRESS sah er aus dem dreckigen Sprossenfenster, das sich seitlich von ihm befand, wie der sich langsam in Bewegung setzte. Dann ging die Tür auf, und ein zweiter Verhafteter wurde von einem Bewacher in die Baracke geführt.

Es gab eine gemischte Reihe auf der Bank. Sie bestand aus den beiden Zivilisten, zwischen denen ein Soldat saß. Ein Zweiter stand vor ihnen.

Etwa zwanzig Minuten später hielt eine schwarze „Wolga"-Limosine vor der Baracke. Ein Schrank von Mann in Zivil forderte die Verhafteten auf, hinten im Wagen Platz zu nehmen. Das Gepäck wurde im Kofferraum verstaut. Der Zivilist nahm neben dem Fahrer Platz. Der Fond hatte keine Türhebel. Die Fahrt kam Roland wie eine Ewigkeit vor – er wusste nicht, wo er sich befand und wohin die Reise ging. Sein verhafteter Nachbar, ein Mann mittleren Alters von gepflegtem Äußeren, saß links neben ihm. Man schaute sich von der Seite an, sprach aber kein einziges Wort - jeder war mit seiner Situation beschäftigt. Den Stiernacken des bulligen Mannes vor sich, sah Roland sich hilflos der Polizeimaschinerie ausgeliefert.

Horrorknast CSSR, Ceske-Budiowice

Der Fahrer gab Hupsignal, worauf sich in einem Torbogen zwei riesige Flügeltüren öffneten. Der „Wolga" fuhr auf einen Hof, der von einem festungsartigen Gebäudekomplex umstanden war. Dem Wagen kam ein Soldat entgegen, der selbst in dieser schaurigen Umgebung bei

Roland die Figur des braven Soldaten Schwejk ins Gedächtnis rief. Das Koppel mit zwei blitz-blank gewienerten Patronen-Taschen saß über dem prallen Bauch, kurz unterhalb der Brust. Zwei dicke rote Kordelschnüre baumelten unter den Schulterstücken und wackelten über dem Koppel. Dieser Person folgten der bullige Mann, Roland und der Fahrer mit Rolands Koffer im Gänsemarsch. Der andere Insasse wurde von zwei Soldaten über den Hof weggeführt. In der ersten Etage, in einem großen Raum, von dem Türen in andere Räume zu führen schienen, standen mehrere Uniformierte, die sich mit Roland beschäftigen wollten. Anwesend war auch der Festungskommandant anwesend, wie sich anhand der goldigen Schulterklappen erahnen ließ. Der bullige Mann verabschiedete sich von den Beamten.

Zuerst wurde Roland abgetastet, Armbanduhr und Siegelring kamen in eine kleine Papptüte. Dann wurde der Koffer auf einen großen Tisch in der Mitte des Raumes gelegt. Roland musste die Kofferschlösser öffnen, und die zwei Uniformierten unterzogen jedes Kleidungsstück Tasche für Tasche und Naht für Naht ihrer Kontrolle. Besonders angetan hatten es ihnen zwei unangebrochene Tablettenstreifen starker Antibiotika. Die bewahrte Roland prophylaktisch immer griffbereit im Reisenecessaire auf.

„Du krank?"

„Ne Momenta – profilaktischeske, ponumajesch!?"

„Da, da", radebrechend ging die Kontrolle zu Ende und Roland konnte alle Dinge wieder in den Koffer packen. Er war während der Prozedur dermaßen kooperativ, dass es ganz natürlich wirkte, als er nach dem Einpacken sogar die Schlösser verschloss. Der Kommandant wollte nach der Kofferkontrolle das Zimmer verlassen. Die Untergebenen nahmen Haltung an. Diesen Moment nutzte Roland, um den kleinen Kofferschlüssel in seiner Westentasche verschwinden zu lassen. Eine Tür wurde geöffnet, die den Blick in eine kleine Kammer freigab. Er sollte hineingehen. Roland tat wie verlangt. Als er drin stand, entriegelte ein Bewacher ein schmales Brett im seitlichen Türrahmen der offenen Tür. Das klappte er an seinen Scharnieren um und legte es auf eine Querstrebe in der gegenüberliegenden Türrahmenseite. So ergab sich eine Ablagefläche zwischen dem großen Raum und der

kleinen Kammer. Auf die Ablage wurden zwei Stapel Textilien gelegt. Ihm wurde gedeutet, sich komplett auszuziehen. Roland weigerte sich. Man schrie ihn auf tschechisch an, aber er machte keine Anstalten sich auszuziehen. Da räumten die zwei Soldaten die Ablage frei und klappten das Brett wieder hoch. Sie lösten ihre Gummiknüppel von der Koppelgarnitur und kamen auf ihn zu:
,Das können die doch nicht machen, die können mich doch nicht schlagen. Das ist doch Unrecht!´, dachte Roland.

Der am brutalsten aussehende Uniformierte, pockennarbiges Gesicht und ständig auf einem Streichholz kauend, welches er dabei von einer auf die andere Seite im Mund schob, stand in Schlagdistanz zu ihm. Eine weitere Person hätte nicht in die kleine Kammer gepasst. Die Pockenfratze hob den Gummiknüppel zum Schlag. Roland wartete nicht ab, bis der Schlag ihn traf. Blitzartig schlug seine gestreckte Faust in die pockennarbige Visage seines Gegenübers. Roland beherrschte den Schlag ans Kinn, der im Notfall als erster sitzen muss. Die Pockenfratze sackte dem Schlägerkameraden vor die Füße. Der, an der Pockenfratze vorbei, schlug blind entfesselt auf Roland ein. Roland hielt zum Schutz die Unterarme in Doppeldeckung vor sein Gesicht. Die Pockenfratze drängelte wutgeladen seinen Kameraden beiseite und nahm Rache. Roland kauerte gekrümmt, mit dem Gesicht zur Ecke, und hatte die Hände über dem Kopf. Bei der unbändigen Wucht, mit der die Knüppelhiebe auf ihn einschlugen, spürte er solch einen Schmerz in den Handgelenken, Fingern und Unterarmen, als breche ihm da etwas.

Roland kannte Beschreibungen solcher Exzesse aus der Literatur. Da waren es immer enthemmte Faschisten, die so brutal mit Verhafteten umgegangen sind. Solch entmenschlichtes Verhalten war genau das, was den Sozialismus, in dem er aufwuchs, vom Nationalsozialismus unterschied. Er war den Tränen nahe, nicht aus Schmerz, sondern aus Wut und Hilflosigkeit in der Demütigung. Das war der Augenblick, in dem ihm erstmalig über die Lippen kam:
„FASCHISTEN! ROT-FASCHISTEN!"

Die Pockenfratze nahm das als Anfeuerung und schlug noch ein paarmal kräftig zu. Dann erkannte sie, "gesiegt", - Widerstand ist gebrochen! Die beiden Schergen griffen nach ihm, richteten ihn auf und halfen durch Gezerre nach, wenn ihnen Rolands Ausziehen, der vor Schmerzen die Arme kaum heben und die Hände krümmen konnte, nicht zügig genug voranging. Jedes Kleidungsstück, das er auf die wieder eingeklinkte Ablage legte, wurde von den beiden Schergen aufs Genaueste untersucht – jede Tasche von innen nach außen gezogen. Triumphierend hielt die Pocke den kleinen Kofferschlüssel hoch, den Roland in der Westentasche hatte verschwinden lassen. Am liebsten hätte Roland ihm sein Knie so in den Unterleib gerammt, dass der die Engel hätte singen hören. Hass sprach aus ihren Gesichtern, wenn sich die Blicke kreuzten.

Der wieder auf der Ablage liegende Stapel war seine neue Bekleidung. Ein weißes Unterhemd bis zu den Knien reichend - wie ein Sack, dazu überdimensionierte Unterhose mit Schnürbändern im Bund und grob gestrickte Socken. Er sah aus wie einer, der von Tolstoi beschriebenen Leibeigenen. Darüber war ein Trainingsanzug zu tragen. Jacke und Hose waren unterschiedlich im Farbton, Pluderhosen - das Gesäß ein einziger Flicken. Der Gummi im Hosenbund war so ausgeleiert, dass es ihn eigentlich nicht gab. Die Hose wurde durch den Gummi in der darüber zu tragenden Trainingsjacke gehalten. Das Schuhwerk waren dicke, grob gesägte Holzlatschen, die eine rundum genagelte, schwarze Lederkappe hatten. Genau solche hatte er bei den KZ-Besichtigungen in der Schulzeit als ausgestellte Häftlingskleidung in Erinnerung. Die Pocke, auf dem Streichholz kauend, hatte den Gummiknüppel noch nicht wieder am Koppel befestigt, sondern hielt ihn wippend in der Hand. Er grinste nun Roland provozierend an, als dieser eingekleidet vor ihm stand. Zu guter Letzt bekam er noch eine Pferdedecke, ein kariertes Tuch, ein Stück Seife und einen Blechnapf. Die Sachen trug er auf seinen ausgestreckten schmerzenden Unterarmen. So lief er hinter der Pockenfratze, gefolgt vom zweiten Schergen, über Eisentreppen in der Mitte des Gebäudes in die dritte Etage. Dann schloss sich hinter ihm die Zellentür, und die Riegel, in zwei verschiedenen Höhen außen an der schweren Tür, knallten in die

Riegelbügel. Er stand in einer Zelle von 2m Breite und 4m Länge. Die Höhe der Zelle betrug etwa 3m. Von innen gesehen, war rechts neben der Tür ein französisches Klosett, was nicht mehr war als eine trichterförmige Bodenöffnung mit geriffelter Metallgußplatte. An der Wand zur Spülung hing ein kurzer Wasserschlauch. Links neben der Tür befand sich ein gestanztes Blechgitter als Heizungsverkleidung. Unter einem kleinen, vergitterten Fenster in etwa 2,50 m Höhe, mit Sichtschutz von außen, lagen übereinandergestapelte Strohsäcke, 2x1m. Vor den Strohsäcken standen in Reihe ein Hocker 30x30cm, ein Tisch 40x90cm und ein zweiter Hocker, vor dem Tisch zur Zellenmitte noch ein weiterer Hocker. In der Deckenmitte hing eine umgitterte Deckenlampe, so eine, wie man sie aus alten Kellern kennt, ovale Porzellanhalterung, deren unterer Teil in der Decke verschraubt ist. In diesem Teil befindet sich eine Lampenfassung und darauf wird eine Glasschale, die von einem Eisengitter geschützt ist, auf die untere Konstruktion aufgeschraubt. Es gab zwei Knöpfe in der Wand, wovon einer die Wasserzufuhr aus dem Schlauch ermöglichte. Der andere diente als Signalgeber, um das Wachpersonal herbeizurufen. Roland hatte Schmerzen und war erschöpft. Er zog sich einen Strohsack vom Stapel, breitete eine Decke als Unterlage aus und wickelte sich in die Decke ein. Er wollte schlafen aber das Licht störte. Er rappelte sich wieder auf und klingelte über den Signalknopf nach dem Wachpersonal. Kurz darauf öffnete sich eine in der Türmitte angebrachte Klappe nach außen und ein Wachmann lugte durch das Loch. Roland zeigte auf die Deckenlampe und machte durch Zeichensprache klar, das Licht zu löschen. Der Wachmann brabbelte etwas und knallte den Klappenverschlag wieder zu. Roland wartete eine Weile, - das Licht ging nicht aus.
'Na dann mache ich das eben selbst' dachte Roland.
Er wollte den Tisch in die Mitte ziehen und auf ihn einen der Hocker stellen, das Gitter lösen und wenn das nicht klappte, versuchen, den Glaszylinder und die Glühbirne mit einem Holzlatschen zu zertrümmern. Ging nicht - Tisch und Hocker waren im Boden verankert. Er gab nicht auf - nahm einen Holzlatschen und

schmetterte den trotz des Schmerzes in seinen Gliedern mit Wucht an die Decke. Der dritte Versuch war ein Volltreffer. Die Glasschale kam in Scherben von der Decke, und die Glühbirne war auch kaputt. Roland kam noch nicht zum Staunen, als auch schon das Getrappel auf dem Gang vor der Zellentür endete. Die wurde aufgerissen, drei Wachleute stürmten in die Zelle und droschen ihn mit Gummiknüppeln zusammen.

„FASCHISTEN! ROT-FASCHISTEN!", schrie er.

Die Schergen erwiderten:

„Iitlerr, Iitlerr!" und droschen, bis er das Bewusstsein verlor. Wasser, aus dem Schlauch auf ihn gespritzt, ließ ihn benommen zu sich kommen. Er musste seine Sachen zusammensuchen und mit Geschubse wurde er in eine andere Zelle auf derselben Etage gestoßen. Unter Schmerzen bereitete er sich einen Strohsack. In der Nacht kamen die Wächter mehrmals, schaute durch den Türspion, bummerten mit dem Knüppel an die Zellentür und kicherten:

„Iitlerr, Iitlerr kaputt!"

Roland fürchtete jedes Mal bei dem Gebummer, sie kämen, um ihn wieder zu verdreschen.

Jenseits von Zeitgefühl, es war noch dunkel vor dem Zellenfenster, vernahm Roland einen schrillen Sirenenton. Er sammelte sich, wobei er seine schmerzhaften Glieder einer Funktionsprüfung unterzog. Gebrochen war nichts. Seine Unterarme waren rot und stark geschwollen, die Hände und Finger waren dick, Schenkel, Schultern und Rücken schmerzten.

'Die haben mir für alle Zukunft das letzte bisschen Glauben an das Bessere in einer sozialistische Gesellschaft, ausgetrieben', dachte er. Ein Kommando durch die offene Klappe in der Tür schreckte ihn aus den Gedanken auf.

„Iitlerr, auf, auf, Iitlerr, auf, auf!"

Er wischte und tupfte sich ab. Das geschirrtuchgroße karierte Tuch diente ihm als Waschlappen und Handtuch. Er spürte eine offene Wunde an der rechten Augenbraue und seine Oberlippe war geplatzt. Die Zähne waren unbeschädigt. Nach dem Abtrocknen war das

Handtuch vom Auswischen der Ohren und weiterer Blessuren zwischen den Haaren rosafarben. Betrachten konnte er nur die Blutspuren im Handtuch, denn einen Spiegel gab es in der Zelle nicht.

Der Verschlag öffnete sich erneut. Aus der Luke sollte er sich ein Viertel Brot greifen, und seine Blechschüssel wurde mit Ersatzkaffee aus Getreide, den Berlinern bekannt als Muckefuck, gefüllt. Er brach das Brot und schluckte es mit etwas Muckefuck runter. Dann legte er sich wieder auf den Strohsack, denn das Sitzen am Tisch war für ihn zu schmerzhaft.

Gepolter an der Luke. Durch den Verschlag kam das russische Kommando: "Iitlerr, Ziditjes! (Sitzen)!" Er ignorierte das Liegeverbot.

Draußen war es inzwischen hell, als die Zellentür geöffnet wurde.

Er vermutete schon:

'Jetzt kommen die Schläger, um mich zu verprügeln, weil ich lag und nicht am Tisch saß.´

„Iitlerr, komm!"

Er wurde in einen Vernehmungsraum geführt, in dem der hochrangige Offizier vom Vortag und noch jemand in Zivil hinter einem Tisch saßen und rauchten. Ein Wachposten stand neben der Tür im Zimmer. Auf dem Tisch lag eine angefangene Packung Zigaretten, aus der die Zigarette fehlte, die der Zivilist rauchte. Der sprach ihn jetzt in perfektem Deutsch an:

„Guten Tag, Sie heißen Roland Grundmann und sind Bürger der DDR. Richtig? Von den Zigaretten können Sie sich bedienen!"

„Das ist der Genosse Major, der Kommandant der Dienststelle", stellte er den mit goldfarbenen Schulterstücken mit einem Stern Uniformierten vor.

Er selber gab sich, ohne Namen und Dienstgrad zu nennen, einfach als Mann von der Sicherheit aus. Er wolle sich zusammen mit dem Kommandanten ein Bild zu Rolands Person machen. Roland solle erzählen, warum er seiner Meinung nach hier sei.

„Genau das will ich auch wissen. Ich werde wie ein Schwerkrimineller behandelt und geschlagen? Wo bin ich überhaupt?"

Der Zivilist übersetzte immer erst, wenn Roland ausgesprochen hatte.

376

„Langsam, Herr Grundmann, eins nach dem anderen. Sie sind im Bezirksgefängnis zu Bodejovice. Sie haben gegen die Gesetze der CSSR verstoßen, Ihr Visum der DDR ist manipuliert. Haben Sie die Eintragungen in der CSSR vorgenommen?"

„Ja, aber es gibt dadurch keinen Geschädigten in der CSSR!"

„Man könnte aber zu dem Schluss kommen, dass Sie Republikflucht aus der "DDR" begehen wollten!"

„Niemals! Ich wollte auf der Reise nach Rumänien über Österreich und Jugoslawien fahren, um eine vorweihnachtliche Reportage zu machen."

„Das wird alles untersucht werden."

„Wie lange kann denn das dauern? Ich könnte doch auch die Untersuchung in einem Hotel abwarten."

„In der CSSR können Sie drei Tage ohne Begründung festgehalten, also inhaftiert sein. Übrigens, ich habe auf ihre Behandlung hier keinen Einfluss!"

„Ich verlange die sofortige Benachrichtigung deutscher Dienststellen. Ich will hier raus!"

„Ihre Haftunterbringung ist nach CSSR-Gesetz begründet, weil Sie über keine Arbeitsstelle und keinen Wohnsitz in der CSSR verfügen. Es bestehen klare Vereinbarungen zwischen der DDR und der CSSR, wie in derartigen Fällen zu verfahren ist."

„Dann verlange ich nach einem Rechtsanwalt, der mir juristischen Rat nach tschechischem Recht geben kann."

„Heute ist Sonnabend, am Montag wird Sie ein Rechtsanwalt besuchen."

„Wird der Deutsch sprechen?"

„Ja!"

„Ich muss mich rasieren können! Ich will meine Zivilkleidung tragen und auf Grund meiner Schmerzen durch die Prügelexzesse des Wachpersonals einem Arzt vorgeführt werden."

„Der Kommandant sagt, in seinem Gefängnis wird nicht geprügelt. Er wird Ihrer Beschwerde nachgehen. Sofort im Anschluss an diese Vernehmung werden Sie zum Arzt gebracht."

„Sagen Sie dem Kommandanten Danke, aber so wie ich aussehe, kann ich mich ja nicht selbst zugerichtet haben."

Roland tat der zivilisierte Ton und Umgang während der Vernehmung wohl. Er hatte Vertrauen zu den beiden Personen. Insbesondere hoffte er, den Prügelschergen einen eingeschenkt zu haben.

Die Vernehmung hatte ihre Höhepunkte hinter sich. Roland war um „Gut Wetter" bemüht und fragte den Zivilisten von der Sicherheit vertraulich-freundlich, wieso er denn ein so perfektes Deutsch spräche.

„Ich bin während des Krieges als Fremdarbeiter in Deutschland im Gartenbau beschäftigt gewesen, da habe ich Deutsch gelernt."

Zum Abschied überließ der Zivilist dem Häftling Roland die Zigarettenpackung, in der noch sechs Zigaretten waren.

Der Arzt sprach kein Deutsch, aber in tschechisch hörte es sich fast wie ein Tobsuchtsanfall an, als er Rolands Hämatome sah. Er sah nicht Roland, sondern Roland selbst war ein wandelndes Hämatom. Es gab keine offenen Wunden, die genäht oder geklammert werden mussten. Eine Schwester salbte Rolands Schultern, Arme und Hände. Das sollte drei Tage hintereinander wiederholt werden. Die Finger rieb er sich selber ein. Irgendwie konnte sich Roland verständlich machen, dass er liegen und nicht sitzen wollte. Der Wärter, der Roland zum Arzt geführt hatte, war nachts nicht mehr im Dienst. Er sollte in seiner Schicht dafür sorgen, dass Rolands Liegeerlaubnis seinen Kollegen bekannt wird. Am Nachmittag wurde ihm ein Rasur-Kasten mit aufstellbarem Spiegel, Seife und Pinsel gebracht. Die Klinge war in einem Rasur-Hammer so versenkt, dass sie nur mit einem Spezialschrauber vom Wachpersonal ausgewechselt werden konnte. Im Spiegel erkannte er, dass die offene Verletzung seiner Augenbraue sich noch als blühendes Veilchen entwickeln würde.

Täglich von neun bis zwölf Uhr wurden die Gefangenen, Etage für Etage, für etwa zwanzig Minuten an die frische Luft getrieben. Roland wusste nicht, wie das im Einzelnen abging und nahm ahnungslos schon am Sonntag teil. Selbst ohne Schmerzen wäre dieser Austrieb bei Wind und Wetter eine Tortur gewesen. 20 bis 30 Gefangene standen vor ihren Zellentüren, wo sie auf das tschechische Kommando: „Los!" warteten. Dann ging es im Laufschritt die Eisentreppen von Etage zu Etage bis ins Erdgeschoss hinunter. Dort ging es durch einen Flur, dessen Ende das einfallende Tageslicht vom Gefängnishof ins Halbdunkel tauchte. Draußen war es kalt, und knöchelhoher Schneematsch lag auf dem Lehmboden des Hofes. Das erforderte Winterkleidung und anderes Schuhwerk. Auf den letzten Metern vor dem Hof kam es deswegen auf zwei Dinge an:

Beides musste im Laufschritttempo gelingen, denn davon hing der problemlose Freiluftaufenthalt ab. An der Flurwand standen ungefähr vierzig Paar knöchelhohe Militärschnürschuhe. Offen, ohne Schnürsenkel standen sie da, und im Laufen musste der Gefangene ungefähr seine Schuhgröße erkennen. Das im Laufen ausgespähte Paar musste er vorübereilend ergreifen. Am Flurende stand an einer Seite eine Bretterablage, auf der ein riesiger Berg von Wattejacken lag. Einfach nur zulangen, auf eine passende Größe kam es nicht an. Die Jacken waren alle so groß dimensioniert, dass sie jedem passten. Schon auf dem Hof im Freien stehend, warf jeder die Jacke über und tauschte schnell seine Latschen mit den zuvor ergatterten Militärschuhen. Wenn die Schuhe ein Paar bildeten und auch nicht zu klein waren, war das der schöne Teil. Wenn die Schuhe zu klein oder zwei linke oder zwei rechte ergriffen worden waren - Pech gehabt. Anziehen oder nicht - auf jeden Fall rein in den Laufkäfig. In der Käfigzelle eingeschlossen hatte man hintereinander zu gehen. Diese Laufställe waren gleich einer halben Torte auf einen Turm zulaufende Ziegelmauern, etwa zwanzig Meter lang. Über die vier Meter hohen Ziegelmauern verlief ein Laufsteg, auf dem ein Posten mit Maschinengewehr patrouillierte. Die Rückführung vollzog sich in umgekehrtem Ablauf: Jacke abstreifen und auf den Haufen werfen, die Militärschnürschuhe von den Füßen schütteln und in die eigenen Latschen schlüpfen. Ihren Abstellort hatte man sich zwanzig Minuten zuvor eingeprägt. Die getragenen Schnürschuhe wurden im Laufen nebeneinander gestellt oder fallengelassen. So hatte auch die nächste Häftlingsgruppe ihre Probleme.

Am Montag traf Roland auf den deutschsprachigen Rechtsanwalt Dr. C. Semeh. Schon in den ersten Minuten nach der Begrüßung hatte Roland zu dem Rechtsanwalt Vertrauen gefasst. Das lag nicht an der wie selbstverständlich für ihn mitgebrachten Packung Zigaretten, sondern an der analytischen Zusammenfassung von Rolands Situation.

„Mir liegt inzwischen der von der Bezirksstaatsanwaltschaft erlassene Haftbefehl wegen „Verdacht auf Republikflucht" vor. Sie sind nicht der Erste, auf den ich in dieser Lage treffe, allerdings der Erste mit so einer Visum-Manipulation. Ich bin auch nicht glücklich darüber, dass die CSSR die verlängerte Mauer für DDR-Bürger ist. Nur dass Sie das erst einmal wissen. Ihnen das so offen zu sagen, kann ich mir erlauben, weil hier keiner Deutsch versteht. Es gibt zwei oder drei Möglichkeiten, wie ich mich für Sie verwenden könnte."

Für Roland war nur eins wichtig:

„Ich möchte, dass Sie vorrangig alles tun, mich aus diesem Gefängnis rauszuholen!"

Darauf erwiderte der Rechtsanwalt:

„Erstens: Wir könnten gegen die Anklage der Bezirksstaats-Anwaltschaft intervenieren.

Zweitens: Durch Gegenbeweise die Anklage entkräften.

Drittens: Sie erteilen mir Vollmacht, in der Hinsicht zu arbeiten, dass ich Sie den DDR-Organen übergebe.

Nach der ersten Variante hätte das den Ruhestand der dritten zur Folge. Entschieden würde letztlich von der übergeordneten Oberstaatsanwaltschaft in Prag. Würden Sie schuldig gesprochen, bekämen Sie sechs Monate Haft in der CSSR, in denen Sie arbeiten müssten. Die Haftzeit bis zur Verurteilung würde angerechnet werden. Ob Sie anschließend nicht doch noch den Behörden der DDR übergeben werden, hängt in letzter Konsequenz von diesen Behörden selber ab."

Roland meinte zweifelnd:

„Hoffentlich sehen die anderen zwei Varianten besser für mich aus."

Erklärend führte der Rechtsanwalt aus:

„Nach der zweiten Variante bräuchten wir viel Zeit für die Beweiserbringung. Über die ganze Zeit müssten Sie hier so lange in Haft bleiben! Bei Verurteilung mindestens das, was Sie bei Variante eins zu erwarten hätten."

„Ich nehme Variante drei ", sagt Roland.

„Warum wollen Sie denn unbedingt an DDR-Dienststellen ausgeliefert werden?"

Roland überlegte kurz und antwortete:

„In der DDR kennt man mich und meine Familie. Niemand traut mir ernsthaft zu, die DDR verlassen zu wollen. Die Passmanipulation wird vielleicht mit einem Disziplinarverfahren enden."

„Na, wenn das so ist, lassen Sie mich Ihre Übergabe an die deutschen Dienststellen angehen."

„Herr Rechtsanwalt, ist es zuviel verlangt, wenn ich Sie bitte, alle zwei Tage nach mir zu sehen? Mir geht es hier nicht gut!"

Als Roland diese Bitte äußerte, schob er seine beiden Ärmel hoch. Von dunkelblau bis gelb waren die Hämatome sichtbar.

„Das ist ja fürchterlich! Ich werde mich sofort bei der Gefängnisleitung offiziell beschweren!"

„Das habe ich schon über den Sicherheitsdienst getan. Seitdem ist nichts mehr passiert. Ich meine nur so, für alle Fälle. Das würde mich zusätzlich beruhigen."

Der Rechtsanwalt verabschiedete sich mit den Worten:

„Also, auf Wiedersehen in zwei Tagen."

„Noch einmal danke für die Zigaretten, das ist hier die richtige Währung!"

Am Abend hatte wieder die Mannschaft der Prügelschergen Dienst. Die Blicke der Pocke waren hasserfüllt. Das hing womöglich mit Rolands Meldung seiner Misshandlung zusammen. Jedenfalls kamen die Pocke und noch ein Wärter in seine Zelle und bedeuteten ihm, er solle alle seine Sachen packen und mitkommen. Roland ahnte nichts Gutes.

Er wurde in eine andere Zelle verlegt. Die neue Zelle war einen Meter breiter als die vorherige Zweimann-Zelle, in die er alleine eingesperrt war. Jetzt brachte man ihn in eine Dreimann-Zelle, in der schon zwei Häftlinge eingesperrt waren.

Als Roland bei Eintritt in die Zelle die zwei Typen sah, die da anscheinend schon auf sein Erscheinen warteten, kam ihm ein angstmachender Gedanke. Seine Ahnung wurde befeuert, als er sah, mit welch einem süffisanten Lächeln die Pocke ihm die neuen Zellengenossen vorstellte. Zwei einheimische, glatzköpfig geschorene Knackis, beide um zwanzig Jahre alt, körperlich gut beieinander und etwa gleich groß wie Roland. Beim Begrüßungshändedruck blickte keiner der beiden ihm direkt in die Augen. Er sah in verschlagene, ausdruckslose Gesichter. Roland legte Decke, Handtuch, Seife und Blechschüssel auf den zuoberst gestapelten Schlafsack und setzte sich zwischen die beiden auf den Hocker in der Mitte des Tisches. In kumpelhafter Verbrüderung zelebrierte er die Übergabe je einer Zigarette an seine neuen Mitbewohner. Das schuf eine Atmosphäre jenseits von Aggressivität. Schnell war klar, dass sie sich nur mit Händen und Füßen würden verständigen können. Beide Knackis hatten nur zwei Jahre Russisch in der Volksschule gehabt und da wohl auch nicht aufgepasst. Einer hieß Tibor. So einen Tätowierten hatte Roland noch nicht gesehen. Er spielte den Neugierigen und Tibor war erfreut, wegen seiner Tätowierungen bevorzugt wahrgenommen zu werden. Nachdem Roland sich allerlei Symbole: Anker, zwei gekreuzte Hammer und ein schäumendes Bierglas betrachtet hatte, zog Tibor das Hemd über die Schulter runter, auf der Brust eine Segelfregatte und Frauenköpfe, auf jedem Schulterblatt eine. Die Frauenköpfe hatten keine erkennbaren Gesichter, wie man sie Foto-gleich, jetzt fünfzig Jahre später trägt, sondern waren nur durch unterschiedliche Frisuren typisierte Weibsbilder. Das Charakteristischste für die Person Tibor, war die Tätowierung rund um den Nacken:
„HIER SAUBER ABTRENNEN!" stand da auf deutsch in Großbuchstaben!
Tibors Mutter war Deutsche, er hatte die deutsche Sprache aber vergessen. Schon als Jugendlicher begann sein Weg hinter Gitter, jetzt saß er wegen Raubes ein.

Es bummerte an der Zellentür:

„Iitlerr kaputt! Iitlerr kaputt!" An der Stimme erkannte er die Pocke. Roland verstand, das war Pockes Signal an „seine" Knackis. Die blickten sich an, dachten aber offensichtlich nicht daran, sofort auf Roland loszugehen. Der hatte nämlich gerade mit ihnen die letzten Zigaretten aus seiner Schachtel geteilt. Dabei hatte er den Schatz einer zweiten Packung gezeigt und bedeutet, dass er die morgen mit ihnen zu teilen gedenke. Trotzdem konnte er nicht sicher sein, dass die Kumpanei in der Nacht andauern würde. Er sah sich in der Rolle eines Dompteurs, der Raubtiere ruhig zu halten hatte.

Der zweite Knacki hieß Stefan, und der verlangte nun auch Aufmerksamkeit. Er war aus der Armee desertiert. Man hatte ihn kurz vor der österreichischen Grenze erwischt. Bevor er mit Tibor in eine Zelle gelegt wurde, hatte er 30 Tage in Einzelhaft zugebracht. Stefan war der typische Primitivling. Dauernd bohrte er in der Nase und steckte dann die Popel in den Mund. Er kaute schmatzend seine Brotration und redete bei der Zeichensprache mit offenem Mund. Roland fand gedanklichen Spielraum, um sich einen Plan zu machen, wie er in die Nachtruhe gehen könnte. Während die Zwei noch an ihren Zigaretten zogen hoffte Roland, dass sie nicht aufsprangen, um den letzten Tabak zur Kippe zu drücken. Dieses Momentum nutzend stand er auf und zog die zwei oberen Strohsäcke vom Stapel. Auf dem unten an der Zellenwand liegenden Strohsack breitete er eine seiner Decken aus. So hatte er eine Liegereihe vorgegeben, in der er an der Wand liegen würde.

Die Beiden richteten ihre Strohsäcke auch her. Tibor kam neben ihm zu liegen. Bevor das Zellenlicht ausgeschaltet wurde, bewegte sich der Türspion, und im gleichen Moment bummerte die Pocke an die Tür: „Iitleer, dobrou noc!" (Gute Nacht)

Aus Angst, jeden Moment überfallen zu werden, döste Roland - schlafen konnte er nicht. Er lag auf dem Rücken und hatte unter der Decke, als Verteidigung wie mit Boxhandschuhen gedacht, beide Hände in den Kappen seiner Holzlatschen.

‚Lieber Gott, wenn es dich gibt - ich schwöre, wenn es mir je gelingen sollte, irgendwann einmal, gesund und unverletzt in den Westen, in die Freiheit zu kommen, dann werde ich es den Kommunisten-Schweinen mit Zins und Zinseszins zurückzahlen, was sie mir hier antun!´

Die Weck-Sirene tönte – Roland war unversehrt. Der neben ihm liegende Tibor brubbelte:

„Rano!" (Morgen) und Roland erwiderte:

„Dobry Rano!" (Guten Morgen)

Noch vor dem Austrieb an die frische Luft, wurde die Zellentür geöffnet und ein Offizier trat ein. Alle drei standen auf, die beiden Tschechen standen stramm. Der Offizier hieß sie sich zu setzen und vor Roland stehend, fragte er auf Deutsch:

„Hatten Sie Ärger? Haben Sie Klagen, haben Sie Wünsche?"

Roland dachte an das Nächstliegende:

„Keine besonderen Vorkommnisse, Herr Offizier! Zigaretten und Bleistift mit Schreibpapier, um Vokabeln aufzuschreiben und zu lernen, das hätte ich gern."

Darauf der Offizier:

„Gut, Sie bekommen alle zwei Tage eine Packung mit zehn Zigaretten, einen Bleistift und für jeden Tag ein Blatt Papier!"

„Danke, Herr Offizier!"

„Müssen Sie zum Arzt?"

„Nein!"

„Zahnarzt auch nicht?"

„Nein!"

„Gut, wenn es Probleme gibt, verlangen Sie nach mir!"

Er verabschiedete sich mit Handschlag von Roland und von den anderen Zwei mit Kopfnicken, bevor die Zellentür sich hinter ihm schloss.

‚Bloß gut, dass meine Zähne nicht beschädigt wurden, sich hier im tschechischen Gefängnis behandeln zu lassen, wäre eine Mutprobe´, hing er dem Offiziersbesuch in Gedanken nach.

Seine Zellengenossen hatten nicht mitbekommen, worum es im Einzelnen ging, aber dass er ihnen gegenüber bevorzugt würde, soviel hatten sie verstanden.

Der andere Wachaufzug vollzog das Aufschließen zum Austrieb. Zurück von der frischen Luft, unmittelbar vor dem Schließen der Zellentür, übergab ihm ein Wärter zwei weiße DIN A4-Bogen Papier, einen Bleistift und eine Zehner-Zigarettenpackung. Als Tibor und Stefan den Natural-Schatz von Robert sahen, überwog ihre Zufriedenheit gegenüber ihrem Neid, mit so einem Mann die Zelle zu teilen. Die beiden überschlugen sich bei der Vokabel-Hilfe für Roland.

Roland wollte übersetzt bekommen:

"Du hast einen Vogel."

Weil er dabei öfter in Zeichensprache an seinen Kopf tippte, schrieb Tibor ihm auf die Vokabelseite

-Ty mate uzely mosku -.

Als die Pocke nach einigen Tagen Roland wieder sein blödes und bedrohliches:

„Iitlerr kaputt" zurief, antwortete Roland:

„Ty mate uzelv mosku!" (Du hast einen Knoten im Gehirn!)

Seine Zellenbewohner lachten sich halb tot. Pocke schlussfolgerte messerscharf, den Spruch konnte Roland nur von Tibor und Stefan beigebracht bekommen haben. Er schrie die beiden an, wobei Roland sein Pseudonym "Iitlerr" heraushörte.

Prompt provozierte Stefan den an der Frontseite des Tisches sitzenden Roland. Er zog seinen Rotz hoch und spuckte ihn von dem am weitesten von der Toilette entfernt stehenden Hocker an Roland dicht vorbei in Richtung Toilette. Dort blieb der Auswurf, gelblich fett, oberhalb der Abflusswanne kleben.

Roland bemerkte nur:

„Prase!"(Schwein)

„Roland, vynete to! (Roland, mach´s weg!)", verlangte Stefan in eindeutiger Zeichensprache

Roland antwortete so, wie zuvor der Pocke auf tschechisch!

Da sprang Stefan auf und hechtete auf Roland zu. Der stand schon und wich einen Schritt zurück, als Stefan angeflogen kam.

„Nix Zadne cagarirety, ponnemaesch!" (Keine Zigaretten, verstanden!)", zischte Roland ihn an.

Stefan hätte in dem Moment ohne Unterstützung von Tibor zuschlagen müssen. Roland hatte Boxer-Deckung eingenommen. Das nahm Stefan den Schneid. Der Kampf war im Augenblick abgeblasen, aber ganz sicher nur zeitlich verschoben.

Roland setzte sich wieder neben Tibor. Dem reichte er demonstrativ eine Zigarette, wobei er Stefan unbeachtet ließ. Die Zwei rauchten so, als sei alles in Ordnung. Stefans Wut auf Roland hing in der Luft. Nur sein Kalkül, es sich mit Tibor zu verscherzen und den gegen sich aufzubringen, hielt ihn von einer neuen Attacke auf Roland zurück. So ging es auch morgens weiter. Roland und Tibor rauchten allein. Die Stimmung war nervenaufreibend. Das ständige dichte Beieinander in der kleinen Zelle bot ohnehin permanent Anknüpfungspunkte zum Gewaltausbruch. Roland ließ sich eine Lösung einfallen, die das Kräfteverhältnis in der Zelle zu seinen Gunsten verändern sollte.

Morgens vor dem Freigang bekam Roland von seinem Rechtsanwalt Besuch. Den überraschte Roland, als er ihm eine fast volle Packung Zigaretten auf den Tisch legte und ihn bat, sie zusammen mit der Packung mit nach Hause zu nehmen, die er heute für ihn mitgebracht hatte.

„Erklären Sie mir warum, was haben Sie vor?", fragte der Rechtsanwalt.

„Ich muss in meiner Zelle Ordnung schaffen, fragen Sie bitte nicht weiter. Kommen Sie bitte schon morgen und bringen Sie mir alle Zigaretten wieder mit. Dann erzähle ich Ihnen, worum es ging."

„Da bin ich gespannt, bringen Sie sich nicht in Gefahr."

„Genau darum geht es! Das löse ich jetzt!"

Der Rechtsanwalt verabschiedete sich:

„Also dann bis Morgen, ich komme um die gleiche Zeit!"

Roland kam rechtzeitig in die Zelle zurück, um am täglichen Austrieb auf den Hof teilzunehmen.

Als sie wieder nach dem Hofspaziergang in der Zelle eingeschlossen waren, stellte Roland mit theatralischem Entsetzen fest, dass ihm sein Zigarettenschatz komplett gestohlen worden war. Empört stieß er Vokabeln der Beschuldigung vor:

„Zapserap,vy nebo ty, rikam Stefan!" (Zapserap, du oder du, denke Stefan)

„Roland, ty Prase...." (Roland, du Schwein), stieß Stefan hervor und wollte auf Roland losgehen.

Roland wich zurück und drehte dabei seine Taschen nach außen. Tibor kam auf ihn zu und tastete ihn ab. Danach wühlten beide Knackis im Stroh der Schlafsäcke. Sie fanden keine Zigaretten. Roland stachelte weiter:

„Rikam Stefan ..." (... denke Stefan)

Da schlug Tibor schon in Richtung Stefan zu. Roland sprang schnell aus der Kampffläche auf die Schlafsäcke und setzte sich in die äußerste Ecke.

Tibor verdrosch Stefan. Nach Minuten bewegte sich der Spion – die Tür wurde aufgerissen. Die Pocke und ein anderer Wärter stürmten in die Zelle und trennten die Schläger. Stefan musste aus der Zelle raus. Die Pocke schaute zu Roland, der grinsend noch immer auf seinem Beobachtungsposten saß. Es verging eine Weile, bis Stefan wieder zurückgebracht wurde. Er war kleinlaut. Tibors Schläge hatten ihn gezeichnet.

Als sie alle drei wieder am Tisch saßen, deutete Roland, zu Stefan gewandt, auf den verkrusteten Rotz an der Wand.

„Stefan, vynete to!" (Stefan, machs weg!)

Stefan stand mit gesengtem Kopf auf und kratzte mit den Holzsohlen seiner Latschen den Sabber von der Wand.

„Morgen kommt mein Rechtsanwalt, der bringt bestimmt Zigaretten mit!", warf Roland ein.

So lange brauchten sie aber nicht zu warten, weil Roland seine Zweitagesration an Zigaretten vom Wärter bekam.

Roland, Tibor und Stefan rauchten sozusagen die Friedenszigarette - in neuer Zellen-Hierarchie.

Der Rechtsanwalt brachte nicht nur die Zigaretten, sondern auch eine Neuigkeit. Vorab wollte er allerdings hören, ob und wie Roland „Ordnung in der Zelle" geschaffen hatte. Roland erzählte - nicht ohne Stolz.

„Respekt, Herr Grundmann, darauf kommt es aber nicht mehr an."

„Wieso nicht?"

„Ihr Verstoß wird von tschechischer Seite als zu gering erachtet, um Sie in der CSSR dafür zu verurteilen!"

„Dann werde ich entlassen?", fragte Roland erwartungsvoll.

„Ja und Nein! Sie werden in die DDR überstellt. Das ist heute unser letztes Treffen!"

„Herr Rechtsanwalt Dr. Semeh, ich werde mich immer der mir zuteil gewordenen Hilfe und an Ihren Zuspruch erinnern. Sie haben mehr für mich getan, als Sie verpflichtet waren zu tun."

Sie waren beide aufgestanden, beugten sich über den Tisch und gaben sich die Hände. Dr. Semeh sah Roland direkt in die Augen als er flüsterte:

„Sie sind jung, ich wünsche Ihnen, finden Sie den Weg, den Sie suchen!"

In der Zelle zurück, informierte Roland, dass sie ab morgen nur noch zu zweit sein würden.

Noch vor der Weck-Sirene ging in der Zelle das Licht an. Roland sollte seine persönlichen Sachen nehmen. Stefan und Tibor hatten sich aus den Pferdedecken geschält und schauten am Tisch sitzend Rolands Auszug zu. Dessen Schatz bestand aus fast zwanzig Zigaretten. Er gab Stefan und Tibor je die Hälfte. Als er Tibor die Hand geben wollte, umarmte der ihn und wünschte:

„Vsechno nejlepsi, Roland!" (Alles Gute, Roland).

Genauso war das mit Stefan.

Roland wurde zum Duschen geführt, konnte sich rasieren und bekam seine Zivilsachen. In einem Raum wurde ihm protokollarisch jedes Stück seiner Habe gezeigt und in seinen Koffer gelegt. Uhr und Ring kamen in eine Tüte, die dann ebenfalls im Koffer verblieb. Dann saß er allein im Raum, nur ein Wachmann passte auf, dass er sich nicht an seinem Koffer zu schaffen machte. Auf dem Tisch wurde ihm das

Viertel Brotstück und der Muckkefuck als Abschiedsfrühstück hingestellt. Die Tür ging auf, der Festungskommandant in Uniform und zwei weitere Herren in Zivil betraten das Zimmer.

Ganz formal klang der Kommandant. Einer der Zivilisten übersetzte: „Herr Grundmann, ich übergebe Sie hiermit den Herren vom Sicherheitsdienst. Ich hoffe, Sie werden in Deutschland niemals in die Politik kommen."

„Der Genosse Kommandant meint, Sie sind ein Revanchist ", fügte der Übersetzer an. Roland erwiderte nichts. Der dolmetschende Sicherheitsbeamte erklärte:

„Wir fahren Sie im PKW nach Zinnwald und übergeben Sie dort den Genossen der DDR. Sie bekommen Handschellen. Bei Fluchtversuch machen wir von der Waffe Gebrauch. Ist Ihnen das klar?"

„Warum sollte ich zu fliehen versuchen, ich freue mich auf die Heimat!"

Ihm wurden Handschellen angelegt. Seinen dicken Mantel legte er über die Handschellen vor dem Bauch. Die Beamten führten ihn auf den Hof zu einer schwarzen Wolga-Limousine, bei der der Motor lief. Bevor er einstieg, nahm man ihm den Mantel ab und der verschwand zusammen mit seinem Koffer im Kofferraum des Wolga.

19 Tagen Horror - Zähneputzen nur mit Seife an den Fingern - lagen hinter ihm. Nun ging es in Richtung Zinnwald. Nach etwa drei Stunden fuhren sie durch Prag. Roland hatte die ganze Zeit auf der Rückbank neben einem der Sicherheitsleute gesessen. Er machte sich Gedanken darüber, mit welchem Aufwand man ihn chauffierte. Er sah sein geliebtes Prag, pulsierend wie in einem Dokumentarfilm, an sich vorbeiziehen. Verrückt, aber wohl dem Impuls nach Freiheit folgend, wollte er prüfen, ob es denn eine Fluchtchance geben könnte:

„Ich muss austreten, urinieren!"

Die drei Tschechen im Wagen diskutierten. Danach kurvte der Fahrer kreuz und quer durch ein paar Straßen und hielt an einem recht belebten Platz. Roland sah ein stählernes Pissoir aus der Jahrhundertwende im reinen Jugendstil, das von Büschen umstanden war.

„Ich komme mit! Machen Sie keine Dummheiten!", warnte einer seiner

Begleiter.

Er nahm Roland die Handschellen ab, stieg aus dem Wagen und forderte Roland auf, zur offenstehenden Wagentür raus zu rutschen. Roland vorweg und der Aufpasser, versetzt hinter ihm bleibend, gingen auf das Pissoir zu. Roland peilte die Lage. Mit Sicherheit würde er schneller laufen als sein Bewacher. Bei den vielen Fußgängern war es unwahrscheinlich, dass sein Bewacher schießen würde. Aber wohin und mit welchem Ziel sollte er rennen? Inzwischen standen sie im Pissoir. Dort waren sie nicht allein. Ein anderer Besucher erledigte sein Geschäft an der Rinne und blickte bei ihrem Eintreten kurz über die Schulter zu ihnen. Roland stellte sich neben den Mann. Der war verwundert, das merkte man an seinen wiederholten Blicken zu den Hinzugetretenen, dass Rolands Begleiter am Eingang stehen blieb und keine Anstalten machte, sich an die Rinne zu begeben. Genügend Platz war vorhanden. In übertriebener Eile schloss der Mann seinen Hosenstall und drückte sich an Rolands Begleiter vorbei ins Freie. Sein Benehmen erweckte den Eindruck, als fürchte er, zwei „Homos" bei ihrem Treff zu stören. Roland hatte seinen Hosenschlitz geschlossen und ging auf seinen Begleiter zu. Beide hatten sie wohl dieselben Gedanken, denn keiner konnte sich das Grinsen verkneifen. Ins Freie getreten, sinnierte Roland abschließend:

‚Selbst wenn er zum Wenzelsplatz käme, dort seinem Freund, dem Buchhändler gegenüberstünde, was konnte das noch bringen?'

Im Wagen bekam er wieder die Handschellen angelegt.

Roland wusste, er würde Prag lange nicht wiedersehen.

Er brannte sich die vorbeiziehenden Bilder ins Gedächtnis. Sie fuhren durch das Erzgebirge. Schnee lag auf den Straßen und an den Hängen. Schon zweimal waren sie von einer Tatra-Limousine mit aufgeschnallten Ski auf dem Dach überholt worden. Beim letzten Überholvorgang des Wolga, als sie langsam an der Tatra-Limousine auf der schneebedeckten Fahrbahn vorbeizogen, hatte Roland Blickkontakt zu einem hübschen Frauengesicht. Gleich mussten sich die hinteren Wagenfenster aneinander vorbei schieben. Gespannt wartete Roland auf das Gesicht. Tatsächlich, das Frauengesicht schien auch auf den Blickkontakt gewartet zu haben. Als sie vis-a-vis waren, hob Roland seine Handschellen vor das Fenster! Sein neben ihm sitzender Bewacher griff ihm geistesgegenwärtig in den Arm und riss ihm die Hände runter.

Der Wolga mit Roland und seinen Bewachern fuhr in den Kontrollpunkt Zinnwald ein. Es gab nur zwei Fahrzeuge, den Wolga auf tschechischer Seite, und jenseits zweier paralleler Schlagbäume auf DDR-Seite stand ein dunkelgrüner Barkas-Kombiwagen. Die beiden Bewacher stiegen aus und gingen auf zwei Uniformierte zu, die am Schlagbaum auf deutscher Seite standen. Dann kamen seine Bewacher zum Wagen zurück, er durfte aussteigen, die Handschellen wurden ihm abgenommen und er konnte sich seinen Mantel anziehen. Zusammen mit den tschechischen Bewachern, von denen einer den Koffer trug, ging es zu den Uniformierten bis an den Schlagbaum auf der deutschen Seite.

MfS Berlin Hohenschönhausen

„Herr Grundmann, Sie sind verhaftet, bei Fluchtversuch wird scharf geschossen!", begrüßte ihn ein Offizier von den NVA-feldgrau gekleideten Uniformierten.

So hart und gemein die Worte militärisch gesprochen wurden – sie klangen in Rolands Ohren nicht wie Musik, aber irgendwie vertraut – er war wieder in der Heimat - unter Deutschen!

Man führte ihn zum Barkas-Kombi. Hinter der Fahrerkabine war eine Seitentür geöffnet. Er blickte auf drei Metalltüren, die sich zur Wageninnenseite öffnen ließen. Das waren Zellen! Die Türen waren so breit, wie die an blechernen Garderobenschränken, die er von der Armee her kannte. In Sitzhöhe war ein Brett. Im Wagen konnte er nicht stehen. Sitzend musste er die Knie nach oben anwinkeln. Bücken konnte er sich in dem Verschlag nicht. Die Zellentür hatte unten Schlitze für die Luftzufuhr. Die Wagenaußenseite bildete das glatte Blech. So eingepfercht, begann Rolands Transport, von dem er nicht wusste, wohin er ging. Ohne Pause zu machen, fuhr man ihn durch die Gegend. Es möchten vier bis fünf Stunden vergangen sein, seine Beine waren kaum noch durchblutet und sein Steißbein schmerzte. Den wahrnehmbaren Geräuschen des Straßenverkehrs nach fuhr der

Barkas jetzt in einer Stadt. Da, auf einmal, wurde eine Brücke unterfahren, und im selben Moment fuhr über sie ein Zug. Der wahrgenommene Verkehrslärm zusammen mit dem Zug und der Fahrzeit, er war sich sicher, das ist Berlin!

Der Barkas fuhr in eine hohe Halle. Hinter dem Wagen schloß sich ein riesiges Tor. Als Roland aus, konnte er nach der zusammengekauerten Stellung auf der langen Fahrt nur gebückt die Stufen einer Rampe hochgehen. Sie bildete den Zugang zu den im Hochparterre des Gebäudes gelegenen „Empfangsräumen".

Ausziehen, in alle Löcher gucken lassen, und das in erniedrigender Art und Weise, bildete den Auftakt für die Unterbringung in der Untersuchungshaftanstalt des Ministerium für Staatssicherheit in Berlin-Hohenschönhausen. Als Untersuchungshäftling bekam er neue, saubere Sachen. Weiße Unterhose, Turnhemd, gestrickte Socken, brauner Trainingsanzug und schwarz-gelb karierte Filzpantoffeln, so wie sie meistens in Ostberlins Familien gebräuchlich waren. Handtuch, Seife, Zahnpasta, Zahnbürste und Trinkbecher ergaben ein Bündel, das Roland vor sich her trug, als er von einem Bewacher in die dritte Etage geführt wurde. Zu jedem Teil eines Flures, durch den der Weg führte, wurde eine Stahlgittertür auf- und nach ihm wieder verschlossen. An der Wand hingen in Griffhöhe Schnüre, die von einer roten Glühbirne zur nächsten führten. Diese Schnüre waren Signalleinen. Die Wachleute führten keine Gefangenen in einen Flur, in dem die roten Lampen brannten. Mit den brennenden Lampen wurde war angezeigt, dass bereits ein Posten mit einem anderen Gefangenen in diesem Abschnitt auf dem Weg war. Kein Gefangener sollte einen anderen zu Gesicht bekommen. Beim Kommando: „Stopp!", weil ein Abschnitt durch eine eingeschaltete rote Lampe nicht betreten werden konnte, hatte der Gefangene sich mit dem Gesicht - Nase an die Wand - zu stellen. Sollte ein Gefangener irgendwelchen Ärger bei der Führung machen, konnte sein Bewacher an der Signalleine reißen, und im Kontrollraum wurde Alarm ausgelöst. Ein „Ordnungstrupp" von Wärtern setzte sich dann in Marsch.

Der Anblick der neuen Zelle, in einem Neubau, ließ im Vergleich zu der vorangegangenen in der CSSR an eine Jugendherberge denken. Zwei Holzliegen standen rechts und links an der Wand. Die hatten mit weißen Laken umschlagene Schaumstoffauflagen, auf denen blau-weiß-kariert eingezogene Decken lagen. Geradeaus war ein aus Glasbausteinen gemauertes Fenster, deren unterer Abschluss einen Absatz bildete. Darunter ein schmaler Tisch, an dessen beiden Seiten ein Hocker stand. Neben dem Eingang war auf der einen Seite ein Waschbecken, über dem ein in der Wand verschraubtes blankes Blech als Spiegel diente. Auf der anderen Seite stand ein Klosett mit Deckel. Auf dem Betonboden war Linoleumbelag. Die Wände waren auf zwei Meter Sockelhöhe mit Ölfarbe lindgrün gestrichen, darüber weiß. Die Zellenmaße waren etwa 4m lang, 3m breit und 2,50m hoch. Bevor sich die Zellentür schloss, wurde Roland durch den Wärter belehrt:

„Sie sind in der Zelle die „EINS". Wenn Sie von einem Wachhabenden angesprochen werden, ist das Ihr Name. Verstanden? Wann haben Sie heute zuletzt gegessen?"

„Frühstück in der CSSR!", war seine kurze Antwort.

„Sie bekommen Abendbrot - danach Bettruhe!"

Schlüsselgerassel in der Tür, die Klappe fiel auf, durch die Öffnung lugte ein Wärter:

„EINS, ihr Abendbrot! Stellen Sie den Becher her! Tee oder Kaffee?"

Roland wollte Kaffee. Der war Muckefuck. Auf einem Porzellanteller lagen zwei bestrichene Brotscheiben - einmal Wurst und einmal Scheibenkäse.

Die Klappe fiel wieder auf, der Teller musste herausgereicht werden. Er legte sich auf die Liege, konnte aber nicht einschlafen. Zu viele Gedanken gingen ihm durch den Kopf. Krampfhaft versuchte er seine Verteidigung für die erste Vernehmung zu durchdenken, dabei schlief er ein.

Gerassel im Zellenschloss, die Tür stand offen:

„EINS - Anziehen! Mitkommen!" kommandierte ein Soldat auf dem Flur. Schlaftrunken koordinierte Roland sein Handeln. Roland hatte kein Zeitgefühl mehr. War es abends, spätabends oder nachts? Als er zum Waschbecken ging, um sich frisch zu machen, moserte der Posten:

„Ein bisschen dalli!"

Roland musste vor dem Soldaten nach dessen Wegkommandos bis hinunter ins Erdgeschoss herlaufen. In einem Flur, in dem es keine Zellentüren gab, sondern nur breite Zimmertüren zu beiden Seiten, hieß ihn der Soldat neben einer Tür stehen zu bleiben. Jetzt öffnete er eine Tür nach außen, die auf ihrer Innenseite mit einem Schallschutzpolster versehen war. Er klopfte an eine zweite Tür, die in der selben Leibung wie die bereits geöffnete nach innen zu öffnen war.

Von innen das Kommando:

„Eintreten!"

Roland trat in einen Raum, in dem rechts an der Wand ein Seitenbord und in der Mitte vor einem Gardinen verhangenen Fenster ein Schreibtisch stand. An diesen war von vorn noch ein kleinerer Tisch angestellt, darunter war ein Stuhl geschoben. Als die Tür hinter ihm geschlossen wurde, bemerkte er dahinter einen Hocker in der Ecke.

Hinter dem Schreibtisch saß ein Leutnant in Uniform. Er mochte die Dreißig überschritten haben. Auf der ansonsten leeren Schreibtischplatte standen Telefon und Schreibtischlampe. Vor ihm lag ein aufgeschlagener Aktenordner.

„Setzen Sie sich auf den Hocker hinter Ihnen! Nehmen Sie die Hände unter Ihre Oberschenkel und lehnen Sie sich nicht an der Wand an. Sie sind Raucher, richtig?"

„Jawohl, Genosse Leutnant!"

„Reden Sie mich mit „Vernehmer" an! Wie viele Zigaretten rauchen Sie pro Tag?"

„Fünf bis zehn Stück, Herr Vernehmer!"

Eigentlich hatte Roland überhaupt keine Zigarettensucht – er rauchte nur in Gesellschaft und kam auch gut ohne Zigaretten aus. In der Vernehmer-Frage erkannte Roland die Suche nach Erpressungspotential. Da wollte er ihm Zucker geben. Prompt folgte die „Verlockung".

„Ich habe hier eine Zigarette, wenn Sie sich kooperativ zeigen, bekommen Sie die am Ende der Vernehmung!"

Er legte die Zigarette vor sich in eine Bleistiftschale, die anscheinend nur für die demonstrative Ablage eben dieser Zigarette auf dem Tisch stand.

„Sie sind also der Roland Grundmann, der unseren Staat verraten wollte. Das hat ja nun nicht geklappt! Vaterlandsverräter wie Sie kommen mindestens fünf Jahre in den Bau!"

„Ich wollte doch nicht ...", versuchte Roland zu Wort zu kommen.

„Habe ich Ihnen zu reden erlaubt? Sie reden hier nur, wenn ich das erlaube und dann nur die Wahrheit, verstanden! Für einen so durchtriebenen Schurken unseres Staates wie Sie einer sind, gibt es hier kein Pardon! Sie waren schließlich Geheimnisträger!""

„Das ist doch..."

„Sie sollen die Klappe halten! Republikflucht und das mit einem Pass unserer Republik. Sie fälschten den Pass und sabotierten das Ansehen unseres Staates im Ausland. Sie hintergehen und verraten unserer Bürger! Ja, das sind Sie - ein Krimineller, ein Saboteur!"

Den im Kern zutreffenden Vorwurf der versuchten Republikflucht so feindselig unter die Nase gerieben zu bekommen, hatte Roland denn doch nicht erwartet.

'So schlecht ist mein ersatzweises Alibi nicht! Hier geht es um Alles – es geht um Freiheit und Leben. Fünf Jahre Knast, das ist Wahnsinn, das ist der Tod!', rumorte es in seinem Hirn.

Roland nahm seinen ganzen Mut zusammen!

Er stieß sich quasi mit den Händen, auf denen er zu sitzen hatte, vom Hocker ab, stand aufrecht vor dem etwa zwei Meter von ihm entfernten Schreibtisch, hinter dem der Vernehmer saß, und schrie ihn an:

„Eines Tages komme ich hier raus! Dann werde ich mich bei unserem Staatsratsvorsitzenden Walter Ulbricht über Sie beschweren. Ihren Namen wird man feststellen!" und mit der letzten Luft, aber in der ihm überhaupt möglichen Lautstärke weiter:

„Was bilden Sie sich eigentlich ein, wen Sie vor sich haben. Ich bin kein Vaterlandsverräter und für Sie noch lange kein Krimineller!"

Roland setzte sich wieder auf den Hocker, seine Hände wie befohlen, unter den Oberschenkeln.

Weil der Leutnant im Moment von Rolands Aufspringen den Notknopf, der sich unterhalb der überstehenden Schreibtischplatte befand, gedrückt hatte, stürmte ein Wachsoldat in den Raum. Jovial winkte der Leutnant den Wachsoldaten ab - so wie, er möge gehen, es wäre alles in Ordnung.

Der Vernehmer hatte den ersten Schreck schon wieder verdrückt, lehnte sich in seinem Stuhl zurück und kostete seine beherrschende Position aus, in dem er provokant ruhig sagte:

„Sie könne hier schreien so laut Sie wollen – es hört Sie keiner!" und dann blitzartig gesteigert, wie in der Lautstärke von Roland zuvor: „Wenn Sie noch einmal unerlaubt vom Hocker aufstehen, kriegen Sie Handschellen. Wir können auch anders! Verstanden!"

„Was Sie können, habe ich schon bei den Tschechen erlebt."

Als er das sagte, lief im fühlbar der Schweiß die Achseln runter.

Um es vorweg zu nehmen: Während der Haftzeit in Hohenschönhausen wird er nicht einmal Prügel bekommen, nicht eine einzige Backpfeife. Das konnte er aber bei diesem Nachtverhör nicht wissen.

„Beschweren wollen Sie sich also. Wohl darüber, dass man Sie wenige hundert Meter vor der Grenze zu Österreich mit einem gefälschten Visum der DDR festgenommen hat? Das ist versuchte Republikflucht - Sie Schweinehund!"

„Ist sie nicht! Wer sagt Ihnen denn, dass ich aus Österreich nicht wieder zurückgekommen wäre? Damit hätten ich eindeutig gezeigt, was für ein zuverlässiger DDR-Bürger ich bin."

„Sagen Sie mal, für wie doof halten Sie uns hier? Glauben Sie wirklich, ich oder irgend sonst jemand hier fällt auf Ihre blöde Geschichte von der angeblichen Reportage rein?

Wir haben Zeit, wir haben viel Zeit, wir haben so viel Zeit, dass Sie uns eines Tages selber darum bitten werden, Ihnen Ihr Geständnis abzunehmen."

„Bekomme ich keinen Rechtsanwalt?", fragte Roland.

„Hier gibt es keinen Rechtsanwalt. Erst wenn wir den Sachverhalt aufgeklärt und Sie ein Geständnis abgelegt haben, können Sie einen benennen."

Die Vernehmung wurde abgebrochen. Die „lockende" Zigarette blieb in der Bleistiftschale liegen.

Aufgewühlt und verunsichert lag er in der Zelle. Schlafen konnte er nicht, selbst wenn er gewollt hätte, denn kurz darauf war Wecken!

Auf der Liege durfte er tagsüber nicht liegen. Er saß am Tisch und grübelte. Die Mahlzeiten waren nicht die einzige Abwechslung. Aus einem Bücherwagen, den man vor die geöffnete Zellentür geschoben hatte, konnte er sich ein Buch aussuchen.

Nach zwei Tagen:

„EINS, raustreten!"

'Na endlich, jetzt werde ich dem Vernehmer Rede und Antwort stehen', dachte er.

Der Weg führte aber nicht zum Vernehmer, sondern aus dem Zellen-Gebäude über einen Hof. Von einem Arzt wurde er nach Beschwerden oder Krankheiten befragt, abgehorcht, Blutdruck gemessen und ohne Befund im Sinne von gesund wieder auf die Zelle gebracht.

Er hatte richtige Sehnsucht nach seinem Vernehmer, daran änderte auch nicht das Lesen im inzwischen zweiten Buch. Aber genau darin bestand die Methode – er sollte schmoren.

Die zweite Vernehmung fand erst zwei Tage nach der Vorführung beim Arzt statt. Nicht so hässlich wie die erste begann diese Vernehmung:

„Wenn Sie heute kooperativ sind, bekommen Sie die Zigarette!"

Der Vernehmer holte die Zigarette aus seiner Schreibtischschublade hervor und legte sie wieder demonstrativ in die Bleistiftschale. Die Besonderheit dieser Vernehmung lag in ihrer Länge. Fast minutiös wurde von Roland verlangt, die gesamte Reisevorbereitung und den Ablauf bis zur Verhaftung zu Papier zu bringen. Das lief so ab:

Die Frage wurde gestellt und handschriftlich vom Vernehmer ins Protokoll geschrieben. Die Antwort wurde von ihm ebenfalls handschriftlich festgehalten. So ging es von morgens nach dem

Frühstück bis zum Abendessen, lediglich mit einer Unterbrechung zum Gang auf die Toilette. Als Roland von der Toilette zurückgeführt wurde, saß auf einmal ein anderer Vernehmer vor ihm. Die Bleistiftschale war leer, die Zigarette weggeräumt.

Dann ging es Schlag auf Schlag - jeden Tag zur Vernehmung, vormittags und nachmittags bis zum Abendessen. Die Zigarette lag jedes Mal an ihrem Platz in der Bleistiftschale. Roland war dem Vernehmer aber nicht kooperativ genug. Der war kein Intellektueller, aber bauernschlau. Er spürte, Roland log von vorn bis hinten, aber dafür brauchte er Beweise. Roland hingegen wurde in seinem Lügenkonstrukt immer sicherer. Seine größte Stärke bezog er daraus - es gab keine Mitwisser und in seinen Kopf konnte keiner gucken. Wenn er sich nicht in den Vernehmungen um Kopf und Kragen redete, gab es keine versuchte Republikflucht! Um Tage versetzt, wurden ihm die handschriftlich fabrizierten Protokolle, inzwischen abgetippt, zur Unterschrift vorgelegt. Er musste sie durchlesen und auf jeder Seite handschriftlich nach den Wörtern:
„Gelesen und verstanden, Unterschrift" signieren.

Am Abend des 22. Dezember kam es zum Knall. Er sollte das zehnstündige Protokoll der beiden Vernehmer von vor zwei Tagen absegnen:
„Herr Vernehmer, das unterschreibe ich nicht! So habe ich das nicht gesagt. Das ist völlig sinnverdreht wiedergegeben! Das bringt mich ja, wie es hier steht, ins Gefängnis!"
„Das unterschreiben Sie gefälligst, so haben Sie das gesagt!", schimpfte der Vernehmer.
„Nein, das unterschreibe ich auf keinen Fall!"
Roland war nämlich aufgefallen, dass es da eine Passage gab, die so schon deswegen nicht von ihm stammen konnte, weil sie nicht seinen Sprachgebrauch wiedergab. Der Vernehmer wetterte fürchterlich und erinnerte daran:
„Ich habe Zeit, irgendwann werden Sie unterschreiben, Sie wollen ja, dass es weitergeht."

Der Vernehmer drückte auf den Signalknopf und Roland wurde in die Zelle gebracht. Dass das Protokoll manipuliert wurde, war Roland klar, und das plausibel einem Dritten zu erklären, traute er sich auch zu. Das Schlimme an der Sache war nicht einmal die Manipulation an sich, sondern ihre Bedeutung. Aus ihr war die Absicht zur Republikflucht zu interpretieren. Der Vernehmer saß am längeren Hebel. Roland schlussfolgerte:

‚Hier kann nur jemand helfen, der diesem Vernehmer Vorgesetzter ist. Wie aber komme ich aus der Zelle an solch einen Vorgesetzten?'

So kam ihm die Idee vom Hungerstreik!

Schon das Abendessen wurde von ihm verweigert. Auch am nächsten Morgen wurde das Frühstück zurückgegeben mit dem nochmaligen Hinweis:

„Ich bin im Hungerstreik!"

Er lief noch im Laufkäfig seine Runden, als er von dort aus dem Zellentrakt-Bau heraus über den Hof direkt zum Anstaltsleiter geführt wurde.

Vor dem Zimmer mussten sein Bewacher und er noch etwas warten, bevor Roland durch ein Vorzimmer in das Büro des Anstaltsleiters geführt wurde.

„Guten Tag, Herr Grundmann, nehmen Sie hier Platz."

Er zeigte auf eine Sitzgruppe im Zimmer. Vier, mit rotem Stoff gepolsterte Sessel standen um einen quadratischen Couchtisch.

„Trinken Sie Kaffee?"

„Kaffee? Gerne, Herr Direktor."

Roland stand vor einem Mann, fast glatzköpfig, altersmäßig über die Fünfzig, rundes Gesicht mit ausstrahlender Intelligenz, an der seine randlose Brille großen Anteil hatte.

„Ich weiß inzwischen, wer Sie sind, kenne Ihren Fall - da auf meinem Schreibtisch liegt Ihre Akte. Seit gestern Abend lehnen Sie die Verpflegung ab?"

„Ja, ich weiß mir keinen anderen Rat. Ich werde von meinem Vernehmer genötigt und bedroht, einen Protokolltext zu unterschreiben, der nicht meine Aussage wiedergibt."

„Die Vernehmer arbeiten gewissenhaft! Glauben Sie mir, wir haben auch andere, größere Fälle als den Ihren hier."

„Das glaube ich, aber so wie mein Vernehmer mit mir umgeht, das ist nicht rechtens! Ich kann Ihnen das konkret an dem Protokoll beweisen, was ich mich zu unterschreiben weigere!"

Der Geruch von Bohnenkaffee zog ins Zimmer, als die uniformierte Frau aus dem Vorzimmer mit dem Tablett hereinkam.

Roland nahm keinen Zucker und keine Milch in den Kaffee. Er genoss andächtig den ersten Schluck aus der Tasse. Mehr ging nicht, denn der Kaffee war noch zu heiß.

„Danke", brachte er hervor, als er die Tasse absetzte.

„Bedienen Sie sich, wenn Sie mehr haben wollen. Nun, dann zeigen Sie mir mal Ihre Beweise." Das Wort „Beweise" betonte er ironisch.

Er holte den Aktenordner vom Schreibtisch und schlug ihn an einem mit Lesezeichen versehenen Teil des besagten Protokolls auf. Roland gab sich Mühe, die stilistische Abweichung in dieser Passage zu erklären und wies so die damit mögliche Interpretation einer Republikflucht nach.

Die Meinung des Anstaltsleiters war:

„Einen Beweis für eine wissentliche Änderung erkenne ich nicht. Vielleicht haben Sie an der Stelle unglücklich formuliert. Vielleicht hat der Vernehmer Sie nicht richtig verstanden. Die Vernehmung wird wiederholt, der ganze Passus wird weiter untersucht werden."

An der Stelle fragte Roland nach:

„Wie lange werden denn die Untersuchungen Ihrer Meinung nach noch dauern, ich wollte wirklich nicht in den Westen abhauen! Ich war auf dem Weg zu meinen Eltern?"

„Ich weiß, wer Ihre Eltern sind, aber das mit der Besuchsreise und der Reportage in Wien war ja bestenfalls ein idiotisches Vorhaben! So dumm sind Sie doch eigentlich nicht. Ich sagte schon, das wird alles untersucht werden."

„Und wie lange dauert das?", war die ängstliche Frage von Roland

„Da sollten Sie schon in Monaten rechnen!"

„Monate? Und das bei dem Vernehmer?"

„Was werfen Sie ihm denn noch vor?"

Roland erzählte von den Beleidigungen und der permanenten Voreingenommenheit. Als Beispiel schilderte er die verlangte Kooperation in Verbindung mit der Zigarette, die er vom ersten Tag bis heute nicht bekommen hatte.

„Wie viele Zigaretten welcher Marke haben Sie denn früher geraucht?"

„Fünf bis zehn Stück „Diplomat", Herr Direktor."

Diese Zigarette eine der Teuersten, hatte einen braunen Filter, sah aus wie eine Westzigarette und kostete damals 20 Pfennige das Stück.

„Sie versprechen mir, nichts Ihrem Vernehmer zu sagen. Ihnen wird alle zwei Tage eine Packung „Diplomat" auf die Zelle gebracht. Nochmals, kein Wort Ihrem Vernehmer gegenüber – verstanden?"

„Sie können sich darauf verlassen, danke, Herr Direktor."

„Haben Sie sonst noch Beschwerden?"

„Wenn ich mal so sagen darf", fühlte sich Roland ermutigt, „das Buchangebot ist trivialer Schund! Ich würde gern gute Literatur lesen."

„Das ist hier keine Bildungseinrichtung! Das Interesse unserer Insassen an Büchern ist, wenn überhaupt, nicht besonders anspruchsvoll. Grundmann, ich kann Sie verstehen!"

Er erhob sich aus dem Sessel, aber die Art und Weise, wie der Herr Direktor sich zu seiner Bibliothek begab, das hatte etwas Stolzes, Erhabenes. In der holzgetäfelten Wand standen über ihre ganze Breite Bücher, von der Hüfthöhe an bis kurz unter die Decke. Er stand vor den Bücherreihen und bewegte seinen ausgestreckten Zeigefinger die Regalreihen entlang.

„Kennen Sie Traven, Das Totenschiff"?

„Traven ja, Das Totenschiff nicht."

„Morgen ist Weihnachten, ich leihe Ihnen das Buch! Sie geben es an einen Wärter zurück, mit dem ausdrücklichen Hinweis, es mir persönlich zu bringen."

Jetzt konnte Roland nicht mehr an sich halten, er musste sich die Tränen mit dem Ärmel aus den Augen wischen.

„Haben Sie sonst noch was vorzubringen?"

„Einzelhaft, die macht rammdösig!"

„Sonst noch was?"

„Sind denn meine Eltern informiert?"

„Ja, denen haben Sie die Feiertage verdorben! Die glauben übrigens, Sie sind wirklich so naiv und dumm, wie Sie uns hier weismachen wollen."

Während des ganzen Gesprächs hatte sich der Direktor Notizen gemacht. Roland hatte die dritte Tasse Kaffee ausgetrunken. Der Bewacher wurde per Knopfdruck herbeigerufen. Bevor der in das Zimmer vom Direktor trat, sagte der noch:

„Grundmann, melden Sie sich, wenn es Probleme gibt. Sagen Sie die Wahrheit, und das Leben nimmt seinen Lauf. Möge der Lesestoff Ihnen über die Festtage helfen!"

Schon auf dem Gang zur Zelle ärgerte sich Roland über seine emotionale Regung beim Direktor:

'Ich muss härter werden, auch in Momenten wie denen beim Direktor. Die Leute hier verkörpern als Gruppe das System, welches zu hassen mir eingeprügelt wurde. Vielleicht war der Direktor nur Akteur in einer ausgeklügelten Strategie herauszufinden, wie mit mir am Besten umzugehen ist.'

Am Nachmittag desselben Tages wurde Toni van ASS, ein Holländer, zu Roland in die Zelle verlegt. Sein Zellenname war „ZWEI". Toni war zwei Tage zuvor in Oebisfelde an der Grenze zur BRD-Niedersachsen verhaftet worden. Er hatte versucht, seine Verlobte, die im fünften Monat schwanger war, im Zug versteckt in den Westen zu bringen. Er stammte aus Den Haag und dort wollte er noch vor dem Jahresende seine Gisela heiraten. Toni war völlig mit den Nerven am Ende. Er wusste nicht, was man mit Gisela gemacht hatte, wo sie war und wie es ihr ging. Er sprach passabel deutsch. In Holland war er Student der Wirtschaftswissenschaften und sollte in Kürze diplomieren. Toni war froh, mit jemandem reden zu können. Roland wies ihn in die Rituale des Lebens in der Zelle ein und war selber froh, nicht mehr allein zu sein.

Heiligabend vormittags:

„ZWEI! Raustreten!" Toni wurde zur Vernehmung abgeholt.

Es war ruhiger als sonst in der Etage. Schon in den vergangenen Tagen hatte Roland immer mal wieder leises Klopfen an der Wand vernommen, hörte sich an wie Morsezeichen. Da verständigte man sich, das war klar. Aber wie ging das? Das Naheliegendste war das Alphabet. Bei sechsundzwanzig Buchstaben müsste also, um einen Buchstaben zu übermitteln, so und so oft geklopft werden. Er versuchte seine Theorie durch Mitzählen zu überprüfen. Ja, das ging, aber die Buchstaben zu einem Wort zusammensetzen zu können, dazu fehlten ihm Bleistift und Papier. Immer nach einem Buchstaben wurde gekratzt, um den Buchstaben als fertig zu fixieren. Die Klopfzeichen gingen für ihn zu schnell, aber jetzt wusste er Bescheid. Toni verfügte über Bleistift und Papier und Roland machte ihn auf die Nachrichten in der Wand aufmerksam. Sie teilten sich auf - Roland lauschte, wenn er Klopfen hörte und Toni notierte die Buchstaben. Des öfteren hörten sie die Wärter auf dem Flur mit dem Kommando:

„Aufhören, sonst geht es in die Dunkelzelle!"

Das Abendessen war zwar dem „Heiligabend" angemessen, aber entsprach so gar nicht der Vorstellung von Haftverpflegung. Es gab Wiener Würstchen mit Kartoffelsalat!

Im Nachhinein erklärt sich die unterschiedliche Behandlung und Verpflegung der Gefangenen im Untersuchungsgefängnis des Ministeriums für Staatssicherheit:

Nicht alle Gefangen waren gleich - manche waren gleicher!

Es gab verschiedene Kategorien, denen die Inhaftierten zugeordnet waren. Davon wusste der Gefangene natürlich nichts, und während der Haft konnte sich dessen Kategorie-Einordnung nach dem Ermittlungsstand seines Haftgrundes auch ändern. Neben den als Feinde der DDR klassifizierten Häftlingen gab es die "Prominenten". Das waren ins Straucheln gekommene DDR-Bürger aus dem Partei- oder Staatsapparat, der Wirtschaft, der Wissenschaft oder dem Kulturbetrieb, deren Seelen man für den weiteren Aufbau des Sozialismus reaktivieren oder neu gewinnen wollte. Dann gab es aus dem Westen stammende Gefangene, deren Entlassung schon während oder nach der Untersuchungshaft absehbar war. Diesen Privilegierten sollte die Haft nicht traumatisch als humanitäre Entgleisung des DDR-Staates in Erinnerung bleiben.

So erklärt sich denn auch: Am ersten Weihnachtfeiertag, Roland und Toni glaubten ihren Augen nicht zu trauen, gab es mittags eine gebratene Gänsekeule mit Klößen und Rotkohl! Am zweiten Weihnachtsfeiertag verzehrten sie ein Schweineschnitzel mit Erbsen und Kartoffeln.

Die Feiertage waren vorbei, Roland wurde seinem Vernehmer zugeführt:

„Wir werden die einzelnen Abläufe," so begann einleitend der Vernehmer aufzuzählen, „die Vorbereitung und die Kontakte in Berlin, die Reise und Ihren Aufenthalt in Prag, Ihre Kontakte in Prag, die Visum-Fälschung, den Fahrkartenkauf in Prag, Ihren Besuch in der österreichischen Gesandtschaft, Ihre Vernehmungen in der CSSR und die Tätigkeit von Rechtsanwalt Dr. Semeh im Bezirksgefängnis von Ceske Bodiovice umfassend zu Papier bringen.

Ich werde Sie vorerst dazu nicht vernehmen! Das machen Sie ab sofort mit sich alleine! Jeden Tag werde ich Ihnen Fragen vorgelegen, die Sie in einer Schreibzelle zu beantworten haben. Von Ihren schriftlichen Antworten wird von mir ein Protokoll gefertigt und das lege ich Ihnen zur Unterschrift vor. Hier sind die Fragen für heute. Wenn ich an Ihrem Konvolut feststelle, Sie waren kooperativ, bekommen Sie von mir eine Zigarette!"

Roland wurde in eine „Schreibzelle" geführt. Das war eine Zelle mit Tageslicht durch Glasbausteinfenster, einem Tisch und einem Stuhl. Auf dem Tisch lagen ein Bleistift und ein Stapel Papier im DIN A4-Format.

„Wenn Sie zur Toilette müssen, klopfen Sie an die Tür, das Mittagessen bekommen Sie hier", sagte der Wärter und verriegelte die Tür.

Es war schon dunkel draußen, als der Wärter die vollgeschriebenen Seiten nahm und wieder verschwand. Nach einer Weile, er hatte wohl die beschriebenen Seiten zum Vernehmer gebracht, kam er wieder und führte Roland zu Toni in die Zelle.

Nach dem Käfigrundgang am nächsten Tag saß Roland wieder seinem Vernehmer gegenüber:

„So habe ich mir das nicht vorgestellt! Sie schreiben zu jeder Frage einen Aufsatz, entweder Sie verstehen die Fragen nicht oder Sie drücken sich im Kern um ihre Beantwortung! Die Fragen von gestern beantworten Sie komplett noch einmal! Keine Kooperation – keine Zigarette!"

Roland dachte:

'Wenn der wüsste, wie mich das mit der Zigarette juckt! Und überhaupt, alles noch einmal zu schreiben, das ist doch prima. Das Schreiben ist Abwechslung und macht Laune. Das „Noch-einmal-Schreiben" hat vielleicht der Vernehmer als Strafarbeit aus der Schule im Kopf.'

Die vor-tags geschriebenen Seiten behielt der Vernehmer. Roland bekam nur den Bogen mit den bekannten Fragen.

Am nächsten Tag der gleiche Ablauf:

„Das ist Fakt, dafür gibt es die Zigarette nicht! Ich verlange mehr Kooperation, verstanden?"

Weil er die Zigarette jeden Tag wieder in die Schreibtischschublade legte und sie am folgenden Tag wieder vorkramte, sah man ihr das inzwischen an. Der Tabak war schon an beiden Enden herausgebröselt.

Roland bekam also neue Fragen und schrieb in der Schreibstube seine Aufsätze.

Beim Vernehmer:

„Sie können es einfach nicht! Verdammt noch mal, beantworten Sie konkret meine Fragen! Ich will nicht wissen, was Sie wo gegessen haben und was Ihnen sonst noch durch den Kopf gegangen ist. Ich will wissen, WAS Sie WO mit WEM konkret abgesprochen haben. Wofür haben Sie Hilfe verlangt und sie bekommen? Ist denn das so schwer?"

„Herr Vernehmer, da ist einfach nicht mehr passiert, als ich geschrieben habe. Ich kann mir doch nicht für Sie etwas ausdenken! Bekomme ich heute die Zigarette? Ich bin ja schon Nichtraucher!"

„Nein, bekommen sie nicht- vielleicht im nächsten Jahr!"

Zu Toni war sein Vertrauen noch nicht so ohne Netz und Boden, um ihm leichtsinnig seinen täglichen Kampf um die Hoheit der Deutung seiner Reiseabsicht nach Österreich zu offenbaren. Toni kannte nur das Missgeschick, welches ihn dummerweise unter den Verdacht der Republikflucht gebracht hätte. Rolands Anteilnahme an Tonis gescheitertem Versuch hingegen, seine Gisela nach Holland zu schmuggeln, war echt. Er wollte gern beim Klopfen helfen - in der Silvesternacht, wenn es draußen knallt.

„Toni sucht Gisela", wollten sie durchgeben.

Ihre Zelle lag in der zweiten Etage, als letzte im Flur. Sie mussten also darauf hoffen, dass ihre Suche aus der Nebenzelle weitergegeben wurde. Sie wussten ja auch nicht, ob eine oder zwei Personen in der Zelle nebenan eingesperrt waren.

Mit dem Silvesterabendbrot, Bockwurst mit Kartoffelsalat, wurde auch noch ein Pfannkuchen gereicht!

Als Nachtruhe war, fing Roland unter der Bettdecke, die die Tickgeräusche dämpfen sollten, mit dem Klopfen an. Er benutzte dazu Tonis Bleistift. Toni kniete währenddessen vor der Zellentür und horchte mit dem Ohr an der Tür auf Schritte im Flur. Hätte er etwas gehört, hätte er sich schnell auf die Toilette gesetzt. Zweimal gab Roland den Text durch. Der oder die Nachbar(n) hatten verstanden und durch Kratzen an der Wand bestätigt. Toni war ganz aufgeregt und wollte, dass Roland mit ihm über die ganze Nacht wach blieb, um ja keine Nachricht zu verpassen. Jedenfalls waren sie noch um Mitternacht wach. Durch entfernte Knallerei bekamen sie den Anbruch des neuen Jahres mit. Sie standen auf, umarmten sich und wünschten sich aus ganzem Herzen ein besseres 1966, als es das vergangene Jahr gewesen war. Man kann nicht in die Zukunft blicken. Sich in Unfreiheit auszumalen, eventuell rudimentäre Wahrscheinlichkeiten erahnend, Wünsche träumend, Vorsätze fassend Erhofftes zu erreichen - das geht nur halbwegs. Womöglich kommt dann aber alles doch ganz anders.

Für Roland sollte das aufregendste, bedeutendste und schönste Jahr seines Lebens begonnen haben, aber das überstieg an Ort und Stelle seine Phantasie!

Der Betrieb im Untersuchungsgefängnis lief nach Neujahr anscheinend auf Hochtouren. Häufiges Zellentür-auf und Zellentür-zu. Toni wurde auch ständig zu Vernehmungen geholt. Nur bei Roland war Stillstand, sein Vernehmer wollte nichts von ihm. Dass der

Direktor ihn nicht vergessen hatte, zeigten die laufenden Zigarettenlieferungen. Selbst rauchte er zwei, höchstens drei Zigaretten am Tag. Immer, wenn er Feuer benötigte, drückte er auf den Signalknopf, und der Wächter kam und steckte ihm durch die Klappe die Zigarette mit einem Feuerzeug an. Toni war Nichtraucher und hatte nur an den Weihnachtstagen nach den opulenten Essensausgaben zur Gesellschaft mitgeraucht. So erklärte sich, dass drei Zehner-Packungen im Fenstersims gestapelt lagen. Roland wollte den eigenen Konsum aus Langeweile nicht erhöhen, und eine Sicherheit auf fortwährende Belieferung gab es ja nicht. Er nahm die reibungslose Zigarettenversorgung auch als Indikator dafür, dass die laufenden Untersuchungen bisher nichts Belastendes erbracht hatten. Andernfalls, als Feind der DDR festgenagelt, wären die Privilegien sicherlich gestrichen worden.

In der ersten Januarwoche, Toni war zum Verhör, vernahm Roland Klopfzeichen. Er zählte und schrieb:

„Gisel...." dann Unterbrechung und nach einer Weile weiter: „a hier, erster St...." Abbruch oder Ende? Egal, die Information war klar!

Toni kam von seiner Vernehmung zurück und machte einen ausgesprochen glücklichen Eindruck:

„Roland, ich hatte Besuch von einem Mann aus unserem Konsulat! Die kümmern sich um meine Freilassung! Gisela ist auch hier, es geht ihr gut!"

„Toni, ich weiß, sie ist im ersten Stock!"

„Woher weißt du das?"

„Sieh her, das kam vorhin durch die Wand! Stell dir das einmal vor, da haben Haftkameraden Tage gebraucht, um über viele Zellen diese Nachricht zu klopfen!

„Ja, kaum zu glauben, diese Solidarität - werde ich in Holland erzählen!"

Es mag Mitte Januar gewesen sein, als Roland seinen Vernehmer zum ersten Mal im neuen Jahr sah. Roland hatte noch inzwischen abgetippte Protokolle zu unterschreiben. Durch Schaden klug geworden, nahm er sich Zeit beim Durchlesen. Und tatsächlich, erneut glaubte er den Übereifer seines Vernehmers in einer Formulierung erkannt zu haben.

„Herr Vernehmer, hier haben Sie doch wieder rumgefummelt!"

„Nein, diesmal nicht!", rutschte es dem spontan heraus.

Roland, Lachseufzer, grinste den Vernehmer verschmitzt an.

Der, sich bewusst, dass ihm herausgerutscht war, überhaupt schon gefummelt zu haben, fragte kühl:

„Unterschreiben Sie, oder ich zeige Ihnen Ihre schriftlichen Ausführungen!"

„Ich unterschreibe – alles kein Problem", sagte Roland überlegen.

Seine aktuelle Beanstandung war eigentlich ohne inhaltliche Bedeutung. Vielleicht hatte er sich auch nach der inzwischen verflossenen Zeit nicht mehr im Detail an seine Ausführungen erinnert - er unterschrieb. Der Vernehmer ärgerte sich anscheinend dermaßen über sich selbst, dass er Roland die vor ihm liegende Zigarette wieder nicht aushändigte.

Wochen vergingen, Roland und Toni hatten sich aus Brot und Zahnpasta Scheiben gebastelt, und ein auf Papier gemaltes Schachbrett diente zum Dame spielen. Sie machten sich Gedanken, Schachfiguren aus Brotteig herzustellen.

Wegen der langen Abstinenz, den Vernehmer nicht zu Gesicht bekommen zu haben, war Roland wieder verunsichert. Am Montag der letzten Januarwoche wurde er endlich zu ihm geführt.

„Guten Tag, Herr Grundmann, setzen Sie sich mit dem Stuhl hier nach vorne an den Tisch. Heute will ich erfahren, wie Sie sich denn so Ihre Zukunft vorstellen."

Der Kern des Gesprächs:

„Ich habe einen großen Fehler gemacht - habe unserem Staat geschadet. Gesetzt den Fall, ich wäre auf freiem Fuß, würde ich versuchen, diesen Schaden wieder gutzumachen. Wo und wie könnte ich das besser tun als in der Produktion. Ich bin Facharbeiter, Universalfräser, als solcher könnte ich arbeiten."

„Ja, Herr Grundmann, daran haben wir auch gedacht. Sie sollten sich in der Produktion bewähren, um das Vertrauen der arbeitenden Menschen wieder zu erlangen."

'Mein Konstrukt "Rückfahrkarte" scheint zu halten', schoss es Roland durch den Kopf, 'momentan sieht es danach aus; ich werde nach gescheiterer Flucht nicht als Knacki im Gefängnis landen!'

Den Triumph, den Kommunisten ein Schnippchen geschlagen zu haben verkniff er sich innerlich, denn noch waren die Fenster vergittert.

Drei Tage später hatte Roland Geburtstag. Der Tag war bis in den späten Nachmittag hinein so gewöhnlich wie die vorherigen auch.

'Na gut', dachte Roland, 'was sollte im Gefängnis an meinem Ehrentag auch anders sein?' Ein klein bisschen, meinte er aber doch, könne man sich seiner annehmen.

Das „Kleine Bisschen" kam gewaltig!

Draußen war es gerade dunkel geworden, als der Posten in der offenen Zellentür stand:

„EINS! Mitkommen!"

Er wurde in das Zimmer seines Vernehmers geführt.

Noch als der Wachsoldat hinter ihm die zweite Tür schloss, ging im Zimmer das Licht aus. Kaffeegeruch, Bohnenkaffee(!), lag in der Luft! Sein Vernehmer hantierte mit Streichhölzern, um eine Kerze anzuzünden. Die stand auf dem kleinen Bestelltisch, der bisher immer am Schreibtisch angeschoben war. Der kleine Tisch war vorgezogen. Über ihm lag eine weiße Tischdecke. Die Kerze leuchtete die Tischbedeckung aus: Eine Tasse auf Untertasse, ein Kuchenteller, Kaffeelöffel, Kuchengabel und sogar eine Serviette. Auf dem Teller standen zwei große Stücke Cremetorte. Kaffeekanne, Milchkännchen und eine zweite Eindeckung befanden sich auf dem Schreibtisch des Vernehmers, wo der inzwischen Platz genommen hatte.

„Herr Grundmann, wir wissen, dass Sie Ihre Geburtstage immer besonders feiern. Hier unser Versuch, Ihnen diesen Tag an diesem Ort zu verschönern! Rauchen dürfen Sie selbstverständlich auch."

Sein Vernehmer hatte es sich nicht nehmen lassen, neben die inzwischen schwindsüchtig aussehende noch eine zweite Zigarette zu legen. Beide waren von der billigen Sorte „Casino".

„Zuallererst: Ihre Eltern lassen grüßen! Ihre Mutter wird im nächsten Monat in Berlin sein.

Warum greifen Sie denn nicht zu. Essen Sie doch, die Torte ist ganz frisch."

„Herr Vernehmer, ich kann das nicht!"

„Wie, Sie können was nicht?"

„Herr Vernehmer, wenn ich zu meinem Zellengenossen „ZWEI", Toni van As, zurückkomme und dem sage, ich hätte Torte gegessen und Bohnenkaffee getrunken, dann denkt der sonstwas."

„Na, Sie müssen das ja nicht erzählen!"

„Herr Vernehmer, ich bin doch so dermaßen überwältigt von Ihrer Fürsorglichkeit und Größe, das kann ich beim besten Willen nicht für mich behalten!"

„Und was nun?"

„Haben Sie bitte Verständnis und sind Sie bitte so großzügig, lassen Sie ein Stück von meinen Geburtstagsstücken auf die Zelle zu „ZWEI" bringen -. Wenn Sie das für mich tun, dann möchte ich gerne die Torte hier genießen."

Der Vernehmer drückte den Signalknopf und wies den erschienenen Wachposten an, ein weiteres Stück Torte auf Rolands Zelle für „ZWEI" zu bringen.

„Dann mal zu uns", fuhr der Vernehmer fort, „die Untersuchungen sind abgeschlossen – man glaubt Ihnen, nicht versucht zu haben unseren Staat zu verlassen und zu verraten! Sie werden in den nächsten Wochen entlassen ! Genaueres dazu erfahren Sie noch."

Und wieder passierte Roland das, was er sich eigentlich verboten hatte – Emotionen vor Kommunisten zu zeigen. Er nahm die Serviette vom Tisch und beim Schnäuzen wischte er sich so unauffällig wie möglich seine Augen trocken. Seine feuchten Augen waren nicht Ausdruck persönlicher Gefühle gegenüber einer anderen Person, und schon gar nicht gegenüber seinem Vernehmer, sondern es waren Sieges-Tränen. Sorge fiel von ihm ab, und neues Leben schien sich in ihm auszubreiten.

Vier Wochen sollten noch vergehen, bis Roland unter Auflagen aus der Untersuchungshaft entlassen wurde.

Er müsse sich innerhalb einer Woche in einem Betrieb melden. Die Kaderabteilung des Betriebes wisse über ihn Bescheid. Ebenfalls habe er sich in Berlin-Mitte bei der Untersuchungsrichterin Frau

SEIDEWITZ zu melden. Wie es alsdann mit ihm weitergehen werde, läge im Ermessen des Gerichts. Der Ausgang des Verfahrens werde ergeben, ob er sich in Haft oder in der Produktion zu bewähren habe.

Das waren die begleitenden Worte bei seiner Entlassung.
Ach so, man wünschte ihm auch noch alles Gute für die Zukunft!

Aus der Zelle raus – rein in die „DDR"

Es machte ihm die Brust breit, als er die Stufen zu seiner Wohnung emporstieg.
Hier hatte er das Konstrukt ersonnen, das seinen Rückzug sichern sollte, falls sein Fluchtplan scheitern würde. Die Flucht war gescheitert, aber wenigstens Letzteres hatte geklappt - soweit die Vogelperspektive.
In der Makroaufnahme kehrte Roland als Gestrandeter, ein nach den Leistungskriterien der DDR Gescheiterter aus dem Gefängnis in seine Wohnung zurück. Seine Bestimmung war, in der DDR-Gesellschaft zu existierten, wobei es niemanden interessierte, ob ihm damit ein Leben wie in der Diaspora, fern der großen weiten Welt, im einem ummauerten Gebiet, zugemutet würde.

Roland brauchte Leute um sich, mit denen er reden konnte. Das Leben stand nicht still - irgendwie musste es ja nun weitergehen. Gedanklich sortierte er Freunde und Bekannte, denen seine Heimkehr von Bedeutung sein müsste. Seinen Triumph darüber auszukosten, überhaupt wieder auf freiem Fuß zu sein, konnte er, so das Fazit, mit niemandem teilen! Einzig bei Gerd, Winfried und Franzke wäre das bestenfalls eine Tatfrage, die er nach Bauchgefühl entscheiden wollte.

Bei seiner Mutter anzurufen, um zu ergründen, ob sie wieder in Berlin sei, lag ihm besonders am Herzen. Er bekam sie sofort an die Strippe.
Für den nächsten Tag, Sonntag, war er zum Mittagessen eingeladen.
Mit Gerd traf er sich abends noch in der Kneipe. Überschäumend vor Freude war dieses Wiedersehen nicht:
„Dreimal haben sie mich bei der Stasi vernommen. Ich wusste ja von nichts. Sagte auch, dass ich dir keine Republikflucht zutraue. Habe die

Vorgespräche in den Redaktionen ausgeschmückt. Mit deinem Vater habe ich auch telefoniert."

„Gerd, vielleicht hat mir das den Kopf gerettet!"

„Vielleicht ein bisschen. Bei aller Freundschaft, ich weiß genau, du wirst hier nicht alt. Das ist deine Sache. Ich verstehe dich auch. Du bist jung und hier ist dir alles zu klein. Laß mich aber aus allem raus. Ich bin zu alt für so ein großes Abenteuer. Als Freiberufler die Stasi an der Backe zu haben, macht sich nicht gut. Siehst du auch so, oder?"

„Gerd, wir werden zukünftig noch zusammen auf Brautschau gehen und einen trinken", beendete Roland das Abdriften ihrer Freundschaft.

Der Besuch bei seiner Mutter stand an. Auf dem Weg zu ihr, auch wenn er sie wiederzusehen noch so sehr wünschte, hatte er Bammel vor ihren Vorhaltungen. Sie nahm ihn schon vor dem Fahrstuhl neben der Wohnungstür in Empfang.

„Mein Junge, fein, dass du wieder da bist!" Sie hatte feuchte Augen.

Rolands Umarmung war zwiegespalten zwischen Verlangen nach mütterlicher Nähe und spendendem Trost. Burschikos lenkte er ab:

„Habe weder Blumen noch Kuchen - tut mir leid."

„Das ist doch unwichtig, mein Junge. Du hast uns ja solche Sorgen gemacht!"

Da war er, der unterschwellige Vorwurf, der verlangte, die ganze Geschichte zu erklären und zu erzählen. Mutter berichtete davon, dass der Vater sich gekümmert habe, als er von Rolands Verhaftung erfuhr. Es klang deutlich durch, dass er über seinen Sohn verärgert war.

„In der nächsten Zeit solltest du dich besser nicht bei ihm melden! Vater wird demnächst wohl für ständig nach Berlin zurückkommen. Dann gebe ich dir Bescheid."

Roland erzählte seiner Mutter zu banal. Er merkte ihr an, sie wollte konkret nur eine Frage beantwortet haben. Er umschiffte die wabernde Frage mit dem Benennen der Auflagen, die ihm unmittelbar abverlangt seien. Das waren sein Gang in die Produktion als erste Bewährung und der gegen ihn in Vorbereitung befindliche Prozess. Seiner Einstellung zu diesen Punkten gab er einen beruhigendpositiven Anstrich. Die Mutter ließ nicht locker. Als sie ihm beim Abschied auf dem Flur hundert Mark zusteckte, wurde sie inquisitorisch ernst:

„Schau mich an! Sage bitte ganz ehrlich, wolltest du in den Westen abhauen? Muss ich mir Sorgen machen, dass du es versuchst?"

Roland spürte die ehrliche Sorge seiner Mutter. Sie wusste auch, dass die Flucht aus der DDR inzwischen ein Unterfangen geworden war, das tödlich enden konnte. Wenn er in diesem Moment weich geworden wäre, hätte er keinen Einfluss mehr darauf gehabt, ob sie in Sorge um seine Unversehrtheit den Vater einbezogen hätte. Der hätte aus Staatsräson, in der Attitüde, den Sohn vor Schlimmerem zu bewahren, die Sicherheitsorgane informiert. Sein Gewissen hätte er vielleicht damit beruhigt, dafür zu sorgen, dass die verhinderte Flucht seines Sohnes nicht maximal sanktioniert würde.

Roland log! Seine Mutter tat ihm leid - es tat ihm aber auch unsagbar weh, in ihr keine Vertraute zu wissen.

„Mutti, wie kannst du denn so was denken. Du brauchst dir da wirklich keine Sorgen zu machen!"

Er hatte kurz, einfürallemal, abgewogen:

'Meine Sicherheit geht vor. Das ist mein Leben - die Eltern haben ihr eigenes.'

Der Betrieb in dem er sich zu melden hatte, war die VEB-Vergaser-Fabrik in der Frankfurter Allee, nur zehn Minuten Fußweg von seiner Wohnung entfernt. Das Produktionsprogramm dieses Betriebes umfasste spezifische Zulieferteile wie Vergaser und Kraftstoffpumpen für KFZ-Motoren bis zu Rennsportfahrzeugen, sowie Landmaschinen und Stationärmotoren. Die hergestellten Produkte entsprachen der höchsten DDR-Qualitätskategorie.

In der Kaderabteilung wusste man, wer er war und woher er kam. Ein Meister wurde gerufen, und der führte Roland in die Etage, wo für den Musterbau gefertigt wurde. Von diesem Meister sollte abhängen, ob er dort Rolands Einsatz befürwortete oder nicht. Roland sah den Fräsmaschinentyp, an dem er im Lehrkombinat fünf Jahre zuvor gearbeitet hatte. Der Meister legte ihm zwei technische Zeichnungen vor, um sich zu vergewissern, ob Roland die lesen konnte:

"Trauen Sie sich zu, solche Teile zu fertigen? Ich suche einen Fräser

und Mechaniker für die Musterfertigung."
„Denke schon, finde das auch interessant, ich bin nämlich nicht auf Großserienfertigung aus."
Zurück im Büro der Kaderabteilung gab der Meister seine Empfehlung ab:
„Herr Grundmann kann in meiner Brigade anfangen!"
Der Arbeitsvertrag wurde sofort unterschrieben.

Die Arbeitsaufnahme verzögerte sich um einen Tag. Roland hatte sich bei der Untersuchungsrichterin Seidewitz einzufinden. Eine Frau mütterlichen Typs erwartete Roland in ihrem Arbeitszimmer im Bezirksgericht in der Littenstraße:
„Herr Grundmann, Ihre Akte liegt mir vor. Was haben Sie sich bloß bei der Sache gedacht? An Ihre Eltern dachten Sie ja wohl überhaupt nicht. Ich habe einen Sohn in Ihrem Alter, der macht es mir auch nicht immer leicht, aber so leichtsinnig, wie Sie es wohl sind, ist der nicht!"
„Frau Untersuchungsrichterin, ich wollte einfach des Guten zuviel. Ich kann nicht verstehen, dass wir, die zuverlässigen „DDR-Bürger", nicht reisen dürfen."
„Haben Sie einen Rechtsanwalt?"
„Nein, Frau Untersuchungsrichterin, den brauche ich nicht. Ich werde mich selber verteidigen."
„Das geht nicht! Sie benötigen einen Rechtsanwalt, das ist ein Strafverfahren! Suchen Sie sich einen oder ich setze einen ein!"
„Mich kann kein Rechtsanwalt so vertreten, wie ich mir das zutraue. Es geht ja hier schließlich um meine Zukunft!"
„Also ganz klar, ohne Rechtsanwalt kein Prozess. Sie wollen doch, dass es für Sie weiter geht, oder nicht? Wir sehen uns in zwei Wochen wieder, dann nennen Sie mir Ihren Rechtsanwalt. Ich wollte mir heute ein Urteil über Ihre Person bilden, dabei haben Sie fürs Erste geholfen. Ihnen ist verboten, Berlin ohne meine vorherige Zustimmung zu verlassen!"
Zur Normalschicht um 7:00 Uhr trat er in die Produktion ein. Der Meister stellte ihn den Brigademitgliedern vor. Roland wunderte sich über die Zurückhaltung, die von den Kollegen ausging. Später erfuhr er, dass sich über den 'Buschfunk' verbreitet hatte, er sei ein „Knacki".

Politische Gefangene gab es ja in der DDR offiziell nicht, und dazu konnte sich Roland ja auch nicht als solcher beschreiben. Hätte er das versucht, wäre ihm nachträglich sein Konstrukt "Rückfahrkarte" auf die Füße gefallen. Er musste mit dem Stigma „Knacki" zurechtkommen.

Mit der Fräsmaschine war er schnell vertraut, und die verlangten Arbeiten lieferte er ohne Ausschuss ab.

Gerd annoncierte ihm einen Rechtsanwalt, „mit dem man reden könne". Den suchte Roland in der Schönhauser Allee auf. Erstaunt war er, in Roland jemanden kennenzulernen, der eigentlich gar nicht verteidigt werden wollte. Sein potentieller Mandant glaubte, etwas Besseres und selber der Größte zu sein. Die Mandats-Übernahme machte er deshalb von der Akteneinsicht abhängig, deretwegen er sich mit der Untersuchungsrichterin Seidewitz in Verbindung setzen wollte.

Die DDR-Gesellschaft kannte qua marxistischer Dialektik keine Verweigerer. Nach der Devise: „Wer nicht für uns ist, ist gegen uns!" wurde fehlender Arbeitswillen sanktioniert. Roland arrangierte sich. Er sorgte durch ehrliche tägliche Arbeit für sein Essen, Trinken und ein bisschen mehr. Nur oberflächlich betrachtet war er angepasst, sozusagen flügellos. Er bezog Kraft, wenn er daran dachte, hoffentlich bald diesem System zu entwischen. Flucht hier raus! Dieser Wunsch war seine Lebensvision. Die Erde ist rund und wartete, von ihm geographisch in Augenschein genommen oder mit dem Sinn für Philosophie oder Geschichte oder Literatur oder Musik oder, oder entdeckt zu werden.

Seine Reputation hatte stark gelitten. Er war nicht mehr der Tausendsassa, dessen Beziehungen Dinge ermöglichten, von denen normale „DDR-Bürger" nur träumen konnten. Ganz im Gegenteil:

Man tat besser daran, ohne ihn auszukommen. Gerd, Winfried, Dirk und Peter, ganze Vier von mehr als ehemals Zwanzig, aus dem unmittelbaren Freundes- und Bekanntenkreis vor allem aus dem Correspondence Club von vor seiner Verhaftung, schälten sich als Kern heraus. Die glaubten vorbehaltlos an Rolands Integrität. Die Weggebliebenen folgten purer Vorsicht, da nicht auszuschließen war, dass man ihn beim MfS „umgedreht" hatte. Wie sonst wäre er nach so kurzer Zeit schon wieder aus der Haft entlassen worden? Andere befürchteten Nachteile für die eigene Karriere. Jedem war klar, dass Roland zumindest unter Beobachtung des MfS stünde. Weiterhin Kontakt zu ihm zu pflegen, hielten sie nicht für opportun. Diese Bilanz stimmte Roland nachdenklich. Einerseits zeigte sie ihm, wie schnell ein guter Leumund zersetzt werden kann und andererseits, wie morbide und oberflächlich diese Gesellschaft war. 'Werte sehen anders aus', sprach er sich zu - Haltung zu bewahren.

Seinem Freund Dirk brauchte er gar nicht erst die Geschichte mit der geplatzten Reise-Reportage aufzutischen. Hätte er das auch nur versucht, wären sie längstens Freunde gewesen. Dirk nahm Roland übel, nicht von ihm in die Fluchtabsicht eingeweiht worden zu sein. Es brauchte schmalzig vorgetragene Argumente, um Dirks Verständnis für Rolands Verhalten nachträglich zu erlangen. Am Ende schworen sie, bei ihrer Indianerehre werde jeder für sich, aber im Gedankenaustausch, nach einer Fluchtchance Ausschau halten. Sollte einer von ihnen vor dem anderen im Westen sein, so würde der ihn spätestens innerhalb eines Jahres nachholen.

Dirk fieberte dem Besuch der Schwester seiner Mutter entgegen: „Ganz sicher wird sie über das Passierscheinabkommen zu Ostern auf Besuch kommen. Höchstwahrscheinlich sogar an zwei Tagen. Ich beknie sie schon seit Jahren, sich nach Fluchthilfe in Westberlin umzuhören und Kontakt herzustellen. Entweder waren ihr diesbezügliche Angebote zu unsicher oder unseriös. 5.000 DM Vorkasse wollte man von ihr haben. Das wären alle ihre Ersparnisse gewesen."
„Dirk, da siehst du wieder, ohne Moos nix los."
„Hoffentlich kommt sie diesmal mit Neuigkeiten."
Roland war wie elektrisiert, als er von Dirks Tante erfuhr. Er hatte bisher keinen Weg gefunden, mit irgend einem seiner zahlreich in Westberlin lebenden Verwandten in Verbindung zu treten. Seine gesamte Verwandtschaft mütterlicherseits lebte in Westberlin. Seine Person eingeschlossen glaubte diese, die Ost-Berliner seien aus politischer Überzeugung nicht an Familienbanden interessiert. Roland hatte, ohne sich zu gefährden, bisher keinen Weg zur Kontaktaufnahme gefunden. Die Telefonverbindung zwischen Ost- und Westberlin war gekappt und im Postverkehr steckte der Arm des

Staatssicherheitsdienstes. Dirks Tante könnte seine Post in Westberlin einwerfen. Dirk sah kein Problem darin, seine Tante für Rolands Absicht einzuspannen. Leider waren es noch vier Wochen hin bis zum Besuch der Tante.

Rolands Kollegen hatten, neugierig wie sie nun mal waren, erfahren, dass er kein Krimineller, sondern wegen Passvergehens in Haft gewesen war. Er aß seine Stullen in der Frühstückspause nicht mehr allein, neben seiner Maschine sitzend, sondern im Kreis der Kollegen an der Werkbank. Der Meister gab ihm die Aufgabe, ein Produktionsteil, welches Roland zuvor schon dupliziert hatte, unter Aufsicht von Zeitnahme-Kontrolleuren zu fertigen. Bevor ein Werkstück in die Serienproduktion kam, musste die Zeit gestoppt werden, welche später als Norm vorgegeben wurde. Die der Belegschaft bekannten Norm-Kontrolleure standen an Rolands Maschine. Die Kollegen vermuteten sofort, was Sache ist. Roland hörte, wie sich zwei echauffierten:
„Ist doch wieder mal typisch. Da soll einer die Norm erarbeiten, von dem man ganz genau weiß, der wird sich den Arsch aufreißen!"
Roland arbeitete zügig und gründlich. Vor jedem Arbeitsschritt sagte er den Kontrolleuren, was und warum er ihn tat. Jeder seiner Handgriffe sowie die Maschinenlaufzeiten wurden gestoppt. Der Meister war auch zugegen. Mit der Begründung auf Qualität vollzog Roland die Handgriffe nach der reinen Lehre. Er wusste genau, der normale Arbeitsablauf würde direkter vonstatten gehen. Am Ende der Norm-Zeitnahme unterschrieben die Kontrolleure, der Meister und er das Protokoll. Die Kollegen die nach seinen Zeitvorgaben in Serie arbeiten mussten, stellten Tage später fest, dass sie allerbestens mit der Norm zurechtkamen.
Einen Monat lang fräste und werkelte Roland nun schon in der Produktion, als der Meister zum Schichtende auf ihn zukam:
„Ich will nachher 'ne Molle trinken gehen, komms'te mit?"
Sie standen in einer Pinte gleich am Bahnhof Frankfurter Allee. Bequem gelegen, denn zwischen S-Bahnhof Rummelsburg und Frankfurter-Allee pendelte der Meister täglich zur Arbeit. Nach dem

ersten Schluck, beim Abstellen des gezapften Bieres, sagte der Meister:

„Bei der Zeitabnahme hast du ja alles gemacht, was man so in der Lehre beigebracht kriegt. Über den „Puffer" sind die Kollegen sehr zufrieden."

„Das haben Sie gut beobachtet - sind eben Meister. Für die Kollegen freut mich das!"

„Roland, kannst mich duzen! Ich soll über dich eine Beurteilung fürs Gericht schreiben! Mir ist das völlig schnurz! Ich weiß nicht, was du für Pläne hast, aber dass du ein feiner Kerl bist - glaube ich - hat mich der erste Eindruck nicht getäuscht. Was willst du, dass ich schreibe? "

„Wenn du schon so fragst, dann sage ich, was du schreiben sollst! Du sollst so schreiben, als sei ich der zweitbeste Sozialist hinter unserem Staatsratsvorsitzenden."

Lachend stieß Roland auf seinen Ausspruch mit dem Meister an.

„Bevor ich das mache, sollst du wissen wer ich bin. Vor dem Mauerbau war ich Meister bei TELEFUNKEN in Westberlin. Wegen der Familie, Frau, Kinder, Eltern und Haus wollten und konnten wir nicht rüber. Meine Betriebsrentenansprüche gingen flöten und mein Einkommen ist ungefähr ein Zehntel von dem, was ich mal hatte. Zuerst war ich hier am Fließband, jetzt bin ich wieder Meister, aber kein Vergleich zu meinem Arbeitsplatz bei TELEFUNKEN. Ich hasse dieses System!"

„Meister, darauf einen Dujardin!", postulierte Roland den Spruch der Zeit.

„Deine Beurteilung zu schreiben is ma een innrer Parteitag, det kannste globn. Een Mal det Jefühl ham - jetzt wisch ick de Kommunisten eens aus!"

Tags drauf im Betrieb siezte Roland den Meister:

"Haste jestern schon verjessen? Wir duzen uns - och hier!"

Von Stund an war er endgültig im Kollegenkreis angekommen.

Im April wurde Roland in die Kaderabteilung gerufen. Der Parteichef des Betriebes wartete, und kurz darauf kam der Meister hinzu:

„Herr Grundmann, Sie haben sich nach Aussage Ihres Meisters gut im Kollektiv eingefunden. Die Partei will erreichen, dass unsere Kollegen mehr vom politischen Geschehen erfahren. Sie sind intelligent genug, das zu verstehen. Es soll eine morgendliche Zeitungsschau stattfinden. Sie könnten Ihren Kollegen zur Frühstückspause aus dem „Neuen Deutschland" (ND) die wichtigsten Nachrichten vorlesen. Gesellschaftliche Mitarbeit macht sich auch gut für Sie vor Gericht."

„Diese Frühstückszugabe müssen Sie aber der Brigade selber vorstellen. Wenn ich das ankündige, nehmen die Kollegen mir das nicht ab. Die denken, ich will sie verarschen!"

Kurz darauf standen Parteisekretär, Meister und Roland vor den Kollegen.

Die Autorität des Meisters und das Wissen der Kollegen, dass der bestimmt nicht das ND las, bewirkte, dass sich das Gemurmel unter den Kollegen legte. Der Parteisekretär schritt befriedigt von dannen. Zu Beginn der Schicht lag auf Rolands Maschinentisch das ND. Als Roland in der Frühstückspause mit der Zeitung unter den Arm geklemmt in die Kollegen-Runde an der Werkbank kam, wurde er begrüßt:

„Na, da kommt ja unser Karl-Eduard!" Gemeint war der bestgehasste Chefkommentator beim DDR-Fernsehen, Karl-Eduard von SCHNITZLER. Roland schlug das ND mit spitzen Fingern auf. Diese Geste kam an. Dann las er Passagen aus der Zeitung mit gewollt falscher Subjekt-Betonung. Seine Kollegen, nicht doof, fühlten sich locker unterhalten. Die morgendliche Veranstaltung entwickelte sich in den folgenden Tagen. Das ging soweit, dass die Kollegen lachend über den Materialkisten lagen.

Der Meister nahm ihn beiseite und sagte:

„Brauch'ste nich mehr zu machen, Zeitungsschau is jestrichen. Noch 'ne Woche und du red'st dich um Kopf und Kragen!"

Dirks Tante kam Karfreitag vormittags. Konkretes über Fluchthelfer hatte sie nicht. Roland durfte zum Nachmittagskaffee dazustoßen. Die Tante wollte seine Fluchtgeschichte hören, und weil Dirks Mutter sie zuvor ja auch noch nicht im Einzelnen gehört hatte, bekam er genügend Zeit. Die Tante erkannte Rolands akute Bredouille. Sie wollte helfen! Roland gab ihr darauf die Ladung der Geschäftsstelle der Strafkammer des Stadtbezirksgerichts mit dem Aktenzeichen seiner Strafsache. Seine Verhandlung sollte am 2. Mai stattfinden. Dieses Schriftstück brauchte er vielleicht noch, aber dann hätte er es eben als verloren gemeldet. Es der Tante mitzugeben war wichtiger, denn dies war der einzige Beleg, den er überhaupt besaß, aus dem hervorging, dass er politisch vor Gericht stand. Die Ladung, bat er die Tante, möge sie in Westberlin zusammen mit seinem Brief an seinen Opa Rudolf frankiert in den Briefkasten stecken. Die gute Frau wollte gerne mehr tun. Sie fragte nach einer Telefonnummer. Sie dachte anzurufen, um sich eventuell mit einem von Rolands Verwandten zu treffen. Roland hatte nach den inzwischen vergangenen Jahren die Nummer von Opa Rudolf oder Onkel Horst nicht mehr im Kopf, aber im Telefonbuch stünden sie alle. Bei ihrem zweiten Besuch, den die Tante in der Oster-Passierscheinzeit beantragt hatte, wollte sie dann berichten. Fünf Tage später war sie wieder da:

„Ich war Sonntag bei Opa Rudolf in Britz. Dein Onkel Horst war auch da. Der wird, wenn er die Genehmigung noch für diese Passierschein-Zeit bekommen sollte, mit seiner Familie am Sonntag zu Besuch kommen! Wenn es diesmal nicht klappen sollte, kommt er zur nächsten Passierschein-Zeit zu Pfingsten!"

Roland stand auf, ging um den Tisch herum, beugte sich zu der auf der Couch sitzenden Tante und drückte sie:

„Sie sind meine Glücksfee! Bloß noch vier Tage, wenn alles klappt! Meine Verwandten werden mir helfen!"

„Den Eindruck hatte ich auch, die waren ganz erschüttert, als ich von dir erzählte."

Roland war immer noch dabei, den Rechtsanwalt davon zu überzeugen, nicht an der Verhandlung teilzunehmen. Der bemühte sich hingegen, ihm klar zu machen, dass es ohne seine Anwesenheit nicht ginge. Roland wollte sich selber verteidigen, weil die Umstände, die ihn zu dem Passvergehen geführt hatten, nur von ihm, aber keinem Dritten vorgetragen werden konnten:

"Ihre Individualität ist keine juristische Kategorie. Ihre Privilegien und Extrawürste in der Vergangenheit sind gleichfalls juristisch nicht relevant", meinte der Rechtsanwalt

"Ihr Argument, Herr Rechtsanwalt, wenn keine Gesetze bestehen würden, hätte ich auch nicht gegen sie verstoßen können, lasse ich bezogen auf das Reisegesetz nicht gelten. Ich kann das Reisegesetz der DDR sehr wohl als vergleichsweise reaktionär bezeichnen, weil nach meiner Auffassung die DDR als eine hermetisch abgeschlossene Glocke zu betrachten ist. Von Ihnen so etwas vorgetragen, brächte Sie um Ihre Zulassung."

Roland wollte dem Gesetzesverstoß laut Anklage seine Individualität entgegensetzen. Alles in marxistischer Dialektik versteht sich, mit Zitaten der Philosophen Emanuel Kant und zum Beispiel mit einem Gleichnis zur Rechtsfindung von Pierre Bayle vorgetragen. Über vierzehn handschriftliche Seiten schrieb er immer wieder um.

Zum Prozesstermin in drei Wochen feilte Roland an seinem Plädoyer - und an seinem „letzten Wort".

Roland sehnte sich nach Anerkennung für neu eingepasste Passagen im Text. Die einzigen Menschen, bei denen er sich voller Vertrauen Zuspruch einheimsen konnte, waren Dirk und dessen Mutter. Ein um das andere Mal saßen sie zu dritt bei Dirks Mutter im Wohnzimmer, und beide hörten sich jeweils Rolands neueste Fassung an. Immer mit dem Vorbehalt, dass er sich um Hals und Kragen reden würde, lobten sie seine Verteidigungsworte. Roland ging gestärkt aus diesen Zusammenkünften nach Hause und hielt sich für den größten Anwalt in eigener Sache.

Am Sonntag, an dem er vielleicht Onkel Horst und Traudchen nach fünf Jahren wiedersehen würde, stand Roland um neun Uhr am Zimmerfenster und beobachtete die Straßenkreuzung neben seinem Haus. Sie bei sich zu empfangen, darauf war er nicht eingerichtet. Vor die Haustür wollte er sich bei Regen und Sturm nicht stellen, und ein auf und ab wandernder Regenschirm hätte womöglich andere neugierig gemacht, um zu erfahren, auf wen denn da gewartet werde. Gegen elf Uhr kam ein weißer Opel-Kapitän langsam die Straße hochgefahren. Das könnten sie sein, dachte er, und flitzte die Treppe herunter. Tatsächlich, Onkel Horst stieg aus und sie lagen sich in den Armen:

„Wir sind nur zu zweit, Torsten ist bei Oma und Opa. Bei dem Wetter hätte er sich nur gelangweilt."

„Wir fahren gleich weiter ins Café „Warschau" – ich zeig euch den Weg."

„Gute Idee, setz dich mal nach vorne."

Traudchen stieg aus, begrüßte und umarmte Roland kurz und öffnete behände die hintere Wagentür. Das ging so schnell, da lohnte es nicht, ihr behilflich sein zu wollen. Die paar Kilometer neben seinem Onkel vorne sitzend reichten zumindest aus, den Opel mit seinen 125 PS unter der Haube als richtigen Straßenkreuzer seiner Zeit einzustufen. Vor dem „Warschau" war es schwer, einen Parkplatz zu finden, denn es wimmelte von Westautos. Die Passierscheinbesucher strömten bei dem schlechten Wetter in die besten Gaststätten. Bei schönem Wetter wären sie im Tierpark unterwegs gewesen.

Vom Kaffee über paniertes Schnitzel mit Kartoffeln und Rotkohl bis zu Bier und Eisbecher für Traudchen, tranken und verzehrten sie, um guten Gewissens den Vierer-Tisch belegt zu halten. Es wurde viel am Tisch geraucht, weil sie alle Raucher waren. Roland genoss es, nach langer Zeit wieder „Ernte" in der Nase zu haben und Traudchen immer rechtzeitig, bevor sie selber dazu kam, die Flamme an die nächste Zigarette zu halten. Die ersten zwei Stunden erbrachten, nicht immer chronologisch, Familiengeschichten in Ost und West. Phasenweise war Roland Alleinunterhalter. Das störte Traudchen nicht, und schon gar nicht Horst. Als sie in der Gegenwart angekommen waren, sprachen sie noch leiser, als sie es zuvor schon getan hatten.

Roland kam auf das vor ihm liegende Verfahren zu sprechen, von dessen Ausgang er nicht mit Sicherheit wusste, ob er nicht wieder ins Gefängnis müsse. Mit Besorgnis sprach er von seiner Verteidigungsstrategie. Er machte deutlich, wie wichtig es für ihn sei, dass der Rechtsanwalt sich bei der Verhandlung nicht sehen lasse:

„Sag mal, Roland, hast du mit dem schon mal ein offenes Wort gesprochen, so von Mann zu Mann?"

„Ja, das schon, aber bei allem wohl ehrlich gemeinten Verständnis für meinen Wunsch, kam bis heute immer wieder von ihm der Hinweis auf die für ihn geltenden Prozessformalien. Der Mann ist mir ja gerade deswegen von einem guten Freund empfohlen worden, weil er meinte, mit dem könnte ich offen reden."

„So wie du das schilderst, wäre es einen Versuch wert, den Mann zu motivieren."

„Wie meinst du das?"

„Was ich dir vorschlage ist prekär!"

„Sag es!"

„Also, du gehst ein paar Tage vor dem Gerichtstermin zu ihm und sagst noch einmal, dass es für dich, seinen Mandanten, das Beste wäre, wenn er nicht zur Verhandlung komme. Damit er das richtig versteht, übergibst du ihm dein ausgearbeitetes Plädoyer und das "Letzte Wort". Dann wartest du ab, ob er es in deiner Gegenwart liest. Wenn nicht, fragst du, ob du dich noch einmal melden kannst. Wenn er gleich lesen sollte, wartest du seine Reaktion ab. Bei definitiver Nichtbilligung hast du Pech gehabt. Dann hast du dich in ihm geirrt. Sollte er aber nachdenklich aussehen, dann höre auf dein Bauchgefühl. Ich gebe dir hundert Mark. Die wirst du im Umschlag bei dir haben. Den Umschlag legst du ihm mit der Bemerkung auf den Tisch:"Für den Fall, dass Sie krank werden, gute Besserung." An dem Geld sieht er, du hast Westkontakt. Er vermutet also, bei uns weiß man von dem Verfahren gegen dich! Du wartest keine Entscheidung ab, diskutierst nicht, sondern machst, dass du wegkommst!"

„Horst, ich hör wohl nicht richtig! Was ihr da ausheckt ist ja wie bei 007! Das kommt nicht in Frage!"

„Traudchen, nun schimpfe meinetwegen nicht auch noch mit Horst, was habe ich schon zu verlieren. Wenn es schiefgeht, werde ich mich damit herausreden, dass ich doch nur die für mich beste Verteidigung habe organisieren wollen und so weiter...."

„Horst, ich habe dann noch eine Bitte!"

„Schieß los!"

"Zuerst einmal muss ich euch sagen, wie froh ich bin, von nun an nicht mehr über drei Ecken meine Flucht besprechen zu können."

"Vorausgesetzt, die Ostseite genehmigt neue Passierscheine!"

„Ich brauche Fotos von den Beton-Poldern im Grenzkontrollpunkt Heinrich-Heine-Straße, aufgenommen von der Westseite."

„Die Aufnahmen mache ich. Aber ich sage dir gleich, da kommt keiner lebend durch!"

„Ich will ja nur wissen, wie sich die Busse da durchschlängeln. Bringst du mir die Bilder bitte zu Pfingsten mit. Ich hoffe, da können wir uns wiedersehen."

„Pfingsten kommen wir bestimmt, zu dritt, mit Torsten."

„Dann fahren wir mit ihm in den Tierpark, da wird er bei gutem Wetter Spaß haben."

Sie wollten aufbrechen, um noch vor dem großen Rückreiseandrang der Passierschein-Besucher durch die Grenzkontrolle zu kommen. Traudchen begab sich auf den Weg zur Toilette und Horst konnte Roland ohne Traudchens Widerspruch die hundert West-Mark für den Rechtsanwalt zustecken.

Als am Tisch kassiert werden sollte, wollte Roland sich generös zeigen und bezahlen.

„Lass man stecken, muss ja noch das Umtauschgeld-Ost loswerden."

Trotzdem gab er noch dem Trinkgeld in Ost eine Mark in West dazu.

Es regnete immer noch, und so fuhren sie Roland bis vor die Tür. Beim Abschied gab ihm Traudchen noch eine Plastiktüte:

„Hab ich beinahe vergessen, ist von Oma und Opa."

Für Roland war nachträgliches Ostern:

Eine Stange Zigaretten, eine Büchse Kaffee, mehrere Tafeln Schokolade und Ostereier verschiedener Größen, alle in buntem Silberpapier.

Dirks Mutter tippte ihm kurz vor dem Termin alles auf eng beschriebenen vier Seiten mit zwei Durchschlägen ab. Wäre man dahinter gekommen, dass sie sich des Tippens angenommen hatte, wäre das sanktioniert worden, denn Roland war es untersagt, außerhalb von Prozessbeteiligten über sein Verfahren zu sprechen.

Mit flauem Gefühl ging Roland nach zuvor vereinbartem Termin den Weg in die Kanzlei. Der Rechtsanwalt las im Beisein von Roland das Plädoyer und das "Letzte Wort".

"Originell, Ihr Vortrag. Eine Verteidigung im juristischen Sinne ist das aber nicht! Es sind schon Leute, die weniger politisch argumentiert haben, straferschwerend verurteilt worden."

"Ich will diesen Text loswerden. Genau meine Gratwanderung zwischen individueller Reisesehnsucht bei gleichzeitig zweifelsfreier Loyalität gegenüber dem Staat, ohne auch nur einen Hauch von Republikflucht. Das ist kausal, aber wichtiger noch, es ist authentisch."
"Sie sehen mich ratlos! Ich kann Ihnen nicht empfehlen, so bei Gericht aufzutreten."
Roland stand auf. Wie vorgenommen, legte er das Kuvert auf den Tisch des Rechtsanwaltes:
„Ich vertraue Ihnen! Für den Fall, dass sie krank werden, gute Besserung. Aufrecht, ohne wahrnehmbare Hast, wandte er sich zur Tür.
'Jetzt bloß kein Skandalgeschrei', hoffte er
"Reisende soll man nicht aufhalten!", hörte er stattdessen als er schon fast den Flur zum Treppenhaus erreicht hatte.
Roland empfand seine Lage als ausgesprochen unsicher. Würde der Prozessverlauf seinen derzeitigen Status, sich außerhalb von Gefängnismauern bewegen zu können, bestätigen oder nicht? Aus dieser Verfassung entsprang der Impuls, die Untersuchungsrichterin Seidewitz einen Tag vor dem Prozesstermin zu Hause aufzusuchen. Das Kalkül dabei war, ihr noch einmal den wohlerzogenen Sohn des Volkes zu zeigen, den hinter Gitter zu bringen ihr unüberwindbare Gewissensbisse verursachen sollte. Die bisherigen Begegnungen mit ihr hatten ja so etwas wie ehrliche Anteilnahme an seiner Situation anklingen lassen.
'Vielleicht finde ich ihre Adresse im Telefonbuch', dachte er sich.
Unter dem seltenen Namen stand nur eine Nummer mit Anschrift in Klein-Machnow.
'Das wird sie wohl sein', dachte er und kaufte das, was es an Blumen gab - Narzissen.
Seine Gefühlslage änderte sich mit zunehmender Fahrstrecke. In der S-Bahn sitzend, die Blumen in der Hand, war es Jux, gepaart mit Verwegenheit und Neugier. Der Jux-Anteil wich dem Ernst, im Begriff zu sein, sich an Aufdringlichkeit kaum zu Überbietendes herauszunehmen. Wenn die ausgesuchte Adresse die der Richterin war, wäre die Wahrscheinlichkeit sie anzutreffen nicht unwahrscheinlich. Es war Sonntagvormittag. Vor dem Gartentor

stehend, klingelte er. Die Haustür öffnete sich. Tatsächlich, die Untersuchungsrichterin, im Türrahmen stehend, erkannte Roland und kam die paar Meter zwischen Hausaufgang und Gartentor auf ihn zu. Noch im Gehen legte sie los:

„Herr Grundmann, was machen Sie denn hier? Sie können mich doch nicht privat aufsuchen. Was fällt Ihnen denn ein!"

"Frau Richterin ich habe das nicht mehr ausgehalten. In Ihren Händen liegt morgen meine Zukunft. Da habe ich mich auf den Weg gemacht."

Roland hatte die Blumen vom Papier befreit und streckte sie ihr entgegen. Die nahm sie ihm ab.

„Danke, jetzt fahren Sie mal wieder nach Hause und machen Sie sich nicht solche Sorgen. So schlimm wird das alles nicht werden. Ihren Rechtsanwalt haben Sie morgen doch dabei, hoffe ich?"

„Ja, der kommt, habe noch vorgestern mit ihm gesprochen!"

„Also dann bis morgen!"

Die Untersuchungsrichterin entschwand mit den Blumen im Haus.

Roland ging zum Bahnhof. In ihm brodelte die Freude über den Schneid, sein Ding mit Anstand und Respekt durchgezogen zu haben. Offen blieb die Antwort auf die Frage, die er auch selber sich stellte: 'Kommt der Rechtsanwalt zur Verhandlung oder erscheint er nicht?'

Die ganze Brigade wusste, heute steht Roland vor Gericht, deshalb ist er nicht zur Arbeit gekommen. Der Meister war auch nicht da, denn der war als „Gesellschaftlicher Vertreter" geladen. Im Bezirksgericht Mitte traf Roland auf dem Gang zu den Verhandlungssälen mit ihm zusammen, Er wurde von einer Frau aus der Kaderabteilung begleitet. Roland begrüßte beide. Am Ankündigungsbrett neben dem Saaleingang hing der Zettel, auf dem nur "Strafverfahren/Grundmann, Öffentlichkeit ausgeschlossen" vermerkt war. Zusammen gingen sie in den Saal. Kurz vor Verhandlungsbeginn kamen noch zwei Herren in Zivil, die sich in die letzte Reihe im Saal setzten. Das mussten Leute von der Stasi sein, schlussfolgerte Roland, da die Öffentlichkeit ja ausgeschlossen war.

Roland stand zum ersten Mal in einem Gerichtssaal. Er nahm Platz an einem Tisch, der parallel zur Holzbalustrade vor dieser stand. Hinter der Ballustrade, etwas erhöht, würden dann Richter und Schöffen sitzen. So war ihm das aus Filmen bekannt. Er setzte sich auf einen der zwei Stühle, die am Tisch standen. Der Stuhl neben ihm war frei. Der Rechtsanwalt war nicht da. Inzwischen hatte außen rechts hinter der Balustrade die spätere Protokollantin Platz genommen.

Von seinem Rechtsanwalt war immer noch nichts zu sehen.

Hinter der Balustrade öffnete sich in der Holzvertäfelung eine Tür, durch die zwei Frauen und ein Mann traten. Eine der Frauen war die Untersuchungsrichterin Seidewitz und die beiden anderen Personen waren die Schöffen. Die Protokollantin ging zur Richterin und übergab einen Zettel. Bevor die eigentliche Verhandlung begann, verlas die Richterin das, wie sie soeben erfahren hätte, der Rechtsanwalt des Angeklagten durch Krankheit entschuldigt nicht erscheinen würde.

Roland hielt innerlich schwer an sich und gab sich völlig entspannt. Seine triumphale Stimmung blieb verborgen, als sich die Richterin an ihn wandte:

"Herr Grundmann, wenn ich mich richtig erinnere, wollten Sie sich ursprünglich ohne Rechtsanwalt selber verteidigen. Ausnahmsweise würde ich mit der Verhandlung fortfahren. Wären Sie damit einverstanden?"

"Ja gerne, Frau Richterin. Ich bin auch vorbereitet, denn mein Rechtsanwalt hatte mir zugesagt, das ich das von mir gefertigte „Letzte Wort" würde vortragen dürfen. Ich habe es hier, mit Durchschlag für das Protokoll!"

"Dann ergeht folgender Beschluss: Die Verhandlung wird fortgesetzt!"

Zu den Formalien gehörte es, die Personalien der anwesenden "Gesellschaftlichen Vertreter" aufzunehmen. Danach musste der Meister den Saal zunächst wieder verlassen. In der Anklage brandmarkte die Richterin Rolands Passvergehen mit Nennung der einschlägigen Paragraphen und klassifizierte salopp den Verstoß als "dumme Fälschung". Verdacht auf Republikflucht kam nur im Konjunktiv vor.

'Eigentlich der beste Einstieg für meine Verteidigung', dachte Roland

"Herr Grundmann, wie stehen Sie zu den Vorwürfen?"

Roland hatte vier Seiten vor sich liegen. An jedem Satz gefeilt, kannte er den eng getippten Text fast auswendig. Er das meiste frei vor:
"Hohes Gericht, mein Individualismus brachte mich vor diese Schranken. Das machen Sie an den §§ 267 Abs. 1StGB, § 5 Abs.1+3 der Paßverordnung, § 1 Paßänderungsverordnung sowie §§ 43 + 73 StGB fest."
Seinen Individualismus bis zur Naivität in den Vordergrund stellend, drehte sich alles um die "Freiheit". Den marxistischen Freiheitsbegriff in der ihm eigenen Dialektik als Einsicht in die Notwendigkeit definiert, ließ er nur gelten, wenn diese vom Einzelnen anerkannt und als solche empfunden werde. Behutsam leitete Roland auf die Handhabung des Reisegesetzes der DDR über. Da gab es zum Beispiel die Formulierungen: "...das Reisegesetz der "DDR" wird gehandhabt wie das Dogma der Kirche zu Lebzeiten Galileis." oder an anderer Stelle verglich Roland die Reisepraxis mit der in anderen sozialistischen Staaten: "...In jedem anderen Staat ist die Vertrauensbasis zwischen den Genehmigungsbehörden und seinen Bürgern höher als bei uns!"
Dann wurde sein Meister hereinbeordert, um seine Beurteilung des Angeklagten aus Sicht des "Gesellschaftlichen Vertreters" abzugeben.
Roland freute sich für ihn. Nur er wusste, welche Genugtuung es seinem Meister sein würde, diese Beurteilung wider besseren Wissens zu verlesen.
Der Meister verkündete Rolands besondere Qualifikation als Spezialfräser und Mechaniker, hob dessen positive Einstellung zum Staat hervor, und zusammenfassend begründete er eine bevorstehende Erhöhung von Rolands Lohngruppe sieben in acht.
Mit dieser Stellungnahme des "Gesellschaftlichen Vertreters", das spürte Roland deutlich, hatte er das Gericht "im Sack". Richterin und Schöffen lächelten ihm wohlwollend zu. Nun bekam er noch von der Richterin das "Letzte Wort". Sinngemäß trug Roland vor:
"Hohes Gericht, meinen Fehler habe ich eingesehen und werde ihn nicht wieder machen. Ich habe begriffen, welch ein Glück mir widerfuhr, überhaupt schon wieder freigelassen worden zu sein. Ich hoffe, es bleibt dabei. Ich bin dreiundzwanzig Jahre alt und zu jung, um lebenslänglich gebrandmarkt zu sein. Ich hoffe auf die Chance zur

Rehabilitation!"

"Das Gericht zieht sich jetzt zur Beratung zurück. Sie können warten, das Urteil wird gleich verkündet."

Roland ging von seinem Tisch auf die Sitzreihe zu, wo der Meister und die Frau von der Kaderabteilung saßen:

"Das freut mich aber, es scheint wirklich gut für Sie zu laufen, Herr Grundmann."

"Sehe ich auch so", schob der Meister nach.

"Ich habe auch ein gutes Gefühl. Wollen wir zusammen noch einen Kaffee oder Bier am Alex trinken?"

"Danke, gut gemeint, aber ich muss gleich in den Betrieb zurück, die Plankommision trifft sich. Du kannst ja ruhig etwas später kommen", sagte die Frau zum Meister gewandt.

"Ich habe Zeit für'ne Molle, du hast ja Zeit, bist ja heute freigestellt", meinte der Meister

Die Tür ging auf, Richterin, Schöffen und Protokollantin kamen zurück.

Roland stand wieder hinter seinem Tisch.

"In der Strafsache ergeht folgendes Urteil:

Der Angeklagte wird zu einem halben Jahr auf Bewährung verurteilt! Nach einem Jahr wird nach erneuter Anhörung der "Gesellschaftlichen Vertreter" darüber entschieden werden, ob die Strafe aus dem Strafregister gelöscht wird. Wenn dies sich so bestätigten sollte, kann Sie der Betrieb erneut zum Studium delegieren. Innerhalb der Bewährungsfrist dürfen Sie Berlin nur mit meiner Genehmigung verlassen."

Roland war von den Socken, seine komplexe Prozessvorbereitung hatte ihn bestätigt. Er hatte die Klaviatur des Systems virtuos bedient und allen Unkenrufen zum Trotz, er hatte obsiegt!

Und sollte jemand jetzt noch behaupten, da hätte er Glück gehabt:

Das war es nicht - es war seine Leistung, aber er würde für sich behalten müssen, worin sie im Einzelnen bestand!

Nachdem er sich vergewissert hatte, dass sich außer ihm und dem Meister niemand auf dem Flur befand, riss er den Zettel, welcher die Verhandlung gegen ihn auswies, vom Ankündigungsbrett neben dem Gerichtsaal. Den wollte er haben, weil es der einzige Nachweis dafür war, dass er tatsächlich vor Gericht gestanden hatte. Das ist er später auch geblieben.

Schon auf dem Weg zur Kneipe am Alex schlugen sich der Meister und Roland mehrmals gegenseitig auf die Schulter.

"Hör mal, Roland, ich hatte viel mehr geschrieben als ich da vorgelesen habe. Die Herrschaften aus der Kaderabteilung haben alles neu formuliert und gekürzt. Mein Gesülze war denen vielleicht doch zu dick. Egal, der Tenor war ja immer noch positiv. Die Idee mit der Lohngruppenaufstockung, die war übrigens von mir!"

"Mensch, Meister, du bist'ne Granate, Prost!"

Roland konnte es kaum erwarten, seinem jetzt ehemaligen Rechtsanwalt von der Gerichtsverhandlung zu erzählen. Telefonisch zu riskant, sich für dessen Kranksein zu bedanken. Er fuhr in die Kanzlei. Der Rechtsanwalt war nicht da.

'Ach richtig, der ist ja krank', rekapitulierte er vor dem Haus stehend.

Dirk und dessen Mutter waren zufrieden. Alle drei hatten sie das System getäuscht. Das ließ sie ein bisschen optimistisch in die Zukunft schauen.

Tage später saßen sich Roland und sein ehemaliger Rechtsanwalt gegenüber.

"Ich komme auf Verdacht zum zweiten Mal vorbei", sagte Roland, "wollte nicht am Telefon erzählen, wie es vor Gericht gewesen ist."

Der Rechtsanwalt fand Rolands Geste sympathisch, sich nach dem Abgang aus seinem Büro vor dem Prozess, nochmals zu melden. Er nahm aus dem das ganze Zimmer dominierenden Bibliotheks- und Aktenschrank eine Flasche Kognak und goss reichlich in zwei Schwenker ein. Als Roland auch noch von seinem Besuch bei der Untersuchungsrichterin in Klein-Machnow erzählte, sagte er vollkommen perplex:

"Herr Grundmann, Sie haben mich überzeugt. Besser hätte ich Sie mit Sicherheit nicht verteidigt."

„Freiheit", erster - vor dem Schlaf letzter Gedanke

Da Peter in Dresden studierte, war sein Kontakt zu Roland in den vergangenen Jahren recht sporadisch. Er hatte nicht mitbekommen,

430

dass Peter im Frühjahr als frisch diplomierter Ingenieur nach Berlin zurückgekehrt war. Zufällig liefen sie sich im Sommerbiergarten des Treptower "Zenner" am Plänterwald über den Weg.

"Ich arbeite gar nicht weit von hier im Treptower-Apparate-Bau. Einer meiner ehemaligen Zimmerkameraden im Studentenheim in Dresden, der Micel (Michael), kennst du ja, ist in derselben Abteilung."

"Glückwunsch zum Diplom, mein Lieber. Du solltest dich entscheiden, den Kontakt zu mir aufrecht zu halten oder nicht. Er könnte deiner Karriere schaden - bin politisch unzuverlässig!"

"Mach keinen Witz, was ist los?"

"Ich bin aus der Haft entlassen und seit zweieinhalb Monaten auf Bewährung in der Produktion!"

"So Schlimmes kannst du ja nicht verbrochen haben, denn letzten Sommer haben wir uns ja noch bei mir zu Hause unterhalten. Da warst du doch noch Referent in der Liga."

"Ja, das schon, aber dann haben sie mich im November kurz vor der Österreichischen Grenze erwischt!"

"Erzähl mir alles. Schon mal vorab: Ich bestimme selber, wer meine Freunde sind!"

Roland erläuterte seine Beweggründe und erzählte in epischer Breite das Geschehene, die Gerichtsverhandlung vor zwei Wochen eingeschlossen.

"Was haben denn die Eltern zu der ganzen Sache gesagt?"

"Kannst du dir ja vorstellen. Vater ist richtig sauer, hat sich wohl auch gekümmert, will mich aber nicht sehen. Mutter ist ängstlich aufgeschreckt, aber wie Vater eher um Staat und Partei besorgt."

"Die Sache mit dem Pass ist ja wirklich dumm gelaufen, hätte vielleicht klappen können. Es gibt Mittel und Wege, hier raus zu kommen. Wenn ich wüsste wie es geht, würde ich auch abhauen!"

"Du kannst dir ja im Zweifelsfall Zeit lassen, bis sich mal eine Gelegenheit ergibt. Als Diplom-Ingenieur geht es dir akut nicht schlecht. Bei mir ist das anders, ich muss schnell hier raus, sonst drehe ich durch - mir geht es mit jedem Tag "DDR" bescheidener!"

"Zum Thema "schnell" kann ich dir was aus unserem Wohnheim erzählen. Du weißt ja, Micel, Ingo und ich hatten ein Zimmer. Als wir vormittags die Diplomurkunden in der Uni bekamen, fragten wir Ingo nach dem Festakt, ob er noch mit allen zusammen einen trinken gehen wolle. Er hätte schlecht geschlafen und sei müde, verweigerte der sich. Um am Abend ausgeschlafen zur Party zu kommen, wolle er im Wohnheim vorschlafen. Wie sich im Nachhinein herausstellen sollte, hatte er bloß sein Diplomzeugnis gewollt, und dann ging es für ihn ab in den Westen. An Micel hat er später eine Ansichtskarte aus Hamburg geschickt. Ingo sprach mal von einem Bruder, der dort wohne."

Als sie spät abends nach Hause aufbrechen wollten, stellten sie fest, dass sie den selben Heimweg hatten, denn ihre Wohnungen lagen längstens zehn Minuten Fußweg auseinander.

Das Treffen mit Peter hatte für Roland die Dimension eines gefundenen Schatzes. Sein ältester Jugendfreund, mit dem er seit der Kindheit Schönes erlebt hatte, war wieder reaktiviert und tickte, bezogen auf "DDR" und große weite Welt wie er selber. Peter war für Roland Bezugs- und Vertrauensperson, da passte kein Haar dazwischen.

Sie trafen sich von nun ab fast täglich, meistens in der Wohnung von Peter, die er sich mit Micel, seinem alten Zimmergenossen aus der Studienzeit teilte. In der Frankfurter Allee, auf dem Grundstück, wo sich heute das Bürgeramt-Friedrichshain befindet, gab es vor dem Krieg eine geschlossene Bebauung mit sich anschließenden Hinterhöfen. Bei den Straßenkämpfen, als sich die Panzer der Roten Armee durch die Frankfurter Allee zum Stadtkern wälzten, wurde die vordere Häuserzeile vollständig zerstört. In den fünfziger Jahren hat man zur Straßenseite die Allee planiert, und es entstand eine Art Gartenfläche mit Bänken vor dem ehemaligen Hinterhofhaus, welches nun Vorderhaus geworden war. Hier im Parterre wohnten Peter und Micel. Ihre Wohnungszuweisung erfolgte während der akuten Wohnungsnot, wie sie in Ostberlin herrschte. Einerseits waren sie bevorzugt mit Wohnraum zu versorgen, weil sie als Diplom-Ingenieure in Berlin dringend gebraucht wurden. Andererseits standen nur Räumlichkeiten zur Verfügung, die kaum noch als bewohnbar bezeichnet werden konnten. Micel und Peter, jung, qualifiziert und unbeweibt, waren genau die Richtigen, denen man nach Lage der Dinge so ein "instandhaltungsbedürftiges" Objekt andrehen konnte. Als Draufgabe bekamen sie noch Bezugsscheine für Wandfarbe. Die hätten sie auf anderem Wege nicht bekommen, denn zu kaufen gab es überhaupt keine Farbe in Ostberlin. In die früher schon kleineren Zimmer der Hinterhofhäuser hatte man in den schlimmsten Notzeiten nach dem Krieg auch noch einlagige Trennwände aus Ziegeln eingezogen. Roland erlebte noch den Beginn der Renovierungsarbeiten. Micel hatte zur Fete eingeladen, die er als "Statikklamauk" betitelte. Nachdem man sich mittels Bockwurst, Schrippen und Bier gestärkt hatte, sollte als das Nonplusultra eine solche Ziegelwand mit Hammer und Spitzhacke eingerissen werden, um aus zwei Minizimmern einen größeren Raum zu machen. Die Wand, um die es ging, bezog ihre Standfestigkeit aus dem Eigengewicht der Ziegelsteine und den über die Jahre aufeinander gepappten Tapetenlagen. Verbindend zwischen den Steinen, eigentlich Mörtel, lag ein Produkt seiner Zeit - Sand mit Spuren von Zement. Die Wand war schnell platt, aber das Gaudi erstarb im Staub - es musste viel getrunken werden.

Reisende Touristen, die in den Westberliner Sight-Seeing-Bussen an ihm als freie Bürger vorüberfuhren, feuerten ihn gedanklich täglich an, die eigene, als unfrei empfundene Situation zu überwinden. Er beobachtete die Busse, wie sie hinter dem ersten Schlagbaum in den unmittelbaren Kontrollbereich der Grenze an der Heinrich-Heine-Straße einfuhren und ein paar Meter weiter zur Einzelkontrolle der Reisenden anhielten. Er schätzte die verbleibende Entfernung bis zum letzten Durchlass zwischen zwei mächtigen Betonblöcken unmittelbar am weißen Strich, der Markierung zum Westen. Etwa bis auf zehn Meter kam Roland für seine Beobachtung an den ersten Schlagbaum heran. Stehenbleiben durfte er nur kurz, bevor ihn ein "DDR-Grenzer" aufforderte kehrt zu machen. Die Beobachtungsposition konnte er auch nicht beliebig oft einnehmen, sonst wären vielleicht seine Personalien festgestellt worden. Manchmal kam er als ein Dauerlauf betreibender Anwohner im Trainingsanzug bis in Schlagbaumnähe, und tippelte, mit dem Gesicht in Richtung Busabfertigung, auf der

Stelle. Andere Male fädelte er sich in Gruppen ein, die sich zu Fuß auf den letzten Metern zum Grenzübergang befanden. Bei den Anläufen zum Kontrollbereich wollte er in Erfahrung bringen:
Zu welchen Zeiten kommen die meisten Busse?
Wie lange dauert ihr erster Stopp im Kontrollbereich?
Wie viele von ihnen dürfen auf einmal in den Kontrollbereich aus östlicher Richtung einfahren und befinden sich womöglich gleichzeitig mit von Westen eingefahrenen in der Kontrolle?
Aus seinen notierten Beobachtungen schälten sich wiederkehrende Intervalle von Tagen und Stunden heraus. Längst hatte er die Idee, im Schutz der Busse entlangrennend den Kontrollbereich zu überwinden.

Das Risiko, so über die Grenze zu kommen, schloss ein, beschossen zu werden. Als Krüppel wollte er nicht im Westen ankommen! Er spekulierte, in der Überraschung würden ihn die Grenzer nicht als Schussziel erfassen. Es wäre sogar fraglich, ob die mitten im stehenden Verkehr losballern. Ihn flitzend zu ergreifen, würde um so unwahrscheinlicher, je besser er mit seinem Sprint-Weg vertraut wäre. Den zu planen, fehlte ihm die Anordnung der Betonsperren, die von den Bussen im Kontrollbereich umfahren werden mussten. Hätte er ihre Lage, wollte er den so angenommenen Parcour im Wald markieren und sprintend trainieren. Die Fotos der Betonhindernisse sollte Horst liefern.

Von seinen Recherchen sprach er nicht mit Dirk. Diese Fluchtidee passte nur zu Personen mit besten Sprinter-Qualitäten. Über solche verfügte Dirk nach Rolands Einschätzung nicht. Peter hingegen schon, und so weihte er ihn haarklein in die neuesten Beobachtungen ein. Der war aber von dem Vorhaben alles andere als begeistert. Für sich schloss er diese Option mit so zweifelsfreier Bestimmtheit aus, das Roland die erhaltene Abfuhr irgendwie "spanisch" vorkam.

„Als kritischer Zuhörer bleibe ich dir aber erhalten", fand Rolands Vertrauensvorschuss durch Peter seinen Abschluss.

Das Warten auf die Passierscheinzeit war vorbei. Am Sonnabend vor Pfingsten kam Horst mit seiner Familie. Roland sah zum ersten Mal seinen Neffen. Der, inzwischen ein fünfjähriger Blondschopf, machte auf ihn einen wohlerzogenen Eindruck. Kein Kaiserwetter, aber trocken, zog es mehrere Zehntausend der fast eine halbe Million

Westberliner die zu Pfingsten mit Passierschein nach Ost-Berlin gekommen waren, in den Tierpark. Hier konnte man ohne unliebsame Zuhörer miteinander reden.

Es geziemte sich nicht, den Onkel abzufragen wie einen Dienstleister. Bei aller Ungeduld, aber bevor seine Person in den Mittelpunkt des Interesses rückte, mussten im Einzelnen verbal die Bilder der Familienmitglieder geputzt werden.

„Ich bin beim "Untersuchungsausschuss Freiheitlicher Juristen (UfJ)" gewesen und habe mich als dein Familienangehöriger ausgewiesen. Du warst da aktenkundig! Deine Verhaftung in der CSSR wurde über unsere Botschaft in Wien gemeldet."

„Darum hatte ich noch schnell einen Mitreisenden im Vindebona-Express, einen Ägypter, gebeten. Klasse, dass der das getan hat!", fügte Roland ein.

„Die vermuteten dich noch immer im DDR-Knast. Meine Information zu deiner aktuellen Situation war denen willkommen. Die waren dort sehr nett und interessiert. Wenn ich etwas Neues erfahren würde, solle ich mich wieder melden!"

"Danke, Horst, ich gebe dir hier noch den Zettel, auf dem meine Verhandlung angekündigt ist. Den habe ich vom Brett im Gerichtsflur gerissen. Die Durchschriften von meinem Plädoyer und meinem "Letzten Wort" kannst du mitnehmen und bei Gelegenheit dort vorbeibringen."

Roland erzählte, wie er das Problem mit dem Rechtsanwalt gelöst und wie sich der Prozess abgespielt hatte.

"Deine Einschätzung des Rechtsanwalts war optimal. Den kannte man beim UfJ. Er wird dort Leuten empfohlen, deren Verwandte sich in Ostberlin in der Klemme befinden, auch politisch."

Während sie ins Gespräch vertieft spazierten, war Traudchen mit Torsten beschäftigt, dem sie vorlas, wo die Tiere lebten, die er da zum ersten Mal lebend sah.

Roland machte sich bei Torsten beliebt, ihm einen großen Eisbecher spendieren zu wollen. Von Horst wollte er wissen:

"Hast du denn heute Bilder für mich?"

"Ja, zwei Stück. Eigentlich will ich sie dir nicht geben. Ich halte das für wahnsinnig gefährlich, über die Heinrich-Heine-Straße flitzen zu wollen!"

"Das mag ja sein, aber ich will das ja auch nur genau prüfen. Ich habe doch nicht gesagt, dass ich es unbedingt tun werde!"

"Du verstehst schon? Wenn ich dir bei der Heinrich-Heine-Straße helfe und du machst das, die schießen und es geht schief, habe ich das auf dem Gewissen?"

"Für den Moment ist das meine vorrangige Option. Die Bilder sind das Einzige, worum ich dich bitte, oder hast du eine andere Idee?"

"Also gut, hier hast du die Bilder, Übergang Heinrich-Heine-Straße von der Westseite, aber nur als Beweis meiner Hilfsbereitschaft."

"Die genaue Lage der Betonhindernisse im Kontrollbereich ist ja nicht ersichtlich!", beschwerte sich Roland.

"Das Fotografieren innerhalb des Kontrollbereichs ist strengstens verboten. Ich konnte heute nicht mal den Apparat hochhalten. Auf der Rückfahrt werde ich es noch einmal versuchen."

"Wenn das nicht klappen sollte, überlege doch mal, bei der Westberliner Polizei am Übergang nachzufragen, ob sie Aufnahmen des östlichen Grenzbereichs rausrücken."

"Gute Idee, die haben bestimmt solche Aufnahmen, aber ob sie die rausgeben dürfen, bezweifle ich. Es sind doch alle darauf bedacht, spektakuläre Zwischenfälle zu vermeiden."

"Ich sehe noch eine Möglichkeit! Sprich doch einen reisenden Westdeutschen am Busbahnhof an, ob er bereit sei, vom oberen Deck des Busses alles zu fotografieren. Das ist nicht so kompliziert wie aus dem PKW."

"Du sollst deine Fotos bekommen. Ich bringe sie dir bei der nächsten Passierscheingenehmigung mit. So wie ich die Kommunisten einschätze, wird das erst wieder zu Weihnachten sein."

"Du siehst nicht durch. Das geht schneller - die wollen euer Geld!"

"Meinst du wirklich? Ich hoffe jedenfalls, dass du auf andere Fluchtpläne kommst!"

Nach umständlichem Palaver gelang es Roland wenigstens, den Eisbecher für seinen Neffen bezahlen zu dürfen. Der schien seinen neuen Onkel ganz in Ordnung zu finden, denn als er mit dem Eis sein Jackett bekleckerte und Traudchen ihn dafür tadelte, nahm Roland für ihn Partei. Er griff Torstens Arm:
"Komm mal schnell mit mir mit, wir überraschen jetzt die Mutti."
Auf der Toilette übergab Roland der Toilettenfrau Torstens Jackett. Die wusste, wie der Obsteisfleck ohne Spuren zu entfernen sei. Zurück am Tisch überzeugte das Resultat trotz des komplett nassen Revers.
Roland genoss es, wieder neben Horst vorne im Opel-Kapitän sitzend nach Hause gefahren zu werden. Zwei Stangen "Ernte 23" und das Versprechen, so bald es ginge wiederzukommen, milderten den Abschied.

Bei Dirks Tante gab es Pfingstsonntag ein Kaffeekränzchen. Sie machte Dirk Hoffnung:
"Wenn ich an Fluchthelfer rankommen sollte, würde ich für dich mein Erspartes geben und für das, was es mehr kostet, einen Kredit aufnehmen. Aber nur wenn es geklappt hat. Ich hatte schon einen Tipp. Aber wieder nur gegen Vorkasse."
Dirk und die Tante ahnten nicht, dass es fünf Jahre dauern würde, bis man den Westberlinern wieder erlaubte, ihre Verwandten in Ostberlin zu besuchen.

Anfang Juli wurden die Verhandlungen über ein neues Passierscheinabkommen als gescheitert gemeldet. Schon in den vier Abkommen seit 1964 war es das vordergründige Interesse der DDR gewesen, als Verhandlungspartner wie ein souveräner Staat angesehen und behandelt zu werden. Die humanistischen Werte, von denen sie vorgab, sie in ihrer angeblich sozialistischen Gesellschaft als das Höchste zu schätzen, verletzte sie kontinuierlich elementar. Die Sorgen und Wünsche der Bürger in Ost- wie Westberlin waren den DDR-Machthabern völlig schnuppe.

Für Roland bedeutete das:
Kein Passierscheinabkommen - kein Kontakt zu Horst!

Er hatte sich in die Idee verbissen, durch den Kontrollpunkt Heinrich-Heine-Straße an den Bussen vorbei zu rennen, dem Überraschungsmoment und seiner Schnelligkeit vertrauend.

"Ich nehme noch den Jahresurlaub Anfang Juli. Danach flitze ich durch die Grenze!", offenbarte er sich Peter.

"Roland, ich halte deine Idee für abstrus, das weißt du. Du bist im Begriff, mit deinem Leben zu spielen! Das ist mehr, als vielleicht die Freiheit zu gewinnen. Ich werde das nicht zulassen!"

"Nun mach mal halblang, was willst du denn dagegen tun – mich doch nicht etwa verpfeifen - das glaub ich ja nicht!"

"Natürlich nicht! Ich möchte, dass wir morgen noch einmal darüber sprechen. Sag mal, hast du noch Kontakt zu deinem Onkel? Der wollte dir doch die Bilder mitbringen."

"Nee, wie denn, der ist doch Westberliner!"

"Ich habe dazu noch einen Gedanken. Morgen reden wir darüber. Wir treffen uns vor dem Haupteingang zum Treptower Ehrenmal."

Roland nickte zustimmend. Er glaubte an Peters nachdenklichem Gebaren ausgemacht zu haben, dass dieser die Fluchtidee doch nicht mehr so abwegig finden könnte. Warum hätte er denn sonst nach den Bildern von seinem Onkel Horst gefragt.

Flucht über „Checkpoint Charlie-Berlin"

Als sie sich am nächsten Tag trafen, machte Peter auf Roland einen angespannten Eindruck.

"Schieß los, warum so konspirativ hier im Park?"

"Was ich dir jetzt sage, ist absolute Vertrauenssache. Ich habe versprochen, mit niemandem darüber zu reden. Mit dir nochmals das Thema Flucht besprechen zu können, brauchte ich den gestrigen Tag. Gestern Abend wollte ich von Micel dafür sein Einverständnis erhalten. Aber dann habe ich mich nicht getraut, weil er gestern schlecht gelaunt schien. Roland, wir sind die ältesten Freunde - jetzt lassen wir die Sache auf uns zukommen. Vielleicht ist ja alles nur eine Fata Morgana."

"Spann mich nicht auf die Folter!"

"Ich hab dir doch von Ingo erzählt. Den hat sein in Hamburg lebender Bruder rausgeholt. Ich weiß nicht wie, aber es hat geklappt. Der Ingo hat über drei Ecken mit Micel Kontakt aufgenommen. Das ist schon ein halbes Jahr her. Ingo hat noch einen kleinen Bruder, den Detlef, in Meißen. Der macht gerade Abitur und muss anschließend zur Armee. Ingo will ihm die Armee und die DDR ersparen. Mit Micel ist Ingo soweit klar. Der fungiert als Relaisstation für sämtliche Kontakte von West nach Ost, von Ost nach West und von Bruder zu Bruder. Das läuft jetzt schon ein paar Monate. Inzwischen ist klar, Micel und ich sind mit von der Partie. Ingo kennt uns ja aus jahrelanger Zimmer- und Studiengemeinschaft. Er übernimmt für Micel und mich auch die Garantie für das Finanzielle. Pro Kopf sind achttausend-achthundert Westmark fällig. So, nun kennst du die Lage."

"Peter, das wäre ja wie ein Lottogewinn im ersten Rang, wenn ich da mitkönnte!"

"Wenn ich das Sagen hätte, hättest du dir die Beschäftigung mit der wahnwitzigen Flitzerei sparen können, aber ich hatte absolute Schweigepflicht. Die habe ich gebrochen, weil ich dich nicht ins Schussfeld rennen lassen will!"

Micel wusste von Peter, dass Roland auf Besuch kommen würde. Mit einigen Bieren im Beutel kam er in die noch im Staub liegende Bude von Micel. Der unterbrach gerne die Sisyphusarbeit, den Staub aus den Fensterritzen zu entfernen. Sie setzten sich an den schon sauberen Tisch. Roland gab eine Runde "Ernte" aus. Sie tranken einander zu. Peter eröffnete das Gespräch:

"Micel, wir müssen reden. Es geht darum, dass ich Roland von unserer Flucht erzählt habe. Er will mit!"

"Bist du denn von allen guten Geistern verlassen! Das ist so ein miserabler Vertrauensbruch, dass ich dir am liebsten die Freundschaft kündigen würde! Ich höre mir das nicht an! Macht, was ihr wollt!"

Micel nahm seine Bierflasche, stieß den Stuhl um, als er aufstand, und verließ das Zimmer. Sie hörten einen Knall - das war die Wohnungstür. Nach der Schockstarre meinte Peter:

"So habe ich mir das gedacht. Jetzt verstehst du, warum ich Schiss hatte, mit ihm gestern zu sprechen!"

"Guck mal, ganz abgehauen ist er nicht. Da sitzt er doch - auf der Bank im Hof."

"Solange er in Sichtweite bleibt, hoffen wir mal, dass er wieder 'reinkommt."

Nach einer Weile sammelte Roland leere Bierflaschen in den Beutel, von denen es einige in Zimmer und Küche gab. Eine volle Flasche nahm er vom Tisch.

"Ich gehe und hole Bier, diese Flasche bringe ich Micel. Vielleicht kommt er inzwischen wieder 'rein an den Tisch."

"Na mal sehen, lass dir etwas Zeit."

Roland ging zu Micel auf den Hof, tauschte dessen inzwischen ausgetrunkene Bierflasche gegen die volle aus und ging ohne Worte in Richtung Kaufhalle. Dann machte er vor dem Rückweg noch einen Abstecher nach Hause, um sich mit "Ernte" einzudecken.

"Jetzt haben wir alle ein Problem", meinte Micel, als sie wieder zu dritt am Tisch saßen. Er wandte sich an Roland:

"Ich habe ein halbes Jahr lang über Kuriere den Kontakt zu Ingo und hier den zu seinem Bruder Detlef gehalten. Das war weder einfach noch ungefährlich, das kannst du glauben. Mit deinem Auftauchen ist jetzt scheinbar alles umsonst gewesen. Kapierst du das?"

"Wieso umsonst - muss doch nicht sein. Ich werde alles tun, und wenn ich kann auch helfen, damit unsere Flucht gelingt."

"Von 'unserer' Flucht brauchst du schon gar nicht zu sprechen. Du kommst bestimmt nicht mit, vielleicht später, nach uns."

Darauf Peter:

"Ich habe vorhin gesagt, da warst du noch nicht wieder zurück - dann gehe ich auch später. Entweder jetzt alle zusammen, oder du Micel, mit Ingos Bruder alleine!"

Peter hatte mit seinem Ultimatum einen Pflock gesetzt:

„Roland, ich habe nichts gegen dich", sagte Micel und fuhr fort:

„Peter, ich verstehe auch, dass du deinen ältesten Freund nicht über die Heinrich-Heine-Straße rennen lassen willst. Jetzt gibt es mit ihm einen neuen Mitwisser, der auch noch mit will! Ich werde versuchen, das dem nächsten Kurier zu verklickern - wird bei den Leuten einschlagen wie eine Bombe. Kann sein, die brechen die ganze Aktion ab!"

"Dann sage deinem Kurier auch, dass ich schon eine misslungene Flucht hinter mir habe. Die sollen sich mit meinem Onkel in West-Berlin in Verbindung setzen. Der wird alles belegen und auch aufklären, um wen es sich bei mir handelt. Ich bin schließlich nicht irgendwer! Für das Finanzielle wird es auch eine Lösung geben."

"Glaube man ja nicht, dass nach deiner außergewöhnlich kurzen Haftzeit dort keine roten Lichter angehen!"

"Dagegen kann ich nichts machen. Aber wenn es so etwas wie Bürgen gibt, dann sind das meine Verwandten mütterlicherseits. Darunter sind alteingesessene honorige Geschäftsleute."

"Hast du die Telefonnummer von deinem Onkel?"

"Nein, nur seine Adresse und die von meinem Opa Rudolf und die von Geschäft und Wohnung eines anderen Onkels in der Hermannstraße. Stehen alle im Telefonbuch."

"Schreib die jetzt auf! Ich gebe alle Infos an den Kurier weiter."

Micel sagte nicht, dass schon seit Wochen für den nächsten Tag ein Termin mit dem Kurier verabredet war. Westdeutsche konnten, gegen "Eintritt", täglich in den Osten einreisen.

Die Westberliner konnten das nicht, es sei denn, sie besorgten sich einen westdeutschen Paß. Die ganz Pfiffigen, mit Verwandten in Westdeutschland, gaben deren Adresse auf der westdeutschen Behörde als Zweitwohnsitz an. Hilfestellung leisteten auch CDU, SPD und FDP in ihren Ortsverbänden, wo man über entsprechende Kontakte in Städten und Gemeinden verfügte. Verständnis gab es aber auch für die Leute, die nicht den Schneid aufbrachten, mit einem 'gezinkten' Wohnort im Pass vor einem kontrollierenden Kommunisten zu stehen.

So ein ängstliches Mütterlein war auch Dirks Tante. Für Dirk war das gescheiterte Passierscheinabkommen die Katastrophe schlechthin. Das nun schon über Jahre gehegte Pflänzchen der Hoffnung war zertreten. Das machte ihm psychisch zu schaffen. Bei den seither zwei Treffen mit Roland sprach er nur davon, nicht zu wissen, wann und ob überhaupt er Tantchen wiedersehen werde. Mit zunehmender Gesprächsdauer in Verbindung mit Alkohol fing er dann an, mit zunehmender Lautstärke über das sozialistische System zu schimpfen. So etwas brauchte Roland nicht. Als Dirk vorschlug, bei der Mutter die Deutschen bei der Fußballweltmeisterschaft spielen zu sehen, lehnte er ab, weil er selbiges schon mit Peter und Micel verabredet hätte.

Die Deutschen traten zu ihrem ersten Spiel bei der Fußballweltmeisterschaft an. Es ging gegen die Schweiz. Vollkommen niedergeschlagen saß Micel nicht vor dem Fernseher, sondern starrte, in der Küche sitzend, auf das vor ihm stehenden Bier. Der Ton aus dem Fernseher in Micels Zimmer war zu hören. Das Spiel war noch nicht angepfiffen.

"Was ist denn mit dir los? Das Spiel fängt an!", wollte Peter wissen.

"Ihr könnt 'Brot und Spiele' gucken, für mich hat es sich ausgespielt!"

"Du willst doch etwas loswerden, also raus damit, kann uns ja wohl alle angehen", intervenierte Peter

"Ich hatte gleich, ihr erinnert euch, ein ungutes Gefühl. Die Sache ist anscheinend komplett abgeblasen, wenn nicht sogar noch schlimmer! Schon einen Tag nach unserem denkwürdigen Gespräch vor zwei Wochen, gab es ein Treffen mit dem Kurier. Der glaubte nicht, dass in der Kürze noch eine Änderung der Personenzahl möglich sein werde, aber das zu entscheiden sei nicht sein Job. Die Informationen und Adressen, die Roland gegeben hat, habe ich ihm mündlich gegeben. Er hat sich Stichpunkte in einen Stadtplan eingetragen. Zum Schluss informierte er mich, dass zum nächsten Treff ein anderer Kurier käme. Den hat er mir genau beschrieben, plus Erkennungsmerkmal und Parole. Der Termin wäre heute gewesen. Der Mann ist nicht gekommen! Ein Verpassen durch Verspätung ist ausgeschlossen, denn es gibt immer eine Alternativzeit anderthalb Stunden später. Nicht auszumalen, aber eine Verhaftung ist auch denkbar!"

"Micel, nur keine Panik! Lass uns das mal im Einzelnen durchgehen, und fangen wir mit dem Naheliegenden an", mäßigte Peter.

"Die einfachste Erklärung: Der ist verhindert gewesen - Krankheit, Schiss oder was weiß der Teufel! In dem Fall werden die schnell mit Micel direkten Kontakt aufnehmen. Leuchtet doch ein, oder?", schlussfolgerte Roland.

"Denkbar wäre aber auch, dass sie nach Rolands Benennung die Sache vollkommen abgebrochen und deshalb den Kontakt auf Eis gelegt haben."

"Peter, du kennst doch Ingo, das würde der nicht so schweigend akzeptieren. Dann käme doch zumindest eine klare Information, sonst läuft doch sein Bruder hier ins offene Messer. Irgendwie erfahren wir ganz schnell, was los ist."

"Sehe ich auch so "irgendwie"! Bisher haben jedenfalls alle meine Kurierkontakte geklappt. Die Personen haben schon öfter gewechselt, ohne Probleme", betonte Micel etwas ironisch.

"Nehmen wir mal als Letztes an, dass die Stasi auf der Spur ist. Dafür kann es über die lange Zeit der Vorbereitung hundert Gründe geben. Um es noch einmal zu beschwören, ich bin keiner davon. Ingos Bruder kann sich auch verquatscht haben. Von uns Dreien habe ich am meisten zu befürchten. Ich bekäme die fünf Jahre obendrauf, denen ich nach meiner misslungenen Flucht durch List entgangen bin. Deshalb sage ich:

Micel, du machst weiter, als sei nichts passiert. Du fragst gleich mal bei Bruder Detlef an, ob alles ruhig ist in Meißen. Jeder für sich geht auf Tauchstation. Ich lasse mich hier erst wieder sehen, wenn ich von einem von euch dazu aufgefordert werde. Ihr werdet zusammen außerhalb von Arbeit und Wohnung die Öffentlichkeit meiden. Jeder achtet darauf, ob sich im Umfeld etwas verändert, besonders in Wohnungsnähe. Sollte einer von uns Stasi vermuten, warnt er die anderen. Ich für meinen Teil hoffe dann noch auf die Chance, an die Heinrich-Heine-Straße zu kommen. In den Knast gehe ich nicht noch mal!"

Micel seufzte:

"Ich halte das alles nicht mehr aus! Bei jedem Klingeln schrecke ich zusammen, schlafe kaum noch, und auf Arbeit bringe ich nichts. Ich frage allen Ernstes, macht das Ganze überhaupt noch Sinn?"

"Micel, allein du hältst sämtliche Kontakte. Wenn du hinwirfst, hängen wir alle in der Luft. Du musst weitermachen oder als Relais einen von uns dazunehmen!", mahnte Roland.

"Wenn ich nicht bis Anfang kommender Woche neue Kuriernachrichten habe, informiere ich Ingos Bruder: Die in Kürze von ihm erhoffte Flucht ist abgebrochen! Was ihr danach neu organisieren wollt, müsst ihr mit Ingo ohne mich machen."

Trost und Aufmunterung gab Peter:

"Ich bin mit deiner Zeitvorgabe in Bezug auf Ingos Bruder Detlef einverstanden. Bis dahin sind es ja noch vier Tage. Micel und ich werden abwechselnd dafür sorgen, dass morgen und übermorgen, immer nach der Arbeit, und Sonnabend/Sonntag Tag und Nacht jemand zu Hause ist. Danach werden wir erneut entscheiden!"

Den Sieg der Deutschen Mannschaft bekamen sie zwar mit, aber selbst das 5:0 erbrachte keine bessere Laune.

Freitag darauf, am frühen Abend, klingelte es an Rolands Wohnungstür Sturm. Peter und Micel standen vor ihm und Micel forderte burschikos, so als wäre Roland sein Lakai:

"Los, fertigmachen zum Ausgang, Geld nicht vergessen - jetzt geht's um die Häuser. Besuch war da! Wir wollen reden!"

Roland fragte nicht nach Einzelheiten. Die würde er früh genug erfahren und zwar dann, wenn den Mitstreitern die angepeilte Umgebung passte.

Sie fuhren mit der S-Bahn zwei Stationen bis Treptower Park und liefen in Richtung Plänterwald. Dort, im Biergarten des „Zenner", fanden sie Platz an einem Biergartentisch, wo sie sich in normaler Lautstärke unterhalten konnten. Im Hintergrund dröhnte die Kapelle, die ab 22 Uhr im "Haus Zenner" weiterspielen würde.

'Es muss schon etwas besonders Gutes in der Luft liegen, wenn ausgerechnet Peter bei der Erstbestellung richtig zulangt', dachte Roland noch, als Micel zu berichten begann.

"Ein Kurier stand heute vor unserer Wohnungstür und holte mich zu einer Spritztour ab. Der kannte sich aus. Wir fuhren in seinem VW strikteman in den Friedrichshain-Park. Es gab nur erfreuliche Nachrichten! Peter weiß bis jetzt nur, dass wir sorgenfrei im Zeitplan liegen. Über dich haben wir bisher noch nicht gesprochen."

"Wir, das heißt wir alle zusammen?", fragte Roland dazwischen.

"Ja, mein Lieber, du bist mit an Bord."

"Die Getränke heute gehen auf meine Rechnung."

"Da übernimmst du dich wohl, wir gehen nachher noch rein ins "Zenner".

"Wenn mein Geld nicht reicht, legt ihr eben aus. Ich muss ja das Ostgeld noch loswerden."

"Ganz so schnell geht es nicht. Aber jetzt erst mal Punkt für Punkt."

"Wir bitten darum!", frotzelte Peter

"Der letzte Termin konnte nicht klappen, weil der neue Kurier mit einem abgelaufenen Paß an der Grenze stand. Roland, du bist tatsächlich als Fall im Westen erfasst. Dein Onkel Horst garantiert, dass du im Westen die 8.800 Mark abstotterst. Er hat sich besonders gefreut, dass du nicht mehr über die Heinrich-Heine-Straße rennen wirst. Er lässt dir ausrichten, Opa Rudolf und Onkel Robert wissen Bescheid und wünschen jetzt viel Erfolg!"

"Und wann geht es tatsächlich los?", wollte Peter wissen.

"Na eigentlich rollen wir schon! Jeder von uns soll die ihm wichtigsten Utensilien und Dokumente in nicht mehr als einer Aktentasche unterbringen. Roland, du sollst dich noch in dieser Woche auf den Weg an die Ostsee nach Usedom machen. Dort sollst du dich auf dem Campingplatz den Leuten zeigen!"

"Was soll das denn? Woher wissen die im Westen, dass ich nach Usedom fahren will?", fragte Roland.

"So hast du es mir doch erzählt, und ich habe es Micel mit dem Zusatz erzählt, dass du anschließend über die Heinrich-Heine-Straße flitzen willst."

"Und ich habe das dem Kurier gegenüber erwähnt, um zu verdeutlichen, wie sehr du unter Druck stehst."

"Glaubt ihr, dass wir über die Ostsee reisen?", fragte Roland zweifelnd.

"Bestimmt nicht, denn du sollst ja unbedingt nach einer Woche wieder hier in Berlin sein. Nicht in deiner Wohnung, sondern hier bei mir, sollst du bis zum Aufbruch wohnen. Niemand außer uns darf dich sehen. Bruder Detlef wird auch bei uns einquartiert. In der ersten Augustwoche habe ich den nächsten Termin mit dem Kurier. Peter und ich erzählen im Kollegenkreis, dass wir nach Ungarn an den

Plattensee fahren werden", ergänzte Micel.

"Also mein Reim auf die Reiseumtriebe ist, dass die wahren Fluchtwege später dem MfS verborgen bleiben sollen", mutmaßte Peter.

Ihrer Phantasie gaben sie stundenlang die lange Leine. Jeder spann den Entwurf für die Zukunft jenseits des weißen Strichs - in welcher Stadt, Region oder Land. Bei allen Zweifeln - sie ergötzten sich an den entstehenden Bildern. Was die ersten Stunden im Westen betraf, hatte Roland die konkretesten Vorstellungen.

"Peter, wir beide fahren zu meinem Onkel Robert in die Hermannstraße. Ich lasse mir von ihm ein angemessenes Begrüßungsgeld geben, und dann ziehen wir zum Ku'damm, da ist die ganze Nacht offen. Jedes leergetrunkene Glas schmeißen wir hinter uns an die Wand - da bremst uns keener!"

Nach feucht-fröhlicher Nacht schauten sie sich am folgenden Nachmittag beim gemeinsamen Frühstück das torlose Spiel gegen Argentinien an. Micel ging zur Telefonzelle und informierte Ingos Bruder verklausuliert, dass er zu planen hätte, in der ersten Augustwoche mit Luftmatratze bei ihm Quartier zu nehmen.

Bis hierher hatte Roland vor sich hergeschoben, mit Dirk zu reden. Nach Stand der Dinge wurde es wirklich Zeit, den Freund zu bedienen. Beim Treff fiel Roland gleich mit der vermeintlichen Neuigkeit über Dirk her:

"Ich habe wirklich Neuigkeiten für dich. Stell dir vor, ich fahre nach Binz auf Rügen." Mit Absicht sprach er nicht von Usedom.

„Meinen Beitrag an der Planerfüllung hat der Meister zur Prämie eingereicht. Du kennst ja dessen Meinung zu Volk und Vaterland! Ich bekomme ein Einzelzimmer für 14 Tage Rügen."

"Dein Meister ist Klasse, das muss man ihm lassen. Kann ich dich auf Rügen besuchen oder sogar mitkommen?"

"Nee, kanns'te nich, das ist ein FDGB-Heim, wo ich unterkomme. Jetzt muss ich bloß noch die Genehmigung von der Richterin einholen, dass sie mich aus Berlin 'raus lässt. Hoffentlich glaubt die nicht, dass ich von da oben abhauen will."

"Mein lieber Freund und Kupferstecher, solltest du da doch den Jackpot in Richtung Westen knacken, denke an unser Indianerehrenwort: Einer holt den Anderen nach!"

"Ist doch Ehrensache, aber was Rügen betrifft, das ist utopisch!"

'Sollte die Stasi später bei seinem Freund Dirk nachforschen, wäre Rügen eine Option als vermeintlich letzter Aufenthaltsort in der DDR', dachte Roland.

Peter, Micel und Roland trafen sich im Rhythmus der Deutschlandspiele. Rolands Richterin hatte inzwischen entschieden, unter welchen Auflagen er Berlin verlassen könne, um an der Ostsee auf Usedom den Jahresurlaub verbringen zu dürfen. Er müsse sich bei seinem hiesigen Polizeirevier abmelden und, auf Usedom angekommen, sofort beim dortigen Revier anmelden.

Die Bahnkarten Hin-Rückfahrt hatte er auch schon.

So problemlos wie auf Londons Rasen der Fußball verlief für Peter und Roland der Alltag. Micels Nervenkostüm hätte sich eigentlich festigen müssen, denn nichts deutete auf Komplikationen hin.

Das Gegenteil war der Fall. Er brachte immer wieder Zweifel am Gelingen der Flucht vor. Er litt unter Stasi-Paranoia!

Deutschland stand im Finale. Das Wettkampffieber war für die Landsleute genauso spannend wie das Fluchtfieber der Freunde.

Roland brachte für die Einquartierung die Luftmatratze und seine "Fluchttasche" in Peters Zimmer. In ihr befanden sich Zeugnisse, Urkunden und Medaillen, Segel- und Motorflugnachweise, Sozialversicherungs- und Personalausweis sowie Fotos - sozusagen sein dokumentiertes Leben und dann noch die zwei Steine von Erika und Gisela die ihn lebenslänglich an sie erinnern sollten, in der Kulturtasche. An Wertgegenständen waren da noch eine archäologisch antike Besonderheit aus Syrien - ein kleines zylinderförmiges Siegel aus Kalkstein, ein Schreibset - Kugelschreiber und Füller von „Parker" in Silber, und ein silbernes Zigarettenetui. Er bückte sich, um sie unten im Kleiderschrank neben Peters Tasche zu deponieren:

"In ein paar Tagen ist das unsere ganze materielle Habe!", sagte er sich aufrichtend. In diesem Moment umarmte Peter seinen Freund zum Abschied:
"Unser Kapital für die Zukunft, das sind wir selbst - und jetzt mach's gut, mein Lieber. Such Bernstein und verbrenne nicht in der Sonne."

Im monotonen Tack-Tack, Tack-Tack der Waggonräder auf den damals noch nicht zusammengeschweißten, sondern aneinandergeschraubten Schienen gingen Roland so allerlei Gedanken durch den Kopf.
'Warum soll ich als Einziger von Berlin aus eine Reise antreten? Wieso soll Ingos Bruder schon in der ersten Augustwoche nach Berlin kommen, wo ich noch auf Usedom zu sein habe?'
Könnte es nicht sein, dass man mich einfach nur aus der Schusslinie haben will? Mich weggeschickt hat, weil man in mir ein zu großes Risiko sieht? Womöglich sind meine Mitstreiter schon weg, wenn ich von Usedom zurück komme!'
Das war zwar alles hypothetisch, und eigentlich schämte er sich auch dieser Gedanken. Besonders in Bezug auf seinen fast brüderlichen Freund Peter kam er sich richtig schäbig vor. Trotz besten Vorsatzes, er kam gegen diese Gedanken nicht an. Sie bohrten in ihm wie ein Zahnarzt auf dem Nerv. Er musste etwas tun - er brauchte Gewissheit!
'Gesetzt den Fall, seine Reise sollte wirklich die Legende bilden, dann ergäbe sich die zwingende Pflicht, bei der Polizei sein Eintreffen zu melden. Eine schnelle Abreise widerspräche andererseits nicht dem in Berlin erdachten Zweck', bastelte er gedanklich an seiner Reise.
In Zinnowitz. legte er auf dem Polizeirevier seinen Ausweis mit dem Worten auf den Besucher-Tresen.
"Ich soll mich nach meiner Ankunft hier registrieren lassen - hat man mir in Berlin so gesagt."
"Na, wenn man wissen will, wo Sie sind, wird Ihre Anmeldung notiert. Seid wann sind Sie hier? Wo ist Ihr Quartier?"
"Ich bin gerade angekommen. Quartierschein habe ich noch keinen. Werde vorläufig auf dem Campingplatz bei Bekannten unterkommen."
"Also Campingplatz. Wenn Sie in einer Pension unterkommen sollten, melden Sie das."

Ohne Hast, denn er suchte ja kein Zimmer, und bis zur Übertragung des Endspiels aus London waren noch ein paar Stunden Zeit, spazierte er mit dem umgehängten Seesack zum Campingplatz. Dort schlenderte er sozusagen den halbwegs befestigten Ku'damm des Zinnowitzer Campingplatzes entlang. Hier standen PKWs mit Wohnwagen und dazwischen Zelte und Motorräder. Seine Aufmerksamkeit erregte die Betriebsamkeit um einen Wohnwagen. Ein PKW-Wartburg war dicht neben dem Wohnwagen platziert worden. Auf dem Dach des PKW, auf einem Handtuch, stand ein Raffena-Fernseh-Apparat. Zwei Männer waren damit beschäftigt, die Antenne auf dem Dach des Wohnwagens auszurichten. Der eine passte auf, dass der Apparat nicht vom PKW fiel und der andere rutschte auf dem Dach des Wohnwagens mit der Antenne hin und her. Mehrere Hilfswillige waren Zuschauer und Stuhl- sowie Tischaufsteller gleichzeitig. Sie begleiteten jedes kurz aufflackernde scharfe Bild stakkatoartig mit: "Ja, ja, so, jetzt...."

Als offensichtlichen Hauptinitiator hatte Roland schnell den auf dem Wohnwagendach Hantierenden ausgemacht. Als dieser vom Dach herunter geklettert kam, ging Roland auf ihn zu:

"Darf ich mich höflichst mit einem Kasten Bier in Ihre Gästeliste zum Endspiel einschleimen?"

"Da kann jeder zukieken, aber führ'n Kasten Bier krichst'e sogar 'nen Stuhl. Ick selber trinke heute nur Bier, wenn wa Weltmeister wärdn. Ansonsten fahrn wa nämlich hehm!"

"Dufte, ich bin Roland aus Berlin!"

"Hör mal, Irmchen, noch'n Berliner. Jib ihm mal'n Stuhl. Irmchen ist meine Frau. Ick bin Werner. Wir komm' aus Wildau-Wusterhausen."

"Habe schon am Potsdamer "D" gesehen, dass Ihr aus der Nachbarschaft seid."

"Justav, komm mal," rief Werner einen schon Sitzenden herbei.

"Jeh mal mit unserm Freund Roland zum Kiosk - holt Bier und Appelsaft."

Roland belegte noch behände einen der bestplatzierten Campingstühle mit seinem Seesack und ging mit dem neu bestimmten Freund Gustav einkaufen.

Der Fernsehempfang hatte sich stabilisiert. Es gab inzwischen mehrere Stuhlreihen, und etliche Camper standen bis an die Grenze des noch erkennbaren Geschehens auf der Mattscheibe, die nicht größer als 50 cm war, hinter den Sitzenden.

Als das Lied der Deutschen erklang, fasste Werner Irmchen am Oberarm und zog sie quasi aus dem Sitz mit hoch, als er aufstand. Roland war von der Textsicherheit der Umstehenden beeindruckt und mogelte sich im Mitsingen durch. Danach blieb er stehen wie andere auch, bis auch die englische Hymne verklungen war. Das konnte man so oder so deuten, als gesamtdeutsches Gefühl oder zusammengenommen mit Englands Hymne als Einstimmung auf das Kommende und als respektvolle sportliche Geste. Die Stimmung in der Camper-Fangemeinde schwankte. Ihre Skala reichte nach dem 2:1 für die Engländer in der zweiten Halbzeit von himmelhoch-jauchzend bis zu Tode betrübt. Nach dem Ausgleich in allerletzter Minute der regulären Spielzeit schien Deutschlands Triumph durch die Baumspitzen zu blinken. Da war gar nix von zwei Staaten - Beckenbauer, Haller und Seeler kämpften als Mannschaft für ganz Deutschland. Da machte sich auch keiner der bestimmt anwesenden Stasi-Leute wichtig.

"Wenn wa Weltmeister wärn, feiern wa durch und fahrn morjen gegen Mittag. Und wenn nich, packen wa nach'm Spiel allet ein und fahrn. Morjen is bestimmt allet uffe Straße. Irmchen und ick müssen Montag wieda in unsre Fleischerei sin. Momentan jlob ick, wir fahrn Sonntag!" Verlängerung!

Dann passierte, was bis heute ungeklärt und unvergessen ist:

In der 101. Minute gab es einen Ball, der von der Unterkante der Latte des deutschen Tores auf den Rasen zurücksprang. Der Linienrichter gab dem Schiedsrichter das Zeichen - Tor für England! Das Stadion tobte. Die Engländer jubelten bis zur Ohnmacht. Proteste und Geschrei bei den Deutschen. Der Linienrichter, ein Sowjet, blieb bei seiner Entscheidung. Der Sowjet entschied die Partie! Der zuvor zögerliche Schiedsrichter hatte sein Alibi. Er zeigte auf den Mittelkreis. Das Wemblay-Tor ging als solches in die Geschichte ein. Die Deutschen stürmten mit der Wut, Opfer einer Fehlentscheidung zu sein, und dem Willen "jetzt erst recht", für Ausgleich und Sieg. Dabei gaben sie die Verteidigung auf. Als dann noch ein Tor für England fiel, war das nur noch von statistischem Wert.

Der Campingplatz lag in Trauer. Fleischer Werner gab Order an Irmchen:

"Räum ein, wir fahren!"

Das Wohnwagenpaar Irmchen und Werner, fand es Klasse, wie sich Roland beim Verstauen der Campingausrüstung nützlich machte. Wie selbstverständlich ergab sich, dass sie ihn anschließend nach Berlin mitnahmen.

Roland saß im PKW neben Werner. Der war aus Frust maulfaul, aber seine Frau wollte von Roland wissen, warum er denn schon wieder nach Berlin zurück wolle, da er ja doch erst gerade angekommen war? Roland erzählte ihr von einem schweren Zerwürfnis mit seiner Freundin, die ihn im Verdacht gehabt hätte, mit ihrer Freundin etwas gehabt zu haben. Wegen ihrer ewigen Eifersuchtsszenen wäre er einfach abgehauen. Jetzt wolle er aber wieder zu ihr zurück, um mit ihr doch den gemeinsam geplanten Urlaub anzutreten. Nach dieser von Irmchen dankbar quittierten Romanze war sie so ruhig wie Werner.

Es war dunkel und die Autoscheinwerfer gaben den Blick auf die Bäume an der schnurgeraden Straße frei. Roland sinnierte:

'Eher werde ich 1974 bei der vor drei Wochen ausgelosten Fußball-WM in Deutschland im Stadion sitzen, bevor ich hier noch einmal vorbeikomme.'

Am S-Bahnhof Wildau, eine Station vor Königs-Wusterhausen, trennten sie sich. Es war heller Morgen, als Roland bei Peter und Micel vor der Tür stand.

'Gleich wird sich zeigen, ob an meiner verflixten Ahnung etwas dran ist', schoss es ihm durch den Kopf.

Er ahnte kaum, was für einen Schreck sein nächtliches Klingeln bei Micel ausgelöst hatte. Der glaubte tatsächlich, die Stasi sei da:

Erleichtert, Roland zu sehen, aber vorwurfsvoll fragte er:
"Was machst du denn hier? Wir denken, du bist auf Usedom!"
"Habe mich wie gewünscht auf der Polizei angemeldet. Völlig unmöglich, dort ein Quartier zu bekommen. Hätte unter freiem Himmel schlafen müssen!"
Diese Ausrede war ein Klax gegenüber der hässlichen Wahrheit!
"Ist dir doch hoffentlich klar, dass du die Wohnung hier bis zum Tag-X nicht verlassen wirst! Das kann noch zwei Wochen dauern!"
"Macht mir nichts aus. Ich schlafe bei Peter im Zimmer auf der Luftmatratze. Damit fange ich gleich an."
Peter, der hinter Micel im Flur stand, meinte bloß:
"Na komm, leg dich hin!"

Am Sonnabend kam Detlef, Ingos Bruder. Aus seinem prallen Rucksack ragte quer die zusammengerollte Luftmatratze. Als wenn er sich für das mächtige Gepäck entschuldigen müsste, zog er seine Schultasche aus dem Sack:
"Das ist mein ganzes Reisegepäck!"
Stolz zog er sein Abi-Zeugnis aus der Tasche und zeigte es herum.
Jetzt wohnten sie zu viert in den zwei Zimmern.
Am Sonntag erwartete Micel den Kurier mit letzten Instruktionen, denn in dieser Woche - das hatte er bisher für sich behalten - sollte die Flucht stattfinden.
"Ich befürchte, morgen versagen mir die Nerven. Ihr könnt euch das nicht vorstellen, wie es ist, vor dem Treffen mit einem Kurier x-mal die Verkehrsmittel zu wechseln, in jedem zweiten Gesicht jemanden zu erkennen glauben, den man schon Minuten zuvor gesehen hat, nicht zu wissen, ob die Person, die da auf dich zukommt, tatsächlich der Kurier ist oder ein Stasi-Mann, weil der richtige Kurier bereits verhaftet ist. Ich packe das nicht! Entweder Peter oder du Roland, einer von euch muss das übernehmen. Seht das mal so - ich will einfach nichts falsch machen."
Roland dachte:
'Der Micel ist wirklich fertig. Bei allem Verständnis, ein Verschieben oder Aussteigen aus Angst und Schwäche akzeptiere ich nicht! Mein zu erwartendes Strafmaß ist in den vergangenen Wochen in

astronomische Dimensionen gestiegen. Objektiv betrachtet deutet nichts auf Entdeckung. Diese Flucht muss durchgezogen werden!'

Roland schaute zu Peter und spürte sich selbst als der psychisch Stärkere.

"Ist wohl das Beste, ich mache das! Aber ich kann ja nicht vor die Tür. Wie stellst du dir das also vor?"

"Ich erkläre dem Kurier meine Verfassung und unsere Lösung. Wollen wir mal annehmen, dass der einverstanden ist. Dann schicke ich ihn hierher vor und komme mit der U-Bahn nach. Du empfängst ihn. Peter sitzt draußen auf der Bank. Er beobachtet die Passanten auf der Straße. Detlef hat Stubenarrest. Ihr besprecht dann alles bei Radiomusik in der Küche. Mach keine Notizen!"

"Von mir aus kann das so laufen. Peter, was meinst du?"

"Micel, hab Dank für die bisherige Mühe - wir feiern das im Westen. Roland hat den Durchblick, der bringt das hier zu Ende. Bleibe ruhig!"

Der Kurier studierte an der Technischen Universität. Er war nicht älter als Roland und schien aus gutem Hause zu sein, denn er fragte, ob er Roland duzen dürfe. Die Grüße Ingos an seinen Bruder und die von Onkel Horst an Roland zeigten, die Fluchthelfer beschäftigen sich im Detail mit jedem von ihnen.

Der Aufmerksamkeit des Studenten war nicht entgangen, und dafür dankte er höflich, dass Roland Bohnenkaffee eingeschenkt hatte. Sie kamen beide gut zurecht. Keiner problematisierte Überflüssiges. Der Kurier hatte Erfahrung. Er machte die Ansagen wie ein gut vorbereiteter Reiseleiter. Das schien schon surreal, denn es wurde hier und jetzt über Schicksale entschieden.

"Ihr werdet in zwei Gruppen herüber geholt - am Freitag und am Sonnabend! Gesetzt ist Detlef, der Bruder von Ingo. Er wird in der ersten Gruppe dabei sein. Ihr drei könntet losen, wer in Gruppe Eins oder Zwei ist. Ich habe vorhin Micel erlebt. Es wäre wohl das Beste, er ist mit Detlef in Gruppe Eins.

"Ist gut so, du hast für uns entschieden. Kannst das gleich als verbindlich übermitteln!"

"In medias res: Die erste Gruppe wird von dir begleitet und an unseren Mann übergeben. Ihr drei brecht zeitlich so rechtzeitig auf, dass jeder einzeln, du auch, zwei Stunden durch Berlin fährt. Dabei sollen möglichst oft die Verkehrsmittel gewechselt werden. Um 19:00 Uhr sammelst du die Zwei am Alex ein. Von dort seid ihr nicht als Gruppe unterwegs - ihr gehört nicht zusammen! Du wechselst noch einmal von U-Bahn auf Straßenbahn. Zwischen dir und den beiden anderen soll ständig nur Sichtkontakt bestehen. Die wissen nicht, wo es hingeht und sie wissen nicht, wie der Mann aussieht, den du mit ihnen ansteuerst. Ihr trefft den Mann am Sonnabend um 20:00 Uhr. Ein zweiter Anlauf, wenn der erste nicht geklappt haben sollte, ist um 21:00 Uhr. Der Ort ist direkt auf der Brücke Bahnhof Schönhauser Allee an der Bronzetafel für die gefallenen Russen. Ihr dürft nicht früher, sondern müsst auf die Minute pünktlich sein - Zeitdifferenz maximal drei Minuten!

Dort dürft ihr auch nicht als Gruppe stehen, sondern einige Meter voneinander getrennt. Die Zwei sollen sich den Mann merken, mit dem du ins Gespräch kommst.

Unser Mann trägt ein leichtes hellbraunes Wildledersacko und Jeans, faltet einen Stadtplan aus - scheint zu suchen. Du sprichst ihn an: "Kann ich helfen?"

Antwort:

"Ja, wie komme ich bitte zur Bornholmer Brücke?"

Du erklärst ihm den Weg mit der Straßenbahn, deren Haltestelle gegenüber, jenseits des Mittelstreifens liegt. Der Mann geht in die Richtung.

Deine Leute gehen an dir vorbei bis zur nächsten Straßenkreuzung. Dort überqueren sie die Straße und gehen in Richtung der Straßenbahnhaltestelle, wo sie den Kontaktmann, auf die Bahn wartend, stehen sehen. Sie steigen in denselben Wagen ein wie er, aber durch die andere Tür. Wenn sie sehen, dass der Kontaktmann aussteigt, tun sie das auch.

Du bist auf der Brücke stehengeblieben, so als würdest du auf die Straßenbahn Richtung Innenstadt warten. Bis zur Abfahrt beobachtest du, ob alle zusammen abgefahren sind.

Am Sonnabend wird derselbe Mann die Schönhauser Allee auf der Seite des Russen-Denkmals aus Richtung U-Bahn Station 'Danziger

Straße' kommend, in Richtung Bahnhof Schönhauser Allee entlang spazieren. Du läufst mit Peter in entgegengesetzter Richtung auf dem Mittelstreifen unter der Hoch-Bahn Überführung. Es wird Sonnabend drei Zeiten geben. 18:00, 19:00 und 20:00 Uhr! Solltest du unseren Mann sehen, geht ihr bis zur nächsten Kreuzung. Von dort zurück an die Straßenbahnhaltestelle, wo Micel und Detlef aus deinem Blickfeld entschwunden sind. Dort wartet unser Mann auf die Straßenbahn. Ihr nehmt nur Sichtkontakt auf, steigt ein und aus so wie er. Von ihm erfahrt ihr dann, wie es weitergeht."

"Das ist ja so schwer nicht, aber lass mich das Ganze trotzdem noch einmal repetieren."

"Na prima, da kann ja nichts schiefgehen!", stellte der Kurier nach Rolands Wiederholung fest.

Jetzt habe ich noch für dich vier und für die anderen je zwei Beruhigungstabletten. Die nehmt ihr mal sicherheitshalber am Freitag, beziehungsweise am Sonnabend Nachmittag."

"Macht's gut, alle miteinander. Viel Glück!", drängte der Student zum Aufbruch.

Roland rief Detlef in die Küche, wo sie rauchend die neugierigen Peter und Micel empfingen. Kurz und bündig informierte Roland über das augenblicklich Notwendige.

"Es geht Freitag für die Ersten los und endet Sonnabend für die Letzten! Wir sind in zwei Gruppen aufgeteilt! Detlef, dich lässt dein Bruder grüßen. Du wirst bei der Gruppe Eins dabei sein. Micel du bist auch in Gruppe Eins! Es bleibt dabei, jeder kann nur eine Aktentasche als Gepäck mitnehmen. Ich bin euer logistischer Führer auf der Ostseite."

"Mein Führer", frohlockte Detlef keck, "ich nehme mal an, eine Berlin-Besichtigung-Ostseite bleibt mir verwehrt?"

"Recht so, Detlef! Micel und Peter gehen ganz normal zur Planerfüllung, räumen ihren Arbeitsplatz auf und verabschieden sich bei den Kollegen nach Ungarn!"

Trotz der unterschwelligen Nervosität, der jeder unterlag, fanden sie in Klausur immer wieder neuen Gesprächsstoff. Daran hatte Detlef großen Anteil. Er erzählte Anekdoten aus seiner Schülerzeit.

Besonders strategisch hatte er sich in seinem Zensurendurchschnitt dadurch verbessert, dass er verkündete, in der Volksarmee die Offizierslaufbahn einschlagen zu wollen. Die beiden noch Berufstätigen, Peter und Micel, wurden von Roland und Detlef bekocht wie bei Muttern. Es wurde getrunken und auch gelacht. Micel, von aufblitzenden Ausnahmen abgesehen, blieb in sich gekehrt und wurde immer stiller.

Am Donnerstagabend, das realisierte jeder von ihnen, saßen sie nun an diesem Ort letztmalig zusammen. Wann wird es diese abendliche Runde wiedergeben - in zwei Tagen, in Jahren oder vielleicht niemals? - mag in den Köpfen vorgegangen sein.

"Ich habe heute Kassensturz gemacht und 1.600 Mark der Deutschen Notenbank bei der Sparkasse abgehoben. Mit der übrigen Barschaft komme ich auf über zweitausend Mark. Das sind schon mal so um die vierhundert Westmark. Die kleinen Scheine habe ich in Rotkäppchen angelegt. Zwei Flaschen für sofort auf uns, und zwei Flaschen auf eure angetretene und die uns bevorstehende Flucht am Sonnabend", rechnete Peter vor.

"Ich habe vielleicht noch zwanzig Mark in Aulu-Chips. Davon bezahle ich noch für eine Mark Fahrscheine und unterwegs Bockwurst mit Schrippe. Den Rest tausche ich in West um für Zigaretten", gab Detlef Auskunft.

"Ich will einen Trinkspruch loswerden!", forderte Roland.

"Wir erheben das Glas auf eure glücklich verlaufende Flucht. Wenn ihr am Freitag gut angekommen seid, dann versprecht ihr jetzt feierlich, am Sonnabend um Punkt 11:00 Uhr auf der Aussichtsplattform auf der Westseite, mit freier Sicht Eberswalder bis zur Dimitroff-Straße, zu stehen. Peter und ich werden so weit es erlaubt ist, auf der Ostseite herankommen, um euch zu sehen! Das wird uns Zweifel nehmen und Mut machen!"

Während noch die Gläser klangen, ergänzte Detlef:

"Darauf trinken wir, auf ex!"

Als hätte Detlef etwas Unmögliches verlangt, sagte Micel unvermittelt:

"Ich leg mich jetzt hin, bin total müde, seid nicht sauer."

Er irritierte die Runde, stand vom Küchentisch auf und verschwand in Richtung seines Zimmers.

456

"Micel hat vielleicht Recht", sagte Roland zu Detlef, "geh, und leiste ihm Gesellschaft. Wird morgen ein aufregender Tag für euch."

Roland wandte sich an Peter, als sie unter sich waren.

"Du Peter, das Verhalten von Micel eben stimmt mich bedenklich. Ich möchte etwas am morgigen Plan ändern."

"Inwiefern, was willst du ändern?"

"Geplant ist, dass ich allein die Zwei dem Fluchthelfer übergebe. Das soll so ablaufen: Hier gehen wir morgen um 17:00 getrennt aus dem Haus. Zwei Stunden fahren wir, jeder für sich, durch Berlin und wechseln dabei die Verkehrsmittel. Um 19:00 Uhr, plus minus fünf Minuten, treffen wir uns vor dem "Das gute Buch" am Alex. Von dort bringe ich die Zwei zum Fluchthelfer. Hast du das in soweit verstanden?"

"Wieso fragst du ?"

"Entschuldige, rein rhetorisch. Was ist aber nun, wenn einer von beiden nicht da ist? Zum Beispiel Verspätung mit einem Verkehrsmittel oder abgesprungen. Ich denke natürlich genau genommen an Micel! Es sieht aus, als hätte der Schiss!"

"Nehmen wir das mal an. Was willst oder kannst du da machen?"

"Dann will ich dich als Reserve! Du nimmst also auch deine Fluchttasche, fährst zwei Stunden durch die Stadt und bist punktgenau am Treffpunkt - bereit, einzuspringen. Wenn nötig, gehst du an Micels Stelle in Gruppe Eins! Ich hätte dann einen Tag Zeit, Micel aufzubauen und wenn nicht, komme ich als Gruppe Zwei - alleine!"

"Und wenn alles am Alex klargegangen sein sollte, fahre ich von dort nach Hause und warte auf dich. Richtig?"

"Genau! Am Sonnabend wiederholen wir beide die Prozedur in abgespeckter Form."

Am Freitag schlichen die Stunden bis zum Aufbruch so vor sich hin. Jeder hing seinen Gedanken nach. Roland hatte beim Verteilen der Tabletten nur bei Micel Erfolg. Peter nahm sie ihm ab, und Micel schluckte sie als einziger. Detlef lehnte seine Portion ab. Er verließ zuerst die Wohnung, zehn Minuten später folgte Micel.

"Jetzt hängt alles von dir ab!", sagte Peter, als Roland sich aufmachte.

"Wird schon, wir sehen uns am Alex."

Roland stand nach zwölf Tagen in Klausur wieder im Freien. Als er die Passanten vor seinem geistigen Auge abglich nach jemandem, den er zuvor schon glaubte wahrgenommen zu haben, kam ihm Micels Schilderung verständlicher vor. Dieser hatte über ein halbes Jahr lang solche Gänge erledigt. Schon eine viertel Stunde vor der Fixzeit beobachtete er vor dem Haupteingang des Warenhauses. Er stand an der Ecke des Hauskomplexes, wo 'Das gute Buch' seine Schaufenster hatte. Alles machte einen normalen Eindruck. Detlef und Peter waren pünktlich.

"Gab es irgendwas unterwegs?", erkundigte sich Roland

Es gab nichts zu berichten - aber Micel war nicht da.

Fünf Minuten Karenzzeit verstrichen - von Micel keine Spur.

Roland entschied:

"Wir warten noch fünf Minuten, dann geht es weiter – ohne Micel!"

"Ich glaube, ich sehe ihn", sagte Peter

1966 fuhr die Straßenbahn noch mitten über den Alexanderplatz. Die Schienen waren von Rasenflächen umgeben, auf denen zwei Sitzbänke standen. Auf einer der Bänke mitten auf dem Alexanderplatz saß – allein - Micel.

"Ja, das ist er, aber wenn er dort so alleine sitzt, dann kann das nur einen Grund haben: Er ist da hingesetzt worden", meinte Peter.

"Das ist anzunehmen. Womöglich hat er der Stasi gesagt, dass wir uns am Alex treffen. Um uns zu warnen, hat er nicht 'Das gute Buch' genannt, sondern die Bank, wo er jetzt sitzt. Wir sollen sehen, die Stasi lauert auf uns. Macht, dass ihr wegkommt! Das ist Micels Signal!", machte sich Roland seinen Reim, den er die Beiden wissen ließ.

"Und? Was machen wir weiter?", fragte Detlef.

"Ich kann bei bestem Willen keine vermeintlichen Stasi-Leute sehen. Auf der anderen Bank sitzt auch keiner. Ich will es wissen, schließlich habe ich das Sagen. Ich gehe zu Micel! Wenn das eine Falle der Stasi ist, ist alles nur eine Frage von Stunden, dann haben sie uns alle. Ihr werdet ja sehen was passiert, wenn ich jetzt zu Micel gehe. Macht's gut und Gott befohlen."

Roland wartete keine andere Meinung mehr ab. Er ging zu Micel.

'Verdammte Scheiße', dachte er, 'wenn ich nicht heute diesen Part übernommen hätte, wäre mir vielleicht noch die Chance auf der Heinrich-Heine-Straße geblieben.'

Beim Gehen befürchtete er männliche Zivilisten, die auf ihn zukommen. Nichts dergleichen geschah. Er war Micel schon ganz nah, sah ihn sitzen und ohne aufzusehen auf die zwischen seinen Beinen stehende Aktentaschen starrend.

"Micel, was machst du hier? Bist du allein?"

"Klar bin ich allein, siehst du ja!"

"Du bist doch von allen Geistern verlassen, so bekloppt kann man doch gar nicht sein! Du gefährdest doch uns alle!", brachte Roland wütend und zugleich mit Tatendrang hervor. In ihm überwog die Freude darüber, dass zumindest nicht die Stasi ihre Hände im Spiel hatte.

"Roland, ich weiß das auch, aber ich kann nicht. Lasst mich einfach hier und haut ohne mich ab."

Roland begriff erst einmal nur Eines - die Aktion läuft weiter! Er winkte unmissverständlich mit beiden Armen Entwarnung zu Peter und Detlef und forderte sie so auf, zu ihm zu kommen.

"Warum soll ich denn überhaupt abhauen? Ich bin Diplom-Ingenieur, konnte hier studieren, habe interessante Arbeit. Sag mir, warum ich das durch die Flucht riskieren soll?"

"Jetzt sage ich dir mal was! Das hättest du dir alles früher überlegen können. Außerdem eierst du nur 'rum, na klar willst du abhauen. Du hast ganz einfach nur Schiss!"

Peter und Detlef hatten Roland und Micel noch nicht erreicht und deswegen nur teilweise mitbekommen, was Micel da stammelte. Sie standen vor der Bank, auf der Roland und Micel saßen und harrten der Dinge, die nunmehr passieren würden.

"Dir ist doch wohl schon klar, warum Peter auch mit Aktentasche hier ist? Wenn wir dich nicht hier hätten sitzen sehen, wäre er jetzt an deiner Stelle mit Detlef unterwegs."

"Verstehe ich alles. Ich habe keine Zweifel, ich habe Angst!"

"Endlich ist es raus. Roland gib ihm meine Pillen und gut is!", sagte Detlef.

Micel schluckte brav, ohne zu trinken, auch diese zwei Pillen runter.

"Mein Führer, wie geht es jetzt weiter?", protzte Detlef im jugendlichen Drang.

Micel und Detlef herzten Peter, als dieser sich anschickte, in Richtung U-Bahn zu enteilen.

"Peter, wir sehen uns dann zu Hause, und euch erkläre ich, was anliegt: Wir fahren jetzt bis zur U-Bahnstation 'Danziger Straße'. Geplant war, auf der Fahrt noch einmal umzusteigen, aber dafür bleibt keine Zeit mehr."

Roland beschrieb die Szene, wie sie sich auf der Brücke abspielen sollte.

Bis zum U-Bahneingang gingen sie gemeinsam. An der herabführenden Treppe blieb Roland stehen und sprach ganz leise zu Micel und Detlef:

"Das sind meine letzten Worte als euer Führer im Osten! Haltet euch exakt an meine Weisungen. Wir wollen euch morgen um 11:00 Uhr auf der Plattform sehen. Seid pünktlich! Jetzt Abstand halten und nicht aufschließen und Toi, Toi,Toi!"

Die Kontaktaufnahme mit dem Fluchthelfer lief wie geplant. Alle drei sah Roland in einer Gruppe auf der gegenüberliegenden Straßenseite auf die Bahn wartend. Die vorgefahrene Straßenbahn verdeckte sie dann. Micel und Detlef glaubte er hinter den Scheiben des Bahnwagens kurz erkannt zu haben. Mit neidvollem Blick schaute er der fahrenden Bahn hinterher. Seinen Part hatte er bestens zu Ende gebracht.

'Wenn ich morgen mit Peter hier abgeholt werden sollte und wir es bis in den Westen schaffen, könnte ich glatt von mir sagen, eineinhalb Fluchten hinter mich gebracht zu haben', ging es ihm durch den Kopf, als er sich auf den Rückweg begab.

Peter erwartete ihn mit kaltgestelltem Sekt.

"Es ist vollbracht! Ich habe die Zwei zusammen mit dem Helfer abfahren sehen!"

"Das war ja mal eine Steißlagen-Geburt mit unserem Micel. Zu Beginn wärst du nicht ohne ihn in den Westen gekommen und am Schluß er nicht ohne dich!"

"Es war so gesehen eine 50:50 Chance, Stasi ja oder nein. Hätten wir nicht ein kleines Zeitpolster gehabt, wärst du vielleicht heute Abend im Westen."

"Micel und Detlef könnten, wenn ihre Ausreise über Berlin geht, schon alles hinter sich haben."

"Morgen um 11:00 Uhr werden wir sehen, ob sie angekommen sind!"

Peter und Roland waren zur U-Bahnstation Danziger Straße gefahren und wollten durch ihr Schritttempo bestimmen, auf die Minute genau 11:00Uhr am äußersten Punkt der Absperrung für Fußgänger anzukommen. Schon von Ferne sahen sie Leute auf der Aussichtsplattform, die mal einen Blick über die Mauer werfen wollten. Micel und Detlef konnten sie nicht in der ersten Reihe der Touristen ausmachen. Sie wollten es nicht wahrhaben und wagten einen zweiten Anlauf. Die Gesichter auf der Aussichtsplattform waren gut erkennbar. Micels und Detlefs waren nicht darunter.

"Scheint wohl etwas schiefgegangen zu sein. Die beiden wären mit Sicherheit gekommen", unkte Peter.

"Ich überlege gerade, warum sie, bei eventuell gelungener Flucht, nicht auf der Aussichtsplattform stehen."

"Das war ein Versprechen. Nichts würde ihr Fernbleiben entschuldigen!"

"Ich denke mal so: Jeder wird vom Osten fotografiert, der auf der Aussichtsplattform den Hals reckt. Schon um zu sehen und zu prüfen, wer zu wem Kontakt hält. Es kann doch sein, dass es Micel und Detlef strikt verboten worden ist, sich auf die Aussichtsplattform zu stellen, weil dann nachträglich rekonstruiert werden könnte, wann sie in Westberlin eingetroffen sein könnten."

"Roland, du bist ein nicht zu übertreffender Optimist, aber deine These hat was!"

"Lass uns also annehmen, dass sie gut 'rüber gekommen sind, aber nur nicht auf die Aussichtsplattform dürfen. Wir verschieben die Sorgen und machen weiter - die Würfel sind so oder so gefallen."

Am Nachmittag dann endgültiger Aufbruch. Roland blieb bei der

Auswahl seiner Garderobe von Eventualitäten unbeeinflusst. Er gab der Wertigkeit den Vorzug. Er dachte von vielem im Westen ausgehen zu können, aber dass er sich dort in diesem Jahr einen maßgeschneiderten Anzug aus feinstem Tuch würde leisten können, käme wohl eher nicht in Betracht. So ein gutes Stück stand ihm aber zur Auswahl. Im Sonntagsstaat am Sonnabend auf der Straße würde ihn nicht aus dem Straßenbild herausfallen lassen - leichter Wollanzug, weißes Hemd mit Umschlagmanschette, schmale dunkle Krawatte mit kleinen Punkten, Windsor-Knoten, Budapester Lederhalbschuhe. Peter war leger im Sakko mit offenem karierten Hemd reisefertig.

Auf die Beruhigungstabletten verzichteten sie beide. Roland war schon gegangen, als Peter noch pedantisch den Strom abstellte und abschloss.

Verabredet hatten sie sich Dimitroffstraße/Ecke Schönhauser Allee.

"Bei mir war alles klar und bei dir?", fragte Peter am Treffpunkt

"Auch nichts bemerkt. Wir laufen jetzt in Richtung Schönhauser Allee unter der Hochbahn lang und ich hoffe, der Mann von gestern kommt uns auf dem Bürgersteig entgegen."

Die erste Strecke liefen sie vergeblich - der Fluchthelfer wurde nicht gesichtet. Roland klärte Peter auf:

"Vergeblich ist die Sache damit nicht! Es gibt noch zwei mögliche Zeiten!"

Als dann die zweite Runde auch ohne Kontakt blieb, gerieten beide in Sorge. Wieder schlich sich die leer gebliebene Aussichtsplattform in ihre Gedanken. Mit gemischten Gefühlen liefen sie die Strecke zum dritten Termin um 20:00Uhr ab.

Roland schlug Peter so unvermittelt auf die Schulter, dass dieser mehrere Schritte vor sich hin stolperte:

"Peter, er ist da! Dreh dich nicht um, schau nicht zur Straße rüber, wir treffen an der Straßenbahnhaltestelle auf ihn."

"Wenn der da ist, dann haben Micel und Detlef es geschafft."

"Oder die Stasi macht jetzt die Nachlese und fängt uns weg. - Bleib ruhig, war'n Spaß", blödelte Roland übermütig.

"In diesem blöden Spruch erkenne ich, dass du auch Nerven hast."

Roland näherte sich der verabredeten Straßenbahnhaltestelle und er zeigte Peter durch Kopfnicken in Richtung der "Verabredung" den erwarteten Kontaktmann.

Der Fluchthelfer stieg vorne in den Wagen ein, während Roland und Peter hinten in der halbrunden, verglasten Waggonplattform standen. Die Straßenbahn fuhr noch auf der Schönhauser Allee und musste an der Ampel halten. Direkt parallel zu ihrem Waggon stoppte ein Polizeiauto. Die Straßenbahn rollte bis zur Haltestelle hinter der Ampel. Roland und Peter stießen einander an und machten sich auf die parallel fahrende Polizei aufmerksam.

'Die sind doch um Gotteswillen nicht unsertwegen hier', hofften sie bei dieser Beobachtung.

Der Polizeiwagen, im Schritttempo fahrend, befand sich andauernd in Höhe des Straßenbahnwagens und kam neben der Einstiegstür zum Halt. Leute stiegen ein und aus, während das Polizeifahrzeug schräg unter Roland neben der Tür stand. Der Fahrer schaute aus dem Polizeiauto kurz zu Roland hoch. In den Augen des Polizisten blitzte kein lauerndes Jagdfieber. Eine ganze Haltestelle später, bei gleicher Geschwindigkeit von Autos und Straßenbahn eine gefühlte Ewigkeit, klärte sich, dass das Polizeiauto wegen der sich vor ihm stauenden PKWs nicht schneller als die Straßenbahn hatte fahren können.

Nachdem das Polizeiauto die Straßenbahn überholt hatte, beobachteten sie weiter, jeder für sich angespannt, die an ihnen vorbeirollenden Fahrzeuge und die Fahrgäste um den Helfer herum. Ihr Waggon hatte sich inzwischen soweit gelehrt, dass sie sich hätten hinsetzen können. In Pankow-Rosental, kurz vor der Endstation, stieg der Fluchthelfer aus. Die Bahn war bereits wieder angefahren, als er sie ansprach:

"Grüß Gott", bayrischer Dialekt klang durch, „ich soll von Micel und Detlef grüßen! Wir gehen jetzt ein paar Meter zusammen. Hier sagen sich die Füchse 'Gute Nacht'. Zu der Straße dahinten müsst ihr laufen." Er zeigte auf eine in der Dämmerung erkennbare schnurgerade Baumlinie.

„Auf dieser Straße geht ihr nachher alleine spazieren." Während sie nebeneinander gingen und er unaufgeregt das

Bevorstehende erklärte, blickte er immer wieder auf seine Armbanduhr.

"In den nächsten Minuten braust ein schneller Westwagen an euch vorbei und tippt ganz kurz die Hupe an. Dahinter kommt ein weißer PKW nicht besonders schnell vorüber. Sein Bremslicht leuchtet zweimal auf. Dem Wagen lauft ihr hinterher. Der Wagen hält. Wenn ihr am Wagen ankommt, ist die Kofferhaube offen. Ihr schmeißt die Taschen rein und klettert nicht, sondern hechtet in den Kofferraum. Der ist groß und mit Decken ausgelegt. Die Kofferhaube schließt sich alleine. Vorher habt ihr entschieden, wer vor dem anderen in den Kofferraum hechtet."

Er schaute wieder auf die Uhr und sagte:

"Noch ein kleines Stück, dann verabschiede ich mich. Wenn ich es sage, geht ihr zügig zur Straße und lauft dort langsam in diese Richtung." Er zeigte in Richtung Stadt.

"So, lauft los und viel Glück!"

Sie liefen keine fünf Minuten auf der Straße, da schoss ein BMW an ihnen vorbei. Sein Hupton klang wie der Pin eines U-Boots unter Wasser. Kurz danach überholte sie ein heller Straßenkreuzer. Sie sahen das Aufleuchten der Bremslichter. Roland startete wie eine Rakete und Peter flitzte wie ein Lux. Roland zuerst und Peter hinterher, halb auf ihn drauf, so hechteten sie in das schwarze Loch unterhalb der nach oben stehenden Kofferraumklappe. Der Wagen fuhr bereits, als sie noch ihre Glieder sortierten. Sie fanden seitlich gekrümmt aber nicht gequetscht hintereinander liegend ihre Positionen. Roland lag auf seiner Tasche. Diese zog er sich als Kopfkissen unter das Gesicht. Durch das an die Schläfen hämmernde Adrenalin hindurch erfasste er die Lage:

'Wenn der Wagen sie nicht zu einem Ort fahren sollte, an dem sie noch einmal umsteigen müssten, um beispielsweise in einen Tunneleinstieg zu kriechen, dann müsste das hier ein Diplomaten- oder Alliierten-Wagen sein. Wenn dem so wäre, befänden sie sich auf der Anfahrt zum Checkpoint-Charlie. Er wusste, Diplomaten und Alliierte passierten dort ohne Kontrolle der Fahrzeuge. Seine Sinne konzentrierten sich auf die Wahrnehmung aller Laute. Unspektakulär waren die Motorgeräusche infolge der Schaltvorgänge. Er glaubte in Richtung Innenstadt unterwegs zu sein, was ihm der zunehmende Verkehr vermittelte. Und da kam ihm zur Orientierung die fahrende Hochbahn zu Hilfe. Sie müssten sich jetzt in der Schönhauser Allee befinden. Bei dem schwachen abendlichen Wochenendverkehr waren das zehn, allerhöchstens 15 Minuten bis zum Checkpoint-Charlie - bis zur Entscheidung (!)', dachte er.

Der Wagen rollte langsam, Verkehr war nicht mehr in der Nähe wahrnehmbar. Der Wagen stoppte. Kurz darauf fuhr er langsam wieder an, fuhr kurz und stoppte erneut. Der Motor lief die ganze Zeit. Husten oder Niesen wäre ihnen zum Verhängnis geworden. Dann rollte ihr Fahrzeug langsam mehrere Kurven.

Roland kniff Peter - das war die Grenze!

Sie schienen im Westen zu sein, der Verkehr nahm schlagartig zu. Keine zehn Minuten später hielt der Wagen. Sie hörten ihren Fahrer ein Signal hupen, ein Tor schien auf Rollen laufend aufgeschoben zu werden. Ihr Wagen fuhr eine schiefe Ebene rauf und stand. Bevor der Kofferraumdeckel sich hob, hörten sie das Zuziehen des Tores. Dann wurde barsch verlangt:

"Bleiben Sie liegen, wenn die Haube sich öffnet. Ihnen werden Binden über die Augen gezogen. Wir helfen beim Aussteigen."

Da standen sie nun, mit verbunden Augen, ihre Taschen in der Hand. Sie sahen nicht den Wagen, aus dem ihnen herausgeholfen worden war. Man geleitete sie zu einem anderen Fahrzeug. Das fuhr wieder über die schiefe Ebene runter. Nach ein paar Metern durften sie die Augenbinden abstreifen. Roland und Peter lagen sich auf der Rückbank eines Mercedes in den Armen. Nun wurden sie durch den Westberliner Abend kutschiert.

Das war am Sonnabend, dem 13. August 1966. Auf den Tag genau fünf Jahre zuvor war die Mauer durch Berlin gezogen worden!
1966 gab es in Berlin insgesamt 102 "Sperrbrecher". So wurden anerkanntermaßen Flüchtlinge aus der "DDR" betitelt, denen die Flucht in den Westen, nicht über Drittländer, sondern direkt von Ost-

nach Westberlin gelungen war. Roland, Peter, Micel und Detlef waren vier dieser 102 "Sperrbrecher".

Ankunft

Ihre Stadtfahrt war kurz. In der berühmt-berüchtigten Bernauer Straße, an der die Sektorengrenze direkt an der Häuserfront der östlich gelegenen Straßenseite verlief, waren die Fenster in den Hausfassaden zugemauert. Diese Ansicht aus Richtung West auf die Mauer war das Vergrößerungsglas auf den von den Kommunisten herabgelassenen eisernen Vorhang, der die Welt in eine freie und in eine unfreie teilte.

Der brutalen Kulisse standen auf der anderen Straßenseite Miethäuser aus der Vorkriegszeit in geschlossener und Neubauten in aufgelockerter Bebauung. gegenüber. Die Neonreklamen an den Fassaden, die vor dem Mauerbau den amerikanischen Sektor vom grauen Gegenüber unterschieden, waren verschwunden, genau wie die Ladengeschäfte, deren Ost-Kundschaft weggesperrt war.

Schräg gegenüber der Versöhnungskirche, die damals auf der Ostseite an der Bernauer Straße noch nicht gesprengt war, hielt der Wagen. Im Souterrain eines ehemaligen Ladengeschäftes wohnte ein junger Mann, der sich als "Jens" vorstellte. Ihr Fahrer hieß Wolfgang.

Die beiden begrüßten nun ganz offiziell Roland und Peter als in der Freiheit angekommen. Ihnen wurden Wechsel vorgelegt. Jeder hatte Achttausendachthundert Mark zu bezahlen. Als Modi der Rückzahlung unterschrieben Roland und Peter, jeden Monat fünfhundert Mark in bar abzuliefern. Weder Roland noch Peter kannten Wechsel. Sie waren in der Freiheit, und keiner von ihnen sah in den monatlichen Raten ein Problem, dafür waren sie ihren Fluchthelfern viel zu dankbar!

"Vorläufig werdet ihr zusammen mit Micel und Detlef noch bis Mitte der Woche privat untergebracht. Dann fahrt ihr ins Not-Aufnahmelager nach Marienfelde und meldet euch als Flüchtlinge. Für die STASI seid ihr noch nicht hier! - Verstanden?", fragte Wolfgang.

"Ich könnte bei meinen Großeltern unterkommen. Ist das recht?", wollte Roland wissen

"Kein Problem! Ihr seid freie Bürger der Feien Welt - könnt gehen Wann und Wohin ihr wollt! Nur Eines gilt für euch jetzt und für alle Zeit: Egal, wo ihr in der Öffentlichkeit seid, in der Kneipe oder wo auch immer, lasst nie euer Getränk aus den Augen. Wenn ihr vor dem Toilettengang das Getränk nicht ausgetrunken haben solltet, dann bestellt euch, von der Toilette zurück, ein neues. Stasi gibt es auch in Westberlin!", belehrte Jens.

Von der Stasi organisierte Entführungen von West- nach Ostberlin, die schon Jahre zurücklagen, hatten sich im Bewusstsein der Berliner eingebrannt. Wer sich im Kampf gegen den Kommunismus engagierte, wusste um den Anspruch des MfS:

Unser Arm reicht weit! Wir sind überall! Wir finden jeden - und wenn nötig holen wir ihn uns!

Roland griff nach dem Telefonbuch, welches er auf dem Nebentisch liegen sah. Er schrieb sich die Nummern seiner Verwandten auf und gab die von seinen Großeltern an Wolfgang, Jens und Peter weiter:

"Hier bin ich die nächsten Tage zu erreichen oder so könnt ihr Nachrichten an mich geben."

"Wo wohnen denn deine Großeltern? Da fahre ich dich jetzt hin, bevor ich Peter zu Micel und Detlef bringe."

"In Britz, in der Rungiusstraße", antwortete Roland

"Das ist ja von hier aus am Arsch der Welt, aber gut - dann seht ihr noch Berlin bei Nacht. Lasst uns die Pferde satteln."

Roland hatte den Beifahrersitz eingenommen. Peter saß auf der Rückbank. Sie verabredeten sich für den nächsten Tag, Sonntag 19:00 Uhr, zu viert vor dem Bahnhof Zoo.

Ab Hermannplatz sagte Roland die Fahrtrichtung an, denn er kannte sich bestens aus. Als sie vor einem dreigeschossigen Siedlungshaus hielten und Roland sich von Peter mit Grüßen an Micel und Detlef verabschiedet hatte, wartete Wolfgang noch, bis auf Rolands Klingeln reagiert wurde.

In Opa Rudolfs Wohnhaus gab es keine Gegensprechanlage. Durch Summer konnte er die Haustür öffnen, wenn diese nicht abgeschlossen war. Dreimal kurz hintereinander, so handhabe es Rolands Familie untereinander schon immer. Roland lauschte auf den

erhofften Summton. Stattdessen öffnete sich in der dritten Etage das Fenster, Opa Rudolf beugte sich vor und fragte:
"Wer is'n da ?"
"Opa, ich bin's, Roland!"
Roland hat nie vergessen, wie Opa-Rudolf in seiner Überraschung reagierte.
"Ach du bist's, komm ruff!"
Roland rannte die Stufen hoch. Opa Rudolf war auf das letzte Podest im Haus herausgetreten, welches ihm Platz genug gab, sich in freudiger Umarmung mit seinem Enkel umeinander zu drehen. Oma Else stand im Türbogen und fieberte dem Moment entgegen, ihren inzwischen ausgewachsenen Enkel zu umklammern und sich an seiner Brust einzukuscheln.
"Wie kommst du denn her? Wie lange bist du da?"
Alles auf einmal konnte Roland nicht beantworten, aber er spürte aus den Fragen seiner Großeltern die Erleichterung. Sie ahnten zwar nach den Andeutungen von Horst, dass es jede Woche so weit sein könne, aber Roland jetzt gesund vor ihnen stehend, das grenzte für sie an ein Wunder!
Opa Rudolf ging ans Telefon.
"Du kannst doch mitten in der Nacht nich alle aus'm Bett klingeln", moserte Oma Else.
"Und ob ick dit kann. Sind schließlich besondere Umstände - is ja wat passiert!"
Der Reihe nach rief er Rudolfs Onkels, Horst, Robert und Gerhardt an. Als ob die es nicht glauben wollten, alle wollten Roland am Apparat haben.
Gleich für den nächsten Tag, Sonntag, meldeten sie ihren Besuch nach dem Mittagessen an. Sie kamen, um ihren Neffen in der Freiheit zu begrüßen. So ein bisschen fühlten sie auch, Teil von etwas Spektakulärem gewesen zu sein. Traudchen wollte wissen:
„Wusste denn wenigstens deine Mutter, was du vorhast oder weiß sie, dass du hier bist?"
„Du bist vielleicht naiv! Die hätte aus Sorge bestimmt mit Vater

geredet.... Ich werde ihr zum Geburtstag einen Gruß übermitteln."
Einer von Rolands Onkeln brachte es auf den Punkt:
"Deine Fluchthelfer sind ja eine ganz edle Truppe. Man liest immer
mal wieder, dass Fluchthelfer Vorkasse verlangen, wenn dann etwas
schiefgeht, ist das Geld weg. Es gab sie erst gar nicht, oder die
Flüchtlinge sitzen im Knast", meinte Onkel Gerhardt
"Horst erzählte uns was von über Achttausend Mark, die für dich zu
bezahlen wären", legte Onkel Robert nach.
Roland:
"Es sind genau 8.800 Mark!"
"Von mir krichste Tausend Mark. Kannste nächste Woche im Betrieb
abholn. Ick will'ne Quittung von dir haben, wo druffsteht: 'Teilbetrag
von Fluchthelfer-Kosten, dein Name und Adresse.' Ick jebe det bei der
Steuer im Dezember ab. Wenn die dat im Finanzamt anerkennen,
kriechste noch mal fünfhundert Mark im Januar. Als Taschengeld sind
hier schon mal fuffzich Mark."
"Kann ick mir nich denken, das det mit'n Finanzamt funktioniert. Von
mir kannste nächste Woche oochn Tausender abholn. Für alle Fälle
jibst de mir den Schrieb führ't Finanzamt ooch. Probier ick jedenfalls.
Hier'n Fuffi zur Bewegung!"
"Ich habe mit Traudchen gesprochen, von uns bekommst du
zweihundert Mark, die gebe ich bei Opa ab", sagte Onkel Horst.
"In diesem Jahr läuft die Lebensversicherung aus, die ich für dich
abgeschlossen hatte. Die Summe weiß ich nicht. Liegt aber bestimmt
über Tausend Mark. Die bekommst du von Oma und mir", nannte Opa
seine Beteiligung.
"Liebe Leute, ich kann nicht auf Kommando weinen, aber wenn dem
so wäre, würde ich es jetzt tun. Ganz, ganz herzlichen Dank.
Besonders dir, Onkel Horst. Ohne die Bürgschaft gegenüber den
Fluchthelfern und deinen Besuch der Dienststellen säße ich heute
nicht hier. Mein Wille, in die Freiheit zu kommen, hätte ganz anders
enden können!"
Die Erzählungen Rolands und die Neugier seiner Verwandten ließen
den Nachmittag schnell zum Abend werden. Als Rettungsring für die

Einhaltung seiner Verabredung mit Micel, Peter und Detlef am Bahnhof Zoo war es Horstens Initiative, Roland dort abzusetzen.

Die drei Freunde waren schon da, als Roland vorgefahren wurde. Sie hatten es sich neben einer Imbissbude vor dem Haupteingang des Bahnhof Zoo an einem Tisch bequem gemacht. Die Klappstühle, Metallrahmen mit aufgeschraubten Brettern, standen direkt neben der Fahrbahn. Hinter ihnen, an der Ecke des Zoo-Bahnhofgebäudes, war die Wechselstube. Hier hatten alle drei ihre Ostscheine "Mark der Deutschen Notenbank" eingetauscht, noch bevor Roland eingetroffen war. Aluchips wurden nicht zum Umtausch angenommen.

Da saßen sie nun, jeder ein Getränk vor sich. So nah an der Fahrbahn sitzend, erblickte Detlef einen Gullydeckel. In den versuchte er gezielt, einen seiner Aluchips durch die Rippen des Gullys hindurch zu versenken. Wie jeder von ihnen Einzelheiten, der Flucht wahrgenommen und was er dabei durchlebt und gedacht hatte, erbrachte zahlreiche Fassetten. Das Beisammensein machte Spaß. Jeder warf seine Aluchips, bis auch der letzte im Gulli verschwunden war. Das war der bombastisch in Ostberlin ausgemalte "Exzess" anstelle der an die Wand zu werfenden Gläser. Einen anderen gab es nicht - die Realität hatte jeden von ihnen in Besitz genommen.

Mit kaum zu bändigender Ungeduld kam Roland am nächsten Morgen zu Else und Opa Rudolf an den Frühstückstisch. In ihm brannte die Neugier auf Stadtbesichtigung. Bewegend und beglückend das Gefühl, gesund und unversehrt die Mauer von der Westseite aus zu sehen. Lange verweilte er an den Übergangsstellen Heinrich-Heine-Straße und Checkpoint-Charlie, wo er den Grenzbetrieb beobachtete. Er verglich das unspektakuläre Geschehen vor seinen Augen mit den Bildern, die er sich wochenlang auf der Ostseite gemacht hatte. Das triumphale Hochgefühl nicht herausschreien oder mit anderen teilen zu können wich der Vernunft und Disziplin. Seine "Freiheit" beschränkte er selber durch "Einsicht in die Notwendigkeit".

Die Großeltern hatte er, wie bei seinem Aufbruch morgens versprochen, von unterwegs beruhigt, ihm ginge es so gut und dass erst zu Abend mit seiner Heimkehr zu rechnen sei. Richtig müde kam er bei den Großeltern an. Für den nächsten Tag hatte er schon das Hauptprogramm seiner weiteren Erkundungen im Kopf. Nach fünf

Jahren würde er sich den ersten Film in Westberlin ansehen. "Der Flug des Phönix" mit Hardy Krüger in der Hauptrolle hatte auf Anhieb seinen Geschmack getroffen und schien ihm bestens geeignet, ihn den Freunden zu empfehlen.

Die sah er abends wieder, als sie sich bei "Jens" in der Bernauer Straße eingefunden hatten, um die letzten Instruktionen für ihr Verhalten im Notaufnahmelager Marienfelde zu empfangen. Wolfgang war auch anwesend. Der kam auch gleich zum Thema:

"Ab Freitag werdet ihr in Marienfelde euer Aufnahmeverfahren durchlaufen, an dessen Ende die Aufenthaltserlaubnis für das Bundesland eurer Wahl stehen wird. Das dauert dort in der Regel etwa drei Wochen. Ihr seid etwas Besonderes, weil ihr "Sperrbrecher" seid. Wenn da auf irgendeiner Etappe Leute vor euch warten, das könnten Übersiedler aus den besetzten Gebieten, Heimkehrer aus dem Sowjetreich, oder DDR-Flüchtlinge über andere Bundesländer oder das Ausland sein, dann wird man euch vornehmen. Das verkürzt euer Verfahren um gut eine Woche. Ich schätze mal, in zwei Wochen seid ihr durch."

"Jens" ergänzte:

"Redet mit keinem der Wartenden über eure Flucht! Und überhaupt, bei keiner der "Sichtungsstellen", das sind amerikanische, englische, französische und deutsche Dienste, sagt ihr etwas zu der Fluchtaktion! Darauf gibt mir jetzt jeder von euch die Hand!"

Peter, Detlef, Micel und Roland würden sich danach richten, dessen waren sie sich sicher.

Wolfgang erläuterte:

"Ihr werdet befragt werden, wie und mit wessen Hilfe ihr rüber gekommen seid. Als Antwort sagt ihr immer: Durch X-10! In einem Zimmer, Zimmernummer 306, das ist eine der amerikanischen "Sichtungsstellen", könnt ihr Einzelheiten erzählen. Nur dort, merkt euch die Zimmernummer. Bei den deutschen Sichtungsstellen kann es passieren, dass ein Beamter sich mit dem Hinweis X-10 nicht zufrieden gibt. Es ist sogar schon vorgekommen dass mit Verfahrensverlängerung gedroht worden ist, wenn nichts weiter als X-

471

10 genannt wurde. Wenn euch so etwas widerfahren sollte, dann steht ihr auf und verlasst den Raum. Ihr seid freie Bürger und keine Internierten! Merkt euch die Zimmernummer und ruft mich an."

Am nächsten Tag trafen sie um 9:00 Uhr vor der Pförtnerloge des Lagers Marienfelde ein. Dort staunte man nicht schlecht, als gleich vier junge Männer, denen man es an der Garderobe nicht ansah, über den Todesstreifen geflohen zu sein, genau dies durch Vorlage ihrer DDR-Ausweise von sich behaupteten. Ihre Ausweise waren sie erst einmal los. Dann wurden sie zu zweit auf Zimmer verteilt.

Jahre zuvor, als hunderte Flüchtlinge täglich aus der DDR hier eintrafen, wurden die Zimmer mit bis zu acht Personen in Doppelstockbetten belegt. Nun wurden Roland und Peter in einem und Micel und Detlef in einem anderen Zimmer untergebracht. Deren Möblierung bestand aus zwei Stahlrohrbetten, einem Spint, zwei Stühlen und einem Tisch. Als persönliche Ausstattung erhielt jeder von ihnen: 2 Alltagshemden, 2x Unterwäsche, 2 Paar Strümpfe, komplett sortierte Kulturtasche, Regenmantel (Plastik-Pelle), 1 Paar Hauslatschen, Schlafanzug, und jede Woche 20 .- DM Taschengeld.

Mit der ärztlichen Untersuchung fing der Weg durch die auf dem Laufzettel vermerkten Stellen an. Bei Roland manifestierte sich der psychische Druck, unter dem er in den vergangenen Monaten und anscheinend besonders in der letzten Zeit gestanden hatte. Der Arzt diagnostizierte bei ihm "Herpes Zoster", zu deutsch Gürtelrose. In der rechten Hüfte hatte er Tage zuvor Ausschlag festgestellt, dem er als medizinischer Laie keine besondere Aufmerksamkeit geschenkt hatte. Das Krankheitsbild erforderte, dass er sich morgens im ärztlichen Dienst des Lagers einzufinden hatte, wo seine Herpes-Stellen bepinselt wurden. Diese „Ehrenrunde" verlängerte nicht seinen Verfahrensdurchlauf, denn vor den Zimmertüren der Sichtungsstellen gab es für ihn keinen Stau, weil die aufeinander wartenden Freunde schon vor ihm abgefertigt waren.

Das Büro des fürsorglichen Dienstes im Eingangsbereich des Lagers liefen sie immer wieder an. Hier gab es Tipps, wo und bei welcher Stelle sie sich melden könnten, um als Sperrbrecher-Flüchtlinge zusätzliche Anfangshilfen in Form von Geld und Sachspenden zu empfangen. Um überhaupt beweglich zu sein, wurde jedem eine Freifahrtbescheinigung für die BVG ausgestellt. Es hatten sich zwei Pärchen gebildet. Micel und Detlef und Peter und Roland gingen ihrer Wege.

Roland hatte bei seinen Onkels die zugesagten zweitausend Mark in Empfang genommen. Seither vergewisserte er sich der vorhandenen Scheine, wenn er in das Zimmer zurück kam. Sein Depot, das war ein unter die Bretteinlage im Spind geklebtes Kuvert. Auf der Bank konnte er das Geld nicht parken, weil er noch keinen Personalausweis hatte. Ohne Ausweis gab es bei der Bank kein Konto. So ergab sich wieder ein Grund, Fluchthelfer "Jens" zu besuchen, um Wechselraten zu tilgen. Peter hatte auch schon eine Rate von seinen eingetauschten Ostmark und inzwischen eingesammelten Zuwendungen zusammen. Sie hatten die Parteibüros der CDU, SPD und FDP besucht, wo ihnen jeweils nicht nur 50 DM ausgezahlt, sondern Einladungen zu Veranstaltungen sowie Konzert- und Theaterkarten zugesteckt worden waren. Die Besuche in den Parteibüros sind zumindest Roland über die Jahrzehnte in erfreulicher Erinnerung geblieben. Es sprach sich auf den Zimmern der Parteizentralen herum, dass vor kurzem angekommene Sperrbrecher zu Gast seien. Schnell kamen Leute hinzu, um sie als Besucher zu bestaunen und zu befragen. Sie galten als personifizierte antikommunistische Helden, weil sie die Gefängnismauer des DDR-Regimes überwunden hatten. So bauten sich, über Parteigrenzen hinweg, Kontakte auf, die den weiteren Einstieg in die Gesellschaft erleichtern sollten. Der kleine gemeinsame Nenner der Parteien, das war der angesagte Kampf gegen die Machthaber auf der Ostseite, der Schutz Westberlins vor den Russen und die Hilfe für die Landsleute in der Zone! Roland fühlte sich so richtig angekommen,.

Eine Begegnung aufzusuchender Stellen war eigentümlich anders als die in den Parteibüros. Das war beim Deutschen Gewerkschaftsbund am Wittenbergplatz. Der Funktionär in der Westberliner Gewerkschaftszentrale, nach dem Akzent auszumachen ein Nichtberliner, duzte Roland sofort. In der DDR war man ja zwangsläufig Mitglied in der Gewerkschaft, die sich "Freier Deutscher Gewerkschaftsbund (FDGB)" nannte. Auf Roland traf das in seiner Lehrzeit zu. Den Ausweis hatte er mit seinen übrigen Personalakten mit in den Westen genommen. Jetzt legte er ihn vor und zeigte anhand der eingeklebten Monatsmarken, wie regelmäßig er geklebt hatte. Der Gewerkschaftler sah in ihm ausweislich des Mitgliedsbuches den Kollegen, der demnächst in einem Betrieb arbeiten würde. So glaubte er mit hilfreichen Hinweisen dahingehend aufklären zu müssen, dass die Gewerkschaften im Westen nicht so stark seieen, wie sie es in der DDR seien. Einblick in eigene Zukunftspläne gab Roland nicht und er wollte keine Zeit damit verplempern, den Gegenüber, sozusagen von Kollege zu Kollege, politisch klüger zu machen. Er beschränkte sich auf das für ihn Wesentliche, fragte nach dem kollegialen Begrüßungsgeld und dem Weg zur Kasse.

Ihr Fluchthelfer "Jens" hatte Roland und Peter angeboten, immer wenn sie wollten, bei ihm vorbeischauen zu können. Das taten sie gerne, denn als wissenschaftlicher Assistent an der TU versorgte er sie stets mit spezifischen Tipps aus dem Studentenleben. Erstaunt war er, Roland gleich bis zum Jahresende die Wechselraten quittieren zu können. Das beförderte auch persönliches Vertrauen und Interesse. Sie erzählten einander aus ihrem Leben und irgendwann war die Sympathie zwischen ihnen so weit gewachsen, das "Jens" sich ihnen mit seinem richtigen Namen, Reinhardt FURRER, vorstellte.

Es war spät geworden an diesem Sonntag und getrunken hatte Reinhardt auch. So machte der den Vorschlag, sie nicht mit dem Auto nach Marienfelde zu fahren, aber wenigstens noch bis zum U-Bahnhof "Reinickendorfer Straße" zu begleiten. So kämen sie bequem und schnell direkt bis nach Marienfelde. Nicht ahnend, was ihnen bevorstand, bedankten sie sich und verzichteten auf seinen Begleitservice, weil sie die etwa dreihundert Meter auch alleine gehen könnten. Als sie die Stufen zum Bahnhof herunterkamen, fuhr gerade ihr Zug ein. Zufrieden ob des minutiösen Anschlusses setzten sie sich nebeneinander auf die längs der Wagenfenster verlaufende Sitzbank. Zu so später Stunde waren sie die einzigen Fahrgäste im Wagen. Dann der Schock!

Der Zug fuhr langsam in den nächsten Bahnhof ein, der nur schemenhaft beleuchtet war und er hielt auch nicht an. So ging es noch drei Stationen weiter. Wie ein Blitz durchfuhr sie die Wahrnehmung!

"Roland, wir sind in Ost-Berlin!", sprach Peter wie entgeistert.

Roland, die Situation erfassend:

"Das ist eine Falle! Man hat uns ausgeliefert! Peter, wenn die uns kontrollieren, können wir uns nicht als Westberliner ausweisen. Wir haben doch nur die vom Polizeipräsidenten ausgestellte Meldebescheinigung aus dem Notaufnahmelager."

Auf der Bescheinigung stand: 'Gilt nicht als Personalausweis! Der Personalausweis ist heute von Amts wegen auf Grund des Gesetzes über besondere Meldepflichten vom 21. Dezember 1951 eingezogen worden.'

„Wenn die uns nach Papieren fragen, sagen wir, unseren Personalausweis haben wir zu Hause. Unsere Adresse ist mein Opa Rudolf. Wir sind Untermieter bei Anders, merke dir Rungiusstraße."

"Solange die uns nicht filzen, haben wir eine Chance. Wenn doch, haben die's leicht. Auf der Meldebescheinigung steht nämlich auch die Ausweisnummer vom abgegebenen Ost-Personalausweis!"

„Der Name des Verräters ist Reinhardt FURRER, vergiss den Namen nicht!"

Den Dialog hatten sie wie ein Maschinengewehr 'runtergerasselt!

Inzwischen fuhr der Zug langsam, in den voll ausgeleuchteten Bahnhof "Friedrichstraße" ein. Auf dem Bahnsteig sah man uniformierte Grenzer zwischen den wartenden Fahrgästen. Roland stieß Peter an und sie setzten sich auf die gegenüber befindliche Sitzbank. So saßen sie mit dem Rücken zum Bahnsteig. Es stiegen Fahrgäste zu. Roland sah widerspiegelnd in der gegenüber liegenden Wagenscheibe zwei Uniformierte an ihrem Wagen vorbei patrouillieren. Sein Herz schlug bis zum Hals - da kam ganz normal die Durchsage:

"Zurückbleiben!"

Der Zug setzte sich in Bewegung. Noch zwei abgedunkelte Bahnhöfe wurden durchfahren und dann hielt der Zug "Kochstraße". Sie waren wieder im Westen!

Erleichtert meinte Roland:

"Ich glaube, der Furrer ist sich überhaupt nicht bewusst, in welch eine Bredouille er uns gebracht hat. Na warte, dem werde ich noch die Meinung geigen."

"Pass mal auf, der wusste als Westdeutscher und dazu noch als ständiger Autofahrer überhaupt nicht, dass diese Strecke durch den Osten führte", erwiderte Peter.

Drauf Roland:

"Also ich weiß nur eines, die hätten vor Freude in Ostberlin geflaggt, wenn sie uns erwischt hätten!"

"Bei allem Vertrauen in die BVG, aber stell dir bloß einmal vor, da bleibt eine Bahn wegen Stromausfall im Osten liegen oder ein Fluchtversuch ist auf der Strecke. Dann werden die Leute im Zug kontrolliert. Unsere Fahrt wäre erst in Jahren zu Ende gewesen. Ich schwöre dir - niemals wieder fahre ich diese U-Bahnstrecke", fügte Peter an.

Die Sichtungsstellen der Alliierten interessierte am Flüchtling einiges, aber nicht dessen Schicksal oder Zukunft. Die Personenidentifikation und allenfalls noch etwas über die politische Stimmung der Bevölkerung in der DDR, das war es schon - für ihre Statistiken. Von Roland wollten die Amis mehr wissen:

"Wären Sie bereit, uns von Ihrer Fliegerei und Armeezeit zu erzählen? Wir interessieren uns für Flugplätze und Technik."

Roland fühlte sich geschätzt und war natürlich bereit, die Amerikaner zu unterstützen. Sein vordringlichstes Interesse, schnellstens das Verfahren abschließen zu können, wollte er durch die zusätzliche Befragung der Amis aber nicht verzögern:

"Sehr gerne, aber meine Flucht hat 8.800 Mark gekostet. Jeder Tag länger im Lager hindert mich am Geldverdienen!"

"Verstehe Sie", sagte der Ami, "wenn Sie hier raus sind, können wir uns treffen. Wir zahlen in Berlin das Hotel und Ihnen pro Tag 100 DM. Sollten Sie etwas Besonderes zu erzählen haben, fliegen wir Sie nach Oberursel bei Frankfurt/Main, jeder Tag bei uns 100 DM für Sie."

476

"Einverstanden, ich melde mich bei Ihnen, wenn mein Verfahren hier abgeschlossen ist."

Roland erzählte Peter am selben Nachmittag stolz von seiner Honorar-Vereinbarung mit den Amis und schlug ihm vor, er möge zusammen mit Micel den Amerikanern von seiner Arbeit in Treptow erzählen:

"Du wirst lachen, dasselbe haben sie Micel und mir auch angeboten. Wir sollen uns das überlegen."

"Was gibt es denn da zu überlegen? Wenn du das machst, hast du zumindest eine Wechselrate zusammen!"

"Ich weiß ja nicht, wie Micel sich entscheidet, ich für meinen Teil mache da nicht mit!"

"Kannst du mir das mal bitte erklären? Entweder dich hindert eine falsch verstandene Loyalität, dann frage ich, kann es die gegenüber Kommunisten überhaupt geben, oder du hast vor irgend etwas Angst!"

"Weder noch! Beruhige dich erst mal. Die Amis haben nichts, aber auch gar nichts gegen die Mauer unternommen. Zu unserer Flucht haben sie auch nichts beigetragen. Ich bin denen nichts schuldig."

"Du weißt, dass ich das im Prinzip genauso sehe. Aber wenn ich daran denke, das ich mir geschworen habe, die Kommunisten auf jede Art und Weise zu bekämpfen, dann kommt mir das Angebot der Amis nachgerade gelegen."

"Du bist, im Gegensatz zu mir, ein Idealist mit klarem Feindbild. Für mich ist Politik nicht das Wichtigste. Nimm zum Beispiel meine Stelle beim Apparatebau in Treptow. Da hat man mir, als gerade von der Uni gekommenem Ingenieur das Vertrauen gegeben, an Dingen zu arbeiten, über die schon andere jahrelang nachgedacht haben. Ich käme mir denen gegenüber wie ein Verräter vor."

"Peter, du bist und bleibst ein Phantast. Wenn dir dieses, in meinen Augen falsche Beispiel für Moral eine ganze Monatswechselrate wert ist, dann habe ich eben einen Bekloppten zum Freund."

Das Paradoxe an Peters Entscheidung war, dass Micel, der in derselben Entwicklungs-Abteilung für Radaranlagen wie Peter gearbeitet hatte, sehr wohl den Amerikanern zu Diensten war. Weil die gerade aufgebauten Kurzwellensendeanlagen an der Ostseeküste von großem militärischen Interesse waren, hatte Micel eine ganze Monatsrate Fluchthelfer-Schulden weniger auf der Uhr.

Nach vier Arbeitstagen konnte Roland die letzte Alliierte Sichtungsstelle auf seinem Laufzettel abhaken. Zu den deutschen Diensten ging er mit dem Gefühl landsmännischer Verbundenheit. Er hatte unterschwellig mehr als bei den Alliierten die Bereitschaft, Persönliches preiszugeben. Andererseits hoffte er auf Verständnis und Hilfe für den Start in den neuen Lebensabschnitt. Roland erkannte schnell, dass man seine Einblicke bei seinen ehemaligen Arbeitgebern und sein familiäres Umfeld abschöpfen wollte.

Besonders interessiert, man kann im Verhältnis zu den übrigen Anläufen beinahe sagen herzlich, fühlte er sich vom Leiter des "Untersuchungsausschusses der Freiheitlichen Juristen"(UFJ) einem Herrn Dr. SCHLICHT, behandelt:

"Herr Grundmann, es gibt bei uns schon einen Aktenvermerk über Sie. Ihr Onkel hat den UFJ über ihren Prozess vor dem Bezirksgericht Berlin-Mitte informiert. In dem Vermerk ist noch ein Verweis auf einen holländischen Staatsbürger."

"Das kann nur Toni van Ass sein, mein Zellenkamerad in Hohenschönhausen."

Roland möge ihm seine ganze Geschichte erzählen. In welchen Haftanstalten er gesessen, ob er Mithäftlinge kennengelernt hätte, er wisse, warum die inhaftiert waren und wie diese sich nach seiner Einschätzung verhalten hätten. Herr Schlicht machte sich Notizen, dann stand er auf:

"Einen Moment bitte, schaue mal in unser Archiv. Ich glaube, wir haben etwas über Herrn Toni van Ass."

Kurz darauf rief er aus dem Nebenzimmer Roland zu sich.

Roland trat in einen Raum, in dem sich außer einem kleinen Tisch mit zwei Stühlen nur Regalwände mit Aktenordnern befanden:

"Setzen Sie sich bitte, hier habe ich die Akte von Ihrem Zellenkameraden."

"Sie haben eine Akte von ihm? Toni ist also entlassen?"

"Ja, im April war er hier, zusammen mit seiner Braut. Er hat uns Sie benannt und wie ich hier lese, als sehr hilfsbereiten Kameraden beschrieben!"

Toni hatte also Wort gehalten und seinen Fall im Westen gemeldet!

"Das ist ja phantastisch, dass die beiden frei sind! Haben Sie etwa auch ihre Anschrift?"

"Ja, beide leben in Den Haag bei Tonis Eltern. Eigentlich darf ich Ihnen die Wohnanschrift nicht geben, ich weiß nicht einmal, ob die noch aktuell ist, aber in Ihrem Fall mache ich eine Ausnahme. Es ist immer wieder schön, auf einen Fall von ehrlicher Kameradschaft zu treffen." Er sei schließlich selber jahrelang Häftling in Bautzen gewesen. Dieser persönliche Hinweis bildete eine weitere Vertrauensebene zwischen ihnen. Nichts ließ darauf schließen, dass dieser Kontakt ihm später in Rückkoppelung zum Staatssicherheitsdienst der DDR noch einmal schwer auf die Füße fallen würde.

Zwölf Tage hatte das Bundesnotaufnahmeverfahren in Marienfelde gedauert. Roland stand zum letzten Mal im Medi-Center des Lagers, wo man ihm die auskurierte Gürtelrose in seinem Gesundheitsbogen testierte. Wegen zu vermutender posttraumatischer Wirkungen infolge der Haft- und Fluchtgeschehnisse wurde ihm eine Erholungskur angeboten. Die könne er im Anschluss an das Aufnahmeverfahren antreten.

Den Kopf voller anstehender Pläne wollte er keine Zeit für ihre Verwirklichung verlieren. Das gutgemeinte Angebot schlug er aus. Unterschwellig hatte er das Gefühl, er könnte mit dem Kuraufenthalt etwas versäumen.

Alle vier, Detlef, Micel, Peter und Roland traten, dem Anlass angemessen, mit Schlips und Kragen, vor Vertreter des Staates. Die saßen hinter einer Tischreihe, über die ein weißes, bis zum Boden reichendes Tuch gelegt war. Es wurde verlesen, dass gemäß § 1 des Gesetzes über die Notaufnahme von Deutschen in das Bundesgebiet jedem von ihnen somit die Erlaubnis zum ständigen Aufenthalt im Bundesgebiet erteilt sei. Man wünschte ihnen in diesem feierlichen Akt für die Zukunft das Beste. Als einmalige Unterstützung der Bundesrepublik wurden jedem von ihnen 150 DM ausgezahlt. Da

Micel in das Bundesland Nordrhein-Westfalen und Detlef nach Hamburg siedeln wollten, wurden sie kostenfrei aus Berlin ausgeflogen.

Peter und Roland fühlte sich im freien Teil ihrer Stadt sicher. Hier kannten sie sich aus und Roland hatte seine Verwandten hier. Beide waren sie von guten Wünschen all der Leute begleitet, die von ihrem Aufbruch in ein selbst geformtes Leben wussten. Genau genommen musste aber von ihnen, als ehemals "von der Wiege bis zur Bare" in der DDR gelenkte und geführte Bürger, von jetzt auf gleich jeder Schritt allein gegangen werden. Wohnungssuche, Existenzsicherung, private Zukunftsplanung, das waren sich mächtig vor ihnen aufbauende Formationen. Wenn es jemanden gab, den es interessierte, wie es einem ging, dann fragte danach nicht automatisch der Staat.
Sie waren zwei neue Westberliner und traten als Neubürger der Bundesrepublik Deutschland in ihre neuen Lebensabschnitte.

Die erreichte Freiheit als Metamorphose

Wie Hundertausende junge Flüchtlingen vor ihm, hatte Roland den Kampf um den geistigen Machtanspruch der DDR hinter sich gelassen. Der wurde von der „Wissenschaft des dialektischen Materialismus" flankiert, dem unbewusst, gewollt oder gezwungenermaßen Eltern, Lehrer, Ausbilder, Historiker und kommunistisch gelenkte mediale Meinungsmacher als Schwungrad dienten. Die Freiheit wurde in diesem Konstrukt als die Einsicht in die Notwendigkeit definiert, was auch den gedanklichen Austausch über sie einschloss. Uneinsichtigkeit gegenüber dieser Maxime wurde mit tschekistischem Terror bekämpft.

Er trat in eine Gesellschaft ein, die sich im nicht totalitär beherrschten Teil Deutschlands als Gegenentwurf zur Gesellschaftsform in der kommunistischen Hemisphäre entwickelt hatte.

Mit den Nürnberger Prozessen hatte das Tribunal der Sieger vor aller Welt die Singularität deutscher Verbrechen als Grundstein für den zukünftigen Umgang mit dem deutschen Volk gesetzt. Das Stigma der nicht abzutragenden Schuld sollte die Politik gegenüber Deutschland bestimmen. Deutschland konnte sich fast glücklich schätzen, in den Sog der neu entbrannten hegemonialen Machtansprüche der Weltmächte geraten zu sein. Die mit dem Morgenhau-Plan beabsichtigten Zerstörungen sämtlicher wirtschaftlichen und geistigen Bereiche Deutschlands waren obsolet. Deutschland war eingebunden in die atlantische Bündnispolitik. Der Vietnamkrieg bildete den Transmissionsriemen für pseudo- kommunistische Theorien, die von einem Teil der nach ihr benannten '68er Generation', den Mainstream bestimmten. Alle Paradigmen der Gesellschaft wurden in Frage und teilweise zur Disposition gestellt.

In dieser brodelnden Demokratie Westberlins fühlte Roland die Welt in seinen Händen und begriff das Glück, sich selbstbestimmt für seine Parteinahme entscheiden zu können.

Die Metamorphose wird in der Mythologie als Bestrafung oder Erhebung zum göttlichen Wesen nicht eben als ein von Schmerzen begleiteter Prozess beschrieben. Rolands Wandlung, weg vom entarteten Sozialismus, hatte ihn psychisch gepeinigt und sehr wohl Blut und Tränen gekostet.

Aus dem weltanschaulich funktionierenden war ein selbständig denkender und handelnder Mensch geworden.

Frontstadt 1966 - funkelnder Solitär pulsierender Freiheit,
geographisch im kommunistischen Imperium gelegen:

In einer Stadt mit derselben Geschichte lebten, durch einen Todesstreifen voneinander getrennt, 2 Millionen im Westen und 1,2 Millionen Menschen im Osten. Familien waren voneinander getrennt, Besuchsverkehr gab es nicht und Ost-West-Telefon-Verbindung nur mit zehnstündiger Voranmeldung.

Die im freien Westen der Stadt lebenden Bewohner konnten über diese Zustände privat und öffentlich diskutieren. Das konnten die im Osten Wohnenden bei Strafe nicht. Für die Westberliner war die Unterdrückung und das Eingesperrtsein der ostseitig Lebenden ein latent bohrender Schmerz, der dadurch gesteigert wurde, dass sie selber auch keinen Kontakt zu ihren Familienangehörigen und Freunden im Ostteil der Stadt haben konnten. Die Anstrengung, selbst gesetzte Ziele in Bezug auf Wohlstand und Reisefreiheit zu erreichen glättete die Wogen der Empörung gegenüber dem ost-zonalen Gefängnisstaat. Dieses tagespolitisch pragmatische Verhalten wurde dann abgelegt, wenn die Oberen im Osten auf den Transitwegen zur Bundesrepublik besonders schikanierten oder es an der Mauer neue Opfer zu beklagen gab. Wenn dann aber überwiegend junge, aus der Bundesrepublik Zugezogene, mit dem Malus des Nichtwissens die Lebensverhältnisse auf der Ostseite als gesellschaftspolitisch fortschrittlicher und friedlicher als die des Westens bezeichneten, war das Maß der Toleranz bei den Westberlinern überschritten. Diskutierend rangen sie in der City um die Meinungshoheit auf der Straße.

Da kam Vieles zusammen. Junge Männer, denen im Bundesgebiet der Dienst bei der Fahne (Wehrpflicht) angesagt war, hatten sich dünne gemacht und sind nach West-Berlin gezogen. Hier gab es auf Grund des Viermächtestatus keinen Wehrdienst. Nach dem Viermächtestatus, der auch für Ost-Berlin galt, wäre auch die Wehrpflicht in Ost-Berlin unmöglich gewesen, aber die Kommunisten hielten sich nicht daran.

Studenten, Abenteurer und Gammler aller Herren Länder vereinigten sich im Kaleidoskop dieser pulsierenden Einzigartigkeit. Hier in der Frontstadt, von der kommunistischen Hemisphäre umschlossen, gab sich die Welt ein Stelldichein. Alles zusammen genommen ergab das ein Biotop - die glitzernde Fassade des Amerikan way of Life. Letztendlich war es der Viermächtestatus, der zwar fragil, aber immerhin vorrangig von den Amerikanern garantiert schien. Auf die Schutzmacht der Amerikaner ließen die Westberliner, Vietnamkrieg hin oder her – symbolhaft für eine Domino-Theorie des ausufernden Kommunismus stehend - nichts kommen.

Den Kommunismus als klares Feindbild vor Augen, die Westalliierten unter Führung der Amerikaner als Garanten für die Freiheit von Westberlin und darüber hinaus sehend, wollte er in dieser Auseinandersetzung seinen Platz finden.

Roland stand den Amerikanern für die vereinbarte Befragung zur Verfügung. Die hatten nur zwei Tage Interesse an ihm. Immerhin mieteten sie ihn in einem Hotel am Savignyplatz ein, mit PKW-Service hin-und zurück in ihr Quartier nach Zehlendorf in die Sven-Hedin-Straße. Als Honorar bekam er 250.- DM.

Trittfassen auf schwierigem Geläuf

Inzwischen hatte er sich beim Arbeitsamt arbeitslos gemeldet. Dort stellte man ihm eine Meldekarte aus, die wöchentlich abgestempelt werden musste. Normalerweise hätte er jedes mal auch aufgenommene Kontakte zu potentiellen Arbeitgebern nachweisen müssen und genau betrachtet, hätte Roland täglich Arbeit finden können. Gute Arbeitskräfte waren wie Goldstaub. In den Tageszeitungen, an den Werkseingangstoren, Schaufensterscheiben und speziellen Anschlagbrettern warb man um sie. Roland brauchte sich nicht zu erklären, warum er keine Arbeitsstelle präsentierte. Ihm war das erlassen, weil er angeben hatte, sich um die Einschreibung an der Universität zu bemühen. Trotzdem musste er alle acht Tage auf dem Amt, zeitlich fixiert, erscheinen und erst nach dem Abstempeln der Meldekarte bekam er wöchentlich 70,20 DM bar ausbezahlt. Seine Wohnadresse war weiterhin das Notaufnahme-Lager-Marienfelde.

Das für Roland zuständige Bezirksamt war Berlin-Tempelhof. Dort wurde er vorstellig, um sich nach weiterer Unterstützung umzuhören.

Die Verwaltungen arbeiteten damals wie es Verwaltungen eben tun, aber vielleicht mit einem kleinen Unterschied zu heute. Es gab nicht selten Bedienstete, die Eigeninitiative entwickelten, wenn sie meinten, persönlich das große Rad anwerfen zu müssen, um ein Anliegen befördern zu können. So hat es jedenfalls Roland erfahren dürfen. Einer Sachbearbeiterin war Rolands Schicksal so interessant, dass sie den Telefonhörer nahm und beim Bezirksstadtrat Hermann KREUTZER anrief. In Stichworten gab sie ihm Rolands Eckdaten und der bat sie, „am besten gleich", mit Roland zu ihm.

Zusammen mit der Sachbearbeiterin trat Roland in das große holzgetäfelte Arbeitszimmer. Der Stadtrat, das war ein sportlicher Mannestyp mit Bürstenhaarschnitt in gutsitzendem grauen Anzug. Er mag so um die vierzig Jahre alt gewesen sein. Der kam um den Arbeitstisch herum auf ihn zu und begrüßte ihn mit Handschlag. Nachdem Roland kurz von sich erzählt hatte, ließ der Stadtrat Roland wissen, das er selber in der SBZ verhaftet wurde. Er hätte wie sein Vater, der schon unter den Nazis als Sozialdemokrat im Gefängnis saß, gegen die Einvernahme der SPD durch die Kommunisten in die SED opponiert. Zu 25 Jahren verurteilt, wurde er nach 5 Jahren Bautzen durch Druck der Bundesregierung entlassen.

„Kümmern Sie sich doch als Erstes um den Suchdienst des Deutschen Roten Kreuz", bat er die Sachbearbeiterin.

Zu Roland gewandt fügte er an:

„Wenn Ihr leiblicher Vater noch lebt, kann da ganz schnell ein Hinweis vorliegen! Wir verbleiben so, das ich im Lager anrufe, wenn etwas in Erfahrung gebracht wurde."

Das Gespräch zog sich über eine ganze Weile, und für Roland war es der Anfang einer jahrelangen kameradschaftlichen Verbindung im politischen Berlin zu einem Sozialdemokraten, wie Roland keine zweite pflegte.

Rolands Vita machte ihn unter den 1966 von Ost nach West Geflüchteten interessant. Dr. Rainer HILDEBRANT, ein in Berlin bekannter Journalist, nahm Kontakt zu ihm auf. Von ihm fühlte sich Roland in seiner ganzen Persönlichkeit so gut verstanden, dass er es ihm fortan voller Vertrauen überließ, Gespräche mit Journalisten und

Vorträge vor politisch interessierten Zuhörern in der Stadt zu organisieren. Gesprächsweise erwähnte Roland den Namen seiner Staatsanwältin Seidewitz. Von Hildebrandt wurde er dahingehend aufgeklärt, dass diese Staatsanwältin eine aus der Richtergarde der 'Roten Guillotine' Hilde BENJAMIN sei. Sie hätte einige seiner Kameraden aus der „Kampfgruppe gegen Unmenschlichkeit (KgU)" besonders gnadenlos verurteilt. Weil Roland ja unbedingt etwas gegen das Unrechtsregime der DDR unternehmen wollte, nahm er den Hinweis auf. Er kaufte eine der bunten Glanz-Postkarten-DIN A5-Format, wie sie 1966 der große Schrei waren. Abgebildet war das Kranzler, mit bei sonnigem Wetter an den Tischen vor dem Cafe´ verweilenden Gästen. Roland malte mitten zwischen die abgebildeten Gäste ein Kreuz mit Kreis. Diese Karte adressierte er an die Staatsanwältin Seidewitz im Stadtbezirksgericht in der Littenstraße in Ostberlin:

'Sehr verehrte Frau Staatsanwältin Seidewitz, meinen Gruß aus der Freiheit! Ich sitze hier (siehe Kreuz) und denke dankbar Ihrer Erlaubnis, zum Urlaub an die Ostsee fahren zu dürfen. Roland Grundmann'

Beim Einwurf dachte er, 'wozu hätte die mich wohl verurteilt, wenn meine Flucht gescheitert wäre!?'

Jetzt konnte der Kartengruß als weitere Nebelkerze über die tatsächliche Fluchtroute dienen. Und weiter dachte er, 'diese Karte wird in der Poststelle des Stadtgerichtes ankommen, den Beschäftigten auffallen, von den Hausverteilern gelesen, weitergereicht, und irgendwann bei der Richterin landen....'

Mit sich zufrieden, ließ er Dr. Rainer Hildebrant von seiner Aktion wissen. Der hatte selbst im III. Reich bereits im Umfeld des 20.Juli 1944 Widerstand geleistet und wurde in diesem Zusammenhang verhaftet. Das Vorgehen der Besatzer und der von ihnen ernannten „wahren" Kommunisten in der SBZ gegen vermeintlich Andersdenkende motivierte ihn, gegen das Unrecht anzugehen. Er gründete 1948 die antikommunistische KgU. Von ihr wurden Informationen über willkürliche Menschenrechtsverletzungen im Osten zusammengetragen. Da er selbst ein Verfechter des gewaltlosen

Kampfes war, verließ er die Gruppe in den fünfziger Jahren, nachdem von ihr zahlreiche Sabotageakte in der DDR zu verantworten waren. Zu diesem Zeitpunkt hatte er sich bei seinen Gegnern auf der Ostseite bereits den Nimbus des bestgehassten Widersachers erworben. "Kalter Krieger" par excellence zu sein haftete ihm als Markenzeichen bis zum Zusammenbruch der DDR an. Viel Feind – viel Ehr, kann man da nur sagen! Auf seine über den Tod hinausreichende Leistung geht die Entstehung des heutigen Mauer-Museums am Check-Point Charlie zurück.

Der Kontakt zu Dr. Rainer Hildebrandt zahlte sich für Roland in mehrfacher Hinsicht aus. Er war ihm Geschichtslehrer für Deutsche Geschichte und Gegenwart und deckte ihn diesbezüglich mit Lesestoff ein. Darüber hinaus war er ihm Mentor und Türöffner im Politik-und Kulturbetrieb in Berlin.

Ständig hatte Rainer Eintrittskarten für Theater- und Musikbühnen. Von dem allem abgesehen, summierten sich die kleinen Honorare für die Gespräche und Vorträge zu Rolands nennenswertester Einnahmequelle.

Roland ging nur noch zum Schlafen ins Lager. Ein paar Tage waren vergangen, als dort für ihn die Nachricht hinterlegt war, er möge sich schnellstens beim Stadtrat Kreutzer melden. Gleich am nächsten Tag trafen sie in seinem Arbeitszimmer zusammen:

„Das Rote Kreuz ist fündig geworden! Die Wohnanschrift Ihres Vaters liegt auch vor!", empfing ihn der Stadtrat und reichte ihm das Schriftstück vom Deutschen Roten Kreuz.

„Wohnort Lörrach, wo liegt das denn?", wollte Roland wissen.

„Das liegt am südwestlichsten Zipfel von Baden-Württemberg, im Dreiländereck, direkt vor der Schweiz."

Roland wusste ja seit seiner Armeezeit, dass der leibliche Vater wohl lebt, aber jetzt definitiv dessen Wohnadresse in den Händen zu halten, war doch gewaltig.

„Was wollen Sie nun tun?", fragte der Stadtrat gespannt.

„Wenn ich könnte, würde ich ihn besuchen, aber dafür müsste ich erst einmal ansparen", erwiderte Roland.

„Ich bin Stadtrat für Soziales. Ihnen wird die Reise bezahlt! Wann machen Sie sich also auf den Weg?"

„Na, wenn das so ist, dann sofort!"

Der Stadtrat hatte zum Telefonhörer gegriffen und zitierte jemanden zu sich.

Kurz darauf trat die nette Sachbearbeiterin von vor ein paar Tagen ins Zimmer. Der Stadtrat sprach zu ihr:

„Ich hatte ja schon mit Ihnen darüber gesprochen. Der Kamerad wird nach dem HHG (Häftlingshilfegesetz) bezuschusst. Ihm hätte ja ohnehin ein Kuraufenthalt zugestanden. Den hatte er abgelehnt, weil er meinte, andere Dinge seien ihm momentan wichtiger.

„Ich habe schon mal zu allem eine Aufstellung gemacht. Da sind die Flugtickets Berlin-Düsseldorf und Hannover-Berlin, Bahnkosten II. Klasse Köln-Lörrach und Lörrach-Hannover sowie Reisekosten für 10 Tage. Für die Tickets geben wir einen Bezugsschein, für Bahn- und Reisekosten pauschal 300.- DM."

Der Stadtrat wandte sich an Roland:

„Haben Sie eigentlich schon einen Bekleidungszuschuss erhalten?"

„Nein, aber die Bekleidungsausstattung im Lager. Mache ich denn einen nicht komplett angezogenen Eindruck?", heischte Roland.

„Ganz im Gegenteil", griff der Stadtrat auf, „Sie machen einen vorzüglichen Eindruck! Deswegen frage ich ja, weil ich weiß, was das alles kostet."

An die Sachbearbeiterin ging Order:

„Händigen Sie bitte noch einen Bekleidungsgutschein über 300.-DM aus."

Als das Pekuniäre abgeschlossen war, sprach die Sachbearbeiterin über die ausgewählte Reiseroute:

„Nach meiner Reiseroute fliegen Sie hin und zurück mit der BEA. Da gibt es, anders als bei der PAN-AM, immer was Warmes zu essen an Bord. Auf den unterschiedlichen Bahnstrecken sehen Sie was von Deutschland."

Der Stadtrat nahm den Ball auf und schwärmte Roland die Aussicht aus der fahrenden Bahn entlang des Rheins vor.

Es war Freitagmittag, als Roland mit seinem Bekleidungsgutschein im KADEWE eintraf. Er hatte eine ziemlich genaue Vorstellung, wie er die dreihundert Mark umzusetzen würde. Ein dunkelgrauer, längs mit

Nadelstreifen durchzogener Flanell-Anzug schwebte ihm vor, ein hellblaues und ein weißes Hemd mit Umschlagmanschetten und dazu, weil er es nicht anders wusste, eine „Betonfliege". Das sind die Dinger mit festgenähtem Mittelsteg und umlaufendem Band mit Hakenverschluss im Nacken. Ein klassischer, aber leichter Hut und, wenn der Gutschein es noch hergab, ein hüftlanger Regenschirm sollten seine Einkleidung vollenden. Er musste zuzahlen, weil die Änderung der Hosenbeinbreite von 22 auf 19 Zentimeter hinzukam.

Voll bepackt fuhr er nach telefonischer Ankündigung vom KADEWE zu den Großeltern, um von seinem bevorstehenden Besuch bei ihrem Ex-Schwiegersohn, seinem leiblichen Vater, in Lörrach zu berichten. Opa Rudolf stellte für sich, und für Oma Else gleich mit, fest:

„Ist ja gut, das muss wohl so sein, aber mach dir mal nicht allzu große Hoffnungen, immerhin bist du ja von Kurt adoptiert, und gesehen hat Karl dich, da warst du ein Baby!"

„Ich versteh schon, was du sagen willst. Mein Besuch richtet sich nicht gegen meinen Adoptiefvater Kurt und natürlich auch nicht gegen Mutter. Mich leitet da wohl mehr die Neugier als Sentimentalität."

Um dem Gespräch eine andere Richtung zu geben, kam Roland auf seine gerade getätigten Einkäufe zu sprechen, nicht ohne zu erwähnen, wie die finanziert worden waren. Das tat er weniger aus Besitzstolz, sondern vielmehr war es die Freude, seine geliebten Großeltern zu beruhigen.

'Macht euch keine Gedanken, ihr seht ja, ich fasse Tritt!'

Als Roland spät abends ins Lager kam, lag Peter schon unter der Decke. Die Neuigkeiten von Roland musste er sich noch anhören. Peter freute sich für Roland und sagte zu, am Sonnabend bei der Besorgung der Tickets und Fahrkarten dabei zu sein.

Am Montag saß Roland im ersten Flieger, der von Tempelhof nach Düsseldorf abhob. Seine Maschine, eine Silver-Star-Viscount, hatte an diesem Morgen schon dieselbe Strecke von Düsseldorf nach Berlin absolviert. Er hatte einen Fensterplatz, noch vor den Propellern, zwei Sitze nebeneinander, wovon der Nachbarplatz frei blieb. Die verteilten Start-Bonbons lutschend, verfolgte er die technischen Vorgänge. Vom Aufheulen der vier Turboprops-Triebwerke, dem Rollen auf dem Flugfeld, dem Start, dem Einfahren des Fahrwerks und dem Steigflug über seiner Stadt registrierte er alles und brachte es gedanklich aus seiner Sicht als ehemaliger Flieger zusammen. Er genoss das Glück des Augenblicks. Nach sechs Jahren, jetzt als Passagier, war er wieder in der Luft! Unter ihm, bei bester Sicht, aus ungefähr 2000 Metern Höhe zogen DDR-Landschaften dahin. Er glaubte sogar, die Grenze gesehen zu haben. Die gab es für ihn nicht mehr. Herrlich, er gehörte nicht mehr zu den Weggeschlossenen.

In Düsseldorf kam er ohne Hast rechtzeitig auf dem Hauptbahnhof an und stieg in das technische Flaggschiff der Bundesbahn, einen TEE. Es kam wie annonciert, er sah zum ersten Mal in seinem Leben Deutschlands Fluss-Schlagader. Parallel zum Rhein erblickte er herrliche Kulturlandschaften, und in ihm wurden Literatur und deutsche Geschichte wach.

Die Bahnstation Lörrach war der Grenzbahnhof vor der Schweiz. Die nächste Station wäre Basel gewesen.

Er stand vor dem Bahnhofshauptportal und sah aus wie ein englischer Lord. Anzug mit Fliege und Hut, Sommermantel über dem Arm, unter ihm den Regenschirm gehängt, in der rechten Hand einen kleinen Handkoffer. Der war längs und breit so groß, um zwei übereinander liegenden Hemden, Unterwäsche-Garnitur, Blouson, Hose und Kulturtasche Platz zu geben. Er nahm eine einsam stehende Taxe ins Visier und las dem Fahrer als Ziel die Adresse vor:

„Junger Mann, wenn Sie diese Straße hier vielleicht 600 Meter in Richtung Grenze laufen, bis zur Tankstelle auf der rechten Seite, dann haben Sie Ihr Ziel erreicht. Wollen Sie wirklich von mir gefahren werden?"

„Nein, nein, das Stückchen laufe ich nach der Bahnfahrt gerne. Schönen Dank auch."

'Das werden spannende sechshundert Meter', dachte Roland.

Er lief bis zur Tankstelle, glaubte sich zwar richtig, aber Tankstellen- und Hausnummer des seitlich zurückgesetzten mehrgeschossigen Mietshauses schienen zusammen zu gehören. Er lief um das Wohnhaus herum und auf dem Klingelschild stand der Name SCHMID. Er klingelte, über die Gegensprechanlage kam eine Frauenstimme: „Ja bitte, wer ist da?"

„Hier ist Roland Grundmann aus Berlin, ich hätte gerne Herrn Karl Schmid gesprochen!"

„Den finden Sie in der Tankstelle, da müssen Sie vorne rumgehen!"

„Schönen Dank auch, mache ich."

Roland ging bis vor zur Tankstelle. Neugierig angespannt, trat er in den Verkaufsraum. Er war mit dem Mann hinter dem Verkaufstresen allein.

In seine Richtung schauend, fragte der geschäftsmäßig, nichtsahnend:

„Was kann ich für Sie tun?"

„Sind Sie Karl Schmid?"

„Ja, bin ich!"

Ohne Hektik stellte Roland den Handkoffer ab und legte Sommermantel mit Schirm auf den im Verkaufsraum stehenden Tisch. In das neugierige Gesicht des hinter dem Tresen Stehenden, sagte er im Sichaufrichten:

„Na, dann bin ich Ihr Sohn - Roland - aus Berlin!"

Der vermeintliche Vater stand kurz wie versteinert. Zu sich findend, kam er auf Roland zu und stotterte vor Aufregung halbe Sätze:

„Du mein Sohn!? Ja, erkenne ich, Prachtkerl, fasse ich nicht!"

Nahe vor Roland stehend hielt er inne. Blickte wie um Einverständnis fragend:

„Lass dich umarmen...."

Roland umarmte mit. Sie blickten einander an und jeder dachte wohl für sich:

'Und, wie geht es jetzt weiter?'

Karl ging zur Ladentür, schloss sie ab und drehte das innen vor ihrer Glasfüllung hängende Schild GESCHLOSSEN nach außen. Roland führte er ins Büro, bot Platz am Kundentisch, fragte, ob etwas zu trinken gewünscht sei, und bei Apfelsaft nahmen sie gegenüber Platz:

„Nachher gehen wir hoch in die Wohnung. Meine Frau Immi, richtig heißt sie Irmgard, wird Augen machen. Sie wusste, dass es dich gibt, aber das hat sie wahrscheinlich inzwischen vergessen. Dann lernst du auch gleich deine zwei Schwestern kennen. Die müssten aus der Schule zurück, mit Hausaufgaben beschäftigt sein. Die Große, die

Brigitta, macht nächstes Jahr Abitur und die Kleine, die Marion, ist in zwei Jahren soweit. Du hast auch noch einen Bruder. Der leistet zur Zeit seinen Wehrdienst in der Luftwaffe. Er kommt zum Wochenende nach Hause."

„Die Luftwaffe habe ich hinter mir!", schob Roland kurz ein.

Der Vater wollte alles auf einmal wissen, fragte und unterbrach anfangs so schnell, dass Roland kaum mit dem Antworten nachkam. Zwischendurch hörte man energisches Klopfen an der Ladentür, aber Karl meinte gleich beim ersten Gebummer:

„Lass dich nicht unterbrechen, wir lassen uns nicht stören!"

Nachdem Roland halbwegs zusammenhängend seinen Lebenslauf und seinen Familienhintergrund dargelegt hatte, blies Karl zum Aufbruch.

„Sohn, lass uns hochgehen, es gibt gleich Abendessen."

Er nahm Rolands Handkoffer, schloss die Ladentür auf und hinter sich wieder zu. Dann gingen sie um das Haus herum zum Hauseingang. Da kreuzte ein Nachbar ihren Weg. Karl grüßte und mit überschwänglichem Stolz auf Roland zeigend, stellte er ihn als seinen bisher vermissten Sohn aus Ost-Berlin vor. Roland ließ es dabei bewenden, machte gute Miene dazu und gab die Hand in die ihm entgegenstreckte.

In der ersten Etage schloss Karl die Wohnungstür auf und rief:

„Kommt mal alle her, ich habe großen Besuch mitgebracht."

Karls Ehefrau stand als erste in der Eingangsdiele. Während er sie gerade mal mit dem Wichtigsten konfrontierte, standen auch schon die Mädels neugierig daneben. Aus dem Tonfall der ganzen Situation spürte Roland ein ungläubiges, aber auch herzliches Willkommen heraus.

Praktisch und ohne viel Umstände halfen die Mädels ihrer Mutter den vorbereiteten Abendtisch zu ergänzen, während Karl dem Sohn die Wohnung zeigte. Er hatte schnell mit seiner Frau entschieden, dass Roland das Zimmer vom Sohn Helmut als Quartier bekäme.

Der Abend wurde lang, Rolands neue Schwestern wollten partu nicht zu Bett. Für sie klang das, was sie da hörten, wie ein Heldenepos. Karl kaschierte ihnen gegenüber, warum er in den Jahren nach Kriegsende keinen Kontakt zu Roland gesucht hatte. So rückte er nämlich dessen kürzliche Flucht als Sperrbrecher aus der Ostzone in den Mittelpunkt. Erst nach energischen Worten der Mutter standen sie maulend vom Tisch auf und verließen das Esszimmer.

Karls Frau ging, um das Nachtlager für Roland zu richten, und Karl besprach mit Roland, wie der nächste Tag für ihn aussehen könnte.

„Ich muss mich morgen ab sieben Uhr um die Tankstelle kümmern. Da bin ich voll im Geschirr. Immi ist den ganzen Tag im Haus, da kannst du kommen und gehen, wie's dir passt."

„Ich werde ausschlafen. Dann geht's zur Stadtbesichtung."

„Vorher frühstückst du aber hier! Ich fahre auf, wie du es magst. Klären wir morgen ab", setzte Immi als Frau des Hauses einen Punkt.

„Wenn es hinkommt, kannst du mit uns Mittag essen, müsstest aber Immi Bescheid geben. Auf jeden Fall komm bitte noch, bevor du in die Stadt gehst, bei mir vorne im Geschäft vorbei! Also dann, schlaf man gut", verabschiedete sich Karl.

Roland verzog sich in eines der Bäder und ließ sich nach der Abendwäsche in ein frisch bezogenes Einmann-Bett fallen. Er konnte nicht sofort einschlafen, weil die Fülle der Erlebnisse, eins nach dem anderen, an ihm vorbeizogen.

In der ihm fremden Umgebung nahm Roland die Geräusche besonders war, weil er versuchte diese zuzuordnen. Er schaute auf die Uhr, es war um sechs. Der Alltag nahm für Karls Familie seinen Lauf. Es trat keine Ruhe mehr ein - die Mädels bereiteten ihren Schulgang vor. Trotzdem glaubte er herauszuhören, dass sie sich in Rücksicht auf ihren Besuch leiser verhielten, als sie es wohl sonst taten. Roland hätte gerne noch nachgeschlafen, aber seine Unrast obsiegte.

Er lag mit offenen Augen und betrachtete das Zimmer des ihm unbekannten Bruders. Neben seinem Kopfende stand ein Nachtschrank mit Leselampe und Radio, daneben im Ständer eine schöne große Gitarre, vor dem Fenster ein moderner Schülerschreibtisch. Auf dem hatte ein Globus mit Beleuchtungskabel seinen Platz. An seinem Fußende, neben der Tür, stand ein dreitüriger Schrank. Das Zimmer war geräumig genug, um mit zweisitziger Bank, Tischchen, Stuhl und einem Sessel nicht vollgestellt zu wirken. Über der Sitzbank, an der Wand gegenüber dem Bett, hing eine kleinmaßstäbige große Europa-Landkarte. Die war an einer Leiste unterhalb der Decke befestigt. Die Karte hatte zahlreiche eingepiekte Fähnchen, die meisten in Frankreich und Italien. An der Decke hing eine Lampe in Tropfenform. Auf dem gebohnerten Terrakotta-Fußboden lag in der Mitte des Raumes ein quadratischer Teppich. Auf einem Beistellregal stand ein zugedeckter Plattenspieler mit Singl- und Langspielplatten. Es standen Familienfotos und Aufnahmen vom Bruder in einem VW-Käfer in Hängeregalen zwischen einigen Büchern. Bei den Büchern handelte es sich um Bildbände, Volkslexikon, Duden, sowie Langenscheidt Deutsch/Englisch und Deutsch/Französisch. Der Bruder machte auf den Fotos einen sportlichen Eindruck und schien in einen stattlichen Freundeskreis eingebunden.

Es kribbelte - er wollte raus, Neues sehen und Eindrücke sammeln.

„Guten Morgen", rief er in Richtung, wo er Immi vermutete, „ich gehe ins Bad!"

„Ja, guten Morgen, Roland, möchtest du Kaffee oder Kakao? Ei gekocht oder gebraten."

„Immi, keine Umstände bitte! Kaffee mit Milch und Brot, Butter mit Marmelade."

„Ich koche mal lieber noch ein Ei."

Immi hatte ihm einen kompletten Frühstücksplatz in der Küche gerichtet.

„Wie hast du geschlafen?"

„Nicht allzu lange, aber das Kurze tief – ging mir halt viel durch den Kopf."

„Wirst du nun zum Mittagessen da sein? Um halb Eins müsstest du am Tisch sitzen!"

„Ich freue mich schon auf die Mädels, auf euch natürlich auch. So eine große Familie kenne ich nicht, bin ja Einzelkind!"

Immi gab noch Ratschläge, was er in Lörrach so anschauen sollte und wie er fußläufig zurecht käme.

Wildleder-Blouson, weißes Hemd mit schmalem Schlips und hellbraune Popeline-Hose mit Bügelfalte, so trat er bei Karl ins Geschäft.

„Guten Tag, Sohn, siehst ja prächtig aus! Was hast du heute vor?"

„Ausgiebige Stadtbesichtigung, und dabei will ich mal in Rundfunkläden nach einem Hand-Tonband-Aufnahmegerät Ausschau halten. So etwas könnte mir bei journalistischer Arbeit und an der Uni sowieso nützlich sein."

„So etwas gibt es auch schon? Kenne ich gar nicht!"

„Das Gerät heißt „Stenorette". Ist von Grundig. Will mir das ja bloß ansehen, hab ja hier die Zeit dafür."

Inzwischen waren Kunden im Laden, die zuvor von einem Tankgehilfen an den Zapfsäulen bedient worden waren. Karl musste sich kümmern, und um Roland nicht zu vergraulen, rief er ihm zu:

„Warte mal noch'n Moment, will dich verabschieden!"

Nach einer Weile, Roland hatte sich in das Angebot im Zeitungsständer vertieft, kam Karl zu ihm:

„Siehst ja, was hier los ist, lass dich nicht aufhalten. Hier habe ich für dich einen Lageplan von Lörrach und Umgebung bis Basel. Da sind auch sämtliche Verkehrsmittel, Straßenbahn, Bus und Zug ersichtlich. Für deinen Bummel, hier, steck ein, fünfzig Mark - wir sehen uns bei Tisch!"

So bestens ausgestattet wanderte Roland los.

Das Stadtgesicht von Lörrach war ohne sichtbare Kriegsnarben, weil ihm kaum Wunden durch Bomben, Artilleriebeschuss und Kampfhandlungen zugefügt worden waren. Er lief durch Straßen mit geschlossener Bebauung, in denen zwei und drei Geschosse die Regel und zwei viergeschossige Kaufhäuser im Zentrum von moderner architektonischer Dominanz waren. Wären die, zusammen mit den zeitgenössischen Autos nicht gewesen, hätte Roland sich in ein Biotop von vor seiner Zeit versetzt fühlen können. Er sah Straßenbahnen, wie er sie vereinzelt noch aus den vierziger Jahren in Berlin zu erinnern glaubte. Bei aller Nostalgie, die Straßenbahnlinie war international vernetzt. Sie fuhr auf der Hauptstraße, die auch nach der Schweizer Metropole benannt war, von Lörrach nach Basel. Auf dem Weg aus der City zum Mittagstisch kaufte er einen kleinen Blumenstrauß für Immi. Ihm fiel der vorbeiziehende Autoverkehr in Richtung Schweizer Grenze bewusst auf. Er sah, an der Grenze gab es keinem Stau. Vor Karls Tankstelle angekommen, schätzte er die Entfernung bis zum Grenzkontrollpunkt auf 200 Meter. Ganz sicher würde er nach Basel fahren....

Immi war von dem kleinen Blumengebinde sichtbar beeindruckt. Beim Mittagessen platzten die Mädels ungeduldig damit heraus, dass sie in der Schule von Rolands Besuch erzählt hätten. Der Direktor, der auch ihr Mathe-und Geschichtslehrer sei, ließe fragen, ob er einer Einladung in Brigittes und Marions Klasse folgen würde.

„Richtet eurem Direx aus, am Donnerstag, also übermorgen, könnte ich mit euch in die Schule kommen. Karl und Immi, ihr habt doch nichts dagegen, oder?"

„Siehs'te ja, wie die Mädels sich freuen! Und wenn der Direktor das sogar möchte, ist das O.K."

„Wir richten das aus, danke Roland, danke Paps."

„Wie war denn dein Stadtbummel?", wollte Immi wissen.

„Zu Berlin natürlich ein Kontrast, aber irgendwie alles zusammenpassend. Werde gleich noch mal losmachen."

„Ich muss zum Elektriker, der will mir die neue Tiefkühltheke zeigen, die mir Eskimo/Langnese ins Geschäft stellt. Die jetzige ist irreparabel und hat gestern endgültig ihren Geist aufgegeben. Da kann ich dich unterwegs absetzen", bot sich Karl an.

Karl ging mit Roland auf dem Weg zum Wagen noch einmal kurz in den Laden:

„Such dir noch'n Eis aus, wenn du willst, auch zwei. Die Kühlung der Theke ist ausgefallen; ab jetzt gibt es für die ganze Familie Eis, soviel wie da ist, alles gespendet von Eskimo."

Mit Karls VW-Bulli fuhren sie vor das Hertie-Kaufhaus und Karl weiter zum Elektriker.

Abends saßen sie alle wieder im Wohnzimmer beisammen und arbeiteten Geschichte auf. Die Mädels waren zur Nachtruhe verschwunden. Karl erzählte aus dem Krieg:

„Ein paar Wochen vor deiner Geburt habe ich oftmals gedacht, Vater werden, das erlebe ich nicht! Es ging um die Luftbrücke zur 6. Armee, die in Stalingrad eingekesselt war. Wir sind mit der HE 111, Munition, Post und Verpflegung geladen, rein in den Kessel und mit Verwundeten wieder raus. In der Luft machten uns feindliche Jäger und Flak-Beschuss zu schaffen. Am Boden, beim End- und Beladen gab es Artilleriefeuer und Bomben. Geschosssplitter in Rumpf und Heck hatten wir häufig. Einmal ist der Fahrwerkschacht getroffen worden. Wir schlugen ohne Fahrwerk auf. Von einer anderen

Maschine wurde ich wieder ausgeflogen. In den letzten Tagen vor der Kapitulation gab es keinen Flugplatz mehr. Unter starkem Beschuss konnten wir nur noch Verpflegungsbomben abwerfen. Das Ganze bei Temperaturen von bis minus dreißig Grad und katastrophalen Sichtverhältnissen. Die Verpflegungsbomben fielen oft den vorgerückten Russen in die Hände. Es war ein einziges Grauen. Zwischen Einsätzen erfuhr ich von deiner Geburt. Ende Januar '43 hatten wir über die Hälfte an Besatzungen und Maschinen verloren."

„Und wie hast du das Kriegsende erlebt?"

„In der Nähe von Hannover auf unserem Staffelhorst -Fassberg- bin ich Mitte April '45 den Engländern entwischt. Zwei Wochen, im Rucksack Notverpflegung, Karte, Kompass, Wehrpass und meine Bordbücher, vagabundierend vorbei an Engländern, noch aktiven Wehrmachtseinheiten und dann zwischen Franzosen durch. Bei den Eltern im Südschwarzwald habe ich mich auf dem Hof nützlich gemacht. Im September '45 habe ich auf dem Rathaus neue, eigene Papiere erhalten."

Am nächsten Morgen machte sich Roland in die Schweiz nach Basel auf. Zum Mittagessen solle man nicht auf ihn warten, verabschiedete er sich von Immi. Als „Pass" galt der grüne Westberliner Personalausweis. Ihm kam es so vor, als wenn dieser Ausweis durch besondere Freundlichkeit des Schweizer Zollbeamten quittiert worden sei.

Er fuhr vom Kontrollpunkt mit der Straßenbahn nach Basel. Das war ja nun im Vergleich zum beschaulichen Lörrach eine Stadt mit internationalem Flair. Neugierig nahm er Eindrücke auf und ziellos ging er auch nicht durch die Geschäftsstraßen. Er wollte, nachdem er sich in Lörrach die Stenorette von Grundig hatte zeigen lassen, ihren Preis vergleichen. Mit DM oder Dollar zu bezahlen war normal - 215.- DM hat sie gekostet - somit fünfzehn Mark gegenüber Lörrach gespart. Jetzt war seine Reisekasse zwar geplündert, aber die Stenorette konnte er sofort in praxi testen. In einem Restaurant, zwischen Essen und Trinken, studierte er die Gebrauchsanleitung. Der Zufall wollte es, dass in dem Restaurant, zwei Tische neben ihm, ein Musikerpaar, Solistin und E-Gitarre, die Gäste unterhielt. Roland nahm die Einlagen auf und spielte sie wieder ab. Das fiel den Musikern auf. Die moderne Technik, mit der er da hantierte, ließ sie hoffen und vermuten, Roland könne ein Talentsucher oder Musikmanager sein. So standen sie alsbald wie zufällig neben seinem Tisch und gaben musikalisch ihr Bestes vom Besten. In der Hoffnung, er würde seine Zusage einhalten, tags drauf wiederzukommen, ließen sie ihn ohne Protest am noch frühen Abend von dannen ziehen.

Am Abendtisch holten die Mädels definitiv seine Zusage ein, am nächsten Morgen mit in die Schule zu kommen. Roland führte seine Stenorette vor und ließ jeden aufsprechen und wieder abhören.

Rolands Tagesprogramm war also Schule und anschließend wieder Basel.

Der Direx hatte beide Klassen in einem Klassenzimmer zusammengebracht. Das war räumlich unproblematisch, denn jede Klasse bestand nur aus vielleicht 14 Schülern. Roland erzählte vom geteilten Berlin, sowie seiner Flucht bzw. der Situation, wie sie sich für jeden Flucht-willigen in der DDR stellt. Er hatte seine Stenorette mitgenommen. Die bespielten Kassetten wollte er auf eine für Bruder Helmuts Tonbandgerät passende Spule übertragen. Die würde er dann Karls Familie dalassen.

Abends erzählte Brigitta, jetzt wäre der Wunsch als Ziel ihrer Jahresabschlussfahrt nicht Paris, sondern Berlin. Der Direktor hatte zwar Bedenken, die Berlin-Reise wäre teurer und die Eltern müssten mehr dazu bezahlen, aber als abgestimmt wurde, hätte keiner gegen Berlin gestimmt.

„In Berlin musst du dich bei mir melden, dann zeige ich dir die Stadt, wie es kein Fremdenführer kann!"

In Basel kaufte Roland die größere Spule für das Gerät von Bruder Helmut. Dann traf er wieder die bekannten Musikanten. Er würde ihre Musik seinen Freunden in Berlin vorspielen, und ihre Adressen hatten sie für den Fall ausgetauscht, sich in Berlin zu treffen, wenn sie denn mal dort aufkreuzen sollten.

Nach nunmehr vier Tagen hatte Rolands Reiseneugier ihren Höhepunkt überschritten. In Berlin mit Fragezeichen versehene Aufgaben versprachen überdies auch Spannung und Freude bei ihrer Bewältigung. Er befand sich geographisch im Dreiländereck. Die Abwägung eines Urlaubsnachschlags, zum Beispiel nach Frankreich, lag nahe. Zwei, drei Jahre zuvor hätte sein Reisehunger überwogen. Jetzt konnte er verzichten, weil er etwas aufschob um, über Goethes

Reiseanspruch hinausgehend, in sich selbst zu investieren.

Diese Disposition war auch aus dem Grunde richtig, weil auf dem Kurzausflug nach Frankreich, mangels Masse kein Segen gelegen hätte. Er holte also auf dem Bahnhof die Fahrplanauskunft ein. Bequem um 8:50 Uhr könnte er demnach in Lörrach einsteigen, um dann alle Zeit der Welt zu haben, die Maschine um 17:50 Uhr ab Hannover nach Berlin zu erreichen. Eine Flugplatzreservierung war damals nicht zwingend. Wenn man fünfzehn Minuten vor Abflug am Schalter stand, bekam man meistens noch einen Platz. Wenn nicht, etwa eineinhalb Stunden später flog schon die nächste Maschine.

Die angekündigte Abreise löste mit ihrer unerwartet kurzfristigen Verkündung Verwunderung in Karls Familie aus. Die Tatsache als solche würde aber auch den ungewöhnlichen Besuchsstatus beenden, den Roland ohne Vorankündigung geschaffen hatte.

„Wenn du Morgen schon abreist, lernst du ja nicht deinen Bruder kennen, der am Sonnabend kommt", war Karls erste Reaktion.

„Die Zukunft liegt ja vor uns, da kommt es auf einige Wochen mehr oder weniger nicht an!", erwiderte Roland.

„Kannst du denn nicht wenigstens noch zwei oder drei Tage bleiben?", fragte Marion.

„Mitte Oktober geht das Semester los und ich bin noch nicht immatrikuliert! Ein Zimmer muss ich auch noch mieten - wohne ja noch im Lager."

„Wann musst du denn morgen aufbrechen?", wollte Immi wissen.

„Mein Zug geht um 8:50 Uhr. Ab Hannover fliege ich, und entweder kurz vor 19:00 oder 20:30 Uhr bin ich in Berlin."

„Paps, dürfen wir Roland morgen zum Bahnhof bringen?" „Ja, bitte!", fügte Marion der Frage von Brigitte an.

„Jede von euch, bei der in den ersten zwei Stunden keine Tests geschrieben werden, kann gehen."

Die beiden Mädels schauten sich an, schüttelten sich ihre Köpfe zu und sagten:

„Roland, prima, wir können beide mit!"

Immi verzog sich mit den Mädels und Roland unterhielt sich mit Karl. Später, als er in Bruder Helmuts Zimmer mit dem Überspielen seiner Kassette am Tonbandgerät zu Gange war, kam Karl hinzu. In der Hand hatte er eine nagelneue, schwarze, bauchige Leder-Aktentasche.

„Ich habe mir überlegt, was du vielleicht noch gebrauchen könntest. Die Tasche hier schenke ich dir."

„Hab Dank, Karl, die kann ich wirklich gut gebrauchen!", reagierte Roland, Karl flüchtig umarmend."

„Ich hab mir noch etwas überlegt. Hier sind 250.-DM für die Stenorette und ein paar Kassetten!"

„Mensch, Karl, das ist doch wirklich nicht nötig", log Roland, innerlich frohlockend.

Roland hob die Spule aus Helmuts Tonbandgerät ab und sagte:

„Hier mein kleines Abschiedsgeschenk, da ist die Veranstaltung in der Schule drauf, vielleicht wollt ihr ja mal reinhören, und Helmut hat zumindest schon mal meine Stimme."

Die Atmosphäre des morgendlichen Trubels war so familiär, wie sie Roland aus seiner Familie nicht kannte. Karl war extra noch einmal hochgekommen, denn er hatte seine Tankstelle ja schon eine Stunde zuvor geöffnet. Bedrückend empfand er den bevorstehenden Abschied deshalb nicht, weil einem baldigen Wiedersehen nichts im Wege zu stehen schien....

Roland bedankte sich bei Immi für ihre Gastfreundschaft, und in Begleitung von Brigitte, Marion und Karl ging er runter zur Tankstelle, wo ihn Karl fest umarmte:

„Roland, du hast mich glücklich gemacht mit deinem Besuch. Grüße die Großeltern von mir und lass schnell von dir hören..."

Dann zog Roland mit den Mädels in Richtung Bahnhof. Die eine trug seinen kleinen Handkoffer und die andere die bauchige Aktentasche. Da waren allerlei Leckerli drin, die Immi noch mit auf den Weg gegeben hatte. Auf dem Bahnhof wurde Roland lieb geherzt. Ohne Zweifel, er hatte zwei Stiefschwestern und einen großen Stiefbruder bekommen.

Nach sieben Stunden vorbeiziehender Deutschlandbilder am Zufenster, und sofortigem Start nach Berlin, stand er früher als erwartet vor Peter im Zimmer. Sie machten sich über Immis Leckerli her und Roland erzählte von seinen familiären und touristischen Eindrücken.

Probleme lösen stand für Roland beinahe täglich neu auf dem Programm. Die Zimmersuche zum Beispiel fand auf umkämpftem Terrain statt. Möbliert unter 120.-Mark wurde in bürgerlicher

Stadtlage keine Bleibe angeboten. Wenn es eine solche ausnahmsweise gab, wurde sie unter Freunden und Kommilitonen weitergereicht. Roland bekam einen Tipp und war unter Mitbewerbern Sieger, weil die Wirtin sich seine Geschichte hatte erzählen lassen. Die Wirtin, Frau Gums, war eine Offizierswitwe in Berlin-Schöneberg, in unmittelbarer Nähe zum Rathaus wohnend. Sie hatte vier Zimmer ihrer 6-Zimmerwohnung ständig an Studenten vermietet. Roland bekam das vakante, sogenannte „Berliner Zimmer".

Diese Zimmer waren in vergangener Zeit die Salons der gutbürgerlichen Wohnungen und konnten von mehreren Seiten begangen werden. Jetzt, als Einzelzimmer, war der einst große Einlass, eine Doppelflügelschiebetür, verriegelt, diente aber mit seiner schönen Verglasung als Raumschmuck. Zugang war eine zum Flur gelegene Tür. Diese Lage war gegenüber den anderen Zimmern insofern begünstigt, weil der Tür gegenüber das wohl ehemalige Gästeklo lag. Das war jetzt seine Toilette mit großem Waschbecken und Waschmaschine. Zum Duschen konnte er in die Badewanne im großen Bad gehen. In einer großen Wohnküche, auch gegenüber seiner Zimmertür gelegen, durfte er den Herd mitbenutzen.

Die Möbel im Zimmer waren funktional vollzählig, Art Deco der dreißiger/vierziger Jahre – alles passte zueinander, selbst das etwa 1,20 Meter breite Bett. An der hohen Decke hing ein ausladender, gelb marmorierter Glasschirm, der wie ein Pendel wirkte. Die Größe des Raumes mit seiner Doppelflügel-Balkontür vermittelte den Charakter eines Salons.

Die Anbindung an die Außenwelt löste ein Telefon, welches im Flur auf einer schmalen Anrichte stand. Es handelte sich um ein Münzgerät. Zwei Groschen eingelegt, gewählt, und wenn sich der Teilnehmer gemeldet hatte, wurde der Zahlknopf geschoben und die Groschen fielen in die Kassette.

Gemessen an der Situation in Berlin im Allgemeinen und seiner sozialen Lage im Besonderen, hatte er mit 120.-DM Monatsmiete eine passable Bude mit Salon -Flair gefunden.

Wie sich später herausstellen sollte, eine ihn als jungen Mann glücklich machende Entscheidung hatte er mit der Wirtin Gums weiß Gott nicht getroffen. Die nannte gleich zu Beginn der Anmietung als conditio qua non:

„Wir sind hier eine ruhige Wohngemeinschaft, und, junger Mann, damit wir uns richtig verstehen, Damenbesuch nur bis 22:00Uhr!" Roland erahnte weder Bedeutung und Tragweite dieses Hinweises, noch beachtete er den, die ganze Zeit um seine Beine herumwedelnden, um Aufmerksamkeit bettelnden Hund, aus der Rasse Spitz.

Des guten Eindrucks wegen zahlte Roland sofort im Voraus für den noch verbleibenden halben September die Miete.

Der festen monatlichen Ausgabe von 120.-DM Zimmermiete stand seine einzige Festeinnahme, das Arbeitslosengeld von 280,80 DM gegenüber. Er würde gezwungen sein, in die nebenbei fließenden Einnahmen Struktur dergestalt zu bekommen, dass er sie nicht mehr als schnell verdientes Geld, wie gehabt, schnell wieder ausgab. Mehr noch, die Einnahmeseite brauchte mittelfristig eine solide Basis. Seine momentane Betrachtung würde spätestens mit dem Studentenstatus einer Neubewertung unterliegen und eine finanzielle Besserstellung war mit ihr wohl eher nicht zu erwarten. Die Situation würde sich ab Januar ins Prekäre wandeln, denn ab da würden die monatlichen Raten von 500.-DM für seine Fluchthelferschulden weiterlaufen. Na gut, bis dahin waren noch drei Monate Zeit - kein Grund, schon jetzt schlaflose Nächte zu ertragen.

Auf in ein neues Zuhause - er zog aus dem Lager aus. Beim Umzug half sein Onkel Horst, der Rolands inzwischen angesammelte Sachen im PKW verstaute und zur Wohnung bei Wirtin Gums transportierte. Bei dieser Gelegenheit brachten Horst und Traudchen sich auch auf den neuesten Stand von Rolands privater Situation.

„Hast du inzwischen schon eine Freundin?", wollte Traudchen wissen.

„Nee, das ist nicht so einfach. Frauen gibt es genug, aber für eine Freundin ging mir noch nicht das Herz auf."

Er erzählte, im Unterton Trauer, von seiner Vermieterin Gums.

„Dann heirat' doch!", klopfte sie auf den Busch.

„Da kanns'te lange warten. Ich studiere jetzt, und dann sehen wir weiter", lenkte er von weiterem Nachhaken ab.

Insgeheim befürchtete Roland, dass es bei der Immatrikulation mit der Anerkennung der Hochschulreife aus Ostberlin Schwierigkeiten geben könnte. Er wollte nicht platt und formal gleich an der eigentlichen Anlaufstelle, dem Immatrikulationsbüro, abblitzen. Seine Magnifizenz, der Rektor der Freien Universität Berlin, Herr Professor Lieber, sollte zumindest wissen, dass Roland sich um einen Studienplatz an seiner Universität bemühte. Naheliegend, dass Roland seinen Mentor, Dr. Rainer Hildebrandt, darum bat, das Entree zu bewerkstelligen. Als der Termin aus dem Vorzimmer seiner Magnifizenz bestätigt war, nahm er diese Audienz nicht ohne seinen Mentor als moralische Unterstützung, wahr.

Das Zusammentreffen war seiner Magnifizenz von Interesse - dessen Hilfsbereitschaft die Folge war. Während das Gespräch seinen Fortlauf nahm, wurde durch Anruf im Immatrikulationsbüro dessen Leiter über Rolands Sachverhalt informiert. Er könne sich mit 'Kleiner Matrikel' einschreiben und ihm seien sämtliche Formalitäten zu erklären.

Eine Große Matrikel kam für Roland nicht in Betracht, weil eine Hochschulreife aus Ostberlin kein Abitur ist. Auf einem speziell für ähnlich gelagerte Fälle konzipiertem Kolleg in Hessen könne er innerhalb von zwei Jahren ein Abitur ablegen. Die andere Alternative sei die Kleine Matrikel. Mit ihr könne er sofort an der Universität studieren wie jeder Student mit Abitur und Großer Matrikel. Spätestens nach vier Semestern müsse Roland eine bestandene Begabtenprüfung am Landes-Prüfungsamt-Berlin vorlegen. Wenn nicht, würden bisherige Scheine/Ergebnisse annulliert, die Kleine Matrikel widerrufen und somit wäre er automatisch exmatrikuliert.

Für Roland, inzwischen 23 Jahre alt, war der Besuch eines Schul-Kollegs keine Option, und aus Berlin wollte er schon gar nicht raus. Wie er Studium, pauken für die Begabtenprüfung und Geldverdienen unter einen Hut bekommen würde, mochte die Zeit ergeben. Davon hatte er von jetzt gerechnet zwei Jahre....

Sein Antrittsbesuch endete mit einer Besichtigung der für ihn interessantesten Einrichtungen 'seiner' zukünftigen Uni. Hierfür bekam er eine studentische Hilfskraft als Führer. In der Universitätsbibliothek war er beeindruckt von der freien Auswahl sämtlicher Bücher ohne Begründung des Lese- und Studienzwecks. Das kannte er aus der Humboldt-Universitätsbibliothek anders. Da gab es viele Bücher, die mit einem roten Punkt oder Kreis versehen waren, die nur mit Genehmigung des für den Studiengang zuständigen Dozenten (roter Kreis) oder Professors (roter Punkt) ausgehändigt werden durften.

Der ihn begleitende Student stellte ihn bei den angesteuerten Besichtigungsorten als gerade aus dem Osten Geflüchteten vor. So ergab sich aus der Neugier bei den Ansprechpartnern stets die erfreuliche Ausführlichkeit ihrer Erklärungen. Während Roland etwas von der Universität kennenlernte, hatte sich Mentor Rainer Hildebrandt in der Mensa mit Bekannten getroffen.

Als Roland nach seiner Besichtigung dort eintraf, stellte er im Überschwang der letzten Eindrücke im Büro der Studenten-Job-Vermittlung HEINZELMÄNNCHEN an Rainer die Frage:

„Sag mal, Rainer, hast du zufällig noch Karten für Theater oder Konzert präsent?"

„Ja, habe ich, hätte dich sowieso noch gefragt, ob du Freitag zum Drama ins Schlosstheater mitkommst."

„Ausgesprochen gerne, aber hast du vielleicht auch zwei Karten?"

„Dann müsste ich dir meine geben, was ich ungern täte. In "Iphigenie auf Tauris" will ich nämlich Wilhelm Borchert, einen meiner Lieblingsschauspieler sehen. Worum geht es eigentlich?"

„Ich war doch auch bei den 'Heinzelmännchen', um mich über die Jobvergabe zu informieren. Da hat sich eine unwahrscheinlich schöne Blondine meiner angenommen. Der würde ich gerne den Theaterbesuch mit mir gönnen."

„Hier, versuch dein Glück – ich werde vielleicht noch eine Karte für mich auftreiben."

„Besser wäre, wenn du noch einen kurzen Augenblick hier bleiben würdest. Ich renne los, versuch die Karte an die Frau zu bringen, und wenn das nicht klappt, brauchst du keine weitere Karte."

„Sieh zu, ich warte!"

Roland spurtete los und traf die von ihm auserwählte Schönheit im Office der Jobvermittlung. Wie bei seinem vorherigen Besuch sah er von ihr nur die obere Hälfte, weil sie hinter dem Abfertigungstresen stand. Diese, in ihrer Art beeindruckend schöne Büsten-Ansicht entsprang der Vorstellung mädchenhafter, freitragender Brüste. Das war ihm vor Augen, als er in der Mensa Rainer nach einer weiteren Karte fragte.

In der Regel duzten sich 1966 die jungen Leute an der Universität.

„Was können wir noch für dich tun? Willst du 'Heinzelmännchen' werden, dann benötige ich zuerst einmal deinen Gesundheitspass", fragte die Auserkorene.

„So schnell geht das für mich nicht. Muss erst einmal immatrikuliert sein, bevor ich beim Studentenarzt vorgelassen werde."

„Ok, ich erinnere mich. Einen Job kann ich dir also nicht vermitteln. Gibt es sonst noch was, womit wir dir helfen könnten?"

„Hilfe nicht, aber möchtest du mich ins Theater begleiten. Ich habe hier eine Karte für ein Drama unseres Klassikers Goethe, Freitagabend 19:00 Uhr, Schlosstheater."

„Wenn das man nicht die „Iphigenie" ist! Wie komme ich denn zu dieser Ehre?"

Er sah sich in der Zwickmühle, denn es hatte sich ein Student neben ihn gestellt, der wohl wegen eines Jobs nachfragen wollte. Roland hatte sich aber schon so weit vor diesem Mithörer aus dem Fenster gelegt, dass seine ablehnte Offerte ihn wie einen Depp hätte aussehen lassen. 'Attacke', dachte Roland, und flirtete wie selbstverständlich mit dem Fräulein weiter. Er tat das sozusagen über die Bande, indem er den neben ihm stehenden Studenten in die Sichtweise eines Kavaliers einbezog.

„Wenn der Studiosus zu meiner Rechten das Glück hätte, eine vakante Theaterkarte an eine Schönheit auf dem Campus zu reichen, stünde er garantiert auch vor diesem Tresen."

Der Student ergänzte galant und schlagfertig:

„Das sieht mein Kommilitone richtig!"

„Heute ist ja erst Montag, ich nehme die Karte und du kommst in den nächsten Tagen noch mal vorbei, ich muss noch überlegen."

'Was gibt es da noch zu überlegen? Sie kann doch gleich zusagen oder nicht!', dachte Roland. Nicht weiter insistierend sagte er:

„Na bestens, und jetzt kümm're dich ganz besonders um den netten Mann. Ich muss schnell los, in der Mensa wartet ein Freund auf mich."

Zum Nachbarn gewandt sagte Roland:

„Wenn du willst, können wir uns gleich in der Mensa treffen, würde gerne noch mit dir plauschen."

„Na dann bis gleich!", vernahm Roland, als er schon an der Tür stand.

Rainer quittierte gönnerhaft die Kartenweitergabe. Wenige Minuten später stand der Student aus dem Heinzelmännchen-Office am Tisch.

Rainer verabschiedete sich gerade, indem er Rolands anstehende Schritte für dessen Zulassung repetierte. Es blieb gerade noch Zeit, die beiden einander vorzustellen, und dann saß Roland mit seinem neuen Bekannten alleine am Tisch. Der neue Bekannte hieß Raimund und stammte aus Oldenburg in Schleswig-Holstein. Er studierte Volkswirtschaft im dritten Semester. Rolands Offenheit gegenüber anderen Menschen, gepaart mit dem Gespür für charakterliche Wertigkeit, sollte ihm in Raimund einen Freund finden lassen. Sie unterhielten sich, an der Zeit vorbei, bis zum Abend.

Im Immatrikulationsbüro fragte Roland so ziemlich als Erstes nach dem Stipendium. Was er da zu hören bekam, haute ihn fast aus den Socken. Er erfuhr nämlich, dass sein Flüchtlingsstatus ihn nicht davon befreite, Auskunft über die Einkommensverhältnisse seiner Eltern zu geben. Weil seine Eltern in der DDR lebten, er adoptiert sei, sein leiblicher Vater aber in der Bundesrepublik lebte, müsse der gegenüber der Universität seine Einkommensverhältnisse offenlegen. Die Bearbeitungszeit betrüge, wenn alle Unterlagen vorlägen, 4 bis 6 Wochen. Wie Roland es drehte und wendete, ihm wurde klipp und klar gesagt, Ausnahmen gäbe es nicht, und es wären alle Tricks bekannt, mit denen Studenten versuchten, diese Nachweise zu umgehen oder zu manipulieren. Selbst wenn es zutraf, dass der Kontakt zu den Eltern abgebrochen sei, gab es keine Härtefalllösung. Trotz des zu verdauenden Nackenschlags erkundete er im Heinzelmännchen-Office die Lage seiner Einladung für den Theaterbesuch. Das lohnte, er erfuhr den Namen -Angelika- und dass seine Einladung angenommen sei.

Bloß gut, das Roland den Stadtrat Kreutzer kannte, mit dem er wenigstens über das Stipendium-Problem reden konnte. Hätte Roland sich immatrikulieren lassen, wäre ihm ab sofort das Arbeitslosengeld gestrichen worden. Herr Kreuzer fand Rolands Situation auch blöd. Er verstand Roland auch, als der erklärte, auf keinen Fall von Vater Karl alimentiert werden zu wollen. Aus ganz formaler Betrachtung bekam er den Rat, an Vater Karl einen Brief zu zu schreiben. Er möge darum bitten zu bestätigen, dass Vater Karl mit drei Kindern, die sich alle in der Ausbildung befänden, nicht mehr als den Betrag X verdient. Die Höhe des Betrages X hatte Herr Kreuzer ausrechnen lassen.

Diesen Brief schreiben zu sollen war Roland das Schlimmste, was ihm bisher im Westen abverlangt wurde.

Er gab sich wiederholt alle Mühe, um nicht den Verdacht aufkommen zu lassen, er bäte um Unterstützung, und sein plötzliches Auftauchen sei womöglich nur das Vorspiel gewesen. Roland hätte selbst dann keine Unterstützung von Vater Karl angenommen, wenn dieser sich dazu bereit erklärt hätte. Bei aller politischen Divergenz zu seinem Adoptivvater wäre er sich dem gegenüber wie ein Schweinehund vorgekommen. Vom eigenen Zutun abgesehen, das, was seine Persönlichkeit heute ausmachte, war die Leistung seiner Eltern und der erweiterten Familie in Berlin.

Wie er da grübelnd einen Briefentwurf nach dem anderen in Angriff nahm, ließ er auf einmal die Umstände seiner Flucht außer Acht und dachte an seine Eltern. Die hatten ja seit Monaten nichts mehr von ihm gehört. Seine gelungene Flucht dürfte sich ja bis zu ihnen herumgesprochen haben. Neugierig und vielleicht auch etwas besorgt, hätten sie wohl gerne erfahren, wie es ihm geht. In der nächsten Woche würde seine Mutter Geburtstag haben. Vielleicht war es ein Anflug von Melancholie, aber er wusste in diesem Moment, was er tun würde. Er würde ihr durch Kurier 43 lange rote Rosen, für jedes Lebensjahr eine, direkt an die Wohnungstür bringen lassen!

Die Rosen dachte er nach einer Erzählung von Raimund, der als 'Heinzelmännchen' schon auf dem Großmarkt gejobbt hatte, extrem günstiger als im Laden zu bekommen. Die sonstigen Kosten, Eintrittsgeld für Ostberlin, Fahrgeld und Obolus für Raimund wären zwar für seine momentane Finanzlage exorbitant, aber die Symbolik 43 roter, 80 cm langer Rosen an Mutters Wohnungstür schien ihm unübertrefflich.

Raimund und Roland trafen sich fast täglich. Das war unkompliziert, da sie beide im Bezirk Schöneberg wohnten. Raimund hatte als einziger Untermieter ein Zimmer bei einer Kriegswitwe. Er zahlte dort genau soviel Miete wie Roland für seinen Salon. Raimunds Zimmer war klein, verhältnismäßig spartanisch möbliert und lag im Seitenflügel eines Wohnblocks.

Am Vorabend des Geburtstages eröffnete Roland dem Freund, ihn als Heinzelmännchen-Kurier mit einem Rosenstrauß zu seiner Mutter schicken zu wollen.

„Im Prinzip null Problemo!", antworte der.

„Ich werde nicht mit meinem Auto fahren, sondern mit der S-Bahn. Will nämlich nicht, dass meine Autonummer registriert wird. Schriftliches nehme ich auch nicht mit!"

Raimunds Vorbehalte klangen Roland zwar übertrieben, aber das wollte er nicht weiter diskutieren.

„Da holst du mich morgen gegen 9:00 Uhr zu Hause ab, wir fahren zum Großmarkt und von dort zum Bahnhof Zoo. Da kannst du das Auto abstellen und mit der S-Bahn rüberfahren. Wenn du wieder zurück bist, triffst du mich in der TU-Mensa Hardenbergstraße", beschrieb Roland den erwünschten Ablauf.

„Ich denke mal, ab 13:00 Uhr kannst du mit mir rechnen!"

„Mach dir keinen Stress, wir haben eine Zeitreserve von vier Stunden. Dann will ich wieder zuhause sein. Muss mich in Schale werfen für den Theaterbesuch mit Angelika."

„Solltest noch eine Rose extra kaufen."

„Mach keine Witze, soweit ist das ja nun auch noch nicht."

In der Großmarkthalle war der frühmorgendliche Handel lange vorbei. Gelegenheitskäufer hatten streng genommen eigentlich gar keine Berechtigung, hier zu kaufen. Raimund wusste aber, wie das geht. Er zückte seinen Studentenausweis und handelte Herz erweichend einem Türken den ganzen Strauß von 43 Stück, achtzig Zentimeter langer Rosen für 25.- Mark ab. Was der Türke nicht hatte, war Plastikfolie. Er hätte ja schließlich keinen Blumenladen, grinste er stattdessen. Das ganze Gebinde bekam einen mit Packpapier umwickelten Handgriff und ab ging's mit ihm - Richtung Osten.

Raimund schilderte seinen Kurierdienst später so:

„Mit so einem Riesenstrauß roter Rosen in der S-Bahn zu sitzen ist ja schon mal selten. Ich habe den Leuten angesehen, am liebsten hätten sie mich etwas gefragt, aber zwei Stationen vor dem Osten hielten sie sich kommunikativ bedeckt.

Am Kontrollschalter Bahnhof Friedrichstraße wollte der DDR-Grenzer auch gleich wissen, was ich mit diesem Exemplar von Strauß vor hätte. Ich habe da ganz auf dienstlich gemacht.

Ich sei Heinzelmännchen der Studentischen Jobvermittlung an der Freien Universität. Zeigte auch meinen Heinzelmännchen-Ausweis mit dem Hinweis, als Bote unterwegs zu sein."

Der Grenzer betrachtete den Ausweis und reichte ihn an seinen Kollegen weiter.

„Haben Sie zu dem Strauß begleitende schriftliche Dokumente dabei?"

„Nein, nicht eine Zeile!"

"Wie lange gedenken Sie in der Hauptstadt zu bleiben?"

„Ich überbringe die Blumen zur angegeben Adresse in der Nähe des Bahnhof Jannowitzbrücke und bin dann gleich wieder hier."

Ich durfte passieren und lief auf die Seite des S-Bahnhof Friedrichstraße, den die Ostler benutzen. Von dort musste ich drei Stationen bis Jannowitzbrücke fahren. Den riesigen Strauß balancierend - das war Schaulaufen zwischen Hunderten von Menschen. So lange Rosen, die gib's da nämlich nicht - hat mir eine Passantin zugerufen!

Über die Sprechanlage im Haus dirigierte mich eine Frauenstimme in den zweiten Stock. Dann stand ich deiner Mutter gegenüber.

„Guten Tag, gnädige Frau, meinen Glückwunsch zu Ihrem Geburtstag!"

Bevor ich noch etwas sagen konnte, zog mich deine Mutter in die Wohnung und ließ die Tür ins Schloss fallen.

„So, nun noch einmal langsam, junger Mann! Wer schickt mir diese schönen Rosen und wer sind Sie? Ich weiß gar nicht, ob ich eine so große Vase habe."

Deine Frau Mutter schien völlig durcheinander gewesen zu sein.

„Die Rosen schickt Ihnen, mit den besten Grüßen zum Geburtstag, Ihr Sohn Roland. Ich bin nur Bote."

„Sind Sie ein Freund meines Sohnes?"

„Nein, gnädige Frau, ich habe den Botenauftrag bei den Heinzelmännchen an der Uni bekommen."

„Werden Sie meinem Sohn von Ihrem Besuch berichten?"

„Wenn Sie es wünschen, gnädige Frau, werde ich bei den Heinzelmännchen nach Ihrem Sohn fragen und ihm dann erzählen."

„Lassen Sie sich auf eine Tasse Kaffee mit Kuchen einladen?"

Irgendwie hatte ich das Gefühl, das Angebot wäre floskelhaft. Sie kam dann auch, als ich mich höflich zierte, übergangslos in den Abschiedsmodus.

„Besten Dank, junger Mann, alle Gute für Ihr Studium und richten Sie meinem Sohn aus, sein Rosengruß hätte mir große Freude bereitet."

Jahre später erfuhr Roland von seiner Mutter den Schluss der Geschichte vom Geburtstagsblumenstrauß 1966:

„Mir waren 80 Zentimeter lange Rosen schon untergekommen. Ich wusste aber auch, dass seitens der DDR-Führung niemand mir an der Haustür würde so einen Strauß zukommen lassen. Und dann wurde der Strauß von einem Mann in den Händen gehalten, dem ich gleich den BRD-Bürger angesehen habe. Mir ist also schlagartig klar gewesen, dass du mir gratulierst. Das konnte aber unmöglich vor der Wohnungstür weitergehen. Am liebsten hätte ich den jungen Mann umarmt, ihn ins Wohnzimmer gesetzt und mir erzählen lassen. Das war unmöglich! Ich erwartete jeden Moment Besuch von meiner Freundin, die bei den letzten Vorbereitungen für die geplante Geburtstagsfeier behilflich sein wollte. Bei aller Liebe, aber den Besuch aus dem Westen durfte die Freundin nicht sehen. Das Bedeutendste deiner Blumenbotschaft hatte ich ja schon begriffen - du nagst nicht am Hungertuch und bist guter Dinge! Alle engen Freunde, und die hatten wir eingeladen, wussten, dass du in den Westen abgehauen warst. Offiziell hatten wir erklärt, dich nicht mehr als unseren Sohn anzusehen. Mehr als peinlich, wenn herauskommen sollte, es bestünde doch Kontakt zu dir. Der Rosenbote musste also schnellstens wieder hinaus komplimentiert werden. Das war ihm gegenüber hart, aber bei Gesichtswahrung gelungen. Was sollte ich nun, um Himmelswillen, mit dem bombastisch schönen Rosenstrauß machen? Wohin mit ihm? Wo ist er vor Entdeckung in einer Zweieinhalb-Zimmerwohnung sicher? Ich entschied mich für das Schlafzimmer, und dort bekam der Strauß einen schönen Platz vor dem Fenster. Die Gäste kamen, feierten und blieben bei guter Laune lange da. Dann - ein Schrei des Entzückens, den wohl jeder der Feiernden gehört hat. Eine meiner Freundinnen hatte irrtümlich die falsche Tür geöffnet. Dem entgegen strömenden Rosenduft nach suchten ihre Augen die Ursprungsquelle. Von der Imposanz des Straußes sinnbildlich geblendet, entschlüpfte ihr der Schrei. Es gelang mir, vor den Neugierigen an der Schlafzimmertür zu sein, um sie abzudrängen. Die Entdeckerin verstand meine Aufgeregtheit überhaupt nicht und posaunte in alkoholischer Laune der versammelten Festgemeinde zu:

„Margot hat den schönsten Rosenstrauß, den ich je gesehen habe, im

Schlafzimmer vor uns versteckt. Das ist nicht kollegial!"
Damit war die Bombe geplatzt, jeder wollte einen Blick auf den Strauß
werfen. Alle wussten um die Verteilerstellen solcher Rosen:
Staatsrat, Politbüro oder Westen!
Noch Wochen mussten wir Glauben machen, keinen Kontakt zu dir
haben...."

Der erste Theaterbesuch im Westen mit Damenbegleitung war eine
kleine Herausforderung, da er weder Familiennamen noch
Wohnanschrift von Angelika kannte. Er musste ihr die Anreise
überlassen und verabrede sich eine halbe Stunde bevor sich der
Vorhang heben sollte, vor dem Theater. Da stand er überpünktlich und
sah Angelika in der Zeit in einem hellen, kurzen Sommer-Popeline-
Mantel auf sich zukommen. Schöne Beine in hellen Strümpfen,
mittelhohe Stöckelschuhe, dazu die blonde Kurzhaarfrisur toupiert –
eine Silhouette wie aus dem Katalog. Er begrüßte sie mit
angedeutetem Handkuss, blickte auf und sah in ihr ganz dezent
geschminktes Gesicht. Aufgetragenes Rot ließ die Lippen glänzen und
große, freudig leuchtende, himmelblaue Augen schauten ihn an. Er
half ihr aus dem Mantel und frohlockte innerlich, als er sich mit ihm
zur Garderobe begab. Sein Blick war über das 'kleine Schwarze'
geglitten - er hatte den Hauptgewinn gezogen! Dass er an ihrer Seite
eine gute Figur abgeben würde, dessen war er sich sicher.
Aufmerksam übergab er ihr eines von zwei Heften, die er einer
Programmverkäuferin abgenommen hatte.
In der Pause, lustwandelnd, mit einem Getränk in der Hand, trafen sie
Rolands Mentor. Den stellte Roland seiner Begleiterin mit dem Bonus
vor, dass sie heute hier nicht zusammenstünden, wenn Dr. Rainer
Hildebrand nicht so generös die Karten zur Verfügung gestellt hätte.
Sie unterhielten sich über das auf der Bühne Gebotene. Rainer tat
kund, er würde nach der Vorstellung nicht weiter mitkommen, weil er
auch mal schlafen müsse. Da fiel Roland ein Stein vom Herzen, und er
nahm Gelegenheit, ein Zitat aus dem ersten Akt zu verballhornen:
„Du sprichst da Großes gelassen aus!"
Er wollte mit Angelika den Abend alleine ausklingen lassen....
Schlendernd, Angelika hatte sich eingehakt, liefen sie an einem
Restaurant vorüber, welches Roland natürlich nicht kennen konnte.
Der Einblick durch große Straßenfenster ließ eine plüschig-vornehme

Atmosphäre vermuten. Eine solche genossen sie dann auch. Erzählend, rauchend und Wein trinkend fühlten sie ein Pflänzchen ernstgemeinten Kennenlernens zu stecken.

Von Angelika erfuhr er, dass sie gerade Anfang September ihre Arbeit bei den Heinzelmännchen angetreten hätte. Sie sei aus Kiel weggezogen, um von einem schmerzlichen Schicksalsschlag Abstand zu bekommen. Letztes Weihnachten hätte sie sich mit einem Studenten verlobt. Im Juni, mit ihm an der Nordsee im Urlaub, sei der in der Brandung ertrunken. Als sie das erzählte, kamen ihr die Tränen. Roland war geschockt, von solch einem Unglück zu hören. Angelikas Tränen waren nur zu verständlich, aber für Trauerarbeit saß er ja mit ihr nicht da.

„Das ist ja wirklich schlimm, nahezu unfassbar. Mir erklärt sich aber, es liegt an deiner kurzen Heinzelmännchenzeit, dass dich mir kein anderer vor der Nase weggeschnappt hat."

Verständnisvoll erwiderte sie die Anspielung mit wieder trockenen Augen:

„Ich finde es schön, hier mit dir zu sitzen!"

Es war weit nach Mitternacht, als sie nach der Rechnung verlangten. Durchaus nicht üblich - Angelika widersprach, als Roland die Frage der Bedienung: „Getrennt oder zusammen?" kavaliersmäßig mit „Zusammen!" abtun wollte. Sie bestand auf Rechnungsteilung. Als sie noch auf das bestellte Taxi warteten, ergab sich logistisch aus der grob übereinstimmenden Himmelsrichtung ihrer Wohnungen die gemeinsame Fahrt.

Vor dem Haus, in dem Angelika wohnte, hätte von ihr bezahlt werden können. Sie machte keine Anstalten, sondern wartete, bis Roland um den Wagen herumgelaufen war und ihr aus dem Taxi half. Vor der Haustür dankte sie ihm für den schönen Abend, als Roland sich mit einem Wangenkuss verabschiedete:

„Ich freue mich auf unser Treffen am Sonntag", und mit dieser Aussage, drückte sie ihm ein klein gefaltetes Stück Papier in die Hand.

Als Roland es im Taxi auseinanderfaltete, hatte er einen Zehnmarkschein zwischen den Fingern.

'Mit dem werde ich die gesamte Taxifahrt bezahlen, und wenn der Taxameter nicht verrückt spielt und sich der Fahrer nicht verfährt, auch noch Trinkgeld, geben können', freute sich Roland.

Der Sonntag war, so kann man sagen, der Beginn eines regelmäßigen Tagesablaufs ihrer Beziehung. Bis zum Spätnachmittag arbeitete Angelika bei den 'Heinzelmännchen' - Roland pflegte Kontakte und kümmerte sich um Geld. Nach Angelikas Dienstschluss nahmen sie allein oder mit Freunden und Bekannten das Angebot Kino, Kabarett, Theater etc. wahr. Am Schönsten war es, wenn Roland von seinen täglichen Erlebnissen erzählte, denn Angelika war ihm die dankbar passendste Zuhörerin.

Brennende Herzen – Kampfszenen im „Kalten Krieg"

Am 6. Oktober nahm Rainer Hildebrand ihn zum Eröffnungsempfang des Springer-Hochhauses mit. Um welch ein politisch und gesellschaftliches Ereignis es sich dabei handelte, wurde ihm erst klar, als er in die mehrere hundert Gäste zählende Festgemeinde eintauchte. Die bekanntesten Protagonisten von Rang und Namen, Bundespräsident, Bürgermeister, Parteivorsitzende und, und, und waren zugegen. Dr. Hildebrand stellte Roland seinen Kollegen als einen gerade von Ost- nach Westberlin Geflohenen vor. So wurde er unter anderen mit dem Kommentator MATTHIAS WALDEN und dem Chefredakteur der „Bild" BOENISCH bekannt. Besonders Herrn Matthias Walden vorgestellt worden zu sein, beeindruckte Roland. Er kannte dessen Kommentare aus Radio und Zeitung. Das gesprochene und geschriebene Wort dieses Mannes hatte ihn zu seinem Bewunderer werden lassen. Schon ein paar Tage später wurde Roland von M. Walden, der eigentlich OTTO EUGEN WILHELM FREIHERR hieß, zum Gespräch ins Springer-Haus in den Presseclub in der 18. Etage eingeladen. M. Walden und Boenisch, das waren, jeder auf seine Art und Stil, Rammböcke gegen die Kommunisten. Sie brachten auf den Punkt, was die große Mehrheit als gesellschaftlich dekadent und politisch brandgefährlich hielt - messerscharf und brillant in Kürze.
Der patriotische Impetus, mit der A.C. SPRINGER seine Eröffnungsrede abschloss:
"Ich hab mich ergeben mit Herz und Hand - Dir Land voll Lieb und Leben - Mein deutsches Vaterland", war seine Reflexion zu Standort und Entscheidung. Das sprach den Zuhörern aus der Seele, aber

512

Aufmerksamkeit ungeahnten Ausmaßes fand es in Ostberlin!

Schon als A.C. Springers Bauplanung öffentlich war, aber dringendst, nachdem 1961 die Mauer errichtet worden war, sinnierten die Machthaber auf der Ostseite über Maßnahmen gegen die entstehende städtebauliche Dominate, nur drei Meter neben dem Grenzverlauf zu Ostberlin. Inzwischen dominierte nämlich, keine zweihundert Meter vom geplanten Springer-Hochhaus entfernt, das Hochhaus der GSW, Westberlins größter Wohnungsbaugesellschaft. Besondere Beachtung fand dieser Verwaltungsbau aus östlicher Richtung, weil auf seinem Dach seit 1963 eine Laufbandschrift aktuellste Nachrichten aus der Freien Welt in den Ostsektor strahlte. Diese Technikmontage hatte die Lufthoheit bis weit in den Sichtbereich jenseits der Mauer. Da man hinter diesem Nachrichtentransfer A.C. Springer vermutete, was übrigens nicht zutraf, schwante den Führern des Politbüros, A.C. Springer könnte mit seinem Neubau die Lufthoheit ausbauen. Drei Jahre vor Einweihung des Springer-Hochhauses wurden Maßnahmen erdacht, um der vermeintlich ausgekundschafteten Absicht - Errichtung einer Nachrichtenlaufschrift in der Dimension von zirka fünf Meter hohen Leuchtbuchstaben in der Länge eines 30 Meter langen Nachrichtenbandes - entgegenzuwirken. Nach dem allerlei technische Varianten als wenig effizient oder zu teuer verworfen werden mussten, zum Beispiel Scheinwerfer an hohen Stahlmasten oder die Installation einer eigenen Leuchtschrift an einer gewaltigen Gerüstkonstruktion in Höhe der West-Berliner Bauten, sollten Hochhäuser als Sichtblenden fungieren. Die SED-Führung entschloss sich, vor den laufenden Buchstaben der Westnachrichten ein ganzes Stadtviertel mit gemischter Nutzung zu errichten. Die städtebauliche Konzeption gibt, heute noch nachvollziehbar, im Einzelnen Aufschluss über verstellte Sichtachsen aus Richtung ehemals Ostberlin zum Springer-Gebäude.

So gab A.C. Springers Standortentscheidung den Impuls für die schnellere urbane Entwicklung des östlich gelegenen Ödlandes, die etwa zwischen 1972-1977 ihren Abschluss fand.

Gegebenes Wort verpflichtet!

Das Versprechen gegenüber Dirk, ihn in den Westen nachzuholen, ging Roland nie aus dem Kopf. Sein tägliches Leben bot beglückende Vergleiche zur Erlebniswelt im DDR-Sozialismus. Reflexartig dachte er an Dirk. Sehr frisch kam die Erinnerung, wie sie in Ostberlin nach Westkontakt, Dirks Tante oder Onkel Horst, geschmachtet hatten. Natürlich hatte Roland verschiedentlich Wolfgang und Reinhardt auf Dirks Situation angesprochen. Konkret kam dabei nur raus, dass es ohne Aussicht auf Finanzierung keine Fluchthilfe durch sie geben könne. Roland hatte Dr. Hildebrand von seinen Fluchthelferschulden und auch von seinem Freund erzählt. Sowohl in eigener Sache als auch in Dirks Angelegenheit solle er ihm schriftlich die Problemlage zu Papier bringen. Er würde sich dann bei einer Hilfsorganisation in Hamburg für sie beide verwenden. Diese Empfehlung motivierte, um sich schnellstens nach der aktuellen Situation von Dirk zu erkundigen. Tags drauf bat er Raimund um Kurierdienst, als der sich nichtsahnend mit ihm um die Mittagszeit in der Mensa Hardenberstraße traf.

„Du kennst ja die Geschichte um meinen zurückgelassenen Freund Dirk! Würdest du ihm einen Besuch abstatten, um mal zu hören, wie es ihm geht? Ich habe da nämlich einen Tipp bekommen, der weiterhelfen könnte."

„Im Prinzip kein Problem. Wie stellst du dir das vor?"

„Spontan und unangemeldet, am Besten noch heute!"

„Geht's noch, dann fällt jetzt der Kinobesuch ins Wasser!"

„Der Film läuft noch bis Freitag. Morgen würde ich dich einladen. Abgemacht?"

„Du übernimmst das Ost-Eintrittsgeld und anfallende Spesen und morgen bezahlst du die Kinokarte. Richtig?"

„In Ordnung! Du fährst zu seiner Wohnadresse in der Leiblstraße. Da wohnt er bei seiner Mutter, wenn sich nichts geändert hat. Die Straße liegt in der Nähe zum Treptower Park, nächste S-Bahnstation ist „Plänterwald". Von dort fährt zwar ein Bus, aber die eine Station, etwa 8 Minuten, solltest du laufen, weißt dann, ob du alleine bist."

„Was mache ich, wenn Dirk nicht da ist, kann ich der Mutter sagen, ich käme von dir?"

„Auf jeden Fall! Für die gute Frau hast du ein halbes Pfund Bohnenkaffee als Gruß von mir und eine Stange Zigaretten für Dirk dabei."

„Die Sachen kaufe ich im Intershop in der Friedrichstraße, ist dort billiger."

„Ich weiß, aber wehe, du kaufst dort ein. Damit unterstützt du das System mit zusätzlichen Devisen. Das kommt nicht in Frage!"

„Deine paar Piepen sind doch wohl nicht das Problem. So dicke hast du es ja auch nicht."

„Raimund, ein für alle mal, das ist eine Prinzipienfrage für mich, und wenn wir zusammen das DDR-System bekämpfen wollen, kann es an dieser Stelle keine zwei Meinungen geben!"

„Finde das kleinkariert, aber dein Wunsch sei mir Befehl. Was willst du also genau von Dirk wissen? Steht der womöglich als dein Freund noch unter Beobachtung durch die Stasi?"

„Ich denke mal, es ist genug Zeit vergangen und wenn doch, eine 24-Stunden-Überwachung hat er bestimmt nicht. Du solltest mit ihm nicht in der Wohnung sprechen, sondern ihn gleich zu Beginn einladen, mit ihm spazieren gehen zu wollen. Du willst wissen, ob oder was nach meiner Flucht mit ihm passiert ist. Du kannst im Groben erzählen wie es mir geht und sollst verdeutlichen, dass ich unseren Schwur nur erfüllen kann, wenn ich das Finanzielle geregelt bekomme. Dazu benötige ich unbedingt die Telefonnummer von seiner Tante hier in Westberlin! Sage ihm, dass das alles nicht so einfach wäre und Zeit bräuchte. Er soll nur die Gewissheit haben, dass ich mich kümmere! Als Nachweis über den Fortgang vereinbart ihr für den 23. Dezember, den nächsten Treff. Wenn es zu Weihnachten Passierscheine gibt, würde seine Tante mit hoffentlich erfreulichen Neuigkeiten kommen."

„Jetzt ist bloß noch festzumachen, wann ich da heute auftauchen soll."

„Dirk arbeitet als Werkzeugmacher in Normalschicht. So wie ich ihn kenne, kommt der gegen 17 Uhr nach Hause und geht, wenn er um die Häuser zieht, nicht vor 20 Uhr aus dem Haus. 17:30 Uhr solltest du dort aufkreuzen. Für den Fall, ihn nicht anzutreffen, bietest du der Tante einen späteren Besuch an."

„Wie sieht's mit uns aus? Sehen wir uns noch, wenn ich zurück bin?"

„Guter Gedanke, ich warte dann mit Angelika im Kino-Café am Steinplatz, und du kannst dann als Held der Freien Welt vom Einsatz an der Ostfront erzählen. Etwa gegen 21 Uhr könntest du eintrudeln."

„Sehe ich auch so. Jetzt hole ich von zu Hause meinen Pass und fahre dann rüber. Da vertreibe ich mir am Alex die Zeit beim Bücher-stöbern."

Angelika kannte inzwischen die Vorgeschichte und das im Raum stehende Ehrenwort Rolands gegenüber seinem Freund. Jetzt mitanhören zu dürfen, wie Roland sich um Dirks Flucht kümmerte, verstärkte ihre Bereitschaft, nach dem fünf Monate zurückliegenden Unglückstod ihres Verlobten sich Roland gegenüber weiter zu öffnen.

Gutgelaunt, mit lockerer Zunge, berichtete Raimund ihnen von seinem Treffen mit Dirk:

„Lasst mich vorweg-schicken, ich habe bisher bei keinem Menschen so viel Dankbarkeit für einen Besuch gespürt, wie bei deinem Freund Dirk! Dass du weg bist, hat er realisiert, als du nach drei Wochen immer noch nicht wieder da warst. Deine Wohnungstür, stellte er fest, war von der Polizei versiegelt. Ende September haben ihn zwei Leute von der Stasi morgens auf dem Weg zur Arbeit zum Verhör mitgenommen. Man drohte ihm, ihn wegen Vorbereitung einer Straftat in den Knast zu stecken, wenn er irgend etwas verschweigen sollte. Als letzten Kontakt zu dir habe er von deiner überraschenden FDGB-Urlaubsreise nach Binz berichtet. Fluchtgedanken hätte er von dir nicht vernommen, ganz im Gegenteil, nach dem Prozess wegen Passfälschung hättest du Hoffnung gehabt, eventuell nach ein bis zwei Jahren vom Betrieb zum Studium delegiert zu werden. Abends hat man ihn wieder vor seiner Haustür abgesetzt. Er wurde verdonnert, mit niemandem über das Gespräch zu reden. Wenn er irgendeinen Hinweis auf dich erhalten sollte, müsse er dies unverzüglich melden. Dafür haben sie ihm eine Telefonnummer hinterlassen. Genau das hätte bei ihm das Gefühl verstärkt, dir sei nichts passiert. Bei Grenzzwischenfall oder Verhaftung hätten die anders gefragt, meinte er, und nicht die Telefonnummer gegeben. Er hat ganz fest daran geglaubt, dass du irgendwo im Westen angekommen bist und ihn nicht vergisst. Dass du aber nur ein paar Kilometer Luftlinie entfernt lebst und an seiner Flucht bastelst, das wäre eine wundervolle Fügung! Ich kann noch hinzufügen, wir haben im „Zenner" formidabel gespeist und richtig einen gepichelt. Mein Zwangsumtausch in Ostmark musste ja sowieso draufgehen, reichte aber nicht. Dirk hat den Rest übernommen. Übrigens, er hatte im Gespräch mehr als einmal feuchte Augen – so glücklich war der."

„Hast du die Telefonnummer von Dirks Tante?"

„Ach ja, hätte ich beinahe vergessen, hier ist sie", meinte Raimund und fummelte zwischen seiner Hemddoppelmanschette einen Ost-S-Bahn-Fahrschein hervor, auf der er die Nummer notiert hatte.

Dirks Tante war überrascht zu erfahren, dass es Roland in den Westen geschafft hatte. Sie wollte ja schon immer helfen ihren Neffen in den Westen zu holen. Sämtliche Versuche, Kontakt zu Fluchthelfern zu finden, scheiterten an dubiosen Personen, verbunden mit Vorkasse-Forderungen ohne Garantie, dieses Geld bei Misserfolg wiederzubekommen. Rolands Beispiel überzeugte sie, ihre inzwischen aufgegebenen Versuche, wobei die abgesagten Passierschein-Regelungen ihr Übriges beitrugen, erneut zu starten. Bereitwillig gab sie Roland Auskunft über die Größenordnung ihrer Ersparnisse. Ihre gesamten fünftausend Mark würde sie sofort hergeben, wenn Roland es geschafft haben sollte, Dirk rüberzuholen. Darauf gab sie Roland ihr Wort.

Mit diesem Entwicklungsstand begab sich Roland zu seinem Fluchthelfer Reinhardt. Der überraschte ihn damit, dass auch Peter sich kürzlich bei ihm mit zwei Nachzüglern aus der ehemaligen Studiengruppe in Dresden gemeldet hätte. Die Kontakte liefen wieder über den Ingo in Hamburg, der ja auch sie empfohlen hätte. Ohne Ingo säße Roland ja auch nicht hier.

„Mit den beiden, HECHT und LINDNER, die jetzt als Diplomingenieure an Turbinen in Dresden arbeiten, gibt es keine Probleme. Die Finanzierung von Hecht läuft über seine Erbschaft, die hier im Westen verwaltet wird. Für Lindner bürgt sein zukünftiger Boss, das hat Ingo arrangiert. Was deinen Freund Dirk betrifft, kann ich nur vorhersagen, dass kurz nachdem du uns seine Finanzierung meldest, er 'rübergeholt werden wird."

„Na könnt ihr denn nicht, so wie bei Peter und mir, kreditieren?"

„Roland, das war in der Form das erste Mal und wird es auch in Zukunft einzig bleiben. Wir haben einfach nicht die liquiden Mittel, denn die erforderlichen Kosten entstehen cash."

„Verstehe!"

„Mal zurück zu deinem Kurier gestern. Hat sich ja alles rund angehört. Erzähl mal, was du von ihm weißt, was er studiert, wie lange er in Berlin ist, wie er politisch tickt und so. Vielleicht will der was für uns tun."

„Der stammt aus einer sudetendeutschen Vertriebenen-Familie. In der Wolle gefärbter Antikommunist. Macht alles, was besser bezahlt wird als bei Heinzelmännchens."

Die Plauderei ging schon so lange, dass die feuchte Kälte, wie sie in Reinhardts Souterrain-Bleibe herrschte, unangenehm durch die Hosen aufstieg. Reinhardt hatte Roland bereits die Decke gegeben, die er sich selber über Hüften und Knie zu legen pflegte, wenn er am unter Straßenniveau liegenden Fenster am Schreibtisch saß und tippte. Roland, bestens im Armlehnstuhl mit Decke auf den Knien, sah Reinhardt hinterher, als der zu einer tiefer im Raum stehenden Liege ging, um die auf ihr liegende Decke für sich zu holen. Als er die Decke wegzog, kam eine Pistole zum Vorschein. Ohne dem größere Bedeutung beizumessen, schob Reinhardt die Pistole unter das auf der Liege befindliche Kissen und kam zu seinen Stuhl am Tisch zurück..

„Habe ich das richtig gesehen, du hast da eine Pistole?"

„Ja, muss ich leider haben! Die Stasi behauptet, ich wäre einer der Banditen, die den Grenzer Egon SCHULTZ umgelegt hätten!"

„Das war vor zwei Jahren. Ich erinnere mich. Mit dem toten Egon Schultz hatte der Osten seinen Peter FECHTER."

„Genau, mich und ZOBEL haben sie versucht, als Todesschützen hinzustellen. Musst mir glauben, ich habe den Mann nicht erschossen, ich habe keinen Schuss abgegeben!"

„Warst du denn bewaffnet?"

„Was für eine Frage, na klar war ich bewaffnet. Ich bin seit November 1963 dabei und habe wirklich Einiges beim Tunnelbau unter Tage und als Späher auf der Ostseite erlebt. Sogar mit Sprengstoff haben die Grenzer versucht, uns zu verschütten, und glaube mir, hätten die jemanden von uns vor die Flinte bekommen, wäre der abgeknallt worden."

„Na und, hast du auch geschossen?"

„Roland mal vorweg, ich hatte die Waffe nicht dabei, um einen Grenzer zu erlegen. Die Waffe war mir der vergegenständlichte

Glaube an die Chance, im ultimativen Waffengang heil davonzukommen. Keiner von uns konnte wissen, wie er sich im Ernstfall wirklich verhalten wird. Theoretisch definierten wir den Notfall: Auf Personen wird gefeuert, wenn das eigene Leben oder das des Kameraden in Gefahr ist."

„Na und, wie war das mit Schultz?"

„So etwas prägt sich ins Gedächtnis wie eine Filmkonserve. Ich erzähle das nicht gerade im Stolz, dazu hat das Drama ein zu trauriges Ende. Wir waren hintereinander zu viert aus dem Tunnel auf die Ostseite gekrochen. Der Tunnelausstieg war in dem stillgelegten Toilettenhäuschen auf dem Hof in der Strelitzer Straße 55. Der Vordermann war Zobel. Der lauschte aus dem Häuschen in den Hof und nahm dann seinen Beobachtungsposten hinter einem Mauervorsprung auf dem Hof ein. Erst auf sein Zeichen trat ich ins Freie und ging auf die Hoftür zu, die zur Straße führte. In meiner rechten Lederjacketttasche hielt ich die entsicherte Walter PP in der Hand. Meine Aufgabe bestand darin, die Tür zu öffnen, wenn ich von der Straßenseite das verabredete Klopfzeichen und die Parole „Tokio" von dem Flüchtling höre. Dann sollte ich den Flüchtling einweisen. Nach Vergewisserung, dass Zobel den Weg freigab, sollte ich den Flüchtling auf den Hof in Richtung des Häuschens bringen. Dort, im Häuschen, standen HOHLBEIN und NEUMANN, um den herangeführten Flüchtlingen beim Tunneleinstieg zu helfen. Stell dir vor, da steh ich im Hausflur einem Grenzer mit MPi im Anschlag gegenüber! Alles lief blitzschnell ab. Vor Schreck weiche ich vielleicht ein, zwei Schritte zurück, drehe mich blitzschnell in gebückter Haltung in Richtung Hoftür, schreie 'Alarm, Alarm' und stürme auf die nur angelehnte Hoftür zu. Mein Kamerad Zobel sah mich, aus der Hoftür herauspreschend, über den Hof um mein Leben rennen. Der hatte die Situation durch meinen Alarmschrei blitzschnell erfasst. Er gab mir sofort mit der Pistole Feuerschutz in Richtung Hoftür. Die Grenzer wussten im ersten Augenblick nicht, woher geschossen wird. In diesem Bruchteil von Sekunden sprangen Hohlbein und Neumann nacheinander in den Tunneleinstieg. Ich hatte es auch geschafft, und sprang dem unter mir noch nicht ganz verschwundenen Hohlbein mit voller Wucht ins Genick. Die Grenzer stürmten durch die Hoftür. Zobel hatte, mehr ballernd, als schießend auch den Tunneleinstieg erreicht.

Da stürmte der Grenzer Schultz, so, als wolle er zum Tunneleinstieg, über den Hof. Zobels Schuss traf ihn etwa sechs Meter vor Erreichen der Häuschentür. Ein Grenzer feuerte im selben Augenblick eine Garbe in Richtung Tunneleingang, wo im Schussfeld auch der Grenzer Schultz lag. Das hatte ich schon nicht mehr mitbekommen, denn in diesem Moment traf mich Zobels Schuh, dessen Sprung ins Tunnelloch mich fast mein Ohr gekostet hätte."

„Dann hat womöglich Zobel den Grenzer erschossen?"

„Genau das haben wir uns im kleinen Kreis auch gedacht. Das hat uns allen zu schaffen gemacht. 57 Flüchtlinge sind durch diesen Tunnel in den Westen gelangt, so viele wie durch keinen anderen. Diese Leistung ist mit dem Tod eines Menschen bezahlt worden. Das nahm den Glanz aus der Bilanz! Irgendwie sind übereinstimmende Aussagen zur Tatrekonstruktion auf der Ostseite zur Staatsanwaltschaft-Berlin-West gelangt. Diese ließen Zweifel an unserer Schuld am Tod des Grenzers Schultz aufkommen. Jedenfalls als dann auch bekannt wurde, dass das MfS selber im Juni 1965 die vorläufige Einstellung des Ermittlungsverfahrens gegen uns beantragte, nährte besonders die hierfür herangezogene Begründung die Zweifel an unserer Schuld. ......"Da man mit dem Verlangen unserer Auslieferung an die Generalstaatsanwaltschaft in Berlin-West gescheitert sei, bestünden keine weiteren Wege, unserer habhaft zu werden.".... Einfach addiert, da sich die DDR-Staatsanwaltschaft von Anbeginn geweigert hatte, ihrer Anklage die Obduktionsberichte beizulegen - sind wir auch nicht die Todesschützen. Vor fast genau einem Jahr ist dann auch das Ermittlungsverfahren wegen Verdachts des Totschlags gegen uns von der hiesigen Staatsanwaltschaft eingestellt worden. Gottes Wege sind lang, die Wahrheit kommt irgendwann an den Tag."

Nach dieser Schilderung hatte sich Rolands Frage nach der Pistole unter dem Kopfkissen von selbst beantwortet. Die zugemauerten Hausfassaden auf der anderen Straßenseite gehörten bereits zum Osten...

Nach der Wende 1989 konnte man im Obduktionsbericht nachlesen, dass die tödlichen Schüsse auf den Grenzer Schultz aus der Kalschnikow-MPi seines eigenen Kameraden stammten.

Später wird Roland einmal sagen können:

„Mein Fluchthelfer, das war der erste Deutsche Astronaut Reinhard A. FURRER, der am 30. Oktober 1985 an Bord des US-amerikanischen Space-Shuttles-Challenger zur D1-Mission startete." Als Furrer 1995 bei einer Flugshow auf dem Flugplatz-Johannisthal-Berlin in einer historischen Messerschmitt Bf 108 mitflog, stürzte er bei einem Kunstflugmanöver ab. Schön, dass er von den Manipulationsversuchen des MfS erfahren hatte, ihm und seinem Kameraden die Schuld am Tod des Grenzers E. Schultz anzulasten....

Zum Wintersemester hätte Roland gerne das Studium der Politologie am Otto-Suhr-Institut der Freien Universität Berlin aufgenommen. Politologie, weil er die Zusammenhänge der gesellschaftlichen Entwicklung in Deutschland verstehen wollte. Er fühlte sich stark genug, um nicht politisch verbogen zu werden. Er wollte die Geschichte erklärt bekommen. Er wollte wissen, wie das einzelne Individuum sichtbar wird, ob, wann und wie es sich gestaltend einbringen kann. Er war neugierig darauf zu erfahren, wie Deutschlands Zukunft aussehen kann. Er brannte darauf, selber beruflich mit Wort und Tat etwas für die Landsleute im anderen Teil Deutschlands zu tun.

Das Wintersemester hatte vor Wochen begonnen. Roland war kein Student. Immatrikuliert hätte er die Arbeitslosenunterstützung verloren. Ein Stipendium konnte er aber ohne Nachweis der Einkommensverhältnisse seines leiblichen Vaters nicht beantragen. Seine diesbezügliche briefliche Anfrage bei ihm im September war unbeantwortet geblieben. Nach diesem Verleugnen hatte sich weiterer Kontaktwunsch zu Vater Karl seitens Roland erledigt. Den ersten dreiundzwanzig Jahren ohne Kontakt sind weitere fünfzig gefolgt.

Das Arbeitsamt, bei dem sich Roland nach wie vor wöchentlich zur Abholung der „Stütze" von 70,20 DM melden musste, drängte auch auf Klarheit. Wieder half ihm Hermann Kreutzer. Mit dem formalen Verweis, der Adoptivvater wäre der alleinige Verantwortliche für seine Ausbildung und nicht der leibliche, setzte er sich für Roland ein und durch. Der im Osten lebende Adoptivvater hätte sehr wohl ein Studium seines Sohnes finanziell absichern können. Nach dem Lastenausgleich (LAG) sei Roland ein Stipendium zu gewähren. So oder ähnlich zog die Argumentation, jedenfalls, Roland bekam Stipendium. Von den gewährten 290.-DM, dem „Honnefer Modell" angepasst, müsste er später, nach Abschluss des Studiums, mindestens fünfzig Prozent wieder zurückzahlen. Das Arbeitslosengeld wurde ihm einschließlich Monat November gezahlt. Das erste Stipendium kam Anfang Dezember - aber rückwirkend auch für Oktober und November. So ergab sich ein warmer, nicht erwarteter Regen. Finanziell ging es Roland ohnehin zumindest so prächtig, dass er mehr Geld einnahm als er ausgeben musste. Diese erfreuliche Finanzentwicklung drohte ins Wanken zu geraten, als er begriff, dass die dreißig von ihm belegten Vorlesungsstunden in der Woche bei Kalkulation ihrer Nach- und Vorbereitung zu viel des Guten waren. Einiges oder alles wäre zu kurz gekommen. Er kürzte das Uni-Pensum um die Hälfte und erlangte so Zeit für Nebeneinnahmen. Jedem Nichtstipendiaten wäre solch eine nachträgliche Streichung aufs Portemonnaie geschlagen, aber Roland waren sämtliche Gebühren, immerhin 115.-DM, für das Wintersemester erlassen.

Mit der 'Bescheinigung für in Lebensmittelbetrieben tätige Personen' hielt er den Gesundheitspass in den Händen, welchen jeder Student, alle zwei Semester aktualisiert, besitzen musste, um von den „Heinzelmännchen" vermittelt werden zu können. Angelika, an der Quelle, hatte gleich zwei attraktive, weil gut dotierte Jobs für ihn. Da war zum Einen die Inventur eines Lagers für Werkzeuge. Dieser Job war deswegen so begehrt, weil er nach Dienstschluss der Belegschaft bis 22 Uhr erledigt werden musste und zwar hintereinanderweg, über zehn Arbeitstage plus einmal Samstag und Sonntag. Hier konnte Roland fachlich aus dem Vollen schöpfen. Das erkannte der Unternehmer schnell. Am Ende der Lagerbestandsaufnahme durfte sich Roland Werkzeug für den Eigenbedarf zusammenstellen, welches er als Prämie zum niedlichen Symbolpreis erhielt. Dann gab es da noch den Job bei LOTTO. Für das Sonntagvormittag stattfindende Auslesen der Lottogewinnzahlen vom Samstagabend wurden Interessenten auf einer Warteliste geführt, so umworben war diese Tätigkeit. Neben einem vergleichsweise üppigen Pauschallohn für vier Stunden waren die auslesenden Studenten selber Teilnehmer einer Lotterie. Derjenige, der einen mindestens fünfstelligen Treffer fand, bekam einen Blauen extra.

Das zarte Pflänzchen der Sympathie zwischen Angelika und Roland war in den Wochen dem Licht entgegen, bis zur Fruchtreife gewachsen. Die argwöhnische Beobachtung der Vermieterin Gums hatte keinen Anteil daran, dass Angelikas Besuche nicht im stürmischen Rausch der Sinne gipfelten. Nichtsdestoweniger küssten und streichelten sie sich zärtlich bei beiden letzten Zusammentreffen. Roland hatte stets Angelikas traumatische Befindlichkeit respektiert und sie auch nicht ansatzweise durch aufdringliches Werben verletzt. Diese Ratio konnte er sich, auch physisch hinterfragt, leisten.

Als mit der Flucht Wochen von Unsicherheit und Angst hinter ihm lagen, drängte es ihn förmlich zum anderen Geschlecht. Er nahm sich die Freiheit, Liebe, warme weibliche Nähe zu kaufen. Unbeschwert aber wählerisch, ist er drauflosgegangen. Sein Frauenbild, welches Liebe mit Zärtlichkeit und Sex verband, war schnell gerichtet. Küssen war nicht! Er erinnerte sich der Gedanken wie sie ähnlich Hermann Hesse durch den Kopf gegangen sind - 'Liebe kann man weder erbetteln noch erkaufen, sie steckt in einem drin, dazu geeignet verschenkt zu werden, rauben kann man sie nicht.' Dermaßen aufgeklärt sah er keinen Grund, sein Programm zu wechseln.

Der liebe Gott, so könnte man meinen, tat ihm Gutes. Mitten am Tage wurde er von einem Mädchen in der Kantstraße gegenüber dem Theater des Westens, in der Nähe zum Bahnhof Zoo angesprochen. Im ersten Moment dachte er, sie wolle Feuer für die Zigarette haben. Nach „Fräulein des Gewerbes" sah sie nicht ein bisschen aus; schlank, hochhackig 1,65m groß, blonde, mittellange Haare, blaue Augen, geschmackvoll gekleidet und das Gesicht mit der Frische einer noch nicht Zwanzigjährigen. Äußerlich bildete sie Rolands Vorstellungen ab. Er ging, als gelte ihr freundliches Werben speziell seiner Person, darauf ein. Wie ein Pärchen sich an den Händen haltend, liefen sie fünfzig Meter bis zur nächsten Querstraße in die Fasanenstraße, wo sie im Zimmer einer nahegelegenen Pension in die Waagerechte fielen. Locker im Umgang so normal wie Sex in nicht geschäftlichem Verkehr, kam Roland mit ihr auf seine Kosten. Er erkor besagte Moni zu seinem einzigen Lustobjekt und bekam den bevorzugten Status eines Stammkunden. Bomber-Kalle, Typ blonder Riese, war ihr Lude. Der hatte im Kantstraßen-Kiez die schönsten Bienen unter Aufsicht.

Die durften sich ihre Freier nach Sympathie aussuchen, und Bomber-Kalle achtete darauf, dass kein Schmuddel, Hand an seine Schätzchen legte. Bomber-Kalle hatte von Moni erfahren, Roland wäre ein richtiger Kavalier.

Parallel zur emotionalen Bindung zu Angelika bekam Roland Gewissensbisse. Er meldete sich für vorläufig bei Moni ab. Im feinsten Ambiente wollte er Angelika zu seiner Herzensdame machen, zu der sie ihm verbal schon längst geworden war. In einem der zahlreichen Cafés im Europacenter hatten sie sich getroffen, um anschließend ins Kellergeschoss zu den „Stachelschweinen" zu gehen. Dr. Hildebrandt hatte mal wieder für Karten gesorgt. Roland wollte nichts dem Zufall überlassen, und so kam er mit langem Anlauf, so über hundert Ecken, auf den Segen der Zeit - Pille für die Frau - zu sprechen. Sie hielte das auch für einen Segen, vor allem für die Frauen, meinte sie sachlich-sozial.

„Ich habe sie auch genommen, aber nach dem Tod meines Verlobten abgesetzt."

„An deiner Stelle würde ich sie wieder nehmen, man kann ja nie wissen!"

Angelika reagierte kokett.

„Ich schlucke, wenn der Richtige kommt."

Roland stutzte: 'Wusste sie um das Frivole ihrer Replik?'

So, aller Zurückhaltung entbunden, sprach er den Gedanken aus, der ihn bewegte, als er sich bei Moni dispensierte:

„Was hieltest du davon, wenn ich vorschlagen würde, es dir mit mir in einem schönen Hotel auf dem Kurfürstendamm über das Wochenende gutgehen zu lassen?"

„Dann tu's doch! Muss ja nicht gleich das Kempi sein. Eines vorweg, Kosten Halbe-Halbe!"

Das Hotel, welches Roland ausgesucht hatte, war ein Jugendstil-Klotz an der Kreuzung Ku'damm/Leibnitzstraße, der auf große Zimmer im Stil der Zeit hoffen ließ. Als Roland die Reservierung vornahm, ließ er sich das Zimmer zeigen. Seine Wahl sollte über jeden Zweifel, Angelikas Geschmack nicht zu treffen, erhaben sein. Mit kleinem Gepäck trafen sie des Nachmittags ein. Dem Hotel waren Gäste wie sie es waren, deswegen herzlich willkommen, weil in ihnen die Stammgäste von morgen gesehen wurden. Solchen gleichgesetzt, bediente sie das Personal zuvorkommend. Abends wollten sie noch ins Kino gehen. Dazu kam es aber nicht. Sie waren auf sich selber neugierig, schlürften aus Sektschalen und ließen im Zimmer servieren. Roland hatte spitzbübisch in der Reisetasche zusätzlich eine „Außerhaus-Flasche". So weit entfernt die Realisierung ihrer Vision von gemeinsamer Zukunft gelegen haben mochte, sie waren im Glück einig, es miteinander anzugehen. Ihr Blick in die Zukunft hatte als Dach die Ehe. Eigentlich schwebte Roland vor, nur eine Frau zu ehelichen, die er als Jungfrau kennengelernt hatte. Bei Angelika war das ja nun nicht der Fall. Da gab es ja aber nur den zu Tode gekommenen Verlobten vor ihm, dem sie sich hingegeben hatte. Irgendwie passte das für ihn zusammen. Seine Sehnsucht, familiär anzukommen, überwog gegenüber weiterer Suche.

Mit diesem festen Gefühl war es für ihn überhaupt nicht mehr vorstellbar, und akzeptabel schon gar nicht, sich von „Biene", dem Kläffer-Spitz der Wirtin Gums, anzeigen zu lassen, um von der dann gemaßregelt zu werden. Es kam, wie es kommen musste. Angelika war mal über Nacht bei ihm geblieben. Morgens, noch bevor Roland und Angelika überhaupt aufstehen mussten, um Arbeit oder Uni zu erreichen, hatte sich Spitz „Biene" vor der Zimmertür aufgebaut und gebellt, als wären Einbrecher von ihm gestellt worden. Das anhaltende Gebell dieses Köters war so aufreizend schrill, dass nach geraumer Zeit die Wirtin sich bemüßigt sah, aufzustehen und „Biene" wegzutragen. Vor Rolands Zimmer stehend, klopfte sie dann an die Tür. Triumphierend, als hätte sie ein Verbrechen aufgeklärt, ließ sie hören:
„Ich weiß, dass Sie nicht alleine sind. Sie wissen, das ist verboten!"
Wie scheue Rehe sprangen Roland und Angelika über den Flur auf die Toilette zum Waschen und zurück ins Zimmer, immer unter erneutem Anschlagen von „Biene", diesem Bilderbuch-Rassespitz. Irgendwie hatte die Wirtin den Abgang von Roland und Angelika aus der Wohnung verpasst, oder sie war noch nicht a'jour, jedenfalls sind sie beide der zu erwartenden Meckerei entwischt. Abends, als Roland nach Hause kam, konnte er der Wirtin Gums nicht ausweichen. Die saß mit „Biene" lauernd bei offener Zimmertür. Das Duett von Köter und Frauchen, er bellend, sie inquisitorisch, drosch auf Roland ein.

„Biene" jaulte zwar bellend auf, aber sein Frauchen muckte nicht, als Roland wie auf dem Kasernenhof schrie:

„Ruhe! Jetzt rede ich!"

Und sprach dann ruhig, fast leise:

„Was nehmen Sie sich mir gegenüber 'raus?! Sie scheinen doch nicht ganz bei Trost zu sein, mich wie einen unmündigen Bengel zu maßregeln! Sie sind eine verbitterte Witwe ohne Sinn und Verstand. Die Dame kennen Sie seit Wochen, für Sie respektvoll Fräulein Angelika, verstanden!? Es handelt sich um meine zukünftige Verlobte!"

Der Ton schlug bei Wirtin Gums an:

„Das habe ich ja nicht gewusst, aber auf Dauer kann ich das bei mir nicht dulden. Sie müssen sich dann nach etwas Anderem umsehen."

„Gute Frau, das machen wir. Da brauchen Sie gar nicht zu drängeln. Lassen Sie sich bitte etwas einfallen, wie Sie das „Biene" beibringen."

Der Ärger über seine Wirtin Gums rumorte noch in ihm , als er die Post vom Tage durchsah. Da war ein Brief dabei, der schon eine Odyssee von zwei Wochen hinter sich hatte, weil er an die Lager-Adresse in Marienfelde gesandt worden war. Es war ein Brief aus Bonn, vom Parteivorstand der SPD, mit der Originalunterschrift von Herbert WEHNER, der damals auch der Minister für Gesamtdeutsche Fragen in der Bundesregierung war. Auf einer DIN A4-Seite wurde gebeten, Auskunft darüber zu geben, wie Roland sich bisher im Bundesrepublikanischen Leben zurechtfände. Es wurde auch angeboten, offene Fragen oder Probleme zu benennen, um gegebenenfalls weitergeholfen zu bekommen. Ein Schreiben, wie es an bundesdeutsche Neubürger geschickt wurde, nachdem diese nach Verfolgung und Qual aus der kommunistischen Hemisphäre heraus waren und einige Monate Zeit hatten, sich in der Bundesrepublik einzuleben. Dazu zählte eben auch Roland. Das der Brief vom Minister unterschrieben wurde, sprach Roland ganz persönlich an und kam ihm zu pass. Er sprach auf seine Stenorette einen Text, den er x-fach abhörte und änderte. Am nächsten Tag übergab er Stenorette mit Kassette Angelika mit der Bitte, das Ganze als Brief abzutippen. Als sie das gemacht hatte, hatte sie Lob verdient, denn zwei eng beschriebene Seiten waren mit Durchschlägen zu Papier gebracht. Was aber zur Sprache kam, sie hätte nicht gedacht, dass solch ein persönlicher Text an einen Minister der Bundesregierung eine gute Idee sei:

„Meinst du denn wirklich, dass dieser Brief je den Herrn Minister erreicht?"

„Lass mich mit Rilke antworten: Dass etwas schwer ist – ein Grund es zu tun! Ich habe so einen Brief auch noch nicht geschrieben, aber schaden kann's auch nicht."

„Besonders, entschuldige, leicht irre finde ich, dass du die Situation mit deiner Wirtin Gums erwähnt hast. Hat ja bloß noch gefehlt, dass du meinen Namen genannt hättest. Als wenn ein Minister in Bonn dir hier in Berlin eine Wohnung besorgen könnte."

„Was woll'n wir noch diskutieren, der Brief geht ab, und gut ist's. Aber du redest immer von einer Wohnung für mich. Wir(!) suchen doch eine Wohnung!"

„Na klar doch, aber die Erlaubnis meiner Eltern muss ich schon noch einholen."

„Was musst du? Menschenskind, du bist so alt wie ich!"

„Versteh das bitte nicht falsch. Meine Eltern wollen schließlich wissen, mit was für einem Menschen ich zusammenziehen will. Eigentlich alles reine Formsache, aber dafür ist ja ein gemeinsames Weihnachtsfest da, oder? Du bist nämlich herzlich eingeladen!"

„Ist ja bestimmt interessant zu erfahren, aus was für einem Stall du kommst. Wie groß wird denn der Auflauf sein?"

„Wie du weißt, habe ich noch einen vier Jahre älteren Bruder und eine zwei Jahre ältere Schwester. Der Bruder ist unverheiratet und kommt an Heilig Abend mit zur Kirche, und die Schwester bringt ihren Mann mit. Beide fahren später wieder zurück nach Itzehoe. Du wirst ein eigenes Zimmer kriegen."

„Na, was soll das denn? Das ist ja wie bei Wirtin Gums!"

„Ist alles nicht so heiß, wie's gekocht wird, nur pro forma - Vater hält auf Etikette."

„Wie soll die Reise vonstatten gehen?"

„Wir fliegen nach Hamburg. Als Neu-Westberlinerin habe ich zwei Freiflüge Hin/Rück-Hamburg. Einen habe ich schon abgeflogen und den letzten nehme ich für Weihnachten. In Hamburg holt uns mein Bruder mit dem Auto ab."

„Ich muss jetzt erst mal meinen Verwandten verklickern, dass ich Weihnachten mit dir unterwegs sein werde. Die wissen ja noch gar nicht, dass es dich gibt. Das wird Verwunderung auslösen, da könnte es nach über zehn Jahren mal eine Weihnachtsfeier mit mir geben und da mache ich mich mit einer Freundin davon! Das Beste wird sein, wenn ich dich zumindest meinen Britzern und Neuköllnern vorher noch vorstelle. Das könnten wir alles an einem Nachmittag erledigen. Mach'ste mit?"

„Na klar doch, bin ja auch gespannt!"

Was die Berliner bereits im November über gescheiterte Passierscheinverhandlungen gemunkelt hatten, war seit Anfang Dezember offiziell. Der Pressedienst des Landes Berlin informierte, dass die Berliner kaum noch mit Verwandtenbesuchen zum Weihnachtsfest rechnen könnten. Die DDR-Unterhändler verlangten vom Berliner Senat, über die Bundesdeutsche Regierung hinweg, nicht nur die Anerkennung der DDR, sondern auch noch sein klares Bekenntnis, die Fluchthelferaktionen als verbrecherische und kriminelle Aktivitäten zu verurteilen. Der Osten hatte den sehnsüchtigen Wunsch der Menschen, zueinander zu kommen, als Erpressungspfand eingepreist und sich dabei verkalkuliert!

Roland wollte wenigstens via Kurier Raimund das Weihnachtsfest für seinen Freund Dirk so gestalten, dass der zuversichtlich in das kommende Jahr würde schauen können. Über die Organisation „Kampfgruppe gegen Unmenschlichkeit" erhielt er für Dirk und Mutter Paketinhalte im Wert von jeweils 50.-DM, Kaffee, Zigaretten, Schokolade und dergleichen. Den Inhalt wollte er von Raimund befördern lassen. Von dem kamen nicht, wie von Roland erahnt, Ausflüchte, kurzfristig und mit Auto vor den Feiertagen noch zweimal in den Osten fahren zu sollen:

„Ich muss sowieso noch ein paarmal rüber, denn Furrer hat noch Kuriergänge für mich."

„Vermute mal, bei den Heinzelmännchen vermissen sie dich, oder?"

„Sieht im Moment so aus, schau'n wir mal!"

„Bei Dirk kannst du ausrichten, dass mit der Tante alles besprochen sei. Momentan fehlt noch etwa die Hälfte der Gesamtsumme von etwa 10.000.-DM. Im Februar, spätestens im März wüsste ich mehr. Er soll sich absolut unauffällig verhalten und politisch nicht provozieren lassen! Und noch was! Weil du ja mit dem Auto unterwegs sein wirst, bitte ich darum, meinen Weihnachtsbrief an die Eltern in ihren Hausbriefkasten zu werfen."

„Mein Eintrittsgeld für den Osten zahlt Furrer, gib mir zwei Heiermänner (2x5 DM) und alles ist gut!"

Als sie noch zusammen die Hardenbergstraße in Richtung Zoo liefen, waren sie auf einmal mitten unter "Demonstranten", die sich vor dem Amerika-Haus zusammenrotteten.

„Diese Mischpoke! Begreifen nicht, dass die Amis auch ihre Freiheit schützen!", meinte Raimund.

„Kann'ste drauf wetten, Berliner sind das nicht!"

Am dritten Advent waren sie für nach ihrem Mittagsschläfchen bei der Urgroßmutter (94) und Onkel Roberts Familie angemeldet. Herzlich aber recht kurz, mit Blumengebinde für jeden, stellte Roland stolz Angelika als seine große Liebe vor. Mit Hinweis darauf, man sähe sich in Zukunft wohl öfter, brachen sie nach Apfeltorte und Tasse Kaffee auf. Danach, bei Opa Rudolf und Oma-Else, über die Angelika durch Roland erfahren hatte, welche Rolle die beiden in seinem Leben bisher gespielt hatten, ließ sie diese lieben Menschen spüren, dass sie das wusste.

Na und dann kam Opa Rudolf mit seinem Weihnachtsgeschenk für Roland!

„Du wirst sicherlich nicht vergessen haben, dass ich dir, gleich als wir dich alle hier begrüßt haben, 1.000.-DM versprochen habe. Die sollten aus deiner Lebensversicherung stammen, die mir mal ein Vertreter verkauft hat, als wir noch unseren Laden hatten. Ist nun auch schon mehr als zehn Jahre her. Der Auszahlungsbetrag ist mehr geworden, es sind 1.200.-DM geworden. Nimm, das ist Omis und mein Beitrag zu deiner Flucht."

Roland wollte aufstehen, um Omi Else und Opa Rudolf zu umarmen.

„Bleib sitzen, jeht noch weiter. Else, reich mal die Schachtel rüber!"

Dann machte er die Schachtel auf und hielt ein an der Kette hängendes Kreuz mit Jesusfigur hoch.

„Das habe ich seit 1945 zu liegen. Hat'n traurijen Hintergrund."

Er erzählte von dem Moment im Bunker an der Hermannstraße, als er das Kreuz von dem verwundeten Wlassow-Mann bekam, dem er seine Pistole überlassen hatte.

„Is och noch'n paar Hunderter wert, kann'ste verkoofen, dem Wlassow-Mann, Gott hab in selig, wird's recht sein!"

In der Bahn auf dem Nachhauseweg setzte Angelika immer wieder von Neuem an, wie nett sie Rolands Verwandte und wie besonders lieb sie Rolands Großeltern fand.

„Ich bin mir auch sicher, so wie die beiden sich mit dir unterhalten haben, dass du ihre Herzen gewonnen hast."

In Rolands Salon bei der Wirtin Gums gab „Biene" wieder Alarm, wurde aber von ihrem Frauchen schnell ruhig gestellt.

Bei Freund Peter hatte sich auch alles zum Besten entwickelt. Der hatte aushilfsweise eine Tätigkeit an der Technischen Universität (TU) angenommen mit dem Ziel, dort als Assistent angestellt zu werden. Seine Wohnverhältnisse waren zwar nicht so stilvoll wie Rolands, aber dafür so richtig mitten im studentischen Leben. Er wohnte in einer Wohngemeinschaft, die sich aus Jux und bewusst abgrenzend gegenüber dem Begriff „Kommune" „Wohngemeinschaft aktiver männlicher Studenten" (WamS) nannte. „WamS" war umgangssprachlich in aller Munde als „Welt am Sonntag", sowie es „BamS" für „Bild am Sonntag" gewesen ist. Dieses Domizil befand sich in einem zweigeschossigen ehemaligem Sozialgebäude in der Heidestraße. Es stand dort in einer Industriebrache auf einem Gelände, welches der Deutschen Reichsbahn gehörte und an einen Westberliner Spediteur verpachtet war. Der Hausbesitzer war zufrieden, das komplette Gebäude zu Wohnzwecken vermietet bekommen zu haben, denn die sanitäre Ausstattung war mit vielen Wasch-und Toilettenräumen verbaut, die keiner Wohnnutzung zugeführt werden konnten. Vorteilhaft war die am Grundstück vorbeiführende Straße zur City, auf der die BVG-Buslinie in 80 Metern Entfernung eine Haltestelle hatte.

Roland war so oft zu Besuch, dass er die Mitbewohner von Peter mit Namen kannte. HEIDROWSKI, FRENZEL, KRAUSE, WITTMACK NIESTRAD, ZIEMEK ...

Die, die aus Schleswig Holstein stammten, kannten sich schon aus der Schule. Außer Krause, der an der TU Architektur studierte, waren sie

Studenten der Zahnmedizin an der FU-Berlin. In dieser Gemeinschaft fühlte sich Roland wohl, weil er Dinge aufnahm, die sich interessanterweise über seinen sozialistisch beeinflussten Horizont erhoben. Bevor Peter in die Wohngemeinschaft einzog, hatte Roland Krause kennengelernt. Der war in einer CDU-Jugendgruppe aktiv, die von einem Pfarrer geleitet wurde. Das war Pfarrer NEHRING, der, selber DDR-Flüchtling, erfolgreich im Tunnelsystem der Berliner Stadtentwässerung Aktionen durchgeführt hatte. Krause und Roland, das waren zwei, die sich immer wieder Aktionen haben einfallen lassen, den Linken an der Fakultät und auf der Straße Paroli zu bieten.

Roland klopfte sich gedanklich selber auf die Schulter, als er die Personen auf Vollzähligkeit durchging, denen er hat Grüße zum Fest zukommen lassen. Den Brief zu formulieren, den Roland durch Raimund zu seinen Eltern hat überbringen lassen, war kein leichtes Unterfangen. Umgedreht herrschte, von der geschilderten Freude seiner Mutter, die Raimund mit dem Blumenstrauß erlebte abgesehen, Funkstille. Die wollte Roland nicht akzeptieren, auch deshalb der Brief. Blut ist schließlich dicker als Wasser! Eine ganze Seite, maschinengeschrieben, jede politische Polemik vermeidend, betonte er diesen Aspekt seiner Initiative. Bliebe er ohne Antwort, er würde es Jahr für Jahr erneut versuchen, die politische Verstocktheit seiner Eltern zu lösen. Mit sich im Reinen, war er eingestimmt, die Festtage mit Angelika im Kreise ihrer Familie zu verbringen.

Mit der zweiten BEA-Maschine hoben sie morgens um zehn ab, und wurden nach einer knappen Stunde in der Luft von Angelikas Bruder am Hamburger Flughafen in einem Ford Taunus abgeholt. Bevor sie zum Wagen gingen, entschuldigte sich Roland und eilte in der Halle zum Blumenstand.
„So, jetzt kann es losgehen!", meinte er zufrieden und wedelte mit dem Blumenstrauß. Auf der Fahrt nach Kiel lernte Roland sprichwörtlich einen bodenständigen Kerl kennen, der als Bautechniker sein gutes Einkommen verdiente.

Unter dem Vordach, vom Schneegeriesel geschützt, stand unverkennbar die Hausherrin an der geöffneten Haustür, als der Wagen vor der Garage hielt. Diese stand freistehend, mit einem kleinen Giebeldach versehen, neben einem typischen Siedlungshaus der späten dreißiger Jahre.

"Sie sind also der Roland", begrüßte sie ihn, „ich bin Angelikas Mutter. Frohe Weihnachten und Gottes Segen. Kommt rein!"

Von der Diele gab der Blick ein Doppelzimmer frei, von dem der vordere Teil das Esszimmer war. Es war eindeutig für den Mittagstisch eingedeckt. Hinter der aufgeschobenen Schiebetür verdeckte eine Nordtanne das Ambiente des Wohnzimmers. Von dort kam Angelikas Vater, der von der Tochter mit Küsschen gedrückt wurde. Dann stellte sie Roland dem Vater vor.

Der Vater - straffe Figur, etwas kleiner als Roland, mit norddeutschem rosigem Gesicht, himmelblauen Augen und welligen blonden, gescheitelten Haaren - gab Roland mit gesundem Druck die Hand.

„Roland, seien Sie in meinem Haus willkommen. Lassen Sie uns Weihnachten erleben, wie wir es lieben!"

Er bat den Sohn, ihm beim Anbringen der Kerzen am Weihnachtsbaums die Leiter zu halten und forderte die Frauen auf, Roland sein Zimmer zu zeigen.

Als Angelikas Mutter und Tochter in der oberen Etage Roland die Zimmerzuordnung erklärten, bekam er von der Mutter den vertraulich-lieben Hinweis:

„Roland, nicht traurig sein, Ihr Zimmer liegt neben Angelikas."

Eingedenk der Struktur, dass zwischen den ehemaligen Jungendzimmern von Töchtern und Sohn eine komplette Nasszelle lag und sich auf der anderen Flurseite, um eine weitere Nasszelle separiert, die Elternschlafzimmer befanden, erinnerte nichts an Wirtin Gums - einen Schäferhund gab's zwar, aber der war kein Spitz!

Bevor zum Klassiker an Heiligabend, Würstchen mit Kartoffelsalat, aufgefordert wurde, hatte Roland noch am Lametta-Schmuck der Tanne mitgewirkt. Hierbei kam es darauf an, die Lametta-Streifen so exakt aufzulegen, wie der Hausherr es vorgab. Bis zum gemeinsamen Kirchgang war genug Zeit, sich einander vorzustellen.

Angelikas Vater, Sohn eines ostpreußischen Pfarrers, war bis Kriegsende Berufssoldat. Als Schnellbootkommandant hatte er Anteil am Schutz der Landsleute, die über die Ostsee vor der Roten Armee flüchteten. Beim Waffenstillstand ließ er die Mannschaft ausschiffen und versenkte sein Boot mitten im Kieler Hafen. Nach dem Krieg berufs- und arbeitslos, heuerte er auf einem Walfisch-Fangboot an und war oft monatelang auf See. So schaffte er es, Frau mit Sohn und zwei Töchtern zu versorgen. Jahre später übernahm er von einem kriegsversehrten Kameraden dessen Werbeagentur, die sich erfreulich behaupten konnte. Es war kaum zu glauben, dass dieser Mann jahrelang mit rauen, grobschlächtigen Walfängern geschippert war. Sprachwahl und Auftreten bildeten die preußischen Tugenden seiner Persönlichkeit ab.

Die Familie war komplett, als sich noch Schwester Heidi mit ihrem erst kürzlich angetrauten Mann Helmut eingefunden hatte. Der hatte als frischer Fachschulingenieur bei Telefunken Anstellung. Schwester Heidi war genauso schön, wenn nicht sogar durch ihre Oberweite einen Ticken attraktiver als Angelika.

In der Kirche war Rolands Stimme laut und deutlich zu vernehmen, denn für die ausgewählten Texte hingen im Kirchenschiff auf einer Tafel die Seitenzahlen in Holzbuchstaben. Auf jedem Sitz lag ein Gesangbuch.

Harmonische, gehaltvolle drei Tage lagen hinter ihnen, als es sich Angelikas Vater nicht nehmen ließ, sie im Mercedes nach Hamburg zum Flughafen zu chauffieren.

„Du passt in unsere Familie, mei Jung! Viel Glück bei der Wohnungssuche", duzte er Roland zum Abschied.

Wieder in Berlin in der WamS um die Lage zu peilen, welche Pläne für Silvester anlägen, wartete eine Überraschung auf sie. Den beiden Freunden von Peter, Hecht und Lindner, war die Flucht gelungen. Sie saßen jetzt im Notaufnahmelager in Marienfelde. Direkt an Heilig Abend waren sie 'rübergeholt worden! Peter hatte sich in den Tagen nach Weihnachten um sie gekümmert, denn in der WamS waren alle über die Feiertage zu ihren Familien im Bundesgebiet unterwegs gewesen. Von Tag zu Tag trudelten sie nun wieder ein.

Mit dem Geld von Opa Rudolf, dem Erlös aus dem Verkauf des Kreuzes und selber zurückgelegtem Lohn löste Roland bei Freund Furrer einen weiteren Batzen der Fluchthelferschulden ab. Alles in Allem war bis einschließlich Juli bezahlt – ein ganzes weiteres Semester!

Dr. Hildebrandt hatte Nachricht aus Hamburg erhalten, Roland solle in der zweiten Februarwoche dort vorsprechen.

Triumphierend hielt Roland Angelika das Antwortschreiben von Minister Wehner unter die Nase. Er möge sich bei der Berliner Wohnungsbaugesellschaft GESOBAU in der Müllerstraße melden. GESOBAU, das war die größte Baugesellschaft im Norden Westberlins. Roland rief dort an, erklärte, worauf er seinen Besuchswunsch stützte und saß am selben Nachmittag einer Dame aus der Geschäftsleitung gegenüber. Die zeigte sich informiert, wollte aber von Roland selbst hören, wie er in die Situation gekommen war, aus der er den Minister Wehner angeschrieben hatte. Roland holte weit aus und nahm wahr, wie sein Gegenüber Anteil nahm.

„Ich werde mir alle Mühe geben, Ihnen zu helfen! Das müssen Sie mir glauben! Zur Zeit haben wir mehrere tausend Anträge und hunderte Dringlichkeitsfälle auf der Warteliste. In Berlin herrscht Wohnungsnot!"

„Kann ich mir vorstellen, weiß ich doch."

„Ich habe den gesamten Bestand möglicher Vakanzen durchgesehen. Für März habe ich die Kündigung einer 2-Zimmer-Neubauwohnung, weil die Leute aus Berlin wegziehen werden! Das wäre ideal, aber das kommt für Sie nicht in Frage, denn da müssten Sie verheiratet sein."

„Ich werd verrückt, das ist doch zeitlich machbar! Die Frau ist ja vorhanden! Reicht die Zeit für die Behörde?"

„Ausweise und Geburtsurkunden reichen für's Standesamt. Das geht innerhalb einer Woche. Die Bestellung des Aufgebots von Standesamt und Kirche müssten mir aber mindestens vorgelegt werden."

„Behördlich schaffen wir das, ist ja doch ein Notfall!"

„Ich habe 1945 in Berlin eine schelle Ferntrauung bekommen! Mein Verlobter kam von der Front nicht weg. Wir wussten nicht, was werden wird. An seiner Stelle hatte ich einen Stahlhelm neben mir auf dem Stuhl. Ein paar Wochen später war ich Witwe, mein Mann ist bei der Verteidigung von Breslau gefallen. Meine ersten Männer waren Russen, wenn Sie verstehen, was ich meine."

„Meiner Frau Mutter ist es ähnlich ergangen!"

„Also versprochen, ich tue für Sie, was ich kann!"

Als er sich verabschiedete bemerkte er, dass sie die letzten auf der GESOBAU-Etage waren - schon lange war Dienstschluß.

Mit Angelika war er im Café gegenüber dem Rathaus Schöneberg verabredet, weil es nur fünf Minuten fußläufig von Rolands-Salon-

Gums entfernt lag. Er ging ins Café, bat Angelika, ihren Kaffee zu bezahlen und bestellte ein Taxi. Sie fragte, warum Taxi, und eingestiegen, wollte sie nicht zuerst wissen wohin sie fuhren, sondern wie es bei der GESOBAU gelaufen sei.

„Gedulde dich, wir fahren jetzt zu unserem Hotel am Kurfürstendamm, ich habe da etwas zu erledigen."

Der Chef de Plaisier erkannte sie wieder und führte, wie von Roland gewollt, zu einem separiert stehenden Zweiertisch.

Während Angelika noch zur Toilette abbog, bestellte Roland eine Flasche Fürst Metternich und eine lange rote Rose.

„Auf die Rose müssen der Herr sich einen Moment gedulden."

„Macht nichts, wenn sie da ist, ist sie da!"

Vom Sektkühler neben dem Tisch beeindruckt, zögerte Angelika verwundert einen Moment, bevor sie auf dem von Roland bereitgehaltenen Stuhl Platz nahm.

„Sitzt du gut, dann fällst du jetzt nicht gleich vom Stuhl", platzte Roland mit der Neuigkeit 'raus:

„Wir bekommen im März eine 2-Zimmer-Neubauwohnung!"

Er beugte sich vor und ließ die Gläser klingen. Ohne weiteres Brimborium überraschte Roland weiter, indem er einfach die logistisch notwendige Eile betonte, mit der sie ihre Geburtsurkunde zu besorgen hätte.

„Habe ich ja noch nie gehört, für eine Wohnung brauche ich doch keine Geburtsurkunde!"

„Nee, aber indirekt schon, denn wir müssen verheiratet sein!"

„Du hast ja wohl überhaupt keine Ahnung, was heiraten heißt! Zuerst einmal musst du mir mal einen Antrag machen. Den werde ich annehmen oder nicht. Wenn ich das dann getan haben sollte, müsstest du bei meinem Vater um meine Hand anhalten."

„Na gut, bin ohne Ahnung, hab das ja noch nicht gemacht. Das mit dem Hand-anhalten bei deinem Vater mache ich nach deiner erlangten Zustimmung gleich telefonisch."

„Solltest du das telefonisch machen, fällt Paps tot um! Vater kommt aus einem Pfarrhaus. Der muss wissen, bist du getauft, bist konfirmiert, welcher Pfarrer wird die Trauung vornehmen und was weiß ich noch alles. Dass da Eines zum Anderen kommt, habe ich vor kurzem bei meiner Schwester gesehen."

Inzwischen hatte der Empfangschef diskret die Rose in einer schlanken Glasvase auf einem Beistelltischchen neben ihnen platziert.
„Also fangen wir vorne an!"
Roland nahm die Blume aus der Vase und kniete vor Angelikas Sitz nieder:
„Ich frage dich jetzt wirklich allen Ernstes, meine liebe Angelika, willst du mich heiraten? Ring folgt nach!"
„Roland, ohne Blödelei, ich liebe dich wirklich und freue mich riesig!"
„Geht doch, dann können wir uns ab jetzt als verlobt betrachten!"
Sie umarmten und küssten sich, ließen die Gläser klingen und umarmten und küssten sich nochmal.
Roland bat einen Pagen um Papier, Kugelschreiber hatte er zur Hand, und Angelika nach der Telefonnummer ihres alten Herrn:
„Ferngespräch, legen Sie es bitte in die Telefonkabine!"
„Komm'ste mit?", fragte er fordernd, im Ton der vorweggenommenen Antwort. Sie quetschten sich zusammen in die Telefonkabine. Roland den Hörer, Angelika die Mithörmuschel am Ohr, hörten sie es läuten.
Des Vaters Stimme, knapp der Familienname bei Abnahme!
„Guten Abend, Günter, hier Roland aus Berlin. Habe eben deiner Tochter meinen Antrag gemacht – sie hat ihn angenommen. Bevor ich dich frage, ob du das befürwortest, geb' ich sie dir mal, steht neben mir."
„Moment noch, was will'ste mir da sagen? Müsst ihr heiraten?"
„Nee, das nicht, Gut Ding will Weile haben. Müssen wollen wir aber schon!"
„Wat'n Quatsch, gib mir Angelika!", klang es launig-irritiert.
„Roland ist süß verrückt! Er hat eine 2-Zimmer-Neubauwohnung in Aussicht. Im März könnten wir einziehen, aber nur mit Trauschein!"
„Geheiratet wird bei uns nur staatlich und kirchlich!"
Da guckte Angelika fragend zu Roland. Der nickte wie auf Kommando.
„Ja, Paps, selbstverständlich kirchlich! Roland meint, das wäre ja sonst keine richtige Hochzeit", dabei lachte sie Roland an.
„Wo soll denn geheiratet werden, in Berlin oder hier in Kiel?"
Wieder schaute Angelika fragend zu Roland. Der zeigte auf den Boden.
„Hier in Berlin, wenn ihr einverstanden seid."
„Mutti, neugierig wie sie ist, hat kaum was mitgekriegt. Sie guckt wie vom Blitz getroffen zu mir rüber. Ich werde das jetzt alles mit ihr

besprechen. Am besten wird sein, ich lade sie nach Berlin ein, um euch zu besuchen. Wäre ja nicht verkehrt, meinen Motor mal auf der Autobahn durchzupusten."

„Danke, Küsschen, Paps, willst du Roland noch mal haben?"

„Ja, gib ihn mir noch mal."

„Roland, ich traue dir das zu, mach weiter. Wir sehen uns in Berlin."

Als sie in Rolands Salon eintrafen, kläffte „Biene" aus dem Zimmer ihres Frauchens. Damit die arme Frau ein Ziel vor Augen bekam, passten Roland und Angelika morgens einen Moment ab, als sie Wirtin Gums in der Küche wussten.

„Guten Morgen, Frau Gums!", grüßte Roland, zusammen mit Angelika in die Küche tretend.

„Mahlzeit!", die Tageszeit betonend und dann gleich bekümmert weiter:

„Wie lange soll denn das noch so weitergehen? Für den höheren Wasserverbrauch und überhaupt verlange ich ab Februar 20.-Mark mehr Miete!"

„Das wollen wir Ihnen gerade sagen. Wir sind verlobt und werden im März heiraten. Dann sind Sie mich los", milderte Roland die Situation.

„Na, dann herzlichen Glückwunsch an Sie, Fräulein Angelika. Det mit die 20.-Mark mehr könn'se verjessen, hat sich mit dem Auszug zum 1. März erledigt. Wenn ick mal neujierich sein darf, sind'se in Hoffnung?"

„Nein, Frau Gums, ich erwarte kein Kind, sondern eine 2-Zimmer-Neubauwohnung", betonte Angelika süffisant.

„Donnerwetter, ick hab jeahnt, dass Ihr Verlobter wat zu Stande bringt."

Mit dieser Absolution war Roland eingestimmt, sich nach den Voraussetzungen für eine kirchliche Trauung zu erkundigen. Wen konnte er da besseres fragen als den Pfarrer Nehring. Des Pfarrers Gemeinde war Berlin-Heiligensee. So einfach, wie Roland sich das kirchliche Heiraten vorstellte, war das gar nicht. Da konnte man nicht einfach sagen, hier bin ich, lasst mich mit der Kirche Segen heiraten. Pfarrer Nehring sah in Roland einen politischen Gesinnungsfreund und Mitstreiter. Er erkannte aber auch ein aus der Herde abgängiges Schaf. Rolands erster Schritt zum Christsein wurde mit seiner evangelischen Taufe gegangen. Bis zur Einschulung hatte die Mutter abends mit ihm gebetet. Das war's dann aber auch, eine pastorale Betreuung gab es nicht, ganz im Gegenteil, er wurde atheistisch erzogen. Demzufolge fehlte die Konfirmation. Die war aber ultima ratio für eine kirchliche Trauung. Roland sah das natürlich nicht so verklemmt, appellierte an Freundschaft und meinte, dass eine kumpelhafte Herangehensweise möglich sein müsste. Langer Rede kurzer Sinn, Pfarrer Nehring bestand auf Gesprächen und Unterricht in seiner Pfarrei, sonst könne er eine rechtzeitige Konfirmation und Trauung nicht garantieren.

Der Elternbesuch war ja nicht nur Sight-Seeing-Tour. Im Funkturm-Café saß sogar der Pfarrer Nehring dabei. Er lud sie anschließend ein, seine alte Dorfkirche von Heiligensee anzusehen. Dort zeigte er stolz die gerade erneuerte Orgel.

Wenn Rolands Allgemeinbildung nicht hätte erkennen lassen, dass er über mehr als nur schwache rudimentäre Kenntnisse der kirchlichen Geschichte verfügt, hätte Pfarrer Nehring bis zum Hochzeitstermin auf 2x wöchentlichen Unterricht bestanden. 1x wöchentlich hat dann auch gereicht, und so fanden Konfirmation und Trauung zusammen am selben Tag, dem 1. März statt. Krause und Angelikas Freundin Trüdi, eine Kollegin aus der First-National-City-Bank fungierten als Trauzeugen. Angelika war nicht nur Rolands Augenweide. Das kurz über den Knien endende rosé-unifarbenen Kleid, von ihren Eltern bezahlt, hatte er zuvor nicht gesehen. Roland daneben, in seinem KADEWE-Konfektion-geschneiderten grau gestreiften Anzug, gaben sie ein Paar ab, welches auf jede Mode-Illustrierte als Titelseite gepasst hätte.

Die Hochzeitsgemeinschaft saß zu Speise und Trank in einer Gaststätte in der Straße, in der auch ihre neue Wohnung lag. Alle zog es zu ihrer Besichtigung. Die Wohnung war ein Traum der sechziger Jahre, aber bis auf die eingebaute Küche besenrein kahl. Im Erdgeschoss gelegen, führte vom Balkon des Wohnzimmers eine Eisentreppe in einen schmalen Garten, der so breit war wie die Front vom Zimmer und der seitlich anschließenden Küche. Mit dem Inhalt diskret zugesteckter Kuverts konnte in kurzer Zeit das Nötigste zusammengetragen werden.

Seit dieser Zeit wurde Roland übrigens von seinen Freunden „Pfiffig" genannt, weil die erlebt hatten, dass er ein Händchen hatte, Probleme unkonventionell zu lösen.

Die Vermittlung Dr. Hildebrands an die „Flüchtlingsstarthilfe e.V. Hamburg" führte zu einem Termin, den Roland im März wahrnahm. In einem architektonisch eindrucksvollen Kontorhaus aus der Zeit vor dem Ausbruch des ersten Weltkrieges residierte dieser Verein in einem piekfeinen Ambiente. Roland saß zwei Damen gegenüber, denen er die Aristokratie ihrer gesellschaftlichen Stellung ansah. Die Damen ließen durchblicken, dass es nur selten der Fall wäre, dass sie Menschen empfangen würden, denen sie bereit zu helfen seien. Rolands Geschichte, so wie sie von Dr. Hildebrandt an sie herangetragen worden sei, hätte besonderes Interesse geweckt. Rolands Bemühen, dem Freund in die Freiheit zu helfen, spiegele auch ihr Engagement wieder, Landsleuten von drüben zu helfen. Die Damen erklärten auch, dass es sich bei dem Geld, welches sie herausreichen, um Spendengelder von Privatleuten aus der Hamburger Gesellschaft handele. Sie seien daher zu besonderer Sorgfalt verpflichtet und hätten ihn eingeladen, um ihn persönlich kennenzulernen. Sie beabsichtigen ja schließlich, ihm Geld anvertrauen, welches er ja auch nur treuhänderisch zu verwenden habe. Roland quittierte 1.000.-DM für seine eigenen Fluchtschulden, und für Dirk bekam er 3.000.-DM als Kredit, von dem der nur zweitausend Mark bis Ende 1969 zurückbezahlen müsse. Sollte die Flucht scheitern, müsse Roland den Kredit sofort zurückgeben.

Als Ehepaar hatten Roland und Angelika ein gemeinsames Bankkonto. Seine Entwicklung ließ die Erfüllung eines Wunsches zu, den sich Roland bisher verkniffen hatte. Durch tägliches akribisches Studium des Automarktes in Bild und BZ verstand er die Anzeigen zu lesen und wichtiger, auch zu analysieren. Nach ein paar Wochen im April fand er die Beschreibung eines VW-Käfers, deren technische Fakten seiner Vorstellung entsprachen. Die Formulierungen der Offerte war eindeutig einem privaten Verkäufer zuzuordnen. Ein Preis war nicht angegeben. Roland rief gleich Krause an und drängte, er möge sofort zur Besichtigung mitkommen, denn in der WamS war Krause der Autoprofi. Sie trafen als erste Kaufinteressenten ein. Tatsächlich, ein

Ehepaar, ohne Kinder und Verwandte, wollte aus Alters- und Gesundheitsgründen des Mannes sein Auto verkaufen. Die alten Herrschaften gönnten Roland und Krause, die ersten der Interessenten zu sein. Sie mochten anständige Studenten. Das Auto war ein sechs Jahre alter VW in grau, mit Faltdach, liebevoll über die Jahre gepflegt und stand fahrbereit in der Garage. Krause und Roland gaben dem alten Mann als Pfand ihre Ausweise und fuhren in die Werkstatt eines Spezis von Krause. Der fand das Auto technisch genauso gut, wie es aussah. So plus minus 1300.-DM sei er wert. Das war für Roland zu viel. Er wollte und konnte höchstens tausend Mark ausgeben. Als sie wieder am Tisch der alten Leute saßen und den angebotenen Kaffee tranken, nannte der Verkäufer achthundert Mark. Roland war es fast peinlich, als Krause den letzten Preis von 600 DM, dem Roland schon zustimmen wollte, noch um hundert Mark auf endgültig fünfhundert Mark drückte.

Angelika wusste ja von Rolands Auto-Recherchen, aber als er sie abends von den Heinzelmännchen abholte, war sie doch überrascht, wie günstig die Lösung in den andiskutierten Rahmen passte.

Sein erstes Semester war, im Hinblick auf ein erstrebenswertes Berufsziel, ein glatter Reinfall! Unter seinen Kommilitonen hatte er keine Freunde gefunden. Die hatten öfters seine Unterschrift auf irgendeinem Aufruf gegen gängige Feindbilder haben wollen. Vielleicht war ihnen sein Äußeres zu piefig, vielleicht legten sie ihm sein Verhalten ihnen gegenüber als arrogant oder konservativ aus, wobei letzteres für sie blöderweise reaktionär bedeutete. Und wenn das doch nicht reichte, er war ihnen zu wenig greifbar, um interessant zu sein. Die angepeilten Berufsbilder dieser Spezie von Studenten lagen in der politischen und medialen Präsenz, mit der sie die allgemeine Öffentlichkeit, der sie sich selber so genau gar nicht zugehörig fühlten, informieren und beeinflussen wollten. So, oder zumindest so ähnlich ähnlich, hätte Rolands Berufsethos in der DDR auch aussehen können.

Es war für Roland an der Zeit, die Studienrichtung zu wechseln. Von der Philosophischen zur Mathematisch-Naturwissenschaftlichen Fakultät hin zur Anthropogeographie. Aufgeschnappte Lehrinhalte zur Europäischen und Deutschen Geschichte 1789-1966 blieben ihm wertvolle Mosaiksteine des Studium Generale.

Im neuen Semester gab das Studium ihm Kraft und Freude. Zwölf Vorlesungsstunden mit Nachbereitung gehörten der akademischen Pflicht und hinzu genommene Vorträge in Philosophie füllten den Uni-Wochenplan. Zeit mit Vorträgen und bei Heinzelmännchens Geld zu verdienen war auch geblieben. Letztere Einnahmequelle war nicht mehr so ergiebig, weil Angelika dort gekündigt hatte, um bei der amerikanischen First Nationalbank im Europacenter einen wesentlich besser bezahlten Job mit Karrierepotential anzunehmen. Von Zuhause fuhren sie jetzt wie ein berufstätiges Ehepaar um 8 Uhr los, dann setzte Roland sie vor dem Europacenter ab, um sich anschließend in seinen nicht festgezurrten Tageslauf zu ergehen. Nach 17 Uhr holte Roland seine Frau am Europacenter ab, die sich dann auch gerne von ihm in politisierende Kreise mitnehmen ließ. Ihr Leben war um viele Fassetten reicher als das ihrer Arbeitskollegen.

Am 2. Juni 1967 kamen der Schah von Persien und seine Ehefrau Farah Diba nach Berlin zu Besuch. Für die Berliner schon deswegen eine Freude, weil Monarchen zu bestaunen ihnen nur selten möglich war. Eigene hatte Deutschland ja nicht mehr. Die Pracht am Thron des Schahs war ihnen bekannt. Des Schahs vorletzte Ehefrau Soraya, eine geborene Berlinerin, galt über ein Jahrzehnt als die personifizierte glamouröse Botschafterin des Traums von orientalischer Tausend-und-einer-Nacht. Da der Schah Soraya abservierte, weil sie ihm keine Kinder hat schenken können, war er bei den Berlinern so gut wie unten durch. Seither waren Jahre vergangen - auf die schöne Ehefrau Farah Diba waren die Berliner neugierig und den Schah wollten sie live sehen. Das Paar kam nicht allein. Im übertragenen Sinn hatte der Schah die Unruhen und Proteste wegen Armut und Ungerechtigkeit im Gepäck, die sich in seiner Heimat ausbreiteten. Jene unter dem Sammelbegriff „Studenten" subsumierten Leute hierzulande, die meinten, dass Unrecht wo immer in der Welt dann anzuprangern lohnt, wenn amerikanische Interessenlagen sich damit verknüpfen ließen, sahen in Westberlin ihr Reservat, das zu tun. So pervers das klingt, die fühlten sich durch Viermächtestatus und Mauer geschützt. Die Westberliner hatten die Ungerechtigkeit in Staatsform in der Nachbarschaft. Da brauchte es keine weiteren Kriegsschauplätze, denn dass Familienmitglieder 1. bis xten Grades ohne Chance auf Besuch voneinander getrennt waren, das war tägliches Leid genug.

Wie weit die sogenannten Studenten neben der Spur liefen, lag außerhalb ihres Erfahrungsschatzes. Sie kamen nämlich nach Berlin, als die Mauer schon stand. Außerdem hatten sie weder getrennte Verwandte auf der Ostseite, noch wurden sie am Betreten von Ostberlin gehindert. Sie nutzten also ein großes Berlin, von dem die genuinen Westberliner nur noch träumen konnten. Denen stand lediglich ein Teil von Groß-Berlin zur Verfügung und Umland hatten sie auch keines mehr.

Schon am 3. Juni ging der Staatsbesuch des Schahs zu Ende. Trotz seiner zeitlichen Kürze war er teuer geworden, denn er hatte nicht nur den Tod des Studenten Benno OHNESORG gekostet. Der wurde von den „Studenten" bis zum geht nicht mehr zu einem ideologischen Spektakel instrumentalisiert Das kostete die Berliner den Frieden auf den Straßen im Zentrum der Stadt. Den Chaoten ging es da schon nicht mehr um den Tod Benno Ohnesorgs, die hatten die Revolution an sich im Kopf.
Vom 5. - 10. Juni 1967 kam es zum Krieg zwischen Israel und den arabischen Staaten Ägypten, Jordanien und Syrien.
Nachhaltiger als dieser existenzielle Waffengang für den Staat Israel war für die Berliner Bürgerschaft die neue Form des Zusammenlebens von Jungmännern mit ihren Freundinnen. Das nannte sich neudeutsch 'Kommune'. Kollektives Zusammensein, so schwadronierten die Kommunarden, brächte symbiotisch erst richtig die politische Arbeit zum Prickeln. Die Kommune Nr. 1 hatte als Galionsfiguren ihre Kommunarden KUNZELMANN, LANGHANS und TEUFEL. Die galten als der Bürgerschreck schlechthin mit ihren kruden Thesen über Sozialismus, Drogen, antiautoritäre Kindererziehung und freie Liebe.
„Wer zweimal mit Derselben pennt, gehört schon zum Establishment!", war Credo der linken Kollektive.
Natürlich machte der Terminus 'Kommune' keinen Bogen um die WamS. Zuerst als neckische Referenz dem Lauf der Zeit entlehnt, wollte Krause das für die WamS zukünftig nicht gelten lassen. Die schleichende Begriffsübernahme wurde von ihm als christlich entartet erfolgreich abgewehrt.

Es gab Tage, da musste Roland nicht gleich, nachdem er Angelika morgens am Europacenter abgesetzt hatte, in die Vorlesung oder zu seinen Vorträgen im Bundeshaus in der Bundesallee beziehungsweise dem Deutschlandhaus in der Stresemannstraße. So machte er häufig einen Abstecher in das Revier von Bomber-Kalle. Der fand es nachgerade ehrenvoll, einen Studenten als Bekannten zu haben. Bomber-Kalles ständiger Aufenthalt war das Spielkasino, welches sich in der Barackenzeile direkt gegenüber dem Theater des Westens in der Kantstraße befand. Wenn Roland morgens dort aufkreuzte, war das die Zeit, in der es für die noch aus der Nacht übriggebliebenen Spieler mit Wurst belegte Brötchen und Kaffee „auf's Haus" gab. Bomber-Kalles Bienen kreuzten mit anhänglichen Freiern auf, um die zu animieren, mit ihnen noch ein bisschen Roulett zu spielen – mit dem Geld der Freier versteht sich. Bienen, die ohne Freier kamen, lieferten ihr Verdientes bei Bomber-Kalle ab. Moni, Rolands ehemalige Gespielin, begrüßte ihn immer herzlich-schwesterlich, denn er hatte sie wissen lassen, dass er geheiratet hatte und glücklich mit seiner Angetrauten sei.

In der am Rouletttisch sitzenden Spielergemeinde gab es Zocker, die besser als die übrigen Spieler mit den Vollgummikugeln im Roulettkessel zurecht kamen. Diesen „Künstlern" gab Roland schon mal seinen Einsatz, um für sich mitspielen zu lassen. Dem Besitzer des Kasinos wurde Roland ein bekanntes Gesicht, und er hatte auch mitbekommen, dass Roland kein spielsüchtiger Kunde war, sondern sich mit gewonnenen zwanzig oder dreißig Mark aus weiterem Spiel zurückzog. Er hatte auch beobachtet, dass Roland keinen Alkohol trank, selbst dann nicht, wenn Spieler im Siegesrausch eine Lage spendierten. Und wie das dann so ist, man tauschte sich über das Woher und Wohin aus, und Roland bekam das Angebot, probehalber bei ihm als Croupier zu joppen.

Roland versah als „Blondi" nach der 'auf Probe' angesetzten Zeit als Springer zwischen zwei anderen Croupiers seinen Job.

Die 'Heinzelmännchen' waren Geschichte. Es war manchmal richtig skurril, vom Rouletttisch aufzubrechen, um einen Vortrag zu halten, oder in die Uni zu fahren, um anschließend wieder in der vom Rauch geschwängerten Spielhöhle den Spielern beim Geldverlieren zu helfen. Auf Dauer gesehen konnte es, von temporären Gewinnauszahlungen abgesehen, keine Gewinner geben. Nach jeder

Ausspielung wurde bei Auszahlung 10% KJ (KartenJeld) abgezogen. Davon bekam Roland übrigens wiederum 15% als Lohn. Bei höheren Auszahlungen kam zu Rolands festen Prozenten noch das „Schmalz" hinzu, welches die Gewinner dem Croupier 'rüberschoben. Wenn nicht immer wieder neue Kunden als Spieler diejenigen abgelöst hätten, die „Mause" (Mausetod, pleite) waren, wäre nach der Zeit das gesamte vorhandene Geld aus den Taschen der Spieler beim Besitzer oder den „Künstlern", den sogenannten „Krebsen", gelandet. Wenn sich Letzteres abzuzeichnen begann, wurde es für den Croupier Zeit, den gelackten Holzkessel mit Palm-Oliv-Spray zu säubern und die Vollgummibälle mit Öl abzuwischen. Nach dieser Prozedur rollten die Bälle schneller als vorher. Bis die „Krebse" das neue Verhalten der Bälle im Kessel beherrschten, war Geld aus ihren Taschen wieder in die Spielgeldmasse der Tischgemeinschaft zurückgeflossen. Das war dann ein motivierender Impuls für die im Minus stehenden Zocker mit erwachter Gewinnillusion erneut Spieleinsätze zu tätigen. Mit dieser „Ehrenrunde" des Geldes wurde sein Weg in die Taschen des Besitzers zwar verzögert, aber irgendwann wäre das gesamte Spielvolumen der Zockergemeinde aufgebraucht gewesen. Frisches Geld tauchte durch neue Gäste auf. Hätte es das nicht gegeben, wäre das laufende Spiel unterbrochen worden. Das passierte dann meistens in den frühen Morgenstunden.

Die „Krebse" am Tisch hatten im Verhältnis zu ihren Mitspielern die größere „Marie"(Portmonee), oft aufgestockt durch „stille Teilhaber", die aus der zweiten Reihe das Geschehen verfolgten. Die „Krebse" machten mehr oder weniger täglich ihren Schnitt. Das wurde vom Kasino-Besitzer und seinem Croupier schon deswegen geduldet, weil man sie sonst an andere Kasinos verloren hätte. Von den „Krebsen" bekam der Croupier in der Regel das meiste „Schmalz". Sie hatten von daher auch einen Einfluss darauf, wann genau der Croupier die „Kessel- und Ballreinigung" vornahm. Die „Krebse" erfüllten, wenn man so will, eine notwendige Funktion. Sie übernahmen meistens die Bank, das heißt, sie gaben bei jeder Ausspielung mit der addierten Summe ihrer beiden Gummibälle die Zahl für alle Einsätze auf dem Tableau vor. Diese Zahl mussten dann, um zu gewinnen, die Einzelzocker übertrumpfen.

Natürlich gab es, dem Charakter der Institution geschuldet, auch schon mal mit Gästen Ärger. Dann klärte der blonde Riese Bomber-Kalle für seinen Kumpel Roland die Lage. Alle Stammspieler, dazu zählten auch die „Krebse", wussten, „Blondi" steht unter dem Schutz von Bomber-Kalle.

Nach der Gewerbeordnung durfte nur mit dem Höchsteinsatz von fünf Mark pro Person und Einsatz gespielt werden. Aber so ein Spielkasino wäre keine Goldgrube gewesen ohne die Findigkeit seiner Besitzer. Jeder Spieler hatte einen Stapel Heiermänner (Fünfmarkstücke) vor sich liegen. Aber dann gab es noch grüne, blaue und rote Chips. Die wurden für 20, 50 oder 100DM beim Croupier gekauft. Bei Spielabgang lagen dann meistens nur Chips auf dem Tableau, für Kontrolleure schwer zu durchschauen. Nur Heiermänner und Chips lagen auf dem Tisch, wobei es sich auf Nachfrage um „Spieler-Erkennungs-Marken" handelte.

Im Juni beglich Roland komplett seine Flucht-Restschuld. Das Finanzielle stand in keinem Verhältnis zum Glück. Er hatte es geschafft, das Geld für die Fluchthilfe innerhalb eines Jahres abzutragen. Ihn beruhigte der Gedanke:
'Wenn es mir gelungen ist, dann kann es Dirk auch zugemutet werden. Seine Flucht wird zwar 2.000.- DM teurer werden als meine, aber er wird sich auf die Erfahrungen stützen können, die Peter und ich gemacht haben.'
Bis auf 3.000- DM hatte Roland das Geld für Dirk zusammen. Das hatte er als aktuellen Stand bei der Gelegenheit Wolfgang und Reinhard gesagt, schon um anzuzeigen, dass Bewegung in der Sache ist.

Dirk in Ostberlin wusste diese Entwicklung kaum einzuschätzen. Er setzte in jeden Besuch von Raimund seine Hoffnung und wurde so gesehen immer wieder enttäuscht. Seine Ablehnung gegenüber der Gesellschaft, in der er zu leben gezwungen war, hatte bereits die Qualität von Wut. Dass er die nicht mehr lange würde kontrollieren können, wurde nach den Besuchen von Raimund mit Sorge registriert.

Es sollte noch bis in den Juli hinein dauern. Roland nahm sich ein Herz und sprach unter den WamS-Bewohnern Frenzel wegen eines Kredites für Dirks Flucht an. Dessen Vater war bereit, seinem Sohn, beziehungsweise einem Menschen, von dessen Schicksal und bedenklichem Zustand in Ostberlin er durch ihn erfahren hatte, zu helfen.

Raimund fand es bestens, von Reinhardt als Kurier für die komplette Aktion eingesetzt zu werden. Inzwischen waren Dirk und er zu einem konspirativ gut harmonierenden Gespann geworden.

Dann war es soweit!

Wolfgang und Reinhardt vereinbarten Ende Juli mit Roland, dass er sich mit dem Geld bereitzuhalten habe.

Mitten in der Nacht vom 5. auf den 6 August '67 - Roland war noch nicht nach seiner Kasino-Schicht eingeschlafen - kam der Anruf von Wolfgang:

„Komm vorbei, bring Geld mit!"

Roland wusste, mehr würde Wolfgang am Telefon nicht sagen. Während er noch die Kassette leerte, in der sich nur das Geld für Dirks Flucht befand, sprach er zur noch schlaftrunkenen Angelika:

„Räkle dich noch ein bisschen, dann steh'ste bitte auf! Luftmatratze aufpusten und Gästebett herrichten, wir kriegen Einquartierung, Dirk ist da."

„Soll ich sonst noch was vorbereiten? Essen, Trinken?"

„Überhaupt nichts, morgen ist Sonntag, ich will dann auch mal schlafen. Wir haben zu dritt den ganzen Tag Zeit und du kannst, wenn ich zur Schicht muss, mit Dirk weiter klönen."

„Und wo fährst du jetzt hin?"

„Ich hole Dirk bei Wolfgang in der Kantstraße ab. Sind in ungefähr anderthalb Stunden hier."

In der Kantstraße hatte Wolfgang eine unauffällige Wohnung gemietet, die jahrelang nur für Fluchthilfelogistik frequentiert wurde. Da saßen Wolfgang und Dirk mit Raimund, der ganz stolz darauf war, heute der letzte Kurier gewesen zu sein, beim Bier zusammen.

Roland wurde von Dirk umarmt und 'fast zu Tode' gedrückt. Acht Tage hatten noch gefehlt, dann wäre das "Indianerehrenwort", demzufolge einer den anderen binnen Jahresfrist in den Westen nachzuholen versprochen hatte, überschritten gewesen.

Bei aller Neugier, niemandem unter Rolands Freunden erzählte Dirk später, wann, wo und wie er von Ost nach West gekommen war. Von Roland und Angelika gefragt, kam zumindest eine halbe Antwort, die Roland für die ganze Wahrheit hielt. Dirk sagte beiläufig, er sei in einem PKW über die Grenze gebracht worden. Damit war für Roland damals klar - 'also so wie ich auch'.

Später studierte Dirk an der Technischen Fachhochschule in Berlin Wedding und danach arbeitete er in Süddeutschland und im Ausland. Als Roland und Dirk 2001 in Berlin ihre Verbindung auffrischten, überraschte Dirk mit dem Vorschlag:

„Lass uns doch mal zum Check-Point-Museum fahren und mein altes Fluchtauto ansehen. Das steht da jetzt!"

Roland verdutzt:

„Du bist doch, genauso wie ich, in einem Diplomatenwagen rübergeholt worden!"

„Nein, wieso, bin ich nicht! Ich nahm an, weil du und ich über X-10 von Wolfgang und Reinhard im PKW geholt worden sind, dass das in gleicher Weise vor sich gegangen sei", konstatierte Dirk.

„Weil jeder das von uns angenommen hatte, haben wir auch nie darüber Einzelheiten ausgetauscht", schlussfolgerte Roland.

Nach 34 Jahren erfuhr Roland also zufällig, dass Wolfgang damals auch andere Flucht-Varianten zur Verfügung hatte. Das war zu einer Zeit, als Roland zwar schon bei ihm ein- und ausging, aber augenscheinlich doch nicht, wie er damals annahm, in alle Projekte eingeweiht war.

Wolfgang hatte ihm, auch nachdem Dirk glücklich im Westen angekommen war, keine Einzelheiten zu dieser Aktion preisgegeben. Wolfgang Fuchs, das war ein Fuchs im konspirativen Einmaleins. Daraus erklärt sich, dass vergleichsweise nur sehr wenige Unternehmungen der Gruppe X-10 gescheitert sind.

Im Check-Point-Charly-Museum standen sie vor einem Cadillac, Baujahr 1957, mit überdimensionierten großen Haifisch-Heckflossen und einem Armaturenbrett, welches 70 Zentimeter breit und fast 2 Meter lang war. An diesem Wagentyp war alles dermaßen überproportional, da fiel das Armatur-Interieur nicht aus dem Rahmen. So hat das auch der ursprüngliche Ideengeber Burghart VEIGEL gesehen. Der hatte sich nämlich 1964 gezielt nach solch einem Gefährt auf die Suche begeben. Fündig wurde er in Düsseldorf. Seine Idee, das Armaturenbrett so zu präparierten, um unter ihm Platz für die Aufnahme eines Flüchtlings zu schaffen, war dermaßen ambitioniert, dass Zeit- und Finanzplanungen überzogen wurden. B. Veigel war ein Fluchthelfer der ersten Stunde nach dem Mauerbau. Er war der maßgebliche Logistiker, der mit wissenschaftlicher Akribie entscheidenden Anteil daran hatte, dass Tausende (!) sich als Neubürger der Bundesrepublik eintragen konnten. Es gab wohl keinen Zweiten, von dem sich behaupten ließe, nach dem Mauerbau als Entwickler und Akteur das Fluchthilfegeschehen komplex überblickt zu haben. So nahm es nicht Wunder, dass er einen gut beleumdeten Kollegen in der Szene ansprach, der ihm, als er sich mit seinem Cadillac-Projekt in der Bredouille befand, finanzielle Unterstützung anbot. Dieser spätere Freund war HASSO, ein ebenfalls schon zu dieser Zeit aus vielen Fluchtaktionen, darunter einige Tunnel, bekannter Mann.

Für die Jungfernfahrt hatte man die Grenze zur CSSR – Bundesrepublik ausgesucht, weil man dort nicht mit der peniblen Kontrolle, wie sie an den DDR-Kontrollstellen Usus waren, rechnen musste. Bis Ende 1966 fuhr der Wagen mit immer wieder neuen Haltern, anderen Zulassungspapieren, Nummernschildern, Lackierungen und Fahrern Touren über Grenzkontrollstellen in Ungarn, Bulgarien und Rumänien. Weil das ziemlich gut lief, hat Hasso sogar drei oder vier Touren über Helmstedt/Marienborn durchgezogen.
Jede Tour war besonders, aber eine hatte es richtig in sich:
Von Spitzeln im Umfeld der Akteure wurde dem MfS zugetragen, dass mit diesem Fahrzeug wohl Flüchtlinge transportiert würden. In Zusammenarbeit mit dem Sicherheitsdienst der CSSR sollte dem Verdacht der Beweis folgen.
Gleich nach Einfahrt in den tschechischen Grenzkontrollbereich ging es für den Cadillac ohne Umschweife ab auf die Hebebühne. Der Wagen wurde eineinhalb Stunden (!) lang akribisch durchsucht. Ohne Kenntnis des raffinierten Öffnungsmechanismus an der Versteckkonstruktion wäre nur mit brachialer Gewalt der Hohlraum zum Flüchtling entdeckt worden. Die zu Hilfe genommenen Hundenasen haben auch versagt, weil Benzin- und Ölgerüche des Motors den im Versteck liegenden Flüchtling, eine Frau, überlagerten. Na, wie dem auch sei, nach großer Entschuldigung durch die Grenzer konnte der Cadillac samt weiblichem Flüchtling in die Freiheit

weitergefahren werden. Die versteckte Frau hinter dem Armaturenbrett danach gefragt, was sie denn die ganze Zeit gedacht hat, als rings um sie herum geschraubt und gestochert wurde, sagte: „Ich dachte, das muss wohl so sein an der West-Grenze!"

Die Cadillac-Tour mit ihrer umfangreichen Vorbereitung wurde Burghart und Hasso 1966 zu aufwendig. Beide hatten, jeder für sich, eine neue Tour mit einfacherer Logistik konzipiert.

Der Wagen wurde verkauft.

Käufer war Anfang Februar 1967 Wolfgang Fuchs!

Dirk war einer der glücklichen Nutzer im August '67.

Im November desselben Jahres zerbrach der „Cadillac-Krug" an der tschechischen Grenze. Zwei Fluchthelfer und ein Flüchtling gingen den Häschern in die Falle.

2001, als Roland und Dirk vor dem Cadillac im Chechpoint-Charlie-Museum standen, stellte sich ihnen natürlich die Frage, ob denn das Fahrzeug wirklich das Original sei, in dem Dirk einst von Ost nach West befördert worden war. Wenn es denn so gewesen sein sollte, hatte man den Cadillac nach dem Mauerfall aus dem Fundus des Sicherheitsdienstes der CSSR befreit. Egal, da steht ein Caddi, museal gepflegt, als Symbol für den Freiheitswillen unterdrückter Menschen. In keinem anderen PKW-Typ sind jemals mehr als etwa 150 (!) Flüchtlinge durch den eisernen Vorhang geschleust worden.

Die finanzielle Situation im Hause war entspannt, als Roland bei seinem Tankwart, den er inzwischen duzte, auf dem Hof ein fast neues Auto, einseitig gequetscht, stehen sah. Um sich ein Bild über den Schadensumfang zu machen und um sich vorstellen zu können, durch was oder wie der Wagen so beschädigt worden sein könnte, nahm sich Roland die Zeit.

„Meister, ist das etwa dein Wagen, der ist ja fast neu - und schon kaputt."

„Nee, is det Auto von meen Schwager, dem is'n Lieferwagen rinjefahrn."

„Und was passiert jetzt mit dem Auto?"

„Wir warten uff'n Jutachter vonne Versichrung. Wenn der uff Totalschaden plädiert, ist meen Schwager fein raus, und ick schlachte die Karre aus."

„Was wäre denn der Wagen wert, so wie er jetzt da steht?"

„Willste det wirklich wissen? Interessierst'e dich dafür?"

„Na ja, der Renault R10 ist ja ein guter Franzose, käme auf den Preis an."

„Du bist Student, aber wenn du cash zahlst, mach ick een juten Preis."

„Du müsstest meinen VW in Zahlung nehmen und mir erlauben, den Wagen in deiner Werkstatt selber, unter deiner Anleitung, wieder aufzubauen."

„Kanns'te denn überhaupt mit Werkzeug umjehn?"

„Geh mal davon aus, dass ich das kann, habe im Flugzeug- und Modellbau gelernt, bin Geselle!"

„Na jut, wenn ick sehe, du bringst det, könn'n wa dit so machen. Material würd ick ooch berechnen."

„Meinen VW kennst du ja, hast ja seinen letzten TÜV gemacht. Wie viel müsste ich also noch drauflegen? Muss ja diverse Neuteile kaufen, eigentlich alles, von vorne rechts bis hinten rechts."

„Ick will'n Tausender und den VW! Alle Neuteile müsstest'e über mich koofen."

„Hört sich nicht schlecht an, aber nehmen wir einmal an, der Holm ist verzogen, dann müsstest du das auf deiner Richtbank ziehen und mir das als erledigt für den TÜV schriftlich geben."

„Bist wirklich'n Kluger! Ick rechne mal deinen VW mit 1.500, plus die 1.000 cash, plus Teile, spritzen und lackieren geschätzt noch mal 1.000, dann has'te den R10 for nich mal de Hälfte vom Neupreis."

„Genau, aber meine Arbeitszeit hast du da nicht eingerechnet. Wer ist schon so bekloppt, dir für den Schrotthaufen 2.500 Mark zu geben. Du würdest einen Reibach machen und dein Schwager über die Versicherung auch. Ich gebe Dir, alles zusammen, den VW und 1.500 Mark cash."

„Na, mal seh'n, ob der Versichrungfritze den Wagen ooch als Totalschaden schreibt! Aber eens noch, wir haben jetzt Ende Mai, spätestens Ende Juli bis'te aus meene Werkstatt raus, sonst zahl'ste Miete!"

„Hand drauf, wir machen das!"

Der Gutachter hat dann dem Tankwart den Gefallen getan, den Wagen als Totalschaden einzustufen. Roland bekam zwischendurch Ärger mit dem Meister. Bei ihm hatten sich nämlich die Nachbarn beschwert, weil in der Werkstatt nachts gearbeitet wurde.

Die Zeit der Tunnelbauten in Berlin war zwar vorbei,
aber die Akteure zurückliegender Unternehmungen waren ständig auf der Suche nach neuen Fluchtkonstrukten.

Technische Undurchführbarkeit oder Verrat erzwangen zunehmend die Aufgabe schon begonnener Projekte. Selbst unter Hinzunahme gescheiterter Aktionen, die Tod, Leid und drakonischen Bestrafungen für Beteiligte und Betroffene zur Folge hatten, gab es ohne Unterlass kreative Initiativen, Bürger aus dem kommunistischen Machtbereich in die Freiheit zu holen. Die Macher wussten, dass sie das Richtige taten, denn sie konnten sich nicht vorstellen, ohne Gedanken-, Berufswahl- und Reisefreiheit leben zu müssen. Der Dzierzynski-Terror, wie er im kommunistischen Machtbereich gegen Andersdenkende Gang und Gebe war, formte ihr Feindbild. Sie fanden Gefallen an den damit verbundenen Spannungen in ihrem eigenen Leben.

Viele dieser Aktionisten hatte Roland relativ schnell kennengelernt, weil sein Fluchthelfer Wolfgang ihn in die CDU-Arbeitsgemeinschaft der Ost-Sektor-Kreisverbände einführte. Vorsitzender des Kreisverbandes Berlin-Mitte war Egon HARTUNG. Um ihn hatte sich eine Gruppe junger Männer geschart, die unter CDU-Parteiarbeit aktives Handeln verstanden. Unterdrückung und Unrecht in der SBZ/DDR tagespolitisch wachzuhalten, die Auseinandersetzung mit linkslastigen Initiativen vor allem die der außerparlamentarischen Opposition, ergab für sie den kleinen gemeinsamen Nenner. Einige von ihnen litten an ihren traumatischen Erfahrungen aus der Kriegs- und Nachkriegszeit, die direkt oder indirekt mit kommunistischer Drangsalierung zu tun hatten. Andere waren aus der SBZ geflüchtet oder mussten aktuell die Trennung von ihren Verwandten nach dem Mauerbau ertragen. Und dann gab es da noch aus dem Bundesgebiet nach Berlin Zugereiste, denen einfach ihre christlich-humanistischen Werte vorgaben, sich politisch aktiv einzubringen.

Aus diesem Tiegel unterschiedlichster Härtegrade von Fluchthelfern, Dauer-Demonstranten und Eigenbrötlern kamen Aktionen, die zwar mitunter allgemeines Kopfschütteln hervorriefen, aber immerhin für Aufmerksamkeit im In-und Ausland sorgten. Für ihre tollkühnen Taten landeten einige von ihnen in DDR-Gefängnissen oder riskierten das eigene Leben. Die um Ruhe ringenden Politiker im Westen konnten die Sonderlinge nicht bremsen und mussten mit ihnen leben. Die Machthaber im Osten vermochten nicht zu begreifen, dass in einer freien Gesellschaft auch politische Egomanen nicht einfach weggesperrt werden. Dieses systembedingte Unverständnis erbrachte dem Westen den Vorwurf, solche Provokateure und Kriegstreiber zu fördern und zu bezahlen.

Carl-Wolfgang HOLZAPFEL (C.-W.) gab dem Konglomerat der Sonderlinge ein 'Gesicht'. Dafür sorgte die Kontinuität seiner Aufsehen erregenden Aktionen.

In der Familie des 1944 im schlesischen Bad Landeck Geborenen hatte sich deutsche Geschichte abgespielt. Ihre Bandbreite reichte von engagierten Nationalsozialisten bis zu von der Gestapo Verfolgten und in Haft genommenen Familienmitgliedern.

Weil 17 Millionen Deutsche quasi durch einen Willkürakt der Sieger zu den alleinigen Büßern der Geschichte bestimmt worden waren, entstand aus seiner Sicht die Verpflichtung, für diese Landsleute zumindest solange einzutreten, wie diese daran gehindert waren, die eigene Stimme zu erheben.

Achtzehnjährig lernte C.-W. 1962 sein späteres Vorbild, den indischen Ingenieur T. N. ZUTSHI kennen, der seit dem Ungarnaufstand 1956 in Stil und Methodik des Mahatma Gandhi in Europa gegen Unrecht und Unterdrückung durch die Kommunisten demonstrierte. In Ostberlin aus der Aktion heraus verhaftet, wurde er um des lieben Friedens vor internationaler Verwicklung, kurz darauf wieder nach Westberlin entlassen. Er protestierte in von der Presse begleiteten Aktionen weiter gewaltlos gegen das Schandmal 'Mauer'.

Im Oktober '62 verkündete C.-W. seinen ersten 72-stündigen Sitz- und Hungerstreik aus Protest gegen die Mauer.

Mehrere Hungerstreiks, der letzte 10tägig, machten seinen Krankenhausaufenthalt von sechs Wochen erforderlich! Die Ärzte überzeugten ihn dann doch, neue Formen des Protestes zu erwägen...

Und C.-W. fand neue Methoden, sich in Szene zu setzen. Meterhoch versah er die Mauer in der Bernauer Straße mit seinen Texten:

'Trotz Mauer ein Volk – KZ' und 'Diese Schande muss weg – KZ'. Zusammen mit anderen warf er Flugblätter über die Mauer oder entfernte bei Nacht Stacheldraht von der Mauerkrone, um hinter ihr patrouillierende Soldaten zur Flucht in Richtung Westen zu animieren.

Die Politiker von Ost und West hatten einvernehmlich die Einstellung des 'Lautsprecherkrieges' über die Mauer hinweg verabredet. C.-W. sah darin ein Einknicken des Senats gegenüber den Kommunisten. Folgerichtig stellte C.-W. eigene Sendungen zusammen. Mit Megafon und transportablem Tonbandgerät spielte er diese an der Grenze ab: „Hier spricht Studio Freies Deutschland – Sender am Stacheldraht! Sie hören Nachrichten aus der Freien Welt." So begann er seine Meldungen, die er mit den Klängen aus AIDA intonierte; beispielsweise in der Bernauer Straße oder von einem Balkon der Reichstags-Ruine aus, in die er sich nachts geschlichen hatte. Er beendete die Nachrichten stets mit dem Appell:
„Deutsche schießen nicht auf Deutsche!"
C.-W. muckte gegen den hehren politischen Senatsgrundsatz auf:
„Ruhe sei die erste Bürgerpflicht!"
Als der Bürgermeister H. ALBERTZ verlangte, der „Sender am Stacheldraht" möge die Texte vor Ausstrahlung dem Pressesprecher des Senats, Herrn P. HERTZ vorlegen, lehnte C.-W. das ab, weil er sich keiner Zensur unterziehen wollte....
Er steigerte seine Risikobereitschaft und demonstrierte am 14. November '64 jenseits des 'weißen Strichs', also schon auf DDR-Seite, mit einem Schild:
„Freiheit für Harry SEIDEL und 14.000 politische Gefangene in der SBZ" (Harry Seidel, ehemaliger Radrenn-Straßenmeister der DDR, war ein im Osten verhafteter Fluchthelfer, der zwei Jahre zuvor zu lebenslänglichem Zuchthaus verurteilt worden war.)
Diese Demonstration im Kontrollbereich „Heinrich-Heine Straße", des bereits zu Ostberlin gehörenden Geländes durchzuführen, sollte nach seinem Dafürhalten die Ernsthaftigkeit seines Anliegens bei den DDR-Organen unterstreichen. Er handelte nach dem Kredo von Gandhi:
„Ich habe kein Vertrauen in Appelle, wenn nicht hinter ihnen die Kraft der Bereitschaft steht, etwas für die Sache zu tun oder persönlich zu opfern!"
Oktober '65, unternahm C.-W. eine 14tägige Unterschriftensammlung von Hamburg bis München, um für die Freilassung von politischen Gefangenen in der DDR zu werben. Menschen aus 26 Nationen haben unterschrieben. Diese Information trug er auf einem Transparent, mit

dem er den weißen Strich überschritt. Diesmal hatte er den Grenzübergang am Checkpoint Charlie für seine Demonstration jenseits des 'weißen Strichs' ausgewählt, da dort nur Ausländer die Seiten wechseln konnten. Weil er die Aktion, wie die vorherige am Kontrollpunkt „Heinrich-Heine Straße", zuvor der Presse angekündigt hatte, war für seine Verhaftung auf DDR-Gebiet alles vorbereitet. So kam es dann auch.

Die DDR vollzog ein Exempel und verurteilte ihn im April '66 zu acht Jahren Zuchthaus!

Sogar der Bundeskanzler Ludwig ERHARD hat die Forderung auf Freilassung von C.-W. Holzapfel unterschrieben....

Nach 13 Monaten wurde der Häftling C.-W. der DDR vom Westen abgekauft!

Im Kreis des Ost-Sektor-Verbandes-Berlin-Mitte, der seine Treffen im Bezirk Neukölln abhielt, fühlte Roland sich angekommen. Er war überzeugt, in dieser Gemeinschaft entschiedener Gegner des Ulbrichts-Regimes würde er sich nützlich machen können. Seit dem Mauerbau half Egon mit Rat und Tat Leuten, vom Osten in den Westen zu gelangen. Zu einigen Mitgliedern entwickelten sich Verbindungen, die über temporäre Aktionen hinaus zu jahrzehntelangen Freundschaften führten. Er lernte C.-W. persönlich kennen:

„Hast du nicht auch auch in Hohenschönhausen beim MfS gesessen?", fragte Roland.

„Ja, die ersten neun Monate, in Einzelhaft!", antwortete C.-W..

„Dann saßen wir dort zur selben Zeit, vielleicht nur wenige Zellen von einander getrennt!"

C.-W. und Roland tauschten ihre Erinnerungen aus und stellten die aus dem Rahmen gefallene Verpflegung über die Weihnachts- und Neujahrstage '65/66 als gleichermaßen genossene Überraschung fest. Natürlich stimmten sie darin überein, dass die Speisekarte für sie auch Mittel zum Zweck gewesen war.

C.-W. schlug Roland vor, mit der von Hartung geführten Gruppe zur EG nach Brüssel und Paris zu reisen, aber Roland hatte schon für den Sommer andere Pläne.... Trotzdem, sie waren im selben Netzwerk mit gemeinsamen Freunden....

Da gab es zum Beispiel zwei junggebliebene Männer um die Dreißig, von denen einer nur „Der Lange" genannt wurde. Den 'Namen' hatte Günther DILLING, weil seine Größe ihm besondere Beschwernisse als Tunnelschipper unter Tage bereitete. „Der Lange" und sein Freund Günter STEINMETZ waren meistens wie eineiige Zwillinge unterwegs. Steinmetz war Halbjude. Die Verfolgung seines Vaters durch die Nazis im Dritten Reich rettete aber seine Mutter nicht vor der Vergewaltigung durch russische Rotarmisten im eroberten Berlin. Sich als Tunnelbauer dem Unrechtsregime entgegenzustellen, war ihnen willkommene Gelegenheit, gegen das von ihnen besonders gehasste sowjetische Imperium etwas zu unternehmen.

Eingesperrten Landsleuten in die Freiheit verholfen zu haben, war ihnen stets ein innerlicher Parteitag! Beide, Steimetz und „Der Lange", hatten einen fast sagenumwobenen Ruf in der Szene, „harte Knochen" zu sein. Dieser Status rührte aus ihren schon Jahre zurückliegenden Fluchthilfe-Aktionen. Beispielsweise gab es da auch mal ein mit zwei Kilo TNT in die Mauer gesprengtes Loch in der Lindenstraße...

Die Zwei und Roland wussten voneinander, dass jeder von ihnen Chancen neuer Fluchtvarianten auskundschaftete. Sie wussten sich im Geiste einig und hielten über ihre Treffen in der CDU hinaus telefonischen Kontakt.

„Der Lange" steht aber auch beispielhaft für die simple humane Regel von Achtung und Freundschaft über Ideologien und Vorurteile hinweg.

Sein Vater lag unter russischer Erde. Seine Mutter war mit seiner Schwester und ihm, die stetig weiter nach Westen vorstoßende Rote Armee im Nacken, als Flüchtlinge im späteren Ostsektor Berlin-Hohenschönhausen gelandet.

Als 11-Jähriger, und größer gewachsen als seine Alterskameraden, wurde er auf dem Schulweg eingefangen und in die Genslerstraße, in das dort befindliche russische Internierungslager eingeliefert. Solches Ergreifen Jugendlicher war in der sowjetisch besetzten Zone in den ersten Jahren nach Kriegsende nicht gerade selten. Man muss wissen, dass Stalins Häscher sich auf eine Zusage der westlichen Alliierten verlassen konnten, derzufolge es den sowjetischen Siegern erlaubt sei, eine Million (!) junge Deutsche zu deportieren. Die willkürlich Eingefangenen sollten als Arbeitssklaven im Sowjet-Reich am Wiederaufbau arbeiten.

„Der Lange" kam in ein Arbeitslager in SWETNESTOGO, etwa 20 Kilometer südöstlich von Moskau gelegen. Dort war er der Jüngste und wohl der Einzige unter den Sklaven, dem schon aus Altersgründen nichts weiter als seine einjährige HJ-Pimpf-Zeit angelastet werden konnte. Unter dem Vorwand, ein HJ-Wehrwolf gewesen zu sein, hatte man ihn aber ergriffen. Die Ohnmacht, mit der dieser Bub dem Gulag-Lagersystem gegenüberstand, erweckte bei einem seiner russischen Bewacher nicht nur Mitleid, sondern auch den Beschützerinstinkt. Im Verlaufe der Jahre gab es mehrere Vorfälle, bei denen nur durch die Fürsorge dieses Russen sein Leben erhalten blieb. 1948 kam er als 14-Jähriger zurück in den sowjetischen Sektor Berlins zu seiner Mutter. Er machte seinen Berufsabschluss als Möbel- und Gerätetischler und arbeitete im „VEB Holzwerke" in Berlin-Hohenschönhausen. Beim Arbeiteraufstand am 17. Juni 1953 wurde er zum Streikleiter in seinem Betrieb gewählt. Der Aufstand wurde nach wenigen Tagen niedergeschlagen:

„Infolge meiner Streikleiterrolle wurde ich verhaftet und zu 5 Jahren Knast verdonnert. Als ich wider Erwarten nach 11 Monaten entlassen wurde, konnte ich es kaum glauben. Zwei Tage später erfuhr ich die näheren Zusammenhänge. Zwei Männer suchten mich zu Hause auf:

„Na, wie gefällt Ihnen die Freiheit? Haben wir Ihnen damit nicht einen großen Gefallen getan?", fragten die.

„Na klar, ich bin immer noch ganz baff!", stotterte ich.

„Nur der Tod ist umsonst! Es ist an der Zeit, dass Sie auch uns einen Gefallen erweisen!", schob einer der Männer nach.

„Was soll denn das sein?, fragte ich ahnend.

„Sie unterschreiben jetzt Ihr Einverständnis, uns mit Informationen aus Ihrem Umfeld zu versorgen."

„Ich bin weder ein Kollegenschwein noch ein Spitzel!"

„Nun kriegen Sie sich mal wieder ein! Da wird nichts Aufregendes von Ihnen verlangt werden. Uns interessiert nur, was Ihr Pfarrer so über unseren Staat von sich gibt."

Ich hatte nur einen Gedanken:

'Ich werde mich etwas zieren und dann einwilligen. Würde ich das nicht tun – Freiheit ist wertvoller, als ein Märtyrer in der Zelle. Hoffentlich nehmen mir die Männer mein Verhalten als ehrlich ab und schöpfen keinen Verdacht, wenn ich dann letztlich mein

Einverständnis erklären werde.'

Nach einer Weile holte einer der Männer aus seiner Aktentasche eine vorbereitete Erklärung heraus und verlangte meine Unterschrift. Ich unterschrieb. Die beiden Herren schienen von meiner Bereitschaft überzeugt, denn sie verabschiedeten sich nicht, ohne für die nächste Woche einen Termin mit mir am Ostbahnhof in der Mitropa-Gaststätte zu verabreden.

Am nächsten Morgen und die folgenden zwei Tage drauf ging ich wie gewohnt zur Arbeit. Wie immer hatte ich meine Ledertasche mit Stullenbüchse und Thermosflasche auf dem Gepäckträger des Fahrrades eingeklemmt. Am letzten Tag hatte ich Schulzeugnisse, Facharbeiterbrief und Sozialversicherungsausweis dabei. Von meinen Kollegen verabschiedete ich mich kurz vor der Mittagspause, ich wolle mal schnell zum Konsum fahren, um für die Mutter Zurückkgelegtes abzuholen. Sie mögen auf meine Stullenbüchse und Thermosflasche achtgeben.

Ich strampelte in Richtung Konsum, an ihm vorbei, und striktemang bis Jannowitzbrücke und von dort über die Schillingbrücke in den Westsektor. Die „Zufälligkeiten" unter den Kommunisten waren mir derer zuville.''

Seiner Mutter hatte er von seinem Vorhaben erzählt, auch von dem Auftrag, den Pfarrer bespitzeln zu sollen. Sie möge es ihm ausrichten. Er verließ aber nicht nur Mutter und Schwester, sondern auch seinen Freundes- und Bekanntenkreis. Sämtliche Kontakte würde er nur noch über West-Berlin pflegen – solange das DDR-System bestehen würde.

Mutter und Schwester blieben weiter im Osten.

Es war im Jahr 1956, als „Der Lange" seiner Mutter den Wunsch erfüllte, mit ihrem Sprössling wieder einmal ein Eis im „Cafe' Kranzler", Ecke Joachimstaler/Ku'Damm schlecken zu gehen. Diesem Wunsch kam er immer gerne nach. Sie saßen also da, schauten und schleckten.

„Der Lange" fühlte sich irgendwie beobachtet und war selbst nicht sicher, ob ihm der Mann zwei Tische weiter nicht irgendwie bekannt sei. Einige Male kreuzten sich noch ihre Blicke, bis „Der Lange" aufstand, um auf den ihn Beobachtenden zuzugehen. Der machte ähnliche Anstalten. Als sie sich gegenüberstanden, hörte „Der Lange" die ihm bekannte Stimme fragen:

„Bist du nicht der Gunter?" (Das „Ü" sprechen die Russen nicht, weil es in ihrem Alphabet nicht vorkommt.)

„Der Lange", wie vom Blitz getroffen, erkannte, wer da vor ihm stand. Sein Beschützer Stanislaw NIKITIN aus dem Gulag! Sie umarmten sich und weinten vor aller Augen. Der Grund, warum Stanislaw in West-Berlin im Cafe' saß, ist schnell erzählt:

Nach seiner Aufpasserzeit im Gulag, inzwischen zum Offizier befördert, war Stanislaw zu den Westgruppen in die DDR nach Cottbus versetzt worden. Frau und Tochter durfte er auch nachholen, und so wohnten sie alle in einer Zweieinhalb-Zimmerwohnung auf dem Kasernenareal in Cottbus. Auf einem Familienausflug in die „Hauptstadt der DDR" verliefen sie sich tatsächlich in den amerikanischen Sektor. Als Stanislaw Passanten nach dem Weg fragte, brachten die ihn, seine Frau und das Kind zur Westberliner Polizei. Die gab die ganze Familie an die Amerikaner weiter. Dort überzeugte man Stanislaw schnell davon, dass er sich, wenn er jetzt zu den „Seinen" zurückkehren würde, in Gefahr begäbe. Wenn nämlich bekannt würde, er sei im Westen aufgegriffen worden, würde er sehr wahrscheinlich nach Russland zurückkommandiert werden. Womöglich ginge es mit ihm gleich weiter in den Gulag. Stanislaw kannte das sowjetische System, und den Gulag kannte er erst recht. Also blieb er mit seiner Familie im Westen.

Die Freundschaft hielt bis zu Stanislaws Tod im Jahr 1994.

Heiße Sache, damals im August 1968.

Die vorlesungsfreie Zeit hatte begonnen. Für Roland in seinem beurlaubten Semester nur deswegen von Bedeutung, weil seine WamS-Freunde im Begriff waren, sich in alle Himmelrichtungen zu verdünnisieren. Er hatte es noch rechtzeitig geschafft, den Autoaufbau seines Renault R10 mit Glanz und Gloria durch die TÜV-Abnahme zu bringen. Der Wagen sah aus wie aus dem Ei gepellt – hellblau im Originallack, vier Türen, rund 5.000 Kilometer auf dem Tacho und Grundig-Radio in der Armatur.

Er fuhr zur WamS. Auf dem Hof sah er schon an den geparkten Autos - volles Haus, alle Mann da! Da er um den Rhythmus seiner Freunde wusste - es war gerade mal neun Uhr - hupte er mehrmals, denn er wollte möglichst viele vor seinem neuen Auto stehen haben. Sie wussten ja alle von seinem Wiederbelebungsversuch eines verunfallten und versicherungstechnisch zum Totalschaden deklarierten Wagens. Am wenigsten war Peter von der gelungenen Verwandlung zu einem nach Neuwagen aussehenden PKW überrascht. Er wusste im Gegensatz zu den anderen um Rolands handwerkliche Metallfacharbeiterhände. Nachdem also die Begutachtung und allerlei technische Fragen zu Einzelheiten erledigt waren, setzte Roland den Punkt:

„So, ihr Lieben, für die nächsten Wochen sage ich dann mal Tschüss! Mit Angelika fahre ich morgen zuerst nach Kiel zu den Schwiegereltern, zwei Tage später zu ihrer Schwester Heidi nach Itzehoe. Zusammen haben wir vor, Heidis Ehemann, der als Kundendienstingenieur für Telefunken in Barcelona arbeitet, zu besuchen."

„Und wie wollt ihr fahren?", fragte Krause.

„Weil ich unbedingt noch Paris mitnehmen will, werden wir da einen Zwischenstopp einlegen. Die Rückfahrt soll dann zu Viert direkt in einem Rutsch von Barcelona nach Kiel gehen."

„Hast dir sicherlich vom ADAC die Touren-Karten ausdrucken lassen, oder?"

„Klar doch, besser geht's nicht. Da sind auch immer schön die Beschreibungen von Sehenswürdigkeiten links und rechts der Route zu finden."

Frenzel mischte sich ein:

„Wenn du in Kiel bist, können wir uns treffen. Ich will mir dort nämlich auch ein anderes Auto besorgen!"

„Was soll das denn werden, du hast doch gerade mal deinem Vater den Mercedes abgeschwatzt. Ist der jetzt nicht mehr gut genug?"

„Pfiffig, lass dich überraschen!"

„Übrigens, Peter, kann'ste mich morgen nach Tempelhof fahren? Angelika bringt mich her und fährt dann den Wagen durch die Zone. Ich erwarte sie dann am Flughafen-Hannover."

„Na klar! Wann soll das denn sein?"

„Ich hoffe, die Uhrzeit wird für dich kein Problem. Ich werde hier um 7:00 Uhr abgesetzt. Dann können wir in aller Ruhe am Flughafen frühstücken. Bist eingeladen! Um 8:25 Uhr geht mein Flieger."

Frenzel vergewisserte sich noch:

„Also, Pfiffig, wir treffen dich dann übermorgen um 15:00Uhr auf dem Marktplatz in Kiel. Krause wird nämlich auch da sein! Er fungiert als technischer Berater."

„Das muss ja ein riesiges Objekt sein, wenn du auch noch einen Berater benötigst!"

„Habe ja gesagt, Pfiffig, lass dich überraschen. Wenn wir dann auf dem Marktplatz rumgurken, wirst du, egal, an welcher Stelle des Platzes du wartest, wissen, dass wir das sind! Dann kommst'e auf uns zu!"

Nach weiter nicht erwähnenswertem Palaver verließ Roland hupend den Hof, von den WamS-Bewohnern winkend verabschiedet.

Die Geschichte könnte jetzt gleich auf dem Marktplatz in Kiel weitergehen, aber da gab es noch die Begebenheit auf der Autobahn kurz vor Hamburg:

Roland hatte das Gaspedal bis zum Anschlag durchgetreten, als er sich mit 140 km/h einem tschechischen Tatra näherte. In dem saßen ein Mann am Steuer und eine Frau auf dem Beifahrersitz. Er sah die Landeskennzeichnung CZ. Im Überholvorgang fiel ihm an der linken, schräg abfallenden hinteren Karosserie des Wagens der ovale Aufkleber „PRESS" auf. Er machte Angelika darauf aufmerksam. Den sausenden Überholvorgang brach er ab, und mit geringerem Tempo schlichen sie förmlich an den Tschechen gestikulierend und winkend vorbei. Die winkten zurück und gaben Lichtsignal. Roland setzte Blinker und sah, dass die Tschechen ihm in die nächste Parkplatzbucht folgten.

Niemand hätte es noch Anfang 1968 für möglich gehalten, dass ein Führer einer kommunistischen Partei der Ostblockstaaten zum Idol des ganzen Volkes werden könnte. In der CSSR war es unter Alexander DUBCEK so weit gekommen! Ab Frühjahr gab es in der CSSR die freiesten Medien. Einem Luftzug gleich fegte der Sog der Freiheit durch die Redaktionen von Rundfunk, Fernsehen und Presse. Es gab keine gesellschaftspolitischen Tabus mehr. Missbrauch der Macht, Versorgungsmängel, Niedergang der Wirtschaft, juristische Willkür –

einfach alles konnte geschrieben werden und wurde berichtet. Es scharrten schon die Menschen in den Nachbarstaaten mit den Hufen. Unter DUBCEKs Führung der Kommunistischen Partei wurden Bündnisabsprachen und Dogmen in Frage gestellt. Das ließ sogar die Berliner in Bezug auf die Verhältnisse in und zur DDR hoffen.

So nimmt es nicht Wunder, dass in den vergangenen Monaten die tagesaktuellen Diskussionen allerorten beherrscht waren von der Entwicklung in der CSSR. Roland nahm befriedigt zur Kenntnis, dass es so gut wie keine zwei Meinungen in der Lagebeurteilung gab. Trotzdem war da Ungläubigkeit. Nach der marxistisch-dialektischen Lehre war eine solche Entwicklung ausgeschlossen. Für Roland wäre die Vorstellung einer sozialistischen Gesellschaft ohne kommunistischen Terror die Lösung aller Probleme gewesen. Der Optimismus, etwas Unvorstellbares zu erleben, war überlagert von der Befürchtung, er könnte ganz schnell in Enttäuschung enden.
Das Journalisten-Ehepaar, von Angelika und Roland nach ihren bisherigen Eindrücken im freien Teil Deutschlands befragt, fand bei allerbester Sprachkenntnis kaum Worte für die ihnen gegenüber zum Ausdruck gebrachten Neugier- und Solidaritäts-Bekundungen auf ihrer Deutschlandreise.
Angelika und Roland hatten schon erzählt, dass sie sich auf dem Weg nach Barcelona befänden. Als aber beim Austausch von Visitenkarten von den Tschechen die Einladung nach Prag ausgesprochen wurde, musste Roland passen.
„Ich werde in der nächsten Zeit ganz bestimmt nicht den weißen Strich zum kommunistischen Machtbereich übertreten. Heute habe ich allerdings die Hoffnung, noch in diesem Leben mit Ihnen auf dem Wenzelsplatz ein Pilsner trinken zu können."

'Das glaube ich ja nicht!', war Rolands erster Gedanke, als er ein Rollermobil von Heinkel, Typ 154, mit Frenzel am Steuer und neben ihm eingepfercht Krause sitzen sah. Dieses Fahrzeug wurde schon zehn Jahre nicht mehr produziert. Die beiden fuhren bis auf ein paar Meter entfernt an den Tisch, an dem Roland frisch gepresste Apfelsinen genoss. Behände bewegte er sich. Er wollte neben dem Unikum stehen, wenn die beiden sich aus dem Kabinen-Ei pellten.
„Guten Tag auch, ihr müsst schon entschuldigen, aber meine

Begeisterung hält sich in Grenzen. Ich dachte, was Wunder ihr mir vorstellen würdet, und jetzt kommt ihr mit so einer Oldtimer-Gurke."

„Moin, moin, Pfiffig, du weißt ja noch nicht alles! Lass uns mal setzen, dann erfährst du, was wirklich los ist", schob Frenzel Roland zurück an den Tisch.

Krause grinste verschmitzt, schaute nach rechts und links, sich vergewissernd, weit genug außer Hörweite zum übernächsten Tisch zu sein. Dort saß eine Oma, die, wohl mit dem Enkelkind, Eis schlabberte. Zufrieden, normal sprechen zu können, kam selbstbewusst sein Statement:

„Wir sind auf Mission, mein lieber Pfiffig! Das ist nicht irgendein Oldsmobil – das ist ein Fluchtmobil!"

„Ihr wollt mich vergackeiern, da passt ihr ja selber kaum rein. Wollt ihr den Flüchtling, als Esel verkleidet, hinten anbinden?"

„Pfiffig, da ist ein Hohlraum eingebaut! Du kannst schon glauben, da passt noch eine Person rein. Ich habe gerade eine Liegeprobe absolviert", sagte Krause ernst.

Frenzel frotzelte:

„Also so richtig hat das gerade mit Krause nicht geklappt. Ich hatte ihm als Notsignal einen kleinen Maulschlüssel mit reingegeben. Er solle kloppen, wenn er es nicht aushält. Nach nicht einmal fünf Minuten hat er gekloppt, und schmerzverzerrt habe ich ihn rausgeholt. Muss also noch geübt werden!"

„Wen wollt ihr denn soo 'rüberholen?"

„Pfiffig, min Jung", sagte Frenzel in Norddeutsch:

„Das Auto ist nicht mehr jungfräulich. Mit ihm sind schon Flüchtlinge, wohl über Marienborn und Wartha/Herleshausen, rausgeholt worden. Ich erzähle jetzt mal die ganze Geschichte:

Ein Kommilitone aus der Zahnmedizin, mit dem ich einige Jahre hier in die Penne gegangen bin, hat mich ins Vertrauen gezogen. Der will seine Verlobte, eine Lehrerin aus Brandenburg, herausholen. Ihm ist über einen Bekannten das, was da steht, als schon bewährter Fluchtbrummer zum Kauf vermittelt worden. Da hat er zugeschlagen. Jetzt hat er aber Schiss, die Aktion durchzuführen. Es ist nämlich nicht auszuschließen, dass das Fahrzeug inzwischen an den DDR-

Kontrollstellen „verbrannt" sein könnte. Krause und ich haben unsere Hilfe angeboten. Wir wollen die politische Entwicklung in der CSSR ausnutzen, um die Lehrerin über die CSSR nach Bayern zu befördern."

„Wir haben vor, das Vehikel auf einem Anhänger von hier nach Bayreuth, mit meinem VW-Bulli als Zugpferd, zu transportieren. Ab da fahren wir getrennt, ich im Bulli und Frenzel im Vehikel nach Prag. Den Anhänger lassen wir in Bayreuth", ergänzte Krause

„Und die Heranführung der Lehrerin nach Prag übernimmt der Kommilitone. Das ist nicht so kompliziert, denn DDR-Bürger können neuerdings ihre Reisen in die CSSR organisieren. Mir selbst kommt außerdem eine Einladung zum Zahnmedizinischen Kongress in Prag gelegen. Na Pfiffig, was sagst'e nu?", ergänzte Frenzel.

„Ganz ehrlich? Ich meine, der Aufwand steht in keinem Verhältnis zur Gefahr! Was soll denn von dem Kommilitonen finanziell rüberwachsen?"

„Sämtliche Kosten von Frenzel und mir - unser heutiges Beisammensein eingeschlossen!", fasste Krause zusammen.

„Frenzel, ihr seid beide in der Wolle gefärbte Patrioten – freue mich mal wieder, euch meine Freunde nennen zu dürfen."

Krause summte die Wildgänse-Melodie und sang leise den Refrain:

„...und fahr'n wir ohne Wiederkehr, singt uns im Herbst ein Amen."

Die Urlaubsfahrt zu dritt von Kiel über Paris nach Barcelona und zurück zu Viert in einem Rutsch von Barcelona nach Kiel erfüllte besonders für Roland mehr als seine angedachten Erwartungen. Mit innerer Unruhe blätterte er unterwegs täglich gegen 10 Uhr, wenn die deutschen Zeitungen in Frankreich oder Spanien in den Kiosken lagen, die FAZ und BILD durch. Wenn er nichts las über eine gescheiterte Flucht in einem Kabinenroller, dann war er immerhin nicht enttäuscht, blieb aber weiter unruhig. Angelika freute sich, wenn er endlich seine obligatorische Presseschau abgeschlossen hatte, denn ab dann begann der gemeinsame Tag für sie.

Spanien, Barcelona, das war ein Füllhorn von Kunst und Kultur – so anders und doch auch Europa, wie sie es bisher nicht kannten. Von der Wohnkultur wurden sie dermaßen in den Bann gezogen, dass sie etwas davon abhaben wollten. Dem Wohngeschmack der sechziger

Jahre entsprechend, Holz rustikal, kam ihnen die Idee, so ihre Wohnung einzurichten. Nach Maß und Zweck wollten sie sich charakteristisch katalanische Kassetten-Möbel anfertigen lassen. Eines hatten sie am Anfang der Verwirklichung nämlich herausgefunden - Handarbeit war billig. Gearbeitet aus massivem Pinienholz, welches mit von Hand gesägten Metallbeschlägen versehen, antik-braun gebeizt wurde. Als Beiladung befördert, wäre der Preis nicht teurer als eine von der Stange gekaufte Einrichtung bei „Möbel-Hübner" in Berlin. Roland, der Perfektionist, hatte neben der individuellen Wirkung natürlich die optimale Raumausnutzung ihrer Wohnung im Auge. Sie wussten sich auch zu helfen, wie sie ihre Raummaße auf den Zentimeter genau zum Möbeltischler auf die Werkbank bekommen, denn die trugen sie im Urlaub ja nicht im Kopf. Telefonisch aktiviert, musste Dirk, der in ihrer Abwesenheit Schlüsselgewalt hatte, vermessen gehen und Maße durchgeben. Mit dem Tischler saßen sie abends bei Wein und Tapas vor dessen Werkstatt auf der Straße und rangen ihm einzelne Details, zum Beispiel die Anzahl der Schubladen und das historisierende Ambiente der Beschläge ab.

Am 14. August trafen Roland und Angelika so tief des nachts in Kiel ein, dass ihr Anruf in der WamS bestimmt nicht auf Wohlgefallen gestoßen wäre. Der Anruf erfolgte dann nach dem Ausschlafen. Sie erfuhren, die Prag-Mission sei vergangenes Wochenende erfolgreich durchgezogen worden.

Zwei Tage später saßen sie grillend auf dem WamS-Hof beieinander. Den Fluchtablauf kannten in groben Zügen einige der WamS-Bewohner, aber die bildeten die Minderheit unter den Anwesenden. So wurde die detaillierte Schilderung ein Triumph über das Unrecht. Es war nämlich so:

In Prag trafen Krause und Frenzel auf eine begeisterte Stimmung. Es bestand ein Klima, in dem sich eine lebhafte gesellschaftliche Aktivität entwickelt hatte. Auf dem Wenzelsplatz wimmelte es nur so von Ständen, die von Initiativen für eine sich abzeichnende Zivilgesellschaft zeugten. Mittendrin Tausende Deutsche aus Ost und West – gesamtdeutsch eben. Schnell wurde man miteinander bekannt. Wie Frenzel nach der Wende in Deutschland in seinen Stasi-Akten nachlesen konnte, hatte auch das MfS seine Häscher und

Provokateure vor Ort. Ein „Berliner Kumpel" heftete sich an Krause und Frenzel, ließ es sich an ihrer Seite gutgehen und motzte so effektheischend über die DDR-Verhältnisse, dass sich die Balken bogen. Ein Avant-Provokateur, der seinem Dienstherrn dreiseitig auf DIN-A4 über Frenzel und Krause in Prag berichtete. Natürlich hatten sich bei aller Herzlichkeit weder Frenzel noch Krause diesem „Berliner Kumpel" gegenüber zu der bevorstehenden Fluchtaktion geäußert.

Zu Krause war inzwischen die Lehrerin von Frenzels Kommilitonen herangeführt worden. Anhand von kleinmaßstäbigem Kartenmaterial waren sich Frenzel und Krause einig geworden, wohin mit dem Vehikel gefahren werden musste, um in Grenznähe die Lehrerin in das Versteck zu bugsieren. Die Grenzkontrollpunkte bestimmten sie auch. Einen für Frenzel und einen anderen für Krause. Krause sollte so rechtzeitig losfahren, dass er bereits in Bayern war, wenn Frenzel an einem anderen Grenzpunkt in den Grenzbereich einfuhr. Dasselbe galt für den Kommilitonen. Die Hauptakteure, Frenzel und die Lehrerin, würden als Letzte in Bayern ankommen.

Dann ging es los!

Am frühen Nachmittag brachte Krause die Lehrerin zu Frenzel, der sie zuvor noch nicht gesehen hatte. Krause war angespannt, das sah man ihm an. Ihm hatte die letzte Woche mit all ihren konspirativen Einzelheiten nervlich zugesetzt. Er hatte den gefühlsmäßigen Widerstreit hinter sich zwischen Leichtsinn, Gefahrenlage, Hilfsbereitschaft und persönlichem Engagement im politischen Kampf. Nach Uhrenvergleich verabschiedeten sich Frenzel und Krause voneinander. Sie schauten sich ernst an und umarmten sich fest. Krause ging zu seinem, in Rendsburg zugelassenen VW-Bulli RD-JK 42, welcher in der Querstraße stand. Er drehte sich nicht noch einmal um.

Frenzel wandte sich nunmehr der Lehrerin zu, die wortlos zugesehen hatte.

Das für ihn in der Situation Erfreulichste waren die Eckmaße der Dame, die wie ein kleines Mädchen aussah.

'Klein und zierlich, eine etwa 36iger Figur - in anderer Konstellation mein Beuteschema!', dachte er.

Sie gingen wie ein Pärchen nebeneinander her.

Er sah ihrem mädchenhaften Gesicht ein zweifelhaftes Erschrecken an, als sie einige Straßen weiter vor dem Kleinstroller-Mobil standen.

'Wo soll ich mich, um Gottes Willen, in diesem Vehikel unsichtbar unterbringen', mögen ihre Gedanken gewesen sein.

Frenzel beruhigte in der Rolle ihres gottähnlichen Beschützers:

„Jetzt fahren wir erst einmal gemütlich in Richtung Grenze. Da sitzen Sie vorne neben mir, und wenn Sie später in Ihr Kabäuschen schlüpfen, bekommen Sie von mir einen Signalknüppel. Das wird ein kleiner Maulschlüssel sein. Mit dem können Sie dann klopfen, wenn Sie die Haltung in der Sie liegen, nicht mehr auszuhalten glauben. Einmal abgesehen von Erschütterungen infolge der schlechten Straßenzustände hier, aber es sind schon größere Personen als Sie es sind, mit diesem Mobil in die Freiheit gerauscht."

Dankbares Aufblicken belohnte seine Verniedlichung dessen, wovon er wusste, dass es auf diese kleine Frau zukommen würde.

Frenzel fand die auf der Karte ausgesuchte Einfahrt in ein Waldstück. Als er den kleinen Weg sah, in den er einbiegen sollte, um parallel zur Straße hinter einem Erdwall uneinsehbar verschwinden zu können, war er unsicher, ob der Boden fest genug sei, um mit den kleinen Rädern des Kabinenrollers nicht zu versacken.

'Dieses Risiko gehe ich besser nicht ein', wog er ab und fuhr kurzentschlossen den Waldweg weiter entlang, im Vertrauen darauf, keine Zuschauer zu bekommen. Nach vielleicht fünfzig Metern hielt er an. So galant wie möglich fragte er:

„Wir haben bis zur Grenze noch etwa eine viertel Stunde Fahrzeit und es ist nicht vorhersehbar, wie lange es am Kontrollpunkt dauert, bis wir dran sind. Zur Weiterfahrt braucht es dann auch noch seine Zeit. Wollen Sie sich vielleicht sicherheitshalber noch einmal hinter einen Busch setzen?"

Sie mag diesen Hinweis als vertrauensbildende Maßnahme empfunden haben, denn sie sagte:

„Na dann bis gleich", und schritt durch's Unterholz hinter einen Baum. Als sie zurückkam, gab Frenzel ihr die Einstiegsanweisungen und drückte nach, bis alles passte. Er vernahm ein leichtes Stöhnen und als Letztes reichte er ihr besagten Signalknüppel - den kleinen Maulschlüssel.

Als alles verriegelt und verrammelt war, dachte er noch:
'Um Gottes willen, so wie diese Frau zusammengefaltet ist, das hält doch kein Mensch lange aus!'

Nun konzentrierte er sich auf sich.

Er schaute auf die Uhr, Krause müsste jetzt kurz vor der Grenze sein.

Mit zunehmender Fahrzeit verspürte er ein Herzklopfen, so als wäre er gerade zweitausend Meter gelaufen. Das Atmen fiel im schwer.

In der Ferne sah er zwei stehende PKWs und vor ihnen einen Schlagbaum.

„Halt aus, kleine Maus!", rief er noch als Signal zum Finale.

Als er sich dem ersten Schlagbaum näherte, überfiel ihn eine Ruhe, die fast einer Trance gleichkam. In so einer Gefahrenlage hatte er sich noch nie zuvor befunden. Vor ihm stand der letzte PKW bereits hinter dem runtergelassenen Schlagbaum. Als er sich ihm näherte, wurde der von einem ihm zulächelnden Grenzer hochgehoben. Die auf ihn zukommenden Grenzer waren ausgesprochen freundlich. Er gab den abverlangten Pass, und einer der Grenzer ging damit einige Schritte zu einem kleinen Barackenhäuschen. Drei Grenzer liefen wie neugierige Jungs um sein Auto - so etwas kannten sie wohl noch nicht. Als sein Pass wieder zurückgebracht wurde, forderte man Frenzel auf, die hintere Klappe zu öffnen.

Da waren nur die eng beieinander liegenden Räder zu sehen! Der Motor lag zur Wagenmitte dahinter. Von ihm war infolge des Umbaus überhaupt nichts zu sehen.

Das war er, der alles entscheidende Moment!

Wird man nach dem Motor fragen? Wird man ihn sehen wollen?

Bei genauerem Hinsehen hätte auffallen können, dass da noch Platz zwischen Motor und Sitzbank sein könnte. Dieses winzige Fahrzeug war aber dermaßen exotisch, dass man an alles hätte denken können, nur nicht an den Raum für eine Person.

Die tschechischen Grenzer wollten nicht stöbern. Körpersprache und höfliches Gestikulieren ließen ihre Sympathie für den deutschen Touristen erkennen. Frenzel wurde weiter gewunken.

Vor ihm wurde der zweite Schlagbaum hochgehoben, und er rollte ins Niemandsland, Richtung bayrische Grenze.

Sein Jubelschrei übertönte das Motorengeräusch.

Die Dame wusste nunmehr mit Sicherheit Bescheid.

Auf den deutschen Schlagbaum zurollend, ging dieser automatisch hoch und die bayrischen Beamten winkten Frenzel einfach durch.

Nach ein paar hundert Metern bot ein Waldweg die Rast an.

Endlich konnte die Lehrerin von ihm aus ihrer nicht artgerechten Haltung befreit werden!

Sie konnte sich nicht ohne Frenzels Hilfestellung erheben, aber bevor sie sich dann endlich streckte und reckte, krabbelte sie quasi auf Frenzel zu, fiel in seine Arme und weinte vor Glück!

Ungläubig über das Durchgestandene saß sie einige Zeit ohne ein Wort auf dem Beifahrersitz neben Frenzel und versuchte zu begreifen, dass das, was sie da an sich vorüberziehen sah, die Bundesrepublik Deutschland ist.

Als sie dann doch zu sprechen anfing, sagte sie:

„Übrigens, den Signal-Maulschlüssel habe ich gleich, nachdem Sie ihn mir gegeben hatten, mit Absicht fallen lassen. Ich wollte nicht in Versuchung geraten und das durchziehen. Ein Aufgeben kam für mich nicht in Frage!"

Nach etwa zwanzig Kilometern sah Frenzel am vereinbarten Treffpunkt seinen Krause vor Freude auf der Straße hüpfen. Für den kam Frenzel nämlich etwas später, als erwartet. Das Zittern der endlos verstreichenden Minuten ließ er beim Hüpfen befreiend raus, als er in der Ferne Frenzels Rollerkabinen-Silhouette erkannte.

Die Lehrerin stieg zu Krause in den VW um. Hintereinander fuhren die beiden Autos nach Bayreuth. Dort sprang die Lehrerin ihrem Verlobten in die Arme.

Alle mieteten sich im selben Hotel ein und feierten feucht-fröhlich in die Nacht. Der Kommilitone erklärte rührselig:

„Frenzel, den Fluchtbrummer könnt ihr behalten!"

Tags drauf, nach einem gemeinsamen Frühstück, fuhr das junge Paar nach Gießen ins Notaufnahmelager.

Frenzel und Krause brachten das Vehikel auf dem Anhänger wieder von Bayreuth nach Kiel.

Dort fand es noch einige Jahre als Spielmobil in der Kinderphantasie auf dem Spielplatz, auf dem Grundstück von Frenzels Familie, seine abenteuerliche Bespielung, bis es vom Gras überwuchert wurde....

Zehn Tage später, am 21. August 1968, sah Roland nach seinem Kasino-Dienst in der Hardenbergstraße auf dem Weg zur Mensa, für diese Zeit ungewöhnlich, diskutierende Gruppen und Grüppchen. Er horchte hinein und glaubte die aufgeschnappten Wortfetzen nicht richtig verstanden zu haben.

'Was ist los? Russische Panzer wollen nach Prag, sind in Prag? Krieg bei den Tschechen...?', schnappte er auf....

Eilig lief er schräg über die Straße zum Zeitungsstand bei KIEPERT, und schon auf dreißig Meter Entfernung erkannte er die ganzseitige Überschrift der vor Minuten ausgelieferten Sonderausgabe von „DER ABEND“:

RUSSISCHE PANZER IN PRAG!

'Was für eine Schweinerei', dachte Roland, 'die Russen wollen den DUBCEK abschießen!'

Er kaufte drei Blätter und eine Rolle Tesa-Film. Dann faltete und klebte er die Blätter so, das die Balkenüberschrift RUSSISCHE PANZER IN PRAG! die große Heckscheibe und jeweils die hinteren Seitenfenster seines R10 ausfüllten. Dann setzte er sich hinter das Steuer und fuhr auf Umwegen quer durch Berlin zur WamS. Aus dem Seitenfenster nahm er unterwegs die neugierigen und entsetzten Gesichter von Verkehrsteilnehmern und Passanten war. Zu nah waren noch die Erinnerungen an die russischen Panzer, die 15 Jahre zuvor den Aufstand des 17. Juni im Ostteil Berlins niederwalzten. Nach dem gleichen Muster, aber blutiger, lief es dann 1956 in Budapest ab.

In der WamS saßen Frenzel und Krause vor dem Fernseher, das Radio lief auch. Das gibt Krieg, so ihre Beurteilung der Ereignisse. Ihre Eindrücke waren frisch, denn sie lagen ja erst zehn Tage zurück. Die tschechische Armee steht bestimmt hinter DUBCEK, war die übereinstimmende Meinung. Welche Rolle spielen die NVA und die Armeen der Warschauer Pakt-Staaten? Dieses und vieles mehr wollten sie mit anderen Kommilitonen diskutieren.

Klare Sache:

"Wir müssen in die Uni, dort wird es sicherlich ein Sit-In geben."
Tatsächlich, der ASTA hatte im Audimax der TU zusammengerufen. Das Audimax war überfüllt, als sie dort ankamen. Die Studenten standen sogar dicht an dicht auf den längsseits verlaufenden Treppenstufen. Bei allem Protest über den Russeneinmarsch gab es von den Linken Diskussionsbeiträge, die anzeigten, dass sie, die sich ja als die echten „berufenen Revolutionäre" sahen, völlig von der Rolle waren. DUBCEK, VACULIK oder HAVEL wollten sie nicht als Helden der Revolution vor ihrer Haustür anerkennen. Ihre Vorbilder hatten sie ein für allemal in CHE GUEVARA und HO CHI MIN. Als dann noch stakkatoartig durch sie andere Diskutanten, Roland eingeschlossen, überbrüllt wurden mit „Amis raus aus Vietnam", verließen Roland und seine Freunde das Audimax. Der Streit ging ohne sie weiter, ob es eine Protest- und Solidaritätsdemonstration geben solle, zu der die Studenten aufrufen wollten. Tatsächlich formierten sich nachmittags gut 4000 Personen, die dem Aufruf folgten, zur Militärmission der Tschechoslowakei zu ziehen, um die Sowjetunion als „Imperialist Nr. 2" zu brandmarken.

Am 22. August 1968 gegen 14 Uhr erwischte „Der Lange" Roland telefonisch zu Hause. „Der Lange" klang ganz aufgeregt, erfreut, ihn überhaupt an der Strippe zu haben:

„Ich rufe gerade ein paar Jungs zusammen. „Der Steinmetz", unsere Frauen und meine Wenigkeit haben gerade die Russenfahne vor der Alliierten Kommandantur runtergeholt! Die wollen wir jetzt gleich in der Tschechischen Militärmission abliefern! Kommst'e mit?"

„Mal langsam, noch mal - was habt ihr gemacht?

„Mensch frag nich, war allet uffrejend genuch! Komm'ste nu mit oder nich? Wir treffen uns vor der Militärmission in der Podbielskieallee!

„Ich komme! Sitze quasi schon im Auto. Halbe Stunde bin ich da!"

Roland rief noch bei der WamS an, um die Freunde auch zu begeistern, aber da hob niemand ab.

Er lief raus zum Auto und bretterte los.

Die Podbielskieallee liegt nicht weit von der FU entfernt. So wie gewöhnlich fuhr Roland über die AVUS. Prompt verlor er am Dreieck-Funkturm im schleichenden Verkehr Minuten. Als er die Podbielskieallee entlangbrauste, brauchte er sich anhand der

Hausnummern gar nicht erst zu orientieren, denn auf der gegenüberliegenden Straßenseite vor der Villa der Militärmission sah er schon die schwarzen Rauchzeichen des Fahnenfeuers.

Außer den Akteuren der „Fahneneinholung" standen noch der Pfarrer Nehring und ein paar Reporter um das Feuer.

„Der Lange" erzählte, den Journalisten, wie sie sich der Russenfahne angenommen hatten:

„Wir wollten aus Protest gegen die Okkupation sowjetischer Panzer und Warschauer-Pakt-Truppen ein Zeichen setzen. Gegen 13:00 Uhr haben wir unsere Wagen seitlich der Königskolonaden in der Potsdamer Straße geparkt. Als ganz normale Fußgänger sind wir durch den Kleist-Park auf die Fahnenmasten vor dem Kontrollratsgebäude zugegangen. Einer hatte einen Bolzenschneider unter dem Sommermantel und damit hat er das Fahnenseil an dem vielleicht 25 Meter hohen Mast gekappt. Die etwa 2x4 Meter große Sowjet-Fahne ist ungebremst heruntergerasselt."

Namen nannte „Der Lange" keine. Nach damaligem Komment wollte die auch keiner der ausgesucht/bestellten Reporter wissen.

Dass bei der schnellen Aktion zwei auf der Hausbalustrade stehenden Sowjets drohend mit der Pistole rumfuchtelten und jemand von ihnen es war, der die mit einer Walter P4 in Schach gehalten hat, erzählte er den Reportern natürlich nicht, sondern:

„Während wir die Fahne noch vom Drahtseil abknipsten, raffte eine Frau sie zusammen. Dann rannten wir durch den Kleist-Park in Richtung Königskolonaden. Aus dem Kontrollratsgebäude liefen zwei Männer, wohl Sowjets heraus, die uns verfolgten. Aber als die am Ende der Königskolonaden auf der Potsdamer Straße ankamen, fuhren wir bereits in Richtung Tempelhof. Wir sahen zwar noch die VWs der Polizei, aber die fuhren zum Ort des schon beendeten Geschehens in entgegengesetzter Richtung an uns vorbei, und ihre Martinshörner wurden immer schwächer."

Der Steinmetz ergänzte:

„Nach der Aktion haben wir nur Sie in den vier Redaktionen darüber informiert, dass nunmehr der Militärmission der CSSR angeboten worden sei, ihr die sowjetische Fahne mit dem goldigen Hammer- und-Sichel-Emblem vom Kontrollratsgebäude als Trophäe symbolisch zu übergeben. Die Fahne wollten wir anschließend vor dem

Missionsgebäude aus Protest der Berliner über den feigen Einmarsch der Sowjets und ihrer Paktverbündeten in Prag verbrennen. Der Verbindungsoffizier, mit dem ich telefoniert habe, meinte aber, er müsse zu unserem Schutz auf die Strafbarkeit solch einer Verbrennungsaktion aufmerksam machen. Als ich darauf erwiderte, solche Bestrafung ertragen zu können, wich er aus und meinte; „dann aber gegenüber; auf der anderen Straßenseite."

Da standen sie nun, schräg gegenüber dem Missionsgebäude. Dort war Leben auf dem Vorhof. DANKE! wurde mit osteuropäischem Akzent den um die brennende Fahne Stehenden zugerufen.

Die Fahne war zu einem Häufchen verkohlt - die Reporter waren in ihre Redaktionen verschwunden. In kleiner Politik-Runde genossen die Akteure und ihre Freunde kühles Bier. Die Diskussion über die brachiale Gewalt der Sowjets in der CSSR fasste Roland martialisch zusammen:

„Wir werden die Sowjets als Besatzer in Deutschland nur los, wenn wir bereit sind, vorher bis zu den Knöcheln im Blut zu waten."

Die Morgenpresse berichtete am nächsten Tag über die heruntergeholte Fahne und ihre Verbrennung vor der CSSR-Militärmission. Natürlich war nur von unbekannten Tätern die Rede. Was die Presse aber auch berichtete – drei Stunden lang hätte es gedauert, bis eine neue sowjetische Fahne, von der Berliner Feuerwehr assistiert, von amerikanischen Soldaten aufgezogen werden konnte.

Tage später verbreitete die Militärmission der CSSR eine Mitteilung an die Berliner Redaktionen, in der sie den Berlinern ihren Dank für ihre Solidarität mit dem Tschechoslowakischen Volk aussprach.

Es war und blieb nichtsdestotrotz ein mittelschwerer Skandal in der alliierten Status-Konstruktion von Berlin. Zumindest betonten das die Sowjets, indem sie verlangten, dass die Fahnenschändung aufgeklärt werden müsse. Sie ließen nicht locker. Ihnen war das, bei all der Feindschaft, wie sie ihnen nach dem Einmarsch in die CSSR wieder verstärkt entgegenschlug, besonders wichtig. Der Fahnendiebstahl war für sie das Feigenblatt, hinter dem sie sich, in ihrer internationalen Reputation verletzt, als Opfer darstellen konnten. So musste also die Berliner Polizei den alliierten Dienststellen zuarbeiten. Nach ein paar Tagen bekam „Der Lange" eine Vorladung.

Er stand tatsächlich unter Verdacht! Der Beamte tat seine Pflicht, als er konkret fragte:

„Bei der Aktion, Sie wissen schon, ist von Zeugen ein Ford-SK1000 mit Berliner Nummer beobachtet worden. Nachdem es von diesem Auto-Typ nur vier Stück in Berlin gibt, werden Sie verstehen, dass ich Sie auch fragen muss, ob es sein könnte, dass Sie am 22.08. damit auf der Potsdamer Straße unterwegs gewesen sind."

„Der Lange" blinzelte sein Gegenüber an:

„Die Potsdamer Straße ist doch eine der wichtigsten Straßen in Berlin. Da fahre ich fast täglich lang. Sie müssen entschuldigen, Herr Polizeirat, die Uhrzeiten merke ich mir nicht und genau schon mal gar nicht!"

„Mein lieber Freund und Kupferstecher, für uns sind Sie ja nun kein unbeschriebenes politisches Blatt. Jetzt halten Sie mal die Füße still und versuchen Sie, mich zu verstehen - wir müssen solchen Hinweisen nachgehen, zumal wenn die von den Alliierten kommen."

„Na und was meinen Sie, kommt da jetzt noch was nach?"

„Die Zeugenaussagen zu dem Ford sind von den Russen!" Die können sich ja im Wagentyp geirrt haben, denn so viele Autotypen kennen die ja nicht. Ich habe alle vier Ford-SK1000-Halter überprüft und protokolliert. Aus meiner Sicht ist die Sache für Sie damit erledigt."

Ende September strömten die Studenten, die die vorlesungsfreie Zeit meist außerhalb verbracht hatten, wieder an ihren Studienort Berlin zurück. Die permanent in der Stadt gebliebenen Sprücheklopfer und Selbstdarsteller der radikalen Linken fieberten förmlich danach, gleich dem Nürnberger Rattenfänger tausende Demonstranten hinter sich herlaufen zu lassen. Also fast vollzählig, wollten die Akteure wieder einmal den Ku'damm in Richtung Gedächtniskirche durch eine ihrer Anti-Vietnamkriegs-Demonstrationen verstopfen.

Krause, Roland, und Freunde wollten dem etwas entgegensetzen. Sie hatten vor, sich mit einem großen Transparent auf einem Anhängerwagen dem Demonstrationszug anzuhängen. Krause besorgte zwei riesige Spannholzplatten und Vierkanthölzer vom Grundstücksnachbarn der WamS, und eine große Papierrolle für Transparente war noch übrig aus vorangegangenen Aktionen an der Uni. Die Spannholzplatten wurden zu einer Pyramide zusammengelehnt und von Roland auf dem Hänger vernagelt und verkeilt. Dann wurde die Holzkonstruktion mir dem Papier bespannt. Als Protestaussage hatten sie sich eine Karikatur ausgesucht, die gerade in einer der Zeitungen trefflich die Demonstrations-zusammenhänge wiedergab. Diese kleine Zeitungskarikatur: Die 'Ulbricht-Zicke', so nannte man den DDR-Staatsratsvorsitzenden W. ULBRICHT mit seinem Kinnbart, hielt einen Telefonhörer mit Schnur am Ohr. In einer Sprechblase sagte Ulbricht: „Verbinden Sie mich mit meinen Genossen an der Freien Universität in Westberlin!" Die kleine Karikatur musste nun auf die große Plakatfläche übertragen werden. Krause teilte sich mit bunter Kreide die Flächen auf den Spannholzpatten auf und zog dann wie ein Plakatmaler mit schwarzem Pinselstrich das Werk nach. Mit großen roten Lettern trug er noch auf: (Sozialistischer Deutscher Studentenbund) SDS=SED! Krause mit Beisitzer Heidrowski saßen vorne im VW-Bulli, der den Anhänger mit dem Pyramidenaufbau zog. Roland und Reimund fuhren dahinter. Das Rückfenster von Rolands R-10 war komplett mit dem Spruch ausgeklebt: „TEUFEL ins Freudenhaus!", was auf die kolportierte Absicht Teufels anspielte, der wolle für das Berliner Abgeordnetenhaus kandieren. Auf dem Weg zur Demonstration nahmen sie bereits wahr - ihre kleine Protestkolonne, gefiel den Leuten auf der Straße und den Personen in den ihnen begegnenden Fahrzeuge. Sie kamen, logistisch bestens abgepasst, an der Kreuzung Ulandstraße/Ku'damm an. Der Demonstrationszug mit aufreizend skandierten Anti-, Anti-Parolen, Ho-Chi-Min und CHE GUEVARA-Konterfeis, Transparenten und roten Fahnen zog auf der Fahrbahn Richtung Gedächtniskirche an ihnen vorüber. Den Abschluss des Zuges bildete eine Reiterstaffel der Berliner Polizei. Krause und Roland wurden von den ersten, hinter den Pferden wartenden PKWs von deren Fahrern eingewunken, sich vor ihnen, direkt hinter den Polizeipferden einzuordnen. Sie fuhren im Schritttempo hinter den Demonstranten. Die Passanten auf der Straße und die Zuschauer am Straßenrand, die sozusagen mit der Faust in der Tasche die Vorüberziehenden betrachteten, waren erfreut, wenigstens Krause, Heidrowski, Roland und Reimund als Gegenprotestler zu sehen, und mutig fanden sie das auch. Auf Höhe des Kinos ASTOR stockte der Zug. An der Kreuzung Joachimstaler Straße hatte die Polizei den Demonstrationszug kurz unterbrochen, um den gestauten

Kreuzungsverkehr fließen zu lassen. Da bekamen die am Schluss des Zuges Demonstrierenden mit, dass hinter ihnen die Leute am Straßenrand den Fahrzeugen von Krause und Roland zujubelten. Als der Demonstrationszug noch vor sich hin bummelte, hatten seine Teilnehmer dem Schluss keine Beachtung geschenkt, weil sie annehmen konnten, dass Krauses und Rolands Wagen schon zum gestauten Verkehr hinter den Reitern gehörte. Wie konnte es anders sein, denn eine Gegendemonstration, direkt an ihnen dran lag außerhalb ihrer Phantasie - hatte es zuvor auch nicht gegeben. Sofort kletterten zwei Linke Aktivisten auf den Anhänger, um die Pyramide von innen aufzubrechen. Rolands Arretierung hielt dem ersten Ansturm stand. Reimund, als er das sah, aus der Beifahrertür raus, neben dem Wagen stehend, schrie er die Vandalen an:
„Vom Wagen runter, sonst gibt's Dresche!"
Er brauchte aber nicht Hand anzulegen, weil die Lümmel bereits von am Rande stehenden Schaulustigen verjagt wurden. Der Demonstrationszug setzte sich wieder in Bewegung, aber an der Kreuzung Joachimstaler Straße bogen sie dann vorsichtshalber nach links in Richtung Zoo ab. Wären sie nämlich über die Kreuzung in Richtung Gedächtniskirche weitergefahren, hätten sie ohne Wendemöglichkeit, mitten zwischen den Demonstranten gestanden. Das wäre wirklich das Ende der gesamten Technik gewesen, denn die berittene Polizei hätte auch keine Chance gehabt, die vier Aufrechten vor dem Mob zu schützen.

Mit Kleiner Matrikel hatte Roland vier Semester Zeit, die in Große Matrikel umzuwandeln, um nicht exmatrikuliert zu werden. Dafür benötigte er das Abitur! In den ersten zwei Semestern hat er alles Mögliche gemacht und tun müssen, aber Zeit dafür, das Damoklesschwert über seinem akademischen Anspruch wegzubekommen, hatte er kaum erübrigt.
Ab Wintersemester '67/'68 stellte er nach zwei Semestern die Uhr auf Stopp und ließ -Urlaubssemester- ins Studienbuch stempeln. Den einzigen Sinn, das zu tun, sah er im Zeitaufschub. Ob der ihm die Brücke zum Abitur verschaffen würde, dessen war er alles andere als sicher. Zumindest hatte er schon mal geregelt, weiter das Stipendium gezahlt zu bekommen, weil er für die Beurlaubung angab, auch nach London zu gehen, um Englisch zu lernen. Englisch brauchte er als

zweite Fremdsprache fürs Abitur. Angelika unterstützte ihn beim Lernen zu Hause, aber für schnell und gründlich fand sie eine englische Sprachschule besser. Ihn dann dort zu besuchen, wäre reizvoll, denn London kannte sie noch nicht. Das Geld für solch einen langen Trip sollte in den nächsten Monaten erarbeitet werden.

Und dann der Hammer!

Es war der 6. Oktober '68, Sonntagnachmittag. Krause hatte sich mit Peter in der Gemeindegruppe von Pfarrer Nehring in Heiligensee verabredet. Dort sollte Peter am Projektor die kurzen Super-8-Rollen wechseln, während Krause und Pfarrer Nehring ihren Vortrag hielten. Peter kam nicht.

Als Krause spät abends in die WamS kam, war das Verschwinden Peters aufregendes Gesprächsthema. Wenn überhaupt, dann mehr am Rande, hatten die Anwesenden mitbekommen, dass Peter sich um die Flucht einer Freundin aus Dresden kümmerte. Am Morgen war Peter in Sorge auf Frenzel zugegangen, um ihn zu informieren, dass es ein Problem gab. Seine Freundin war bereits aus Dresden nach Ostberlin angereist, um von einem Kurier letzte Anweisungen zu ihrer Flucht zu erhalten. Dass dieser Kurier nicht am Sonntag, sondern erst am Montag kommen würde, sie sich keine Sorgen machen müsse und nicht abreisen solle - das musste übermittelt werden. Frenzel wusste Rat:

„Das kannst du auf ganz einfache Weise regeln! Es gibt da an der Grenze Bornholmer Straße, schon im Grenzbereich der DDR, eine Telefonzelle, aus der man in den Osten telefonieren kann, ohne einreisen zu müssen. Du brauchst nicht durch die Kontrolle!"

Für Peter schien das Problem gelöst und er machte sich auf den Weg.

Alles war so, wie Frenzel es beschrieben hatte, die Telefonzelle stand einsam, abseits von den Kontrollbaracken auf dem großen asphaltierten Abfertigungsgelände.

Es war wie ausgestorben - kein Betrieb um diese Uhrzeit, der setzte Sonntags immer erst später ein.

Das wurde ihm zum Verhängnis!

Weil nämlich die Grenzer weiter nichts zu tun hatten, kam einer von ihnen auf Peter zu und wollte neugierig wissen, wer denn da weiter nichts als telefonieren wollte. Er verlangte Peters Papiere und ging damit in die Kontrollcontainer. Peter konnte von diesem Augenblick an auch nicht mehr losrennen, denn dann wäre sofort geschossen worden. Wie nicht anders zu erwarten, den Grenzern war es bestimmt, Freude und Genugtuung, Peters Personalien in den Fahndungslisten gefunden zu haben. Er wurde verhaftet!

Von Peters Verhaftung erfuhr man offiziell im Westen erst nach Monaten!

Für Peter begann ein Martyrium!

Ihm wurde nicht nur die eigene Republikflucht angelastet, sondern Beihilfe in mehreren Fällen. Dazu gehörten Micel, Roland, der Bruder von Ingo und die inzwischen nachgekommenen Studienfreunde Hecht und Lindner. Dies alles organisiert von einer der schlimmsten Verbrecherorganisationen in Westberlin, das rangierte im DDR-Strafgesetzbuch unter „Staatsfeindliche Verbindungsaufnahme".

Der größte Klops war der Vorwurf von Spionage!

Man unterstellte ihm den Verrat der Arbeitsergebnisse seiner ehemaligen Kollegen beim Treptower Apparatebau. Peter hatte sich ja nun wirklich dem Interesse der Amerikaner verweigert, aber das wurde ihm natürlich nicht geglaubt.

Er wurde zu fünf Jahren Haft verurteilt!

Als Roland vom Verschwinden Peters erfuhr, traf ihn das, als hätte man ihm eine eine heiße Nadel bis ins Herz gestoßen. Sein brüderlicher bester Freund, ohne den er nicht in der Freiheit leben würde, war aus der Mitte seiner Freunde gerissen worden und befand sich jetzt in der Gewalt der Kommunisten! Eigene Bilder der Erinnerung aus der Knastzeit vor Augen, spürte er körperlich den Verlustschmerz. Egal was er tat, wo er sich befand und wem er sich gegenüber sah - er dachte an Peter. Seine liebe Frau Angelika, die Peter ja bestens kennengelernt hatte und die um die Verbindung der beiden Männer seit ihrer Kindheit wusste, vermochte Rolands Kummer nicht zu lindern.

Alle Persönlichkeiten, Freunde und Bekannte ging Roland durch und sprach diejenigen an, denen er zutraute, dass sie an Informationen herankommen könnten, die Peters Lage betrafen oder vielleicht sogar Chancen, Mittel und Wege kannten, Peter wieder in den Westen zu bekommen.

Die Bemühungen der Bundesregierung um die Freilassung politischer Häftlinge hatten bereits um 1962 begonnen und waren '68 unter dem Schlagwort „Freikauf" allgemein bekannt. Der Begriff „Freikauf" subsumierte Geld für Häftlinge, Austauschfälle, und Familienzusammenführungen als legale Ausreisen. Diese Prozedur hatte sich im Laufe der Jahre zu einem bevorzugten Geschäftsmodell für die DDR entwickelt. Weil es ja zu der nicht anerkannten „DDR" keine unmittelbaren Kontakte auf Regierungs- und Verwaltungsebene seitens der Bundesregierung geben konnte, wurden auf beiden Seiten Rechtsanwälte bevollmächtigt, die Geschäfte abzuwickeln. Auf der Ostseite hatte das MfS die Oberaufsicht und vom ihm wurde auch der RA W. VOGEL geführt. Auf der Bundesseite war das Bundesministerium für gesamtdeutsche Fragen, später Bundesministerium für innerdeutsche Beziehungen, Referat „Besondere Bemühungen", mit Sitz im Bundeshaus in Berlin federführend. Hier waren es unter der Leitung von Hermann Kreutzer, die Rechtsanwälte J. STANGE und Ü. SALM, die als Counterpart in die Verhandlungen geschickt wurden. Schon von Anbeginn der inoffiziellen humanitären Bemühungen der Bundesregierung mussten sich ihre Unterhändler gegenüber der DDR verpflichten, die freigekauften Häftlinge dazu zu verdonnern, nichts über ihre Hafterlebnisse, schon gar nicht in der Presse, zu verlautbaren. Anderseits verbesserten sich auch die Haftbedingungen in den Strafvollzugseinrichtungen der DDR.

Wenn man Herrn Ü. Salm fragt, welcher der von ihm betreuten Freikäufe besonders in Erinnerung ist, steigen dem heute noch die Tränen in die Augen, wenn er von folgendem Fall spricht:

„Eigentlich waren bei jeder Verhandlung Fälle dabei, wo einzelne Namen auf der von uns vorgelegten Liste ohne Erklärung einfach von der DDR-Seite durchgestrichen wurden. Das wussten wir und nahmen die gestrichenen Namen wieder in die nächste Listenvorlage auf....

Es gab aber auch einen tragischen Fall, da behauptete die Ostseite, diesen Mann gäbe es nicht in ihren Gefängnissen! Nach unserer Aktenlage musste es aber diesen Mann geben, der wegen Spionage für den französischen Geheimdienst zum Tode und danach zu lebenslänglicher Haft verurteilt worden war. Weil es ihn nicht geben sollte, hatte man ihn 10 Jahre in Dunkelhaft (!) alleine in einer Zelle in

Bautzen weggeschlossen. Weitere vier Jahre (!) hatte er in „normaler Einzelhaft" verbringen müssen. Da war er schon erblindet. Als mir RA Vogel diesen Mann am damaligen Grenzübergang Wartha/Herleshausen, als Einzelperson gesondert, an der Grenze übergab, hat ihn seine Ehefrau, die in all den Jahren zu ihm gehalten hatte, nicht mehr erkannt. Besonders anrührend war, dass er, als Herr Vogel und ich ihm versicherten, er befände sich auf westlichem Boden – in der Freiheit - er niederkniete und den Boden küsste. Er lebte noch zwei Jahre. Es ist zu vermuten, dass, wenn die DDR nicht so geldgeil auf Devisen gewesen wäre, sie den „nicht vorhandenen Häftling" auch noch die letzten zwei Jahre durchgefüttert hätte."

Roland hatte irgendwann sämtliche infrage kommenden Personen und Dienstellen durch. Das kristallisierte sich immer dann, wenn er gesagt bekam, dass der Vorfall bereits dort oder dort gemeldet worden wäre und sich in Bearbeitung befände. Am konkretesten war ihm gegenüber Herr RA Ü. Salm, der wenigstens zweimal bestätigen konnte, dass Peters Name ohne Angabe von Gründen von seiner Liste gestrichen worden sei.

In London bewegte sich Roland in der ihm bisher unbekannten multikulturellen Gesellschaft, wie sie aus dem weltumspannenden Commonwealth über die Generationen gewachsen war. 'Na gut', dachte er, 'ist ja nicht mein Zuhause'. Dann nahm er aber wahr, wie allabendlich rings um den Piccadilly Circus Obdachlose verschiedener Nationen um Schlafplätze stritten. Es ging dabei um Wärme aus Lüftungsschächten, die aus ebenerdig zur Straße abgedeckten Eisengittern entlang der Hotelgebäude ausströmte. Das überstieg exemplarisch seinen Begriff von grenzenloser Freiheit.
Nach acht Wochen Aufenthalt in London am Institut für English-Language hatte Roland das begehrte Sprachzeugnis in den Händen.
Jetzt musste er sich zwecks externer Abi-Prüfung bei einem Gymnasium anmelden. Dafür brauchte er die Beurteilung eines Professors von der Universität, der ihm die besondere Studienreife testierte. Dazu war Professor G. KOTTOWSKI vom Otto-Suhr-Institut bereit, bei dem er die Deutsche Verfassung 1867-1967 studiert hatte. Zu diesem Professor hielt Roland auch außerhalb des Instituts Verbindung. Von ihm wurde ein Zehlendorfer Gymnasium

vorgeschlagen, dessen Direktor dem Professor bekannt war. Der Prüfungsrahmen war vom Landesprüfungsamt vorgegeben; zwei Fächer mündlich und schriftlich sowie weitere drei mündlich. So wurde mit dem Direx des Gymnasiums und dem Professor für Roland bestimmt: Deutsch und Geschichte schriftlich/mündlich, Physik, Biologie und Geographie mündlich an seinem Gymnasium. Als zweite Fremdsprachenquali reichte das Zeugnis der Sprachschule. Die schriftlichen Klausuren mussten am Landesprüfungsamt geschrieben werden.

Die Festlegung dieses Leistungsspektrums war ja nicht umwerfend beängstigend für Roland, denn doof war er ja nicht, aber als externer Prüfling vor ihm unbekannten Lehrern mündlich seinen Mann zu stehen, das wollte er irgendwie etwas abpuffern mit einer Frage an den Direktor:

„Kann es denn bitte noch einmal eine Prüfungsvorbesprechung geben, bevor ich hier antrete?"

„Ja, das werde ich organisieren, wenn hier die Ergebnisse Ihrer Klausuren vom Landesprüfungsamt vorliegen. Dann wird zu entscheiden sein, ob Sie zur mündlichen Prüfung zugelassen werden."

„Wenn ich mir noch die Frage erlauben darf, was kann denn in Deutsch in einer Dreistunden-Klausur so verlangt sein?"

„Also hier in unserem Gymnasium kommen die Themen ja erst einen Tag vor der Prüfung versiegelt an und werden dann vom Lehrer in der Klasse geöffnet. Ihnen wird der Umschlag mit dem Thema zu Beginn der Klausur übergeben werden. In den letzten Jahren waren es die Klassiker, angeführt von unserem Altvater. Mehr wäre im Moment dazu nicht zu sagen."

Der Professor schloss sich dieser hypothetischen Fragestellung an:

„Ich erinnere mich an Ihr Referat aus der neueren Geschichte. Ich hoffe, dass Sie das noch intus haben...."

Roland hatte gespürt, man wollte ihm nichts Böses. Er war sich aber voll dessen bewusst, dass, bei aller Sympathie, wenn er die Prüfungen in den Sand setzte, es keine zweite Chance gäbe – jedenfalls nicht in einer ihm so wohlgesonnenen Konstellation, wie es die des Direktors und des Professors Kottowski hoffen ließ.

Er brauchte einen Pauker, der ihn für die Prüfungen fit macht. Dazu fiel ihm Hecht ein, der nach seinem Notaufnahmeverfahren in Berlin geblieben, einer der häufigsten Gäste bei ihnen zu Hause war. Hecht war zwar als Diplom-Ingenieur Naturwissenschaftler, aber ansonsten so der Typ fundierter Alleswisser. Von diesem Freund verlangte Roland, er möge ihm den „Nürnberger Trichter" machen. Hecht war sofort damit einverstanden, denn er erinnerte natürlich auch, dass Roland seinen Anteil daran hatte, dass das mit seiner und Lindners Flucht gutgegangen war. Als Repetitor hatte Hecht zwar seine Methodik, aber er war auch schon zweifelnd, mit welcher Bestimmtheit Roland nach Inhalten verlangte, deren Auswahl ihm wie eine Lotterie erschien. Mit erhobenem Zeigefinger tat er, wie ihm von Roland geheißen. Roland büffelte zum Beispiel 'Egmont' und 'Faust', wobei er die Charaktere und ihre Stellung zueinander gewichtete. So ging das den ganzen lieben Tag, nur von Terminen zu Vorträgen unterbrochen, denn den Croupiers-Job hatte in seiner London-Abwesenheit ein anderer eingenommen.

Nach seinem Dienst kam dann Hecht und stellte Fragen, so, wie er sie von der Schule her kannte und legte die nächsten Lektionen fest. Roland fand sich manchmal selber so gut, dass er am Liebsten gleich die Klausuren geschrieben hätte. Über allem lag natürlich die Hoffnung, Altvater Goethe, entweder mit 'Egmont' oder 'Faust', entfernt, aber machbar, 'Iphigenie' würden Abi-Thema werden. Gegenüber Hecht setzte er noch spekulativ einen drauf, indem er 'Egmont' favorisierte, weil ihm der bestens gesellschaftspolitisch interpretierbar schien und er ihn schon aus mehreren Theateraufführungen her kannte:

„Ich bin mir sicher, gesetzt den Fall Egmont wird verlangt - ich hätte den Jackpot, da wären drei Stunden eher zu knapp!"

Roland konnte tatsächlich über Egmont schreiben und bekam im Schriftlichen „Sehr Gut". Um das Thema abzuschließen, so ging das durch alle Fächer weiter und als der Direktor selber als Prüfer im Mündlichen in den Fächern Physik, Biologie, und Geographie den Vorsitz führte und Professor Kottowski die Begutachtung der Geschichte schriftlich und mündlich auch mit „Sehr Gut" bekannt gab, bekam Roland ein Zeugnis ausgestellt, wie er es in der Vergangenheit noch nicht bekommen, und es in seinen Examina nie wieder erhalten sollte.

Am 29. April '69 wurde seine Kleine Matrikel in Große Matrikel umgeschrieben – wenn er keine silbernen Löffel klaute, stünde irgendwann einem akademischen Abschluss nichts mehr im Wege!

Wolfgang Fuchs hatte vor kurzem den Verlust eines Teams hinnehmen müssen. Nicht durch Verrat oder hervorragend gute Feindaufklärung des MfS ist es zu Verhaftungen und Verlust von Technik gekommen, sondern eine neue Variante von Diplomatentouren mit gefälschten Diplomatenpässen, war gescheitert. Bei dieser Aktion ist Heidrowski, für den es wohl eine der ersten Kurierfahrten war, für die er von Fuchs eingesetzt worden war, verhaftet worden. Das war Heidrowski aus der WamS! Ein „selbst gemachter Diplomat" sollte, ausgewiesen durch luxemburgischen Pass und CD-Wagen, einen Flüchtling über den Grenzübergang Heinrich-Heine-Straße fahren. Es wurden der „Diplomat", sein Flüchtling und als letzter Kurier Heidrowski verhaftet. Das für Roland Schwerwiegende daran war – er hatte Heidrowski empfohlen, bei Fuchs als Kurier einzusteigen, weil er damit zwei Fliegen mit einer Klappe schlagen könne – gegen die Kommunisten aktiv zu sein und Geld für's Studium zu verdienen.

Fuchs meinte abschließend:

„Jetzt wird sich Hartung über die Rechtsanwälte Vogel (Ost) und Stange und Salm (West) um den Freikauf von Heidrowski kümmern."

„Auf diese Weise werde ich nicht noch einmal eine Tour versuchen. Wenn es geklappt hätte, wäre das Ganze zwar wesentlich billiger geworden, aber ein echter Diplomat ist eben doch sein Geld wert", sprach Fuchs wie zu sich selbst, aber dann setzte er neu an:

„Jetzt gibt es **ein ganz heikles Fluchtprojekt!**"

„Kannst mich ja einweihen, vielleicht kann ich etwas dazu zu sagen", klopfte Roland vorsichtig an.

Für ihn war nach dem Sommersemester '69 vorlesungsfrei und er hatte so richtig Zeit, überall dabei sein zu können.

Für die ganz heikle und dringende Aufgabe hatte Fuchs just am selben Tag den Faden aufgenommen.

Die Erschwernis, lag zuerst einmal daran, dass die fluchtwillige Person, eine Frau, vom MfS unter 24-Stunden-Überwachung stand. Ihr Ehemann, eine Kapazität, Professor der Medizin, war nach einem Fachkongress in Paris im Westen geblieben. Weil das MfS herausfand, dass die kinderlose Ehe des Mediziners intakt war, konnte angenommen werden, dass der seine Frau würde in den Westen nachholen wollen. Man legte sich also auf die Lauer, um so schon möglichst ab der ersten Kontaktaufnahme zu den Fluchthelfern, dabei zu sein.

Die Arztfrau wohnte in der Pettenkofer Straße, in einem 4-geschossigen Mietshaus im zweiten Stock. Jeden Morgen fuhr sie mit dem Wagen zum Bahnhof Lichtenberg und von dort mit der S-Bahn weiter zu ihrer Arbeitsstelle, dem Klinikum Berlin-Buch. Da die Frau mit dem eigenen PKW beweglich und flexibel war, sollte seitens des MfS nichts dem Zufall überlassen werden. Man stellte, wenn sie wieder daheim war, mit einem PKW-Wartburg vor ihrem Haus die lückenlose Überwachung sicher.

Als Roland diese vertrackte Aufgabenstellung begriff, war es Fuchs gerade gelungen, die Frau während ihres Dienstes im Klinikum durch den ihr bestens bekannten Freund ihres Mannes zu kontaktieren. So waren auch die Überwachungsmechanismen übermittelt worden.

Roland war ja Fuchs schon deshalb von Anbeginn zugetan, weil er schließlich einer seiner Fluchthelfer war und voraussichtlich auch seinem Freund Dirk in die Freiheit verhelfen würde. Jetzt vertiefte sich sein Respekt zu Fuchs, als er mitbekam, dass der bei Kenntnis der MfS-Überwachung nicht gleich Abstand von der Aufgabe nahm.

Roland war es gewissermaßen eine Freude mitzuteilen, dass er im Nachbarblock des Wohnhauses der Frau, das als Eckhaus schon zur Rigaer Straße gehörte, gewohnt hätte. Das interessierte Fuchs natürlich. Andererseits schienen Roland die Zusammenhänge zwischen dem geflüchteten Professor und seinem Freund und Arbeitskollegen zu „ideal". Er fragte also bei Fuchs nach:

„Was weißt du eigentlich, über das Freundschaftsverhältnis zwischen dem Professor, seiner Ehefrau und dem Freund ihres Mannes? Ist der denn nicht von der Stasi befragt worden und steht womöglich auch unter Beobachtung?"

„Der ist selbstverständlich von der Stasi befragt worden. Da hat er sein Befremden über den Egoismus des Kollegen ausgedrückt, dessen Freund er nun nicht mehr sein könne, weil man eine Frau und schon gar nicht die angeblich so geliebte Ehefrau schäbig sitzenlassen könne. Das ganze Arbeitskollektiv wäre enttäuscht und fühlte sich durch den Verrat ihres ehemaligen Professors beschmutzt. So hat er es unserem Kurier berichtet."

„Scheint kein Dummer zu sein, dieser Freund..."

„Das geht ja noch weiter! Ich meine, der Mann ist eine sichere Verbindung für uns! Der Freund war als einziger vor Abreise des Professors zum Kongress in Paris informiert, dass er abzuhauen gedenke. Noch nicht einmal seine Frau hatte er eingeweiht. Die Männer kennen sich aus Studienzeiten. Er hat dem Freund, der ja auch Kollege im Klinikum war, übrigens versichern müssen, er möge sich genauso wie für seine Frau, auch für ihn um eine Fluchtmöglichkeit kümmern. Wenn dieser Freund mit dem System beziehungsweise mit der Stasi was am Hut hätte, dann hätten sie den Professor doch noch vor seiner Abreise, 'hopps genommen'. Leuchtet doch ein, oder? Die Stasileute seien von der Positionierung des befragten Freundes so überzeugt gewesen, dass sie ihn gebeten haben, Kontakt zu der verlassenen Ehefrau zu halten und für weitere Gespräche zur Verfügung zu stehen."

„Bei dieser Schilderung kann ich dir nur zustimmen. Wie bist du denn überhaupt auf die Fluchtabsicht der Frau - des Professors - gestoßen?"

„Egon, du weißt schon Egon Hartung, hat angefragt, ob bei mir etwas läuft! Der hat auch gleich gesagt, dass das eine Geschichte von großer Tragweite sei. Die wären im Osten richtig sauer, dass sie den Professor verloren, und wie Hartung sagte, ist man hier froh, ihn zu haben. Man müsse davon ausgehen, dass die seine Ehefrau als Köder auslegen."

„Ich möchte das ganze Ding mit durchziehen! Kenne ja die Gegend und das Haus in der Pettenkofer", stellte Roland in den Raum.

„Willkommen im Team. Wenn dir etwas einfällt, lass es mich wissen, die Sache eilt. Wir müssen einen Weg finden, wie die Frau ihre Bewacher verliert", erwiderte Fuchs.

Roland aus seiner Ortskenntnis, einer Idee folgend, forderte Fuchs auf:

„Lass doch mal bei der Ehefrau nach Haustürschlüssel, Schlüssel für Keller und Dachboden fragen. Die muss sie nicht weggeben, sondern dem Freund nur ausleihen. Der kriegt sie, weil das ganz einfache Schlüssel sind, ohne Formalitäten in jeder Klitsche nachgemacht. Natürlich lässt er das nicht in seinem Wohnbezirk und auch nicht auf dem Weg zum Klinikum machen. Er soll das schnellstens erledigen, und wenn er die Duplikate hat, sie dem Kurier bei seinem nächsten

Besuch übergeben. Der schmeißt sie in den Werkzeugkasten ins Auto, zum übrigen Werkzeug. Wie es dann weitergeht, werden wir dann sehen."

„Ich denke mal, ich weiß, worauf du erpicht bist. Du willst erkunden, ob es unten oder oben Verbindungen zwischen den Hausaufgängen gibt, richtig?", griff Fuchs die Idee auf.

„Genau, bis '45 gab es Luftschutz-technisch die sogenannten Notdurchbrüche oder stählerne Brandschutztüren zwischen den Häusern. Wenn es darauf ankam, konntest du so die ganze Straße lang bis zu einem intakten Haus gelangen. Heutzutage wissen das mit den Notdurchbrüchen nur noch die Mieter vor und im Krieg. Weil die Giebel-Dachböden noch als Hängeboden für die Wäsche benutzt werden, wundern sich die Leute über die Stahltüren. Die im eigenen Aufgang können von jedem Hausmieter aufgeschlossen werden, die andere Tür am Ende des eigenen zum Nachbarhaus ist immer verschlossen", sprudelten Rolands Kenntnisse.

„Wir verbleiben wie besprochen, du kriegst Bescheid und ziehst dann die Sache auf", machte Fuchs an dem Abend Schluss.

Roland schwebte vor, die Ehefrau vor den Nasen der MfS-Bewacher, die in ihrem Wartburg vor der Haustür standen, über Keller oder Dachboden der Nachbarhäuser auf die Straße zu bekommen. Wenn das richtig klappte, würden die Bewacher erst aufmerksam, wenn die Frau vielleicht schon im Westen angekommen war.

Theoretisch einfach, aber viele Imponderabilien, angefangen von der Vor-Ort- Recherche bis zum Ende der Aktion, galt es zu gewichten. Es rollte damals Logistik in ungewöhnlicher Größenordnung auf Fuchs und Roland zu.

Der chronologische Ablauf blieb Roland deswegen so gut in Erinnerung, weil bei seinen zukünftigen Fluchthilfen nie wieder so viele Helfer, und von ihnen nie wieder so viele gleichzeitig, jenseits des weißen Striches auf der Ostseite, alles bei Sichtkontakt zur Stasi, im Einsatz waren......

Die Nachschlüssel waren fertig, Fuchs und Roland besprachen das Weitere. Fuchs fasste die Lage zusammen:

„Ich habe zwei Mann, einer war Raimund, zweimal geschickt, um tagsüber die Lage vor dem Haus zu checken. Morgens, wenn die Frau zur Arbeit unterwegs ist, verlässt der Wartburg seinen

Beobachtungsplatz vor dem Haus und abends gegen 17:30 Uhr ist er wieder da. Raimund hat sogar beobachtet, dass die Frau, von der Arbeit zurück, aus ihrem Wagen ausgestiegen ist, um zum Einkauf in die Kaufhalle an der Ecke Rigaer zu verschwinden. Dahin ist ihr ein Mann aus dem Wartburg gefolgt und nach dem Einkauf sind beide wieder zurückgekommen. Sie ging ins Haus, und der Stasimann hat sich zu seinem Kollegen in den Wartburg gesetzt. Jetzt wissen wir, woran wir sind. Wir sollten uns mit der Hausbesichtigung beschäftigen!", richtete sich Fuchs an Roland.

„Raimund kommt dafür nicht in Frage, den setzen wir später wieder ein, der hat sich da lange genug 'rumgetrieben. Zu uns würde jetzt ein echter Ossi passen, der mit einem von unseren Leuten die Hausbesichtigung Keller und Dach vornimmt", steuerte Roland den nächsten Schritt an.

„Du wirst es nicht glauben, da habe ich vielleicht den geeigneten Mann. Zu dem habe ich zwar seit '63 keinen Kontakt mehr, aber seine Töchter leben hier. Ihr Vater war ein „Tunnel-Decker". Seinen beiden Töchtern hat er über einen Abwasserkanal in den Westen verholfen. Mit einem Kumpel hat er damals die Gullideckel mit Spezialeisen hochgewuchtet, welche er selber angefertigt hatte. Dann sind versteckt wartende Flüchtlinge in kleinen Gruppen von fünf bis sechs Leuten eingestiegen. „Decker" hat die Deckel wieder zugeschoben, denn die waren zu schwer, um vom letzten Flüchtling über Kopf bewegt zu werden. Das hat er einige Male gemacht. Sein Kumpel ist auch so rüber gekommen. Ich weiß nicht, wo der abgeblieben ist. Jedenfalls wollte der Vater nur seinen Töchtern in den Westen verhelfen, selber hatte er mit Hauseigentum und gutgehender Werkstatt sein Auskommen im Prenzelberg"

„Und wie könnte man den kontaktieren?, wollte Roland wissen.

„In der Werkstatt! Der „Decker" ist ein ganz Vorsichtiger. Wenn unser Mann da ein falsches Wort sagt oder es zwischen den beiden nicht funkt, schaltet der ab. Der Kurier kann sich mit den besten Grüßen von „Füchslein" bei ihm melden - aber ob der „Decker" die ihm abnimmt, kann ich nicht vorhersagen!"

„Also von mir aus sollte ihn ein Kurier besuchen. Wenn die beiden sich verstehen, muss der dem „Decker" von Anfang an klarmachen, dass sie die Hausbesichtigung gemeinsam machen werden. Das schafft bei

„Decker" Vertrauen. Geld für Auslagen sollte er „Decker" auch gleich 'rüberreichen.'"

„Was meinst du denn?"

„Na, umsonst soll „Decker" ja überhaupt nicht helfen, aber für den ersten Hausbesuch sollte er für den Kurier einen Blaumann mitbringen, selbst muss er im Arbeitskittel mit Werkzeugkasten erscheinen. In dem Werkzeuggerümpel sollen sich Dietriche, Hammer und Stemmeisen befinden! Die beiden treffen sich am S-Bahnhof Frankfurter Allee und gehen von der Rigaer rechts in die Pettenkofer Straße zum Hauseingang wie ganz normale Handwerker. Wenn die da vormittags aufkreuzen, ist der Stasi-Wartburg ja nicht da. Klasse wäre, wenn die beiden möglichst gleich vollendete Tatsachen für einen Weg, entweder im Keller oder im Dach schaffen könnten. Spätestens zwei Tage später müsste deine Transportmöglichkeit bereitstehen."

„Mein Transport steht auf Abruf!" So gingen Roland und Fuchs auseinander. Zwei Tage später kam der 2. Mann mit Neuigkeiten aus Ostberlin zurück:

„Der „Decker" war erfreut über die Grüße von „Füchslein" und über die in Aussicht stehenden Blauen (Hunderter-DM-Scheine). Er hat, als ich ihm die Schlüssel gezeigt habe, überhaupt nichts weiter wissen wollen. In zwei Tagen wollen wir uns Keller und Boden ansehen. Den Blaumann hat er mir schon mal mitgegeben! Der liegt im Kofferraum!", fasste er in Kürze zusammen.

Fuchs und Roland waren zufrieden und besprachen die Hausbesichtigung für übermorgen. Fuchs hatte mit dem 2. und 3. Mann zwei Kämpen ausgesucht, die schon einige Male als letzte Kuriere für ihn fungiert hatten.

„Sind Sie motorisiert?", fragte Roland Nr. 2 und Nr.3.

„Ich habe einen VW Karmann-Ghia und mein Kumpel einen VW-Variant", antwortete Nr. 2.

„Sie werden morgen beide mit Ihren Wagen in den Osten fahren", wies Roland sie ein.

Roland zum 2. Mann:

„Sie möchte ich morgen früh vor der Einreise noch einmal sehen. Ich will noch etwas mitgeben!"

Roland hatte sich Gedanken gemacht, wie Hausbewohner in Ostberlin reagieren, wenn sie im Keller oder Dachboden auf Nichtmieter treffen. Auf DIN-A5-Papier hatte er mit Schreibmaschine verfasst:
„Am 24. Juli findet die Kontrolle der Blitzableiter in Ihrem Haus statt. Stempelschriftzug; Wohnungsverwaltung Friedrichshain, darunter Sachbearbeiter Vogelsang, unleserliche Unterschrift."
Den Zettel übergab er dem 2. Mann, der ihn unter dem eingeklebten Teppichboden des PKW transportieren solle. Wenn er mit „Decker" in das Haus ging, sollte er den Zettel im Hausflur an dem Informationsbrett mit Reißzwecken befestigen. Wenn sie die Besichtigung abgeschlossen hätten und das Haus verließen, sollten sie nicht vergessen den Zettel , wieder abzunehmen.....
Seinem Kumpel, als der 3. Mann, hatte Roland die Aufgabe gegeben, das Verschwinden und Wiederauftauchen der beiden „Handwerker" von der Kaufhalle Ecke Rigaer/Pettenkofer Straße aus zu beobachten. Anschließend sollte er den 2. Mann treffen, nachdem der sich vom „Decker" getrennt hatte. Sollte sich bei diesem Wiedersehen herausstellen, dass es nunmehr einen begehbaren Weg von einem Haus in das andere gab, müsste er pünktlich den Freund des Professors im "Zenner" treffen.
Diesen Termin wahrzunehmen hatte Fuchs nachdrücklich, aber nur bei absolut klarem Ausgang der Hausbesichtigung vorgegeben.
Der 2. Mann hingegen sollte schnellstens bei Fuchs und Roland eintreffen.
Der 3. Mann, hatte sich Tage zuvor dem Freund des Professors als neuer Kurier vorgestellt und erklärt, einziger Kontaktmann bis zu dessen Flucht zu sein. Zu seiner eigenen Sicherheit, so hatte er ihm erzählt, würde seine Flucht höchstwahrscheinlich vor der von der Frau des Professors stattfinden. Er möge sich deshalb ab dem 24. Juli jeden Tag um 18 Uhr im Biergarten des "Zenner" sehen lassen. Wenn sie sich nicht bis 18:30 Uhr getroffen haben sollten, könne er gleich wieder nach Hause fahren.
Fuchs, Roland und Raimund warteten gespannt auf die Rückkehr vom 2. Mann. Es war gerade 14 Uhr durch, als der bei Fuchs klingelte.
Schon als er vom Flur ins Zimmer trat, sah Roland ihm im Gesicht an, dass er gute Nachrichten brachte:
„Hier ist Ihr Zettel! War eine astreine Idee", und reichte ihn Roland.

„Wir sind zuerst in den Keller, das war enttäuschend. Der ehemalige Durchgang zwischen den Kellerboxen war am Ende vor der Mauer mit einem Holzverschlag verbaut. „Decker" wollte keine Zeit verlieren um sich da durchzuwursteln. Das könne man immer noch machen, wenn es auf dem Dachboden noch komplizierter sein sollte. Wir also gleich weiter auf den Dachboden. Die Schlüssel passten übrigens einwandfrei. Dann ein kleines Problem! Vor der Giebelwand stand ein richtig schweres, protziges Büfett-Möbel. Die Wand dahinter war mit einem riesengroßen Teppich bespannt. Von einer Tür nichts zu sehen. Wir also ran an das Büfett und soweit abgerückt, dass „Decker" dahinter kam, um den Teppich von der Seite teilweise abzureißen, um zu gucken, ob da eine Tür oder ein gemauerter Durchbruch ist. Es war eine verschlossene Stahltür! Den Teppich haben wir seitlich umgeschlagen, um die Tür öffnen zu können. Für die passte keiner unserer Schlüssel. „Decker" fummelte ein bisschen mit dem Dietrich und siehe da, die Tür konnte mit Nachhilfe von „Deckers" Hebeleisen krachend und quietschend geöffnet werden. Wir also rein in den Nachbarboden und dort zur Treppenhaustür. Die war verschlossen aber mit Dietrich kriegten wir sie auf. Den Dietrich hat mir übrigens „Decker" als „Schlüssel für den Ernstfall" überlassen. Wir lugten noch schnell ins Treppenhaus und traten den Rückzug an. Gerade dabei, den Teppich über die angelehnte Stahltür mit vorher erst noch gerade gekloppten alten Nägeln provisorisch anzuheften, bekamen wir Besuch. Eine ältere Frau mit vollem Wäschekorb wollte Wäsche aufhängen. Erschrocken, uns zu sehen, wollte sie wissen, wer wir seien und was wir denn hier machen würden. „Decker", ganz gelassen: „Haben Sie denn nicht am Anschlagbrett unten gelesen, dass wir von der Wohnungsverwaltung die Blitzableiter kontrollieren? Unsere Arbeit ist schon beendet, sie können aufhängen!"
Und als wir an der Frau vorbeigingen sagte er noch:
Sie schließen dann bitte ab. Die Benachrichtigung unten mache ich wieder ab, tschüß!
Die Situation auf dem Dachboden ist also so, die Schlüssel für die Pettenkofer passen. Das Möbel ist gerade soweit von der Giebelwand abgerückt, dass man hinter ihm stehend den Teppich von rechts her lösen und umschlagen kann. Die Tür ist angelehnt. Sollte sie von der Rigaer wieder verschlossen werden, gibt es diesen Dietrich", den er

auf den Tisch legte. Dann fügte er an:

„Der Weg von der Pettenkofer zur Rigaer ist jetzt gangbar, aber wie Hackepeter – zum schnellen Verzehr bestimmt!"

„Hervorragende Arbeit kann ich da nur sagen! Wie geht es dem„Decker?", wollte Fuchs wissen.

„Der lässt grüßen und sagt danke für die fünf „Blauen."

„So, meine Herren, die Sache läuft bereits! Ich habe alles so getaktet als wäre ich Hellseher. Deshalb schmeiße ich euch jetzt raus und wir sehen uns heute Abend, wenn der 3. Mann wieder hier ist. Der hat bis 20 Uhr zu tun, wir treffen uns hier alle um 20:30 Uhr."

Den 3. Mann hatte Fuchs instruiert, den Freund des Professors in die Pflicht zu nehmen, der möge sicherstellen, dass die Frau am Freitag dem 25. Juli in ihrer Wohnung warten solle. Er wiederholte nochmals, dass auch er seine Reisetasche dabei haben müsse.

Roland hatte so geplant:

Punkt 18:00 Uhr wird bei ihr geklingelt, um sie abzuholen! Ein Mann wird vor ihrer Wohnungstür stehen und sagen:

„Guten Abend, Frau Nachbarin, kommen Sie mal schnell!"

Darauf solle sie nicht erwidern, sondern einfach die Tür ins Schloss fallen lassen und dem Mann folgen. In den zur Straße liegenden Zimmern soll sie Licht brennen und den Fernseher soll sie auch anlassen.

Nach diesem Treffen berichtete der 3. Mann:

„Der Freund des Professors liest mir jedes Wort von den Lippen ab, so aufmerksam ist der. Die Begrüßungsworte an der Wohnungstür wiederholte er mehrfach, als wären die ein Code und es käme auf jedes Wort an."

Dann berichtete er aktuell von der Situation vor dem Haus in der Pettenkofer. Dort hätte er sich, bevor er zur Grenze fuhr, vergewissert, ob der MfS-Wartburg vor der Tür steht. Stand er! Ansonsten alles wie immer, die Grenzer normal-unfreundlich.

„Für Morgen haben wir uns viel vorgenommen", begann Roland.

„Das muss alles klappen, wie am Sonntag die Mondlandung der Amerikaner! Fangen wir gleich mit Ihnen als unserem 3. Mann an:

Sie sind morgen Nachmittag, motorisiert, in Ostberlin. Das Auto stellen Sie auf der Frankfurter Allee, Nähe S-Bahnhof ab. Um 16.30 Uhr beginnen Sie mit der Überwachung vor Ort. Das ist das Wichtigste

überhaupt. Sie kennen inzwischen die Situation vor der Hauszeile genauso gut wie die Leute von der Stasi. Nochmals, von Ihrer Gründlichkeit hängt der ganze weitere Verlauf unserer Aktion ab!"
Dann wandte er sich an den anderen Helfer.
„Und jetzt zu Ihnen als unserem 2. Mann! Morgen fahren Sie mit dem PKW ebenfalls in die Nähe des S-Bahnhofs Frankfurter Allee. Sie orientieren sich durch Sichtkontakt zum 3. Mann. Wenn alles unverdächtig ist, gehen Sie um 17:55 Uhr auf die Haustür zu. Sie nähern sich ihr aus der entgegengesetzten Richtung zum Stasi-Wartburg. Wenn die Tür verschlossen sein sollte - was sie ja um diese Zeit normalerweise nicht ist - Sie haben einen Haustürschlüssel. Sie haben den Weg bereitet und entführen, so Gott will, die Frau über selbigen. Schon im Treppenhaus von der Rigaer Straße bereiten sie die Frau darauf vor, dass unten vor der "Reni-Bar"unser Mann im Taxi auf sie wartet. Sie lassen die Frau auf die Straße treten und beobachten aus dem Hausflur ihren Zustieg zu Raimund ins Taxi und die Abfahrt der beiden.
Sie treten aus dem Haus, gehen auf die gegenüberliegende Straßenseite zur Kaufhalle Pettenkofer Straße und schauen sich nach dem 3. Mann um. Sollte der Entwarnung geben, gehen Sie in die „Reni-Bar", trinken Alkoholfreies und vertreiben sich die Zeit bis zum Zapfenstreich für westdeutsche Touristen in Ostberlin, die spätestens um 24 Uhr an der Grenze stehen müssen. Sie würden uns allen eine Freude machen, wenn Sie berichten könnten, noch spät abends den Stasi-Wartburg gesehen zu haben."
Dann wandte sich Roland an Raimund:
„Du wirst morgen für einen Tag bei AVIS einen BMW 1600 ausleihen. Damit machst du dir einen schönen Tag in Ostberlin und stellst den BMW zum "Zenner" fußläufig entfernt um 17:30 Uhr ab. Dann gehst du zum Taxistand und sicherst dir eine Taxe. Mit der lässt du dich zur "Reni-Bar" fahren, weißt schon, die im Eckhaus in der Rigaer. Aus dem Hauseingang der „Reni-Bar" soll die Frau auf die Straße treten. Ist das soweit klar?"
„Da kenne ich inzwischen jeden Köter. Soll ich aussteigen?", fragte Reimund
„Das Wichtigste ist, dass du auf die Minute pünktlich um 18:05 Uhr vor der Tür stehst. Wenn du da vor der Tür im Taxi auf die Frau

warten musst, kannst du so tun, als ob du kurz einen Blick in die „Reni-Bar" werfen willst, in Wirklichkeit checkst du die Lage. Dem Taxifahrer hast du schon während der Fahrt klargemacht, dass du danach wieder zum "Zenner"zurück willst. Jetzt würdet ihr vor der "Reni-Bar" nur eine Frau abholen."

Nochmals wendete sich Roland an den 3. Mann:

„Sie beobachten noch die Abfahrt des Taxis, gehen dann zum Auto und fahren zum "Zenner". Dort treffen Sie den Freund des Professors!"

„Ich fahre also mit der Frau zum "Zenner" und weiter?", fragte Raimund nach.

„Bevor du sagst, wie es weitergeht, jetzt an alle", unterbrach Fuchs: „Wenn irgend etwas eindeutig unsere Annahmen durchkreuzt, sofort absetzen - Rette sich wer kann!"

Dann griff Fuchs in die Schreibtischschublade und gab jedem ein namentlich beschriftetes Kuvert:

„Damit sind wir bis hierher quitt!"

Jeder öffnete sein Kuvert, schaute rein, überflog den Inhalt, nickte vor sich hin und steckte es ein.

Fuchs ging auf den 2. Mann zu, drückte ihm die Hand und bat ihn, sich auf den Weg zu machen, von ihm hinge morgen viel ab. Der kannte Fuchs und verstand, dass dies nur ein konspirativer „Rauswurf" war.

Nun saßen noch Raimund, und der 3. Mann mit Fuchs zusammen.

Fuchs antwortete nun Raimund auf seine Frage:

„Du steigst mit der Frau aus dem Taxi vor'm Zenner aus und gehst mit ihr, wie mit einer Kollegin, in den Biergarten. wo ihr euch zu dem Freund des Professors an den Tisch setzt. Der kriegt in diesem Moment mit, dass seine Reise zusammen mit der Frau stattfinden wird! Ihr bestellt etwas zu trinken und verlangt gleichzeitig nach der Rechnung. Wenn der 3. Mann erscheint, begrüßt ihr ihn wie einen guten Freund. Der 3. Mann verlässt kurz darauf mit den Zweien den Biergarten. Du checkst, ob den beiden niemand folgt. Kannst in Ruhe dein Getränk austrinken. Dann steigst du in den BMW und fährst zügig auf den Berliner Ring zur Autobahnraststätte Michendorf. Kennst du dich da aus?"

„Na klar, da kaufe ich immer im Intershop Zigaretten, wenn ich gen Norden fahre."

„Na gut, dann weißt du ja, wie du am besten die Fahrbahn in Richtung

Magdeburg/Marienborn beobachten kannst. Da müssen wir uns hundertprozentig auf dich verlassen können. Dir darf da ein schwarzer Mercedes, mit CD (corps diplomatique)-Diplomatenwagen nicht durchschlüpfen!"

„Kein Problem!"

„Wenn der da durchkommt, setzt du dich in deinen BMW und fährst ihm gerade so schnell hinterher, dass du nicht gleich von den Vopos wegen Geschwindigkeitsüberschreitung abkassiert wirst. Wenn du den CD-Wagen vor dir hast, der bummelt übrigens, bis du ihn überholst. Mit 80 km/h fährst du an ihm vorbei und gibst auf gleicher Höhe zwei Hubsignale. Er gibt dir, wenn du vorbei bist, zweimal Lichtsignal. Dann fährst du so um die 110km/h bis zur Grenze. Du musst beobachten, ob der CD-Wagen dich in der Grenzübergangsstelle überholt. Das passiert, wenn es in deiner Abfertigungsreihe bei der Kontrolle stockt. Der CD-Wagen fährt ohne Kontrolle auf einer gesonderten Spur durch. Wie dem auch sei, bestens wäre, du bist vor ihm durch, er fährt dir hinterher und auf dem ersten Rastplatz übernimmst du die Flüchtlinge. Wenn der CD-Wagen zuerst durch ist, fährt der bis zur ersten Abfahrt Helmstedt und wartet auf dich, er kennt ja den BMW. Dann sucht ihr einen Platz, an dem die beiden Flüchtlinge zu dir ins Auto steigen. Du musst darauf achten, dass unsere Neubürger keine Einzelheiten von dem CD-Wagen mitkriegen. Du verlangst einfach, sie sollen solange in die andere Richtung blicken, bis der CD-Wagen außer Sicht ist."

Dann holte Fuchs zwei weitere Kuverts aus der Schublade und schob sie zu Raimund:

„Der dicke Umschlag ist für den Diplomaten. Das andere ist für AVIS, Benzin und drei Flugkarten Hannover-Berlin. Den Geldumschlag gibst du mit größtem Dank dem Diplomaten und sagst ihm, ich würde mich melden.

Dann braust du, was du kannst mit den neuen Bundesbürgern zum Flughafen Hannover-Langenhagen. Dort müsst ihr den letzten Flieger nach Berlin um kurz nach Mitternacht bekommen! Dieser Flug geht nur Freitag zu Sonnabend. Kurz vor 1 Uhr seid ihr dann in Tempelhof, und dort wartet der Ehemann-Professor.

Ich bringe die Neubürger zur Anmeldung ins Lager Marienfelde, von dort weiter in ein Hotel. Es kommt darauf an, als Ankunftsdatum noch der 25. Juli bestätigt zu kommen. Damit hätten wir dann schon mal sichergestellt, dass der benutzte Diplomatenwagen nicht in das Puzzlespiel der MfS-Aufklärung geraten kann, weil speziell dieser Wagen eben nicht im Zeitfenster die Übergänge von Ost- nach Westberlin passiert hatte."

Die Einweisung beendete Roland:

„Wollen wir mal hoffen, dass alle wieder heil landen wie heute früh die Apollo-Mondflieger."

Raimund hatte sein erstes großes Erfolgserlebnis, als er die Ehefrau des Professors und dessen besten Freund tanzen und vor Freude weinen sah – so kurz hinter der DDR-Grenze.

Auf der Fahrt zum Flughafen musste er erst einmal erklären, warum es jetzt gleich noch im Flieger zurück nach Berlin ging, wo ihr Mann sie erwarten würde. Ihn interessierte aber auch, wie die beiden ihre Flucht erlebt hatten, als er nicht mehr dabei war.

Er wandte sich an die hinter ihm sitzenden Neubürger:

„Wir haben uns ja lange nicht gesehen, seit Sie mit unserem 3. Mann im "Zenner" von dannen zogen."

„Wie sagen Sie, Ihr 3. Mann fuhr mit uns zum Flughafen Schönefeld. Dort fuhren wir an wartenden Autos vorbei. Ihr 3. Mann hupte und fuhr wieder aus dem Flughafenbereich heraus. Wir sollten nicht nach hinten schauen. Nach einer Weile, mitten in einem kleinen Waldstück hielt er an. Hinter uns stand plötzlich ein schwarzes Auto, und wir mussten Hals über Kopf in seinen offenen Kofferraum hechten. Am Fahrtgeräusch merkten wir bald, dass wir auf der Autobahn waren", antwortete ihm der Freund des Professors.

'Prima wie das geklappt hat', dachte Raimund noch, als er zur Raststätte einbog.

„Kommen Sie mit rein, suchen Sie sich etwas zu trinken aus, gehen Sie auf die Toilette, wie Sie wollen..., ich muss schnell telefonieren, damit die in Berlin wissen, dass alles wie am Schnürchen läuft. Dann weiß auch Ihr Mann Bescheid."

Raimund hatte Fuchs am Apparat:

„Kaufe jetzt Versandmarken für die Sendung!" Das war's, dann legte er auf.

Sie kamen rechtzeitig auf dem Flughafen an. Raimund tat, wie es ihm Fuchs unter vier Augen aufgetragen hatte. Er verlangte nach dem Chef vom Dienst (Polizei) und legte dem die DDR-Ausweise seiner Schützlinge und seinen eigenen Ausweis vor.

„Ich dachte schon, in meiner Schicht kommen Sie heute nicht mehr!"
Dann ging der mit ihm, ohne die Neubürger, zum BEA-Counter:
„Stellen Sie bitte drei Tickets auf den Namen „Erdmann" aus."
„Guten Flug und alles Gute."
So war das damals - Fuchs kannte die Dienste.

Der Professorenfrau und dem Freund ihres Mannes mag das alles wie ein Traum vorgekommen sein, nachts über dem Territorium zu fliegen, wo sie in Angst letzte Nacht noch geschlafen hatten...
Was Realität war, begriff die Frau für alle Beteiligten sichtbar, als ihr Mann sie in der Flughafenhalle Tempelhof fast erdrückte und als sie ihm in die Arme sank.

Die abgeschlossene Aktion hatte Roland gezeigt, dass seine Herangehensweise im Spiel der Kräfte West gegen Ost nützlich war. Wenn es etwas zu bemäkeln gab, dann der erfolgreiche Abschluss insofern, als dass auch seine aktive Mitgestaltung ihr Ende hatte.

Er suchte und fand eine theoretisch gangbare Schiene, Flüchtlingen aus der DDR mit minimaler Gefährdung für das Leben und die Gesundheit aller Beteiligten in die Freiheit zu verhelfen. Furrer hatte sich, beruflich bedingt, bereits aus der Fluchthilfe zurückgezogen. Roland unterbreitete also Fuchs seine Idee.

Es hatte ihn schon monatelang gewundert, dass man absolut nichts in der Szene darüber hörte, dass die ihm bekannten Akteure das offenkundige Reservoir an Fluchthelfern in den alliierten Schutzmächten genutzt hätten.

Roland sprach Fuchs darauf an, alliierte Offiziere als Fluchthelfer zu gewinnen. Er wusste wie Fuchs auch, dass Angehörige der alliierten Truppen an den Grenzstellen zur DDR nicht kontrolliert werden durften.

Fuchs ließ gleich erkennen, Rolands Idee sei nicht besonders originell: „Auf diese Idee sind schon viele gekommen. Alle haben die Finger davon gelassen, weil das Privileg der alliierten Soldaten von den ostzonalen-Deutschen nicht kontrolliert werden zu dürfen, ein ganz elementarer Punkt im Vier-Mächte-Status der Stadt ist. Nur für diesen Statuspunkt, als die DDR-Deutschen, die ja schließlich auch Verlierer des II.Weltkrieges waren, den Westalliierten an die Wäsche wollten, haben '61 im Herbst die Ami-Panzer den Russen-Panzern am Check-Point-Charlie gegenübergestanden! Aus Sicht der Westalliierten hätte die Aufgabe ihres Sonderrechts, Deutsche dürfen Alliierte nicht kontrollieren, den ganzen Viermächtestatus aus den Angeln gehoben."

„Ja gut, aber wo ist jetzt das Problem?"

„Du bist anscheinend noch nicht lange genug in Westberlin, andernfalls hättest du erlebt, wie die Alliierten sich ständig belauern. Die Russen versuchen mit Umdeutungen ihrer Befugnisse den Status zu unterlaufen. Das wohl krasseste Beispiel ist die schleichende Präsenz der ostzonalen NVA (Nationale Volks Armee). Der Viermächtestatus verbietet deutsches Militär um und in Berlin. Das negierten die Kommunisten, indem sie, zuerst um und nach dem Mauerbau in Berlin, Truppen stationierten. Heute ist Ostberlin Garnisonsstadt und Laufsteg für alle NVA-Waffengattungen. Die Russen wollen den Viermächtestatus insgesamt obsolet werden lassen. Andererseits sind die Schutzmächte bemüht, das Hintertreiben der Russen aufzudecken. Das große Ziel der Russen ist es, den von den Kommunisten beherrschten Deutschen internationale Anerkennung zu verschaffen. Den Schutzmächten geht es darum, die Deutschen insgesamt klein zu halten. Zuallererst wollen die Schutzmächte den Viermächtestatus im eigenen Interesse erhalten. Wir Westberliner sind in dem Stück stimmlose Statisten. Das ist die Lage, da beißt die Maus keinen Faden ab!"

„Ein Grund mehr, für die Freiheit unserer Landsleute einzutreten."

„Verstehst du nicht? Die Alliierten sind so auf den Status quo fixiert, dass sie ihren eigenen Leuten mit existenzbedrohenden Strafen drohen. Das ist in allen Brigaden dem letzten Arsch bei Strafandrohung durch Militärgerichte ins Hirn getrichtert. Ob das die Amis, die Franzosen oder die Briten sind, jeder von denen hat mindestens eine spezielle Abteilung, die Flanke der Fluchthilfe aus Ostberlin durch Angehörige ihrer Einheiten zu verhindern. Mit denen willst du dich bei all deinem Idealismus ja wohl nicht anlegen wollen?"

„Ich sage mal so, das MfS ist gefährlicher, und gegenüber den Schutzmächten haben wir auch Rechte, die sie selber vorgeben zu verteidigen. "

Roland entwarf, wie er es sich vor den unerwartet grundsätzlichen Bedenken von Fuchs vorgenommen hatte, das Szenario für den Aufbau einer Tour mit alliierten Offizieren:

„Ich werde mich als echter Sympathisant der Amerikaner und als Kämpfer und Patriot gegen den Kommunismus in "Klein-Amerika" nach Kontakten umschauen. Da, schräg gegenüber vom Headquarter der Amerikaner in der Clay-Allee in Dahlem, sind ihre Wohnhäuser für Soldaten und Offiziere, ihre Sportplätze, das Einkaufszentrum und natürlich ihre Clubs - alles Orte, um Bekanntschaften zu machen. Mein Englisch ist dafür gut genug. Die Wege zur Uni sind auch kurz. Irgendwann wird da schon einer zu finden sein, der bei aller Indoktrination lieber heute als morgen etwas gegen die Kommunisten tun will."

„Wenn du das so machst, kannst du bereits in's Radar der Abwehr geraten. Ich sage dir eines: Wenn da was schiefgeht, dann halte um Gottes Willen meinen Namen raus. Wenn die Amis merken sollten, dass ich mit der Sache zu tun habe, gehen sämtliche Kontakte in Marienfelde kaputt."

„Nehmen wir einmal an, dass ich irgendwann eine Tour zum Laufen bringe und unsere Neubürger im Lager wie gehabt nur angeben, sie wären über "X10" gekommen, dann läuft das doch, oder?"

„Ich glaube schon, würde dann die Wünsche von Egon an dich weitergeben und du hättest

Card Blanche für Roland!"

Nach ein paar Wochen lernte Roland einen Offizier kennen, durch dessen Adern irisches Blut floss. Seine Urgroßeltern waren irgendwann aus Irland in die USA ausgewandert. Er war als WEST-POINT-ABSOLVENT in der US-Armee einer der Besten seines Jahrgangs unter den Edlen. In der Berlin-Brigade diente er als Panzerkommandant.

Mit diesem etwa gleichaltrigen Mann fand Roland eine, man kann sagen, Seelenverwandtschaft. In ihrer politischen Orientierung hatten sie übereinstimmend ein klares Feindbild – die Kommunisten.

Leutnant FLOWERS, Earl-William, sie nannten ihn alle Bill, kam aus USA-lllinois. Er war ein rotblonder, schlanker, sportlicher Mann, nicht größer als 170 cm. Schachspielen, Western-Countrie-Musik hören und

Gitarre spielen, Schwimmen und schnelle Autos füllten seine Freizeit aus. Bill verkörperte in bestem Sinne den American Way of Life. Er war aber auch akribisch genau in dem, was er tat und wie er es tat. Roland erinnerte sich noch genau an die Vorbereitung der ersten Fluchtaktion, als Bill darauf bestand, eine „warm-up-Runde" fahren zu wollen. Alles musste so ablaufen, wie es zwei Tage später stattfinden sollte - mit Zeitplan und Kurier am Übernahme-Treffpunkt – nur ohne Flüchtling! Dann kam Bills Jungfernfahrt und er machte die Erfahrung, dass er König und Dame im Spiel war. Als er meinte, sein Mustang läge optisch hinten tief, wenn zwei Flüchtlinge im Kofferraum zu transportieren waren, ließ er sich verstärkte Federn einbauen.

Wie sich nach der Wende aus den Akten der BSTU (Bundesbeauftragten für die Unterlagen des Staatssicherheitsdienstes der ehemaligen Deutschen Demokratischen Republik) herausliest, ist das MfS im Dreieck gesprungen, als ohne geringste Rückkoppelung auf das Leck im Kontrollsystem seiner Grenzsicherung die Flüchtlingszahlen in Marienfelde stiegen, und immer nur "X10" als Fluchtweg genannt wurde. Man kann das im Nachhinein vielleicht aus dem Verfolgungsansatz des MfS verstehen. Dort ging man immer von riesigen Organisationen aus. In Ost-Berlin konnte man sich einfach nicht vorstellen, dass so eine Kreativität an Logistik in einer freien Gesellschaft ohne eine zentrale Lenkstelle existieren könne. Später musste das MfS zur Kenntnis nehmen, dass die erfolgreichsten Fluchthelfergruppen kaum über eine fünfköpfige Anzahl von Akteuren hinauskamen. Diese paar Kämpfer waren untereinander verwandt, eng befreundet oder es verband sie eine gemeinsame Vergangenheit in der DDR. Es gab, von ganz wenigen, dringenden Notfällen einmal abgesehen, keine Zusammenarbeit der Gruppen. Teams wurden miteinander nicht vermischt und Kuriere nicht gegenseitig ausgetauscht.

Aus der Sicht der Fluchthelfer stellte sich die Dimension ihrer Verfolgung beziehungsweise Beobachtung so dar.

Auf der Ostseite waren das der russische KGB und das MfS. Die waren auf Zerstörung der Gruppen, beziehungsweise Eliminierung ihrer Köpfe aus.

Auf der Westseite waren es die amerikanischen CID und CIA, die Franzosen, Engländer mit ihren Abschirmabteilungen und dann noch die politischen deutschen Dienste, mit Staatsschutz und Polizei. Die westlichen Gegner waren nicht grundsätzlich auf Zerstörung und schon gar nicht Eliminierung von Personen aus, sondern auf Informationen zu WER, WIE, WAS.

Eingedenk der Ressourcen, die staatlicherseits dem MfS für die Bekämpfung der Fluchthilfe zur Verfügung standen, implementierte Roland ein "Arbeitsbeschaffungsprogramm" für die Häscher. ER sprach mit Fuchs ab, dem Code „X10"- TIEFKÜHLLASTRANSPORTER hinzuzufügen. (Es brächte ja nichts, sich nach 50 Jahren bei den Lastwagenfahrern zu entschuldigen, die bei ihren Interzonenfahrten immer ganz besonderen Torturen am Grenzübergang von den DDR-Grenzern unterzogen worden sind.)

Bill war nicht der einzige "Tiefkühllasttransporter". Er hat seine Kameraden aus dem Offizierscorps der amerikanischen Brigade begeistert, mitzutun. Das waren unter anderen R. GRUBBS, genannt Bob; M.-A. GLOWATSCH genannt (Mike), E-W. DIOKE, R.H. DYER, und später auch Zivilangestellte der Alliierten. Die fuhren unter der vernebelnden Vokabel „X10 - STAHLCONTI".

Das Engagement und der Anteil Westalliierter und ihrer Zivilangestellten bei der Fluchthilfe hätten es verdient gehabt, nach dem Fall der Mauer historisch aufgearbeitet zu werden - sie waren Helden!

Rolands Studienaufwand hielt sich mit dem der Fluchthilfe die Waage. Angelika wusste das und erfuhr ohne detaillierte Einzeleinheiten eine ganze Menge. Wenn Roland direkt in Aktion war, wusste sie das selbstverständlich auch. Über all das hätte sie sicherlich auch gerne mal mit ihren Arbeitskolleginnen gesprochen, aber diesen angefüllten Lebensbereich hat sie für sich behalten (müssen). In Rolands Abwesenheit hatte sie zuweilen Telefonwache, bei der es darauf ankam, sich konspirativ-diszipliniert genau so zu äußern, wie es für den Moment vorgegeben war. Sie erfuhr von Rolands Erfolgen und nahm indirekt das Glück zur Kenntnis, wozu Rolands Team anderen Menschen verholfen hatte. Dazu passte, dass bei Roland zu Hause ein recht großer Freundeskreis verkehrte.

Ein Freund hieß Dankwart. Kennengelernt hatten die beiden sich in der CDU über E. Hartung. Der ließ Dankwart bei Roland fragen, ob ihm nicht zu helfen sei, seine Jugendliebe in den Westen nachzuholen. Dankwarts Familie hatte über kirchliche Kanäle die Umsiedlung in den Westen erreicht. Das war kurz nach Dankwarts Abitur in Dresden. Von dort sollte nun seine Freundin geholt werden. Rolands Bauchgefühl, Nachfragen und Überprüfungen über E. Hartung und spätere Einsätze jenseits des weißen Strichs im Osten, ließen Dankwart in die Rolle hineinwachsen, Rolands rechte Hand in Sachen Fluchthilfe zu sein. Er war ohne Wenn und Aber bereit, an vorderster Front in den Einsatz zu gehen. Für ihn kulminierte die praktische Unterstützung in einem ganzen Motiv-Bündel. Da war die Liebe zu seiner Freundin und seine christlich-ethische Grundhaltung. Die gipfelte in der Überzeugung, gegen kommunistische Unterdrückung etwas tun zu müssen. Zu diesem Paket kam hinzu, dass er auf absehbare Zeit nicht das Geld aufbringen würde, um die Fluchtaktion-Roland/Fuchs bezahlen zu können.

Roland plante alle Aktionen direkt über den Check-Point-Charlie-Berlin oder Drewitz-Marienborn oder in umgekehrter Richtung. Jede von ihnen war ein Konstrukt mit eigener Legende. Rolands genaue Ortskenntnisse von Ostberlin ermöglichte den Kurieren stets die Kontaktaufnahme zu den Flüchtlingen so, dass ihre eigene Beschattung oder die des Flüchtlings aufgefallen wären. Beispielsweise die von beiden Straßenseiten der Karl-Marx- und Frankfurter Allee zur U-Bahn führenden Abgänge oder der 80 Meter lange Spree-Tunnel am Müggelsee eigneten sich bestens, vermeintliche MfS-Beobachter zu bemerken. Gleichzeitig boten die Anlaufpunkte alternative Rückzugmöglichkeiten, die zum Treff bestimmten Personen dennoch zu kotaktieren. Da ging nie etwas schief!

Genauso gründlich wie in Berlin hatte Roland kartographisch ausgewertet und danach von Raimund und Dankwart durch örtliche Begehung bestimmte Kilometersteine auf der Interzonenstrecke Drewitz-Marienborn fixiert. Für den Umstieg der Flüchtlinge in die Ami-Wagen mussten Zufälligkeiten auf den Autobahnparkplätzen ausgeschlossen werden. Die kamen für das Umsteigen nicht in Frage.

Von Roland hätten über dreißig Fluchthilfeaktionen beschrieben werden können, wenn sie ihm denn erinnerlich geblieben wären.

Einige verankerten sich aber doch, weil sie ihn nach Jahrzehnten Bilder haben abrufen lassen, die von bewegender Schönheit sind.

Unverhofft kommt oft - die schnellste Flucht!

Im November hatte Hartung einen potentiellen Flüchtling benannt, der schnell in den Westen geholt werden wollte. Finanzielle Probleme gab es deswegen nicht, weil er als Erbe einer im Bundesgebiet kürzlich verstorbenen Tante unter anderem über ein beträchtliches Barvermögen verfügen konnte. Der Mann käme aus Potsdam und stünde auf Abruf für die Kontaktaufnahme bereit.

„Na bestens!", meinte wohl Fuchs, als er Roland davon erzählte.

„Ich werde Dankwart mit der Kontaktaufnahme betrauen", und damit nahm alles seinen Gang.

Dankwart kam vom Erstkontakt zurück:

„Roland, ich habe da einen richtigen – entschuldige - Kotzbrocken kennengelernt!"

„Lass hören, was war los?"

„Wir trafen uns am Alex und der Mann ließ überhaupt nicht gelten, dass wir im neueröffneten Fernsehturm bestimmt nicht zu den Glücklichen zählen würden, die im Restaurant der Kugel einen Platz bekämen. Die vor den Aufzügen stehende Schlange reichte bis ins Freie. Mit dem Hinweis auf mich als der Tourist aus dem Westen, dem das Wunderbauwerk der DDR gezeigt werden muss, drängelte er uns vor. Du wirst es nicht glauben, ich saß oben in der Restaurant-Kuppel. Die dreht sich einmal in der Stunde um 360°!

Das Erlebnis verdrängte mir den ersten Eindruck von dem Mann."

„Will ich aber auch meinen. Da habe ich schon unsympathischere Zeitgenossen erlebt."

„Wart doch ab, ist ja erst der Anfang! Dem wirklich netten Kellner machte er mit Hinweis auf 'Geld spielt keine Rolle' klar, er erkauft bevorzugte Bedienung. War schon mal peinlich, aber der Kellner reagierte souverän und gab Tipps aus der Karte. Der Mann lud mich zum Essen ein und vorweg bestellte er für jeden von uns einen doppelten Kognak. Meinen Hinweis auf die 0,0 Promillegrenze in der DDR, ich sei mit dem Auto da, fand er lustig und meinte, dann trinke er eben für mich mit."

„Nun komm mal langsam auf den Punkt."

„So trank der dann vor sich hin und meinte zu der genannten Fluchtsumme, das sei ihm die Sache schon deswegen wert, weil er seine Olle dann los wäre. Er wollte auch gar nicht wissen, wie sicher unsere Tour sei. Als ich das ansprach, meinte er, für das viele Geld könne man ja auch Sicherheit verlangen. Zu seiner Arbeit im Betonwerk, Schichtbetrieb als Brigadier, sagte er, die Schufterei hätte jetzt für ihn ein Ende, weil Tantchen nicht mehr sei. Ich fragte nach Kindern. Er nannte zwei Mädchennamen, sechs und neun Jahre. Die würde er 'rüberholen, wenn sie aus der Schule raus wären. Auf die Frage, warum er denn nicht mit der ganzen Familie abhauen will, bekam ich zur Antwort, wäre schon richtig so, wie er das machen wird, ich wäre zu jung, um das zu verstehen.“

Roland hatte oft in Schicksale anderer Menschen eingegriffen. Zum Beispiel, ob die Tour auf Grund dieser oder jener Beobachtung noch sicher sei, welche Person kommt vor oder nach einer anderen Person, passt das Nervenkostüm noch, ist die Zumutbarkeit bei Sorge und Angst um Kinder überschritten oder nicht u.a.m.....
Das, was ihm sein Freund Dankwart da erzählt hatte, traf seinen Ehrenkodex:
„Dankwart, wir sind kein Reiseunternehmen! Ich rede mit Hartung und Fuchs. Es gibt ja auch noch andere Gruppen, vielleicht hat der Mann da mehr Glück und wenn nicht, Kotzbrocken haben wir hier schon genug!“
So bei sich dachte Roland:
'Jetzt ist ja ein Platz bei mir freigeworden, ich schlage Fuchs vor, den an Dankwarts Freundin zu geben.'
Fuchs hatte nur den Vorbehalt:
„....wenn wir bis dahin keine Probleme kriegen.“
Der 24. 12. 69 nachmittags!
Roland hatte auf „Dienst nach Vorschrift“ bei der Stimmung in der DDR-Truppe zu Weihnachten gesetzt. Dankwart war als Zubringer-Fahrer in Aktion. Er wusste, diesmal ging es um seine Freundin. Auf der Autobahn Marienborn-Drewitz-Dreilinden klappte das Umsteigen wie oftmals zuvor, mal davon absehen, dass er es sich nicht nehmen ließ seine Freundin dabei flüchtig zu küssen. Er kam, dem Plan entsprechend, später als Bill in Dreilinden an. Auf der Avus, Abfahrt

Hüttenweg, wurde ihm von Roland seine spätere Braut als Neubürgerin übergeben.

Es war am 17. April 1970, die Glocken hatten noch nicht zwölf geschlagen. Roland hatte gerade die Einführungsvorlesung seines Professors GUNKEL zum Sommersemester in der TU gehört und befand sich auf dem Weg zur Mensa. Dort war er mit Dankwart verabredet. Der sollte ihm Nachrichten aus Ostberlin von der Fluchtvorbereitung eines Ehepaares bringen. Das Paar sollte Sonnabend über die Autobahn Marienborn-Drewitz-Dreilinden 'rübergeholt werden. Dankwart war ziemlich aufgeregt, und sauer war er auch. Das Ehepaar sei zwar aus Stralsund angereist und, wie mit dem Ehemann abgesprochen, im Hotel BEROLINA abgestiegen, der war aber nicht mehr Willens, die Flucht zu wagen. Der Zweifel, ob das klappt, wären ihm zu groß. Der Ehemann traute seiner Frau das nervlich nicht weiter zu. Sie sagten definitiv ab!

Roland war geplättet:

„Um Himmels Willen, was für ein Mist. Alles ist bis ins Letzte mit Bill abgesprochen. Der hatte dienstlich in Hamburg zu tun und wollte nachmittags auf der Rückfahrt das Ehepaar aufnehmen. Stattdessen fährt er morgen teure Luft durch die Zone. Du kannst dich auch gleich ins Wochenende verdrücken. Kann nur hoffen, dass du den BMW bei AVIS noch nicht festgemacht hast!"

„Hab ihn heute morgen abgeholt, komme ja damit gerade von drüben. Kann ihn aber morgen früh noch zurückgeben und bezahle dann nur für einen Tag", versuchte Dankwart die Kosten zu beschönigen.

„Mach das! Für mich beginnt jetzt der Trapple! Bill kann ich in Hamburg nicht erreichen! Werde jetzt mit Hartung telefonieren, um vom abgesprungenen Ehepaar zu berichten", resümierte Roland.

Aus einer Telefonzelle im Bahnhof Zoo erreichte er Hartung. Der konnte sich natürlich ein Bild dazu machen, was an Vorarbeit und Kosten umsonst waren, wenn so kurz vor der Flucht alles abgeblasen werden musste.

Als das Thema verklausuliert durch war, fragte Hartung:

„Wo bist du eigentlich gerade?"

„Bahnhof Zoo, wieso?"

„Das passt ja wie abgesprochen! In einer halben Stunde habe ich dort im Restaurant eine Verabredung mit einer Frau, die gerade in

Tempelhof gelandet ist. Die hat einen großen Wunsch – du verstehst? Jetzt ist sie auf dem Weg zu ihrem Verlobten. Vielleicht könnten wir sie zusammen treffen?"

Sie verabredeten sich...

Für Fuchs und Roland waren die Empfehlungen über Egon immer eine sichere Quelle. Sie prüften dann zwar über den im Westen befindlichen Verwandtenkreis und vor Ort in der DDR trotzdem, aber sie trafen bisher ausnahmslos auf mit hoher Wahrscheinlichkeit "stasifreie" Personen. Die Leute, die sich über Empfehlung bei Hartung meldeten, lernten weder Roland noch Fuchs persönlich vor der angelaufenen Fluchtaktion kennen - in der Regel....!

Am Freitag Nachmittag saß da nun eine junge Dame mit Hartung und Roland im Zoo-Restaurant zusammen. Die war, gerade auf dem Flughafen Tempelhof angekommen, auf dem Wege mit der S-Bahn über Friedrichstraße nach Ostberlin. Dort wollte sie mit ihrem Verlobten, einem Ingenieur aus Bad Freienwalde, das Wochenende verbringen. Ganz auf das unmittelbar bevorstehende Wiedersehen fixiert, wollte sie schnell noch der Empfehlung an Hartung nachgehen, um eventuell für die gemeinsame Zukunft mit ihrem Verlobten eine Vision im Gepäck mitzunehmen.

Dieser Dame glaubte Roland anzusehen, welch gutem Stall sie entstammte. Hartung klinkte sich aus dem Gespräch aus, als es für die Frau so richtig interessant wurde. Sie hatte wohl im fortschreitenden Gespräch gespürt, dass sich für die Lösung ihres Problems eine besondere Chance aufgetan hatte. Roland war zumindest bereit, mit dieser entzückenden Dame auszuloten, ob sie sich zutrauen würde, ihrem Verlobten als Kurierin in den nächsten Stunden alles haarklein zu übermitteln. Dies solle möglichst im Freien, auf jeden Fall aber im öffentlichen Raum ohne auszumachende Zuhörer erfolgen. Sie müsse sich mit ihrem Verlobten dabei so benehmen, wie sie es taten, wenn sie sich sonst trafen. Um 24 Uhr müsse sie wieder zurück sein, hier am Bahnhof Zoo. Wenn alles so wie erhofft abgelaufen sein sollte, würde er dann die Entscheidung treffen, ob so Gott will, sie den Rückflug mit ihrem Verlobten gemeinsam antreten könne.

Die Metapher passt - die Frau fiel fast vom Stuhl!

Das Finanzielle musste auch gleich geklärt werde. Die Frau hatte doch keine tausende Mark in Berlin dabei. Es musste aber sichergestellt sein, dass so viel Geld überhaupt vorhanden und bei Begrüßung des Neubürgers übergeben werden konnte. Da kam heraus, dass der Vater Handschuh- und Taschenproduzent einer bekannten Marke war.

Die Frau ging also mit Roland zur Telefonzelle. Dem Vater, der von ihrem Treffen mit Hartung wusste, weil der ihn ja vermittelt hatte, brachte die Dame im Beisein von Roland in vollendet verklausulierter Form bei, was sich hier gerade ergeben hatte. Sie hätte die Firma gefunden und das Leder ausgesucht. Um es noch am Sonnabend aus dem Lager zu bekommen, müsste sie den Händler bar bezahlen. Sie nannte die Summe. Der Vater erklärte:

„Mit Blitzüberweisung und Schalter-Auszahlung ist das heute und morgen, Sonnabend Vormittag, nicht möglich. Ich komme selbst und möchte mir das auch noch einmal ansehen. Wann gibst du mir Bescheid, dass ich in Tempelhof sein soll?"

Roland flüsterte ihr zu, zwischen drei und vier Uhr nachmittags, und als das der Vater von seiner Tochter hörte, fand er das in Ordnung. Nach dem Telefonat war die glückliche Frau in großer Sorge, denn sie hatte sich maßlos verspätet. Ihrem Verlobten war sie am Grenzübergang S-Bahnhof Friedrichstraße schon fast eine Stunde überfällig. Mit solch einer Verspätung wussten die im Osten auf ihren Besuch aus dem Westen Wartenden umzugehen, weil es jeden Einreisenden treffen konnte, längerer Kontrolle unterzogen zu werden. Wenn sie nun aber auch noch einer „Sonderkontrolle" unterzogen werde sollte, könnte der Verlobte annehmen, sie käme überhaupt nicht mehr. Dann würde es bis in den Abend mit Ferngespräch nach Bad Freienwalde dauern, das Missverständnis auszuräumen.

Roland gab sofort an Dankwart weiter:

„Kommando zurück, du musst dich bereit halten, morgen doch noch den Avis-Wagen zu benötigen! Ich rufe heute Nacht noch an, wir treffen uns höchstwahrscheinlich um 10 Uhr im Zoo-Restaurant."

Zu Hause angekommen, war er so sehr von der Wendung seiner ursprünglichen Planung gefangen, dass er Angelika die Geschichte erzählte.

„Ich bin schon seit einer halben Stunde hier", empfing die glückliche Frau Roland im Zoo-Restaurant, „ich wollte nicht das Risiko eingehen, Sie zu verpassen!"

„Ich hätte genauso wie Ihr Verlobter gewartet. Jetzt mal in aller Ruhe der Reihe nach. Erzählen Sie bitte alles, von der Einreise bis zur Ausreise!"

„Die Einreise war, wie man so sagt, normal. Mein Verlobter war sich meines Besuchs sicher und hätte auch noch länger gewartet. Ich habe ihm die Neuigkeit überbracht. Damit hat er ja nun überhaupt nicht gerechnet! Er ist natürlich einverstanden! Jetzt ist er unterwegs, um seine persönlichen Dokumente aus Bad Freienwalde zu holen. Um 11 Uhr sind wir verabredet, so wie Sie mir aufgetragen haben. Wir haben uns zum Frühstück im "Lindencorso", Ecke Friedrichstraße verabredet. Klappt denn das nun wirklich mit Ihnen? Entschuldigung, ich kann das noch gar nicht alles fassen."

„Ich gebe jetzt grünes Licht! Hatte gleich ein gutes Gefühl. Sie haben sich mutig in die Sache hineingestürzt. Warten Sie bitte einen Moment, ich muss kurz telefonieren."

Roland stand auf, lief ins Erdgeschoss zu den Telefonautomaten und rief Dankwart an:

„Also wie schon angedeutet, wir sehen uns hier um 10 Uhr im Zoo-Restaurant. Du musst morgen, wie ursprünglich getaktet, über Land. Gute Nacht!"

Zurück am Tisch sagte Roland:

„So, jetzt läuft die Uhr! Ich bringe Sie zu einem Hotel in der Nähe. Sie mieten dort ein Doppelzimmer für zwei Nächte. Morgen früh um 10 Uhr treffen wir uns hier wieder. Seien Sie unbedingt pünktlich! Sie bekommen dann letzte Anweisungen. Nach dem Frühstück mit Ihrem Verlobten reisen Sie übrigens gleich wieder aus. Haben Sie keine Angst, das wird, auf Jahre hinaus, Ihr letzter Besuch im kommunistischen Deutschland werden."

Roland und Dankwart trafen sich vor dem Haupteingang zum Bahnhof Zoo und gingen zusammen in das in der ersten Etage befindliche Restaurant. Die glückliche Frau war schon da.

„Guten Morgen, meine Liebe, ich hoffe, Sie konnten etwas schlafen. Ich habe hier einen Freund mitgebracht. Der hat keinen Namen. Schauen Sie ihn sich an, denn er wird sich gleich im "Lindencorso" zu Ihnen an den Tisch setzen. Begrüßen Sie ihn mit - mein Lieber - Sie kennen sich anscheinend lange. Kurz darauf verabschieden sie sich unspektakulär von Ihrem Verlobten und verlassen das "Lindencorso."

Dankwart verabschiedete sich von der glücklichen Frau:
„Also dann bis gleich!"
Roland erklärte nun der Frau:
„Sie gehen vom "Lindencorso" zum Grenzübergang Friedrichstraße
und reisen wieder aus. Wenn man Sie fragen sollte, warum Sie denn
schon wieder zurück wollen, sagen Sie, sie wollen nur schnell drüben
einen Rasierapparat für Ihren Freund kaufen und dann wieder
einreisen. Sollte man neugierig noch mehr von Ihrem Freund wissen
wollen, dann erzählen Sie, um sich nicht in Widersprüche zu
verstricken, echte, ganz banale Dinge. Alles verstanden?"
„Ja schon, und was mache ich, wenn ich wieder hier bin?"
„Dann gehen Sie ins Hotel. Ich warte dort in der Lobby auf Sie, um zu
erfahren, wie die Verabschiedung von Ihrem Verlobten geklappt hat.
Später holen Sie dann Ihren Herrn Vater am Flughafen Tempelhof ab
und warten mit ihm zusammen im Hotel. Ich bringe dann Ihren
Verlobten zu Ihnen, den wir dann gemeinsam im Lager Marienfelde
als Neubürger registrieren lassen werden."

So war das dann auch am 18. April - die Sonne war noch nicht
untergegangen, als der Verlobte sich beim Pförtner im
Notaufnahmelager Marienfelde meldete. Roland als „Tatzeuge"
erreichte, den Ankunftstag 17. April eingetragen zu bekommen. Diese
Manipulation diente aber schon wieder der Fluchtlegende, die der
Feindaufklärung Rätsel aufgeben sollte.
Das glückliche Paar flog zwei Tage später nach Westdeutschland, wo
der Verlobte sein Aufnahmeverfahren in Gießen durchlaufen hat.
Schade, noch nicht einmal ein Dutzend Beteiligter und peripher
befasster Personen konnten sich im Nachhinein in Berlin darüber
freuen, dass eine Flucht gelungen war, von der weder der Flüchtling
noch seine Fluchthelfer 30 Stunden vorher (!) wussten, dass es sie
geben würde.
Einen Wermutstropfen mussten Roland und Dankwart abends dann
doch noch verkraften. Sie saßen mit ihren Ehefrauen, Bill mit einigen
seiner Kameraden und alle mit ihren Freundinnen in Dahlem im Club
zusammen, als Bill den (Kult-)Sprecher vom Solatensender in Saigon
nachahmte:
„Good Moorning Vietnaaam........ in drei Wochen bin ich auch da!"

Er würde nächstes Wochenende eine Home-Auktion in seiner Wohnung veranstalten.

„Mach dir keine Sorgen", sagte er zu Roland, „zwei meiner Kameraden, der Bob und der Mike, übernehmen die Touren."

'Als wenn es allein darauf ankäme', dachte Roland.

Er traf sich mit Bill fast täglich. Sie spielten Schach und unterhielten sich über den Krieg in Vietnam, der geographisch weit, aber thematisch die Berliner City und den Uni-Campus beherrschte.

Heidrowski, der zu drei Jahren verurteilt worden war, wurde freigekauft! Die DDR hatte in ihm einen „kleinen Fisch" gesehen, den es weniger lohnte als abschreckendes Beispiel weiter im Knast zu behalten, als mit ihm Devisen einzunehmen. Seine Rückkehr machte Roland Hoffnung, dass sein Freund Peter auch bald von der DDR zum Verkauf freigegeben werden würde.

Gemeiner Verrat – eine tragische Geschichte

Das Roland/Fuchs-Team kam immer wieder in euphorische Stimmung, wenn über das „30-Stunden-Ding" gesprochen wurde.

In diese Phase fiel ein Anruf von Dr. Schlicht. Das war der Herr, dem Roland im Notaufnahmeverfahren beim UFJ gegenübersaß. Dem Dr. Schlicht, der selber fünf Jahre in Bautzen im Gefängnis gesessen hatte, verdankte Roland die Freundlichkeit, von ihm die Adresse von Toni van Ass, seinem ehemaligen Zellenkameraden beim MfS in Hohenschönhausen, erhalten zu haben. Tonis Adresse lag dem UFJ vor, weil er sie als Rolands Zellenkamerad angegeben hatte. Toni war nach seiner Freilassung in seine Heimatstadt Den Haag gezogen. Zusammen mit seiner Freundin wohnte er bei seinen Eltern. Dort hat Roland ihn später besucht. Toni hatte sein Studium als Volkswirt inzwischen abgeschlossen, seine Freundin inzwischen geheiratet und arbeitete bei der EWG in Brüssel. Er kam auch auf Besuch nach Berlin. Roland ist ein Gespräch mit Toni in Erinnerung, als der ihm erzählte, er müsse gerade seinem Chef in Bezug auf die DDR zuarbeiten. Es ginge dabei um die Bemühungen der DDR, im Handel mit den Staaten der EWG bei Zöllen genauso behandelt zu werden wie ein EWG-Mitgliedsland. Es befriedigte Roland nachgerade, Toni darin nicht bestärkt haben zu müssen, „immer gegen alles aus Ostberlin" zu sein.

Ihre Freundschaftspflege war ihnen durch Dr. Schlicht erleichtert worden. Der Anruf von Dr. Schlicht löste bei ihm sofort die Bereitschaft aus, sich mit ihm zu besprechen. Sie trafen sich in einem Restaurant am Ku'damm. Dr. Schlicht betonte die wohlwollende Beobachtung der Fluchthelfer seitens des UFJ. Roland könne sich ja vorstellen, dass ihm sein Anteil an den Fluchtaktionen bekannt sei. Genau aus diesem Grund hätte er den direkten Kontakt zu ihm gesucht. Ihm sei angetragen worden, einem Ehepaar zu helfen, an dessen Mann auf unserer Seite größtes Interesse bestünde. Roland fühlte sich quasi befördert, glaubte er doch, man bäte ihn tatsächlich offiziös um Hilfe.

So erzählte er es mit gewissem Stolz Fuchs und Hartung. Denen gefiel das auch, meinten sie doch: Eine bessere Empfehlung als den UFJ könne es nicht geben, da wäre alles geprüft.

So lange nur Erfolge zu verzeichnen waren, und alles reibungslos lief, gab es Lob und Anerkennung aus informierten Kreisen. Wenn es aber mal schief ging, dann standen zuerst nicht die Deutschen Dienste auf der Matte, sondern die Alliierten Schutzmächte. Die zogen dann alle an einem Strang, wenn sie feststellten, dass ihre Militärangehörigen als Fluchthelfer tätig waren und bei den Russen abgeholt werden mussten. Das empfanden sie nicht nur politisch, sondern auch persönlich als demütigend. In den eigenen Hierarchien wurde nach Opfern gesucht, denen man indirekt den schwarzen Peter zuschieben konnte.

Es passierte im Mai 1970. Eine komplette Unternehmung ging hoch! Alle von Roland geführten Akteure wurden in Ostberlin, im Gebiet von Marzahn, vom russischen KGB und dem MfS verhaftet. Ein amerikanischer Offizier (Bill) wurde von den Russen arretiert, der westdeutsche TH-Student G. S. (genannt Muich) und zwei "DDR-Flüchtlinge" gingen den MfS-Häschern in die Falle!

Fuchs erinnerte Roland, als er erfuhr, was passiert war, an seine Mahnung vor der Einbindung amerikanischer Offiziere in die Fluchthilfe:

„Bei aller Freundschaft, aber meinen Namen lässt du da raus! Du weißt, was auf dem Spiel steht! Sieh zu, wie du euch da rauspaukst. Mein Tipp, wenn es ganz dicke kommt, sprich mal mit Dr. Hildebrand.

Vielleicht kann der etwas bei SPRINGER unterbringen. Die Amis wissen, dass die Berliner auf unserer Seite stehen."

„Kann vielleicht Hartung etwas für uns tun?", fragte Roland

„Dem ist die politische Dimension der Panne in die Glieder gefahren. Jetzt hat er das große Flattern. Er hat nur betont, das hilft aber auch nicht weiter, dass die Tour nicht von ihm annonciert war, das war's."

Nur drei Leute in West-Berlin wussten, dass sich seit den Abendstunden des vorangegangenen Tages ein amerikanischer Offizier in russischem Gewahrsam in Ost-Berlin befand. Die waren Roland, Fuchs und Dankwart.

Verantwortlich für den Fehlschlag war Roland!

Anders, als dem Vogel Strauß zugeschrieben, bei Verfolgung den Kopf in den Sand zu strecken, wollte Roland sehen, was auf ihn zukommt, und um noch eine Metapher zu bemühen – er wollte den Stier bei den Hörnern packen! ..... Also ging er zusammen mit Dankwart gegen 11.00 Uhr in das Headquarter der amerikanischen Streitkräfte Berlin-Dahlem in der Clay-Allee.

„Sie vermissen einen Ihrer Offiziere und wir wissen, wo er sich befindet", stellten sie sich an der Einlass-Wache vor.

Sie wurden an der Wache abgeholt und in ein Besprechungszimmer im Erdgeschoss geführt. Offiziere, deren Ränge sich steigerten, lösten einander ab, fragten nach den Personaldaten von Roland und Dankwart und verschwanden wieder. Es war einige Zeit vergangen, als man sie über die Eingangshalle des Hauptgebäudes, den geschwungenen Treppenbogen hinauf, eine Etage höher in ein Konferenzzimmer führte. Ein Tisch, der im makellosen Lack glänzte, stand entlang der Fensterfront in Richtung Clay-allee. Er reichte von der einen bis an die andere Seite des Raumes. Als Roland und Dankwart in das Zimmer traten, nahmen fünf oder sechs Offiziere ihre Sitzordnung rechts und links entlang des Tisches neben dem Verhandlungsführer ein, wohl einem General. Alle der anwesenden Offiziere trugen mehrspaltige Ordensspangen und sahen wie aus dem Ei gepellt aus. Roland und Dankwart, beide im Anzug mit weißem Hemd und Krawatte, wurden angewiesen, sich auf die Stühle am anderen Ende des Tisches, dem General gegenüber, zu setzen. Zwischen den am Tisch sitzenden Offizieren und Roland und Dankwart blieben auf jeder Seite noch fünf oder sechs Stühle unbesetzt. Vor Roland und Dankwart stand ein Mikrofon und in Reichweite auf einem silbrigen Tablett eine volle Wasserkaraffe mit mehreren Gläsern. Dann gab es noch einen Tisch neben einer der Seitentüren, an dem zwei Uniformierte sich an einem Tonbandgerät zu schaffen machten.

Der General stand auf - das Tribunal begann:

„Sprechen Sie Englisch? Es ist ein Dolmetscher anwesend."

„Ja, wenn wir etwas nicht verstehen, machen wir uns bemerkbar", war Rolands Antwort.

„Ich bin der Unterhändler der amerikanischen Streitkräfte in der alliierten Kommission für besondere Zwischenfälle. Die hier am Tisch sitzenden Offiziere gehören mit Ausnahme des Chefs der CID-Berlin (Criminal Investigation Divisions, Militärstrafverfolgungsbehörde) zu meinem Stab."

Der CID-Chef hatte sich in Richtung Roland und Dankwart, aus der Gruppe der sitzenden Offiziere am Tisch kurz vorgebeugt.

Weiter der General:

„Ich komme gerade aus der Verhandlung mit den Russen im Kontrollrat der Alliierten. Die habe ich noch nie so wütend gesehen. Sie haben einen unserer Offiziere festgenommen, dem vorgeworfen wird, sich als Menschenschleuser im Auftrag einer Westberliner Verbrecherbande betätigt zu haben! Damit sind ja wohl Sie gemeint! Sie haben gegen für Berlin geltende alliierte Gesetze verstoßen!"

Dann las er von einem Blatt Gesetzesparagraphen vor.

Roland hob den Arm zur Wortmeldung. Auf englisch entschuldigte er sich:

„Unser Englisch ist nicht so gut, um den Ausführungen folgen zu können."

Sofort stand einer der am Tisch Sitzenden auf, der vom Blatt seines Vorgesetzten die Gesetzestexte dolmetschte. Das, was sich Roland schon selber vorgebetet hatte, musste er sich nun als Gesetzesverstöße anhören.

Dann ergriff wieder der General das Wort und fügte mit ansteigender ärgerlicher Stimme sinngemäß hinzu:

„Sie haben die berufliche Karriere eines jungen tadellosen amerikanischen Offiziers zerstört! Die Russen verlangen seine Degradierung – hier in Berlin! Das wollen sie beobachten! Wenn wir

dem nicht nachkommen, drohen sie damit, den Viermächtestatus in Frage zu stellen. Ist Ihnen klar, was Sie da ausgelöst haben?
Ich verlange jetzt klare Antworten auf zwei Fragen!
Erstens:
Ist der Offizier, Leutnant Earl-William FLOWERS, von Ihnen bezahlt worden?
Zweitens:
Die Russen behaupten, der festgenommene Offizier hätte das schon öfter getan. Dafür könnten sie Beweise vorlegen.
Kann es solche Beweise geben?"
Er schloss seine scharf vorgetragene Lagenwiedergabe mit der Wiederholung ab:
"Ich habe die Russen noch nie so kompromisslos erlebt!"
Die erbosten Vorwürfe des Generals beschämten Roland und Dankwart. Sie wurden hier ziemlich direkt als Ganoven dargestellt. Dass die, von denen sie so angegangen wurden, eigentlich ihre Freunde waren, müsste zumindest Gehör finden und der tendenziöse Zusammenhang ins Kriminelle ad absurdum ausgeräumt werden.
Roland und Dankwart kamen zu Wort.
Roland ergänzte knapp seine vorliegenden persönlichen Daten durch Fakten zu seiner politischen Verankerung und seinem Status als Student an beiden Berliner Universitäten. Das Gleiche tat Dankwart ihm nach. Dann setzte Roland einen Pflock!
„Wir sind keine Gegner der Schutzmächte und schon gar nicht anti-amerikanisch eingestellt. Wir sehen Sie als Garanten für unseren Schutz vor den Kommunisten! Wir sind Freunde!
Wir sitzen hier nicht als Kriminelle, sondern als deutsche Patrioten!"
Nach dieser Einleitung lieferte Roland die Begründung dafür, in Deutsch weitersprechen zu wollen.
„Jede Nuance dessen, was ich sagen werde, ist wichtig! Wichtig für unseren Freund Leutnant Earl-William Flowers, unseren Kommilitonen G. S., genannt Muich, aber auch bedeutsam für die Freundschaft zwischen den Berlinern und Ihnen. Die Tonbandaufzeichnung lässt später mein Statement zweifelsfrei übersetzen."
Kopfnicken in der Runde - Roland setzte auf Deutsch fort:
„Wir sind insgesamt drei, manchmal vier Studenten, die sich als

Fluchthelfer engagieren. Wir sind Idealisten, Patrioten, Antikommunisten, Kämpfer für die Freiheit, was Sie wollen, aber Verbrecher sind wir keine! Wir verhelfen Landsleuten in die Freiheit. Entweder werden diese Menschen politisch verfolgt, oder sie drohen an den unfreien Lebensumständen in der Zone zu verzweifeln. Bei unseren Aktionen sind alle Beteiligten unbewaffnet - wir riskieren keine Menschenleben.

Zu Ihrer Frage, Herr General, ob Leutnant Flowers Geld genommen hätte:

Natürlich hat er kein Geld verlangt! Genommen kann er ja keines haben, denn er ist ja, bevor er welches hätte nehmen können, verhaftet worden!

Ob es Beweise dafür gäbe, Leutnant Flowers hätte schon öfter solche Fahrten unternommen:

„Herr General, ich halte da jede Wette! Die Russen versprechen Ihnen da Dinge, die sie gar nicht haben! Es kann solch ein Material nicht geben, weil Leutnant Flowers zuvor für uns nicht im Osten gewesen ist! Naheliegend ist vielmehr, dass das MfS den Zwischenfall mit Leutnant Flowers benutzen will, um uns etwas unterzuschieben. Man will uns bei Ihnen, den Alliierten diskreditieren – ganz einfach! Zeigen Sie sich ruhig interessiert, das Material zu sichten, wir stehen bereit, es im Einzelnen zu zerlegen!"

'Die Zerstörung der Karriere unseres Freundes Leutnant Earl-William Flowers - das ist eine ganz andere Dimension', dachte Roland, als er fortfuhr:

„Die Bedingung der Russen, Leutnant Flowers Degradierung zu verlangen ist für deren Maßstäbe human! Die würden nicht zögern, einen ihrer Offizier zu erschießen oder lebenslänglich in den Gulag zu sperren. Herr General, meinetwegen können Sie den Russen versprechen, was Sie wollen. Sie können die Russen auch zu einer Kasperle-Aufführung einladen, bei der Sie Leutnant Flower vor der angetretenen Front seiner Kameraden die Schulterstücke herunterreißen lassen. Nur eines sollten Sie nicht tun – Leutnant Flowers tatsächlich bestrafen! Dies würde dem Wertekanon der US-Armee widersprechen. Leutnant Flowers ist ein Überzeugungstäter, ein Humanist, ein Ami, wie wir Berliner General Lucius Clay als Helden sehen. Wenn General Clay noch Befehlsgewalt in Ihrer Truppe hätte, er würde den Leutnant belobigen. Leutnant Flowers hat nach der ihm von uns aufgetischten rührseligen Geschichte von dem Elternpaar, welches seinen Töchtern in den Westen folgen wollte, naiv und spontan helfen wollen. Tatsache ist, er hätte ihm unbekannten Menschen zu der Freiheit verholfen, die wir als selbstverständlich ansehen. Er wollte hier in Berlin den Kommunisten noch eins auswischen, bevor er in ein paar Tagen nach Vietnam an die Front geht. Ich verspreche Ihnen eines, wenn Sie unseren Freund Leutnant Earl-William Flowers bestrafen sollten, werden wir unsere guten Kontakte zu SPRINGER und anderen Redaktionen bemühen. Das kann doch bei den von den Kommunisten initiierten Demonstrationen vor dem Amerika-Haus mit den Eierwürfen, dem HO-HO-HOSCHIMIN, und AMI GO HOME-Geschrei nicht Ihr Interesse sein!"

Roland war, als er die Presse ins Spiel brachte, davon überzeugt, dass das Interesse an einer Story über Fluchthilfe in den Redaktionen groß war. Er wusste, dass quasi eine Stillhalte-Übereinkunft in den Redaktionen bestand, nichts über Fluchthilfeaktionen zu berichten, um diese nicht zu gefährden. Wenn dann aber doch, wie von ihm angedacht, Informationen lanciert würden, dass ideelle Fluchthelfer bestraft werden, würden diese wie Wassertropfen auf ausgemergelten Boden fallen.

Um seine Zustimmung zu Rolands Statement zu bekunden, legte Dankwart seine Hand auf Rolands auf Unterarm.

Da stand der General auf, ging den Tisch entlang auf Roland zu und sagte, auf einmal in einwandfreiem Deutsch:

„Es spricht für Sie, heute hierher gekommen zu sein. Ihr seid gute Deutsche!"

Er gab Roland und Dankwart einen kräftigen Händedruck!

Dann ging er zurück an seinen Platz.

Roland und Dankwart schauten von da an in freundliche Gesichter. Der Bann war gebrochen.

Die Atmosphäre war so zu ihren Gunsten umgeschlagen, dass Roland und Dankwart Wünsche vortrugen.

Sie fragten, ob es denn nicht möglich sei, den mit verhafteten Kommilitonen G.S., zusammen mit Leutnant Flowers in den nächsten Stunden frei zu bekommen. Das könnte doch mit dem amerikanischen Aufklärungsinteresse am Vergehens Ihres Offiziers begründet werden.

Der General sagte zu, genau in diese Richtung mit den Russen zu verhandeln. Und noch einmal verwies er darauf, die Russen wären anscheinend vom ostdeutschen Staatssicherheitsdienst ganz besonders heiß gemacht worden, ein Exempel zu statuieren. So böse hätte er sie noch nicht erlebt.

Freund Bill war noch am selben Tag zurück in Westberlin. Er wurde zwei Tage später, ohne Schulterstücke, zum Flugzeug in Tempelhof geführt. Das war für die Russen - in Frankfurt/M war er wieder Leutnant! Er wurde nicht bestraft! Aus Vietnam kehrte er unbeschadet in die Heimat zurück!

Der Kommilitone G. S. genannt Muich, wurde in der DDR zu acht(!) Jahren Zuchthaus verurteilt. Bei den Verhandlungen mit den DDR-Beauftragten über den Freikauf von Häftlingen wurde er einmal von der bundesdeutschen Verhandlungsliste gestrichen.
Nach neun Monaten konnte Roland ihn dann endlich in West-Berlin begrüßen. Er war ein anderer Mensch geworden. Aus der in der Fluchthelfergruppe existierenden „Knastkasse" bekam er von Roland 20.000 DM, wenn man es denn so nennen kann, als Entschädigung. Er nahm nie mehr an Fluchthilfeaktionen teil.

In Erinnerung beim ersten Wiedersehen blieb Roland der angedeutete Vorwurf von Muich, dass seine Verhaftung ja wohl auch darauf zurückzuführen gewesen sei, weil Roland im Prinzip immer wieder dem gleichen Muster im selben Gebiet von Ostberlin und den selben Grenzstreifen auf der Interzonen-Autobahn folgte. Das tat Roland weh, denn Selbstvorwürfe zu der aufgeflogenen Flucht hatten ihn geplagt, und so ganz abgeschlossen hatte er mit der Aktion auch nicht. Er hatte nämlich seither nichts von dem „Flüchtlingsehepaar" erfahren. In den Häftlings-Freikauflisten war ihr Name auch nicht aufgetaucht. Den Kontakt zu Dr. Schlicht hatte er aus Scham auch nicht gesucht, weil ihm die Fluchtaktion, ausgerechnet seine offiziöse Empfehlung durch den UFJ, missraten war.

Erst nach der Wende konnte aufgeklärt werden, dass der gescheiterten Fluchtaktion ein vom MfS ausgetüftelter Plan zu Grunde lag.
Der ach so nette Herr Dr. Schlicht vom UFJ war das, was die DDR zu Recht einen „Top-Aufklärer" nannte.

Dieser Mann war weniger Mensch, denn Monster!

Trotz jüdischer Vorfahren gelang es ihm, als „Arier" in den Staatsdienst zu gelangen. Im Krieg war er in einer Polizeieinheit im besetzten Gebiet von Polen und der Ukraine aktiv.

Nach dem Krieg schaffte er es, sich den neuen Herren in der SBZ anzudienen und legte eine steile Karriere hin. Er wurde Richter, promovierte und war zuletzt Richter am Oberlandesgericht Potsdam. Dann geriet er wohl mit den sozialistischen Verhältnissen in der DDR in Konflikt und nahm Kontakt zum UFJ in Westberlin auf. Beim Verteilen von Flugblättern wurde er 1952 verhaftet. An dieser Stelle unterscheiden sich die Chronisten in ihren Nachforschungen. Die einen behaupten, schon seine Kontaktaufnahme zum UFJ und die gesamte Flugblattaktion wären Teil des Aufbauplanes zum Spion gewesen und andere meinen, bis zu seiner tatsächlich erfolgten Verurteilung wegen Boykotthetze zu zehn Jahren Zuchthaus sei das nicht der Fall gewesen. Wie dem auch gewesen sein mochte, die Stasi wollte den „hochbegabten" Mann für den Spionageeinsatz im Westen vorbereiten. Während seiner Haftzeit profitierte er von bevorzugter Betreuung und Ausbildung. Von der allgemeinen Arbeitspflicht seiner Haftkameraden war er freigestellt. Hilde Benjamin, das Fallbeil der ostzonalen Justiz, begnadigte Herrn Dr. Schlicht, und er wurde nach fünf Jahren Knast freigelassen.

Er setzte sich in den Westen ab, wurde als politischer Häftling anerkannt, bekam Haftentschädigung und als vermeintlich bewährter Kämpfer gegen den Kommunismus standen seiner Karriere Tür und Tor offen. Er integrierte sich schnell, und als vom Osten geführter „Dr. LUTTER" wurde er in einem Netz von bereits installierten Spionen aufgefangen.

Dass ihnen der Spion Dr. Schlicht alias, alias, nicht von der Fahne gehen konnte, dafür hatte der russische KGB vorgesorgt. Er hütete als Pfand, die Unterlagen über die Kriegseinsätze des Polizeimannes Götz Schlicht in den von den Deutschen eroberten Gebieten in Polen und der Ukraine.

Der Lump „Dr. Lutter" alias Dr. Schlicht, arbeitete ab 1957 in der Rechtsauskunftsstelle des UFJ im Flüchtlingslager Marienfelde.

Roland wurde noch nachträglich heiß und kalt, als er über die Arbeitsweise des Dr. Schlicht nachdachte. Bei genauerer Betrachtung war er selber auch nur knapp einer erneuten Verhaftung durch die Stasi mit seiner Flucht zuvorgekommen. Schon die Besuche von Onkel Horst 1966 beim UFJ hätten das „große Fressen" angerichtet haben können.

Dr. Schlicht alias „Dr. Lutter", soviel steht fest, war ein Schreibtisch-Verbrecher! Dass zu behaupten erfordert nicht einmal die Einbeziehung der Akten zu seinen Kriegseinsätzen, die der KGB beherbergt!

Diese Person schleimte sich bei den gerade in Marienfelde angekommenen Neubürgern ein - so wie bei Roland auch - tausendfach! Er erfuhr, was sie den westlichen Diensten, die sie gerade seit der Ankunft durchlaufen hatten, erzählt haben: Wer sich aus ihrem Verwandten-, Freundes- und Bekanntenkreis mit Fluchtgedanken plagt, wer ihnen womöglich noch in der DDR bei ihrer Flucht behilflich gewesen ist, wer von ihr wusste oder hätte wissen können und anderes mehr. Aus den Spitzelberichten des „Dr. Lutter" mit tausenden Personenangaben ergaben sich für das MfS abertausende Ermittlungsansätze, gegen unter Verdacht geratene DDR-Bürger.

Dementsprechend urteilten die Strippenzieher ihres „Top-Aufklärers": „Die zielstrebige Arbeit des „Dr. Lutter" ermöglichte, eine größere Anzahl von Vorgängen anzulegen und durch Festnahmen und andere operative Maßnahmen erfolgreich abzuschließen. Im Ergebnis konnten weiterhin einige Menschenhändlerbanden aufgedeckt und vor allem Fluchtwege und Schleusungsmethoden festgestellt und durch entsprechende Maßnahmen unterbunden werden".

Der Judaslohn waren Orden und Geld. Ein Teil des Geldes wurde für ihn als Devisen- und ein anderer hoher Betrag in Mark in Ostberlin für ihn verwaltet.

Den Lumpen Götz Schlicht alias „Dr. Lutter" alias, alias konnte Roland nicht mehr vor Gericht in die Augen sehen.

Nachdem dessen Agententätigkeit nach der Wende aufgeflogen war, wurde er vom Dienst suspendiert. Bevor der Prozess gegen in eröffnet wurde, schlief er friedlich ein. Verdammte Scheiße das!

Weiter, immer weiter - Eltern mit ihren Babys, ergreifend!

Der Name Fuchs ist von Rolands Seite aus nicht gefallen. Fuchs musste allerdings dem CID erklären, wie es dazu kam, dass "X10-Tiefkühllasttransporter" amerikanische Militärangehörige benannte. Seine Rechtfertigung; er betonte die Selbstständigkeit von Rolands Team, Einzelheiten hätten ihn nicht interessiert, nur der Erfolg, die von ihm genannten Personen 'rüberzubekommen, sei für ihn wichtig gewesen. Das reichte aus. Die Kontakte von Fuchs zu den alliierten Sichtungsstellen in Marienfelde wurden nicht beschädigt.

Ende gut, alles gut, könnte man meinen, aber Roland musste Fuchs mit Geduld und Engelszungen davon überzeugen, nicht auf die Hilfe von amerikanischen Offizieren zu verzichten. Zwei Freunde von Leutnant Flowers waren bereits vor dessen Verhaftung aktiv gewesen und würden es auch weiter bleiben wollen! Roland überzeugte letzten Endes damit, zukünftig eben einen Zacken in der Abschirmung und Vorbereitung draufzulegen.

Um es vorweg zu nehmen, die gescheiterte Fluchtaktion mit dem amerikanischen Leutnant blieb zwar nicht der einzige Einbruch des MfS in Rolands Linien, aber bei keiner seiner weiteren Fluchtaktionen gab es Verhaftungen oder Technikverlust – trotz anspruchsvoller Aufgabenstellungen.

In West-Berlin war es inzwischen zur Tradition geworden, dass die Bürger auf schriftlichen Wunsch zu Weihnachten Alliierte privat zu sich nach Hause einladen konnten.

Roland lud den Chef des CID, der bei der Anhörung im Headquarter der amerikanischen Streitkräfte Berlin-Dahlem zugegen gewesen ist, zu sich nach Hause ein!

Er hatte diesen Mann kennen und schätzen gelernt, als es um die Nachwehen der Verhaftung von Offizier Flowers in Ost-Berlin ging. Der CID-Chef war Rolands Team gegenüber nicht penetrant in seiner Pflichterfüllung. Immer mal wieder vergewisserte der Mann sich durch insistierende Fragen bei freundschaftlichen Zusammentreffen in Dahlem, ob Roland und seine Freunde in Sachen Fluchthilfe aktiv seien. Er hatte nichts dagegen, ganz im Gegenteil. Er wollte nur sichergehen, dass Roland und seine Freunde sich daran hielten, keine amerikanischen oder andere Westalliierte in solche Aktionen einzubeziehen. Er betonte des Öfteren, auch die Kontaktaufnahme mit dieser Absicht sei schon strafbar.

'Na gut', dachte Roland, 'das ist sein Job.'

Dieser Mann war der personifizierte „John Wayne" in Gestalt und Berufsauffassung. Seine Leidenschaft galt der Sammlung und Pflege großkalibriger Revolver.

Im Wohnzimmer, beim weihnachtlichen Glanz einer geschmückten Nordmanntanne, saßen sie zu dritt bei Tisch. Die Gans war tranchiert und mit Klößen und Rotkohl verspeist worden. Das Dessert mit Eis und Erdbeeren hatten sie sich munden lassen – Roland übergab seinem Gast das Weihnachtsgeschenk. Ein echter Reservisten-Krug aus Kaisers Zeiten war von ihm schön verpackt worden. Das traf den Geschmack seines Gastes wie die Faust auf's Auge!

Der hatte einen unverpackten schmalen, schwarzen Kasten mit Griff neben seinem Stuhl abgestellt. Der entpuppte sich als eine mit blauem Samt ausgeschlagene Schatulle, in der, schön eingebettet, ein neuer, riesiger Revolver lag. „John Wayne" erklärte:

„Diesen Revolver habe ich mir selber zu Weihnachten gekauft. Roland, mit diesem Revolver kannst du auf fünfzig Meter den Motorblock eines Straßenkreuzers durchschießen, so einen Bums hat das Ding!"

"Gigantisch, so etwas habe ich ja noch nie gesehen", antwortete der.

„Mein Weihnachtsgeschenk an dich ist; wir gehen damit, wenn das Wetter trocken ist, zusammen auf unserem Schießplatz „Keerans Range" schießen.

'Na, da hat sich der Texaner wohl ein Geschenk einfallen lassen, bei dem bloß die Rancher vor Freude austicken', dachte Roland und machte gute Miene.

Angelika wollte dem Besuch nur deutsche Gastfreundschaft präsentieren, Roland und „John Wayne" wussten hingegen, dass sie nicht nur Folklore-Weihnachtsstunden miteinander verbringen. Jeder wollte vom anderen etwas erfahren. „John Wayne" konnte sein obligatorisches Interesse nicht steckenlassen, und Roland wollte indirekt heraushören, ob der CID womöglich näher an sein Team herangerückt war. „John Wayne" äußerte Sympathie und Respekt zu den Erfolgen der X10" und ließ durchblicken, dass seine Kameraden das genauso sehen würden.

Für Roland war das genug zu wissen. Was „John Wayne" äußerte, das war Bürotratsch mit ein bisschen Neugier auf Verletzung alliierter Gesetze. Geschenkt, Roland war beruhigt!

Er benötigte genau diese Einschätzung. Er hatte vor, die unterschwellige weihnachtliche Befangenheit des Kontrollpersonals an den DDR-Grenzübergängen auszunutzen. An den nächsten zwei Tagen war für sein Team Aktion angesagt.

Sein amerikanischer Freund hatte auch gehört, was er hören wollte. Er hatte nur versäumt, sich dies durch das Ehrenwort seines deutschen Freundes absichern zu lassen.

Nachts sagten Freunde einander „auf Wiedersehen", und jeder war der festen Überzeugung, nicht nur eine lukullisch gediegene, sondern auch eine informative Veranstaltung erlebt zu haben.

Fuchs und Rolands Team hatten an und zwischen den Weihnachts- und Neujahrsfeiertagen Ärzte und Schwestern aus dem Klinikum in Buch zu Neubürgern gemacht. An einem Abend im Januar saßen ihnen zwei ganz frische Neubürger im Büro von Fuchs gegenüber. Die erzählten, wie das abläuft, wenn zum Beispiel aus dem Schwesternwohnheim einer Flucht durch das MfS nachgegangen wird:

„Alle Personen aus dem näheren Arbeits- und Freundes-Umfeld in der Klinik werden befragt. Es wird auch immer eine Bestandsaufnahme des verlassenen Zimmers vorgenommen. Bei diesem Vorgang wird stets eine "zuverlässige Person" aus dem Arbeitsbereich der abgängigen Bürgerin als protokollierende Zeugin hinzugezogen. So etwas spricht sich herum - darf zwar nicht, aber geschieht trotzdem. Vorige Woche zum Beispiel machte diese Geschichte die Runde: Der vom MfS hinzugezogenen „zuverlässigen Zeugin" gefiel der Mann auf einem gerahmten Foto an der Wand. Spontan äußerte sie: '... die (gemeint war die geflüchtete Frau) hat aber einen schönen Verlobten.' Der Mann auf dem Bild war der amerikanische Präsident Kennedy!"

Hartung kam mit einer Problemlage, die er eigentlich nur pro-forma ansprach, weil er wusste, dass Fuchs und Roland nicht zaubern können. Anders ausgedrückt, es galt für jeden, aus Verantwortung sowohl den Flüchtlingen als auch dem Team der Fluchthelfer gegenüber, Grenzen einzuhalten. Auch wenn die Schicksalslage des

Flüchtlings herzzerreißend war, es wäre niemandem geholfen gewesen, die Sicherheitsstufe zu senken und das Risiko für die Mannschaft zu erhöhen. Hartung hatte die dringende Bitte eines Oberarztes aus dem Klinikum Buch, der mit seiner Frau und einem dreimonatigen Sohn in den Westen wollte. Was vielleicht die Sache spannend werden lassen könnte war der Hinweis von dem Arzt selbst, er sei Oberarzt und langjähriger Anästhesist. Roland fielen sofort zwei andere Fälle ein, einer auch aus dem Klinikum Buch, bei denen es um Fluchtabsicht mit Baby ging.

Bei dem einen Fall, da hatte ein Chemiker, eine Kapazität seiner Zunft, Ausgang aus der DDR zur Beerdigung seines Vaters erhalten. Sozusagen als Pfand für seine Rückkehr hielt die DDR seine Ehefrau mit einem zweimonatigen Baby zurück. Seine Frau hatte ihn beschworen, im Westen zu bleiben. Er solle sie später über die Familienzusammenführung nachholen. Inzwischen war der Mann schon ein halbes Jahr im Westen und hatte nur niederschmetternde Bescheide zu der erhofften Ausreisegenehmigung für seine Frau und das Baby. Die DDR wertete die Familienzusammenführung solcher und ähnlich gelagerter Fälle als nachträgliche Belobigung für den vorangegangenen „Verrat der Republik". In seinem Fall könne sich die Familienzusammenführung über viele Jahre hinziehen. Man hatte ihm bereits Straffreiheit aus dem Osten zugesichert, wenn er zurückkommen würde. Der Mann stand kurz davor, zu seiner Frau zurück in die DDR zu gehen....

Der andere Fall; ein Ehepaar aus dem Klinikum Buch, das mit einem dreimonatigen Baby in den Westen wollte. Seine Eltern hatten erlebt, wie es einem Kollegen-Ehepaar ohne Kind vor kurzem geglückt sei, nach Westberlin zu gelangen. Jetzt setzten sie Himmel und Hölle in Bewegung, um es mit dem Baby auch zu schaffen.

Roland hatte nicht die Absicht, Fuchs seine Baby-Fluchtidee vorzustellen, bevor er nicht wenigstens mit Dankwart die Ausgangslage erörtert haben würde. Als Roland dem die Idee „Drei auf einen Streich" kundtat, war Dankwarts erste Regung:

„Mich wundert ja schon lange nichts mehr, aber heute verwundert mich, dass ich mich noch wundern kann. Das ist ja mit Abstand das bisher haarigste Ding!"

„Du kennst dich ja inzwischen in Buch bestens aus. Aber Vorsicht, fahre nicht mit PKW ins Klinikum, sondern mit Bahn und Bus."

„Ich kenne die Neubauzeile neben dem Herzzentrum, wo der Oberarzt arbeitet", antwortete Dankwart.

„Dann entscheide vor Ort, wie du den Kontakt zum Oberarzt herstellst. Geh komplett auf die Vorschläge ein, die der Oberarzt macht, um mit dir ungestört zu sprechen. Bilde dir dein Urteil und sage ihm, wie wir hier die Sache mit seinem und anderen Babys sehen. Sage ihm ganz klar, wenn er zwei anderen hilft, die hier in Buch in der gleichen Bredouille sind wie er, garantieren wir seine Flucht innerhalb von drei Tagen nach seiner ersten Hilfe! Wenn du merkst, da führt kein Weg hin, dann sage ihm auch klar, dass wir ihn nicht holen können! Aber das nur, wenn du sicher bist, dass er auf keinen Fall helfen wird."

„Der wird hoffentlich wissen, was er da für ein Risiko eingehen soll. Kann man so etwas jemandem abverlangen?!", fragte Dankwart.

Roland wollte in diesem Moment nicht zu Ende denken.

Er brauchte eine Entscheidungsebene. Dankwart sollte ihm seine Theorie abklopfen. Aber was er als Letztes angeschnitten hatte, das rührte am eigenen Selbstverständnis. Für Roland machte es erst einmal Sinn, sich im Detail in die der eigene Logistik zu vertiefen und den Gegenspieler, das MfS, gewissermaßen auszublenden. Er musste abwarten, was der Anästhesist überhaupt von seinem Vorschlag hielt. Wegen der Fahrtzeit mit den narkotisierten Babys konnten diese Touren nur von Ostberlin direkt nach Westberlin organisiert werden. Es kamen also nur die amerikanischen Leutnants Bob und Mike in Betracht.

Die Fahrt durch Ostberlin war denkbar kurz. Die Frau kam aus der Praxis eines Freundes des Anästhesisten im Prenzlauer Berg heraus und ging direkt mit dem vom Oberarzt narkotisierten Baby zu Dankwarts Wagen. Dankwart übergab die beiden dann an Bob. Roland bekam die Frau mit Baby in der Stresemannstraße auf dem Parkhof vom Deutschlandhaus übergeben.

Da sah er zum ersten Mal in seinem Leben, wie so ein kleiner Wurm aussieht, der narkotisiert ist. Aus jedem der Nasenlöcher führte ein auf den Wangen durch Heftpflaster festgehaltener Schlauch, die beide am Kinn in einer Verbindung zusammenliefen. Das sah beeindruckend, gefährlich, auf jeden Fall medizinisch kompliziert aus. Er fuhr mit Mutter und Baby in die Kantstraße zum Büro von Fuchs. Dort wartete ihr Mann. Bis hierhin hatte alles zusammen vielleicht 45 Minuten gedauert.

'Wem jetzt nicht die Augen feucht werden, der hat kein Herz', dachte Roland. Und siehe da, einschließlich Fuchs, keiner schämte sich des salzigen Geschmacks auf den Lippen.

Einen Tag später die gleiche Übung.

Noch einmal half der Anästhesist einem anderen Ehepaar, wo ihm der Mann als Kollege vom Klinikum-Campus her bekannt war. Er half, ohne selber einen Fahrschein in die Freiheit zu besitzen. Was ihm seine Nerven beisammen hielt, so hat er später erzählt, war die geglückte Flucht vom Vortag, von der ihm sofort berichtet worden war.

Dann kam die Flucht seiner Familie. Alles lief wie die Tage zuvor. In der Wohnung von Fuchs angekommen, machte die Frau den Eindruck, als wäre sie in Trance. Sie hielt ihr Baby mit den durch eine Spange verbundenen Schläuchen, die aus den Nasenlöchern hingen, auf dem Arm und musste sich zu einem Lächeln quälen, als sie es durch ihren Mann abgenommen bekam. Sie war völlig mit den Nerven am Ende. Roland sah bewundernd den Anästhesisten an, der selbstbewusst, etwas geleistet zu haben, in die Runde sah.

Vielleicht um selber für seinen grenzwertigen Coup nachträglich Absolution einzuholen, war Roland begierig, eine Frage beantwortet zu bekommen. Er wandte sich ihm zu und wollte schon mit der Frageformulierung seinen Respekt gegenüber diesem Menschen betonen:

„Ich möchte Sie fragen, wie trafen Sie die Entscheidung, Ihr eigenes Schicksal mit der Verantwortung für die Ehefrau und das Baby mit dem Schicksal der anderen Väter und Mütter mit ihren Babys zu verbinden?"

„Als Arzt ist es mir selbstverständlich, anderen Menschen zu helfen. Diesmal war meine Hilfe als Mediziner auch Hilfe für mich selbst. Es war der Preis, um selber mit meiner Familie fliehen zu können! Es ging meiner Frau und mir in erster, zweiter und dritter Linie genau genommen um die Zukunft unseres Kindes. Unser Kind sollte nicht in der DDR aufwachsen, sondern hier in der Freiheit. Für unser Kind haben wir den Schritt jetzt getan. Wir danken Ihnen allen von ganzem Herzen!"

In der Fluchthelferszene und ganz allgemein war bekannt, dass Babys und Kleinkinder nicht aus der DDR geholt werden (können). Es gab Fälle, da sind Babys gestorben, weil ihre Eltern sie mit Mitteln aus der Hausapotheke oder durch Kissenaufdrücken an der Grenze ruhigstellen wollten.

Was Roland mit seinem Team gelungen war, ärztlich genau auf die Zeitdauer der Flucht sedierte Babys 'rüberzuholen, das hatte es zu dieser Zeit nicht gegeben und ist auch von Fuchs/Roland nicht noch einmal unternommen worden. Wünsche, es doch 'ausnahmsweise' noch einmal zu tun, waren allerdings zahlreich, nachdem sich die geglückten Fälle herumgesprochen hatten.

Die Baby-Transporte, das waren Rammschläge gegen die Mauer!

Schneid braucht auch Gottvertrauen

1970, der Tagesbeginn an seinem Geburtstag lief routiniert wie an den übrigen Wochentagen. Angelika hatte schon lieb in der Nacht gratuliert und der Frühstückstisch war die symbolhafte Dekoration dessen, wie und was sie da zum Ausdruck brachte. Er fuhr sie also wie jeden Tag zur Arbeit und dann selber in den Hörsaal. Abends hatten sie es sich vor dem Fernseher bequem gemacht. Um nicht bei jedem Klingeln aufstehen zu müssen, hatte Roland das Telefon in Reichweite platziert. Ein Anruf unter den Geburtstagsgrüßen ließ ihn förmlich hochschnellen.

Am anderen Ende der Leitung meldete sich Dr. Schulze. Gratulieren wolle er im Namen von Rolands Eltern und im eigenen natürlich auch. „Dr. Schulze ?", Roland fragte noch einmal nach:.

„Na, der Dr. Schulze, der Rolf, der über euch in der Frankfurter Allee gewohnt hat und dir den Blinddarm herausgenommen hat."

Na klar, erinnerte sich Roland. Die beiden Familien waren über zehn Jahre miteinander befreundet, hatten gemeinsam Familienfeste gefeiert, und wenn nötig hat der Mediziner geholfen.

„Von wo rufen Sie denn an?", wollte Roland wissen.

„Du kannst mich ruhig, so wie früher, duzen! Ich bin gerade auf dem Flughafen Tegel. Bin mit einer Delegation unterwegs, fliege nach Spanien und dann weiter nach Kuba."

Für Roland ergab das Sinn. Er hatte den Dr. Schulze als Rolf wegen seines kumpelhaften Verhaltens ihm gegenüber immer gemocht. Gerne hätte Roland sich auf den Weg gemacht, um ihn auf dem Flughafen zu treffen. Mit Enttäuschung nahm er zur Kenntnis, dass dessen Maschine schon in zwanzig Minuten abflog. Für Roland zu kurz, es zum Flughafen zu schaffen. Sie plauderten noch miteinander. Dabei erzählte er auch, sich im Sommersemester zum Vordiplom anmelden zu wollen. Roland ließ den Eltern ausrichten, ihr Geburtstagsgruß sei ein tolles Geburtstagsgeschenk. Er wünschte, der Kontakt möge nicht mehr abreißen.

Da war sie nun endlich, die erste Kontaktaufnahme seiner Eltern nach der Flucht vor rund 4 Jahren. Er hatte jeweils zum Weihnachtsfest geschrieben, darauf bauend, dass Blut dicker als Wasser sei...

Große Studien-Exkursion – Thailand, Kriegspartei und Etappe

Die Anmeldng zum Vordiplom erforderte neben den Scheinen über besuchte Vorlesungen und Seminare die Vorlage der Teilnahme an zwei Kurz- und einer Langexkursion. Nicht nur, dass die Exkursionen ein Faktum waren, welches das Studium der Geographie teurer machte als es andere Studiengänge waren; die Plätze waren stets begehrt und meistens nicht synchron zum Studienstand zu ergattern. Roland benötigte die 'Große Exkursion' und hätte mindestens bis zum Ende des Sommersemester auf einen freien Platz warten müssen. Das hätte ihn ein zusätzliches Semester gekostet. Er ging also mit dem Vorschlag zu seinem Professor JENSCH, doch eine große Exkursion selber unternehmen zu wollen, und zwar nach Thailand! Das war damals noch eine exotische, außerhalb des Studiums liegende Dimension. Der Professor verlangte für seine Genehmigung ein Referat über die Siedlungsstrukturen außerhalb städtischer Regionen in Thailand.

Mit der Genehmigung des Professors ging Roland zu einem Bekannten, den er aus der politischen Arbeit der CDU-Ostkreissektoren kannte. Der organisierte auf Provisionsbasis individuelle Fernreisen über das Unternehmen SCHARNOW - für

Roland als Freundschaftsdienst. Einen ganzen Tag saßen sie zusammen, telefonierten und rechneten. Mit dem Ergebnis kam Roland in die First-National-Bank (FNCB) an Angelikas Arbeitsplatz. „Wir fliegen übermorgen für vier Wochen nach Thailand, später hätte es mit den Flügen nicht geklappt. Gibt jetzt ein bisschen Stress, aber das schaffst du schon!", sagte Roland und legte ihr die Tickets und Reisevouchers auf den Tisch.

Angelika, mehr erfreut als verwundert, ging gleich mit ihm zu Trüdi, ihrer Freundin, die als Chefsekretärin im Vorzimmer des Chefs arbeitete. Trüdi war Angelikas und Rolands Trauzeugin gewesen.

„Da kann man ja richtig neidisch werden. Mensch, Angelika, hast du das gut! Wollen wir mal hoffen, dass unser Direktor nichts dagegen hat, wenn du morgen schon nicht mehr kommst."

„Trüdi, was meinst du wohl, was ich dem erzähle, wenn er mauern sollte. Wir sind schließlich Mannschaftskameraden! Der kann zufrieden sein, dass ich solche Ausflüge für seine Mitarbeiterin organisiere!", kommentierte Roland schmunzelnd.

„Ich frag bloß mal schnell an", begleitete sie den Tipp auf die Sprechtaste."

Der Bankdirektor, Rolands Mannschaftskamerad, kam ihnen schon an der Tür entgegen:

„Dich hier zu sehen ist ja mal was ganz Neues. Was habt ihr denn auf dem Herzen?"

Wie nicht anders erwartet, war er einverstanden, Angelika von jetzt auf gleich in den Urlaub fliegen zu lassen. Bei dem Gespräch kam auch deutlich zum Ausdruck, dass er Angelika als Mitarbeiterin sehr schätzte. Schon fast im Aufbruch fragte er Roland:

„Wissen denn schon die Männer Bescheid, dass der Rechtsaußen fehlen wird?"

'Die Männer', das waren DFB-Amateure, die als eine Art „Berliner-Köpfe-Mannschaft", gegen andere Berliner „Alte Herren" kickten. Zu den 'Köpfen' in Rolands Mannschaft zählten beispielsweise GRUNER von den STACHELSCHWEINEN und Heinrich LUMMER aus dem Abgeordnetenhaus.

„Nee, das möchtest du auch noch übernehmen, ich kenne ja selber erst seit gestern die Reisetermine!", überließ Roland dem Direktor, seinen Kameraden aus dem Fußballteam seine Abwesenheit zu erklären.

Fuchs, Dankwart und die anderen Kämpfer sahen kein Problem darin, ohne Roland die anstehenden Kurier-Kontakte zu bedienen. Die Zusage Rolands stand im Raum, Fuchs alle 8 bis10 Tage anzurufen.

Roland und Angelika hatten ein Reisepaket bekommen, welches für Neugier und Bewunderung sorgte, als sie in Vorfreude auf die bevorstehenden Unternehmungen im 14stündigen Flug in der Maschine nach Bangkok, jedem, der es hören wollte, davon vorschwärmten. Das ging soweit, dass einige Reisende ihr Programm mit dem von Roland verbinden wollten, da der die Absicht hatte, einen privaten Abstecher in die Wildnis zu unternehmen. Roland gab allen Interessierten die Zusage, die nötigen Buchungen für sie mit zu erledigen. Als sie in Bangkok gelandet waren, musste Roland feststellen, dass seine zukünftigen Begleiter auf drei Personen geschrumpft waren, denn alle mit ihm Angereisten waren von verschiedenen Veranstaltern in verschiedenen Hotels untergebracht worden.

Bei den Vorbereitungen seiner Landerkundung stieß er auf Widerstand bei der thailändischen Behörde. Bestimmte Gebiete hatten nämlich einen Genehmigungsvorbehalt für Touristen. Nur wenn diese unterschrieben, über die gefährliche Lage in den zu bereisenden Gebieten aufgeklärt worden zu sein, wurde die Reise gestattet. Der Vietnamkrieg hatte auch Thailand bereits erfasst. Städte, wie zum Beispiel Phitsanulok, waren mit dreifachen Sicherungsgürteln umgeben. Die sollten die Menschen und die Infrastruktur vor einsickernden kommunistischen Terrorgruppen schützen. Als Roland mit diesen Neuigkeiten im Hotel die potentiellen Mitreisenden konfrontierte, blieb nur noch einer übrig, der die Einverständniserklärung unterschrieb. Roland schien der 6-Tage-Tripp für Angelika nun auch zu stressig, und er empfahl sie der Obhut der übrigen Reisenden für das obligatorische touristische Programm. Als er dann morgens um fünf Uhr in der Hotellobby auf den letzten verbliebenen Mitreisenden wartete, war der nicht erschienen. Ein Anruf auf dem Zimmer ergab, dass seine Frau ihm nun doch die Mitreise verboten hatte. Roland flog also allein nach Phitsanulok. Dort landete seine Douglas C-47, den Berlinern als „Rosinenbomber" bekannt, auf einer Graspiste.

Schnell hatte sich die Handvoll mitreisender Thais verstreut. Übrig geblieben waren nur noch ein paar amerikanische GIs, die von einem Militär-Kleinbus abgeholt wurden. Was machte Roland? Er stellte sich ihnen als Freund aus Berlin vor und wurde daraufhin zum amerikanischen Camp mitgenommen.

Zwei GIs, die früher einmal in Berlin stationiert waren fanden es selbstverständlich, ihm ein Besucherzimmer mit Nasszelle im Camp zu organisieren. Sie stellten auch noch am selben Tag den Kontakt zu einem Deutschen her, der als Entwicklungshelfer in Phitsanulok tätig war. Dessen Job war es, den Kleinbauern in der Umgebung bei der Effizienzsteigerung ihres Anbaus zu helfen. Es war nicht landsmannschaftliche Verbundenheit, das auch, sondern schnell wurde jedem von ihnen klar, dass sich ihre Interessen symbiotisch miteinander verbinden ließen. Roland erzählte vom Referat, welches zu fertigen ihm der Professor mit auf den Weg gegeben hatte, und der Entwicklungshelfer davon, dass er auch als Hobbyarchäologe unterwegs sei, wenn es seine Zeit erlaubte. Leider musste er in den letzten Tagen mit dem Moped zu den Bauern in der Umgebung fahren, weil sein VW-Bulli mit Zylinderschaden neben seinem Haus stand. Zusammen mit Roland würde es Sinn machen, sich um ein Ersatzfahrzeug zu bemühen. Roland ließ sich das Hobby erklären und lauschte gespannt, als ihm der Entwicklungshelfer von einem „Tal der Scherben" erzählte. So würden Einheimische eine Gegend mitten im thailändischen Dschungel nennen, aus dem hier in Phitsanulok immer wieder glasierte, gebrannte Tonfiguren und Gefäße zum Kauf angeboten würden. Er wüsste zwar, wo in etwa das „Tal der Scherben" läge, aber er konnte in den vergangenen Monaten niemanden dafür begeistern, mit ihm hinzufahren. Alleine kam das für ihn nicht in Frage, dafür sei alles, was außerhalb des dritten Befestigungsgürtels um Phitsanulok liege, zu unsicher.

Mehr brauchte der Entwicklungshelfer nicht zu erzählen. Roland hatte mit dessen Überblick aus anderthalb Jahren den Stoff für sein Referat, und ein Abenteuer der besonderen Art bot sich ihm an.

Mit dem Tuck-Tuck-Taxi, einem motorisierten Dreirad, ließen sie sich vor das US-Camp fahren, und Roland suchte die beiden GIs, die ihm bisher so phantastisch geholfen hatten. So ergab sich, dass einer von ihnen den Trip mitmachen wollte. Er könne seine Mitfahrt dienstlich begründen, und sie würden in einem Jeep unterwegs sein. Der andere GI war auch begeistert und sagte seine Mitfahrt für den zweiten und dritten Tag der an vier Tagen geplanten Tour zu. Sie würden bei Tagesanbruch am kommenden Morgen um 6 Uhr im Camp aufbrechen, Die Anfahrt schätzte der Entwicklungshelfer auf rund drei Stunden. Um 14 Uhr müssten sie dann zurückfahren, um noch vor Einbruch der Dunkelheit den dritten Befestigungsgürtel zu erreichen. Wenn sie sich verspäten sollten, könnten sie Gefahr laufen, dass sie von den Tai-Soldaten, die den dritten Befestigungsring bildete, unter Feuer genommen werden.

„Die schießen auf alles, was sich bei Dunkelheit bewegt", sagte lakonisch einer der GIs.

Sie besprachen noch, wer was für ihre Ausrüstung beisteuern solle und dann war es auch Zeit, endlich schlafen zu gehen.

Der Entwicklungshelfer war pünktlich vor dem Camp, sie packten Macheten, Spitzhacke, Spaten, Hammer Meißel und Schaufeln in den Jeep, an dessen Steuer der GI in Zivil saß. Er trug Militärschnürschuhe, Jeans, Hawai-Hemd und hatte am olivgrünen Koppel seine Pistole. Der einzige ohne festes Schuhwerk war Roland in geschnürten Basketballschuhen. Zuerst ging es über geteerte Straßen, die von Rollsplitt-Belag abgelöst wurden. Für Roland war interessant zu sehen, wie neben der Straße Gruppen in Familienstärke mit Handschaufeln kreisrunde Löcher buddelten, in denen sie sich gerade mal drehen konnten. Der Entwicklungshelfer klärte ihn auf, dass die Leute mit diesen Grabungen Zentimeter um Zentimeter das Erdreich abkratzten, um es auf Rubin-Steine zu untersuchen. Als sie von der Rollsplittstraße abbogen, ging es über immer weniger erkennbare Wege weiter, bis bloß noch auf Verdacht eines vorhandenen Weges gefahren wurde.

So näherten sie sich einer Ansiedlung von Pfahl-Hausbauten, die das Zuhause einer Großfamilie war. Die Sprachverständigung durch den Entwicklungshelfer und von ihm zur Erklärung mitgebrachte Tonscherben erbrachte, dass sie in der angepeilten Gegend angekommen waren. Junge Thais, fast noch Kinder, kamen auf sie zu und berührten ihre Haut. Roland und sein Trupp waren die ersten

Weißen, die ihnen so nahe kamen. Diese jungen Thais führten sie durch den Busch und freuten sich, die mitgeführten Gerätschaften tragen zu dürfen. Irgendwann standen sie vor einer überwucherten Trümmerlandschaft. Es war nicht auszumachen, was das einmal gewesen sein könnte, dazu war die Überwucherung zu dicht. Wenn es nicht Flächen gegeben hätte, die augenscheinlich erst vor kürzerer Zeit etwas freigelegt worden waren, hätte keiner von ihnen erkannt, dass sie inmitten anthropogener Strukturen standen. Irgendwie mussten sie da ja nun anfangen, nach etwas zu suchen. Sie begannen mit der erneuten Rodung einer kleinen Fläche und brachen die Oberschicht von Geröll auf. Tatsächlich fanden sie Scherben. Bei ihrem Anblick kam keine Phantasie auf – einfach nur Bruch. Bis dann einer der Thais auf sie zulief, rufend den Arm in die Höhe streckend: „Mistel, Mistel", das „R" sprechen die Thais nicht.
Er hatte eine Scherbe in den Händen, an der ein dreidimensionales kleines Krokodil zu kleben schien. Unschwer war zu erkennen, dass es sich um den oberen Rand eines Gefäßes handeln müsse. Der Entwicklungshelfer lobte den Thai und gab ihm einen Geldschein. Der kleine Thai hatte begriffen - Scherben bringen Geld.

Die Hitze war mörderisch, aber immer, wenn es einem von ihnen zu viel wurde, hatte ein anderer wieder ein kleines Erfolgserlebnis. So vergingen gleich am ersten Tag drei Stunden am Ausgrabungsort. Weil sie die Strecke für die Rückfahrt nur vage schätzen konnten, brachen sie kurz nach Mittag auf. Der Entwicklungshelfer hatte die Thais der Großfamilie informiert, dass sie am nächsten Tag wiederkommen würden, um Scherben zu sammeln. Wenn sie selber welche finden sollten, würden sie dafür bezahlen. Lange vor Sonnenuntergang gegen 17 Uhr saß Roland bei kühler Ananas im Camp und zog mit den Mitstreitern Bilanz über den ersten Tag ihrer Exkursion. Sie hatten Dutzende Scherben mitgebracht, aber es war nichts darunter, was sich lohnen würde, in einer Vitrine seinen Platz zu finden. Immerhin war aber ihre Ausbeute interessant genug für den zweiten GI, der am nächsten und übernächsten Tag ja auch noch mitkommen wollte.

Bevor sie am nächsten Tag zur Ausgrabungsstätte aufbrachen, hatte die Großfamilie gebrannte Tonfragmente auf einer geflochtenen Matte zwischen den Pfahlbauhäusern ausgebreitet. Stolz und erwartungsvoll präsentierten sie zusammengetragene Funde, die sie entweder bereits gehortet oder vielleicht am Vortag, nach der Abreise der weißen Männer, selber noch ausgebuddelt hatten. Roland und seine Mitstreiter suchten wirklich ansprechende Stücke aus und bezahlten ohne zu feilschen. Weil sie aber zu viert waren, hatte Roland nur ein Teil erstanden. Das stimmte sie aber als Team ein, selber Hand anzulegen. Sie zogen mit ihren jungen Thais zu dem Ort im Ausgrabungsgebiet, wo die Thais angaben, fündig gewesen zu sein. Gegen Mittag traten sie wieder den Heimweg an, und jeder von ihnen hatte selber geschürfte Exponate im Gepäck. Der zweite Tag ihrer Exkursion war so vielversprechend, dass, als sie im Camp ihre Fundstücke präsentierten, noch zwei weitere Interessenten am nächsten Tag mitkommen wollten. Das mussten sie ausschlagen, denn ihr Jeep war voll besetzt.

Der dritte Tag verlief wie der zweite. Zuerst konnten sie wieder unter ausgebreiteten Exponaten, die von der Großfamilie inzwischen zusammengetragen worden waren, auswählen, bevor sie selber mit den Thais ins Gelände zogen.

Am vierten und letzten Tag der Exkursion wurde der freigewordene Platz noch von einem neuen GI eingenommen. Als sie den dritten Befestigungsgürtel durchfuhren, winkten ihnen die Thai-Soldaten zu, wie die Tage zuvor auch.
Im Ausgrabungsgebiet lief das Prozedere ab wie die Tage zuvor. Der neu im Team mitgenommene GI war zahlungsfähig und bestrebt, am ersten Tag seiner Teilnahme zumindest quantitativ eine neue Sammlung zu horten. Das war insofern erfreulich, weil es die Thais motivierte am letzten Tag des Besuchs der weißen Männer noch einmal richtig zuzulangen. Immer wieder erklang der Ruf:
„Mistel, Mistel...."
Bei der Abfahrt waren dann auch alle zufrieden. Die Mitglieder der Großfamilie hatten in den vier Tagen so viel Geld erarbeitet wie wohl nicht im ganzen Jahr zuvor. Sie hatten aber auch erfahren, wie sie zukünftig mit den Scherben in ihrem Gebiet weiter Geld verdienen konnten. Roland hatte Einblick in die Lebensweise der Thais gehabt und war bis hierher dankbar für das aus dem touristischen Rahmen gefallene Programm.

Die Rückfahrt drückte der gesamten Exkursion dann einen Stempel auf, den wohl keiner seiner Teilnehmer vergessen hat.

Sie fuhren auf den dritten äußeren Befestigungsgürtel vor Phitsanulok zu. Es machte „klack", als sie auf dem ausgefahrenen Weg, auf dem sich von der Trockenheit Zement-harte Schlaglöcher aneinanderreihten, voll durchgeschüttelt, ein Erdloch überfuhren. Noch lange nicht in Sichtweite des Befestigungsgürtels blieb der Jeep im Leerlauf stehen. Schnell stellten sie fest, was da „klack" gemacht hatte. Die Kraftübertragung der Kardanwelle war unterbrochen und ein Teil von ihr hing im Gras. Bei der Diagnose wusste jeder, dass an Weiterfahrt nicht zu denken war. Es war nachmittags, vier Uhr durch, in etwa zwei Stunden würde die Sonne untergehen. Ihre Wegkenntnis offenbarte, dass sie sich etwa zehn Kilometer vom Befestigungsgürtel entfernt befanden.

Mit Ausrüstung schon gar nicht, aber auch ohne sie, wäre ein Fußmarsch auf den Befestigungsgürtel zu wohl die schlechteste Variante, mit der Situation umzugehen. Sie stünden bestenfalls in der Dämmerung vor der Linie der Thai-Soldaten und müssten darauf vertrauen, von denen nicht in bestem Befehlsverständnis, auf vermeintliche Pathet-Lao-Kämpfer zu schießen, unter Feuer genommen zu werden. Die Pathet-Lao-Kämpfer waren, kommunistisch indoktriniert, mit vietnamesischem Kampfauftrag in der Gegend, um die amerikanische Luftwaffenbasis zu attackieren. Dabei war ihnen jedes Mittel recht, um die thailändische Bevölkerung in und um Phitsanulok zu terrorisieren. Sollten die Pathet-Lao-Kämpfer tatsächlich an dem Tag einen Angriff auf Phitsanulok vorgehabt haben, dann hätten Roland und seine Mitstreiter durch sie hindurch gemusst, um in den dritten Befestigungsgürtel zu gelangen. Das wäre schon waffentechnisch Harakiri gewesen. Nur die beiden GIs hatten ihre Pistolen mit einem Ersatzmagazin dabei.

Die zweite Variante wurde von den GIs favorisiert, und der Entwicklungshelfer wollte ihr wohl auch zustimmen, weil sie von den Soldaten kam. Man solle auf Tauchstation gehen, mit Wachablösung bis zum nächsten Tag ausharren und dann bei Tageslicht zu Fuß zum Befestigungsring laufen oder hoffen, dass sich von den Thai-Soldaten ein Suchtrupp nach ihnen auf den Weg machte.

Ein Gefühl sagte Roland, dass er das nicht wollte!

Schon das bisherige Knacken und Rascheln im Unterholz neben dem Weg war ihm unheimlich, und hinzu kamen Tierlaute, die er nicht kannte.

Er entschied, die technischen Zusammenhänge an der Kardanwelle genauer zu inspizieren. Sie räumten den Jeep leer, zwei Mann kippten ihn schräg mit dem Tank nach oben und stützten ihn in der Lage mit Spitzhacke und Spaten ab.

Was Roland sah, war ein abgescherter Stift, der die beiden Teile der Kardanwelle zusammengehalten hatte. Die eine Hälfte des Stiftes war aus der Muffe herausgefallen, also weg, und die andere Hälfte steckte in der zweiten Muffe. Seine Lagenanalyse:

Man müsse versuchen, den steckengebliebenen Stift aus der Muffe herauszuschlagen, etwas Stift-Ähnliches finden und einschlagen!

Die beiden GIs setzten sich rechts und links des Jeeps ins Unterholz und hielten Wache, während der Entwicklungshelfer und Roland den Jeep gründlich absuchten.

Ernüchterung nach der ersten Euphorie setzte ein, als die Untersuchung des Jeeps ergab, dass kein, dem Durchmesser des Stiftes entsprechendes Teil hätte abmontiert werden können, um es als Stift zu verwenden. Sie hatten auch keine Metallsäge dabei, um gegebenenfalls einen solchen Stift auf Länge zu sägen.

Man kann von Glück sagen, dass Roland bei den Ausgrabungen mit Spitzhacke, Schaufel und Spaten gearbeitet hatte. Da hatte er nämlich gesehen, dass die Werkzeuge alle mit Nägeln durch eigens dafür vorgesehene Löcher an den Holzstielen befestigt waren. Die Nägel waren zwar im Durchmesser schmaler als der erwünschte Stift, aber es war den Versuch wert, die Nägel beidseitig in die Muffen zu schlagen, um sie vielleicht miteinander verkeilen zu können. Das Ausschlagen des in der Muffe steckenden Stiftteils könnte mittels Hammer und Nagel gelingen.

Der Entwicklungshelfer und Roland ergänzten sich handwerklich wie eingespielte Schrauber..

Einer der GIs schleppte auf Zuruf einen Stein herbei, der während des Geradeklopfens der Nägel auf ihm immer kleiner wurde. Ein neuer brauchte aber nicht gesucht zu werden - er hielt dann doch bis zum letzten Nagel.

Immer wieder mussten die GIs ihre Deckung verlassen, um den Jeep zu halten, wenn eine der haltenden Stützen weggenommen werden musste.

Der Beginn der Operation, das Ausschlagen des steckengebliebenen Stiftes, ging wie das Messer durch die Butter. Dann kam das Finale. Auch das Verkanten der Nägel sah zumindest gelungen aus. Während der ganzen Bastelei klangen in der aufkommenden Dämmerung die metallenen Hammerschläge wenn nicht hundert Meter weit ....

Sie kippten den Jeep auf seine vier Räder, starteten ihn, und siehe da, die Kardanwelle drehte. Erfreut und gleichzeitig ängstlich, sie könne gleich wieder ihren Geist aufgeben, schalteten sie den Motor so lange ab, bis sie alles wieder aufgeladen hatten. Sie fuhren in der zunehmenden Dämmerung ohne Licht. Der Jeep fuhr und fuhr langsam, Kilometer um Kilometer. Als sie glaubten, die Gegend wiederzuerkennen, wo der dritte Befestigungsring begann, schalteten sie die Scheinwerfer an und aus und schrien sich die Kehle aus dem Hals. So wollten sie den Thai-Soldaten signalisieren, dass sie es wären, die da im Jeep auf sie zurollten und nicht Pathet-Lao-Kämpfer, die sich ihres Jeeps bemächtigt hatten.

Die Thai-Soldaten waren richtig aus dem Häuschen vor Freude, denn sie hatten mit ihren Offizieren schon stundenlang nach ihnen Ausschau gehalten. Sie ahnten, dass etwas passiert sein müsse, denn die Tage zuvor waren die Deutsch/Amerikaner immer wie verlangt, bei Tageslicht zurückgekehrt.

Vom dritten Befestigungsring wurde die Rückkehr des Jeeps an den zweiten Befestigungsring, der ebenfalls von Thais gehalten wurde, weitergegeben. Als Roland und seine Mitstreiter da ankamen, wurden sie mit Jubel empfangen, als wären sie Astronauten. Der Jubel setzte sich bis kurz vor die Stadt in den ersten Befestigungsring fort. Als sie sich in der Stadt auf dem Weg zum Camp befanden, winkten die Leute immer noch. Der Jubel wurde durch den langsam rollenden Jeep getragen, und die Thais feierten, ohne seinen Auslöser zu kennen.

Festzuhalten bleibt weniger der Jubel, sondern die sich damals in ihm ausgedrückte Unsicherheit und Angst der Menschen, dass bei Dunkelheit die Kommunisten rings um Phitsanulok in den Büschen saßen.

Auf der Fahrt zum Camp sprang Roland vom Jeep und rannte in ein Reisebüro, um seinen gebuchten Flug nach Bangkok am nächsten Vormittag zu bestätigen. Da hatte er Pech! Auf seinen Platz war inzwischen ein Nachrücker von der Warteliste gerutscht! Da half kein Jammern und kein Zetern, der Platz war weg. Wie sich doch Sorgen relativieren. Gerade noch in der Angst, von den Kommunisten ins Jenseits befördert zu werden, steht Angelika morgen auf dem Flugplatz in Bangkok und er ist nicht da. Die Mannschaft im Jeep hatte ohne zu mosern einige Zeit vor dem Reisebüro auf ihn gewartet und nahm hin, dass Roland noch einen Stopp einlegte, um ganz schnell in einem Laden zu verschwinden, um für seine „Schätze" eine große verschließbare Henkeltasche zu erstehen. Warum auch nicht, denn ohne seine „goldenen Hände" hätten sie noch im Feld vor dem dritten Befestigungsgürtel gesessen. Im Grunde seines Herzens eher froh, ließ er, auf dem Jeep zurück, seinem neuen Kummer freien Lauf. Da wusste der Entwicklungshelfer Rat:

„Roland, ich weiß, dass in jeder abfliegenden Maschine immer fünf Plätze für den Gouverneur und dessen Familienmitglieder im Ernstfall eines kommunistischen Angriffs auf die Stadt freigehalten werden müssen. Ich kenne den Mann persönlich recht gut. Wenn seine Familie morgen nicht komplett zum Shoppen nach Bangkok will, dann gibt er dir vielleicht einen von den reservierten Plätzen."

„Die Maschine fliegt um 10 Uhr, da müssten wir spätestens um 9 Uhr bei ihm vor der Tür stehen. Meinst du, wir treffen den Gouverneur da schon in seinem Dienstsitz an?"

„Wo ist dein Optimismus hin? Lass es uns versuchen! Ich hole dich um 8 Uhr mit deinem Gepäck vor dem Camp ab, dann warten wir schon ab 8:30 Uhr auf sein Kommen."

Das tat er dann auch, aber leichtgefallen ist ihm das sicherlich genausowenig wie Roland, denn bis in den Morgen saßen sie mit den GIs zusammen, klönten und tranken.

Der Gouverneur war neugierig, die beiden Deutschen zu sehen, als man ihn unterrichtete, dass sie dringend bei ihm vorsprechen wollten. Er hatte nämlich von Buddhas Segen gehört, der den beiden Besuchern gestern zuteil geworden war.

Der Gouverneur hatte ein Einsehen, dass von den reservierten Plätzen Roland einen bekam, obwohl er den schon einem seiner

Untergebenen zugesagt hatte. Das war eindeutig dem guten Image des deutschen Entwicklungshelfers geschuldet. Roland tat hingegen das Unpassendste, was er hätte tun können – er bot im Überschwang seiner Freude dem Gouverneur Geld für seine Hilfe an. Der Entwicklungshelfer konnte gerade noch den Eklat verhindern. Er beteuerte, hier läge ein Missverständnis vor. Nicht ihm persönlich, dem Herrn Gouverneur, sei das Geld angeboten worden. So etwas zu tun, würde die Erziehung seines Freundes ihm verbieten. Einzig im Sinne Buddhas wolle sein Freund der Allgemeinheit spenden....
Der diplomatische Eingriff des deutschen Entwicklungshelfers verhinderte eine nachklingende Peinlichkeit.

Angelika war am Flughafen zuerst überrascht, dass Roland noch auf Gepäck warten musste, denn abgeflogen war er mit nur einer Handgepäcktasche. Als Roland im Hotel auf den Scharnow-Reiseleiter traf und dem von seinen ausgegrabenen Exponaten vorschwärmte, wollte der die natürlich sofort gezeigt bekommen. Wie beeindruckend er die Sammlung fand, spiegelte sich in dem Interesse wieder, für alle Scharnow-Gäste, auch diejenigen, die in anderen Hotels untergebracht waren, eine Ausstellung zu organisieren. Roland musste er nicht lange bitten, denn dem platzte förmlich sein Mitteilungsbedürfnis aus den Poren. Neben allgemeinem Interesse und Neugier der Reisenden brach bei einigen auch Enttäuschung darüber aus, nicht selber länger am Ball geblieben zu sein. Es gab regelrecht vorwurfsvolle Statements, warum er sich denn nicht intensiver um ihre Mitreise bemüht hätte. Nicht mitgekommen zu sein wäre doch eher dem Versehen zuzuschreiben. Der Mann, dem die Ehefrau noch in der Nacht die Mitreise verboten hatte, meinte, Roland hätte nur noch einmal anzurufen brauchen, dann hätte das seine Frau überzeugt...

Ein Ehepaar und eine Redakteurin aus der „STERN-Redaktion" hatten so wie Angelika und Roland geplant, die letzten Wochen vor der Rückreise in einem Fischerdorf namens Pattaya zu verbringen. Der Ort liegt an der Ostküste des Golfs von Thailand.
Gute vier Stunden, bei einer Außentemperatur von 35 Grad, über staubige, teils unbefestigte Straßen, saßen sie im VW-Bulli beieinander. Die Klimaanlage im Bulli damals, das war der Fahrtwind bei geöffneten Fenstern. Die allein reisende Redakteurin schwärmte

aus ihrer Erinnerung - Pattaya sei das Paradies! Breite Strände, türkisfarbenes, klares Wasser mit einer unüberschaubaren Fischvielfalt, die schnorchelnd zu beobachten sei. Die wenigen Einheimischen wären Selbstversorger aus kleinem Reisanbau und Fischfang. Ihre Hotelanlage "Nipa Lodge", die einzige am Ort, sei mit allem Komfort erst vor zwei Jahren errichtet worden. Sie sei eine der ersten Gäste gewesen.... Mit ihren Schilderungen hielt sie die Bulli-Gemeinschaft bei Laune.

Die gepuschten Erwartungen wurden nicht enttäuscht. Das idyllische Domizil teilten sich die europäischen Touristen mit amerikanischen Militärs, weil das Gebiet inzwischen „Rest and Recreation Area" war. Hier erholten sich Piloten und ihre Crews der Tankflugzeuge und B-52-Bomber, die vom Flughafen U-Tapao ihre Einsätze starteten. Als Roland mitbekommen hatte, mit wem sie sich Service und Ambiente teilten, war es wieder seine kommunikativ offene Art, die schnell eine Brücke baute, um mit ihnen ins Gespräch zu kommen.

An einem lauschigen Abend stippten Angelika und Roland ihre Papaya, als Roland mit Enttäuschung und Wut feststellte, dass ihm sein silbernes Dunhill-Feuerzeug, vom Tisch weg, gestohlen worden war. Er wütete vor sich hin und fragte die Männer am Nachbartisch, ob die etwas Verdächtiges beobachtet hätten. Die hatten nichts gesehen, aber so aufregend wie Roland fanden sie den Diebstahl nicht. Man stellte einander vor und kam ins Gespräch. Die Männer am Nachbartisch waren ein Pilot und seine Crew einer B-52. Der Diebstahl seines Dunhills, bei dem es sich um ein Geschenk von Angelika handelte, wurde als das gängige Geschäftsmodell der organisierten korrupten Hotel-Boys erklärt. Der Pilot Oliver meinte, er würde ihm sein Feuerzeug wieder besorgen. Roland und Angelika wunderten sich über die Sicherheit, mit der er das ankündigte. Oliver stand auf und ging in Richtung Bar, an der einige Serviceleute zusammenstanden. Kurz darauf kam er wieder zurück und meinte: „Jetzt müsst ihr abwarten. Irgendwann wird ein Boy kommen und Geld verlangen. Seid da nicht kleinlich, sonst seht ihr das Feuerzeug nicht wieder. Wenn ihr genug geboten habt, bringt einer der Boys das Feuerzeug an den Tisch."

„Das ist doch Erpressung. Im Foyer sind doch Polizisten, können wir die nicht einspannen?", fragte Angelika.

„Könnt ihr machen, aber dann ist das Feuerzeug weg, die Boys halten zusammen und streiten alles ab!"

Mit der Crew saßen sie noch an zwei weiteren Abenden zusammen. Roland war tief beeindruckt von Oliver, der als Pilot einer B-52 nur ein paar Jahre älter war als er. Oliver und Roland machten, für die übrigen Gesprächsteilnehmer kaum nachvollziehbar, am Tisch sitzend die Bewegungen, als hätten sie den Steuerknüppel in der Hand und würden mit den Füßen das Seitenruder betätigen. Roland war begeistert, von Oliver als Fliegerkamerad akzeptiert zu sein. Oliver war des Lebens froh, und das demonstrierte er durch das Öffnen des Portmonees. Er ließ vom Stuhl seine Kreditkartensammlung, einer Perlenschnur gleich, bis auf den Boden auseinanderfallen. Das mögen an die dreißig Stück gewesen sein....

Ein Dialog mit Olivers Navigator blieb Roland jahrzehntelang im Gedächtnis. Der Navigator Charlie war der Älteste in Olivers Crew, denn der hatte schon im Krieg gegen Deutschland als Bordschütze in einer "fliegenden Festung" gesessen. Als Roland auf Nachfrage bestätigt bekam, Charlie sei auch über Berlin im Einsatz gewesen, brach es aus ihm heraus:

„Charlie, damals hättest du mich und meine Familie beinahe umgebracht! Wir Deutschen haben den Krieg verloren. Beide haben wir den Krieg überlebt. Ich trinke hier als Tourist mit dir Bier und du als Sieger - bist immer noch im Krieg. Heute sind wir Freunde und bekämpfen die Kommunisten. Wie findest du das?"

„Ich mag euch Deutsche! Bin auch nach dem Krieg unter General Clay Berlin '48/'49 angeflogen – mit Mehl und Margarine! Die Kommunisten sind eine weltweite Plage – wir werfen bei jedem Flug tonnenweise runter, was wir geladen haben."

„Hoffentlich kommt das schnell zum Ende – Krieg ist Scheiße!"

Die Erinnerung an das "schöne Eiland Pattaya" klingt wie ein Märchen aus Tausend-und-einer-Nacht. Die Bevölkerung in dem Gebiet hat in sechs Jahrzehnten um das Zwei-tausendfache (!) zugenommen, wobei etwa 500.000 Menschen nicht als Einwohner registriert sind....

Student sein, wenn die Hiebe fallen....

Zurück in Berlin fand Roland in der Post, 43 Monate nach seiner Flucht, den ersten Brief seiner Eltern. Seine Mutter hatte auch in

Vaters Namen geschrieben, wie es ihnen geht und dass der Anruf von Rolf zu Rolands Geburtstag der Auftakt gewesen sein könne, wieder familiären Kontakt aufzunehmen. Diese Aussicht bedeutete Roland viel. Er wollte diese Chance nicht vertun, denn bilanzierend war der fehlende Elternkontakt eine von zwei Leichen, die er im Keller hatte. Die andere war sein im DDR-Kerker schmorender bester Freund Peter, die sein ansonsten vor Glück strotzendes Leben störend tangierte....

Er referierte nach seiner "Großen Exkursion", wie er es dem Professor versprochen hatte. Der honorierte mit Lob.
Als Fluchthelfer kümmerte er sich nahtlos mit der bewährten Mannschaft darum, neue Bundesbürger zu schaffen.

An der Uni hatte er zwei Kommilitonen kennengelernt, die im selben Semester wie er standen und als Burschenschafter in einer schlagenden Verbindung aktiv waren. Ihr Verbindungshaus lag fußläufig vom Institut für Geowissenschaften entfernt in der Brentanostraße. So ergab sich für seine Kommilitonen, ihn „zu keilen" (um ihn zu werben). Er wurde als 'Fuchs' (Probezeit) aktiv, übernahm entsprechende Verpflichtungen und paukte (focht) zweimal wöchentlich mit dem Fechtwart auf dem Paukboden.
Zu den Verpflichtungen als 'Fuchs' gehörte es auch, in Couleur, (mit Fuchsen-Band und Verbindungsmütze) vor der FU-Mensa Keilzettel (Werbezettel mit Einladung) zu verteilen. Vor der Mensa stehend, waren das, zum Beispiel bei Regen, ungleiche Bedingungen gegenüber den Kommilitonen von der „anderen Feldpostnummer". Die verteilten aus einem wettergeschützten etwa 1x1x2,20 Meter Häuschen heraus kostenlos die „Rote Fahne". Die kleine Bude, sicherlich von den Kommunisten in Ostberlin bezahlt, war nicht nur Rolands Bundesbrüdern, sondern auch den Keilzettel verteilenden Kommilitonen anderer Verbindungen ein Dorn im Auge.
'So offensichtlich und privilegiert wie hier auf dem Campus der Freien Universität die Linken kommunistisches Propagandamaterial für ihre Ziele verteilten, das musste sein Ende finden', dachte man sich und schritt zur Tat..
Mit einem 8x8 cm Kantholz und zwei Fünf-Liter-Kanistern voll Benzin bestückt, rückte Roland abends mit zwei Bundesbrüdern und zwei

Aktiven einer anderen Verbindung an. Was in der Logistik für das schnelle Abfackeln nicht stimmte, war die Einbeziehung der Haltbarkeit der Plexiglaskonstruktion der Bude oberhalb des 1 Meter hohen Holzsockels. Jeder Schlag mit dem Kantholz auf die Plexiglasscheiben traf auf einen riesengroßen Resonanzkörper mit entsprechender Klangweite. Jeder der Mitstreiter versuchte sich an dem aussichtslosen Unterfangen, die Scheiben zu zertrümmern, um das Benzin ins Innere kippen zu können. Es blieb nicht weiter übrig, als das Holz des Unterbaues ringsherum mit Benzin zu begießen und darauf zu vertrauen, dass die Flammen schnell das ganze Häuschen erfassen würden.

Es fing gerade so richtig zu zündeln an, als schon die Polizei eintraf. Weglaufen hatte keinen Zweck mehr, als sie zwei Streifen-Polizisten auf sich zukommen sahen. Die Polizisten konnten das fortschreitende Feuer nicht mehr bremsen, denn einen Feuerlöscher hatten sie nicht dabei. Sie erkannten aber schnell, worum es sich bei dem Häuschen handelt, denn die Titelseite einer „Roten Fahne" schmückte die in Flammen versinkende Bude von innen.

Nach dem Motto 'Haltet den Dieb' erklärten sich Roland und seine Begleiter zu gerade hinzugekommenen Studenten....

Die Polizisten sahen in den vor ihnen Stehenden keine Revoluzzer-Studenten:

„Verlassen Sie den Campus und nehmen Sie die herumliegenden Kanister mit! Das Feuer wird von uns beobachtet, bis die Feuerwehr da ist!"

Der abgefackelte Häuschen-Rest war am nächsten Tag unter den Mensabesuchern das Gesprächsthema mit überwiegender Schadenfreude. Es dauerte aber nur zwei Wochen, da stand die neue Kommunisten-Spende, ein Häuschen, so schick wie das vorige, am selben Platz. Das mussten die Linken aber kurze Zeit später auch wieder abbauen, weil es der Uni-Verwaltung eine zu große Verlockung für ein erneutes Feuer darstellte.

Am Institut für Geowissenschaften trug die schleichende kommunistische Übernahme bereits ihre Früchte. Unter dem Deckmantel wissenschaftlichen Arbeitens gegen Bezahlung als wissenschaftliche Hilfskräfte hatten marxistische Basisgruppen universitäre Strukturen durchsetzt. Die noch nicht von ihnen geknackte Bastion war der Lehrkörper. Die Professoren und ihre Assistenten hielten sich an ihren Lehrauftrag und ließen in den Vorlesungen und Übungen den stets auf Anknüpfungspunkte für politische Agitation lauernden Möchtegern-Kommunisten keinen Stich. Dabei wurden sie von der an der naturwissenschaftlichen Fakultät studierenden Mehrheit der Studenten durch in der Sache liegendes politisches Desinteresse unterstützt. Roland und seinen Kommilitonen waren die Linken mehrheitlich so etwas wie ungezogene Schmuddelkinder einer anderen sozialen Schicht. Deshalb, und weil die Linken nicht gerade zu den Leistungsträgern unter ihnen zählten, wollten sie den marxistisch-politischen Stuss, der aus den roten Aktivisten förmlich herausquoll, nicht hören.

Ein Beispiel, um sich das heute überhaupt vorstellen zu können: Es gab am Institut Hiwi-Stellen (umgangssprachliches Kürzel für „studentische oder wissenschaftliche Hilfskräfte"). Den Hiwis oblag die Studienberatung, verwaltungstechnische Zuarbeit, Seminar-Vorbereitung und reichte bis zur Prüfungsvorbereitung im Tutorium. Hiwi-Stellen wurden in Rolands Institut durch den Fachschaftsrat vergeben, der bereits eine marxistische Zelle war. Mit der Vergabe der sehr begehrten, weil in studentischen Dimensionen ordentlich bezahlten Jobs, hielten die Roten die von ihnen Begünstigten in Abhängigkeit, und züchteten 'Rote Kader'.
Mit seinem Kommilitonen Harro, der sein Bundesbruder war, hatten sie sich zum Tutorium für die Prüfungsvorbereitung angemeldet. Etwa zwanzig Studenten saßen im Seminarraum und warteten auf den Beginn der Veranstaltung:
„Ich fange erst mit meinem Tutorium an, wenn die Herren Burschenschaftler den Raum verlassen haben", begann der langmähnige Tutor.
Harro und Roland schauten sich verwundert an und blickten sich im Kreis ihrer Kommilitonen um. Sie entdeckten noch einen weiteren Korporierten....
„Kleine Berichtigung vorweg, Herr Tutor, das heißt nicht Burschenschaftler sondern Burschenschafter", nahm Roland das Wort. Während sich seine Kommilitonen noch amüsierten, legte er nach:
„Lassen Sie uns darüber abstimmen! Wir verlassen den Raum, wenn die Kommilitonen das so, wie Sie es sich vorstellen, sehen sollten. Sind

Sie damit einverstanden?", fragte Roland den Tutor.

„Ja, schon, aber....", antwortete der Tutor.

Roland hatte die Antwort nicht abgewartet, als er schon die Frage an das Auditorium formulierte:

„Wer ist dafür, dass wir Korporierte am Tutorium teilnehmen?"

Die Arme der weiblichen und die der männlichen Anwesenden gingen in die Höhe. Das Tutorium nahm seinen Lauf.

Nach der Veranstaltung wollte Roland die Angelegenheit nicht auf sich beruhen lassen:

„Harro, diesem roten Partisan von Tutor und überhaupt der ganzen linken Fachschaft können wir jetzt eins auswischen! Wir melden das bei Axel Springer als Beispiel für gängige politische Gesinnungschnüffellei an der Freien Universität."

„Wenn wir das direkt in der Redaktion zur Meldung bringen, zahlen die dafür 15.- Mark cash", zeigte Harro sofortige Zustimmung.

„Lass uns aufbrechen, um 19 Uhr ist dort Redaktionsschluss..."

Sie taten es, wurden in der Lokalredaktion freundlichst begrüßt und kassierten....

Es war nur eine ganz kleine Meldung, die am nächsten Tag in der „Bild" zu lesen war, aber die schlug wie eine Bombe in der Fachschaft ein. Redaktionell gekürzt war Hassos und Rolands Meldung ohne die Abstimmung, nach der sie letztendlich doch noch am Tutorium teilnehmen durften, erschienen.

Der Fachschaftsrats-Vorsitzende war der Student Luck ein Langzeitstudent vom Schlage der Salon-Kommunisten, dessen Familie eine große Opel-Niederlassung in Westberlin gehörte.

Roland hatte zwei Wochen nach dem Tutoren-Eklat mit Luck eine politische Privat-Fehde, die der bestimmt nicht aus Versehen losgetreten hatte. In einem Flugblatt diffamierte er Roland namentlich. Er verdächtigte ihn, Aufkleber „Deutschland dreigeteilt niemals!" als Mitglied der AKTION WIDERSTAND geklebt zu haben. So nahe wie Roland zur politischen Aussage des Aufklebers auch stand, mit der „Aktion Widerstand", hatte er nichts zu tun. Die „Aktion Widerstand" ging in verschärfter Form gegen die Linken an der Universität vor, wobei sie Losungen an Gebäude sprayte und sich mit den Linken prügelte.

Roland verfasste daraufhin Flugblätter in DINA4, die er mit seinen Bundesbrüdern auf einer Rotaprint-Maschine fertigte. Das liest sich einfach, aber damals musste auf Matrizen getippter Text auf die Rotationswalze gespannt und an einer mit Druckfarbe gefüllten Schiene vorbei mittels Handkurbel gedreht werden. Die Matrize verzieh keine Druckfehler, der technische Ablauf war eine schmutzige Angelegenheit und kostete außerdem noch richtig Geld.

Trotzdem, Roland klebte mit seinen Bundesbrüdern die Flugblätter, unter der Überschrift:

OFFENER BRIEF: Werter Kommilitone Luck und Genossen!

Er verlangte von den Roten die öffentliche Entschuldigung.

Die Flugblätter, klebten im und am Institut - einfach überall!

Die Reaktion folgte prompt:

In einem ebenfalls OFFENEN BRIEF in DINA4 an Roland vermeldete die „Basisgruppe Geowissenschaften" den geistig schlichten Rechtfertigungsversuch:

„...... Die von Luck unterstellte Verdächtigung Ihrer Person hätte sofort zurückgewiesen werden können, wenn Sie nicht ähnlich wie die „Aktion Widerstand" Ihre Erzeugnisse ausgerechnet auf den Anschlag der marxistischen Schulungsgruppe bzw. das Flugblatt Nr. 3 der Basisgruppe Geowissenschaften geheftet hätten, obwohl daneben ausreichend Platz vorhanden ist.

Mit den besten Wünschen für Ihre weitere fachliche Ausbildung am Institut,   Ihre Kommilitonen der Basisgruppe.

Irgendwie ergab sich nach diesem öffentlich zur Kenntnis genommenen Streit und quasi seiner Beilegung, dass Roland sich mit Lucks „Kommilitonen der Basisgruppe" in größerer Runde zusammenfand. Da wurde nicht die Friedenspfeife geraucht – es triumphierten einfach die sie vereinigenden Geowissenschaften. Als sich der Schwarm verlaufen hatte, saßen nur noch Luck und Roland beim Bier zusammen. Sie erzählten einander Privates und Bier-seelig kamen sie überein:

„Luck, ich will dein Wort! Wenn du und deine Genossen mal in Westberlin die Macht übernehmen sollten, dann stellst du mir eine Genehmigung aus, dass ich in das Land meiner Wahl ausreisen darf! Kann ich mich darauf verlassen?"

„Da kannst du dich hundertprozentig drauf verlassen!"

„Na, dann Prost! Ich verspreche dir, wenn ich mal was für dich tun müsste, werde ich dafür sorgen, dass die Laterne, an die du eigentlich gehörst, frei bleibt!"
„Is jut, Rest weg – wir brechen auf", begleitete Luck seinen Abschiedsschluck.

Die Korrespondenz mit den Eltern war regelmäßig. Im November gipfelte sie in der Hoffnung, Angelika in Ostberlin kennenlernen zu wollen. Rolands Vater beschrieb konkret die formalen Voraussetzungen für ihren Grenzübertritt und versicherte, dass Komplikationen für ihre Person ausgeschlossen seien. Im Dezember stand Angelika ihren Schwiegereltern gegenüber, die sie ja bisher nur aus Rolands Erzählungen und dem vor Monaten aufgenommenen Briefverkehr kannte. Rolands Eltern schwärmten in der Folge von seiner Wahl....

Roland war, nachdem er seine Bestimmungsmensur ordentlich geschlagen hatte, „geburscht" worden. Mit seinem Leiburschen Harro, vollzog er den Zipfeltausch. Jeder von ihnen steckte seinen Zipfel in ein volles Gemäß Bier und trank es mit Zipfel aus. Seinen Zipfel aus dem Mund nehmend sagte Harro, als Roland den seinen aus dem Mund genommen hatte:
„Zieh mal deinen Zipfel auf."
Roland zog die beiden, in Silber gefassten Enden auf, und ein Fünfzig-Pfennig-Stück kam zum Vorschein.
„Damit du dir im Leben immer ein Bier leisten kannst!", kommentierte Hasso. Das war im Jahr 1971, da kostete ein 0,33l Bier gerade mal 40 Pfennige.

In der großen Politik hatte sich etwas verschoben, was der bundesdeutschen Bevölkerung von Kanzler W. BRANDT als neue Ostpolitik versucht wurde, begreiflich zu machen. Er und seine politischen Stützen E. BAHR und H. EMKE hoben das Konstrukt von den „zwei Staaten einer Nation" aus der Taufe. Für die meisten Bürger war damit die Trennung Deutschlands für die Ewigkeit festgeschrieben und die DDR mit ihrem totalitären Regime salonfähig geworden. Das war kein Aufbruch zu neuen politischen Ufern, sondern man sprach von der 'Verräter-Troika' schlechthin.

Auf diplomatischem Parkett bedeutete das, dass die sogenannte Hallstein-Doktrin passe' war. Nach ihr war die Aufnahme diplomatischer Beziehungen von anderen Staaten zur DDR ein Affront gegenüber der Bundesrepublik Deutschland und wurde ihrerseits dadurch sanktioniert, dass es keine diplomatischen Beziehungen zu diesen Staaten geben konnte. Das war aus historischer Sicht gegenüber diesen aus der Rolle gefallenen Staaten im Einzelfall ein Schlag ins Gesicht und wirtschaftlich betrachtet unisono ein Verlustgeschäft für die Bundesrepublik Dem Selbstverständnis der Bundesrepublik, Nachfolgestaat der untergegangenen NS-Diktatur zu sein und der politischen Aufteilung der Märkte geschuldet, wurde von ihr verlangt, so zu optieren.

Die Änderung der bundesdeutschen Außenpolitik war Gesprächsthema in einer CDU-Gesprächsrunde. Heinrich Lummer und Roland pflegten über Fußball und Politik freundschaftlichen Kontakt. Quasi um zu betonen, dass die Bundesrepublik nicht so ohne Weiteres ihre vormaligen Positionen aufgeben wird, erfuhr Roland:
„In Bonn gibt es handfeste Bemühungen, die mit dem Wegfall der Hallstein-Doktrin zerflatterten Vertretungsansprüche für Deutschland wieder einzufangen, bevor ein Vakuum von der DDR im Sinne weiterer internationaler Reputation gefüllt wird. Ich bin Mitglied einer speziellen Arbeitsgruppe, die sich genau damit befasst. Staaten, die bisher Beziehungen im Rang konsularischer Generalkonsulate mit der DDR unterhielten und jetzt diplomatische Beziehungen auf Botschaftsebene sowohl mit der Bundesrepublik als auch mit der DDR aufnehmen werden, sollen das der Reihe nach tun. Zuerst mit der Bundesrepublik, und erst danach die DDR!"
„Ob das so möglich sein wird, kann ja wohl bezweifelt werden. Die DDR hat über Jahrzehnte mit anderen Ostblockstaaten Strukturen geschaffen, die sich kaum von denen im eigenen Machtbereich unterscheiden. Die machen, was in letzter Instanz Moskau vorgibt", zweifelte Roland.
„Ich werde mich um Syrien kümmern. Im März will ich versuchen, mit der dortigen Regierung ins Gespräch zu kommen!"
Roland darauf:
„Das ist ja interessant, mein Vater hat dort im Auftrag der DDR drei Jahre gearbeitet. 1958 war ich mit meinen Eltern in Damaskus,

kannst'e mich nicht als Reiseführer oder Bodyguard mitnehmen ...."

„Schön wär's ja, aber den Personenschützer gibt es schon!"

„Wenn ich mir das so vorstelle, mal ganz ehrlich, das macht keinen Staat. Deiner Mission fehlt eine Eskorte! Dich müssten mehrere Dutzend Bundesbürger begleiten., so eine Art „Jubelperser". Ich könnte mir vorstellen, dass dich meine Bundesbrüder oder das „Süddeutsche Kartell" in Couleur begleiten", fing Roland Feuer.

„Die Idee ist verlockend, aber man kann ja nicht öffentlich für solch eine Reisegruppe werben. Außerdem müssten das schon Leute sein, mit denen man sich sehen lassen kann. Du verstehst, was ich meine?", ging Lummer auf Roland ein.

„Deswegen sage ich ja, meine Bundes- und Kartellbrüder! Im März ist vorlesungsfreie Zeit. Da käme eine Reise in den Orient gelegen. Die darf natürlich nicht zu teuer für den Einzelnen sein. Du müsstest dich um Bezuschussung umhören", präzisierte Roland.

„Zuschuss könntet ihr doch aus Mitteln des Studentenwerkes beantragen. Frage doch mal nach! Wir stehen am Jahresanfang, da sind die Mittel noch nicht komplett verplant."

„Da sehe ich schwarz! Die Linken haben den Daumen auf der Kasse!"

„Dann bringt mir die Ablehnung, damit ich mich anderweitig für euch stark machen kann!" schloss Lummer das Thema an diesem Abend ab.

Roland informierte seine Bundesbrüdern, stellte aber bei allem Interesse fest, dass seine Aktivitas keinen Bus füllen würden. Von den Interessenten würden sicherlich noch einige abspringen, wenn die überschlagenen Kosten nicht wesentlich reduziert werden könnten. So wurden die Kartellbrüder aus Heidelberg, Erlangen, Göttingen, Tübingen und Kiel angesprochen. Natürlich war klar, die nicht aus Berlin stammenden Korporierten müssten sich an ihren Universitäten um Zuschuss bemühen. Die andere Seite der Medaille war, die Summe, um die es an der FUB ging, lag nur noch bei maximal 1.500 DM.

Roland machte sich mit seinen Bundesbrüdern Harro und Westphal auf den Weg, um in der Fachschaft ganz allgemein Auskunft einzuholen, ob denn ihre Bildungsreise bezuschusst werden könnte.

Von Luck und seinen Genossen wurden sie förmlich rausgeschmissen: „Ihr habt doch wohl einen Vogel, hier nach einem Zuschuss für eine Bildungsreise nachzufragen. Unsere Mittel stehen für progressive Kommilitonen zur Verfügen und nicht solchen reaktionären Studiosi, wie ihr es seid! Ihr habt doch eure „Alten Herren" die euch Geld hinten und vorne reinblasen. Fragt die doch, ob sie eure Bildungsreise finanzieren!"

„Luck, nun mach aber mal'n Punkt. Wir fragen nicht um Kostenübernahme, sondern um einen kleinen Zuschuss, den wir dann nach sozialen Gesichtspunkten auf die Teilnehmer umlegen wollen. Wir zahlen genauso ins Studentenwerk ein wie ihr! Dass ihr euch die Kasse angeeignet habt, ist doch reine Enteignung – das ist Raub", erwiderte Westphal.

„Also wie viel auch immer, wir reichen euren Antrag nicht weiter! Vom Studentenwerk bekommt ihr keinen Pfennig", antwortete einer der Genossen.

„Luck, ich spüre es förmlich, ihr wollt wieder mal in der Zeitung stehen! Werde mich darum kümmern, darauf könnt ihr euch verlassen. Und tschüss!"

So stand dann sinngemäß in der „Bild" zu lesen, die Linken hätten sich an der FUB in der studentischen Selbstverwaltung der Kasse bemächtigt. Sie würden mit dem Geld, welches eigentlich allen Studenten gleichermaßen zustünde, ausschließlich ihre politischen Projekte finanzieren.

Mit dieser Zeitungsnotiz ging Roland zu Lummer:

„So, hier hast du es schwarz auf weiß, wir kriegen keinen Pfennig für die geplante Bildungsreise!"

Lummer benutzte die Zeitungsnotiz in der CDU-Steglitz bei seiner Werbung um Unterstützung für das Reiseprojekt. Sozusagen auf „dem kleinen Dienstweg" ist ein nennbarer Betrag zusammengekommen, der von Roland und seinen Bundesbrüdern so aufgeteilt worden ist, dass jeder seiner aktiven Bundesbrüder mitreisen konnte. Aus Berlin waren das vier, zu denen dann auch noch sein Freund Hecht, der „Pauker" zum Abi, hinzugestoßen ist! Einige der Studenten hatten ihre Freundinnen mitgenommen. Rolands Angelika war auch dabei. Wenn man genau hinschaute, verlor sie bereits ihre gertenschlanke Taille durch das sich seit drei Monaten unter ihrem Herzen breitmachende neue Leben. Dreißig Frauen und Männer flogen in den Libanon. Nur vier von ihnen kannten das von Lummer und Roland fixierte Hauptziel: „Außenministerium in Damaskus".

Seine Exzellenz, der deutsche Generalkonsul im Libanon, hatte ein touristisches und gesellschaftliches Rahmenprogramm mit Vertretern aus Politik und Wissenschaft zusammengestellt. Lummer stellte auch Kontakte her zu der damals im Libanon politisch starken PLO. So konnte auch das größte Palästinenser-Flüchtlingslager an der israelischen Grenze besucht werden. Als Fazit ergab sich für alle - Reisen bildet!

Der vorrangige Reiseanlass wurde von Lummer, Roland und seinem Bundesbruder Westphal in Angriff genommen.

Es bestand seitens der Bundesregierung und dem syrischen Außenminister in Damaskus keine hochrangige diplomatische Beziehung. Informelle unterschwellige Kontakte, es spielte sich ja schließlich alles im Orient ab, mag es gegeben haben. Die zu bemühen, hätte aber im Vergleich zu der ausgedachten Kontaktaufnahme Löcher wie Schweizer Käse gehabt. Womöglich wäre die wahre Absicht der Bundesregierung durchgesickert, eine zeitlich zur DDR versetzte diplomatische Anerkennung zu erreichen.

Lummer wohnte in Beirut im altehrwürdigen „Saint Georg", dem ersten Haus am Platze. Roland und seine Freunde wohnten fußläufig zehn Minuten entfernt in dem damals neu erbauten „King's Hotel". Vor ihrer Abfahrt nach Damaskus frühstückten Roland, Westphal und Lummer im „Saint Georg". Lummer wandte sich an Roland:

„Du weißt, worum es geht, lasst euch nicht von irgendwelchen Bediensteten abwimmeln. Geizt nicht mit Visitenkarten! Auf denen steht, ihr seid Studenten, das macht gar nichts. Ihr werdet als inoffizielle Nachrichtenüberbringer angesehen. Mit dem Inhalt der Nachricht haltet ihr euch solange zurück, bis ihr dem Außenminister gegenübersteht ..."

Dann begleitete Lummer seine beiden Missionare zum bereits vor dem Hotel wartenden Taxi, welches vom Konsulat ausgesucht worden war, und dessen Fahrer deutsch sprach.

Um 7 Uhr, wie Touristen eben aussehen, mit umgehängten Fotoapparaten, ließen sie sich über die libanesisch-syrische Grenze direkt vor das Außenministerium in Damaskus fahren. Gute drei Stunden später, es schien die Frühlingssonne bei etwa 23 Grad, hatten sie ihr Ziel erreicht. Der Taxifahrer hatte dem Eingang gegenüber geparkt. Er hatte Order, egal wie lange, zu warten, um sie wieder nach Beirut zurückzufahren.

Wie vor dem Buckingham - Palace in London standen zwei Häuschen rechts und links des Toreinganges eines großen gelben Gebäudeskomplexes, vor denen jeweils ein Wachposten in kakifarbener Uniform stand. Da das Tor geschlossen war, trat Roland an einen der beiden heran und gab durch Zeichensprache bei mehrmaliger Wiederholung des Wortes „Minister" zu verstehen, dass sie hereingelassen werden wollen.

Es trat ein weiterer Wachmann aus dem Gebäude. Roland zeigte auf sich und Westphal und wiederholte die drei Worte:

„Mission, Germany, Minister"

Eingelassen in einen Besucherraum neben der Wache, hieß man sie durch Zeichensprache zu warten.

Dem ersten englisch radebrechenden Offizier konnten sie ihren Wunsch klarmachen, den Herrn Außenminister sprechen zu wollen.

Nach einer Weile kam ein weiterer höherrangiger Offizier mit einem deutschsprachigen Dolmetscher, der konkret wissen wollte wer sie seien und was sie denn vom Außenminister wollten:

„Ich bin Grundmann, das ist Westphal! Wir kommen aus der Bundesrepublik, Deutschland-West, und haben eine Nachricht für Ihren Herrn Außenminister", stellte Roland klar.

„Die Nachricht können Sie mir mitteilen, ich werde sie an unseren Außenminister weitergeben."

„Tut uns leid, dass können wir nicht tun, die Nachricht ist nur persönlich für Ihren Herrn Außenminister bestimmt", antwortete Roland.

Das Prozedere wiederholte sich innerhalb einer guten Stunde mehrmals, wobei die Uniformen und Schulterstücke der Nachfragenden immer bunter wurden. Inzwischen waren Roland und Westphal schon in einem anderen Gebäude angelangt, wo sie gastlich mit frisch gepresstem Orangensaft bewirtet wurden.

Den Informationsstand für immer wieder nachfragende Chargen hatte Roland inzwischen dahingehend erweitert, dass es sich thematisch um die diplomatischen Beziehungen zwischen Deutschland-West und Syrien handeln würde....

Dann wurde es fast feierlich, jedenfalls benahmen sich die Roland und Westphal begleitenden drei Bediensteten so, als sie in dem Gebäude in ein großes, im französischen Louis-Stil eingerichtetes Dienstzimmer geführt wurden. Bis auf die Mitte des Raumes kam ein Mann im schwarzen Anzug auf sie zu, begrüßte sie und führte sie zu einer Sitzgruppe. Der Dolmetscher stellte sie einander vor.

Roland und Westphal saßen seiner Exzellenz, dem Stellvertreter des Außenministers gegenüber!

„Sie haben ja bisher keinem meiner Beamten gesagt, was Sie für eine Nachricht bringen. Sie werden Ihre Gründe haben, aber mir werden Sie ja wohl die Ehre geben zu sagen, was der Inhalt Ihrer Nachricht ist. Ich darf hinzufügen, dass der Herr Außenminister nicht im Hause ist."

Roland war klar, jetzt ist das Ende der Fahnenstange erreicht...

Höflichkeitsfloskeln vorweg, gab er die Information:

„Der Bundestagsabgeordnete des Deutschen Bundestages Heinrich Lummer ist mit einer Reisegruppe nach Beirut gereist, um inoffiziell mit Ihrem Herrn Außenminister über die Aufnahme der diplomatischen Beziehungen zwischen der Bundesrepublik Deutschland und Syrien zu sprechen. Er hätte gerne erfahren, ob ein solches Gespräch zu führen im Interesse Ihres Herrn Außenministers liegt und es in den nächsten Tagen dazu kommen könnte. Eine entsprechende Benachrichtigung könnte nach Beirut ins „Saint Georg" übermittelt werden."

Roland übergab Lummers Telex-Koordinaten vom „Saint Georg".

Seine Exzellenz verabschiedete Roland und Westphal mit der Zusage, dass, wenn sie in Beirut zurückgekehrt seien, per Telex im Hotel „Saint Georg" die Antwort des Außenministers eintreffen werde.

Zufrieden ließen sich Roland und Westphal vor die Tür führen.

Ihr Fahrer saß auf einem Klappstuhl unter einem Baum und erzählte, ihm seien zweimal Getränke aus der Wache gebracht worden.

Bevor sie in ihr Hotel fuhren, berichteten sie Lummer von ihrem Ausflug. Der war über den Zwischenbescheid hochzufrieden und lud sie zum Abendessen ein, wenn sie sich denn frischgemacht hätten. Ein Telex war zu diesem Zeitpunkt noch nicht eingetroffen. Das kam dann fast synchron mit ihrem Eintreffen im „Saint Georg" zum verabredeten Abendessen. Der syrische Außenminister wollte ihn in zwei Tagen in Damaskus empfangen!

Dieser Terminierung wurde am selben Abend noch das Gruppenprogramm angepasst.

Zwei Tage später fuhren alle frühmorgens in Richtung Damaskus. Lummer im schwarzen Diplomaten-Mercedes mit Bodyguard vorneweg und dahinter der vollbesetzte Bus mit Rolands Freunden, die sich darauf freuten, ganztägig Damaskus durchstreifen zu können. Der Bus fuhr bis zum Außenministerium und, nachdem Lummers Mercedes durch die geöffnete Durchfahrt verschwunden war, weiter in Richtung City.

Monate später hat Roland erfahren, dass die Bundesrepublik Deutschland „innerhalb einer diplomatischen Sekunde" vor der DDR von Syrien anerkannt worden war. Was das nun im Einzelnen bedeutet, hat sich Roland so richtig nie erschlossen, aber dass die DDR nach (!) der Bundesrepublik anerkannt worden war, das war ein Ding für sich! Syrien war seit Ende der fünfziger Jahre ein sozialistischer Stachel im geographischen Korpus Orient. Die Ostblockstaaten, vor allem aber die DDR, haben sich für die weitere Ausrichtung der Wirtschaft und Gesellschaft nach sowjetischem Muster schwer engagiert. Und trotz dieser „sozialistisch-brüderlichen Verbundenheit" kam die Bundesrepublik Deutschland im Augenblick des Austauschs der diplomatischen Anerkennung zwar „innerhalb einer diplomatische Sekunde", bei Zielfotobetrachtung aber schneller ins Ziel! Für Roland damals eine wahrhaft beglückende Reminiszenz.

Blut ist dicker als Wasser....

Die Beziehungen zu den Eltern, ging ja nicht anders, wurden von Angelika durch Besuche in Ostberlin gepflegt. So sahen sie ihren Status „Großeltern" wachsen. Deutlicher wurde aber auch das Interesse von Vater Kurt an Roland herangetragen, sich mit ihm treffen zu wollen. Kein Problem, ließ Roland ausrichten, ganz im Gegenteil, auch er würde gerne Zurückliegendes aufarbeiten. Was aber nicht ginge, sei sein Überschreiten des weißen Strichs zum kommunistischen Machtbereich. Wenn Vater Kurt für sich nicht die Grenze zum Westen öffnen könne, dann, so schlug Roland vor, würde er die Kosten für ein Treffen in Helsinki oder Kopenhagen übernehmen. Angelika kam mit dem Vorschlag aus Ostberlin zurück,

dass Vater Kurt nach Belgrad kommen könne, wenn Roland das akzeptiert.
Belgrad hörte sich für Roland gut an, weil Jugoslawien ja nicht Ostblock war.
'Andererseits, Kommunisten haben auch dort das Sagen', blieben ihm Zweifel.

Zu der Zeit, als sich das Treffen mit Vater Kurt zu konkretisieren begann, standen für Roland und sein Team zwei Fluchttouren an. Danach würde es vorläufig keine weiteren, von ihm organisierten Aktionen geben können. Der letzte, der von Leutnant Flowers an sie weiterempfohlenen Offiziere, Leutnant R. G.(Bob), hatte nämlich auch seinen Marschbefehl nach Vietnam erhalten. Er würde noch zwei Touren machen, und dann wollten Roland und Freunde ihn und seine Waffenkameraden auf dem Flughafen Tegel mit Musik verabschieden.

Roland entschied, zu dem vorgeschlagenen Treffen in Belgrad doppelgleisig zu fahren. Einerseits würde er mit seinem Team die in der Vorbereitung abgeschlossenen Fluchttouren am 1. und 2. Wochenende im Mai durchziehen und andererseits Belgrad im Auge behalten. Wenn nämlich die Fluchtaktionen ohne besondere Vorkommnisse über die Bühne gegangen sein sollten, würde das im Einzelnen vor Himmelfahrt in Ostberlin niemand wissen. Dann könnte das Treffen, am 21./22. Mai in Belgrad stattfinden.
Sollte es irgendwelche Komplikationen gegeben haben, hätte sich das Treffen mit Vater Kurt sowieso erledigt.

'Ich werde mir dazu die Meinung von Lummer anhören und danach entscheiden. Das muss ich der guten Ordnung halber ohnehin tun, will ja schließlich nicht unter Verdacht zu geraten, mit Vertretern des DDR-Regimes heimlich Kontakte zu unterhalten.'

Lummer kannte die Situation mit Peter. Letztmalig hatten sie vor gut zwei Monaten, auf der Reise im Libanon, über die vergeblichen Bemühungen für dessen Freikauf gesprochen.
Als Roland das Angebot seines Vaters kundtat und meinte, sich mit ihm in Belgrad treffen zu wollen, gab Lummer zu bedenken:
„Ich kenne genügend Fälle, bei denen ähnliche Angebote an geflüchtete DDR-Bürger nur dazu dienten, diese umzudrehen oder ihrer wieder habhaft zu werden. Dich werden sie nicht umdrehen

können, aber wenn ihnen das klar wird, taugst du immer noch als abschreckendes Beispiel für wieder eingefangene Abtrünnige."

'Na so einfach wird das ja in Jugoslawien nicht gehen', dachte Robert als er sagte:

„Ich werde darauf bestehen, dass Vater Kurt alleine, ohne „Begleiter" anreisen muss!"

„Das solltest du tun. Ich muss schon sagen, Schneid hast du! Einerseits willst Du noch Flüchtlinge rüberholen und gleichzeitig schwebt dir ein Treffen mit den Unterdrückern vor. Lass uns das weiter besprechen, wenn die Flüchtlinge wohlbehalten hier sind. Wie viele sollen das denn sein?"

„Vier, drei Männer, davon zwei Ingenieure, ein Arzt und eine Apothekerin."

„Na dann viel Glück. Du rufst an, wenn die hier sind - wir sehen uns."

Vier Neubürger hatten mit Rolands Hilfe die Flucht in den Westen geschafft. Sie befanden sich in „Quarantäne" und würden erst am 21. Mai im Notaufnahmelager Berlin-Marienfelde ihre Ankunft melden.

In der Abflughalle in Berlin Tegel fand die Verabschiedung des Leutnants statt. Für ihn und Gis, die ebenfalls nach Vietnam abkommandiert wurden, hatte Roland drei Bekannte mit Akkordion Gitarre und Saxophon gebeten, Berliner-Gassenhauer aufzuspielen. Vom Spektakel animiert, fielen Zivilisten in den Gesang ein.

Vater Kurt ließ ausrichten er stimme zu, wobei er sich von Roland wünsche, er möge ihm mehr Vertrauen entgegenbringen, es ginge ja schließlich nicht nur um Peter, sondern auch um die Familie.

Roland vertraute dieser Zusage, aber 'Kontrolle ist besser' dachte er. So sagte er dem Vater, nachdem dieser bekannt gegeben hatte, am Gründonnerstag-Nachmittag um 17 Uhr in Belgrad einzutreffen, er könne aus Studiengründen erst Karfreitag-Vormittag eintreffen.

Angelika hätte sich das Osterfest bestimmt anders gewünscht, aber sie wusste, das Roland sich zu dem Treffen mit seinem Vater aufmachte, um vielleicht für seinen Freund Peter etwas zu erreichen. Trotzdem machte sie sich Sorgen, denn Roland hatte ihr gesagt, dass, wenn er den Vater in „Begleitung" aus der Maschine kommen sehen würde, er ihn nicht kontaktieren, sondern eiligst wieder den Rückflug nach München umbuchen würde.

Roland flog Gründonnerstag von Berlin nach München und von dort weiter nach Belgrad. In Belgrad nahm er Quartier im „Holliday-Inn-Hotel", direkt am Ufer der Donau gelegen. Mit einem Mietwagen fuhr er nachmittags zum Flughafen, um genau beobachten zu können, wie sein Vater sich bewegt, wenn er die Gangway verlassen hat.

Weil der Roland ja erst am nächsten Tag erwartete, würde Vater Kurt bestimmt mit mitgereisten „Begleitern", wenn es die denn gäbe, plaudernd auf das Empfangsgebäude zugehen. Geschähe dies so, wäre das für Roland das Kommando zum Rückzug gewesen.

Die Maschine aus Berlin-Schönefeld rollte in der Nähe aus, die Gangway wurde angerollt. Etwa zwei Dutzend Reisende liefen unsortiert zum Empfangsgebäude. In dessen erster Etage beobachtete Roland das Geschehen vom Café aus. Vater Kurt lief, klar auszumachen alleine, unter ihm in das Gebäude. Roland ging runter in die Empfangshalle und überraschte den Vater. Sie gaben sich die Hand und deuteten eine Umarmung an. Vor sieben Jahren hatten sie sich zuletzt gesehen. Damals hatten sie sich familiär nichts mehr zu sagen.....

Für Roland eine Genugtuung, jetzt seinem Vater der gute Gastgeber sein zu können.

Im Hotel, beim Aperitif, sprach Vater Kurt sich alter Zeiten erinnernd: „Du hättest auch bei uns in der DDR Karriere machen können!"

Da wurde wieder deutlich, wie sehr sich ihre weltanschaulichen Ansichten unterschieden. Roland sprach ohne Rücksicht auf Vater Kurts beschwichtigende Einwände aus, was nach seinem Dafürhalten den DDR-Sozialismus von der Freiheit, in der er lebte, unterscheidet. Die Stärke der Argumentation zog er aus Erlebtem und aufgearbeiteter Geschichte, wie er sie nicht in der DDR, sondern erst in der Freiheit hat studieren können. Vater Kurt setzte dem die „Gesetzmäßigkeiten des dialektischen Marxismus" entgegen, die weit in die Zukunft reichen. Bei all dem taten sie, Aperitif trinkend, persönlich einander nicht weh.

Am zweiten Tag, sie wanderten am Donauufer entlang, hatte jeder von ihnen etwas im Gepäck, was er 'an den Mann' bringen wollte.

Roland kam auf Peter zu sprechen, der ja früher einmal fast zur Familie gehörte. Er sprach von der Dankbarkeit, die er seinem Freund schulde, ohne dessen Hilfe er vielleicht im Feuer der Grenzsoldaten an der Heinrich-Heine Straße liegengeblieben wäre.

Vater Kurt wusste, dass Peter in der DDR im Gefängnis saß.

Roland sprach an, dass Peter auch Spionage vorgeworfen worden sei, was zu seiner hohen Gefängnisstrafe geführt hätte:

„Das ist zwar eine naheliegende, aber dennoch aus der Luft gegriffene Unterstellung! Ich kann beeiden, dass Peter mit Hinweis auf seine Loyalität gegenüber seinen ehemaligen Kollegen eben gerade nichts von seiner Arbeit erzählt hat. Ich weiß das, weil mir Peter sein Verhalten erklären musste. Ich konnte seine Verweigerung nämlich anfangs nicht nachvollziehen", versuchte Roland das Interesse von Vater Kurt zu erwecken.

Zumindest bildete Peter die Gesprächsbrücke zu dem Anliegen, welches Vater Kurt an Roland hatte:

„Roland, ich weiß von meinen Freunden, was du inzwischen gegen unseren Staat unternommen hast. Um dir das zu beweisen, nenne ich dir ein paar Namen: Fuchs, Muich, Dankwart willst du noch mehr? Du siehst, wo ich Freunde habe! Dass meine Freunde keine unteren Chargen sind, kannst du dir auch denken!"

„Das konnte ich mir schon lange denken. Nicht zuletzt ging ja mein Knastaufenthalt zeitlich und vergleichsweise passabel vorüber."

„Ja so war das. Du hast uns in der Vergangenheit oft enttäuscht. Wir haben aber immer zu dir gestanden!"

„Nach meiner Flucht habt ihr euch dann doch öffentlich von mir distanziert – ihr hättet keinen Sohn mehr!"

„Mit diesem Schritt hattest du das Band endgültig zerrissen! Mutti hat viel dazu beigetragen, dass ich mich dafür einsetze, dass wir wieder als Familie zusammenfinden!"

„Also ich werde mit meiner Familie bestimmt nicht in die DDR zurückkehren und du wirst ja wohl auch nicht mit Mutti in den Westen übersiedeln wollen, oder?"

„So ist, was ich dich fragen will, auch nicht zu verstehen. Ich kann unter bestimmten Voraussetzungen erreichen, dass du zukünftig, ohne mit Verhaftung rechnen zu müssen, mit deiner Familie auf Besuch kommen kannst!"

„Was für Voraussetzungen meinst du denn?"

„Du könntest dich doch gelegentlich mit mir und meinen Freunden zu einem politischen Meinungsaustausch treffen. Du kennst doch inzwischen Gott und die Welt! Währst du dazu bereit?"

„Also Vati, ich weiß Freiheit zu schätzen. Damit das ein für alle mal klar ist, du und deine Freunde könntet mir in der DDR ein Schloss mit See schenken, so etwas werde ich mir im Westen vielleicht nie leisten können, aber niemals werde ich irgend etwas tun, was gegen die Freiheit, wie ich sie in der Bundesrepublik erlebe, gerichtet ist!"

„Gut, dann ist das geklärt. Wie stehst du dazu, wenn ich ein einmaliges Treffen organisiere, an dem zwei Freunde von mir teilnehmen und wir uns auch ganz konkret über Peter unterhalten. Wenn ich das richtig erfahren habe, muss der noch etwa drei Jahre einsitzen."

„Ich komme nicht über den weißen Strich – das weißt du", bügelte Roland trocken ab.

„Du weißt wie ich allgemein zum 'Ehrenwort' stehe und es handhabe. Stimmt doch oder? Wenn ich dir also mein Ehrenwort darauf gebe, dass Ddu freie An- und Abfahrt erhieltest und meine Freunde und ich sich drei bis vier Stunden mit dir unterhalten wollen, würdest du dir das überlegen?"

„Angelika hat da auch ein Wort mitzureden, denn wir erwarten wie du weißt, im August Nachwuchs. Da macht sich für sie Aufregung nicht gut."

Roland dachte, 'was soll eigentlich das ganze Gezerre um Altherrengespräche, dafür bin ich doch nicht zwei Tage hier, bei Tito!'

Er machte einen Vorschlag, von dessen Prägnanz, ihn so seinem Vater gegenüber formuliert zu haben, er sich selbst überraschte.

„Ich sage dir was, kümmere dich um Peter und wenn der frei ist, reden wir weiter über deinen Gesprächswunsch!"

Am Nachmittag flog jeder von ihnen zurück nach Deutschland, wobei Vater Kurt nach Berlin-Schönefeld ohne Zwischenlandung auskam.

In aller Ausführlichkeit erstattete Roland Lummer Bericht.

Irgendwann, Ende Juli 1971 war Peter, von der Bundesrepublik freigekauft, wieder in Westberlin!

Ende August wurde Rolands erste Tochter geboren und die Wohnung wurde noch einmal kleiner, denn Peter war erst einmal bei Roland und Angelika untergekommen.

Welchen Anteil Vater Kurt an Peters Heimkehr hatte oder nicht, mag dahingestellt bleiben. Erfolgte Einflussnahme ist zu vermuten, denn in den Briefen, die Roland erhielt, schreibt er von dem Wunsch, den Roland erfüllt bekommen hätte....

Roland lehnte sich zurück, Peter war ja wieder da!

Er hatte keine Lust, und es schien ihm auch immer gefährlicher zu werden, sich mit Vaters „Bekannten" zu treffen. So viele Versicherungen auf freies Geleit konnte es ja schon nicht mehr geben, denn sein „Verbrechenskonto" beim MFS war ja inzwischen weiter gestiegen! Roland hangelte sich mit Studium-Belastung bis zu den Weihnachtsfeiertagen durch, nicht auf Vater Kurts Mahnungen und Annoncen zu reagieren. Angelika hatte mit dem Baby zu tun.

Vater Kurt fühlte sich verschaukelt. Rein logisch bog Roland sich die Sichtweise als charakterlich erträglich zurecht:

'Der 'weiße Strich' ist ja schließlich nicht nur für mich eine unüberwindbare Barriere, sondern für Vater Kurt und seine „Bekannten" umgekehrt auch!'

Im ganz Großen war hingegen Entspannung angesagt. Der Viermächte-Status von Berlin sollte der sich über Jahrzehnte entwickelten Lage angepasst werden. Die Sowjets waren bereit, sich in eine Regelung einbinden zu lassen, die auch ihre Verpflichtungen paraphiert. Als da waren; die Sicherung West-Berlins auf Dauer, Ende der Störungen der Zugangswege und Erleichterungen für die Bewohner West-Berlins. Dieses Viermächteabkommen war die Voraussetzung für das am 17. bzw. 20. Dezember 1971 unterzeichnete Transitabkommen, dem ersten Abkommen zwischen den beiden deutschen Regierungen überhaupt.

Für die Westberliner Transitstreckenfahrer, die ständig an den Grenzübergangsstellen von den DDR-Bediensteten drangsaliert worden waren, kam ein Abschluss zustande, dessen Einzelheiten für sie ein richtiges Wunder darstellten. Die Ausstellung eines Visums erfolgte nun direkt am Fahrzeug, man brauchte nicht einmal aus dem Fahrzeug auszusteigen. Das „Eintrittsgeld" für die Fahrt auf der Transitstrecke von und nach Berlin musste nicht mehr aus dem eigenen Portemonnaie bezahlt werden. Das übernahm pauschal die Bundesrepublik als Nutzungsgebühr der Transitwege, stetig steigend. Noch spektakulärer war die Regelung; ab sofort gab es keine

Kontrollen für Gepäck und Fahrzeug mehr! Kontrolliert werden durfte nur noch bei 'Vorlage konkreter Verdachtsmomente'.

Dafür, dass die DDR schleichend nicht doch wieder in ihr altes Schikane-Ritual verfallen konnte, war rund um die Uhr eine Kontrollkommission aktiv, die auf Beschwerden und besondere Vorkommnisse sofort reagieren konnte.

Die freie Durchfahrt der Transitstrecke, die um Gotteswillen nicht verlassen werden durfte, war jedem garantiert. Ausgenommen waren Personen, die als Verbrecher auf den Fahndungslisten der DDR standen. Der Terminus „Verbrecher" bezog sich nicht auf die ideologisch geprägten Inhalte, nach denen jeder ein Verbrecher war, der aus der DDR geflohen oder in Wort und Schrift ausgewiesener Antikommunist war. Nur Personen, die mit Waffengewalt Grenzdurchbrüche erzwungen oder schwere Kapitalverbrechen in der DDR begangen hatten, waren ausgenommen. Damit waren die Transitwege 'Pakta-savanda' für alle frei, die bisher nur auf dem Luftweg ins Bundesgebiet gelangen konnten. Auch Roland und seine Freunde, mit Ausnahme von Wolfgang Fuchs, konnten sich auf diese Garantie berufen.

Mit dem Transitabkommens änderte sich die Fluchthelferszene total. Auf eigenes Risiko, im PKW-Kofferraum unkontrolliert, konnten Leute ihre Verwandten über die Grenze bringen. Damit ersparten sie sich die Suche nach Kontakten zu Fluchthelfern, für deren Dienstleistung sie oft ohnehin nicht das Geld hatten. Wenn es denn mit Selbsthilfe klappte, ersparten sie ihren Angehörigen, Fluchthelferhonorare abzahlen zu müssen.

Eine ganz andere, wenig erfreuliche Entwicklung hatte damit zu tun, dass es nunmehr theoretisch möglich war, ohne große Finanzinvestition, technische Entwicklungsarbeit oder/und über Ländergrenzen hinweg reichende Logistik, Bürger von Ost nach West zu bringen. Simplifiziert ging das für Abzocker und Spieler so, Kofferraum auf, einsteigen, Deckel zu und ab in den Westen. Eine Geschäftsidee eben - da gab es wenig bis nichts an patriotischer Ethik! Natürlich hatte das MfS mit lückenhafter Überwachung an den Transitautobahnen, rechts und links und auf den Parkbuchten, das Geschehen unter Kontrolle. Wenn jemand glaubte, sich unterwegs erleichtern zu können, dann musste er aufpassen, dabei nicht auf den Stahlhelm eines getarnten Grenzers zu pinkeln.

Ein unbeobachtetes Einsteigen hatte nur vor dem Erreichen der Transitstrecke, zum Beispiel in Ostberlin, eine Chance.

Die ergriff 'Der Lange'! Gleich nach Inkrafttreten des Transitabkommens fuhr er probehalber von Westberlin ins Bundesgebiet und zurück, um zu prüfen, ob auch seiner Person die Reiseerleichterungen zugestanden werden. Mit dem positiven Test stand für ihn fest, nun wird er Schwester und Schwager, die ihn seit Jahren bekniet hatten, er möge sie in den Westen holen, seine oft erklärte Hilfsbereitschaft in die Tat umzusetzen.

Er räumte seinen BMW für den Zweipersonentransport um. Die beiden hatte er eingeweiht, dass er sie über den Grenzübergang HERLESHAUSEN in den Westen bringen würde. Irgendwie, vielleicht hatte der liebe Gott seine Hand im Spiel, entschied er spontan, da lagen die beiden schon im Kofferraum, doch über MARIENBORN zu fahren.

Ihm schlug das Herz bis zum Hals, als sie am Kontrollpunkt standen. Seine vorherige Testfahrten absolvierte er zwar problemlos, aber das die Grenzkontrolleure genau wussten, wen sie da passieren lassen mussten, davon konnte er ausgehen.

'Vielleicht haben die jetzt gerade Lust, das Verkehrsaufkommen im Kontrollbereich ist ja überschaubar gering, mich aus Schikane zu kontrollieren', ging es ihm durch den Kopf, als er auf das Zeichen zur Weiterfahrt wartete.

Es ging alles ganz normal über die Bühne. Schwester und Schwager bekamen im Kofferraum mit, dass sie den Kontrollbereich verlassen hatten. Im Westen dann der überschäumende Jubel!

„Dieter, ich bin frei, Dieter, wir sind frei!"

'Der Lange' stimmte, vom Druck entlastet, aus ganzem Herzen in den Chor ein. Über viele Jahre pflegten sie das familiäre Miteinander.

Es traf 'den Langen' fast der Schlag, als er nach der Wende in seinen Akten bei der BSTU las, er sei haarscharf der für ihn aufgestellten Falle, mit Schwester und Schwager im Kofferraum, entwischt!

Niemand anderes als seine geliebte Schwester sollte ihn in die Falle locken, die in Herleshausen für ihn gerichtet war! Er hatte aber Marienborn angefahren!

Seine Schwester und ihr Mann hatten nämlich gar nicht das Leben geführt, welches sie ihm als beklagenswert und unfrei in Ostberlin vorgaben. Ganz im Gegenteil, sie waren beide IMs des MFS, mit langer Legende!

Hätte die Falle damals zugeschnappt, die Grenzer und das MFS hätten vor Freude sämtliche Fahnen zum Empfang von G. Dilling gehisst!

Der Ausstieg

Für Roland gab das Berlin-Abkommen Richtung und Zeit an, mit seinen Mitstreitern den Ausstieg aus der Fluchthelfer-Szene klären zu müssen.

In den neu geschaffenen Rahmenbedingungen mit Alliierten Fluchthelferaktionen durchzuführen, wäre den Machthabern im Osten eine Steilvorlage gewesen. Roland und seine Helfer waren nicht so naiv anzunehmen, dass die einen Vorwand brauchten, das für die West-Berliner günstige Abkommen mit dem Hinweis auf ihre (weitere) Aktivitäten, auszusetzen oder zu annullieren. Mit dem Abkommen war ein regelmäßiger Geldsegen in die DDR-Kassen verbunden. Zwischen 1972 und 1989 waren das über zwei Milliarden DM, die für die Instandhaltung der Transitwege rübergereicht wurden. Die einzelnen Tranchen hatte die bundesdeutsche Wirtschaft als sicheres Auftragsvolumen eingerechnet. Wenn also durch Fluchthilfe mit alliierten Fahrzeugen das Abkommen unterlaufen würde, hätten nicht nur die von den Durchfahrt-Zahlungen befreiten Reisenden von und nach Berlin, sondern auch die Unternehmen aufgeschrien. Ein mediales Feuerwerk auf allen Seiten wäre vermutlich weltweit nachzulesen gewesen.

Roland und sein Team, bisher vom Wohlgefallen auf verschiedenen Ebenen begleitete Helden, wären, öffentlich gebrandmarkt, zu egoistischen Profiteuren geworden....

Beim Inkrafttreten des Transitabkommens Ende Dezember '71 hatten Roland und sein Team noch 8 Personen auf der Liste, deren Flucht sich in Vorbereitung befand. Am Heiligen Abend, über die Feiertage und in der Silvesternacht wurden diese Aktionen mit einem Zivilangestellten der amerikanischen Alliierten durchgezogen.

Zum Jahresanfang 1972 meldete Roland ganz unspektakulär sein Team als Fluchthelfer ab.

In den folgenden Monaten und dem kompletten Sommersemester hatte Roland nun wirklich allen Grund, Vater Kurts 'Erinnerungen' zu ignorieren. Dem Abschluss des Studiums folgte ein Urlaub, der durch den Mordanschlag der Palästinenser bei den Olympischen Spielen seine Schönheit einbüßte.

Angelika fuhr mit einem Aufsehen erregenden Kinderwagen zu den Großeltern nach Ostberlin. Der Wagen hatte große Räder, zwischen deren Achsen die Liegeschale eingehängt war. Der Clou war aber eine Plastikkabine über der Liegeschale. Als sie zu Fuß an der Straßenkreuzung auf Grün wartete, rief ein LKW-Fahrer zu ihr runter: „Na Kleene, hat der Wagen ochn Scheibenwischer?"

Das war das Lustige, was sie aus Ostberlin mitbrachte, aber dann kam das:

„Roland, das ist ja schon peinlich, wie Vater Kurt daran erinnert, da wäre zwischen euch noch die Antwort auf eine Frage offen! Also entweder du klärst das, oder ich fahre nicht mehr rüber!"

Roland war die Sache auch höchst unangenehm. Vater Kurt schien im Druck zu sein....

Roland trug Lummer seine Absicht vor, sich noch einmal mit seinem Vater, diesmal in Prag, treffen zu wollen. Der meinte:

„Das Einzige was du hast, ist das Ehrenwort deines Vaters!"

Roland insistierte:

„Ich kenne meinen Vater, der hält, was er sagt! Wenn der sein Ehrenwort für freies Geleit gibt, dann steht dahinter die erste Garde seiner Freunde im Apparat. Ich wäre bereit nach Prag zu reisen, wenn von unserer Seite ein Auge auf meinen Aufenthalt geworfen werden könnte."

Lummers Statement:

„Prag ist eine andere Nummer als Belgrad. Wenn die wollen, lassen sie dich dort auf Nimmerwiedersehen verschwinden. Dann könnte man noch für Wirbel sorgen, aber wenn die den eingepreist haben, war's das auch! Was willst du denn eigentlich noch erreichen? Dein Freund Peter ist doch hier!"

„Ich will das ganze Kapitel abschließen. Irgendwie sehe ich mich meinem Vater gegenüber im Wort. Ich will für mich und meine Familie Ruhe haben und in den Beruf einsteigen! Außerdem wäre ja wohl interessant, was die überhaupt wollen und was die wissen, meinst'e nicht auch."

„Sag mir Bescheid, wenn es konkrete Termine gibt."

Das war dann der 24.11.72.

Lummer bestimmte als Rolands Aufenthalt in Prag das Hotel am Wenzelsplatz, in dem auch die konsularische Vertretung der Bundesrepublik Deutschland eine Etage als ihren Sitz angemietet hatte. Roland solle sich dort gleich nach seinem Check-In melden....

„Muß das nun wirklich sein? Aber du machst ja sowieso, was du willst. Viel Glück, und komm mir ja wieder!", stammelte Angelika bei der Abschiedsumarmung.

Mit seinem gerade einmal zweitausend Kilometer gefahrenen sahara-beige-farbenen BMW 2002 überfuhr er gegen 9 Uhr den 'weißen Strich' am DDR-Übergang „Bornholmer Brücke". Den hatte er Vater Kurt als Einreisepunkt benannt.

Ihm schlug das Herz im Hals, als er seinen Pass dem DDR-Grenzer aushändigte.

„Gute Fahrt, Herr Grundmann!", sagte der Grenzer als er mit dem Pass nach für Roland bangen, aber tatsächlich nur wenigen Minuten wieder am Wagen stand. Roland brauchte für die Kontrolle nicht einmal aus dem Wagen steigen.

'Hier wäre es ja wohl am Einfachsten gewesen, ihn zu verhaften,' dachte Roland, als er aus dem Kontrollbereich raus in Richtung Schönhauser Allee in den Straßenverkehr Ostberlins eintauchte.

Er fuhr durch ihm bestens bekannte Straßen und stellte fest, dass die Häuser an den Straßen grauer waren, als er sie in Erinnerung hatte. In seinem schmucken Auto sah er sich frei wie in einer Zeit-Raumkapsel, die er durch eine verflossene Zeit steuerte. Die Fahrt führte an Häusern vorüber, in denen er Bekannte wohnen wusste, und er passierte in Richtung Adlergestell Orte, die für seine Fluchthelfer-Kuriere von Bedeutung gewesen waren.

Das Auto auf der ostzonalen Autobahn in Richtung Dresden an den Zweitaktern vorbeibrausen zu lassen, das machte aus vielerlei Gründen Spaß.

Mit der Kürze zum Grenzübergang zur CSSR, Zinnwald, wechselte innere Angespanntheit die bisherige Autoreiselust ab. Dort war er vor fünfeinhalb Jahren von den Leuten des tschechischen Sicherheitsdienstes dem MfS übergeben worden. Äußerlich hatte sich an dem Übergang nichts geändert. Das Deja-vu-Erlebnis verlief unspektakulär. Ab Zinnwald fuhr Roland jetzt den Weg nach Prag, den er in Handschellen im Fond des PKW-Wolga sitzend bei weißer Winterlandschaft entlang chauffiert worden war. Um so näher er Prag kam, desto sehnlicher wünschte er, hoffentlich als freier Mann, schon die Heimreise.

Im vorgesehenen Hotel angekommen, bat Roland wie selbstverständlich schon an der Rezeption, ihm ein Telefongespräch nach Westberlin aufs Zimmer zu legen. Dies sei nicht möglich, etwa drei bis vier Stunden müsse er sich schon gedulden, bekam er zur Antwort. Das sozialistische Verstöpseln hoffte er durch den Gang in die Etage, in der sich das Deutsche Konsulat befand, zu umgehen. Dort hatte er sich ohnehin beim Konsul zu melden. Dem Konsul war sein Kommen aus Deutschland avisiert. Er wollte den Ort und die ungefähre Zeitplanung der Verabredung erfahren und entließ ihn mit der dringenden Bitte, sich nach seinem Treffen, sofort wieder bei ihm zu melden. Wie selbstverständlich konnte ihm im Vorzimmer die Telefonverbindung mit Angelika hergestellt werden.

Es war erst später Nachmittag und Roland zog einen Spaziergang auf dem 'Ku'damm von Prag', den Wenzelsplatz rauf und runter, dem Zimmer oder der Hotellobby vor. Unschlüssig vor dem Hotel, welche Richtung er einzuschlagen gedachte, kam ihm wie ein Geistesblitz die Buchhandlung in den Kopf, in der er vor fünfeinhalb Jahren Freundschaft mit dem netten Buchhändler geschlossen hatte. Die Buchhandlung lag von ihm aus rechts, nur etwa hundert Meter entfernt.

'Einfach nur mal reinzuschauen, vielleicht gibt es den alten Buchhändler noch, mit dem ich so nett bei Speis und Trank geplaudert hatte', dachte er, ohne ernsthaft ein Happyend zu erwägen....

Die Neugier lohnte. Er sah den alten Buchhändler für die Kundschaft an den Regalen entlang schlurfen. Als Roland ihm auf die Schulter tippte und fragte:

„Guten Tag, erkennst du mich? Ich bin es, der Roland aus Berlin. Wir haben uns 1965 hier kennengelernt und plauderten an zwei Tagen nebenan im Restaurant über Gott und die Welt!"

Als Roland das sagte, blickte er in das Gesicht eines Mannes, dem man die Belesenheit ansah. Da der nur noch Haarflaum auf dem Kopf hatte, fesselten die wohl größer als normal geratenen Ohren seinen Betrachter. Die blauen Augen waren klar und schauten über den Brillenrand musternd zu Roland auf.

„Welch eine Überraschung! Ich erinnere mich, du warst, glaube ich, auf der Reise nach Wien?"

„Ja, genau, da bin ich aber damals nicht angekommen..."

„Es gäbe viel zu erzählen, bist du länger in Prag, hast du Zeit? In einer Stunde schließe ich den Laden, wir könnten uns wieder im Restaurant treffen...."

„Ich würde da auf dich warten, habe den ganzen Abend Zeit", antwortete Roland voll zufrieden über das sich abzeichnende Abendprogramm.

Es wurde ein langer Abend. Beide tauchten ein in die bewegten und doch so unterschiedlich erlebten Jahre. Da gab es Rolands Erlebnisse, beginnend mit Ceske-Budeovice und die Erinnerungen des Buchhändlers aus dem 'Prager Frühling'.

Weil es so angenehm war, mit dem Buchhändler zu plauschen, verabredeten sich beide für den nächsten Abend im Hotelfoyer. Roland wurde von der Gegenwart eingeholt, von der das Gespräch mit dem Buchhändler vortrefflich abgelenkt hatte.....

Er hatte gefrühstückt und wartete in der Hotellobby auf Vater Kurt. Kurz vor 10 Uhr begrüßten sie sich.

„Wie ich sehe, bist du wohlbehalten angekommen. So wird auch deine Rückreise sein! Hast Du Angelika schon angerufen? Ich komme direkt vom Flugplatz. Meine Begleiter sind schon vorgefahren. Wir fahren jetzt mit dem Taxi zum Treff. Du kannst Dein Auto stehen lassen, ich liefere dich am Nachmittag wieder hier ab. Um 19 Uhr fliege ich wieder zurück."

Roland hatte nicht den Eindruck, in eine Falle zu laufen, dazu gab die ausgestrahlte Herzlichkeit und Normalität, mit der Vater Kurt den weiteren Fortgang in Angriff nahm, nichts her.

Er versteifte innerlich, als das Taxi vor einer Villa hielt und abfuhr, ohne dass Vater Kurt dem Fahrer das Fahrgeld bezahlen musste.

Ein Hausmütterchen mit Schürze öffnete und führte Vater Kurt und Roland verschüchtert ohne Worte zu den „Begleitern", die sich aus ihren Sesseln erhoben. Freundlich reserviert kam es zur Vorstellung der „Begleiter", deren Namen bestimmt eine Farce gewesen sind.

Small talk - das eigentliche Gespräch begann, ohne Rolands subversive Vergangenheit anzutippen. Man wollte vorweg wissen, warum er dem Wunsch von Vater Kurt gefolgt sei, diesem Gespräch zuzustimmen. Roland sprach von Vertrauen, Familienzusammenhalt und Freundschaft so naiv, als gälte so etwas auch für Republikflüchtlinge. Seine Gegenüber machten Komplimente zu seinem Diplom-Abschluss an der Universität - er sollte sich wohlfühlen. Bei belegten Brötchen und Bohnenkaffee wollte man einfach aus seinem Alltag in Westberlin erzählt bekommen. Freude kam bei seinen Zuhörern auf, wenn sie meinten, bei bestimmten Formulierungen und Einschätzungen einer Meinung zu sein. Die Konversation zur Flucht von gut ausgebildeten DDR-Bürgern im allgemeinen, zu der Roland die Meinung vertrat, diese Leute würden schließlich nicht abgeworben, ging über in erregten Disput. Das die Anwesenden interessierende Thema war offensichtlich erreicht.

Für Roland begann der geistige Ritt auf der Rasierklinge!

Ohne auf seinen persönlichen Beitrag bei Fluchthilfe einzugehen, wollten seine Gegenüber wissen, wie denn zur Flucht entschlossene DDR-Bürger den Kontakt zu ihren Schleusern fänden. Roland hielt sich strikt an der Linie zu behaupten, dass es kein diesbezügliches Netzwerk gäbe, vielmehr zöge jede gelungene Flucht aus dem Freundes- oder Verwandtenkreis immer neue nach - der Rest sei Logistik. Wahrheitsgemäß tat Roland kund, er sei seit Jahresbeginn nicht mehr aktiv. Er hätte daher keinen aktuellen Einblick. Seine Gegenüber waren ja nicht blöde und wussten natürlich ganz genau, dass Wolfgang Fuchs, für den Roland nachweislich gearbeitet hatte, einer von denen war, die das Fluchtgeschehen in Westberlin im großen Stil betrieb. Roland konnte aktuell noch nicht einmal das bestätigen und spielte seine eigenen Einblicke aus der Vergangenheit dermaßen herunter, bis seine Gegenüber merken mussten – mehr kommt da nicht! Alles was sie hatten waren ihre eigenen Fakten, deren Auswertung sie zu ihrem eigenen Kummer durch Rolands 'Unwissenheit' nicht bestätigt bekamen.

Das war dann auch das Ende der Vormittagsveranstaltung und man kam überein, nach der Mittagspause noch einmal zusammenzutreffen. Sie verließen die Villa, um fußläufig eine Kantine anzusteuern. Rolands Begleiter kannten sich aus. Auf dem Weg, Vater Kurt neben Roland und hinter ihnen die Begleiter, schnappte Roland einen Gesprächsfetzen auf. Der eine Begleiter sagte zu seinem Nebenmann:

„Ich begreife das nicht, der Mann gehört mindestens für zehn Jahre in den Knast und jetzt wird der von uns auch noch zum Essen eingeladen!"

Roland erkannte, was er wusste, die beiden waren Wölfe im Schafspelz. Er frohlockte innerlich:

'Ist bestimmt deprimierend, sich wider eigener Erkenntnis oberer Befehlslage fügen zu müssen.'

Roland vertraute dem 'Freien Geleit' von Vater Kurt!

'Ihr falschen Schlümpfe', dachte Roland, als ihm beide Begleiter für das Gespräch dankten.

Vater Kurt fasste zusammen, er würde weiter über den familiären Draht zu Angelika Kontakt halten.

Vater Kurt und Roland fuhren allein zu Rolands Hotel. Zum Abschied versicherte er an der Bar nochmals, dass Roland sich keine Gedanken machen müsse, unbehelligt wieder in Westberlin anzukommen. Als Vater Kurt zu seinen im Wagen vorgefahrenen Begleitern gestiegen war, ging Roland schnurstracks in die Etage des Deutschen Konsulats und meldete seine Rückkehr. Bevor er am nächsten Tag nach Berlin aufbrechen würde, verlangte der Konsul seine Abreisemeldung. Roland konnte auch wieder mit Angelika telefonieren.

Eigentlich hätte Roland gerne eine Stunde geruht, aber dazu war er nach dem durchgestandenen Treffen viel zu aufgekratzt. Auf Ablenkung aus ging er ins Hotelfoyer, um mit dem Buchhändler im Restaurant den Abend zu verbringen.

Der Buchhändler kam mit dem Vorschlag, gleich nach dem Essen zu einem heiteren Musikbühnenstück aufzubrechen. Die Akteure seien Studenten und Laienkünstler und es handele sich um das zur Zeit Populärste, was Prag zu bieten hätte. Sie würden in der ersten Reihe sitzen können, weil er ihn als seinen Freund aus West-Deutschland annonciert hätte. Genau so etwas passte in Rolands Stimmung!

Er wollte es bequem haben. Ihm war die vom Buchhändler angegebene kurze Entfernung zu unbestimmt. Sie fuhren also mit dem Wagen direkt vor den Eingang des Theater-Cafés, welches, wie er nachträglich feststellte, auch in 10 Minuten Fußweg, allerdings in eisigem Nieselregen, zu erreichen gewesen wäre.

Die Veranstaltung nahm ihren Lauf und anschließend saß und trank, der Buchhändler hatte sich irgendwann auch schon alleine auf den Heimweg gemacht, Roland in feucht-launiger Runde mit den Künstlern zusammen. Da wurde ganz schön gepichelt! Als dann irgendwann die Bedienung die Stühle an den Nachbartischen hochstellte und keine neuen Getränke mehr geordert werden konnten, zeigte Roland sich der Gesellschaft spendabel und setzte sich ans Steuer seines Wagens.

In der letzten großen Kurve oberhalb des Wenzelplatzes schleuderte Roland auf der spiegelglatten Straße gegen den fast mannshohen Sockel einer Straßenlaterne. Roland war auf der Stelle klar im Kopf! Der Laterne war nichts passiert, aber sein Auto war vorne fahrerseitig in Mitleidenschaft gezogen. Der erste Überblick ergab, Stoßstange, Scheinwerfer, Grill, Blinkleuchte und Motorhaube waren kaputt Das Schlimmste, der Kotflügel drückte das Vorderrad ein – Weiterfahrt unmöglich. Mit ohrenbetäubendem Lärm in nächtlicher Ruhe und bedrohlich rumpelnden Geräuschen im Wagen, quälte Roland den Wagen ein paar Meter weiter auf den Bürgersteig. Dort stand er dann, flüchtig betrachtet, wie ein geparktes Auto. Glück im Unglück, zu dieser 'toten Zeit' kreuzte ein Taxi auf.

Wenige Minuten später ließ sich Roland an der Hotelrezeption seinen Zimmerschlüssel geben. Als sei nichts gewesen, bat er, um 8 Uhr geweckt zu werden. Geschlafen hatte er nicht, als der Weckruf läutete. Er machte sich zurecht und meldete sich im Konsulat. Der Konsul war noch nicht da, aber er konnte wegen der Dringlichkeit, die er betonte, auf ihn warten.

„Guten Morgen, wie sehen Sie denn aus, was ist passiert?", war dessen erste Reaktion.

Roland erzählte mit schlechtem Gewissen und Scham. Der Konsul wollte genau beschrieben haben, wo das Auto jetzt steht. Dann sagte er:

„Sie rufen jetzt Ihre Frau an und erklären, warum sich die Heimreise verzögert. Sind Sie im ADAC?"

„Ja, mit Superschutzbrief!"

„Dann soll sich Ihre Frau schon mal mit dem ADAC in Verbindung setzen. Sie sind nicht der Erste dem von dort aus, hier in Prag geholfen wird. Und jetzt gehen Sie erst einmal auf Ihr Zimmer und schlafen sich aus. Wir sehen uns um 17 Uhr in der Lobby!"

Es war schon dunkel, als Roland sich zum Konsul in einen schwarzen Mercedes mit CD setzte. Auf der Anfahrt zu Rolands Wagen sagte der Konsul:

„Ich habe die Situation vor Ort prüfen lassen! Polizei wartet da nicht. Hinter uns fährt ein Taxi. Der Fahrer ist mir bekannt. Wir fahren jetzt zu Ihrem Auto. Sie warten mit mir im Wagen und der Taxifahrer legt das eingeklemmte Vorderrad frei. Wenn der damit fertig ist, legt er das Abschleppseil an sein Taxi und Sie steigen in Ihren Wagen. Der Taxifahrer schleppt Sie in eine für Devisen-Reparaturen zugelassene Werkstatt. Die arbeiten wie die meisten auch Sonnabends. Ich fahre bis zur Werkstatt hinter Ihnen her."

Im Konvoi kamen sie ohne Komplikationen vor der Werkstatt an. Dort wurden sie erwartet. Der Konsul kam noch kurz dazu, um sich zu verabschieden:

„Ab jetzt kommen Sie ja selber zurecht. Ich erwarte, dass Sie mich täglich wissen lassen, wie es vorangeht. Ich hoffe es gibt keine Verzögerungen."

Dass Roland vom Konsul persönlich bis in die Werkstatt begleitet wurde, hatte der Reparaturabwicklung zusätzlichen Schub verschafft. Trotzdem blieb es abenteuerlich, welche Beschwernisse für eine schnelle Erledigung überwunden werden mussten. Die fachliche Kommunikation, wenn sie denn über das Fernsprechnetz hergestellt war zwischen der Prager-Werkstatt und BMW-München klappte bestens. Der Transport der Ersatzteile erfolgte per Express über die Bahn von München nach Prag innerhalb 24 Stunden.

Der Wagen, fertig repariert, sah nach technischer Melange aus. Kotflügel-Fahrerseite, Schürze und Motorhaube alle schwarz, Chromteile tipp-top, ansonsten Sahara-beige-farbene Karosserie. Man machte auch das Angebot, ihm den Wagen lackieren zu wollen, aber da winkte Roland ab, weil die Werkstatt keine Brennlackierung ausführen konnte. Von BMW später bestätigt; die Reparatur wäre besser auch nicht in Deutschland erfolgt.

Sein lieber Freund, der Buchhändler, gab sich die Schuld an Rolands Unfall. Das war natürlich völlig daneben und Roland bezog in allen Tonarten auf sich, den Blödsinn begangen zu haben. Als der Buchhändler trotzdem immer wieder zu jammern anfing, versuchte Roland ihn damit zu besänftigen, der Schaden sei eigentlich eine schnell zu behebende Bagatelle, was sie genaugenommen ja auch war. Um ihm also den Schuldkomplex erträglicher zu machen, nahm er ihn mit in die Werkstatt, um ihm das an Ort und Stelle zu zeigen. Als der Buchhändler den aufgebockten BMW sah, von dem die Trümmerteile demontiert waren, fing der so zu jammern an, als wäre ihm die Buchhandlung abgebrannt. Für ihn als Nichtautobesitzer war der Anblick niederschmetternd. Da kam Roland die Idee, den Buchhändler um einen Gefallen zu bitten. Der freute sich, Rolands Wunsch zu erfüllen, das Gefängnis in Ceske Bodivoice von außen sehen zu wollen. Roland mietete einen Leihwagen über die Werkstatt, und ab ging die Fahrt.
Das Gefängnis sah von außen aus wie ein deutsches Verwaltungsgebäude aus den zwanziger Jahren. Nur ein großes Stahltor in der Fassadenfront wirkte befremdlich. Die Bilder seines Martyriums hinter diesen Mauern im Kopf, dachte er mitleidig an das, was gerade jetzt dort vor sich ging....

Neun Tage nach seinem Aufbruch in Berlin trat er die Heimreise an. Er hatte sich in aller Form beim Konsul und seinen Mitarbeitern für den Schutz und die Hilfe bedankt. Des Konsuls letzte Worte:
„Gute Fahrt, ich werde gleich durchgeben, dass Sie wohlbehalten Prag verlassen haben!"
Er befand sich kurz vor dem Grenzgebiet, als er nach einer Möglichkeit Ausschau hielt, einige Scheine tschechischer Kronen in irgend etwas anderes einzutauschen. Legal zurück in DM umtauschen

konnte er sie nicht und ausführen durfte er die Kronen auch nicht! Am allerletzten Dorfrand entdeckte er ein Wirtshaus. Dort kehrte er ein. Bestellen wollte er nichts, dafür waren es der Kronen zu viele, um sie wegzuessen. Er sah sich deshalb die Spirituosen in der Tresen-Rückwand an. Da flog auf einmal die Tür auf und mit großem Hallo kam eine Jagd-Gemeinschaft, auszumachen an den umgehängten Büchsen, in den Schankraum. Einige der Jäger hatten zu Bündeln geschnürte Fasane, die sie vor sich auf den großen Tisch legten. Die Fasane erweckten Rolands Interesse. Man war sich gleich einig, als er seine komplette Kronen-Barschaft auf den Tisch legte und dafür vier Fasane beanspruchte. Die legte er, so wie sie waren, auf das Gepäck im Kofferraum.

Bei der tschechischen Ausreise wurde die an Ostblockgrenzen übliche Prozedur vorgenommen. Aussteigen, sämtliche Ablagefächer wurden auf versteckte Waren kontrolliert und der Wagen mit Spiegeln von unten betrachtet. Auf die Gepäckkontrolle im Einzelnen wurde diesmal verzichtet. Beim Anblick der Fasane machte der freundliche Zöllner in deutsch darauf aufmerksam:

„Die können Sie hierlassen, es ist bei den Deutschen verboten, Fleisch, Wild und Geflügel einzuführen!"

„Wer sagt denn, dass die Fasane nicht aus der Bundesrepublik sind. Die sind gerade hier, nur ein paar Kilometer entfernt, geschossen worden", erwiderte Roland lachend.

„Viel Glück bei Ihren Leuten!", sprach er, als er den Kofferraumdeckel zuschlug.

Roland vorgewarnt, hoffte aber zuerst einmal darauf, überhaupt nicht an der Bundesdeutschen Grenze kontrolliert zu werden. Da hatte er vergebens gehofft! Er musste den Kofferraum öffnen. Der Zöllner sah die Fasane und sagte sofort:

„Fasane dürfen Sie nicht einführen, die sind von außerhalb der EWG!"

„Diese hier sind Grenzgänger! Sind aus der Bundesrepublik ins Grenzgebiet der Tschechen geflogen und dort wurden sie vor nicht einmal einer Stunde abgeknallt!", brachte Roland die zurechtgelegte Antwort.

Die Freundlichkeit mit der Roland seine Geschichte von den schießwütigen Tschechen vorgetragen hatte, ließen auch den Zöllner schmunzeln. Die Fasane erreichten mit Roland Berlin.

Zurückgekommen zu sein aus einer anderen Welt, so fühlte es sich für Roland an. Hier warteten nicht nur Ehefrau mit Tochter und die Freunde, es wartete die Freiheit in ihrer ganzen Vielfalt. Rückblickend lagen Angst und Stress hinter ihm. Stress hatte er auch Leuten bereitet, die ihm geholfen haben.

Seiner Berichterstattung bei Lummer ging voraus:

„Roland, solch einen Leichtsinn habe ich dir nicht zugetraut! In Berlin trinkst du kaum einen Tropfen und auf einer brandgefährlichen Mission fährst Du besoffen Auto! Wir hatten Glück, dass der Konsul so Klasse gehandelt hat und die Polizei erst gar nicht in Erscheinung getreten ist."

„Du hast völlig recht, ich hätte mich selber ohrfeigen können", bestätigte Roland.

„Na und, wie war das? Was wollten die wissen?", leitete Lummer zur Berichterstattung über...

Es kam nie wieder zu einem Gespräch mit Vater Kurts „Bekannten". Die hatten nach Prag das Interesse an Rolands „Nichtwissen" verloren!

Frenzel und Krause hatten über Roland zu Franske und Winfried in Ostberlin Kontakt aufgenommen und sind Freunde geworden. So gelangten auch Rolands ehemalige Klassenkameraden in den Westen. Roland hatte zwar rein gar nichts mehr mit Fluchthilfe zu tun, aber hin und wieder wurde er darauf angesprochen.

Eines Tages saß er im Café Kranzler dem Ehemann von Helga gegenüber. Der hatte „Urlaub auf Ehrenwort" aus der DDR bekommen, um zur Beerdigung eines nahen Verwandten reisen zu können. Helga hätte ihn zwar bekniet im Westen zu bleiben und sie über den Weg der Familienzusammenführung nachzuholen, aber da schien ihm die Zeitschiene zu unsicher. Roland gab eine Empfehlung. Ob und wann Helga in den Westen gekommen ist, hat er nicht mehr erfahren, weil er sich beruflich schon auf dem Absprung nach Westdeutschland befand.

Die Jahre vergingen:

„Ich werde es noch erleben, und wenn ich schon gebückt am Stock gehen sollte, aber das Brandenburger Tor passiere ich ohne Passierschein, als Autofahrer oder zu Fuß!"

Wenn Roland diese Position als feste Überzeugung von sich gab, dann wurde er im Laufe der Jahre immer weniger ernst genommen, eher als ein Unruhe stiftendes politisches Fossil betrachtet.

Politische Vorstellungen

1985 sprach sich Oskar LAFONTAINE für eine Anerkennung der Staatsbürgerschaft der DDR aus. Diese Perspektive wollte er im Grundsatzprogramm unterbringen, um mit ihm im Wahlkampf zu punkten. Nur knapp folgte die Bonner Parteizentrale dieser Parole des Linken SPD-Flügels nicht.

1988 wollte der Generalsekretär der CDU, Heiner GEISSLER, den Begriff der Wiedervereinigung aus der Präambel des Parteiprogramms streichen(!) .... „Es gehe nicht darum, Grenzen zu „verschieben", sondern sie „durchlässig zu machen".

1989 Willy BRANDT, (SPD), als Chef der Sozialistischen Internationale: „Wiedervereinigung bedeutet die Rückkehr zur Vergangenheit, die erstens unmöglich und zweitens nicht unser Ziel ist."

Roland konnte die Dummheit und Ignoranz mit der nationale Essentials gehandhabt, und von der sprachgewaltigen politischen Elite als Zukunftsorientierung unter das Volk gebracht wurden, nur schwer ertragen. Damit stand er zwar nie alleine, aber ohnmächtig musste man er mit ansehen - der Zug fuhr in die falsche Richtung!

Die Mauer war weg! „Wir sind ein Volk!"

1989 lebte Roland in Spanien/Andalusien. An der Costa del Sol in der Provinz Málaga stellten Deutsche, hinter reichen Arabern und Engländern, die größte Kolonie. Als im Sommer in den deutschen Tageszeitungen die Berichte über die Fluchtbewegung aus der DDR und die Schilderung von Einzelschicksalen zunahmen, warteten Gruppen von Landsleuten vor dem Zeitungskiosk auf die deutsche Presse. Täglich über Malaga eingeflogen, lag die pünktlich um 9 Uhr zum Verkauf aus. Er sah deutsche Residenten, die sich nach dem Krieg hier eingerichtet hatten, weinen vor Glück über die sich in ihrer alten Heimat abzeichnende Entwicklung.

Wenn man Roland gefragt hätte, was er im Leben am meisten bereue, nicht erlebt zu haben, dann wäre, wie aus der Pistole geschossen als Antwort gekommen:

„In der Nacht, als die Mauer fiel, nicht in Berlin gewesen zu sein!"
Das suchende Gestammel von SCHABOWSKI auf der Pressekonferenz am 9.11. 1989:

„Das tritt nach meiner Kenntnis... ab sofort,... unverzüglich...", verfolgte Roland in einem Club in Puerto Banús, ebenso die ARD-Tagesthemen und die Live-Übertragung an der Bornholmer Brücke bis zum Morgengrauen. Da saß immer noch eine Gruppe zusammen, die dem 'Wahnsinn' wieder und wieder neue Fassetten gab.

Es brauchte noch ein paar Wochen, bis Roland sich in Spanien loseisen konnte. Dann lief er, wie es seiner langgehegten Vorstellung entsprach, ohne Passierschein durch das Brandenburger Tor. Kurz danach konnte er auch mit dem PKW die Runde machen. Runde machen im wahrsten Sinne des Wortes, immer, wenn er durchgefahren war, umkreiste er die Gold-Else, fuhr zurück, wieder durchs Brandenburger Tor bis zur Friedrichstraße und wieder in Richtung Brandenburger Tor, so, als wenn das doch nicht wahr sein konnte.

Ein großes Wort, aber eigentlich hatte auf deutschem Boden eine Revolution stattgefunden, die kaum jemand als eine solche bezeichnen mochte, weil ja alles gewaltfrei und ohne Schießerei abgelaufen war. Der alte Spruch von LENIN machte die Runde:
"Wenn deutsche Revolutionäre einen Bahnhof stürmen, dann lösen sie vorher eine Fahrkarte."

Als die Bürger sich im Herbst 1989 zu den Montagsdemonstrationen zusammenfanden, gab es die Befürchtung, die Politriege der DDR würde militärisch gegen die Demonstranten vorgehen – wie es die chinesische Regierung in Peking im Juni 1989 getan hatte. Es fiel jedoch kein Schuss gegen die protestierende Bevölkerung auf der Straße, obwohl die NVA vor dem Hintergrund der Massendemonstrationen in erhöhte Gefechtsbereitschaft versetzt worden war. Auch die Nacht des Mauerfalls vom 9. auf den 10. November 1989 verlief friedlich.

Das mea culpa der bundesdeutschen Polit-Granden galt der Metapher, den Wald vor Bäumen nicht gesehen zu haben. Nur in verwässerten Testbausteinen, den Visionen eines Vereintes Deutschland aus Reden der Nachkriegsjahre entnommen, hatten sie noch fabuliert. Der politische Auftrag, Deutschlands Einheit, war ihnen lange entglitten. Den Verantwortung tragenden Akteuren auf bundesdeutscher Seite schwante, eher als sie es begriffen, Deutschlands Vereinigung hat ein Zeitfenster! Der Weckruf aus DDR-Volkes-Stimme, traf auf die offenen Ohren der Bürger im Westen.

Im Jahr 1990, als die Wiedervereinigung Deutschlands entschieden war, wurde die NVA aufgelöst, ohne einen Schuss(!) - eine Armee von 170.000 Soldaten!

Der gesamte Ablauf, nennt man ihn nun friedliche Revolution oder Wende, erfüllte Roland mit Stolz. Stolz darauf, dass Disziplin, eine der Tugenden, die den Deutschen neben Fleiß, Ordnung und Pünktlichkeit zugeschrieben werden, das vollbrachte, was es bisher in der Geschichte nirgends gegeben hat!

Das Ringen - Berlin wird, was es war!

Es war ein unrühmliches Theater von kaum zu überbietender Dramaturgie bis zum Happyend - der Kampf um Berlin als alte und neue Hauptstadt Deutschlands. Es zeigte den Sumpf von Opportunismus und Korruption, in der die bundesdeutsche politische Elite und das sie umgebende Etablissement in Wahrheit steckte.

Die Mehrheit der Bevölkerung in Ost und West war fassungslos darüber, dass es überhaupt eine Hauptstadtdebatte gab. Der Political Correctness folgend, wurde nach historischen Ankern gesucht, um bloß nicht mit BERLIN alte Reichshauptstadt-Ressentiments zu wecken. FRANKFURT/MAIN (Nationalversammlung, Paulskirche 1848) und BONN mit dem Hauptstadtimage des demokratischen Deutschland nach dem II. Weltkrieg entsprachen dem eingeschlagenen Weg.

Einmal davon abgesehen, dass die Bürger der mitteldeutschen Beitrittsländer jede andere Stadt als Berlin, die territoriale Vereinigung von Bundesrepublik und DDR einer Okkupation durch die Bundesrepublik gleichgesetzt hätten, auch dem Großteil der Bundesbürger klangen die markigen Appelle der Sonntagsreden noch in den Ohren, „Berlin wird eines schönen Tages wieder Deutschlands Hauptstadt sein!".

Die Berliner haben vor Wut und Enttäuschung über ihre „Volksvertreter" geschäumt.

Zur finalen Entscheidung im Juni 1991 standen Bonn und Berlin.

Die Bonner Bürger, das Land Nordrhein-Westfalen und viele andere West-Bundesländer sahen das Menetekel von Machtverlust und Veränderungen innerhalb Deutschlands an der Wand. Noch am Morgen der entscheidenden Bundestagsdebatte war das Bonn-Lager siegessicher!

Nach einer inoffiziellen Stimmenaddition vor der Debatte schien klar - Bonn wird Hauptstadt!

Kleine Reminiszenz am Rande; in Bonn hatte man siegessicher ein epochales Fest mit Freibier und allem Drum und Dran vorbereitet und wartete mit dem Bier-Anstich synchron zur Übertragung aus dem Bundestag in Berlin.

Die Berlin-Befürworter im Bundestag ernteten im Reichstagsgebäude mitleidige Blicke. Roland, vor dem Reichstag stehend, erfuhr auch von der inoffiziellen Auszählung - er hätte kotzen können....

Die Debatte im Plenum des Bundestages begann.

Als erster Redner trat der damalige Arbeitsminister Norbert BLÜM ans Pult. Er galt als das schwerste Geschütz im Bonner Lager, denn er vertrat das bevölkerungsreichste Bundesland, Nordrhein-Westfalen. Er, dessen Büttenreden ihm deutschlandweit Sympathie erbrachten, kam an diesem Tag nicht größer rüber, als er von Natur aus klein war: „Berlin droht als Hauptstadt eine 'Megastadt' wie Tokio zu werden... In wenigen Jahren erwartet man sechs Millionen Einwohner...", quasselte er. Weil Bonn vergleichsweise gegenüber Berlin keine Vorzüge hat, ließ er im Hochgefühl der gerade erfolgten Vorabzählung, die Sprechblase raus:

„....auch ohne Regierungssitz werde Berlin die herausragende kulturelle und wirtschaftliche Metropole unseres Vaterlandes sein."

Das schwerste Geschütz endete als Rohrkrepierer!

Im Gegensatz dazu erfolgten donnernde Appelle von Willy BRANDT, Hans-Jochen VOGEL, Wolfgang THIERSE von der SPD und Bundeskanzler Helmut KOHL (CDU). Sie schossen die Bonner-Bastion sturmreif! Dann rollte Wolfgang SCHÄUBLE ans Rednerpult.

Sein eindringliches Plädoyer, bei dem Geschichtsbewusstsein wie Herzblut bis in die letzten Reihen spritzte, brachte jene kleine Verschiebung, die zum Sieg der alten deutschen Hauptstadt reichte: „Es geht um unsere Zukunft in unserem vereinten Deutschland, das seine innere Einheit erst noch finden muss", sagte er.

Schäuble brachte Berlin den Regierungssitz – und machte Berlin zur neuen, alten Hauptstadt von Deutschland!

Die Entscheidung war denkbar knapp. Mit 338 zu 320 Stimmen beschloss der Deutsche Bundestag, den Parlaments- und Regierungssitz von Bonn nach Berlin zu verlegen. CDU/CSU(!) und SPD(!) haben mehrheitlich für Bonn gestimmt. Die kleinen Parteien FDP, PDS und Grüne gaben den Ausschlag für Berlin.

Kaum nachvollziehbar, hätten sich damals nur 10(!) Abgeordnete anders entschieden, würde das vereinte Deutschland BRD/DDR heute vom Rhein aus regiert.

Wie glücklich Roland war, kann man sich ja vorstellen, aber er hatte so seine Zweifel, ob es nicht eine Systemschwäche ist, wenn das, was gestern noch als essentielle politische Positionen galt, morgen schon Makulatur sein könne.

Erfreulichster politischer Irrtum

war für Roland der Abzug der sowjetischen Besatzungstruppen!

Den hatte er jahrzehntelang nur gewaltsam für möglich gehalten. „Dafür müssen wir Deutsche für einen Opfergang bereit sein, bei dem das Blut bis zu den Knöcheln reicht", hatte er früher gemeint. Eigentlich hat er nur plastisch ausgemalt, die russischen Besatzer werden wir niemals los!

Im September 1990 gab M. S. GORBATSCHOW dem Bundeskanzler H. KOHL sein Wort, alle sowjetischen Truppen aus dem Osten Deutschlands abzuziehen und dem vereinigten Deutschland BRD/DDR volle Souveränität zu geben.

Vertragstreu, wie Russen nun einmal sind, verlegten sie alles. Etwa 380.000 Militärs, deren 180.000 Familienangehörige und Zivilbeschäftigte reisten ab. Die kompletten militärischen Ausrüstungen und Geräte, sowie 680.000 Tonnen Munition wurden abtransportiert, das Ganze innerhalb von knapp vier Jahren - eine historisch beispiellose militärisch-logistische Operation.

31. August 1994, Gendarmenmarkt - Roland stand unter den Zuschauern, winkte und klatschte den letzten 1.000 Soldaten zu, die da offiziell verabschiedet wurden. Generaloberst BURLAKOW meldete an Präsident JELZIN und Bundeskanzler Kohl die Beendigung des Abzuges.

Am 9. September 1994, 10.03 Uhr, meldete Generaloberst TERENTJEW vor seiner startbereiten IL-76 an die deutschen Vertreter:

„Als letzter russischer Militär verlasse ich jetzt Deutschland!"

Wenige Deutsche merken sich solche Details. Was bleibt ist, die Besatzungsmacht gab Deutschland die volle Souveränität zurück und ist weg. Das hat die Russen den Deutschen zu Freunden gemacht!

Der 'Kalte Krieg' war Geschichte, aber der Hegemon erstarkt!

Aus dem ehemals mächtigen Gegner im 'Kalten Krieg' der Sowjetunion, plump gesagt, dem Reich des Bösen, war Russland geworden, in dem sich eine Zivilgesellschaft etablierte.

Zum ersten Mal in der Geschichte der deutsch-russischen Beziehungen konnte ein russisches Staatsoberhaupt im Bundestag eine Rede halten. Wladimir PUTIN wurde als ausgewiesenem Deutschlandkenner und Deutschlandfreund diese Ehre 2001 zuteil.

„Europa kann seinen Ruf als mächtiger und selbstständiger Mittelpunkt der Weltpolitik langfristig nur festigen, wenn es seine eigenen Möglichkeiten mit den russischen menschlichen, territorialen und Naturressourcen sowie mit den Wirtschafts-, und Kulturpotenzialen Russlands vereinigt."

Er gebrauchte die Beschreibung eines gemeinsamen Hauses, in welchem Europäer nicht in östliche und westliche, in nördliche und südliche geteilt werden, sondern sah die geografische Ausdehnung des Daches von Lissabon bis Wladiwostok.

Die mit der Abrüstung einhergehende Friedenspolitik wird für Deutschland, Russland und Europa eine riesige Dividende abwerfen. Das waren die Visionen, in denen sich die Mandatsträger mit Putin einig schienen. Das hatte seine aktuelle, tiefe Bedeutung!

1999, wie ein Feigenblatt im Wind, gingen bundesdeutschen Politikern die militärischen Lehren aus zwei verlorenen Kriegen im 20. Jahrhundert verlustig. Sie implementierten Deutschland als Kriegspartei (Nato) in den Jugoslawien-Krieg – befahlen deutschen Truppen den Einmarsch in das KOSOVO und ließen von der Luftwaffe 18 Tage lang Städte und Dörfer bombardieren.

„Die Deutsche Freiheit wird auch am Hindukusch verteidigt!"

In dieser Denkart formte der deutsche Verteidigungsminister Peter STRUCK den traditionellen Verteidigungsauftrag der Bundeswehr um. Im Umkehrschluss könnten demzufolge X-beliebige Länder in ihren Militärdoktrinen festlegen, dass deren Verteidigung am Rhein stattfindet. So sieht das nicht nur die Friedensbewegung.

Deutschland als Vasall dem Hegemonialanspruch der USA dienend - davor warnten Experten für die Themenbereiche Naher Osten und Islam. Einer von ihnen war SCHOLL-LATOUR, der die Rolle der USA und Großbritanniens als über den Essentials der UN stehend, bei den geplanten und geführten Kriegen in Afghanistan und im Irak analysierte. Aufgrund seiner Erfahrungen in diesen Regionen sagte er bereits im Vorfeld ein langfristiges Scheitern der Invasion voraus und belegte das nicht nur mit Afghanistan, sondern auch an vielen anderen Beispielen.

Roland musste erkennen, die Lässigkeit mit der im Bundestag Auslandseinsätze der Bundeswehr abgesegnet und ihre Verlängerung durchgewunken werden, zeigt, dass der national verinnerlichte Wertekanus „Nie wieder Krieg!" seiner Kriegs-und Nachkriegsgeneration, den Nachgeborenen, heute im Bundestag sitzenden Abgeordneten, verloren gegangen ist.

Epilog

Wenn man gesellschaftspolitische Entwicklungen als einen Prozess begreift, der Geduld erfordert, dann hat Roland oft schnell geurteilt. Bei aller Kant'schen Veranlagung, Dinge zu bedenken und zu tun - die Vormundschaft eines staatlichen Informationsmonopols trug ihr Übriges dazu bei.

Roland lebte gerne in der Demokratie. Er akzeptierte, dass es sich hierbei um die Macht der Mehrheit über die Minderheit handelte.

Auch eine Art von Diktatur - seinen Schutz als Individuum glaubte er mit dem Grundgesetz abgesichert.

Die Informationsflüsse sind vielfältig - die heutige Generation ist online. Das Internet beschleunigt einen Erkenntnisschub, demzufolge sich Netzwerkstrukturen bilden, die schnell eruieren, ob die Prinzipien von Rechtsstaatlichkeit verletzt sind. Die Sensibilität der Öffentlichkeit wurde in der Corona-Pandemie sichtbar, als staatlich verordnet, die Bewegungsfreiheit des Einzelnen eingeschränkt wurde.

Den Entscheidungsträgern im Establishment ganz allgemein und den unüberschaubaren Machtzentralen Brüssel und Berlin im Besonderen ist neben dem parlamentarischen Automatismus eine weitere Kompetenz erwachsen.

Das geht in Ordnung!

Diogenes:
„Politiker, die blasen frech, ein immer gleiches Phrasen-Blech......“
Saul:
„Wobei sie in Debatten logen, dass Balken sich wie Latten bogen!

Alfons Regnet, alias Diogenes

Anno 2020 – Lebende Akteure und Zeitzeugen

Angelika: Angelika Hoffmann, 2 Töchter, 4-fache Großmutter, Schlesw.-Holst.

Der Lange: Dr. h.c. Günther Dilling + Ehefrau Elke, Niedersachsen

Dirk: D. Herrmann, Rentner, Deutschland

Franzke: Norbert Franzke, Maler + Autor, Thailand

Frenzel: Dr. Jahn-Günter Frenzel, Zahnarzt, eigene Praxis in Berlin

Heidrowski: Hartmut Heidrowski, Zahnarzt, Berlin

Holzapfel: Schreibender Rentner + Ehefrau Tatjana, Berlin

Krause: Dipl.-Ing. Jens Krause, Staatssekretär a.D., Berlin

Peter: Dipl.-Ing. P. Behrens + Familie, Segelflieger, Berlin

Remuss: RA Christian Remuss, Berlin

Ü. Salm: RA Ülo Salm, Berlin

Verfasser: *Wohnpark in Berlin*

Werner: Dr. Werner Mäder, Ltd. Senatsrat a. D., mit Gisela in Berlin

Winfried: W. Günther, Berlin

Die Reihen lichten sich - Einschläge kommen näher....